HISTOIRE DE L'ÉGLISE

(2e PARTIE)

HISTOIRE DE L'ÉGLISE
DEPUIS LES ORIGINES JUSQU'A NOS JOURS

Fondée par Augustin FLICHE & Victor MARTIN
Dirigée par J.-B. DUROSELLE & Eugène JARRY

9

Du premier
Concile du Latran
à l'avènement
d'Innocent III

2ème PARTIE

par

Raymonde FOREVILLE   Jean ROUSSET de PINA

*Professeur à la Faculté
des Lettres de Rennes*

*Conservateur de la Bibliothèque
de Tunis*

BLOUD & GAY

1953

HISTOIRE de L'ÉGLISE

DEPUIS LES ORIGINES JUSQU'A NOS JOURS

Fondée par Augustin FLICHE & Victor MARTIN

Dirigée par J.-B. DUROSELLE & Eugène JARRY

9

Du premier
Concile du Latran
à l'avènement
d'Innocent III

2ème PARTIE

Raymonde FOREVILLE

Jean ROUSSET de PINA
de Tunis

BLOUD & GAY

1953

Il arrivait parfois à M. Fliche d'imaginer, sans y croire, qu'il ne verrait pas l'achèvement de la grande œuvre dont il avait été le fondateur, le directeur et le plus important des collaborateurs. Il nous disait alors : « Si je meurs, je souhaiterais que M. Duroselle puisse me remplacer. »

C'est aussi à M. Duroselle que les éditeurs ont songé, après consultation des collaborateurs de l'Histoire de l'Église, quand M. Fliche nous a quittés.

Nous ne pouvons qu'exprimer ici notre reconnaissance à M. Duroselle d'avoir bien voulu accepter.

La thèse de M. Duroselle sur les Débuts du catholicisme social en France 1822-1870 *(Paris, 1951) a révélé au monde catholique, sinon au public savant, la maîtrise de l'historien. Ses amis la connaissaient déjà. Et l'Université l'a consacrée en désignant M. Duroselle comme doyen de la jeune Faculté des Lettres de la Sarre.*

Nous n'avons d'autre ambition que de continuer et d'achever l'œuvre de M. Fliche, dans l'esprit même de son fondateur. La plupart des collaborateurs avaient déjà été choisis et sont à l'œuvre. Le rythme de la publication sera accéléré dans toute la mesure du possible. Et nous voulons espérer que 1956 en verra l'achèvement.

E. JARRY

Nous nous excusons de la publication tardive de cette seconde partie du t. IX.

Une succession de contretemps a retardé d'une façon imprévisible l'achèvement d'un travail dont une partie notable était déjà rédigée en 1939.
Voir table des matières, p. 383.

LIVRE II

LA PAPAUTÉ ET L'ORDRE TEMPOREL
DE 1154 A 1198

LIVRE II

LA PAPAUTÉ ET L'ORDRE TEMPOREL
DE 1154 À 1198

CHAPITRE PREMIER

LE PONTIFICAT D'ADRIEN IV [1]

§ 1. — L'État pontifical et la papauté à la fin de l'année 1154.

LA CHRÉTIENTÉ OCCIDENTALE EN 1154. L'AVÉNEMENT DE HENRI II PLANTAGENET

En décembre 1154, alors que s'achevait le court pontificat d'Anastase IV (12 juillet 1153 - 3 décembre 1154) et que les cardinaux élevaient au siège de Pierre l'Anglais Nicolas Breakspear, évêque d'Albano, les royaumes occidentaux avaient, pour la plupart, changé de maîtres. Louis VII, revenu de

(1) BIBLIOGRAPHIE. — I. SOURCES. — Documents originaux de la Chancellerie pontificale, bulles et privilèges d'Adrien IV : *P. L.*, CLXXXVIII (258 lettres) ; un nombre plus considérable se trouve cité dans JAFFE-WATTENBACH, *Regesta Pontificum Romanorum*, t. II, Leipzig, 1888 ; enfin W. HOLTZMANN, *Papsturkunden in England*, 2 vol., Berlin, 1930-31 et 1935-36 (dans *Abhandlungen der Gesellschaft der Wissenschaften zu Göttingen*, Neue Folge, philologisch-historische Klasse), publie des bulles pour la plupart inédites. A. W. HADDAN and W. STUBBS, *Councils and ecclesiastical Documents relating to Great Britain and Ireland*, 3 vol., Oxford, 1869-1878, signale certaines décisions d'Adrien IV, et l'on trouvera réunis dans U. CHEVALIER, *Codex diplomaticus Ordinis S. Rufi*, Valence, 1891, les privilèges d'Adrien IV concernant le monastère de Saint-Ruf. Pour le Patrimoine de saint Pierre, consulter *Le Liber Censuum de l'Église romaine*, édit. P. FABRE, et L. DUCHESNE, Paris, 1910), ainsi que P. F. KEHR, *Italia pontificia*, t. I-VIII, Berlin, 1906-1935. — Pour la biographie d'Adrien IV, l'ouvrage capital par son caractère semi-officiel, son information de première main et sa parfaite objectivité est assurément BOSON, *Vita Adriani papae IV* (édit. L. DUCHESNE, au t. III du *Liber Pontificalis*, Paris, 1892, p. 388 et suiv. ; WATTERICH, *Pontificum Romanorum vitae ab aequalibus conscriptae*, t. II, Leipzig, 1862, p. 233 et suiv.). Sur l'enfance et la jeunesse du pape anglais, on complètera utilement par GUILLAUME DE NEWBURGH, *Historia Anglicana*, II, VI (*Rolls Series*, p. 109 et suiv.). La mission de Scandinavie est décrite par SAXO GRAMMATICUS, *Gesta Danorum ou Historiae Danicae*, XIV (édit. P. E. MULLER, 2 vol., Hauniae, 1839-1858 ; édit. J. OLRIK et H. RAEDER, t. I, Hauniae, 1931).
Rapports du pontife avec les princes chrétiens. Pour l'Angleterre et l'Irlande, nous avons un témoignage de grande valeur, celui de Jean de Salisbury, *Policraticus*, VI, XXIV, VII, XXI et VIII, XXIII et *Metalogicon*, IV, XLII (édit. J. A. GILES, t. III et IV des *Œuvres*, Oxford, 1848, reproduite par MIGNE, *P. L.*, CXCIX ; édit. C. C. I. WEBB, Oxford, 1909 et 1929). Par contre, sur les rapports du pontife avec Frédéric Ier Barberousse et les débuts de la lutte du Sacerdoce et de l'Empire, sur sa politique italienne et ses relations avec les cités lombardes et avec le roi de Sicile, nous sommes tributaires des sources italiennes et germaniques généralement partiales. Utilisées avec précaution, elles fournissent cependant des renseignements précieux, notamment sur les derniers événements du pontificat plutôt négligés par Boson. Les principales sont : RAOUL, *Annales Mediolanenses* ; OTTO MORENA, *Historia rerum Laudensium et Continuatio* par ACERBUS MORENA (dans *Monumenta Germaniae Historica, Scriptores*, t. XVIII, p. 359-378 et 587-643). Le premier est favorable à la politique pontificale, le second à la cause impériale. Il y faut ajouter les historiens officiels de l'Empire, apologistes de Barberousse : OTTON DE FREISING, *De gestis Friderici I*, encore très modéré, qui ne mène pas au delà de 1156, et son continuateur RAHEWIN, beaucoup plus mordant, qui poursuit jusqu'en 1160 (Cf. l'un et l'autre dans les *Monumenta Germaniae Historica, Scriptores*, t. XX, p. 352-491). A signaler enfin, pour mémoire, deux poèmes de la fin du XIIe siècle, en l'honneur de l'empereur : GEOFFROI DE VITERBE, *Gesta Friderici* (Ibid., t. XXII, p. 307-338) et GUNTHIER, *De rebus gestis Friderici Aenobarbi* (*P. L.*, CCXII, col. 261-476).
II. TRAVAUX. — Vie et res gestae d'Adrien IV : CIACONIUS, *Vitae et res gestae pontificum Romanorum et S. R. E. cardinalium*, t. I, Rome, 1677 ; R. RABY, *Pope Adrian IV, an historical sketch*, Londres, 1849 ; H. MACQUIN, *La plus grande gloire des Anglais, histoire du pape Adrien IV*, Paris, 1854 ; CH. DIDELOT, *Le pape Adrien IV à Valence* (dans *Bulletin de la Société départementale d'Archéologie et de Statistique de la Drôme*, t. XXV, 1891, p. 5-50) ; A. H. TARLETON, *Nicholas Braekspear, Englishman and Pope*, Londres, 1896 ; L. C. CASARTELLI, *The English Pope* (dans *Dublin Review*, t. CXXX, 1902, p. 77 et suiv.) ; J. D. MACKIE, *Pope Adrian IV* (*The London Essay*, Oxford, 1907) ; F. M. STEELE, *The Story of the English Pope*, Londres, 1908 ; H. K. MANN, *The Lives of the Popes in the early Middle Ages*, t. IX, Londres, 1914, p. 231-340.
Relations avec les États chrétiens : Arne Odd JOHNSEN, *Studier vedrorende kardinal Nicolaus*

la Croisade, sans même avoir tenté de reconquérir Édesse, avait perdu son meilleur guide en l'abbé Suger, mort le 13 janvier 1151, et n'avait pas tardé à répudier une épouse volage et acariâtre ; il allait régner de longues années encore sur un domaine affaibli et diminué. Par contre, Henri II Plantagenet, nouvel époux d'Aliénor d'Aquitaine (mai 1152), ceignait la couronne d'Angleterre à la suite de l'accord de Wallingford (novembre 1153) et de la mort d'Étienne de Blois (25 octobre 1154).

Ce jeune prince, au tempérament impétueux et volontaire, irascible et dissimulé, alors dans toute la vigueur de la jeunesse et le triomphe d'une gloire nouvelle, réunissait sur sa tête trois héritages : la succession anglo-normande par sa mère l'impératrice Mathilde, fille de Henri Ier d'Angleterre [1], la succession angevine par son père Geoffroy Plantagenet, époux en secondes noces de Mathilde, la succession de Guillaume d'Aquitaine enfin par sa femme [2]. Sa domination, encore réduite au royaume d'Angleterre proprement dit dans la région insulaire, s'étendait sur près des deux tiers du royaume de France alors limité à l'Est par l'Escaut, la Meuse, la Saône et le Rhône ; bientôt suzerain de la Bretagne [3], il possédait toute l'étendue du littoral océanique d'Eu à Bayonne ; ses prétentions ou ses droits lui donnaient accès jusqu'au Toulousain, à l'Auvergne et au Velay, avec un regard sur la vallée du Rhône [4]. Décidé

Brekespears legasjon til Norden (1152-1154), Oslo, 1945 ; T. B. WILLSON, History of the Church and State in Norway, Londres, 1903 ; J. MARTIN, L'Église et l'État en Suède au moyen âge (dans Revue des Questions historiques, t. LXXVII, 1905, p. 54-83) ; E. A. FREEMAN, Historical Essays, 1st Series, Frederic I, King of Italy, Londres, 1871 ; G. B. SIRAGUSA, Il regno di Guglielmo I in Sicilia, Palerme, 1885-1886 ; F. CHALANDON, Histoire de la domination normande en Italie et en Sicile, 2 vol., Paris, 1907. La concession de l'Irlande à Henri II et la bulle Laudabiliter ont fait couler beaucoup d'encre ; des articles anonymes tels que Adrian IV and Henry II (dans United States catholic magazine, 1845) et une longue étude intitulée Adrien IV et l'Irlande (dans les Analecta Juris pontificii, t. XXI, 1882, p. 257-397) ; dom F. A. GASQUET, Adrian IV and Ireland (dans Dublin Review, t. X, 1883, p. 83-103) ; P. SCHEFFER-BOICHORST, Hast Papst Hadrian IV zu gunsten des englischen Königs über Ireland verfugt (dans Mittheilungen des Instituts für oesterreichische Geschichtsforschung, Ergänzungsband, IV, 1893, p. 101-122) ; K. NORGATE, The bull Laudabiliter (dans English historical Review, t. VIII, 1893, p. 18-52) ; J. von PFLUGK-HARTUNG, Drei Breven päpstlicher Machtfälle im XI. und XII. Jahrhundert (dans Deutsche Zeitschrift für Geschichtswissenschaft, t. X, 1893, p. 323-331) ; J. H. ROUND, The commune of London, Essay VIII, The pope and the conquest of Ireland, Londres, 1899 ; O. J. THATCHER, Studies concerning Adrian IV (The University of Chicago decennial publications, 1903, 1st Ser., vol. IV, p. 153-178) ; H. THURSTON, The English Pope and the Irish bull (dans The Month, Londres, 1906, p. 418-428) ; ID., art. England (dans Encyclopaedia catholica, 1909, t. V, p. 436) ; G. H. ORPEN, Ireland under the Normans, t. I, Oxford, 1911, p. 281 et suiv., 399-400 ; R. I. BEST, Bibliography of Irish philology and of the printed Irish literature, Dublin, 1913 ; Ch. BÉMONT, La bulle Laudabiliter, dans Mélanges Lot, Paris, 1925, p. 41-53 ; R. FOREVILLE, L'Église et la Royauté en Angleterre sous Henri II Plantagenet, Paris, 1943, p. 82 et suiv., 494 et suiv.

(1) Héritage de Henri Ier Beauclerc, père de Mathilde. Le royaume d'Angleterre ne revint au Plantagenet qu'après la mort d'Étienne de Blois (1154) ; conquis par Geoffroy comte d'Anjou en 1144 et réuni d'abord au comté, le duché de Normandie échut à Henri en raison des droits de sa mère ; il en fut proclamé duc entre 1148 et 1150.

(2) Aliénor, fille et héritière de Guillaume X d'Aquitaine.

(3) En 1156 le frère cadet de Henri II était proclamé comte par les habitants de Nantes ; en 1158 Henri II lui-même allait exciper du titre de sénéchal de France, longtemps porté par les ducs de Bretagne, pour prendre possession de Nantes et de la Bretagne française, et le duc Conan IV ne devait pas tarder à résigner ses droits entre les mains du roi d'Angleterre.

(4) Les comtes d'Aquitaine revendiquaient Toulouse. Après son mariage avec Aliénor, Louis VII y avait dirigé une expédition (1141) ; Henri II en entreprit une similaire en 1159, vouée d'ailleurs au même échec. En 1173 le Plantagenet obtiendra de Raymond V comte de Toulouse qu'il fasse hommage-lige en sa présence à Richard Cœur de Lion, alors déjà comte de Poitou. Dans le même temps, il conclura un traité avec Humbert III comte de Maurienne : par le projet d'alliance de son fils Jean avec l'héritière du comte, Henri II s'efforcera d'étendre son influence par delà l'Auvergne et le Velay hors des limites politiques du royaume de France. Gesta Regis Henrici secundi, édit. STUBBS (Rolls Series), t. I, p. 36-41.

à rétablir l'ordre dans son royaume troublé par les luttes féodales du temps d'Étienne, à affermir son autorité sur toutes ses possessions, Henri II, qui allait trouver ses meilleurs collaborateurs dans le clergé anglo-normand, a été accueilli avec espoir comme un prince respectueux du pouvoir ecclésiastique ; satisfait et flatté de l'accession d'un Anglais au trône de Pierre, et encore sous l'influence de Théobald archevêque de Cantorbéry, il manifeste son désir de bonne entente avec Rome.

LE DANGER ALLEMAND   Autrement menaçant pour le Saint-Siège apparaît le puissant roi de Germanie, Frédéric Ier Barberousse, qui, élu en mars 1152, n'a trouvé jusqu'ici aucun obstacle sérieux à ses prétentions : visant à restaurer dans sa plénitude l'Empire romain, il fait peser le poids de son autorité sur les princes ecclésiastiques comme sur les princes laïques, n'hésite pas plus à nommer et déposer les évêques de Germanie qu'à légiférer en matière ecclésiastique. Eugène III et Anastase IV ont laissé faire. Devant les exigences des Romains, ce dernier avait même abandonné la politique traditionnelle d'entente avec les princes normands de l'Italie du Sud. Croyant trouver quelque efficacité immédiate dans le secours impérial, Eugène III avait conclu une alliance avec Barberousse : par le traité de Constance (mars 1153), il avait promis au roi de Germanie la couronne impériale ; de son côté, Barberousse devait réduire les Romains en rébellion et les soumettre à l'autorité pontificale. Le pape et l'empereur s'étaient engagés à ne pas conclure de paix séparée soit avec la République romaine, soit avec le roi de Sicile [1]. Mais l'empereur n'avait montré jusqu'ici aucun empressement à secourir l'Église romaine ; en fait, il avait seulement remis à plus tard son dessein d'hégémonie impériale sur l'Italie qu'il entendait bien asservir à la domination germanique : dès la fin de l'année 1152, il avait fixé l'expédition à l'automne 1154 [2].

LA PUISSANCE SICILIENNE   Si le traité de Constance était resté lettre morte, il n'en avait pas moins achevé d'aliéner à la papauté l'amitié de Roger II de Sicile. Sous l'impulsion de ce prince, le royaume normand était devenu un État prospère, assez fortement centralisé, bien que Grecs et Sarrasins y fussent encore soumis à leurs propres lois, et avait rapidement étendu son influence sur toute l'Italie méridionale. La prompte ascension de la puissance sicilienne n'avait pas laissé d'inquiéter aussi bien les papes que les empereurs. Le roi, qui avait d'abord reconnu l'antipape Anaclet, avait été chassé d'Apulie par Lothaire III et Innocent II qui se proposaient de conférer le duché au comte Renaud. Plus tard, Roger II avait eu la chance de tenir le pape à sa merci et d'en obtenir les mêmes avantages que ceux auparavant concédés par l'antipape : il lui fit hommage pour la Sicile, l'Apulie et la Calabre, et reçut ainsi confirmation de ses prétentions

---

(1) Cf. t. IX, Ire partie, p. 90.
(2) OTTON DE FREISING, De gestis Friderici I, II, XI.

sur l'Italie méridionale (accord de Mignano, 25 juillet 1139) [1]. L'entente du roi de Sicile et de la papauté, assez précaire encore, fut rompue par le traité de Constance : le Sicilien était fondé à considérer désormais le pontife romain comme l'allié du roi de Germanie, son ennemi.

AVÉNEMENT DE GUILLAUME Ier   Heureusement pour le Saint-Siège, le prince énergique, le politique avisé qu'était Roger II disparut le 26 février 1154. Son fils, Guillaume Ier, couronné solennellement le jour de Pâques (4 avril 1154), paraissait peu appliqué aux affaires : au milieu d'un véritable harem, entouré de musulmans, adonné aux plaisirs, passionné de discussions philosophiques, il faisait figure de monarque oriental [2].

Si l'indolence de Guillaume Ier écartait la crainte d'une attaque imminente du Patrimoine vers le Sud, toutefois la position des États de l'Église se trouvait considérablement affaiblie du fait de l'hostilité des Normands qui privait le pape de la seule alliance capable d'opposer une résistance effective à la poussée germanique.

De son côté, l'empereur avait résolu d'attaquer le roi de Sicile ; à la diète de Wurzbourg en juillet 1152, il avait reçu l'appel des barons d'Apulie et celui de Robert, prince de Capoue, dépouillés de leurs fiefs par Roger II, qui les avait incorporés à la couronne. Barberousse enfin ne pourrait tarder longtemps à réclamer le fruit de l'alliance de Constance, la couronne impériale âprement convoitée, ni à prendre possession de la Ville éternelle : en octobre 1154, ayant franchi le Brenner, il apparaissait en Lombardie, décidé à exiger la fidélité des cités et des princes et à poursuivre sa marche sur Rome pour y recevoir la couronne impériale [3].

LA RÉPUBLIQUE ROMAINE.   Or, à Rome même, la papauté avait perdu
ARNAUD DE BRESCIA [4]   toute autorité : Arnaud de Brescia, revenu à Rome en 1148, fortifié dans la cité léonine, avait pratiquement abandonné au Sénat romain et aux tribuns du peuple l'exercice du pouvoir temporel. Sous le couvert du Sénat, il dominait toujours la Ville.

IMMINENCE ET GRAVITÉ   L'ambition redoutable de Barberousse, ap-
DU PÉRIL   puyée sur une force guerrière considérable pour l'époque, le triomphe momentané d'Arnaud de Brescia et de la République romaine, les attaques répétées des Normands de Sicile à la frontière des États de l'Église et sur le territoire de Bénévent, menaçaient de décadence et de ruine le patrimoine de l'Église romaine en Italie. A ce triple péril s'ajoutait une grave incertitude : des négociations étaient en cours entre le roi de Germanie et l'empereur grec ; en 1154, l'alliance des deux empereurs pouvait appa-

(1) F. CHALANDON, *Histoire de la domination normande en Italie et en Sicile*, t. II, 7, p. 89-90.
(2) *Ibid.*, p. 174-175.
(3) OTTON DE FREISING, *De gestis Friderici I*, II, xi ; *Annales Mediolanenses*, a. 1154.
(4) Sur l'hérésiarque, cf. t. IX, Ire partie, p. 89, 99-102.

raître comme probable ; l'enjeu en était la domination de l'Italie que tous deux revendiquaient [1] ; s'il y avait peu de chances de les voir jamais s'entendre pour partager l'objet de leurs convoitises, du moins pouvaient-ils conjuguer leurs efforts de conquête : par les Alpes et à travers l'Adriatique, la papauté, comme la monarchie sicilienne, risquait d'être prise dans la tenaille d'une double étreinte.

En une telle conjoncture, l'élection du 4 décembre 1154, qui portait au pouvoir l'Anglais Nicolas Breakspear, cardinal évêque d'Albano, prend toute la valeur d'un manifeste.

L'ÉLECTION D'ADRIEN IV   Ayant rendu les derniers devoirs à la dépouille mortelle d'Anastase IV qu'ils inhumèrent au Latran dans un sarcophage antique, lequel aurait, croit-on, recueilli d'abord les restes de sainte Hélène, mère de l'empereur Constantin [2], les cardinaux s'assemblèrent à Saint-Pierre pour y traiter de l'élection d'un successeur. Ils ne tardèrent pas à se mettre d'accord sur le nom de Nicolas d'Albano qui, élu à l'unanimité le jour même par les cardinaux, fut acclamé par la foule du clergé et du peuple. Intronisé le lendemain 5 décembre, le nouveau pontife prit le nom d'Adrien IV [3]. C'était la première fois qu'un Anglais gravissait les degrés du trône de Pierre et l'exemple devait demeurer unique dans l'histoire.

UN PAPE ANGLAIS   A vrai dire, les origines d'Adrien IV sont assez mal connues ; Boson, le biographe officiel, son compatriote et son neveu pourtant, se montre très discret [4]. Un autre compatriote et contemporain du pape, Guillaume de Newburgh, dans son *Historia Anglicana*, nous rapporte quelques détails sur les premières années [5] ; le major Tarleton enfin a recueilli pieusement des traditions locales encore vivantes aujourd'hui sur la famille Breakspear [6].

Nicolas Breakspear naquit vraisemblablement entre 1110 et 1120 dans le Hertfordshire, à Abbot's Langley, non loin de l'abbaye de Saint-Alban, mais les ancêtres du pape seraient sortis du hameau de Breakspears sur la paroisse de Harefield (Middlesex), aux confins du Hertfordshire. Le père de Nicolas, Robert, peut-être un cadet de la famille, aurait vécu assez misérablement avec sa femme et ses deux fils qu'il aurait quittés pour se faire moine à Saint-Alban [7]. Ayant atteint l'adolescence, l'enfant

(1) OTTON DE FREISING, II, xi.
(2) H. K. MANN, *The lives of the Popes in the Middle ages*, t. IX, p. 229-230.
(3) W. HOLTZMANN, *Papsturkunden in England*, 1936, p. 257, n° 83 ; BOSON, *Vita Adriani Papae*, édit. DUCHESNE, au *Liber Pontificalis*, t. II, p. 389 ; GUILLAUME DE NEWBURGH, *Historia Anglicana*, II, vi.
(4) *Op. cit.*, p. 388 ; il indique seulement l'origine anglaise et le séjour à Arles de Nicolas Breakspear.
(5) GUILLAUME DE NEWBURGH, *Historia Anglicana*, II, vi.
(6) Cf. A. H. TARLETON, *Nicolas Breakspear, Englishman and Pope*.
(7) On ne saurait préciser au juste le moment où le père de Nicolas, Robert Breakspear, reçut les ordres : pour certains il était encore un laïque à son entrée à Saint-Alban ; pour d'autres, il aurait déjà reçu les ordres mineurs et Adrien IV serait le fils d'un pauvre clerc. On alla même jusqu'à accuser le pape d'être fils de prêtre et RALPH DE DICETO (*Ymagines Historiarum*, a. 1161) paraît autoriser cette interprétation : *Nicholaus... ex patre presbitero*. L'empereur Barberousse parla de déposer Adrien IV en alléguant ce prétexte qui, rapporté par Innocent III, n'est pas démenti (INNOCENT III, dans *P. L.*, CCXVI, 1029) : *opponens ei quod esset filius sacerdotis*.

aurait sollicité son admission au même monastère, mais essuyé un refus de
l'abbé et de dures paroles de son père : le jugea-t-on insuffisamment doué
ou paresseux à l'ouvrage ? Refusa-t-on seulement de se charger d'une
bouche inutile pour l'instant, après avoir accepté le soutien de la famille ?
Toujours est-il qu'on lui conseilla de s'instruire avant de postuler à nouveau. Nous ne saurons sans doute jamais la cause réelle de cette première
rebuffade : elle est cependant à l'origine de la fortune étonnante de
Nicolas Breakspear.

Honteux de n'avoir d'autre alternative sur le sol natal que de labourer
ou de mendier son pain, il préféra s'expatrier et vint en France pour y
fréquenter les écoles. C'est ainsi qu'il étudia à Paris non sans succès, y
rencontra peut-être Jean de Salisbury et noua avec lui cette amitié
parfaite et cette intimité charmante qui restent le privilège de l'adolescence et dont il saura préserver toute la fraîcheur jusque sous la tiare
et au seuil même de l'éternité [1]. Il gagna ensuite le midi, séjourna peut-être
quelque temps comme pauvre clerc à Saint-Jacques-de-Melgueil, dans le
diocèse de Maguelone [2], étudia encore à Arles et finit par entrer au monastère de Saint-Ruf-hors-les-murs près d'Avignon, ordre local de chanoines
réguliers [3] ; il devait y prendre l'habit et se distinguer par son abord
agréable et ouvert, son assiduité au labeur intellectuel, sa promptitude
à l'obéissance, sa fidélité aux observances régulières et la sagesse de ses
paroles. Il acquit, nous dit Guillaume de Newburgh, un haut degré de
science et d'éloquence [4].

Élu prieur probablement en 1137, Nicolas Breakspear fut, à la mort de
l'abbé Guillaume (vers 1139), choisi à l'unanimité pour abbé [5]. Mais la
bonne entente n'allait point durer. L'esprit de zizanie souffla sur la communauté, et, soit que l'intégrité de mœurs de l'abbé fût un reproche vivant
au relâchement des frères, soit qu'il eût mis trop de vigueur à réprimer
leurs manquements ou trop d'intransigeance dans l'administration
des biens communs, les chanoines se repentirent vite, comme le suggère

(1) Malgré les travaux de R. L. POOLE, la chronologie de Jean de Salisbury n'est pas établie
avec certitude : il était probablement plus jeune qu'Adrien IV, mais la grande intimité du pape
avec lui ne s'explique que par des liens de jeunesse, formés avant même que l'abbé de Saint-Ruf
ne vînt à la cour d'Eugène III où Jean de Salisbury était simple clerc de chancellerie.
(2) Cf. CIACONIUS, *Vitae et res gestae pontificum Romanorum*, t. I, p. 1044, d'après des sources
tardives, telles que BERNARD GUI et AMALRIC AUGER (dans MURATORI, *Rerum Italicarum Scriptores*, t. III-1, p. 440, et III-2, p. 371).
(3) Didelot s'est donné beaucoup de mal pour établir le séjour de Nicolas Breakspear à Valence :
c'est là dans le monastère de Saint-Ruf dépendant de l'abbaye du même nom près d'Avignon
que le futur pape aurait trouvé refuge, pris l'habit et finalement géré la charge de prieur (Ch. DIDE-
LOT, *Le pape Adrien IV à Valence*, dans *Bulletin de la Société départementale d'Archéologie et de
Statistique de la Drôme*, t. XXV, 1891, p. 20-25). L'auteur tire son principal argument d'une affirmation de Jean de Salisbury dont il apprécie à juste titre le témoignage. Encore, faudrait-il le
citer directement au lieu de se référer à Ciaconius qui, pour la circonstance, reproduit Hélinand.
Ce dernier a interprété les dires de Jean de Salisbury en situant à Valence le monastère de Saint-
Ruf. Mais, c'est en 1158 seulement, et de l'assentiment d'Adrien IV lui-même, que l'abbaye de Saint-
Ruf d'Avignon fut transférée à Valence. Jean de Salisbury dit seulement : *Sed nunquam a natali
solio Angliae malle exisse aut in claustro beati Rufi perpetuo latuisse dicit [Adrianus] quam tantas,
...intrasse angustias (Policraticus, VIII, XXIII).* Pour la glose *beati Rufi apud Valentiam,* cf. HELI-
NAND, *Chronique,* a. 1154. Sur la règle suivie à Saint-Ruf, cf. Ch. DEREINE, *Saint-Ruf et ses coutumes
aux XIᵉ et XIIᵉ siècles,* dans la *Revue bénédictine,* t. LIX, 1949, p. 161-182.
(4) *Historia Anglicana,* II, VI.
(5) BOSON, p. 388. Guillaume, abbé de Saint-Ruf, est encore mentionné en 1139, pour la
dernière fois d'ailleurs, dans la souscription d'un acte de vente. Cf. U. CHEVALIER, *Codex
diplomaticus Ordinis S. Rufi,* p. 30.

Guillaume de Newburgh, d'avoir porté à leur tête un étranger, admis par charité dans le monastère ; ils finirent par citer leur abbé au tribunal apostolique. Eugène III accueillit leurs plaintes, mais s'employa à réconcilier les parties et à rétablir l'abbé dans son autorité. La paix ne dura pas longtemps : Nicolas dut comparaître de nouveau devant le pape qui, cette fois-ci, renvoya les plaignants en leur ordonnant de choisir un supérieur avec lequel ils condescendissent à vivre en bon accord [1].

Eugène III retint l'abbé dont il avait pu apprécier l'intelligence, le savoir, l'énergie et la patience, l'ordonna évêque d'Albano [2] et l'attacha ainsi définitivement au service de l'Église romaine près de laquelle Nicolas retrouva son ami, Jean de Salisbury, alors clerc de la Chancellerie pontificale [3]. Des missions qui durent être confiées au nouveau cardinal, nous ne connaissons que celle de Scandinavie, sinon l'unique, du moins la plus importante.

LA MISSION DE SCANDINAVIE Les royaumes scandinaves, Norvège et Suède, n'avaient reçu d'organisation ecclésiastique régulière par l'établissement d'un épiscopat qu'aux Xe et XIe siècles ; libérés de la dépendance de l'archevêque de Hambourg, ils avaient été intégrés dans le ressort métropolitain de Lund (Danemark) par le pape Pascal II au début du XIIe siècle. Depuis lors, ils ne cessaient d'importuner Rome pour obtenir une métropole nationale. De fait, ils étaient troublés par des luttes entre Scandinaves et Goths, principalement en Suède, et par des rivalités dynastiques qui, depuis 1136, date du meurtre de Harold Gille-Christ, opposaient ses trois fils, Sigurd, Inge et Eysten, et ensanglantaient le royaume de saint Olaf [4].

La mission romaine de Scandinavie s'avérait donc particulièrement délicate. Outre les susceptibilités nationales, l'opposition des tempéraments nordique et latin nécessitait un homme qui sût joindre à l'intelligence d'une situation exceptionnellement tragique, la décision pour trancher dans les cas difficiles qui ne manqueraient pas de se présenter et l'autorité pour obtenir l'exécution et le respect des mesures qu'il serait amené à prendre. Eugène III nomma légat dans les pays scandinaves, jadis évangélisés par des missionnaires anglo-saxons, l'évêque d'Albano, auquel il laissa, semble-t-il, une assez grande liberté d'action.

Parti de Rome vers mars 1152, le cardinal Breakspear rendit visite à ses parents et revit son hameau natal. De là, il fit voile vers la Norvège [5]

(1) *Historia Anglicana*, II, VI ; BOSON indique seulement qu'Eugène III retint l'abbé de Saint-Ruf venu à la curie pour régler des affaires incombant à son gouvernement, p. 388.

(2) Entre février 1147 et janvier 1150 : le 29 janvier 1147, Eugène III adressait encore une bulle à Nicolas abbé de Saint-Ruf (*Codex diplomaticus Ordinis S. Rufi*, p. 30-31) ; la souscription Nicolas évêque d'Albano, apparaît pour la première fois le 30 janvier 1150 (JAFFE-WATTENBACH, 9370).

(3) R. L. POOLE, Introduction à l'édition de l'*Historia Pontificalis* ; ID., *John of Salisbury at the papal Court* (dans *English Historical Review*, t. XXXVIII, 1923, p. 321-330). Jean de Salisbury aurait séjourné à Viterbe en 1146, puis à Viterbe et Tusculum en 1148 ; il serait demeuré clerc du pape de 1146 à 1153. Ainsi dut-il rencontrer l'abbé de Saint-Ruf et plus tard l'évêque d'Albano.

(4) J. D. MACKIE, *Pope Adrian IV*, chap. III ; H. K. MANN, *The lives of the Popes in the early Middle Ages*, t. IX, p. 240-241. Sur la légation en Pays scandinaves, l'ouvrage essentiel est la thèse de A. O. JOHNSEN, *Studier vedrorende kardinal Nicolaus Brekespears legasjon til Norden*, Oslo, 1945.

(5) SAXO GRAMMATICUS, *Historiae Danicae*, XIV, p. 697-698.

où il réconcilia les frères ennemis, affermit le pouvoir d'Inge, réglementa le
port des armes et la paix de Dieu, assura l'indépendance et la puissance
économique de l'Église (dîme, liberté de donations, immunités), sacra enfin
Jean Birgisson archevêque de Nidaros (Trondhjem). Il érigea en métropole
ecclésiastique du royaume de Norvège cette ville dont l'église Saint-Sauveur gardait les reliques de saint Olaf. Au nouvel archevêque, il conféra le
pallium, signe d'union avec l'Église romaine et de juridiction métropolitaine : celle-ci ne s'étendait pas seulement sur les quatre diocèses de Norvège, mais encore sur ceux d'Islande, du Groenland, des Far-Oër, des
Orcades, des îles (Sodor et Man) [1]. Anastase IV, qui dans l'intervalle avait
succédé à Eugène III, devait, peu après le retour du légat, confirmer cette
nouvelle organisation ecclésiastique par une bulle adressée à Jean, archevêque de Nidaros [2].

De Norvège, Nicolas d'Albano passa en Suède, où il réunit et présida
le concile de Linköping ; il espérait mener à bien sa tâche réformatrice,
là comme précédemment. Cependant, l'hostilité des deux peuples qui
cohabitaient dans le royaume de Suède, Scandinaves au Nord, Goths
au Sud, ne devait pas lui permettre d'établir, pour lors, une métropole
suédoise ; ni les populations, ni les évêques n'eussent souffert d'être
subordonnés à un métropolitain étranger. Aussi, le légat dut-il affermir
la suprématie de Lund sur les diocèses suédois ; il n'en prépara pas moins
les voies à une entente ultérieure entre Goths et Suédois [3] : dix ans plus
tard, les uns et les autres devaient se mettre d'accord pour solliciter du
pape l'érection d'Uppsala en siège archiépiscopal. Alexandre III devait
déférer à leur désir, tout en maintenant la suprématie du primat danois
qui allait sacrer l'Anglais Étienne archevêque d'Uppsala, en présence du
pape alors en exil à Sens [4]. Le légat ne quitta pas le royaume avant d'avoir
institué la paix de Dieu et réglementé le port des armes. En Suède comme
en Norvège enfin, il établit, avec l'agrément des rois, la coutume d'un
don gratuit à l'Église romaine, connu sous le nom de denier de saint
Pierre [5].

Nicolas d'Albano atteignit enfin le Danemark où il s'employa à faire
accepter à Eskil, archevêque de Lund, l'amputation de son ressort métropolitain au profit du siège de Nidaros. Il s'efforça aussi, mais en vain,
de dissuader de son projet le roi du pays, Suein, qui préméditait de porter
la guerre en Suède. Ayant repoussé ce conseil de paix, Suein verra son
armée taillée en pièces par les Suédois qui la laisseront s'aventurer jusqu'en
Finlande [6].

Devenu pape, Nicolas d'Albano garda toujours un vif attrait pour les

(1) T. B. WILSON, *History of the Church and State in Norway*, Londres, 1903, p. 134-144.
(2) JAFFE-WATTENBACH, 9941 (Latran, 30 novembre 1154).
(3) SAXO GRAMMATICUS, *op. cit.*, p. 697-698 ; J. MARTIN, *L'Église et l'État en Suède au moyen âge*, dans *Revue des Questions historiques*, t. LXXVII, 1905, p. 58.
(4) Cf. dans *P. L.*, CCXIV, 395, une bulle d'Innocent III du 23 novembre 1198. A la fin du XIIIᵉ siècle seulement, l'archevêque d'Uppsala obtint son pallium directement de Rome ; le concile de Bâle libéra enfin définitivement le siège d'Uppsala de toute subordination envers Lund (J. MARTIN, *art. cité*, p. 60).
(5) JAFFE-WATTENBACH, 9937 et 9938, aux évêques et au roi de Suède (Latran, 28 novembre 1154). Cf. P. FABRE, *Étude sur le Liber Censuum de l'Église romaine*, Paris, 1892, p. 145, n. 1.
(6) SAXO GRAMMATICUS, *loc. cit.* ; MANN, *op. cit.*, p. 244.

régions scandinaves ; il y laissait un nom à jamais béni pour avoir, selon
l'expression de son biographe, Boson, procuré : « la paix aux royaumes,
« des lois aux barbares, la quiétude aux monastères, l'ordre aux églises,
« la discipline au clergé et un peuple d'agréable odeur à Dieu » [1].

C'est dans tout l'éclat de son remarquable succès dans la mission
de Scandinavie que Nicolas Breakspear, le fils du pauvre clerc d'Abbot's
Langley, devenu abbé de Saint-Ruf, évêque d'Albano, cardinal et légat,
fut élu pape. Les qualités éminentes du nouveau pontife, par dessus tout
l'habileté du négociateur, la décision et l'énergie dont il venait de faire
preuve, donnent à cette élection toute sa signification, à l'heure où de
redoutables périls se conjuguent pour menacer l'Église romaine et le
Patrimoine de saint Pierre.

§ 2. — L'alliance impériale.

L'ATTAQUE SICILIENNE.   L'hiver seul devait laisser un court répit au
EXCOMMUNICATION   nouveau pontife. Avant même qu'il ait pris
DE GUILLAUME Ier fin, Adrien IV allait être contraint d'agir
                          vigoureusement contre les trois puissances
menaçantes. Cependant, fidèle à l'esprit du traité de Constance, le pape
s'efforça tout d'abord de ménager autant que possible son allié germanique. Peu après son élection, il avait envoyé à l'empereur une ambassade
comprenant les cardinaux Cencius de Porto, Bernard de Saint-Clément
et Octavien de Sainte-Cécile [2] ; elle devait lui notifier officiellement l'élection du cardinal d'Albano, conformément au décret de 1059, sonder
aussi les dispositions d'un allié redoutable et l'informer du danger que
faisaient courir au Patrimoine de l'Apôtre la menace sicilienne, la présence
à Rome de l'hérésiarque Arnaud de Brescia et la rébellion des Romains
que Frédéric s'était engagé à réprimer par l'accord de Constance.

Par ailleurs, Adrien IV refusait de traiter avec les Normands, afin de
ne donner aucune prise à l'arrogance de Barberousse. Guillaume de
Sicile ouvrit les hostilités contre l'Église romaine : il fit saisir les lettres
accréditant auprès de lui le cardinal Henri des Saints-Nérée et Achille
et refusa de le recevoir à Salerne où il s'était rendu au début du carême [3] ;
le pape n'avait point salué du titre de roi Guillaume Ier qui, associé à
la couronne depuis plusieurs années par son père Roger II, n'avait pas
encore sollicité la confirmation pontificale [4]. S'étant retiré en Sicile
après Pâques, le roi laissa son chancelier, Ascletin, lancer une attaque
vigoureuse contre le Patrimoine : celui-ci marcha sur les confins de la
Campagne romaine, brûla Ceperano le 30 mai et Babuco le 3 juin. D'autres
cités étaient ravagées, des églises ruinées, des moines expulsés ; les Normands avaient même entrepris le siège de Bénévent. A ces hostilités,
Adrien IV riposta en fulminant l'excommunication contre le roi [5].

(1) BOSON, p. 388.
(2) J. D. MACKIE, *op. cit.*, p. 41.
(3) F. CHALANDON, *op. cit.*, t. II, p. 199.
(4) JAFFE-WATTENBACH, 10.001 (février ou mars 1155).
(5) BOSON, p. 390.

LA RÉVOLUTION ROMAINE. LA VILLE SOUS L'INTERDIT

Rome, violemment secouée par l'esprit de sédition, rentrait à peine dans l'ordre, et l'autorité d'Adrien IV commençait seulement à s'y affermir. Fortifié dans la cité léonine, le pape avait refusé de reconnaître la constitution républicaine. Depuis lors, le parti populaire avait perdu toute mesure : les palais des cardinaux, ceux des nobles demeurés fidèles au pape étaient saccagés et détruits ; la violence faisait rage et les gens du pape n'étaient plus en sécurité dans la Ville : un jour, le cardinal de Sainte-Pudentienne fut assailli sur la Voie sacrée, alors qu'il se rendait à Saint-Pierre ; grièvement blessé, il fut laissé pour mort.

Un tel attentat contraignit le pape à sévir : la Ville fut mise en interdit [1]. C'était la première fois qu'une telle sentence frappait directement les Romains, combien blasés pourtant sur les anathèmes réciproques des papes et des antipapes. Cette fois-ci, ils étaient atteints dans leurs intérêts mêmes : les fêtes pascales étaient proches. De toutes parts, les pèlerins accouraient vers le tombeau de l'Apôtre ; avertis de l'interdit, ils s'écarteraient d'une ville d'où était banni tout culte public. Craignant de perdre les profits accoutumés, les Romains firent pression sur le Sénat afin qu'il cédât aux injonctions pontificales. L'intérêt finit par l'emporter : Arnaud de Brescia fut banni, les institutions républicaines furent désavouées sinon abolies ; le mercredi saint enfin, Adrien IV put lever l'interdit. Le lendemain, le pontife, suivi du clergé et d'une grande multitude, se rendit processionnellement à travers la Ville, de la Cité léonine au Latran, où il officia en grande pompe le samedi saint et le jour de Pâques [2]. Ayant ainsi rétabli, de façon précaire il est vrai, son autorité sur Rome, le pape put songer à parer au péril extérieur.

FRÉDÉRIC BARBEROUSSE EN LOMBARDIE

Attaqué au sud par les Siciliens, le Patrimoine était menacé au nord par l'invasion germanique. Frédéric Barberousse avait passé le Brenner dès octobre 1154, réuni en novembre une diète à Roncaglia où il reçut les députés des villes lombardes et accueillit les plaintes de ceux de Lodi et de Pavie qui l'avaient reconnu pour seigneur à l'instar de la cité de Côme et du comte de Montferrat. L'hégémonie que Milan, tête de la ligue lombarde, exerçait autour d'elle, était supportée avec impatience par les cités rivales, Pavie notamment. Barberousse, tout en apaisant pour un temps la rivalité des deux grandes villes, avait pris parti pour Pavie [3], mais il ménageait encore la cité milanaise dont les puissantes fortifications défiaient son armée qu'il jugeait inférieure en nombre, sinon en valeur, aux forces conjuguées de la ligue lombarde. Dans la suite, les émissaires de Pavie se plaignirent de l'hostilité des gens de Tortona qui avaient envahi leur camp : Barberousse promit de leur rendre justice, mais, le suspectant de partialité à l'égard de Pavie, les citoyens de Tortona dénièrent son jugement. Aussi,

(1) BOSON, p. 388-389.
(2) *Ibid.*, p. 389.
(3) *Annales Mediolanenses*, a. 1154.

dès le 13 ou le 14 février 1155, le roi de Germanie, qui avait déjà détruit Rosate, Galliate et Chieri, mit-il le siège devant Tortona [1]. La résistance de Tortona, soutenue par des renforts milanais, dura deux mois et retarda d'autant la marche teutonique vers le sud.

Le 17 avril seulement, libéré par la capitulation de Tortona, Barberousse entrait solennellement dans Pavie pour y ceindre, en l'église Saint-Michel, la couronne de fer des anciens rois lombards [2]. Ce n'était là qu'une satisfaction assez mince pour un homme qui se savait acquise de longue date la fidélité des habitants de Pavie et qui laissait presque intactes derrière soi les forces de la puissante ligue lombarde dont il s'était promis de briser l'esprit d'indépendance républicaine.

LA MARCHE SUR ROME Mais le but primordial du roi de Germanie était assurément de conquérir un trophée autrement glorieux. En franchissant les Alpes, il entendait revendiquer la couronne d'or des empereurs romains dont le traité de Constance lui était déjà le gage certain. La longue résistance de Tortona le décida à quitter la Lombardie avant de tenter un nouvel effort pour soumettre les cités hostiles. Par Bologne, il précipita sa marche sur Rome, avec « un empressement tel qu'on eût dit un ennemi plutôt que le patron de la Ville » [3]. C'est cette hâte même qui détourna le chancelier de Sicile de s'attaquer à Rome, car il n'ignorait pas les prétentions de Barberousse sur l'Italie tout entière et le savait l'ennemi déclaré du royaume normand ; c'est elle aussi qui, sur le conseil de Pierre, préfet de la Ville, et d'Odon Frangipani, décida Adrien IV à négliger pour l'instant le danger sicilien, en vue de faire face d'abord à l'allié germanique dont l'armée déferlait vers le sud comme celle d'un ennemi.

Soupçonnant le Sénat de vouloir affirmer la République avec l'or et la force germaniques, Adrien IV, qui, après le 10 mai, avait abandonné Rome où sa position était insuffisamment sûre, quitta Viterbe où il avait élu résidence et s'avança prudemment vers le nord, de forteresse en forteresse, à la rencontre de Barberousse [4], afin de sonder ses dispositions réelles et de prévenir l'entente possible du roi et du Sénat. On peut suivre sa marche de Rome à Sutri, où il arrive au plus tard le 16 mai, puis de Viterbe à Civittà Castellana et à Nepi, de là, à nouveau dans la région de Sutri et sur le territoire de Nepi [5].

NÉGOCIATIONS ENTRE ADRIEN IV ET FRÉDÉRIC BARBEROUSSE C'est de Sutri qu'Adrien IV dépêcha une légation vers Barberousse : les cardinaux des Saints-Jean et Paul, de Sainte-Marie-in-Porticu et de Sainte-Pudentienne, ce dernier remis de l'attentat dont il avait été victime, devaient obtenir du roi l'assurance qu'il respecterait la sécurité du pontife ; ils devaient solliciter

---

(1) Le 14 février d'après les *Annales Mediolanenses*, a. 1155 ; le 13 d'après OTTO MORENA, *Historia rerum Laudensium* (M. G. H., SS., t. XVIII, p. 594).
(2) OTTON DE FREISING, II, xx.
(3) BOSON, p. 390.
(4) *Ibid.*
(5) JAFFE-WATTENBACH, 10.057 à 10.078.

aussi la remise d'Arnaud de Brescia qui, chassé de Rome, avait trouvé refuge à Otricoli en Toscane ; arrêté à Bricola (Lo Spedaletto di San Pellegrino) par le cardinal de Saint-Nicolas-in-Carcere-Tulliano, il avait été remis en liberté par quelques nobles de Campagnatico, maîtres du Val d'Orchia [1]. Dans le même temps, Frédéric déléguait vers le pape Arnold, archevêque de Cologne, et Anselme, archevêque de Ravenne, chargés de traiter du couronnement impérial.

Adrien IV, ignorant les intentions du roi, multipliait ses déplacements afin de déjouer toute attaque ou toute ruse ; il voulait gagner la cité pontificale d'Orvieto qui, fièrement dressée sur un escarpement au nord-est du Patrimoine de l'Apôtre, domine du haut de ses remparts inaccessibles la campagne avoisinante, mais il avait compté sans l'avance foudroyante de l'armée germanique qui le contraignit à s'enfermer précipitamment dans une forteresse plus proche, Civittà Castellana, au nord de Nepi, sur la rive droite du Tibre. C'est là qu'il attendit le retour de ses légats dont la réponse devait lui dicter sa conduite ultérieure. Il ne voulut point s'engager envers les envoyés du roi. De son côté, Barberousse, non moins incertain des dispositions de son partenaire, se refusa à conclure avec les cardinaux qui l'avaient rejoint à San Quirico avant le retour de ses propres ambassadeurs [2] ; il consentit cependant à donner un gage de sa bonne volonté à l'égard de l'Église romaine : par la terreur, il obtint des seigneurs de Campagnatico, dont l'un avait même été appréhendé en otage sur ses ordres, de lui livrer Arnaud de Brescia qu'il s'empressa de remettre entre les mains des légats.

Par bonheur, sur la voie du retour, les deux ambassades se rencontrèrent et, après s'être consultées, retournèrent d'un commun accord vers le camp germanique établi à proximité de Viterbe [3]. Elles y trouvèrent le cardinal Octavien, venu de son propre chef et déjà prêt à s'entendre avec le roi de Germanie en dehors du pontife romain. Son entremise faillit tout compromettre : à tel point que les légats durent lui infliger un humiliant rappel à l'ordre [4]. C'est là l'un des premiers indices de l'attitude indépendante qu'adoptera dans la suite le cardinal Octavien, futur antipape de Barberousse ; c'est aussi l'un des premiers symptômes de l'opposition qu'Adrien IV devait rencontrer dans son propre entourage. Si, en effet, l'élection du 4 décembre 1154 avait réuni l'unanimité des suffrages cardinalices [5], les difficultés de la position du pontife, la maîtrise avec laquelle il dirigeait déjà la politique pontificale avaient suscité, dès juin 1155, la formation au sein du Sacré Collège d'une faible minorité germanophile.

(1) J. D. MACKIE, op. cit., p. 44, suppose qu'Adrien IV dépêcha ses légats de Sutri plutôt que de Viterbe, en raison du temps nécessaire à l'aller et au retour de l'ambassade ; BOSON, p. 390, indique seulement par une incidente le lieu où résidait le pontife : « qui eo tempore apud Viterbium residebat » ; une bulle pontificale adressée de Sutri, 1er juin 1155, à Wibald abbé de l'Étable pour lui recommander les légats, tranche la difficulté ; JAFFE-WATTENBACH, 10.072 ; P. L., CLXXXVIII, 1428.

(2) BOSON, p. 390.

(3) Ibid.

(4) Ibid, p. 390-391.

(5) Cf. supra, p. 9 ; nous ignorons d'ailleurs si tous les cardinaux étaient présents à Saint-Pierre de Rome lors de l'élection d'Adrien IV.

Instruit par les obstacles qu'il avait déjà rencontrés dans l'Italie du Nord et désireux avant tout de ceindre la couronne impériale, Frédéric Barberousse se montra disposé à la conciliation et ne refusa pas les gages de sécurité qui lui étaient demandés : sur son ordre, un noble teutonique élu par les autres jura sur la croix et l'évangile, sur sa vie et sur celle du roi, que celui-ci ne tolérerait aucun attentat contre le pape et sa cour, aucune atteinte à son honneur ou à ses possessions, qu'il le défendrait et le vengerait s'il le fallait [1]. Ainsi, à leur retour, les cardinaux purent rassurer le pape sur les intentions réelles de Barberousse et remettre à sa justice Arnaud de Brescia.

LA FIN D'ARNAUD DE BRESCIA Agitateur politique, hérétique notoire, dénoncé de longue date par saint Bernard, ennemi du pouvoir temporel de l'Église comme de l'ordre social établi, Arnaud de Brescia s'était en outre rendu coupable du crime de lèse-majesté pontificale : il était donc passible de la peine de mort. Son sort fut vraisemblablement réglé par le pape lui-même. Conduit à Rome sur ordre d'Adrien IV, il fut livré au préfet de la Ville et exécuté par ses soins. Le tribun fut pendu comme un malfaiteur, puis brûlé comme un hérétique ; ses cendres furent jetées au Tibre, de crainte que le peuple romain ne tentât de vénérer les reliques de celui qu'il eût tôt fait d'ériger en martyr de la liberté [2].

ENTREVUE D'ADRIEN IV ET DE FRÉDÉRIC BARBEROUSSE Au retour de ses ambassadeurs, le pape, assuré de jouir de la sécurité sur son propre domaine, voulut avoir en personne une entrevue avec Barberousse auquel il ne pouvait refuser la couronne impériale. Il s'avança donc vers Nepi, afin de se rapprocher du camp royal, dressé maintenant à Campo Grasso, non loin de Sutri. Le 9 juin, entouré d'une multitude de clercs et de laïques, Adrien IV chevaucha vers la tente royale et attendit que, selon le cérémonial traditionnel, le roi vînt en personne lui rendre le service d'écuyer et l'aider à descendre de monture. Au refus de Frédéric, la rupture parut inévitable et imminente. Les cardinaux tournèrent bride et s'enfuirent vers Civittà Castellana, cependant que le pape, intrépide, s'avançait au milieu du camp germanique. Sur un nouveau refus de Barberousse, Adrien IV en fut réduit à descendre seul de monture ; il gagna le trône dressé à son intention, laissa le roi s'agenouiller à ses pieds et baiser sa mule, mais l'arrêta au baiser de paix qu'il refusa d'échanger avec lui [3]. Adrien IV se retira ensuite à Nepi.

En fait, ni le roi ni le pape ne désiraient une rupture définitive : elle eût privé le premier de l'honneur du couronnement, mais eût tourné au tragique pour le second, dont la sécurité résidait maintenant dans la seule valeur du serment d'un chevalier. Toutefois, persuadés l'un et l'autre de leur bon droit, ils se refusaient également à céder sur un détail proto-

(1) Boson, p. 391.
(2) Otton de Freising, II, xx.
(3) Boson, p. 391 ; *Liber Censuum*, p. 414, nº 142.

colaire, apparemment secondaire, mais qui restait le symbole de la déférence du pouvoir temporel envers le pouvoir spirituel. Barberousse désirait s'en abstenir ; il désirait plus encore la couronne impériale. Le lendemain il réunit en conseil ses vassaux ; certains d'entre eux avaient accompagné en 1133 l'empereur Lothaire qui fut alors couronné par Innocent II :
ils purent affirmer que le service d'écuyer avait été rempli par Lothaire
à l'égard d'Innocent II [1]. Dès lors, Barberousse ne songea plus à s'y
soustraire et, le 11 juin, il rapprocha son camp de Nepi en direction du
lac Janula. Lorsqu'Adrien IV chevaucha de nouveau vers la tente royale,
en présence de toute son armée, Barberousse descendit de cheval, s'avança
vers le pontife, prit la bride de son cheval et le conduisit à la distance
d'un jet de pierre, puis, lui tenant l'étrier, il l'aida à descendre. Le baiser
de paix ne fut plus différé [2]. Réconciliés, le pape et le roi de Germanie
pouvaient s'entendre contre leurs ennemis communs.

ARROGANCE DU SÉNAT ROMAIN   L'exécution d'Arnaud de Brescia n'a-
                                vait point abaissé la morgue des
Romains. Ils prétendaient tenir à leur merci le roi de Germanie comme
le pape et se faire payer de concessions politiques aussi bien que de largesses pécuniaires l'octroi de la couronne impériale, dont pourtant le
pape seul pouvait disposer, et du titre de patrice des Romains. Les envoyés du Sénat atteignirent Frédéric Barberousse sur le chemin de Sutri
à Rome et l'abordèrent par un discours emphatique et présomptueux,
rappelant la grandeur de l'antique République romaine et les bienfaits
que les empereurs, prédécesseurs de Frédéric Ier, avaient reçus des
Romains ; lui mettant presque le marché en mains, ils réclamaient de
Barberousse le serment de respecter les anciennes lois et coutumes confirmées par les empereurs, le versement de cinq mille livres d'or à répartir
entre ceux qui l'acclameraient au Capitole, l'engagement de protéger
la République jusqu'à son propre sang, si nécessaire. A ces conditions,
ils étaient disposés à l'accueillir dans la Ville et à le proclamer empereur [3].

Si Barberousse avait jamais songé à s'entendre avec la République
romaine, les exigences du Sénat eussent suffi à l'en détourner. Mais,
outre l'intérêt du moment qui l'inclinait à demeurer fidèle à l'accord de
Constance en ménageant le pontife romain et à s'entendre avec celui-ci
contre leurs communs ennemis, la République romaine et le roi de Sicile,
Frédéric Barberousse avait une trop haute idée de la dignité impériale
et du pouvoir royal pour consentir jamais à paraître les tenir de la libéralité populaire. En fait, il n'était pas mieux disposé à l'égard de la République romaine, qui tentait de s'affranchir de la domination impériale
aussi bien que de la tutelle pontificale, qu'à l'égard des fières cités lombardes jalouses de leur indépendance. A Rome cependant, la situation
était d'autant plus délicate pour le roi qu'il risquait de heurter de front
l'autorité d'Adrien IV.

(1) Boson, p. 391.
(2) *Ibid.*, t. II, p. 392.
(3) J. D. Mackie, *op. cit.*, p. 51.

Barberousse reçut avec hauteur les messagers du Sénat et les renvoya frustrés de toute promesse : il viendrait, affirma-t-il, à l'instar de ses prédécesseurs, Otton et Charlemagne, non pas recevoir en suppliant les faveurs passagères d'un peuple turbulent, mais en prince résolu à recueillir, par la force des armes s'il en était besoin, l'héritage de ses pères. Repoussant leurs conditions, il les assura cependant qu'il était prêt à confirmer les lois justes et à défendre sa propre capitale sans y être tenu par serment ; qu'il ne se refuserait pas enfin à répandre sur le peuple romain les mêmes largesses que ses précédesseurs à l'occasion du couronnement ; mais il n'admettait pas qu'on le rançonnât comme un prisonnier [1].

LE COURONNEMENT DE BARBEROUSSE L'attitude du Sénat accrut la méfiance du roi et l'incita à s'entendre avec le pape sur les moyens propres à tenir en respect la populace lors du couronnement qui ne pouvait plus tarder. Adrien IV conseilla de s'assurer, par l'envoi d'un corps de troupes, la maîtrise de la cité léonine que la garnison pontificale ne pourrait suffire à défendre contre un coup de main éventuel de la populace appuyée par les magistrats du peuple [2]. Le cardinal Octavien fut dépêché pour veiller à la mise à exécution de ce plan, d'autant plus aisée d'ailleurs qu'un pont unique sur le Tibre, le vieux *pons Ælius*, unissait alors la cité léonine au reste de la Ville ; sur la rive droite, l'énorme forteresse du Château Saint-Ange en défendait l'accès. Un renfort d'un millier d'hommes permettrait de maintenir Saint-Pierre aux mains des troupes pontificales, tandis que la cérémonie, dont les préparatifs étaient tenus secrets, se déroulerait à l'intérieur de la basilique.

Le 18 juin, de grand matin, Adrien IV rentrait à Saint-Pierre ; dès avant neuf heures, le roi, qui avait établi son camp dans la plaine longeant les hauteurs vaticanes, fut accueilli par le pape à l'entrée de la basilique. Le couronnement impérial allait se dérouler selon le cérémonial traditionnel décrit dans l'*Ordo Romanus* [3].

En la chapelle Sainte-Marie-de-la-Tour, agenouillé aux pieds du pontife, le roi mit ses mains dans les siennes, jurant fidélité au pape et à ses successeurs légitimes et promettant « devant Dieu et le bienheureux Pierre d'être, avec le secours divin, en toutes circonstances, selon ses forces et son intelligence et en toute bonne foi, le protecteur et le défenseur de la sainte Église romaine et de la personne du pape ou de ses sucesseurs » [4]. La procession s'organisa ensuite à travers la basilique. Par trois fois, elle fit halte : successivement l'évêque d'Albano, devant les portes d'argent, et celui de Porto, à l'emplacement du cercle de porphyre, récitèrent sur lui les oraisons rituelles ; prosterné sur le pavement, devant

(1) J. D. MACKIE, *op. cit.*, p. 52.
(2) BOSON, p. 392.
(3) *Secundum quod in Ordine continetur* (*Ibid.*, t. II, p. 392). Comparer le bref récit de Boson avec le cérémonial du couronnement impérial décrit au *Liber Censuum*, t. I, p. 420-421 et 1* à 6*. Cf. également M. ANDRIEU, *Le Pontifical romain au moyen âge*, t. I. *Le Pontifical du XIIe siècle*, Città del Vaticano, 1938, p. 251 et suiv.
(4) *Liber Censuum*, p. 420 ; M. ANDRIEU, *op. cit.*, t. I, p. 251.

la Confession, le roi entendit les litanies, puis l'évêque d'Ostie lui fit les
onctions saintes entre les épaules et sur le bras droit, et la messe com-
mença ; après la lecture de l'épître, il reçut l'épée et le sceptre des mains
d'Adrien IV ; prenant enfin sur l'autel la couronne d'or des empereurs
romains, le pape la déposa sur la tête de Frédéric en disant : « Reçois
cet emblème de gloire, au nom du Père et du Fils et du Saint-Esprit (...)
pour en user en toute justice et miséricorde, afin que Dieu, notre Seigneur,
te puisse donner la couronne de vie éternelle [1]. » A cet instant, une immense
clameur s'éleva dans la nef où les nobles et les chevaliers teutoniques
acclamaient à leur manière le nouvel empereur [2].

Mais l'alarme avait été donnée dans la Ville : la cérémonie terminée,
Barberousse, suivi des siens, sortit triomphalement de la cité léonine ;
il n'avait pas atteint son camp que les Romains en armes, ignorant au
juste ce qui s'était passé et à l'insu des magistrats, s'avancèrent par
l'unique pont vers la cité léonine, massacrèrent plusieurs de ceux qu'ils
trouvèrent sur leur chemin et poursuivirent les autres jusqu'au camp
impérial [3].

COMBATS AVEC LES ROMAINS   L'empereur dut ordonner la bataille. De
quatre heures du soir jusqu'à la nuit,
elle fit rage sous les remparts du Château Saint-Ange et, plus loin, dans
les ruelles sordides du Transtévère. Un millier de morts et quelque
six cents prisonniers attestent l'acharnement des deux camps. L'armée
teutonique, sous les armes depuis l'aurore et appesantie par la chaleur,
eut le dessus non sans effort. La victoire fut en fait si peu éclatante que
l'empereur ne put obtenir le ravitaillement des siens. Ayant dû verser
le sang des Romains le jour même de son couronnement, il crut prudent
de ne pas risquer un nouvel engagement, et, dès le lendemain, leva le
camp.

LE RETOUR DE L'EMPEREUR   Frédéric Barberousse emmenait sous sa
protection le pontife qui l'avait couronné ;
il suivit la rive droite du Tibre, traversa le fleuve au gué de Magliano
de Sabine, fit halte au monastère de Farfa ; par Poli, il gagna Ponte
Lucano, au sud-ouest de Tivoli, où il arriva le 28 juin, non sans avoir
abattu sur son passage les remparts de quelques-uns des châteaux forts
de l'aristocratie romaine [4]. C'est là que pape et empereur, tous deux cou-
ronnés (*pariler coronati*), célébrèrent en grande pompe la fête des Apôtres
(29 juin). Barberousse eut l'occasion de montrer au pape qu'il entendait
respecter ses droits : les habitants de Tivoli, au mépris de la foi jurée
au pontife romain, lui avaient offert les clés de leur ville. Il repoussa

---

(1) *Liber Censuum*, p. 421 ; M. ANDRIEU, *op. cit.*, t. I, p. 251.
(2) BOSON, p. 392.
(3) *Ibid.*
(4) *Ibid.*, p. 393. L'éditeur remarque que cet itinéraire est extraordinaire, car, dit-il, on
ne passe pas par Poli pour aller à Ponte Lucano (p. 393, n. 1) ; mais l'insécurité du pays dominé
par des seigneurs rebelles et la démolition de leurs châteaux suffit, semble-t-il, à expliquer l'anomalie du trajet.

l'offre et, tout en réservant le droit de l'empereur, incita les rebelles à rentrer dans la fidélité due à leur seigneur [1].

L'empereur allait-il, conformément aux termes du pacte de Constance, soumettre les Romains et combattre le Sicilien dont les vassaux révoltés recherchaient sa protection ? Il paraissait hésitant. Les siens le pressaient de retourner en Germanie. Il eût peut-être prolongé son expédition si, à la faveur des chaleurs estivales, une épidémie de fièvre n'eût envahi son armée : les partisans du retour immédiat l'emportèrent dans son conseil. Abandonnant au pape, non sans s'être longtemps fait prier [2], les prisonniers romains, Frédéric Barberousse prit congé d'Adrien IV à Tivoli au début de juillet 1155.

Après avoir franchi les montagnes, brûlé Spolète dont les habitants avaient payé tribut en fausse monnaie, l'empereur atteignit Ancône où il eut une entrevue avec les envoyés de Manuel Comnène : il y fut question d'une action commune contre Guillaume de Sicile, et Barberousse eût peut-être rebroussé chemin vers le Sud, si l'épidémie n'avait repris de plus belle [3]. En septembre, l'armée impériale avait repassé les Alpes. L'expédition avait duré onze mois.

Le principal objectif était atteint : Barberousse avait ceint la couronne impériale, mais son autorité, moins encore que celle d'Adrien IV, n'avait pu s'affermir en Italie : la ligue lombarde relevait la tête ; Tortona renaissait aux frais de la Commune de Milan qui levait comme toujours le fanion de l'indépendance [4] ; les Romains avaient pu, quasi impunément, assaillir le camp impérial, et, malgré la fin tragique d'Arnaud de Brescia, l'arrogance de la jeune république ne connaissait point de bornes ; Guillaume de Sicile restait incontestablement maître de l'Italie méridionale et s'attaquait au Patrimoine de l'Apôtre, tandis que le basileus s'emparait d'Ancône, qu'il cherchait à s'entendre avec l'empereur et qu'il eût enfin volontiers lancé les hordes germaniques à la conquête du royaume normand, à seule fin de s'en rendre maître à moindres frais.

§ 3. — L'alliance normande.

VEILLÉE D'ARMES EN ITALIE La venue de Barberousse à Rome avait creusé plus profondément encore le fossé qui séparait Adrien IV des Romains ; son départ laissait le pontife sans défense devant les attaques de Guillaume de Sicile que seules la crainte de l'armée germanique et la révolte des barons avaient contraint à lever le siège de Bénévent. Tous ceux qui, d'une manière ou de l'autre, avaient escompté l'aide impériale : le pape contre les Normands et les Romains, le basileus contre le roi de Sicile, les seigneurs rebelles de l'Italie du Sud contre Guillaume Ier, ne laissaient pas d'être désappointés et

(1) Boson, p. 393 ; *Liber Censuum*, t. I, p. 415, n° 143.
(2) Boson, p. 392. Douloureusement affecté d'un excès si regrettable, Adrien IV n'eut de cesse que tous les prisonniers lui fussent remis.
(3) Otton de Freising, II, xxiv.
(4) *Annales Mediolanenses*, a. 1155.

cherchaient un nouvel appui. La fermeté d'Adrien IV en face des exigences impériales fit désirer son alliance ou sa protection. Dans l'impossibilité de retourner immédiatement à Rome, le pape, après avoir parcouru la région de Tivoli et de Tusculum, finit par s'établir à Civittà Castellana pour y passer les plus fortes chaleurs. C'est probablement là qu'il reçut la requête des princes rebelles qui le sollicitaient de prendre sous sa protection leurs personnes et leurs biens et de marcher contre le roi de Sicile. Déjà les Grecs levaient des troupes mercenaires dans le pays et, avec l'appui du comte Robert de Loritello, envahissaient la Pouille et mettaient le siège devant Bari dont les habitants s'empressèrent de capituler [1].

Dans ce branle-bas de guerre, Adrien IV ne pouvait garder la neutralité envers un vassal en rupture de fidélité pour l'avoir attaqué le premier, et que la sentence d'excommunication avait laissé indifférent. Devant l'échec de sa mission auprès de Barberousse, l'ambassadeur grec Paléologue avait résolu de soutenir les rebelles de ses subsides et de solliciter l'alliance du pape. Le scribe impérial Basilakios fut délégué auprès d'Adrien IV avec mission de lui remettre de l'argent et d'entamer des pourparlers. De son côté, le pontife envoyait au basileus deux notaires pontificaux. A l'alliance militaire contre Guillaume de Sicile, Adrien IV cherchait une contre-partie pouvant favoriser les intérêts spirituels de la Chrétienté : il mettait à l'ordre du jour des négociations concernant la question de l'union des Églises [2]. On voit comment, devant la carence de l'empereur latin, l'empereur grec s'efforçait de s'arroger la protection temporelle du Siège apostolique ; il visait ainsi à s'assurer le prestige qui, le jour venu, pourrait l'aider à remplacer dans l'Italie méridionale un prince frappé d'excommunication.

L'ITALIE MÉRIDIONALE DÉTACHÉE DU ROYAUME SICILIEN — Vers la saint Michel 1155, ayant réuni une armée composée surtout de nobles de la région, Adrien IV, en plein accord avec les rebelles normands, s'avança en direction de San Germano, en s'arrêtant successivement à Ferentino, Alatri et Sora ; il poursuivit sa route par Capoue jusqu'à Bénévent, territoire pontifical dans l'Italie méridionale [3]. Guillaume Ier avait refusé d'écouter ceux qui lui conseillaient de reconnaître la suzeraineté pontificale sur l'Italie du Sud et de se réconcilier avec l'Église romaine. Il se voyait maintenant abandonné d'un nombre croissant de seigneurs d'Apulie qui, reconnaissant que le territoire était *juris beati Petri*, firent hommage au pape comme à leur suzerain direct pendant le séjour de celui-ci à San Germano et à Bénévent [4]. Il y avait parmi ces nobles Robert de Capoue, Richard d'Aquila, comte de Fondi, André de Rupe Canina et maints seigneurs de Pouille, ainsi que des envoyés des villes de la région. Adrien IV donna aux princes l'investiture des fiefs dont le roi de Sicile les avait dépouillés,

(1) F. CHALANDON, *op. cit.*, t. II, p. 205-207.
(2) *Ibid.*, p. 212 ; JAFFE-WATTENBACH, 10.437.
(3) BOSON, p. 393-394.
(4) *Ibid.*, p. 393.

signifiant par là qu'il ne reconnaissait pas plus les annexions au domaine royal faites par le Sicilien en dehors du consentement de la papauté, que la souveraineté à laquelle il prétendait sur les terres de l'Italie du Sud, vassales du Saint-Siège. Robert de Capoue réussit à rentrer en possession de son ancienne principauté et ne tarda pas à asseoir sa domination sur tout le pays jusqu'à Naples et Salerne. Seules, devaient rester fidèles au roi ces deux villes, ainsi qu'Amalfi, Troja et Melfi ; la Terre de Labour elle-même allait tomber aux mains des rebelles [1], tandis que les Grecs, maîtres de la Pouille, tenaient une cinquantaine de villes et de forteresses et s'emparaient de Brindisi [2].

Guillaume Ier, dont la domination sur l'Italie méridionale paraissait fort compromise, tombait gravement malade ; il allait être immobilisé en Sicile, dans son palais de Palerme, du mois de septembre jusqu'à la Noël 1155 [3]. En des circonstances aussi alarmantes, le gouvernement appartenait à l'émir des émirs, Maion de Bari ; celui-ci, menacé par l'aristocratie sicilienne qui profitait de la situation pour tenter de s'emparer du pouvoir, faillit périr assassiné, dans les premiers jours de l'année 1156 [4]. Le complot fut découvert à temps, mais le roi ne se remit guère de sa maladie avant le printemps. A ce moment, entièrement rétabli et réveillé de son apathie naturelle, Guillaume Ier n'avait devant lui d'autre issue que de solliciter d'Adrien IV la levée de l'excommunication, moyennant des gages certains de satisfaction. C'est le parti qu'il choisit.

REJET DES OFFRES DE PAIX SICILIENNES Par l'intermédiaire de l'évêque élu de Catane et de quelques personnages de sa cour munis des pleins pouvoirs, le roi de Sicile proposa spontanément au pape de lui faire hommage et fidélité, de réparer les dommages causés au Patrimoine par l'octroi de certaines places proches de Bénévent, de l'aider enfin à soumettre les Romains et de lui verser des subsides équivalents à ceux des Grecs, pourvu qu'il abandonnât leur alliance [5]. C'était une paix honorable et avantageuse pour la papauté. Adrien IV l'eût volontiers agréée ; il envoya même Humbald, cardinal-prêtre de Sainte-Praxède, jusqu'à Salerne pour éprouver la sincérité des offres siciliennes : les promesses du roi furent trouvées véridiques, mais une majorité se dessina parmi les cardinaux pour le maintien de l'alliance impériale [6]. Les termes de paix furent donc rejetés.

Réduit à ses seules forces contre la multitude de ses ennemis, Guillaume de Sicile partit en personne à la tête d'une armée pour reconquérir l'Italie méridionale qui lui échappait. Ayant quitté Messine en mai 1156, il s'achemina à travers la Calabre, qui lui était restée fidèle, jusqu'à Brindisi, tombée au pouvoir des Grecs, mais dont la citadelle formait le réduit inexpugnable d'une résistance opiniâtre. La flotte sicilienne barra la

(1) F. Chalandon, *op. cit.*, t. II, p. 213-214.
(2) *Ibid.*, p. 216-219.
(3) *Ibid.*, p. 219.
(4) *Ibid.*, p. 222.
(5) Boson, p. 394.
(6) *Ibid.*

rade de Brindisi : les Grecs, forcés d'accepter le combat et vaincus sur terre, ne trouvèrent point d'issue par mer (probablement le 28 mai) [1]. Le moment de s'attaquer à la domination byzantine en Italie était d'ailleurs des plus favorables : Paléologue, qui s'était cru suffisamment fort pour se passer des complicités normandes et qui désirait maintenir tout le pays sous la domination grecque, avait cessé de verser les subsides promis aux féodaux ses alliés, tel le comte de Loritello qu'il croyait désormais acquis au parti du basileus [2]. Le roi de Sicile, maître de Brindisi, recouvra bientôt Bari et les villes du littoral ; partout où il passait, la terreur qu'il exerçait ramenait les rebelles à l'obéissance ou les mettait en fuite : le prince de Capoue, cherchant refuge dans les États de l'Église, fut capturé, trahi et livré au roi par les comtes d'Aquila et de Fondi, désireux de s'assurer ainsi l'impunité ; expédié à Palerme, il eut les yeux crevés [3].

SITUATION CRITIQUE D'ADRIEN IV — En moins d'un mois, la situation était entièrement retournée : Adrien IV, désormais privé de tout allié, était assiégé dans Bénévent [4]. Là comme à Nepi, il était isolé en face d'un ennemi plus fort que lui : il jugea prudent de renvoyer ceux des cardinaux dont il connaissait la pusillanimité et dont il redoutait l'intransigeance envers le Sicilien [5]. Gardant par devers lui ceux dont il avait déjà éprouvé la fermeté au service de l'Église, il envoya en messagers de paix Roland Bandinelli, alors cardinal prêtre de Saint-Marc et chancelier de l'Église romaine, Humbald de Sainte-Praxède et Jules de Saint-Marcel, avec ordre de ne montrer aucune faiblesse envers un vassal insoumis et excommunié, de lui enjoindre de réparer les dommages causés à l'État pontifical et de respecter ses droits. Heureux de l'occasion qui s'offrait à lui de liquider un conflit qui avait déjà trop duré, Guillaume Ier eut le triomphe modeste et fit preuve de modération, sans consentir toutefois aux concessions qu'il avait offertes quelque temps auparavant. Non sans peine, les termes d'un accord furent élaborés [6].

LE TRAITÉ DE BÉNÉVENT (18 JUIN 1156) — Connu sous le nom de traité de Bénévent, cet accord comprend en réalité un traité politique réglant le différend entre le roi de Sicile et la papauté et un véritable concordat précisant les droits du Saint-Siège dans les États du roi de Sicile [7].

La papauté tenait à maintenir son domaine éminent, à s'opposer aussi aux spoliations évidentes, sinon toujours injustifiées, des seigneurs de l'Italie du Sud par la puissante maison de Sicile ; elle voulait enfin libérer

---

(1) Boson, p. 394 ; F. Chalandon, *op. cit.*, t. II, p. 226-229.
(2) F. Chalandon, *op. cit.*, t, II, p. 215-216.
(3) *Ibid.*, t. II, p. 230-231.
(4) *Ibid.* ; Boson, p. 395.
(5) Boson, *ibid.*
(6) *Ibid.*
(7) Texte dans le *Liber Censuum*, p. 376-377, n° 86 ; pour l'interprétation, cf. F. Chalandon, *op. cit.*, t. II, p. 232-234.

des attaques normandes les territoires du Patrimoine impunément saccagés jusqu'ici, ou même conquis par Guillaume Ier. En fait, Adrien IV donna satisfaction aux revendications politiques et territoriales de ce dernier tout en affermissant la suzeraineté de l'Église romaine sur les terres inféodées. Ces concessions temporelles devaient lui permettre, en contre-partie, de faire admettre par la royauté sicilienne les bases mêmes de l'autorité pontificale en matière ecclésiastique et les interventions de l'Église romaine, contre lesquelles Roger II avait souvent protesté. Il allait régler ainsi une cause de conflit laissée pendante par l'accord de Mignano (1139). Le pape donnait à Guillaume Ier l'investiture du royaume de Sicile, du duché d'Apulie et de la principauté de Capoue avec toutes ses dépendances, Naples, Amalfi, Salerne et Marsia, c'est-à-dire l'ancien pays des Marses et les territoires situés au delà tels que Teramo, Chieti, Penne, détachés de la Marche de Fermo. Ainsi légitimait-il les acquisitions territoriales des derniers rois normands dans l'Italie du Sud. Le roi faisait hommage-lige au pape et s'engageait à lui verser un tribut annuel de mille schifati [1]. Les princes rebelles qui s'étaient placés sous la protection du pape n'étaient point abandonnés : bannis du royaume, du moins, sur l'intercession d'Adrien IV, purent-ils garder leur liberté et leurs biens.

Le concordat distinguait la Sicile d'une part, les possessions continentales de Guillaume Ier d'autre part. En Sicile, le roi conservait des droits traditionnellement exercés par ses prédécesseurs. Dans l'Italie du Sud, ces mêmes droits étaient, conformément aux règles précisées dans les récents recueils canoniques et remises en vigueur par les papes réformateurs, entièrement réservés au Saint-Siège. Ainsi, en Apulie et en Calabre, les appels à Rome en matière ecclésiastique étaient admis sans restriction ; le transfert des évêques, les consécrations épiscopales, les visites diocésaines, la tenue des conciles et l'envoi des légats, à condition que ceux-ci n'abusent point des biens d'Église mis à leur usage, étaient de droit pontifical. Une seule réserve : aucun concile ne pourrait être réuni dans une ville où résiderait le roi sans son autorisation expresse. En Sicile, le droit pontifical était plus restreint, le droit royal plus étendu : si les mêmes avantages étaient reconnus à la papauté, deux réserves d'importance étaient légitimées : les appels à Rome et l'envoi des légats ne pouvaient se faire que sur la demande du roi. Cependant, en Sicile comme en Calabre et en Apulie, la liberté canonique des élections épiscopales était confirmée : le roi gardait seulement le droit de consentement ; toutefois, s'il tenait l'élu pour ennemi du royaume ou traître à la couronne, ou seulement si la personne lui déplaisait ou s'il avait quelque motif raisonnable de l'écarter, il restait maître de refuser son agrément. Ce droit de veto, dont l'exercice lui était largement octroyé, pouvait favoriser la candidature officielle et aboutir à la nomination de *personae gratae*. En Sicile même, dans les églises et monastères royaux, le choix des titulaires continuait d'appartenir au prince. Enfin, si le pape convo-

---

(1) Le traité indique six cents schifati pour l'Apulie et la Calabre, cinq cents pour Marsia, mais le *Liber Censuum* porte seulement mille schifati au total.

quait par devers lui les dignitaires ecclésiastiques, le roi avait la faculté de retenir auprès de lui en Sicile ceux dont lui et ses héritiers pouvaient désirer les services pour recevoir les sacrements ou la couronne [1].

Avant qu'Adrien IV n'eût quitté le sud de l'Italie, l'accord de Bénévent recevait la sanction des contractants : en l'église Saint-Marcien, proche de Bénévent, le pape agréait l'hommage-lige et la fidélité de Guillaume Ier pour le royaume de Sicile, le duché d'Apulie et la principauté de Capoue ; le roi, prosterné aux pieds du pontife, en reçut l'investiture par le don de trois bannières. La réconciliation fut scellée par des présents mutuels : de l'or, de l'argent, des soieries étaient offerts au pape [2] qui, de son côté, rattacha les deux églises d'Agrigente (Girgenti) et de Mazarium, jusque-là dans la dépendance directe du Siège de Rome, à la métropole de Palerme [3].

ADRIEN IV AU LATRAN   Ayant rétabli la paix dans l'Italie du Sud, restauré la souveraineté pontificale sur la région, précisé les principes de la collaboration des deux pouvoirs en matière de gouvernement ecclésiastique et acquis l'alliance normande, Adrien IV s'en retourna vers le nord par le Mont-Cassin et Marsicana Montana [4] : il avait séjourné à Bénévent du 21 novembre 1155 au 10 juillet 1156 [5]. Parvenu à Narni au début d'août, il s'installa à Orvieto qui, après une longue période d'indépendance, venait de rentrer dans l'allégeance de l'Église romaine. La vieille cité qu'aucun pontife, croit-on, n'avait encore visitée, fut honorée du séjour d'Adrien IV qui s'assura ainsi sa fidélité.

A l'approche de l'hiver, le pape, ayant quitté Orvieto et séjourné quelque temps à Viterbe, rentra enfin à Rome où il fut reçu avec honneur (novembre 1156), nous dit Boson, grâce au prestige que lui valait l'heureuse conclusion de la paix avec le Sicilien et l'affermissement de son autorité en Italie. Il s'établit au Latran qu'il ne devait plus quitter, sinon pour passer les chaleurs de l'été sur les hauteurs de la campagne avoisinante : Segni, Anagni, Narni, Sutri, Tusculum allaient le recevoir tour à tour [6].

§ 4. — Le gouvernement d'Adrien IV.

TRÈVE D'ARMES   Pour la première fois depuis le début de son pontificat, Adrien IV, libéré de toute crainte immédiate en Italie, pouvait consacrer ses forces à l'administration pontificale. Appuyée sur la puissance vassale des Normands de l'Italie méridionale, en pourparlers pour l'union des Églises avec l'empereur byzantin dont

(1) Du Cange, *Christianitatem facere alicui = communicare in divinis* (ou *in sacris*) *cum eo*. Les concessions du concordat de Bénévent devaient être rapportées dans un sens entièrement favorable à la papauté par Célestin III en 1192 (nouveau concordat de Gravina), cf. *infra*, p. 219, 274.
(2) Boson, p. 395.
(3) Jaffe-Wattenbach, 10.197 (10 juillet 1156).
(4) Boson, p. 395.
(5) Jaffe-Wattenbach, t. II, p. 113-120.
(6) Boson, p. 395.

les généraux, vaincus par le Sicilien, abandonnaient toutes leurs bases dans la péninsule, la papauté, dont le pouvoir était désormais restauré dans la Ville éternelle, jouissait enfin de la paix qu'elle avait grandement contribué à rétablir avec les États chrétiens. Restait cependant la grande inconnue germanique : il est certain que l'empereur n'avait pas renoncé au projet d'imposer sa domination en Italie ; une lourde hypothèque grevait l'avenir des cités lombardes ; les États de l'Église eux-mêmes et le royaume de Sicile n'étaient pas à l'abri de la menace teutonique.

Pour l'instant cependant, Frédéric Ier était retenu de l'autre côté des Alpes par des soucis plus pressants : en mars 1153, il avait répudié sa femme Adèle de Vohbourg ; il convolait maintenant en secondes noces avec Béatrix, héritière de Renaud de Mâcon, comte de Bourgogne (juin 1156)[1]. Ce mariage, manifestement politique, affermissait les prétentions impériales sur l'ancien royaume de Bourgogne ; il étendait le pouvoir effectif de l'empereur jusqu'à la Saône. La présence de celui-ci dans la région ravivait la fidélité des populations à la domination germanique ; elle éloignait pour quelque temps encore son retour en Italie. La paix entre Adrien IV et Frédéric Barberousse, préservée l'année précédente au prix de concessions mutuelles malgré une défiance réciproque, trop justifiée d'ailleurs, ne pourrait sans doute se prolonger longtemps encore. Dès qu'il serait connu de l'empereur, le traité de Bénévent, conclu en dehors de lui malgré les stipulations de Constance qu'il avait violées le premier, devait à coup sûr ranimer un conflit latent. Cependant, au cours de son pontificat, principalement consacré à la défense des intérêts de l'Église romaine en Italie, Adrien IV put connaître une trêve de deux ans environ, entre la conclusion du traité de Bénévent (18 juin 1156) et l'arrivée de l'empereur en Lombardie (6 juillet 1158)[2].

CARACTÈRE D'ADRIEN IV   La décision d'Adrien IV et sa fermeté dans la conduite de la politique italienne, son énergie guerrière durant la campagne de 1156, l'intrépidité dont il fit preuve face aux situations les plus critiques, alors que, privé de tout allié et de tout secours, il n'hésita pas à se livrer à la merci de l'empereur au camp de Nepi, puis à la merci du roi de Sicile à Bénévent, ont fait illusion sur le caractère réel du pontife. Certes, le pauvre clerc obligé d'accepter une condition subalterne pour gagner son pain et acquérir le savoir convoité, le légat de Scandinavie, le pape qui sut accroître le prestige de l'Église romaine en face de Barberousse et de Guillaume de Sicile, celui qui mit fin à la sédition de Rome et la délivra d'Arnaud de Brescia, est un homme à la trempe d'acier que ne rebutèrent jamais les difficultés. C'est toutefois parce qu'il avait acquis une exceptionnelle

---

(1) OTTON DE FREISING, II, XI, prétend que le premier mariage de Barberousse aurait été déclaré nul par des légats pontificaux ; le fait paraît controuvé. SIGEBERT DE GEMBLOUX, *Continuatio Aquicinctina* (P. L., CLX, p. 297), affirme que l'empereur répudia sa femme injustement ; enfin, pour les *Chroniques belges*, le divorce aurait été autorisé par les archevêques et évêques de Germanie (*Sigeberti Auctarium Affligemense*, M. G. H., SS., t. VI, p. 403 ; *Balduini Ninovensis Chronicon, Ibid.*, t. XXV, p. 534).

(2) *Annales Mediolanenses*, a. 1158.

maîtrise de soi que Nicolas Breakspear fut promu au gouvernement des autres : abbé de Saint-Ruf, évêque d'Albano, pontife romain, il sut faire preuve d'un réel esprit d'organisation. A qui veut bien réfléchir, il se révèle un remarquable administrateur et un chef qui sut former à son école des émules, tels Boson et Roland Bandinelli, appelés à continuer après lui sa politique.

Il eut aussi le culte de l'amitié et souffrit de l'isolement où le tenait son élévation sur la chaire de l'Apôtre. Toutefois, sa droiture même et son intransigeance lui valurent des ennemis : les chanoines de Saint-Ruf lors de son abbatiat [1], quelques cardinaux hostiles à sa politique pro-sicilienne, lorsque, après avoir loyalement combattu Guillaume Ier, il se fut rapproché de lui [2]. Mais il sut oublier les opprobres et pratiquer le pardon des injures : devenu pape, il combla de ses libéralités l'abbaye de Saint-Alban qui lui avait fermé ses portes [3] et le monastère de Saint-Ruf qui l'avait chassé [4]. Son contemporain Boson a laissé de lui le portrait d'un « homme doux et patient, parlant aisément le latin et l'anglais, éloquent dans ses discours et châtié dans son langage, grand prédicateur, très doué dans le chant d'église, lent à la colère et prompt au pardon, large dans ses aumônes et qui donnait avec joie » [5].

Aussi simple dans son particulier qu'intransigeant sur les traditions du protocole en présence d'un Barberousse, il admit dans son intimité Jean de Salisbury ; il aimait à partager ses repas avec lui, plus encore, à ouvrir sa conscience devant lui et à s'épancher des préoccupations du pouvoir [6]. Il goûtait en lui un naturel aimable et enjoué, un esprit équilibré, raisonnable, pondéré. Dans la lourde tâche qui lui incombait, il sollicitait parfois de son ami la critique des abus ou des fautes de son gouvernement ; au cours des trois mois qu'ils passèrent ensemble à Béné-vent (décembre 1155-février 1156), il voulut savoir de lui comment on jugeait la papauté. Jean de Salisbury, malgré toute la déférence qu'il avait pour le pape, céda aux instances de l'ami, et Adrien IV dut entendre les accusations couramment dirigées contre l'Église romaine [7].

Marâtre pour les autres églises, ne fait-elle pas, comme autrefois les pharisiens, peser sur les hommes des fardeaux trop lourds qu'elle-même ne touche pas, fût-ce du bout des doigts ? Elle amasse des richesses, suscite des procès, vend la justice, met tout à prix, et passe pour faire le bien quand elle ne nuit pas. Quant au pape, on ne supporte pas son joug sans impatience : il marche couvert de pourpre et d'or et construit des palais, tandis que les églises fondées par la piété des ancêtres croulent en ruines et que les autels sont dépouillés. Au jugement du populaire, rappelé par son ami, Adrien IV préféra l'avis, autrement équitable dans

---

(1) Cf. *supra*, p. 10-11.
(2) Cf. *supra*, p. 23-25.
(3) JAFFE-WATTENBACH, 10.117 et 10.324 ; GUILLAUME DE NEWBURGH, *Hist. Anglicana*, II, VI.
(4) U. CHEVALIER, *Codex diplomaticus Ordinis S. Rufi*, p. 32 à 48 ; on ne compte pas moins de dix privilèges d'Adrien IV en faveur de l'abbaye de Saint-Ruf ou des établissements qui en dépendaient, le premier du 17 avril 1155, le dernier du 27 mai 1159.
(5) BOSON, p. 389.
(6) JEAN DE SALISBURY, *Metalogicon*, IV, XLII.
(7) ID., *Policraticus*, VI, XXIV.

sa franchise, de Jean de Salisbury lui-même. Celui-ci essaya bien d'éluder une question embarrassante dont la réponse pouvait le faire passer pour un vil courtisan ou pour un critique téméraire. Avec le tact qui lui était coutumier, il rendit justice à l'Église romaine qu'il connaissait de près pour avoir vécu à la Curie, attesta sur sa conscience qu'il n'avait vu nulle part des ecclésiastiques plus vertueux : par exemple, Bernard cardinal des Saints-Côme-et-Damien qui méprisait les richesses, l'évêque de Préneste qui refusait sa part des biens communs ; la plupart étaient hommes graves et pondérés. Pressé par le pape, Jean de Salisbury ajouta :

Je confesse qu'il vaut mieux suivre vos préceptes qu'imiter vos œuvres, car celui-là est hérétique ou schismatique qui s'écarte de votre doctrine (...) ; je crains pourtant qu'en réclamant ce que vous brûlez de savoir, vous n'entendiez des lèvres d'un imprudent ami ce que vous préféreriez ne jamais connaître. Vous examinez la conduite des autres, mais la vôtre ? Tout le monde applaudit sur votre passage ; on vous nomme le Père et le Seigneur de tous. Père, pourquoi donc exigez-vous de vos enfants des rétributions et des dons ? Seigneur, pourquoi êtes-vous si peu craint des Romains ? Il faudrait réprimer leur audace et les ramener dans la fidélité qu'ils vous doivent. Vous croyez, par vos présents, conserver Rome à l'Église. Ce n'est point de la sorte que saint Sylvestre la lui acquit (...). Gardez Rome par les moyens mêmes qui l'ont acquise ; donnez gratis ce que vous avez reçu gratis ; la justice est la reine des vertus, mais elle rougit d'être mise à prix ; et, en fin de compte, le poids dont on accable les autres ne tarde pas à retomber sur soi-même.

Le pontife se divertit fort des remarques de son ami dont il loua la sincérité. Cependant, lui rappelant l'apologue antique des membres et de l'estomac, il lui fit entendre que tout chef d'État se voit dans la nécessité de solliciter sans cesse et de recevoir beaucoup afin de parer aux besoins de tous [1].

RESTAURATION ET ACCROISSEMENT DU PATRIMOINE EN ITALIE

Adrien IV n'avait certes pas besoin des conseils d'intégrité et de fermeté de Jean de Salisbury. Il montra cependant qu'il savait à l'occasion en tirer profit. Dans l'administration du Patrimoine de l'Apôtre, il sut, comme le lui rappelait son ami, se montrer à la fois père et seigneur. Père, Adrien IV construisit ou embellit des églises, non des palais ; il releva celles qui menaçaient ruine ; seigneur, il éleva ou répara des forteresses et réussit à la fois à faire craindre et aimer le pouvoir pontifical dans toute l'étendue du Patrimoine qu'il accrut considérablement. La liste des actes du pontificat, au *Liber Censuum*, manifeste la grande activité du pape dans ce domaine après la paix de Bénévent et surtout à partir de janvier 1157 [2].

A Rome même, le pape entreprit les plus grands travaux : il fit rebâtir le toit de la chapelle de saint Procès, dans le bras méridional du transept de la basilique Saint-Pierre, en le surhaussant au niveau du toit principal ; il fit de même pour le baptistère Saint-Jean qui s'élevait à l'extrémité septentrionale du transept. Au Latran, il fit construire une vaste citerne, dont la nécessité se faisait vivement sentir, et entreprit des travaux

(1) Jean de Salisbury, *Policraticus*, VI, xxiv.
(2) *Liber Censuum*, p. 385 et suiv.

urgents de restauration. Il consacra enfin un nouvel autel en l'église des Saints-Côme-et-Damien [1].

Hors de Rome, Castella d'Orchia, abandonné par ses habitants et devenu un repaire de brigands, fut fortifié et repeuplé à grands frais ; Ponte Lucano fut doté d'une chapelle, d'une cloche, d'un calice de six onces, de livres et ornements sacrés pour la célébration de la messe [2].

Adrien IV voulut s'assurer en outre de la fidélité des hommes sur qui reposaient la garde et la sécurité du Patrimoine : il réorganisa le corps des *ostiarii* ou huissiers des basiliques romaines. Les plaçant directement sous l'autorité du camérier, il leur imposa le serment solennel de rester fidèles au pape, de garder loyalement, lui vivant ou mort, les places qui leur étaient confiées et de respecter les richesses mobilières qu'elles contenaient. Les huissiers du palais durent, eux aussi, prêter serment au camérier Boson [3].

Adrien IV acheta ou reçut en don de nombreuses terres, des châteaux, des moulins : ainsi Paltonerio de Montichiello fit don au pape de son château [4] ; le puissant Odon de Poli, l'archiprêtre et le vicomte de Monte Libretti [5], Rainaldo Sinibaldi [6] et les comtes de Calmaniere [7] engagèrent tour à tour leurs terres au pape. La plupart des seigneurs en question s'étaient d'abord montrés rebelles : plusieurs avaient attaqué ou saccagé les biens de l'Église romaine. Adrien IV accepte ces dons spontanés en compensation et en signe de réconciliation [8]. Ainsi rentré en possession des domaines du Patrimoine aliénés sous les derniers pontificats, il en investit généralement ceux-là même qui les lui remettent : devenus dès lors effectivement les vassaux de l'Église romaine, ils font hommage et fidélité au pape, jurent de combattre à ses ordres seulement pour la défense du Patrimoine de l'Apôtre, d'observer la trêve de Dieu, de respecter les églises, les monastères, les hôpitaux, les prêtres, les moines, les Templiers, les marchands et les paysans. La seigneurie de l'Église romaine s'affirme donc sur des princes jusque là turbulents ou rebelles, mais le pontife agit envers eux paternellement : loin de les dépouiller de leurs fiefs, il légitime leurs titres de possession et affermit leur pouvoir. On a vu comment les deux cités de Tivoli [9] et d'Orvieto [10] étaient, elles aussi, rentrées dans la fidélité due à l'Église romaine. Du nord au sud, le Patrimoine restauré s'accrut encore des acquisitions d'Adrien IV qui acheta aux fils de Rainald de Guardea les quatre châteaux de Castiglione Teverino, Cimigiano, Canepina, Bulsignani [11] ; ceux d'Orchiano [12] et Rojano [13],

---

(1) Boson, p. 395-396.
(2) *Ibid.*, p. 396.
(3) *Liber Censuum*, p. 419-420, n° 158 (22 décembre 1157) ; *Ibid.*, p. 420 (mandement du camérier Boson aux huissiers du palais, n° 159, même date).
(4) *Ibid.*, p. 408, n° 134 (avril 1156).
(5) *Ibid.*, p. 387, n° 101 ; p. 388, n° 102 (17 janvier 1157) ; p. 391 à 394, n°ˢ 107, 108, 109, 110, 111 (8 avril 1157).
(6) *Ibid.*, p. 397, n° 116 (18 avril 1159).
(7) *Ibid.*, p. 389, n° 104 (11 octobre 1157).
(8) Boson, p. 394.
(9) Cf. *supra*, p. 20-21.
(10) Cf. *supra*, p. 26.
(11) Boson, p. 396.
(12) *Liber Censuum*, p. 385-386, n°ˢ 98-100 (25, 27, 30 août 1158).
(13) *Ibid.*, p. 396, n° 114 (7 avril 1159).

La Roche-Saint-Étienne avec ses dépendances, Proceno et Repesena [1] et plusieurs moulins à Bolsène [2] ; il recevait du bois des gens d'Ostie [3], passait une convention avec ceux d'Orvieto [4] et faisait valoir ses droits sur Sgurgola [5].

LE PATRIMOINE HORS D'ITALIE   Hors d'Italie comme dans la péninsule, Adrien IV chercha à restaurer et à étendre le Patrimoine de l'Église romaine. Si l'on arrive à saisir la consistance matérielle du Patrimoine en Italie, il n'en est pas de même pour le reste de la Chrétienté occidentale. L'expression désigne ici comme là un ensemble de droits traditionnels, constamment accrus par les acquisitions nouvelles des pontifes sur des terres, châteaux, églises, monastères, personnes ecclésiastiques, etc..., comme en témoignent assez les listes du *Liber Censuum* et les privilèges pontificaux. Cependant, la nature même de ces droits est infiniment variée : de la possession à la suzeraineté, du pouvoir de juridiction à la perception d'un cens, il existe des degrés multiples dans le signe matériel et la reconnaissance juridique des droits de l'Église romaine ou l'exercice même de son autorité. La structure de tout État féodal comporte des degrés analogues, mais la double nature du pouvoir pontifical, à la fois temporel et spirituel, prête à des confusions plus grandes. Hors de la péninsule, la plupart des droits de l'Église romaine se réduisent à l'affirmation d'une juridiction supérieure, médiate ou immédiate ; dans ce dernier cas, la perception d'un cens est le signe visible de l'exemption d'une abbaye de droit pontifical, ou de la vassalité d'un royaume relevant du Saint-Siège. Ici, le temporel paraît primer le spirituel ; ailleurs au contraire, l'Église romaine est surtout reconnue pour la mère et la tête des églises locales.

Mais il existe des cas intermédiaires : monastères, diocèses même qui recherchent la protection de l'Apôtre ; le cas est fréquent sous les prédécesseurs immédiats d'Adrien IV et sous son propre pontificat pour certaines régions troublées par des luttes féodales : Eugène III concéda un grand nombre de ces privilèges aux abbés et aux évêques d'Angleterre, au temps de la rivalité entre les maisons d'Anjou et de Blois [6]. Adrien IV, pour sa part, prit ainsi sous la protection du bienheureux Pierre le diocèse de Norwich (1er mars 1155) [7], celui de Bath and Wells (21 janvier 1156) [8], ceux de Narbonne (Latran, 9 décembre 1156) [9], de Nîmes (Latran, 10 décembre 1156) [10] et l'archidiocèse de Rouen [11], sans compter de très nombreux établissements religieux. Pour les monastères, cette protection s'accompagne parfois de la perception d'un cens « *ad indicium perceptae*

---

(1) *Liber Censuum*, p. 394-395, n° 112 et p. 362, n° 76 (2 janvier 1159) ; BOSON, p. 396.
(2) *Liber Censuum*, p. 388, n° 103 et p. 397, n° 115 (octobre 1158).
(3) *Ibid.*, p. 398, n° 117 (26 mai 1159) ; p. 399, n° 118 (31 mai 1159).
(4) *Ibid.*, p. 390-391, n° 106 (février 1158).
(5) *Ibid.*, p. 400, n° 120 (13 juillet 1159).
(6) W. HOLTZMANN, *Papsturkunden in England*, 1931, p. 260 et suiv. ; 1936, p. 202 et suiv.
(7) *Ibid.*, 1936, p. 259 et suiv., n° 85.
(8) *Ibid.*, p. 269-271, n° 90.
(9) JAFFE-WATTENBACH, 10.218.
(10) *Ibid.*, 10.221.
(11) *Ibid.*, 10.442.

protectionis », le plus souvent seulement de la définition précise des droits de l'Église romaine, droits variables d'un établissement à l'autre, réserve faite de la justice canonique de l'ordinaire [1].

Si l'on aborde maintenant les royaumes, il en est qui, sans aucun doute possible, sont vassaux et tributaires de longue date déjà : royaume de Pologne, de Hongrie, de Danemark ; royaumes ibériques : Aragon et Portugal ; duché de Croatie-Dalmatie, royaume des Deux-Siciles [2]. Il est d'autres royaumes qui paient une redevance annuelle à l'Église romaine et qui pourtant ne peuvent être taxés de royaumes vassaux : c'est le cas des régions soumises au denier de saint Pierre.

LE DENIER DE SAINT PIERRE — Le denier de saint Pierre est une vieille institution d'origine anglo-saxonne remontant aux rois Ina de Wessex († 726) et Offa de Mercie († 794). Ce dernier prince s'était constitué le débiteur du Siège apostolique pour une somme annuelle de trois cent soixante-cinq marcs d'or envoyée à Rome pour la première fois en 787. Cette somme était destinée aux pauvres et à l'entretien du luminaire des églises. Ramené à un abonnement de trois cents marcs par Ethelwulf, roi de Wessex, en 855, réparti à raison d'un denier par famille par Alfred le Grand (871-899) et connu pour cette raison sous le nom de *Romepenny*, ou *denarius beati Petri* (*Peterpence*), le denier de saint Pierre était, au XIIe siècle, perçu par diocèse et assez régulièrement envoyé à Rome [3]. On voit qu'à l'origine il est un simple don gratuit destiné spécialement à des aumônes et à des œuvres pies pour le salut des princes qu'honore cette libéralité ; les papes, tenant à reverser en partie cette aumône sur les pèlerins et malades anglais, en attribuèrent une part fixe à la *Schola Saxonum* dans le Borgo [4]. Les conquérants successifs de l'Angleterre manifestèrent un grand empressement à payer le denier de saint Pierre afin d'obtenir ainsi une sorte de légitimation de leur conquête.

Par ailleurs, la diffusion du régime féodal en Occident et l'allure toute féodale qu'avait revêtue le pouvoir pontifical au XIe siècle favorisèrent l'assimilation du denier de saint Pierre à un véritable tribut, signe de vassalisation du royaume britannique. Le premier, Alexandre II, ou ses légats pour lui, avait lié le denier de saint Pierre à la protection de l'Apôtre et même à la suzeraineté pontificale sur l'île récemment conquise par les Normands. Guillaume le Conquérant avait accepté le denier comme une dette d'honneur et repoussé la suzeraineté du pape comme une innovation [5]. Ses successeurs persistèrent dans la même voie [6]. Pour Adrien IV,

---

(1) On trouvera de nombreux exemples dans les *Papsturkunden*, 1931, p. 260 et suiv.
(2) Sur les royaumes vassaux, cf. P. FABRE, *Étude sur le Liber Censuum de l'Église romaine*, p. 120 et suiv.
(3) Sur l'origine du denier de saint Pierre, cf. *Ibid.*, p. 129 et suiv.
(4) Quant à la signification du denier de saint Pierre, nous ne sommes pas entièrement d'accord avec P. FABRE qui l'assimile au cens des royaumes vassaux. Cf. notre ouvrage, *L'Église et la Royauté en Angleterre sous Henri II Plantagenet*, p. 85-86.
(5) A. FLICHE, *La Réforme grégorienne*, t. II, p. 347 ; lettre de Guillaume le Conquérant publiée dans les œuvres de LANFRANC, dans *P. L.*, CL, col. 517.
(6) Dès 1115 cependant, la papauté paraît abandonner la position d'Alexandre II : dans une

anglais d'origine, la nature exacte du denier de saint Pierre ne pouvait faire de doute. Nous avons vu comment il en favorisa l'établissement hors d'Angleterre, alors que, légat en Scandinavie, le cardinal d'Albano avait obtenu des rois de Norvège et de Suède le versement annuel d'une somme fixe dénommée, là comme en Angleterre, *denarius beati Petri*. Anastase IV, qui en confirma l'institution, ne parle ni de redevance féodale, ni de suzeraineté romaine. Il est clair que le denier, s'il suppose l'union spirituelle des royaumes scandinaves au pontife romain et la juridiction de ce dernier sur les églises locales, n'est en aucun sens un tribut féodal ; tout au plus, le rôle de pacificateur joué par le légat, son intervention pour affermir en Norvège le pouvoir d'Inge, suggèrent-ils une simple protection analogue à celle que recherchaient alors maints établissements religieux soumis parfois au cens dit *ad indicium protectionis*. Anastase IV parle en propres termes de ce *patrocinium* de l'Apôtre en échange de la dévotion intérieure dont le cens n'est que le signe visible [1]. Il reste que l'Anglais Nicolas Breakspear a pensé affermir les droits de l'Église romaine dans les pays nordiques en y introduisant un système de redevances qui avait fait ses preuves en Angleterre depuis de longs siècles et s'était maintenu à travers toutes les vicissitudes politiques de l'île.

Adrien IV tenta aussi, semble-t-il, d'instituer le denier de saint Pierre en Irlande ; sur ce point nous n'avons qu'un seul témoignage : celui de la bulle *Laudabiliter* [2], dont l'authenticité, mise en doute par les esprits les plus sérieux, reste sujette à caution [3]. Le paiement du denier de saint Pierre y paraît lié à la concession de l'île par le pontife romain. On en a déduit le parallélisme du denier et du tribut féodal, sinon leur assimilation absolue [4]. Il reste que la confusion commise, volontairement ou non, par l'Église romaine à la fin du xie siècle pour l'Angleterre, pouvait persister au xiie dans les esprits insuffisamment informés ; de là à affirmer qu'Adrien IV avait lui-même réclamé le denier en signe de vassalité, il n'y a qu'un pas, que nous nous refusons à franchir. L'attitude du cardinal d'Albano dans la mission de Scandinavie, la confirmation de ses initiatives par Anastase IV, enfin le silence absolu sur ce point de l'unique source incontestablement sincère et authentique, nous

---

lettre au roi d'Angleterre Henri Ier, Pascal II se plaint en effet que l'*eleemosyna* de saint Pierre soit levée *perperam doloseque*. Le terme est significatif : l'idée de tribut en est bannie, il s'agit bien d'un don gratuit à destination charitable (JAFFE-WATTENBACH, 6450, cité par P. FABRE, *op. cit.*, p. 142).

(1) Cette interprétation découle des termes mêmes des bulles d'Anastase IV, cf. *supra*, p. 12, n. 5 (dans *P. L.*, CLXXXVIII, 1086 et 1088). *Censuum autem... quem profecto non tam ad nostram utilitatem quam ad salutem animarum vestrarum exigimus, dum vos internae devotionis obsequium beati Petri cupimus patrocinium obtinere* (*Ibid.*, 1088). Au surplus, l'assiette adoptée est celle même qui a fait ses preuves en Angleterre, perception par diocèse, responsabilité de l'évêque (*Ibid.*, 1086).

(2) Nous connaissons la bulle par GIRAUD LE CAMBRIEN qui la reproduit à plusieurs reprises dans ses œuvres (*Expugnatio Hibernica*, II, v ; *De rebus a se gestis*, II, xi, *De principis instructione*, II, xix). Elle a été reprise dès la fin du xiie siècle par RALPH DE DICETO (*Ymagines Historiarum*, a. 1154) et plus tard par ROGER DE WENDOWER (*Flores Historiarum*, a. 1155) et MATTHIEU DE PARIS (*Chronica Majora* et *Historia Anglorum*, a. 1155). Cf. JAFFE-WATTENBACH, 10.056 et *P. L.*, CLXXXVIII, col. 1615.

(3) Cf. la bibliographie en tête du chapitre, p. 5, n. 1 (II. TRAVAUX). On trouvera une excellente mise au point des études antérieures dans l'article de Ch. BÉMONT, *La bulle Laudabiliter* (dans *Mélanges Lot*, Paris, 1925, p. 41-53).

(4) P. FABRE, *op. cit.*, p. 138.

voulons parler du témoignage de Jean de Salisbury [1], inclinent à croire le contraire.

CONCESSION DE L'IRLANDE A HENRI PLANTAGENET

En effet, si le témoignage de la bulle *Laudabililer* ne peut être retenu, le fait essentiel qu'elle rapporte, à savoir la concession de l'Irlande au roi d'Angleterre par Adrien IV, peut être au contraire établi avec certitude. L'agent même de la négociation, Jean de Salisbury, qui tait l'établissement du denier de saint Pierre en Irlande à cette occasion, le certifie ; faisant allusion à l'existence d'un privilège pontifical délivré à cet effet :

Sur mes instances, dit-il, [Adrien IV] concéda à l'illustre roi des Anglais, Henri II, la possession de l'Irlande à titre héréditaire comme en fait foi une bulle pontificale. On dit en effet que toutes les îles dépendent de l'Église romaine : ce droit antique remonte à Constantin qui fonda et dota sa puissance temporelle. Par mon intermédiaire, le pape adressa [au roi d'Angleterre] un anneau d'or orné d'une spendide émeraude en signe d'investiture du droit à gouverner l'Irlande, et cet anneau est aujourd'hui conservé dans le Trésor public des Archives [2].

Ainsi Henri II, qui, dès son avénement, visait à étendre ses possessions, avait sollicité du pape la légitimation anticipée de la conquête de l'Irlande qu'il projetait déjà.

Alors divisée en principautés celtiques constamment en luttes les unes contre les autres, envahie par les Danois qui avaient réussi à s'implanter sur le littoral oriental, l'Irlande pouvait apparaître comme une proie facile à l'ambition du Plantagenet [3]. En pleine décadence morale (les institutions les plus sacrées, tels le baptême des enfants, le mariage, la liberté de la personne humaine, y étaient bafouées) [4], encore soumise aux vieux usages celtiques [5], elle ne laissait pas d'être une grosse préoccupation pour la papauté ; malgré l'action réformatrice de saint Malachie, ami de saint Bernard, et, après sa mort, la réorganisation ecclésiastique du pays par le cardinal Jean Paparo qui, au concile de Kells (mars 1152), avait supprimé de nombreux évêques sans juridiction diocésaine fixe et créé les deux nouvelles métropoles de Dublin et Tuam [6], l'influence romaine, à peine introduite, y était de toutes parts repoussée. Adrien IV crut opportun de déférer aux désirs du roi d'Angleterre dont la domination sur l'île paraissait devoir assurer du même coup le rétablissement de la paix, la restauration de la discipline ecclésiastique et le triomphe de la juridiction romaine. Il s'est trouvé de nombreuses voix, surtout parmi les Irlandais, pour blâmer le pape anglais d'avoir favorisé de la sorte le roi d'Angleterre. En fait, il faut voir dans l'affaire d'Irlande la poursuite de la politique inaugurée par le cardinal d'Albano, à savoir

(1) JEAN DE SALISBURY, *Metalogicon*, IV, XLII.
(2) *Ibid.*
(3) GWYNN, *The Student's History of Ireland*, p. 65 et suiv.
(4) Ici le témoignage de Giraud le Cambrien se trouve corroboré par les *Lettres* de saint Anselme, dans *P. L.*, CLIX, 174, 179.
(5) Saint MALACHIE, dans *P. L.*, CLXXXII, 1083 ; cf. L. GOUGAUD, *Les chrétientés celtiques.*
(6) JEAN DE SALISBURY, *Historia Pontificalis*, XXXVI, édit. R. L. POOLE, p. 74.

la pénétration et le développement de l'influence romaine dans les pays nordiques par les moyens que la société féodale mettait alors à la disposition de la papauté.

ADRIEN IV ET L'ANGLETERRE   Par ailleurs, Adrien IV s'est montré aussi exigeant envers le Plantagenet qu'envers tout autre prince. Les avantages qu'il acquit du roi de Sicile par le concordat de Bénévent, le pape s'efforça aussi de les obtenir, à l'occasion, du roi d'Angleterre. Peu après son avénement, ayant reçu une ambassade de Henri II dans laquelle figurait l'abbé de Saint-Alban, Adrien IV sut rappeler au Plantagenet la grande règle des élections libres et canoniques par les chapitres diocésains ou conventuels, et promulguer en Angleterre l'interdiction de toute intervention laïque ou nomination royale (5 février 1156) [1]. Devant les tentatives du roi pour décider lui-même des affaires ecclésiastiques importantes, il protesta énergiquement et proclama la liberté des appels en cour de Rome. L'affaire de l'abbaye de Battle lui fut une première occasion d'intervenir dans ce sens.

Élevée en 1066 par le Conquérant sur le site même de sa victoire, la colline de Senlac dominant la plaine de Hastings, Battle Abbey avait été soustraite par privilèges royaux à la juridiction de l'ordinaire [2]. Au milieu du XIIe siècle, l'évêque de Chichester, Hilaire, cherchant à rétablir ses droits, avait fait appel au pape ; Adrien IV enjoignit à l'abbé et au monastère de se soumettre loyalement à l'évêque diocésain [3]. L'abbé avait alors porté sa cause devant le roi, qui décida en sa faveur, accusant l'évêque de vouloir le dépouiller des prérogatives de la couronne. Hilaire de Chichester trouva opportun de faire sa paix avec l'abbé sans plus réclamer l'appui du pape (1157) [4]. Dans le même temps, l'archevêque de Cantorbéry, Théobald, en lutte avec Sylvestre, abbé de Saint-Augustin, qui refusait de lui faire profession d'obédience (janvier 1157), eut gain de cause après appel à Rome et jugement à la cour du roi : des personnes religieuses ayant attesté la profession canonique de l'abbé Hugues entre les mains de Guillaume de Corbeil, prédécesseur de Théobald, l'abbé Sylvestre consentit à lui donner satisfaction (16 juillet 1157) [5].

Mais l'archevêque de Cantorbéry s'était attiré une sévère réprimande de la part d'Adrien IV mécontent de constater que les dignitaires ecclésiastiques du royaume recherchaient le jugement du roi plutôt que celui du pape et n'osaient pas, par crainte de Henri II, en appeler en cour de Rome : les appels au pape n'étaient-ils pas tombés en désuétude par sa négligence, au point que nul n'osait plus en appeler au Siège apostolique en la présence du roi ou de l'archevêque ? Et l'archevêque n'était-il

---

(1) JAFFE-WATTENBACH, 10.139.
(2) Cf. *Chronique de l'abbaye de Battle* (*Anglia Christiana Society*, Londres, 1846) ; extraits dans STUBBS, *Materials for the History of Thomas Becket*, t. IV, p. 244 et suiv. ; GALBRAITH, *A new charter of Henry II to Battle Abbey*, dans *English Historical Review*, 1937, t. LII, p. 67-73, qui corrobore la chronique.
(3) JAFFE-WATTENBACH, 10.002 (1er mars 1155).
(4) *Chronique de Battle*, p. 98-104.
(5) GERVAIS DE CANTORBÉRY, édit. STUBBS (*Rolls Series*), *Chronique*, t. I, p. 76-77 ; *Actus Pontificum*, t. II, p. 385.

pas plus dévoué aux intérêts du roi qu'à ceux de l'Église romaine, puisqu'il négligeait de suivre les instructions du pape lorsqu'il s'agissait de faire rendre justice à quelqu'un [1] ? Ces accusations étaient graves. Elles ne paraissent cependant pas entièrement justifiées. Théobald fut le meilleur protagoniste des intérêts de l'Église romaine en Angleterre ; en 1157, âgé et brisé d'une carrière longue et agitée, l'archevêque de Cantorbéry éprouve déjà la puissance du Plantagenet, alors dans toute la vigueur de la jeunesse et la force du pouvoir, et qui entend reconquérir des droits pratiquement abandonnés par Étienne de Blois. L'avertissement d'Adrien IV prouve que le pontife n'était pas décidé à faire au roi d'Angleterre des concessions qu'il refusait aux autres princes, ni à souffrir la moindre atteinte à l'autorité de l'Église romaine.

A l'exemple d'Eugène III [2], il intervint à maintes reprises pour contraindre l'évêque d'Ely à rentrer en possession des biens de son église aliénés pendant les luttes féodales que connut l'Angleterre sous le règne précédent ; il suspendit l'évêque, menaça d'excommunication les détenteurs de ces biens, et, devant les obstacles rencontrés par Théobald de Cantorbéry, son légat en Angleterre, il s'adressa à Henri II pour qu'il contraignît, par la force si nécessaire, les feudataires récalcitrants à rendre justice à l'évêque par devant Théobald [3]. En toute sa conduite, bien qu'il ne refuse pas d'accorder quelque délai au roi d'Angleterre, Adrien IV entend obtenir de lui le respect des droits de l'Église romaine.

ADRIEN IV ET LES AUTRES ROYAUMES CHRÉTIENS. LA HIÉRARCHIE ECCLÉSIASTIQUE

Poursuivant la politique de ses prédécesseurs, le pape s'efforce de soumettre les évêques d'Écosse à la juridiction du métropolitain d'York qui revient de Rome, muni du pallium [4]. Par contre, en opposition avec la décision d'Urbain II [5], Adrien IV prit parti pour Dol qu'il érigea en métropole des Celtes d'Armorique soumis, à partir de 1156, à l'influence de Henri II Plantagenet [6]. Très bienveillante envers le roi d'Angleterre, la politique pontificale ne diffère cependant pas d'un État à l'autre : partout, c'est le même souci de faire pénétrer, de maintenir ou de développer les droits de l'Église romaine, généralement avec la collaboration des pouvoirs locaux : princes chrétiens dans le cas des royaumes scandinaves et de l'Irlande, légats temporaires, primats et métropolitains.

En France comme en Angleterre, le pape se préoccupe de défendre la propriété ecclésiastique : il enjoint à Louis VII de rétablir par la force

(1) JAFFE-WATTENBACH, 10.128 (Bénévent, 23 janvier 1156).
(2) W. HOLTZMANN, *Papsturkunden in England*, 1936, p. 181, n° 35 (24 mai 1144) ; p. 188, n° 40 (fin 1144) ; p. 239, n° 71 (15 juin 1152) ; p. 241, n° 74 ; p. 251, n° 79 et p. 253, n° 80 (28 septembre 1153).
(3) *Ibid.*, p. 272, n° 92 et p. 273, n° 93 (22 février 1156) ; p. 280, n° 96 (17 mars 1157) ; p. 283, n° 98 ; p. 284, n° 99 et p. 286, n° 100 (16 janvier 1158).
(4) JAFFE-WATTENBACH, 10.000 (27 février 1155).
(5) *Ibid.*, 5519 et 5520 (5 et 11 avril 1094) ; cf. B. POCQUET DU HAUT-JUSSÉ, *Les papes et les ducs de Bretagne*, Paris, 1928 (*Bibliothèque des Écoles françaises d'Athènes et de Rome*), t. I, p. 32-42.
(6) JAFFE-WATTENBACH, 10.063 à 10.065 (17 et 21 mai 1155) ; 10.102 et 10.103 (20 décembre 1156) ; 10.362 ; 10.367 ; 10.504.

armée l'autorité de Pons, abbé de Vézelay, sur les habitants révoltés qui devront abjurer la commune pour rentrer dans la fidélité de l'abbé [1] ; les bourgeois et le comte de Nevers auront à réparer les dommages causés au monastère [2]. Plus tard, il mettra en garde l'abbé contre de nouvelles aliénations [3]. Il dissuadera le roi d'une croisade en Espagne, projetée de concert avec le Plantagenet : une telle expédition doit être préparée avec le conseil de l'Église, des princes et des populations du pays, si l'on ne veut pas risquer de courir à un échec aussi lamentable que celui de la seconde croisade [4].

Adrien IV s'efforce de protéger des atteintes d'autres princes chrétiens, tel celui de Valence, le comte Raymond de Barcelone qui lutte vaillamment contre les Sarrasins [5]. Il renforce en outre la hiérarchie ecclésiastique dans les royaumes ibériques : il confirme la primatie de Tolède [6], il ordonne à l'archevêque de Braga d'obéir au primat Jean sous menace de voir confirmer par le pape la sentence portée contre lui par le cardinal Hyacinthe, légat en Espagne [7], et il rapporte le privilège d'Anastase IV qui soustrayait Pélage, archevêque de Compostelle, à la juridiction du primat de Tolède [8].

En Italie, Adrien IV confirme le droit métropolitain de Bénévent et concède le pallium à l'archevêque Henri [9] ; il soumet trois diocèses en Sardaigne à l'archevêque de Pise, auquel il concède également la primatie sur la province de Torrès, et confirme la légation sur toute l'île [10].

Dans le royaume germanique enfin, le pontife romain doit surtout lutter contre les vieux abus que l'attitude des empereurs remet constamment en question : il ordonne à Arnold, archevêque de Mayence, de répondre devant son légat, l'archevêque de Trèves, ou par devers le pape pour avoir distribué à des laïques les prébendes destinées aux chanoines de Saint-Martin de Mayence, aliéné des objets précieux appartenant à son église et interdit à ses clercs en plein synode d'interjeter appel au Saint-Siège [11]. Mais Arnold, s'étant présenté devant le pape, dut réussir à se justifier, car il fut exempté à l'avenir de la légation de l'archevêque de Trèves (11 août 1156) [12]. Adrien IV charge enfin l'évêque d'Halberstadt, Ulric, de corriger, s'il y a lieu, les scandales de mœurs qui pourraient s'élever dans certains monastères féminins et de s'opposer à l'intrusion des laïques dans les nominations aux bénéfices ecclésiastiques [13].

Adrien IV a donc hautement revendiqué les droits temporels de l'Église romaine, sans négliger pour autant son patrimoine moral et spirituel.

---

(1) JAFFE-WATTENBACH, 10.068 (21 mai 1155).
(2) *Ibid.*, 10.066 et 10.067.
(3) *Ibid.*, 10.097.
(4) *Ibid.*, 10.546 (18 février 1159).
(5) *Ibid.*, 10.419.
(6) *Ibid.*, 10.141.
(7) *Ibid.*, 10.125. Sur l'action du légat, cf. *infra*, p. 248-249.
(8) *Ibid.*, 10.141.
(9) *Ibid.*, 10.206.
(10) *Ibid.*, 10.286.
(11) *Ibid.*, 10.145.
(12) *Ibid.*, 10.201.
(13) *Ibid.*, 10.188.

Comme légat d'abord, comme pape ensuite, il a renforcé la hiérarchie ecclésiastique dans les royaumes chrétiens, et ce, avec ce sens inné de la justice qui maintient les droits de chacun. Sous son pontificat, qui poursuit et complète, en plein XIIᵉ siècle, l'œuvre des grands papes de la fin du XIᵉ, les primats, les métropolitains, les évêques conservèrent leurs droits essentiels de juridiction, sans que le pape se privât toutefois de les rappeler à l'ordre s'ils manquaient eux-mêmes à faire justice à l'Église romaine, en négligeant par exemple de lui soumettre les causes les plus importantes.

ADRIEN IV ET
L'ÉGLISE RÉGULIÈRE

Vis-à-vis des établissements religieux, Adrien IV, loin de favoriser l'exemption de l'ordinaire et le développement du droit spécial de saint Pierre, s'est au contraire efforcé de maintenir, de rétablir parfois, le contrôle du diocésain. La plupart des privilèges qu'il octroya concernent la protection de la propriété et confirment généralement la juridiction canonique de l'évêque diocésain (*salva diocesani episcopi canonica justitia*) [1]. Blâmé par Jean de Salisbury de soutenir les Templiers, Adrien IV convint que les ordres religieux, très largement dotés de privilèges par les pontifes romains, ne les avaient pas toujours utilisés au mieux des intérêts de l'Église, que ces privilèges avaient le plus souvent servi leur cupidité et leur avarice. Mais, trouvant injuste et peu politique de les révoquer, il préféra les limiter : c'est ainsi qu'il décida de n'accorder l'exemption des taxes réclamée par les religieux qu'aux *novalia*, c'est-à-dire aux terres qu'ils auraient eux-mêmes défrichées et mises en culture. Ainsi pourront-ils jouir de leurs privilèges sans trop de préjudice pour autrui [2].

LE GOUVERNEMENT DE
LA CHRÉTIENTÉ

L'œuvre d'Adrien IV n'est pas seulement une œuvre de justice, mais de justice dans la paix. Pacificateur des royaumes scandinaves, il compte encore à son actif plusieurs interventions du même ordre : il incite l'abbé de l'Étable, soupçonné de favoriser le rapprochement du basileus et de l'empereur contre Guillaume de Sicile et la papauté, à ramener plutôt Barberousse au sentiment de déférence qu'il doit à l'Église romaine [3] ; il se réjouit de la paix rétablie entre Louis VII et Henri II [4] ; il prend enfin l'initiative des négociations entre Manuel Comnène et Guillaume Iᵉʳ, négociations qui devaient aboutir en 1158 au rapprochement des deux puissances ennemies [5].

Ayant contribué à pacifier la Chrétienté, le pape ne désespérait pas d'amener les princes à une action commune contre les Infidèles d'Espagne ou de Terre Sainte, après mûre réflexion et préparation sérieuse [6]. Il poursuivait des efforts, combien illusoires pourtant, en vue de l'union

(1) Cf. *supra*, p. 31-32.
(2) JEAN DE SALISBURY, *Policraticus*, VII, XXI.
(3) JAFFE-WATTENBACH, 10.246.
(4) *Ibid.*, 10.430.
(5) F. CHALANDON, *op. cit.*, t. II, p. 248-249.
(6) JAFFE-WATTENBACH, 10.546.

de l'Église grecque et de l'Église latine [1] et préparait les voies en concédant au patriarche de Grado, Henri, la nomination et la consécration d'un évêque latin à Constantinople où les Vénitiens possédaient plusieurs églises [2]. Dans une bulle adressée au métropolite de Thessalonique et concernant justement l'union des Églises, Adrien IV rappelait enfin l'universalité de l'Église romaine : « Il appartient à notre ministère, « écrivait-il, d'embrasser toutes les églises instituées sur tout l'orbe des « terres [3]. » Il affirmait ainsi le primat de l'Église romaine et sa suprématie de juridiction.

En somme, par son souci de la paix dans l'ordre et la justice, par son effort constant pour restaurer et maintenir le patrimoine temporel et moral de l'Église romaine, par sa conception même du pouvoir pontifical, ce pape anglais s'avère le plus romain des papes du XIIᵉ siècle.

§ 5. — La lutte du Sacerdoce et de l'Empire : réapparition du péril germanique en Italie.

PREMIÈRES CAUSES D'HOSTILITÉ   En 1157, l'attitude de Barberousse, modérée tant qu'il convoitait la couronne impériale, était devenue franchement hostile à la papauté. Par la répudiation d'Adèle de Vohburg (mars 1153), autorisée il est vrai par l'épiscopat germanique docile aux volontés royales [4], mais jamais ratifiée par l'Église romaine, plus encore par son second mariage avec Béatrix de Bourgogne, Frédéric Barberousse s'était mis en opposition avec les lois de la morale chrétienne. Or, au moment précis où l'empereur épousait l'héritière du comte Renaud, Adrien IV, dégagé des obligations de Constance par la négligence même de l'empereur à secourir l'Église romaine, avait conclu la paix avec Guillaume Iᵉʳ sans consulter Barberousse et malgré l'opposition du Sacré Collège favorable à l'alliance impériale [5]. L'empereur, mécontent du traité de Bénévent qui inféodait au roi de Sicile les territoires de l'Italie méridionale sur lesquels il revendiquait un droit éminent comme sur le reste de la péninsule, accusait le pape de trahison, et celui-ci désapprouvait l'alliance bourguignonne. La défiance que s'inspirèrent mutuellement Adrien IV et Frédéric Iᵉʳ lors de leur rencontre en 1155 était devenue, un an après, jour pour jour, une hostilité réelle, sinon encore ouvertement déclarée.

Au début de l'année 1157, le pape écrit à l'abbé Wibald, dont l'influence sur l'empereur était indéniable, de l'exhorter à montrer à l'Église romaine le respect qui lui est dû [6]. L'empereur tolérait en effet qu'on outrageât les dignitaires ecclésiastiques : l'archevêque de Lund, Eskil, primat de

(1) Jaffe-Wattenbach, 10.437.
(2) *Ibid.*, 10.296.
(3) *Ibid.*, 10.437 ; Mansi, *Concilia*, t. XXI, p. 796-797.
(4) *Chroniques belges* (M. G. H., *SS.*, t. VI, p. 403 ; XXV, p. 534) ; encore, l'archevêque de Mayence, les évêques de Minden, Eichstaedt et Hildesheim lui reprochèrent-ils son divorce et, pour cette raison, furent-ils déposés par l'empereur. Cf. A. Fliche, *La Chrétienté médiévale*, p. 331-332.
(5) Cf. *supra*, p. 23 et suiv.
(6) Jaffe-Wattenbach, 10.246.

Danemark et de Suède, traversant la Bourgogne au retour d'une visite *ad limina*, avait été arrêté par un seigneur brigand, dépouillé de ses bagages, maltraité et, pour l'appât d'une rançon, jeté au fond d'un donjon. Saisi de l'affaire, Frédéric, qui résidait alors sur les terres bourguignonnes, n'avait pourtant rien tenté pour punir le coupable et remettre en liberté l'archevêque.

LA DIÈTE DE BESANÇON (OCTOBRE 1157) — A la suite d'un premier avertissement, Adrien IV, qui n'avait pu obtenir satisfaction, envoya en légation auprès de Barberousse le cardinal Roland, chancelier de l'Église romaine, accompagné de Bernard, cardinal de Saint-Clément. Les légats rejoignirent l'empereur à Besançon où ils furent reçus en assemblée solennelle [1]. Il est certain que les conseillers de l'empereur étaient décidés à opposer aux revendications pontificales une fin de non recevoir. Il est non moins certain que le chancelier, ancien professeur de droit canonique à Bologne, homme intègre s'il en fut, convaincu de la suprématie du pouvoir pontifical, n'était nullement préparé à négocier avec toute la souplesse requise en pareille occurrence. Mais la bulle même dont il était porteur allait donner prétexte au refus de poursuivre des négociations à peine engagées, provoquer une explosion de colère qui aurait pu tourner mal pour les légats pontificaux et amener la rupture entre le Sacerdoce et l'Empire.

Dans cette bulle, que le chancelier impérial, Rainald de Dassel, se chargea de traduire en dialecte germanique, Adrien IV s'étonnait de la négligence de l'empereur à punir le crime dont un de ses vassaux s'était rendu coupable à l'égard du primat de Lund, crime qu'une première lettre du pape avait pourtant déjà signalé à sa vigilance [2]. Passant à l'exposé des motifs qui auraient dû maintenir celui-ci dans le dévouement envers l'Église romaine, le pape poursuivait :

Vous devriez vous rappeler, très glorieux fils, la joie avec laquelle la sainte Église romaine, votre mère, vous a reçu l'autre année (...), la plénitude de dignité et d'honneur dont elle vous a investi, et, en vous conférant la couronne impériale, avec quel amour maternel elle a exalté votre gloire (...). Nous ne regrettons certes pas d'avoir déféré à vos désirs en toutes choses ; nous disons même que, si votre Excellence avait pu recevoir de notre main de plus grands bienfaits encore (*majora beneficia*), nous eussions été trop heureux de vous en combler en considération des avantages qui auraient pu en découler pour l'Église de Dieu et pour nous-même [3].

La lecture de cette bulle provoqua une vive agitation dans l'assemblée : Rainald de Dassel avait traduit le terme de *beneficia*, qui désigne à la fois les bienfaits et les bénéfices ou fiefs, par la seconde acception (*Lehen*). On crut, ou on feignit de croire, dans l'entourage de Barberousse, qu'Adrien IV prétendait avoir conféré l'Empire comme un fief de l'Église romaine et qu'il se considérait, en conséquence, comme le suzerain de l'empereur. Il est difficile de dire s'il faut ajouter foi à l'allégation

---

(1) Rahewin, *De gestis Friderici I*, III, viii.
(2) *Ibid.*, III, ix.
(3) *Ibid.* et Jaffe-Wattenbach, 10.304.

prêtée aux légats au cours de la discussion : mais de qui donc Frédéric Ier tient-il l'Empire, si ce n'est du pape [1] ? Toujours est-il que le comte palatin, Otton de Wittelsbach, avait tiré son épée du fourreau et aurait peut-être foncé sur les légats, si l'empereur n'était intervenu à temps pour garantir leur sécurité. On était dans une église et Barberousse désirait garder le beau rôle. Les cardinaux purent se retirer sains et saufs. Le lendemain, ils recevaient ordre de retourner directement à Rome sans s'arrêter en chemin. L'empereur voulait leur ôter ainsi toute possibilité de se plaindre des mauvais traitements dont ils avaient été victimes et de chercher à justifier leur conduite auprès du clergé de Germanie [2].

La version impériale de la diète de Besançon put circuler sans obstacle : le sort d'Eskil de Lund était passé sous silence ; la papauté faisait figure de provocatrice et devenait seule responsable de la rupture entre le Sacerdoce et l'Empire. Les légats n'avaient-ils pas déclaré à Besançon que Frédéric tenait la couronne impériale en fief du seigneur pape ? N'avait-on pas saisi sur eux des lettres scellées en blanc, dont ils se disposaient à user pour dépouiller les églises à leur profit [3] ? La souveraineté impériale était affirmée sans ambages :

Par l'élection des princes, nous tenons le royaume et l'empire de Dieu seul qui, dans la passion de Jésus-Christ, son fils, a soumis la terre au gouvernement des deux glaives nécessaires ; l'apôtre Pierre a enseigné au monde à craindre Dieu et à honorer le roi ; ainsi, quiconque prétend que nous avons reçu la couronne impériale en fief du seigneur pape, celui-là s'érige en contradicteur de son institution divine et de la doctrine de Pierre et sera convaincu de mensonge [4].

L'empereur dénonçait ce crime de lèse-majesté et se posait enfin en protecteur des églises opprimées par la papauté. Un tel manifeste, habile et insidieux, ne pouvait manquer de provoquer un grand ressentiment contre l'Église romaine : l'épiscopat germanique se laissa aisément gagner à la cause impériale.

NÉGOCIATIONS AVEC L'ÉPISCOPAT GERMANIQUE

De son côté, Adrien IV, malgré la pression du parti impérial au sein du Sacré Collège, refusa de désavouer ses légats. Désireux cependant d'éviter une rupture irréparable et d'obtenir satisfaction pour les outrages subis, il se tourna, lui aussi, vers l'épiscopat allemand. Dans une bulle adressée aux évêques de Germanie, il les exhortait à ramener l'empereur au sentiment du devoir et à l'inciter à obtenir du chancelier d'Empire et du comte palatin une juste réparation de leurs outrages envers les ambassadeurs de l'Église romaine. Le pape ne se montrait d'ailleurs en aucune façon décidé à abandonner les prérogatives du Siège apostolique [5].

Pris à partie des deux côtés, l'épiscopat ne voulut point se compromettre aux yeux de l'empereur : il allégua l'ambiguïté des termes pour

---

(1) RAHEWIN, III, x.
(2) *Ibid.*
(3) *Ibid.*
(4) *Ibid.*
(5) *Ibid.*, III, xv.

repousser avec indignation les intentions prêtées au pape ; toutefois, malgré leur pusillanimité, les évêques avaient entretenu l'empereur ; celui-ci s'était montré disposé à témoigner au pape le respect qui lui est dû, mais avait affirmé à nouveau que la libre couronne impériale était un bénéfice de Dieu seul, qu'au pontife romain il appartenait seulement d'oindre l'empereur ; il n'avait pas renvoyé les légats par mépris du pape qui l'avait consacré, mais parce qu'ils étaient susceptibles d'écrire des lettres au détriment et au déshonneur de l'Empire [1] ; enfin, l'empereur avait protesté contre une peinture du Latran qui représentait l'hommage de Lothaire au pape Innocent II [2], et contre le traité de Bénévent, conclu en dehors de lui. Quant aux personnages de la cour impériale qui s'étaient permis d'insulter les légats, l'un d'eux, le comte palatin, s'était, depuis, montré fort modéré dans ses paroles ; le second, Rainald de Dassel, avait déjà quitté l'Allemagne pour l'Italie afin d'y préparer la prochaine expédition germanique. Pour terminer, les évêques suppliaient le pape d'avoir pitié d'eux et d'écrire à l'empereur une lettre bienveillante et conciliante [3].

LÉGATION DES CARDINAUX HENRI ET HYACINTHE — La prière des évêques et l'intervention de Henri le Lion, duc de Saxe et de Bavière, peut-être aussi, comme le suggère le biographe impérial, Rahewin, l'imminence du retour de Barberousse en Italie, déterminèrent Adrien IV à charger les cardinaux Henri des Saints-Nérée-et-Achille et Hyacinthe de Sainte-Marie-in-Cosmedin d'une mission conciliatrice [4]. Ils s'acheminèrent en direction de la Bavière où séjournait alors l'empereur.

L'Italie du Nord était terrorisée par les agents impériaux chargés d'assurer, par la soumission préalable des cités lombardes, le triomphe de Frédéric partout où il passerait. Les plus insolents, Rainald de Dassel et Otton de Wittelsbach, se vantaient auprès de l'empereur que le pays tremblait à leur approche, qu'ils attendaient les délégués des sénateurs et des nobles romains ; ils s'efforçaient de toutes façons d'inciter Barberousse à repousser les offres des légats. On conçoit qu'ils négligèrent d'assurer la sécurité de ces derniers, qui subirent le sort d'Eskil. Arrêtés dans la vallée de l'Adige par deux seigneurs brigands, ils furent jetés en prison et durent y demeurer jusqu'à ce que le propre frère du cardinal Hyacinthe se fût offert en otage. Toutefois, Henri le Lion, qui avait sollicité l'envoi de la nouvelle légation, sut châtier les coupables [5].

L'ENTREVUE D'AUGSBOURG — Les cardinaux rencontrèrent l'empereur à Augsbourg [6] ; séparé de ses conseillers les plus intransigeants, Barberousse se montra mieux disposé qu'à Besançon.

---

(1) Rahewin, III, xvi.
(2) Ibid., III, x, une inscription aurait précisé le sens déjà clair de la peinture :
« Rex venit ante fores, jurans prius Urbis honores,
« Post homo fit papae, sumit quo dante coronam. »
(3) Ibid., III, xvi.
(4) Ibid., III, xvii.
(5) Ibid., III, xxi.
(6) Ibid., III, xxii.

Instruits par l'expérience de l'année précédente et par leur captivité récente, les légats apportèrent à leur tâche plus de souplesse que leurs prédécesseurs. Ils saluèrent Frédéric des titres d'empereur et seigneur de la Ville et du Monde ; ainsi, dès d'abord, furent-ils assez favorablement accueillis. Ils remirent ensuite la bulle dont ils étaient porteurs à l'historiographe de l'empereur, Otton, évêque de Freising, qui en donna la traduction en langue vulgaire. Cet homme était un modéré qui souhaitait l'entente des deux pouvoirs : si le rôle d'interprète lui eût été dévolu à Besançon, il eût sans doute évité l'incident fâcheux qui entraîna la rupture.

Adrien IV rappelait tout ce qu'il avait fait, depuis son élévation sur le siège de Pierre, pour promouvoir l'honneur de l'Empire, il se montrait fort étonné du traitement réservé à ses légats l'année précédente. Quant à l'expression *beneficium* qui paraissait être la cause du conflit, il ne l'avait jamais entendue autrement que dans son sens primitif de *bienfait* et n'avait d'ailleurs employé aucun terme dans une acception spécialement féodale. Il s'élevait enfin contre la mesure qu'aurait édictée l'empereur, si toutefois le bruit avait quelque fondement, à savoir l'interdiction des visites *ad limina* [1]. Ce langage modéré plut à Frédéric Barberousse ; pour quelque temps, la paix du Sacerdoce et de l'Empire fut rétablie.

LES DESSEINS DE L'EMPEREUR En fait, ce ne devait être qu'une courte trêve. Au début de l'été 1158, le souverain germanique, à la tête d'une armée plus nombreuse et plus forte qu'en 1155, envahissait de nouveau l'Italie qu'il croyait pouvoir aisément subjuguer. Il n'avait pas perdu le souvenir de la réception que Milan et Rome lui avaient réservée : aussi, était-il résolu à châtier sévèrement les deux villes par des exemples terribles afin d'assurer son autorité qui, si elle était reconnue en droit, ne laissait pas d'être battue en brèche de toutes parts par l'esprit d'indépendance des cités italiennes. Il entendait d'abord étouffer, dès son apparition au delà des Alpes, la morgue républicaine des communes lombardes par l'écrasement définitif de Milan.

FRÉDÉRIC BARBEROUSSE EN LOMBARDIE Le 6 juillet, Frédéric Barberousse entrait en Lombardie, non loin de Vérone [2]. Il rassembla aisément les ennemis de Milan : les forces des cités rivales vinrent grossir l'armée teutonique [3]. Le 3 août, à la sollicitation des gens de Lodi dont les Milanais avaient détruit la ville, l'empereur, entouré des consuls et de la milice, du haut du Mont Gizon, délimitait le nouvel emplacement de la cité et en conférait l'investiture aux magistrats ; il leur promettait en outre son aide pécuniaire pour la construction des remparts destinés aussi bien à fortifier ses propres positions en Lombardie qu'à couvrir la rivale de

(1) RAHEWIN, III, XXII, XXIII ; JAFFE-WATTENBACH, 10.386.
(2) *Annales Mediolanenses*, a. 1158.
(3) *Ibid.*

Milan [1]. Le 5 août, il établissait son propre camp devant Milan et l'investissait avec l'aide de renforts venus de Pavie, de Crémone et de Lodi [2].

Un mois plus tard, Milan résistait toujours ; mais, pressé d'asseoir son autorité des Alpes au Tibre, Barberousse dépêcha quelques ecclésiastiques aux chefs de la cité qui consentirent à signer, le 7 septembre, un accord sur les bases suivantes : la ville garderait ses fortifications et les habitants leurs biens que l'empereur s'engageait à maintenir et à défendre ; il promettait de ne jamais séjourner plus de trois jours sur le territoire milanais. En revanche, les consuls reconnaissaient les droits impériaux tels qu'ils existaient un siècle auparavant et livraient trois cents otages choisis parmi les jeunes gens de douze à vingt ans appartenant aux familles de l'aristocratie [3]. Le lendemain 8 septembre, s'effectuait la reddition solennelle de la ville : l'archevêque Uberto en tête, le clergé, les magistrats et les citoyens, pieds nus, durent se présenter en procession devant l'empereur qui les admit au baiser de paix. Quinze cents prisonniers de Pavie étaient libérés des geôles milanaises, et la bannière impériale, hissée au plus haut clocher, flottait désormais sur la fière cité [4].

LA DIÈTE DE RONCAGLIA (NOVEMBRE 1158) Barberousse victorieux renvoya en Germanie une partie de ses troupes et s'empressa vers la plaine de Roncaglia où il avait convoqué les princes, les consuls des villes et de nombreux juristes bolonais. Il voulait, en effet, donner une base juridique à son autorité, faire définir ses droits par des experts et obtenir des magistrats la reconnaissance de la seigneurie impériale sur les villes lombardes. L'assemblée plénière s'ouvrit le 23 novembre seulement : quatorze cités étaient représentées ; Milan avait délégué son archevêque et ses consuls ; les évêques et les magistrats de Lombardie, les seigneurs de l'Italie du Nord et les quatre grands docteurs, Bulgarus, Martinus, Jacobus et Hugues de Porta Ravegnana se trouvaient réunis [5]. L'empereur ayant revendiqué les droits régaliens depuis longtemps aliénés au profit des princes et des communes, ils furent définis par le jugement des quatre docteurs assistés de vingt-huit magistrats, deux par cité [6].

Les *regalia* ou droits de la couronne, restitués à l'empereur, comprenaient : la nomination des ducs, marquis, comtes ou consuls ; la frappe des monnaies ; la levée des taxes telles que les tailles et l'aide (*fodrum*) pour l'entretien de l'armée impériale dans ses expéditions en Italie ; les coutumes et droits féodaux sur les ports, pêcheries, voies d'eau, ponts et moulins ; une taxe annuelle enfin, perçue, soit sur la possession territoriale, soit par tête ; le droit d'instituer des podestats (*potestates*) dans

---

(1) Otto Morena, *Historia Rerum Laudensium* (M. G. H., *SS.*, t. XVIII), p. 604-605.
(2) *Annales Mediolanenses*, a. 1158 ; Otto Morena, p. 605.
(3) *Annales Mediolanenses*, a. 1158.
(4) *Ibid.*
(5) Otto Morena, p. 607.
(6) *Ibid.*

les cités, c'est-à-dire de véritables gouverneurs munis de pleins pouvoirs exécutifs et judiciaires [1].

S'il faut en croire Rahewin, les Milanais eussent été les premiers à résigner avec empressement les droits régaliens entre les mains de l'empereur [2]. Il semble plus probable que les consuls de Milan conservaient l'espoir que Barberousse s'en tiendrait envers eux aux conditions, relativement modérées, de l'accord du 7 septembre. L'empereur profita encore de l'assemblée de Roncaglia pour remettre de l'ordre dans l'imbroglio des coutumes féodales qui, pour la plupart, étaient demeurées orales. Se référant à la loi promulguée par l'empereur Lothaire qui interdisait l'aliénation des fiefs, après avoir prohibé les guerres privées, Barberousse réglementa les cas de perte du fief et d'intervention de la justice impériale [3].

L'APPLICATION DU PROGRAMME DE RONCAGLIA — Habitués à une indépendance traditionnelle, mais enclins aussi à la souplesse qui fait courber la tête sous l'orage, princes, évêques et magistrats italiens avaient cédé à Roncaglia : ils n'en étaient pas mieux disposés à subir effectivement le joug impérial. Un vent de révolte grondait sourdement en Italie et l'empereur n'allait pas tarder à s'apercevoir des difficultés d'exécution du programme de Roncaglia.

Afin de refaire son armée dans une région que la guerre ou le simple passage des troupes avait encore épargnée, Barberousse s'avança vers le sud de la Lombardie et, à l'approche de Noël, établit ses quartiers d'hiver à Albe sur le Tanaro [4]. De là, il dépêcha ses barons à travers les cités lombardes pour y instituer des podestats et procéder à la collecte des impôts [5] ; il envoyait en même temps des agents à travers la Toscane, la Province maritime et la Campagne romaine, pour y lever l'aide [6], et tâchait de récupérer les revenus impériaux des terres de la comtesse Mathilde, aliénés à des seigneurs locaux [7]. En agissant ainsi, l'empereur se posait en suzerain des États de l'Église et mécontentait le pape ; il suscitait en outre la colère et la révolte des cités lombardes, dont les réclamations l'assaillaient de toutes parts. Aussi, au printemps 1159, Barberousse allait-il devoir faire face à une nouvelle révolte de Milan, bientôt encouragée par le pontife romain.

L'empereur avait envoyé, dès janvier 1159, son chancelier Rainald de Dassel et le comte palatin Otton de Wittelsbach avec mission d'imposer un podestat à la cité de Milan [8]. Les consuls s'y étaient opposés en vertu de l'accord intervenu en septembre. Ce fut grand tapage dans la ville, d'où les envoyés impériaux furent mis en fuite [9]. L'exemple de Milan redonna

(1) RAHEWIN, IV, v, vi.
(2) *Ibid.*
(3) *Ibid.*, III, vii.
(4) *Ibid.*, IV, x.
(5) OTTO MORENA, p. 609.
(6) RAHEWIN, IV, x.
(7) *Ibid.*
(8) *Annales Mediolanenses*, a. 1158-1159 ; OTTO MORENA, p. 609.
(9) *Annales Mediolanenses*, a. 1158-1159.

courage aux cités opprimées ; plus d'une se révoltait maintenant contre l'intrusion des podestats. Le 16 avril, à la diète de Bologne, l'empereur mit les Milanais au ban de l'Empire [1] ; mais, dans l'impossibilité d'entreprendre un nouveau siège de la cité rebelle, car le gros de ses troupes avait repassé le Brenner, il dut se contenter d'attaquer les possessions milanaises des rives de l'Adda (*in partibus Adduae*) [2]. Les Milanais ripostèrent en portant la guerre à Lodi (mai 1159) [3] ; toutefois, les habitants de Crémone, qui avaient mis le siège devant Crème, lui ayant offert quinze cents marcs d'argent pour obtenir son aide, l'empereur entreprit d'abattre les fortifications de cette ville alliée de Milan (juillet 1159) [4]. Enfin, la vieille rivalité de Bergame et de Brescia renaissait [5]. La Lombardie tout entière était à feu et à sang.

LA POLITIQUE PONTIFICALE   Adrien IV ne pouvait rester indifférent à la lutte qui ensanglantait de nouveau l'Italie. Les événements qui se succédaient ne laissaient pas de l'inquiéter d'autant plus vivement qu'il savait l'empereur froidement résolu à mater les rebelles et à venger l'affront que lui avaient infligé les Romains au jour de son couronnement. L'agitation gagnait déjà le Sénat de Rome qui tentait un nouvel effort pour s'entendre avec Barberousse au préjudice de l'Église et pour solliciter de lui la confirmation des institutions républicaines. Des ambassades furent échangées : les Romains, tout en s'efforçant de justifier leur conduite lors du couronnement impérial, ne manquaient pas de prétendre qu'ils avaient octroyé la couronne à l'empereur, insolence qu'il eût relevée en toute autre occurrence : il n'en renvoya pas moins les messagers du Sénat couverts de présents, afin de se ménager ainsi un point d'appui éventuel contre le pape [6] et d'induire, si possible, le Sénat à recevoir un préfet impérial [7].

Devant ce nouveau danger, Adrien IV, qui n'était pas pris au dépourvu, tenta une œuvre d'union et de paix : une commune menace rapprochait les cités lombardes de l'Église romaine. Sans les inciter directement à la révolte, comme l'en accuse l'auteur des *Gesta Friderici* [8], le pontife accueillit avec bienveillance leurs messagers qui sollicitaient son arbitrage dans les rivalités qui les divisaient. Le danger allait resserrer plus étroitement encore l'alliance du pape avec le roi de Sicile. Barberousse avait des intelligences à la cour du Sicilien et les seigneurs exilés d'Apulie avaient trouvé refuge au camp de l'empereur [9]. Celui-ci négociait d'autre part avec le basileus, auprès duquel il avait accrédité son chapelain Étienne [10]. Adrien IV prévint l'entente des empereurs et parvint enfin

(1) *Annales Mediolanenses*, a. 1159.
(2) *Ibid.*, a. 1158.
(3) Otto Morena, p. 609.
(4) *Annales Mediolanenses*, a. 1158, 1159 ; Otto Morena, p. 610.
(5) Rahewin, IV, xix.
(6) *Imperator regaliter donavit et absolvit* (*Ibid.*, IV, xli).
(7) *Ibid.*
(8) *Ibid.*, IV, xviii.
(9) F. Chalandon, *op. cit.*, t. II, p. 257.
(10) *Ibid.*, p. 244.

à rapprocher, devant l'ennemi commun, Guillaume de Sicile et Manuel Comnène (1158), bien que ce dernier ne renonçât pas définitivement à ses prétentions sur l'Italie méridionale [1]. Le pontife, qui ne se trouvait plus en sûreté à Rome, se décida enfin à gagner le sud du Patrimoine et à s'établir à proximité de la frontière du royaume normand, où plus d'un pape avant lui avait trouvé refuge devant la menace germanique : en juin 1159, il se fixait à Anagni [2]. Il s'efforçait par ailleurs de rétablir la paix entre Brescia et Bergame, et défendait à Barberousse, sous peine d'interdit, de s'entremettre dans un différend qui, du commun accord des parties, avait été déféré à l'arbitrage du pape.

Mais l'empereur avait perdu en 1158 ses conseillers les plus modérés : successivement, l'abbé Wibald, l'évêque de Freising et l'archevêque de Ravenne avaient disparu [3] ; sous l'influence accrue du parti intransigeant, il prenait une attitude de plus en plus hostile à la papauté. Des instructions étaient données aux clercs de la chancellerie impériale pour que, désormais, le nom du pape fût placé, contrairement au protocole en usage, après le sien dans l'adresse des lettres qui lui seraient envoyées [4]. D'autre part, l'empereur sollicitait d'Adrien IV l'élévation au siège de Ravenne, devenu vacant par la mort d'Anselme, du fils du comte de Biandrate, l'un des plus fermes soutiens du parti impérial en Italie, qui, au surplus, jouissait d'une influence considérable sur les cités lombardes [5].

Sans relever l'injure commise à son égard, le pape, pour les raisons mêmes qui avaient décidé l'empereur à poser la candidature du jeune Gui, le retint au service de l'Église romaine en lui assignant, en raison de ses hautes qualités et malgré sa jeunesse, une des églises de Rome. Toutefois, Adrien IV, ne désirant pas rompre ouvertement avec l'empereur, s'efforçait par ailleurs de le ramener à de meilleurs sentiments. Il lui avait envoyé une nouvelle ambassade tandis qu'il présidait la diète de Bologne (avril 1159). Elle comprenait les cardinaux impérialistes, Octavien et Guillaume de Pavie du titre de Saint-Pierre-aux-Liens [6]. Ceux-ci avaient mission de protester contre l'attitude de Barberousse et d'obtenir de lui : 1° qu'il n'envoyât plus d'ambassade aux Romains sans l'assentiment du pape, car le gouvernement de la Ville et les droits régaliens appartenaient à l'Église romaine ; 2° qu'il ne perçût l'aide dans les États pontificaux qu'à la seule occasion de son couronnement ; 3° qu'il renonçât à exiger l'hommage des évêques italiens et se contentât du

(1) F. CHALENDON, op. cit., t. II, p. 244 et 254-255 ; JAFFE-WATTENBACH, 10.246.

(2) JAFFE-WATTENBACH, t. II, p. 144.

(3) Wibald † juillet 1158 ; Anselme de Ravenne † 12 août 1158 ; Otton de Freising † 1158 également.

(4) RAHEWIN, IV, XVIII, XVII, prétend que cette mesure aurait été ordonnée par Barberousse après le refus d'Adrien IV d'élever au siège de Ravenne le fils du comte de Biandrate ; elle paraît antérieure, et, selon Eberhard de Bamberg, elle aurait été édictée en riposte à la transmission subreptice d'un message du pape.

(5) C'est le comte de Biandrate qui, de concert avec l'archevêque Uberto, avait négocié la reddition honorable de Milan en septembre 1158. Cf. RAHEWIN, III, XL.

(6) Selon RAHEWIN, IV, XXX, l'ambassade aurait compris quatre personnages : Octavien de Sainte-Cécile, Henri des Saints-Nérée-et-Achille, Guillaume de Pavie et Gui de Crème ; mais les lettres qu'il cite en signalent deux seulement, Octavien et Guillaume : lettre d'Eberhard de Bamberg à Eberhard de Salzbourg (*Ibid.*), où ils sont cités nommément ; lettre de Barberousse à Eberhard de Salzbourg qui dit en propres termes : « *Venerunt siquidem ad nos* duo cardinales *a papa missi ad hoc...* » (*Ibid.*, IV, XXX.)

simple serment de fidélité ; 4° qu'il restituât enfin à l'Église romaine la souveraineté sur le territoire de la comtesse Mathilde, la Province maritime (d'Aquapendente à Rome), le duché de Spolète, les îles de Sardaigne et de Corse [1].

L'empereur protesta qu'il porterait un vain nom et n'aurait que l'ombre du pouvoir s'il renonçait à revendiquer la haute juridiction et les droits régaliens sur la ville qu'il considérait comme la capitale de son empire. Il offrit cependant de s'en remettre à l'arbitrage des légats ; ceux-ci, qui n'avaient reçu aucun pouvoir pour engager le pape, repoussèrent une offre qui les eût mis dans la plus embarrassante des situations. A leur tour, ils durent entendre les doléances de Barberousse contre la politique pontificale : Adrien IV avait rompu l'alliance de Constance en traitant séparément avec les Romains et les Normands de Sicile ; il envoyait ses légats à travers l'Empire sans l'assentiment préalable de l'empereur ; il recevait enfin les plaintes et les appels des cités rebelles de Lombardie, prenait parti dans leurs rivalités et soutenait leur révolte [2].

LA LUTTE SUPRÊME Les négociations en restèrent là : chacun des deux partis en présence était résolu à demeurer sur ses positions et continuait à revendiquer la souveraineté sur les mêmes territoires et les mêmes personnes. Le pape était convaincu que, par la tyrannie qu'il faisait peser partout sur son passage, par les injustices qu'il ne cessait de favoriser et le mépris effectif des libertés et des droits d'autrui, la domination de Barberousse ne pouvait tarder à s'effondrer.

Cependant, l'imminence de la nouvelle marche germanique sur Rome appelait une action énergique et décisive qui pût conjurer à temps le péril : la tâche de grouper tous ceux qui, dans la péninsule, se dressaient déjà de toutes parts contre l'oppression teutonique revenait à la papauté : Adrien IV recevait des ambassadeurs des cités lombardes, Milan, Plaisance et Brescia, qui le sollicitaient d'adhérer à leur ligue (août 1159) et offraient de ne signer aucun accord avec l'empereur sans l'assentiment du pontife romain ou de ses successeurs légitimes [3]. Impuissant à combattre Barberousse, comme autrefois le Sicilien, par les armes temporelles, Adrien IV se montrait disposé à user des armes spirituelles ; il s'engageait donc, en retour, à frapper l'empereur de l'excommunication dans un délai de quarante jours si celui-ci persévérait, d'ici là, dans la voie des injustices [4]. Malgré l'opposition de la minorité impérialiste du Sacré Collège, il obtenait l'adhésion au pacte du roi de Sicile auquel il renouvelait l'investiture des États de l'Italie méridionale en lui faisant remettre la bannière de l'Apôtre par son chancelier le cardinal Roland de Saint-Marc [5].

(1) RAHEWIN, IV, xxx (lettre d'Eberhard de Bamberg à Eberhard de Salzbourg).
(2) Ibid., IV, xxx, xxxi.
(3) Annales Mediolanenses, a. 1160 ; F. CHALANDON, op. cit., t. II, p. 260.
(4) Annales Mediolanenses, a. 1160.
(5) RAHEWIN, IV, lii, lxix ; F. CHALANDON, op. cit., t. II, p. 260.

MORT D'ADRIEN IV
(1er SEPTEMBRE 1159)   C'est à l'heure, critique entre toutes, où Adrien IV s'efforçait de rallier contre le tyran germanique les forces dispersées et divisées des puissances libres de l'Italie, que disparut brusquement ce pontife énergique et pacificateur dont le règne trop court fait cependant figure de grand pontificat. Atteint d'une inflammation infectieuse des amygdales, Adrien IV mourut à Anagni le 1er septembre 1159, avant l'expiration du délai imparti à Barberousse [1]. Le peuple et le Sénat romains ayant revendiqué son corps, il fut ramené dans la Ville et inhumé dans un sarcophage de granit rouge d'Égypte près de la tombe d'Eugène III, entre l'autel de saint Sylvestre et l'arc triomphal en la basilique de Saint-Pierre [2].

C'est là que les cardinaux allaient se réunir pour procéder à l'élection d'un successeur, tandis que les envoyés de l'empereur, le comte palatin et le comte de Biandrate, chargés de négocier une entente avec le Sénat romain et de circonvenir le pape, intriguaient à seule fin de promouvoir à la tiare l'un des cardinaux germanophiles qui, du vivant même d'Adrien IV, s'étaient élevés contre sa politique italienne [3]. Mais, si grave que fût la situation et si prématurée qu'apparût la mort du pontife, Adrien IV avait eu le mérite de rétablir le prestige de l'Église romaine en Italie, de ramener vigoureusement la barque de Pierre dans le sillage traditionnel de la politique pontificale, de sceller à nouveau l'union de la papauté avec le royaume de Sicile et la ligue lombarde, d'élever enfin à son école un homme digne de lui succéder, son chancelier Roland Bandinelli, cardinal de Saint-Marc.

_____

(1) *Annales Mediolanenses*, a. 1160.
(2) Boson, p. 397 ; J. Vielliard, *Les tombeaux des papes en Italie*, dans *Le moyen âge*, t. XXXIX, 1929, p. 192, 201. Le sarcophage fut ouvert en 1606. Il se trouve aujourd'hui dans les cryptes vaticanes.
(3) *Annales Mediolanenses*, a. 1160.

CHAPITRE II

ALEXANDRE III ET FRÉDÉRIC BARBEROUSSE

§ 1. — Le schisme de 1159 [1].

LA SITUATION A ROME

La mort d'Adrien IV ne put retarder la crise depuis longtemps inévitable. Pourtant, le choix de son successeur pouvait paraître l'unique espoir aux conciliateurs ou aux hésitants qui ne manquaient ni dans l'entourage de l'empereur, ni parmi les cardinaux. Mais, de part et d'autre, on se sentait déjà engagé dans la lutte. L'empereur était en deçà des Alpes ; le siège de Crême le retenait pour le moment, mais ce n'était qu'une étape, on le savait bien, sur le chemin de Rome. La rumeur des premières cruautés de la campagne y précédait son armée. Comme pour répondre aux récentes ouvertures du sénat, il y avait dépêché, avec une nombreuse suite d'agents, ses partisans les plus déterminés : Otton de Wittelsbach et le comte Gui de Biandrate [2]. On n'y pouvait ignorer les intentions de l'empereur ni l'acti-

---

(1) BIBLIOGRAPHIE. — I. SOURCES. — Les seules qui importent sont les témoignages des deux partis, commodément réunis dans J. M. WATTERICH, *Pontificum romanorum... vitae*, Leipzig, 1862, t. I et II ; et dans RAHEWIN, M. G. H., *SS.*, t. XX, 1868, p. 470 et suiv., c'est-à-dire pour le parti alexandrin la *Vie d'Alexandre* par le cardinal BOSON († 1178), rééditée par L. DUCHESNE dans le *Liber Pontificalis*, t. II, Paris, 1892, p. 397-446 (analyse critique p. XXXVIII), les lettres et encycliques des vingt-deux, puis des vingt-cinq cardinaux alexandrins auxquelles il faut ajouter celle qu'a publiée HOLTZMANN, *Zur Geschichte Friedrichs Barbarossas*, dans *Neues Archiv*, t. XLVIII, 1930, p. 396. En outre, les lettres d'Alexandre III aux souverains et aux évêques, dans JAFFE-WATTENBACH, 10.584, 10.587, 10.590, 10.591, 10.592, 10.595, 10.600, 10.601 ; les lettres des cardinaux Henri et Othon, dans BOUQUET, *Hist. de Fr.*, t. XV, 1808, p. 673 ; celles d'ARNOUL DE LISIEUX, dans WATTERICH, *op. cit.*, t. II, p. 466 et suiv., 510 et suiv. ; celle adressée par FASTRADE, abbé de Clairvaux, à Omnibene, évêque de Vérone, *Ibid.*, p. 511 et suiv. ; celles de EBERHARD DE BAMBERG à Eberhard de Salzbourg, *Ibid.*, p. 454 et suiv. ; de JEAN DE SALISBURY, *Ibid.*, p. 499.

Pour le parti victorien, outre RAHEWIN, cité plus haut, les lettres des cinq cardinaux victoriens, celles des chanoines de Saint-Pierre à l'empereur, celles de l'empereur à Eberhard de Salzbourg, les actes du concile de Pavie dans WATTERICH, *op. cit.*, t. II ; ces derniers également dans M. G. H., *LL.*, sect. IV, t. I, 1894, p. 251-270 ; et dans M. G. H., *SS.*, t. XX, 1868, p. 479 et suiv., à compléter par DOEBERL, *Monumenta Germaniae selecta*, IV, p. 137-163.

L'écho des controverses que suscite le schisme dans les milieux ecclésiastiques les plus divers se retrouve dans GERHOCH DE REICHERSBERG, *De investigatione antichristi*, dans M. G. H., *Libelli de lite*, t. III, p. 359-395, dans le *Dialogus de Pontificatu sanctae romanae Ecclesiae inter Victorem IV et Alexandrum III*, édition de BÖHMER, *ibid.*, p. 528 et suiv. Écrit vers 1162-1163, probablement par PIERRE DE RIGA, chanoine de Saint-Denis à Reims, l'auteur en définit le contenu en se définissant lui-même : *multarum quas audivi sententiarum recitator potius quam proprie positionis assertor existo*. On doit y ajouter le traité de JEAN, abbé de Sainte-Marie du Transtévère, *De vera pace contra schisma sedis apostolicae*, écrit en 1171 et publié par Dom A. WILMART aux éditions du *Lateranum, nova series*, Rome, 1938. Il représente le point de vue tout spirituel d'une partie du clergé de Rome où l'on resta sincèrement indécis, semble-t-il, plus longtemps qu'ailleurs.

II. TRAVAUX. — Outre les ouvrages d'histoire générale et d'histoire de l'Église cités dans la bibliographie en tête du volume auxquels il y a lieu d'ajouter J. LANGEN, *Geschichte der römischen Kirche von Gregor VII bis Innocenz III*, Bonn, 1893 et U. BALZANI, *Italia, papato e impero nel secolo XII*, a cura di Pietro Fedele, Messine, 1930 (s'arrête à 1168), voir H. REUTER, *Geschichte Alexanders III und der Kirche seiner Zeit*, Leipzig, 1860, 3 vol., in-8°, ouvrage vieilli mais unique sur l'ensemble du pontificat ; sur le schisme voir t. I, p. 63 et suiv. ; sur l'élection voir M. MEYER, *Die Wahl Alexanders III und Viktors IV, ein Beitrag zur Geschichte der Kirchenspaltung unter Kaiser Friedrich I*, Göttingen, 1871, in-8° ; W. RIBBECK, *Der Traktat über die Papstwahl des Jahres 1159*, dans *Forschungen zur deutschen Geschichte*, t. XXIV, 1885, p. 354 et suiv.

(2) OTTO MORENA, *De rebus Laudensibus*, dans MURATORI, *Rer. Ital. Scr.*, t. VI, 1725, col. 1053, réédit. par JAFFE, dans M. G. H., *SS.*, t. XVIII, 1863, p. 582-634.

vité de ses mandataires qui s'y conduisaient en maîtres, et, à toutes fins utiles, recrutaient dans la campagne leurs hommes de main. La ville était occupée et la plupart des châteaux tenus. Restait seule disponible, si l'Église avait à se défendre, la vieille citadelle attenant à Saint-Pierre. On se reprochera bientôt, des deux côtés, de s'être préparé à un coup de force [1]. Le Sacré Collège s'était scindé. Malgré l'été, les cardinaux du parti impérial et Octavien étaient restés à Rome ; les autres, avec Roland, étaient au chevet du pape à Anagni. Cette scission n'était qu'un signe. La désunion était bien plus profonde. Elle éclata dès le moment où tous furent rassemblés autour de la dépouille du pape défunt.

Où l'enterrerait-on ? Du lieu choisi pour les funérailles dépendait celui de l'élection. Les uns proposaient Anagni où les partisans de Roland se sentaient plus en sûreté, les autres Rome, au nom de la tradition. Ces derniers, appuyés par une démarche catégorique des représentants du sénat, l'emportèrent [2]. Malgré tout, la méfiance était réciproque. Les « impériaux » accusaient les « siciliens » d'avoir préjugé de l'élection en s'engageant d'avance à n'élever au pontificat que l'un d'entre eux [3]. Ils firent promettre qu'on se consulterait selon l'usage en vue de réaliser l'accord, et que, s'il s'avérait impossible, nul n'irait plus avant qu'avec le consentement de tous. On multipliait les conventions préalables, les *tractationes* ; c'était de règle et de circonstance, étant donnés les antécédents des deux cardinaux les plus en vue. Tous deux avaient déjà fourni une assez longue carrière. Celle du siennois Roland Bandinelli, cardinal prêtre du titre de Saint-Marc, avait été retentissante. Conseiller écouté d'Adrien IV, constant partisan de l'alliance sicilienne, l'ancien légat de Besançon, chancelier de l'Église romaine depuis 1153, était connu pour la fermeté de son caractère, sa science juridique et théologique et la haute idée qu'il avait de la souveraineté pontificale. L'hostilité de l'empereur à son égard était déclarée. Chef du parti opposé, Octavien, des comtes de Monticello, cardinal prêtre du titre de Sainte-Cécile, faisait pour d'autres raisons brillante figure. Apparenté aux plus hauts lignages de Bavière, de Champagne et de Provence [4], il appartenait à l'une de ces familles romaines qui avaient toujours considéré la papauté comme leur patrimoine et la politique pontificale comme une source de fructueuses intrigues. Bien qu'au début de sa carrière il eût prit part aux heureuses négociations qui avaient réconcilié Roger de Sicile et la papauté [5], depuis un certain temps il représentait dans le Sacré Collège les intérêts de l'Empire. Il avait assisté à l'élection de Frédéric Barberousse [6], il s'était rendu plusieurs fois en Allemagne. Quatre ans plus

---

(1) Au dernier moment, le cardinal Boson fut chargé par ses collègues, réunis à Anagni autour de la dépouille du pape, d'aller occuper ce dernier point d'appui. *Lettres des chanoines de Saint-Pierre à l'empereur*, dans WATTERICH, *op. cit.*, t. II, p. 475.

(2) *Lettre d'Eberhard de Bamberg à Eberhard de Salzbourg*, dans WATTERICH, *op. cit.*, t. II, p. 454-455.

(3) *Epist. V cardinalium*, dans WATTERICH, *op. cit.*, t. II, p. 461 s. ; M.G.H., SS., t. XX, p. 473.

(4) P. KEHR, *Zur Geschichte Viktors IV*, dans *Neues Archiv*, t. XLVI, 1925, p. 53-85.

(5) C'est lui qui, avec Cencio Frangipani, avait été envoyé à Palerme par Célestin II pour traiter avec Roger et préparer l'entrevue de Ceprano avec Lucius II. F. CHALANDON, *Histoire de la domination normande en Italie et en Sicile*, Paris, 1907, t. II, p. 112.

(6) M. G. H., *CC.*, t. I, p. 149.

tôt, mi par force mi par ruse, c'était lui qui, à la tête de mille chevaliers allemands, avait repris la cité léonine aux Romains insurgés contre Adrien IV [1]. Après avoir essayé d'empêcher le rapprochement du même Adrien IV et de Frédéric [2], il en était venu, moyennant le comté de Terni, à s'inféoder au parti impérial en Italie et à trafiquer de son influence [3]. Le tempérament des deux hommes les opposait plus encore que leur passé. Imbu de toute la culture de son temps, le premier avait l'intransigeance imperturbable d'un esprit habitué à enchaîner les conséquences aux principes. L'autre, romain de naissance et d'éducation princière, semble avoir eu toute la souplesse des hommes rompus aux négociations, aux compromis, aux jeux d'équilibre entre des réalités contraires. Devant un contraste si évident et des personnalités si accusées, on pensa un moment ne choisir ni l'un ni l'autre. Selon les chanoines de Saint-Pierre, avant même de quitter Anagni, les cardinaux avaient décidé, s'ils ne pouvaient se mettre d'accord sur l'un d'eux, de choisir un candidat hors du Sacré Collège, et si cela même était impossible, d'attendre jusqu'à ce qu'on en trouvât un, doué des qualités requises [4]. Ainsi l'on redoublait de précautions improvisées pour éviter un vote contradictoire, sans s'aviser de l'essentiel : l'infirmité de la procédure.

LA DOUBLE ÉLECTION   Le schisme d'Anaclet n'avait pas suffi à éclairer les esprits sur la nécessité de l'améliorer. Les mêmes incertitudes engendrèrent les mêmes effets. On se référait toujours aux usages traditionnels. Le décret de Nicolas II, exactement centenaire, en était encore l'une des sources ; mais, ne prévoyant pas le partage des voix, il semblait n'admettre que l'unanimité. C'était un but rarement atteint du premier coup. Quant au droit canonique, il subordonnait à des préoccupations morales et religieuses les simplifications juridiques qui nous paraissent aujourd'hui les plus naturelles, comme le principe majoritaire. Il n'accordait pas aveuglément sa préférence au choix du plus grand nombre. L'usage y répugnait encore du haut en bas de la hiérarchie ecclésiastique. L'antique règle de saint Benoît donnant le pas à la *sanior* sur la *major pars* [5], l'application constante de cette règle dans les monastères clunisiens ou cisterciens [6] malgré les conflits qui en résultaient sans cesse, ne manquèrent pas d'influencer la pratique des élections pontificales. Ces usages monastiques expliquent l'attitude de saint Bernard, pourtant si lucide, au cours de la crise de 1130 dont il ne sut,

(1) Otton de Freising, *Gesta Friderici*, II, xxii, dans M.G.H., *SS.*, t. XX, p. 406. Cf. *supra*, p. 19.
(2) C'est du moins ce dont l'accuse le cardinal Boson, Watterich, *op. cit.*, t. II, p. 326-327.
(3) Ses besoins d'argent en étaient la cause. Pierre de Blois, un ennemi, il est vrai, lui reproche son luxe scandaleux, *P. L.*, CCVII, 141-143. Il est juste de constater qu'il n'avait pas auprès de tous cette réputation de vénalité. Guillaume de Tyr, dans *Recueil des historiens des Croisades, hist. occid.*, t. I, p. 826 et suiv., dit au contraire qu'Octavien est l'un des rares cardinaux, *Christum sequentes*, qui aient su résister aux tentatives de corruption des hospitaliers, quand l'ambassade du patriarche de Jérusalem vint en 1156 se plaindre de ces derniers à la Curie.
(4) *Lettre des chanoines de Saint-Pierre à l'empereur*, dans Watterich, *op. cit.*, t. II, p. 474-477.
(5) *Regula* c. 64, *P. L.*, LXVI, 879).
(6) Ursmer-Berlière, *Les élections abbatiales au moyen âge*, Bruxelles, 1927, p. 39 et suiv., et surtout N. Hilling, *Der Grundsatz der pars sanior bei den Kirchlichen Wahlen*, dans *Festschrift Felix Porsch*, publiée dans *Görresgesellschaftveröffentlichung der Sektion für Rechts- und Sozialwissenschaften*, heft 40, Paderborn, 1923, pp. 228-234.

ni lui ni personne, tirer la leçon. Au chef, au saint qu'il était, tout méca-
nisme paraissait incapable de mesurer à coup sûr des valeurs spirituelles.
La minorité avait ainsi un droit reconnu. En cas de double élection,
tout dépendait de l'autorité arbitrale chargée de prononcer en dernier
ressort ; au faîte suprême de l'Église, l'empereur, l'opinion et même la
force restaient encore les seules puissances décisives.

Nul n'en doutait parmi ceux qui étaient réunis dans la basilique de
Saint-Pierre le 4 septembre 1159. Outre les votants et un peu à l'écart
se tenaient les sénateurs, le chapitre et le clergé ; au dehors, assiégeant
déjà les portes, se pressait le peuple romain, prêt aux acclamations.
Plusieurs membres de l'assemblée furent désignés pour recueillir l'avis
de chacun, le faire préciser au besoin, le noter exactement. Mais on ne
voit personne présider, mettre ordre ou terme aux scrutins, homologuer
leurs résultats. Cette procédure toute spontanée explique la variété des
témoignages sur le nombre de voix qui se groupèrent tour à tour, sans
que nous sachions toujours exactement s'ils se rapportent aux *tractationes* préliminaires ou aux *denominationes*, c'est-à-dire aux divers
scrutins. Point de candidats proprement dits, mais des noms mis en
avant. Outre ceux des deux rivaux, Roland et Octavien, il y en eut plusieurs [1]. Celui du cardinal évêque de Porto, Bernard, bien que désigné
par le pape défunt, fut bientôt écarté [2]. Mais des électeurs, hésitants,
changèrent de camp plusieurs fois, donnant des gages aux deux fractions,
oscillant encore de l'une à l'autre après l'élection [3] : nouvelle cause d'incertitude sur le partage des voix. En fait, le nom d'Octavien n'en réunit à
aucun moment plus de neuf et la lettre signée par ceux de son parti
au lendemain de l'élection ne portait que cinq noms ; Roland, au contraire,
eut d'emblée la majorité qui ne cessa de grossir, puisque sur moins d'une
trentaine de cardinaux ayant pris part au vote, vingt-deux signèrent la
lettre adressée à l'empereur par les électeurs de Roland. Mais ce n'était
pas l'unanimité. Après trois longs jours de négociations laborieuses, les
partisans de Roland, malgré l'opposition d'Octavien et de la minorité,
qui se référaient au pacte conclu et protestaient au nom de l'empereur,
voulurent passer outre et commencèrent à le revêtir du manteau pontifical. Cet acte rituel, en donnant un caractère définitif et public à l'élection,
paraissait si important que, dès ce moment, tout le monde perd son sang-
froid. Octavien s'empare du manteau de pourpre, et comme un des rares
sénateurs du parti de Roland le lui arrache, il en revêt un autre, apporté

---

(1) *Ep. XXII cardinalium*, dans M. G. H., *SS.*, t. XX, p. 474.
(2) EBERHARD DE BAMBERG, *Epist. ad Eberhardum Salsburgensem*, dans WATTERICH, *op. cit.*,
t. II, p. 474 et PIERRE DE BLOIS, *Epist. ad Wilhelmum Papiensem*, dans *P. L.*, CXCIX, 144.
(3) GERHOCH DE REICHERSBERG, dans WATTERICH, *op. cit.*, t. II, p. 505 ; RAHEWIN, M. G. H.,
SS., t. XX, p. 473. On voit le nom du cardinal Raymond de Sainte-Marie *in via lata* au bas des
pièces émanant de l'une et de l'autre fraction ; il finit par revenir au parti d'Alexandre. Il signa
la lettre des vingt-cinq cardinaux alexandrins de 1160 après avoir signé celle des victoriens. Cette
versatilité tenait sans doute à ses attaches avec le monde romain où l'on resta indécis plus longtemps qu'ailleurs. Cf. le traité écrit en 1171 par l'abbé de Sainte-Marie du Transtévère, *De vera
pace*, publié par Dom WILMART, et cité *supra*, p. 50, n. 1. Tous les transfuges n'étaient pas
italiens : Jean, ancien bénédictin de St-Martin-des-Champs, devenu cardinal évêque de Tusculum, après avoir été électeur de Roland, passa dans l'autre camp, et c'est lui qui sacra Octavien.
WATTERICH, *op. cit.*, t. II, p. 381, 486, 506 et M. G. H., *SS.*, t. XX, p. 473.

par un de ses chapelains, mais avec une telle précipitation qu'il le met à l'envers, et s'élançant à l'autel, suivi des chanoines de Saint-Pierre, il entonne le *Te Deum*. Au même moment les portes de la basilique sont forcées et une cohue l'envahit en brandissant des armes. Décontenancés, Roland et ses partisans se croient en danger de mort et se réfugient dans la citadelle attenant à Saint-Pierre, où ils demeurent enfermés pendant huit jours. Cette stupeur, cette retraite devaient plus tard être interprétées par le parti adverse comme un acquiescement. Restés maîtres de la situation, les partisans d'Octavien l'intronisent au milieu des acclamations de la foule et le conduisent solennellement dans son palais. Roland est alors réduit à l'impuissance. Mais dans Rome un revirement se produit assez vite en sa faveur. Une grande partie du peuple, conduit par Odon Frangipani, vient le délivrer et l'escorte jusqu'à Cisterna où il est de nouveau revêtu du manteau, puis à Ninfa où, le 20 septembre, il est sacré et couronné par le cardinal évêque d'Ostie, sous le nom d'Alexandre III. Après avoir donné un délai de huit jours à Octavien et à ses partisans pour faire leur soumission, de Terracine, il lance l'excommunication contre eux. Ces derniers avaient également quitté Rome. Le 4 octobre, Octavien, sous le nom de Victor IV, était sacré à son tour au monastère de Farfa par un transfuge du parti de Roland, le cardinal Imar, évêque de Tusculum.

Les deux élus s'affrontaient. Qui pouvait les départager ? Aucun des deux partis n'était absolument sans reproche. L'initiative brusquée des Alexandrins, le recours prémédité des Victoriens à la force armée, l'incertitude encore régnante sur la valeur d'une majorité incontestable en faveur d'Alexandre paraissaient justifier les griefs réciproques. Un arbitrage s'imposait, d'ailleurs conforme à une longue tradition [1]. C'est à l'empereur que l'on s'adressa de part et d'autre. Si Victor IV affecta de l'ignorer en notifiant son élection aux évêques et princes de l'Empire [2], il demandait au même moment à Rainald de Dassel de le presser d'agir [3] et les cardinaux victoriens, en adressant à Frédéric un mémoire [4] où étaient relatés les événements de septembre, sollicitaient son intervention et lui présentaient la défense de l'Église romaine comme un devoir de sa charge. Les cardinaux alexandrins en firent autant de leur côté, l'assurant de leur entière loyauté et le priant de rendre à l'Église la paix et la tranquillité par les moyens qui lui paraîtraient convenables, sans favoriser l'usurpateur et le schismatique [5].

ATTITUDE DE L'EMPEREUR   Si l'empereur n'était pas directement responsable de la double élection, rien ne pouvait mieux servir ses desseins [6]. Ces démarches faisaient de lui le maître de la situation. Tandis que son mandataire à Rome, Otton de

---

(1) H. REUTER, *op. cit.*, t. I, p. 503.
(2) RAHEWIN, dans M. G. H., *SS.*, t. XX, p. 470 et dans WATTERICH, *op. cit.*, t. II, p. 460.
(3) *Epist. Victoris ad Rainaldum*, dans M. G. H., *SS.*, t. XVII, p. 773.
(4) RAHEWIN, dans M. G. H., *SS.*, t. XX, p. 472-474 et dans WATTERICH, *op. cit.*, t. II, p. 462-464.
(5) *Ibid.*, p. 464-466 et p. 474-475.
(6) A. HAUCK se pose la question : *op. cit.*, t. IV, p. 244 et suiv.

Wittelsbach, cherchait par tous les moyens à ébranler la situation d'Alexandre, traquant les évêques de son parti, interceptant ses relations avec l'extérieur, l'empereur se garda bien de favoriser l'un ou l'autre camp. Il fit savoir en Allemagne, en Bourgogne, en Aquitaine, que le pape ne devait être reconnu que d'un commun accord. Les princes laïcs et ecclésiastiques furent invités à différer leur décision jusque-là. A tous il recommanda l'expectative et la neutralité. Mais l'Empire n'était plus, comme en 1130, en mesure de se passer de l'assentiment des royaumes de l'Ouest. Frédéric chercha donc à recueillir l'adhésion des souverains de France et d'Angleterre et, dans ce dessein, dépêcha l'évêque de Pavie Otton à Louis VII qui avait demandé des informations. Au camp de Crême, il affecta de consulter, sur ce qu'il convenait de faire, les abbés de Clairvaux et de Cîteaux, une vingtaine de princes et de prélats allemands et italiens qui s'y trouvaient rassemblés [1]. Suivant les vues de l'empereur, tous se déclarèrent partisans d'une procédure de conciliation, dont l'Église tout entière devait être saisie en dehors de toute ingérence séculière. Frédéric lança aussitôt ses invitations aux divers souverains de France, d'Angleterre, de Danemark, d'Espagne, de Hongrie et aux prélats de ses États, les priant de se rendre au concile qui se tiendrait à Pavie dans les premiers jours de 1160 et de rester neutres jusqu'à ce qu'une décision intervînt.

Les deux élus furent également convoqués, les évêques Hermann de Verden et Daniel de Prague se rendirent à Anagni auprès du chancelier Roland et de ses électeurs, mais sans succès... Les cardinaux cherchèrent encore à négocier pour éviter le pire [2]. Sans remettre en cause les résultats, pour eux acquis, de l'élection, ils se déclarèrent prêts à réunir à Rome un synode où l'on aviserait aux moyens de corriger ce qu'il pourrait y avoir à améliorer dans leur vote. Alexandre se déclara prêt de son côté à donner à l'empereur toute explication pour le décider à reconnaître l'élection de la majorité, mais il refusa en termes fort nets de la soumettre à une assemblée convoquée sans le consentement du pontife romain, et à laquelle l'empereur l'invitait à tort comme l'un de ses sujets. Très différente naturellement fut la réponse d'Octavien. A Segni, s'il faut en croire ses adversaires, les messagers impériaux lui rendirent publiquement les honneurs pontificaux et il se montra fort empressé d'accepter l'invitation [3]. Cela ne suffisait pas à compenser le refus d'Alexandre, ni à masquer l'intransigeance des deux partis. Aussi le succès du concile paraissait peu probable.

LE CONCILE DE PAVIE — Annoncé pour le 13 janvier, il ne s'ouvrit qu'après la chute de Crême, le 5 février 1160, à Pavie. Une cinquantaine d'évêques s'y trouvaient réunis. Ils étaient loin de représenter l'Église tout entière. Il y avait l'archevêque de

---

(1) M. G. H., *LL.*, sect. IV (*Const.*), t. I, p. 253 et H. REUTER, *op. cit.*, t. I, p. 82.

(2) A. HAUCK, *op. cit.*, p. 249, n. 6, met en doute, sans raison décisive, les témoignages des cardinaux sur ces négociations et le fait attesté par Boson, WATTERICH, *op. cit.*, t. II, p. 383 et suiv., qu'Alexandre aurait répondu par écrit à l'invitation impériale.

(3) BOSON, dans WATTERICH, *op. cit.*, t. II, p. 384, cf. *ibid.*, p. 496.

Mayence avec quatorze de ses suffragants, les archevêques de Cologne, Trêves, Brême, Magdebourg avec les leurs, le patriarche d'Aquilée et les siens, les évêques de Bergame, Ravenne, Mantoue, Fermo, Faënza. En somme, tous ces prélats d'Allemagne, de Bourgogne, de Lombardie ou des domaines de la comtesse Mathilde représentaient des diocèses dépendants de l'Empire. Encore certains noms brillaient-ils par leur absence. Les archevêques de Lyon, de Besançon, de Vienne et d'Arles n'y étaient pas en personne. L'archevêque de Salzbourg, Eberhard, circonvenu de bonne heure par l'empereur, n'avait envoyé qu'un représentant, le prévôt de Berchtesgaden. L'archevêque de Trêves Hillin s'était aussi personnellement abstenu. Très peu de prélats anglais ou français. Par contre, les envoyés des autres puissances étaient nombreux. Ils se tinrent prudemment sur la réserve. Le cardinal alexandrin Guillaume, du titre de Saint-Pierre-aux-Liens, venu pour tenter une dernière conciliation, assista en observateur inquiet aux délibérations, sans montrer activité ni courage. Frédéric, dans son discours inaugural, affecta de vouloir laisser toute leur indépendance aux juges du concile et s'incliner lui-même devant leur magistrature sacerdotale ; en fait il ne cessa d'exercer son influence intimidante sur l'assemblée et, sous main, d'en tenir les rênes [1]. Malgré cela, les opinions se partagèrent et les moyens de pression furent assez forts pour que certains prélats préférassent la fuite à la violence faite à leur conscience [2]. Sous plusieurs prétextes, les plus timorés ou les plus scrupuleux essayèrent d'ajourner les débats. Vu leur petit nombre, les uns proposaient de s'en remettre à un concile œcuménique. D'autres disaient qu'on ne pouvait juger un absent. Le parti victorien et impérial mit fin à ces tentatives d'obstruction. On remit en cause les circonstances de l'élection. En faveur d'Octavien, on invoquait les mêmes arguments : il avait été élu le premier, avait, le premier, revêtu le manteau papal et reçu l'acclamation publique du clergé et du peuple. On suscita des témoignages dont le plus impressionnant fut celui du doyen du chapitre de Saint-Pierre. On prit acte de l'absence de Roland, malgré trois invitations et la promesse d'un sauf-conduit impérial ; on lui opposa la soumission d'Octavien qui, même, n'avait pas craint, en gage de sa parole, de livrer quelques-uns des châteaux qu'il possédait en Italie. On reprit en l'exagérant la théorie de la *sanior pars* ; on se référa à la tradition, au précédent du schisme d'Anaclet. On prétendit exalter les droits de la minorité — en l'occurrence réduite à quatre voix — mais on ne se défendait pas de vouloir la renforcer et l'on déclara suspect plus d'un vote récemment acquis à la majorité adverse. Surtout, on insista sur l'alliance qui, dès avant l'élection, liguait indissolublement contre l'empereur le parti de Roland avec les Milanais et le roi de Sicile. On produisit lettres et témoins. Evoquer ce grief, c'était dire que l'intérêt impérial déciderait de la légitimité du pontife. Et

---

(1) H. REUTER, *op. cit.*, t. I, p. 118-120 et suiv., 511 et suiv.
(2) *Remoto omni saeculari judicio*, telle était la formule par laquelle Frédéric avait promis son abstention, M. G. H., *LL.*, sect. IV (*Const.*), t. I, p. 255-256 ; et non pas *remota omni laicali persona*, comme il l'affirme à tort dans sa lettre à Eberhard de Salzbourg ; cf. WATTERICH, *op. cit.*, t. II, p. 482, qui adopte la variante *semota* au lieu de *remota*.

en effet, le concile décida qu'Octavien était seul le véritable pape. A la décision conciliaire, Frédéric fit mine de se soumettre comme tout bon laïc à un jugement de clercs. On publia une encyclique. On la fit couvrir de signatures. En trop grand nombre, elles étaient peu qualifiées. On passa naturellement sous silence les réserves de quelques prélats lombards et bavarois qui n'avaient voté pour Victor IV que « vu les besoins pressants de l'Empire et sauf une décision ultérieure de l'Église catholique » [1]. Le lendemain, au milieu d'un cortège imposant, Frédéric conduisit Victor IV du couvent de San Salvatore à la cathédrale où il lui baisa les pieds, comme au seul pape légitime, s'étant même acquitté de l'*officium stratoris* avec une bonne grâce qui ne manqua pas d'étonner les témoins de ses répugnances, quelques années plus tôt, au couronnement d'Adrien IV [2]. Alexandre fut excommunié avec ses partisans, les plus en vue, et des Milanais comme du roi de Sicile, accusés de violences contre l'Église et l'Empire, on réclama les réparations canoniques. Cette « parodie d'une respectable assemblée » [3] ne trompa personne. Mais loin d'y mettre un terme, elle consacra le schisme. Tout demeurait dès lors suspendu à la mobilité des forces en présence, celle de l'opinion et celle des armes. Pour ou contre l'Empire, les États ou les princes se groupèrent ; entre les deux obédiences, la Chrétienté se divisa.

LA CHRÉTIENTÉ DIVISÉE   La loi de la majorité n'avait pas été reconnue au cours de l'élection ; par la force des choses elle s'imposait. Pour avoir fait la part trop belle à la *sanior pars*, on en venait à rechercher l'adhésion du plus grand nombre. Des deux côtés on prit le monde à témoin. De la Chrétienté en pleine crise devant un choix qui ne lui sera plus imposé avant deux siècles, il y a lieu de suivre les réactions très diverses selon qu'on les observe dans les églises particulières où princes et évêques ne se décidaient plus toujours solidairement, dans les ordres religieux dont l'indépendance ne cessait de grandir, dans l'esprit des hommes de premier plan qui ont été capables d'entraîner ou simplement d'exprimer l'opinion générale.

En ce qui concerne les évêques, si beaucoup semblaient disposés à se conformer avant tout au choix de leur souverain, il n'en était pas toujours ainsi et certains se décidèrent en toute indépendance. Ces derniers étaient à convaincre un à un. C'est ainsi que dès le début du schisme, chacun des deux partis, pour étendre son obédience, multipliait les ambassades. Comme Alexandre III, Victor IV dépêcha ses légats ou ses lettres dans toutes les directions, auprès des principaux souverains. Mais de lui, il reste peu de messages ; il semble s'effacer derrière l'empereur qui lui prête son appui, le concours de sa chancellerie et de ses agents. C'est Frédéric lui-même qui écrit à Eberhard, archevêque de Salzbourg, à Hillin, archevêque de Trèves, tous deux fort hésitants, qui envoie Rainald de Dassel en France, et d'autres évêques en Espagne, en Bohême,

---

(1) *Lettre de Henri de Berchtesgaden à Eberhard de Salzbourg*, dans M. G. H., *SS.*, t. XX, p. 488.
(2) Cf. *supra*, p. 17-18.
(3) J. DE SALISBURY, *Epist.*, I, 59, dans *P. L.*, CXCIX, 41. «...*Scenae theatralis haec species est potius quam reverendi imago concilii.* »

en Angleterre. Le succès fut assez piètre en général. On observait encore
une prudente réserve. Malgré les réticences du roi Wladislas, Daniel
de Prague réussit à gagner l'Église tchèque, dont il était le chef, à la
cause impériale. Mais la Hongrie, que Frédéric avait su pourtant vassa-
liser, ne se laissa pas influencer. Le roi Geiza II se récusa derrière la nécessité de consulter les prélats et les grands du royaume [1]. Et dès la fin de
l'année 1160 il faisait bon accueil aux légats d'Alexandre, les cardinaux
Jules de Palestrina, du titre de Saint-Marcel, et Pierre, du titre de Saint-
Eustache. L'archevêque de Gran, Luc, ami d'Eberhard de Salzbourg,
véritable chef spirituel de la Hongrie, était le champion de l'influence
latine et occidentale dans ce royaume où Byzance tentait à chaque instant
d'implanter sa tutelle politique et religieuse. Nul doute qu'il n'ait fortement poussé le roi à reconnaître Alexandre [1]. Ce n'est pas le seul exemple de
ces prélats qui, plus que le prince, décidaient du choix des églises.

Mais il arrivait que la sujétion imposée au souverain par les grands
prélats métropolitains se retournât contre l'Église, en cas de crise. C'est
ce qui se produisit au Danemark, à l'occasion du schisme. La majorité
du haut clergé et du peuple y était alexandrine ; mais le roi Waldemar,
sur le point de prêter hommage à l'Empire, dont la tutelle lui paraissait
moins gênante que celle des grands de l'Église danoise, était porté naturellement à se déclarer victorien. Son animosité personnelle contre le
fameux Eskil, archevêque de Lund, dont l'humeur impérieuse ne manquait pas une occasion de l'humilier, le poussait dans le même sens. Quand
le légat de Victor IV, le futur archevêque de Mayence, Christian de Buch,
fut arrivé au Danemark, le roi et l'archevêque de Lund prirent aussitôt
position en sens contraire. La discorde fut telle dans la province entre
Alexandrins et Victoriens, qu'Eskil, devant l'obstination de son roi,
préféra s'effacer et partit pour la Terre Sainte. L'évêque de Roskilde,
Absalon, batailleur né et alexandrin déclaré, se montra moins intransigeant à l'égard du roi dont il était le frère de lait et le conseiller écouté.
Il laissa faire le légat de Victor IV venu après le concile de Pavie s'assurer
des suffrages de l'épiscopat danois et se joignit même à son maître quand
celui-ci fut sommé par Frédéric Barberousse de se rendre au congrès de
Dôle. Du moins put-il empêcher le roi de se compromettre à fond dans
le schisme et préparer ainsi le retour ultérieur du Danemark à l'obédience
d'Alexandre.

Dans la partie au moins théoriquement chrétienne de la péninsule
ibérique où les royaumes étaient encore en formation et restaient vassaux
du Saint-Siège, c'était aussi l'Église qui représentait l'autorité la plus
sûre. De grands seigneurs comme Jean Peculiaris, l'archevêque de Braga,
qui ira bientôt à Bourges pour convertir la Curie à ses vues sur la constitution de l'Église portugaise, comme Bernard Tortes, archevêque de
Tarragone, dont la métropole catalane englobait les évêchés de Navarre
et d'Aragon, se souciaient peu de conformer leur attitude à celle de souverains dont les dynasties encore en herbe, ou âprement rivales, ne pou-

(1) W. Holtzmann, Der Papst Alexander III und Ungarn, dans Ungarische Jahrbücher, t. VI,
1927, p. 405.

vaient leur en imposer. En 1160, de Pavie, le comte de Barcelone, Raymond Bérenger IV et, l'année suivante, son homonyme le comte de Provence reçurent des lettres de Victor IV les pressant de se ranger à son obédience. Frédéric Barberousse, que son mariage avec Béatrix liait à la maison de Provence et, par elle, à celle de Barcelone-Aragon qui, toutes deux, dépendaient en outre de l'Empire, chercha lui aussi à les gagner à sa cause par des avantages substantiels. Seul le comte de Provence voulut bien s'engager à reconnaître Victor. Le comte de Barcelone, plus hésitant, se rendit à Turin pour examiner la question, mais c'était bien peine perdue, car au même moment tout le clergé de son pays adoptait l'attitude contraire. Mort bientôt, sans avoir pris résolument parti, il laissa sa succession à la tutelle du roi d'Angleterre et Guillaume de Torroja, évêque de Barcelone, devenu le véritable régent de la principauté pendant la minorité d'Alphonse, fut un alexandrin déclaré[1].

Sans avoir peut-être reçu de légat, mais renseigné par l'évêque de Lucques sur les événements de septembre, Ferdinand II, roi de Léon et maître récent de la Castille — il venait de s'emparer de Tolède — assura Alexandre III de sa fidélité par une lettre autographe[2].

On ignore l'attitude des maîtres du Portugal, mais on sait qu'Alexandre III y fut reconnu unanimement par les clercs. Ses légats Théodin et Léon, qui s'y rendirent pour y recueillir de l'argent, en furent abondamment pourvus à Coïmbre comme à Saint-Jacques-de-Compostelle.

En somme, Frédéric se leurrait s'il croyait pouvoir compter dans le camp victorien, comme il l'affirmait en août 1160, sur l'Espagne et la Hongrie, comme sur le Danemark et la Bohême[3].

En Allemagne, certes, le prestige qu'il avait rendu à l'autorité impériale fit qu'au début l'adhésion des évêques à l'obédience de Victor IV fut générale. Des hommes réfléchis comme Gerhoch de Reichersberg ou Eberhard de Bamberg, et qui par la suite changeront d'avis, estimaient qu'il fallait tout préférer à la désunion dans l'Empire et se rangeaient provisoirement derrière leur maître. Mais il n'y avait pas unanimité. L'archevêque de Salzbourg, Eberhard, dès la première heure, reconnut Alexandre et ne varia jamais plus. Avec ses suffragants de Brixen, de Gurk et bientôt de Freising, il avait avec lui tout son clergé, toute sa province, conquis par ses vertus et ses bienfaits. Il exerçait son influence bien au delà, jusqu'à Aquilée et Venise, et entretenait des relations directes avec les princes de l'Église de France, avec le roi de Hongrie. Sans se départir jamais, à l'égard de la couronne et de la personne impériales, de la plus parfaite correction, il sera l'âme du parti alexandrin dans l'Allemagne du sud-est. L'empereur dut le ménager. Dans l'Allemagne de l'ouest, même les prélats victoriens n'étaient pas toujours suivis par leurs ouailles. A Mayence, l'archevêque Arnold n'avait entraîné que le

---

(1) P. KEHR, *Das Papsttum und der Katalanische Prinzipat bis zur Vereinigung mit Aragon*, dans *Abhandlungen der preussischen Akademie der Wissenschaften*, Berlin, 1926, p. 65.
(2) H. REUTER, *op. cit.*, t. I, p. 106-107.
(3) A. HAUCK, *op. cit.*, t. IV, p. 256.

quartier de Selenhofen, dont il était originaire ; tout le reste de la ville était alexandrin [1].

La Bourgogne n'était victorienne que par crainte. Des alexandrins célèbres y faisaient une intense propagande. La politique maladroite de Frédéric y dressa bientôt contre lui, et par suite contre son pape, l'opinion des évêques et des princes. Là, moins encore que dans le reste de l'Empire, Frédéric ne put étouffer le sentiment grandissant de l'universalité de l'Église, ni prémunir les clercs et les moines de l'influence contagieuse qu'exerçait sur eux l'attitude de leurs voisins de France et d'Angleterre.

L'« ECCLESIA OCCIDENTALIS »   Même dans les royaumes de l'ouest de qui tout le monde attendait les décisions, l'attitude des souverains, obsédés par leurs rancunes et leur rivalité, pesa moins que celle des gens d'église. Les deux rois se montrèrent réservés devant les démarches que multipliaient les deux partis pour obtenir leur adhésion. Les légats d'Alexandre, Odon de Brescia, cardinal diacre du titre de Saint-Nicolas, et Henri de Pise, cardinal prêtre du titre des Saints-Nérée-et-Achille, arrivèrent en France en février-mars 1160. Après s'être vu refuser l'entrée de Cluny, ils allèrent à Vézelay, où Pons, alors abbé, leur fit au contraire bon accueil et, de là, en terre anglaise. Leur premier souci était de rétablir l'entente entre les deux rois. Ils gagnèrent à leur cause la tête la plus solide de l'épiscopat normand, l'évêque de Lisieux, Arnoul, dont Alexandre III avait déjà fait son porte-parole auprès du Plantagenet [2]. Informé dès la première heure, avec une rapidité surprenante, des événements de Rome, c'est Arnoul qui avait stimulé l'épiscopat anglais trop lent à prendre parti, en lui donnant pour exemple l'Église de France déjà tout entière alexandrine ; c'est lui qui avait obtenu l'adhésion orale de Henri [3]. Mais celui-ci s'était bientôt ravisé sans rien décider. Sur l'initiative de Théobald, archevêque de Cantorbéry, le clergé anglais se réunit à Londres et discrètement prépara les conclusions favorables à Alexandre qui furent ensuite, en juillet 1160, adoptées officiellement à Neufmarché. Ce n'est pas que Victor n'eût des partisans ou Alexandre des ennemis dans l'Église d'Angleterre. L'évêque de Durham et cet extraordinaire prélat grand seigneur, Henri de Winchester, se seraient volontiers déclarés pour Victor IV, mais n'osèrent, dit-on, aller contre l'avis de la majorité, groupée autour des deux archevêques d'York et de Cantorbéry. Ce dernier se montrait d'ailleurs fort déférent à l'égard du roi qui tenait essentiellement à ce que rien ne se fît sans son ordre ou sa permission. Le clergé normand se montra plus indépendant à l'égard de l'autorité royale. L'archevêque de Rouen

---

(1) Arnold fut assassiné à la suite d'une violente émeute que le ressentiment de la commune lésée ne suffit pas à expliquer. H. REUTER, *op. cit.*, t. I, p. 147, y voit seulement un soulèvement communal. La lettre d'Eberhard, abbé d'Eberbach, publiée par W. OHNSORGE, *Eine Ebracher Briefsammlung des XII Jahrhunderts*, dans *Quellen und Forschungen aus italien. Archiven*, t. XX, 1929, p. 31, explique au contraire le meurtre de l'archevêque de Mayence par un sursaut de l'opinion favorable à Alexandre.

(2) *P. L.*, CC, 88-89.

(3) *P. L.*, CCI, 39-40.

et l'évêque du Mans n'attendirent pas la permission du roi pour donner l'ordre à leurs suffragants d'adhérer à la cause d'Alexandre. Ils devaient s'en repentir, car Henri II les en punit avec sa rigueur coutumière [1].

Comme Henri II, Louis VII reçut l'ambassade de Rainald de Dassel, les lettres de Victor IV, les lettres et les légats d'Alexandre. Mais ceux-ci semblent avoir prêté moins d'attention à lui. Il hésitait encore. Il avait l'œil sur la puissance de Frédéric, sur son vassal anglo-normand et se bornait à vouloir suivre la décision de ce dernier, au demeurant plus fort que lui. C'est son frère Henri, évêque de Beauvais, puis archevêque de Reims, qui fut auprès de Louis VII, comme Arnoul auprès d'Henri II, le porte-parole d'Alexandre. C'est dans sa ville épiscopale de Beauvais que se rassembla l'Église de France au moment même où, à Neufmarché, se réunissaient les prélats d'Angleterre et de Normandie, et pour y prendre les mêmes mesures. C'est à lui que revint le principal mérite des décisions du concile qui réunit, sans doute encore à Beauvais, quelques semaines plus tard (juillet 1160) les deux rois et les deux clergés.

LE CONCILE DE BEAUVAIS [2] Il s'agissait toujours de savoir lequel des deux élus serait reconnu. On entendit de nouveau les cardinaux victoriens et alexandrins, puis les légats de Victor IV et d'Alexandre III s'affronter en un véritable duel devant une assemblée où les hésitants étaient encore nombreux, surtout parmi les Anglais. Certains, jugeant que l'Église romaine avait toujours été un grand embarras pour les princes, proposaient d'attendre que la mort d'un des deux élus mît fin au schisme [3]. Le parti de l'ajournement pouvait encore l'emporter. Les légats d'Alexandre, inquiets, recoururent à un expédient. Cédant au désir d'Henri II, pressé de faire célébrer le mariage de son fils aîné avec la fille de Louis VII, et d'annexer le Vexin qu'elle apportait en dot [4], ils lui promirent d'accorder la dispense canonique nécessaire au mariage des princes mineurs (ils avaient six et deux ans) si Alexandre était reconnu. Ainsi fut fait. L'adhésion de Henri II entraînait celle de Louis VII qui avait accepté de régler sur lui son attitude. Mais quand il comprit, trop tard, qu'il avait été joué et qu'il devrait céder sans délai le Vexin promis à son vassal, le roi de France interdit aux légats le séjour sur ses terres. Il ne songea pas un instant à revenir sur son adhésion, mais il se montrera méfiant à l'égard d'Alexandre tant que des relations directes ne se seront pas établies.

(1) H. REUTER, *op. cit.*, t. I, p. 161 et suiv.
(2) La tenue d'un concile commun aux royaumes de France et d'Angleterre est attestée par les sources. GERHOCH DE REICHERSBERG (*De investigatione antichristi*, dans M. G. H., *Lib. de lite*, t. III, p. 365 et suiv.) est le seul à en fixer le lieu à Toulouse. Mieux renseigné sur les affaires de France, ROBERT DE TORIGNY (*P. L.*, CLX, 492) le situe à Beauvais. Après L. DELISLE, *La prétendue célébration d'un concile à Toulouse en 1160*, dans le *Journal des savants*, 1902, p. 45-51, étude réimprimée dans HEFELE-LECLERCQ, *Histoire des conciles*, t. V, 2ᵉ partie, p. 1712 et suiv., la dernière mise au point est de F. BARLOW, *The English, Norman and French councils called to deal with papal schism in 1159*, dans *English historical review*, 1936, t. LI, p. 264-268. Sur les premières relations d'Alexandre III avec Henri II et l'épiscopat anglais, voir R. FOREVILLE, *L'Église et la royauté en Angleterre sous Henri II Plantagenet (1154-1159)*, Paris [1943], p. 93-96 ; sur le concile anglo-normand, *ibid.*, p. 95 et n. 1. Cf. *infra*, p. 87 et 88.
(3) *Lettre d'Arnoul de Lisieux aux cardinaux*, P. L., CCI, 44.
(4) Cf. *infra*, p. 88.

Les décisions prises par le concile n'étonnèrent personne, mais la nouvelle en retentit dans la Chrétienté comme la mise en minorité définitive du pape impérial et la première annonce de la victoire finale d'Alexandre. Aux deux puissances de l'ouest se joignaient dans le camp alexandrin les Espagnes, la Hongrie et même l'Irlande et la Norvège [1]. En outre, les sympathies de Manuel Comnène paraissaient acquises. Ardicio, cardinal diacre du titre de Saint-Théodore, et l'évêque de Tivoli envoyés à Byzance y furent bien accueillis comme le prouvent les négociations qui furent entamées par la suite [2]. Enfin, le roi de Jérusalem, Baudouin III, d'abord peu empressé à l'arrivée du cardinal Jean, du titre des Saints-Jean-et-Paul, qu'il voulut recevoir en pèlerin, non en légat, finit par laisser faire la majorité des évêques et, malgré de notables résistances [3], l'Église latine d'Orient se déclara pour Alexandre au concile de Nazareth (avant janvier 1161) [4].

L'ORDRE MONASTIQUE DEVANT LE SCHISME La disproportion était grande, on le voit, entre les deux aires d'obédiences. Elle était plus grande encore si, au lieu de dénombrer les églises et les princes qui se rangeaient dans l'une ou l'autre, on portait à l'actif du parti alexandrin l'invisible extension des moyens dont il disposait. Les évêques, on l'a vu, finissaient par entraîner ou par suivre le souverain. Tous cherchaient, plus ou moins, à agir solidairement. Il n'en était pas de même dans l'ordre monastique. Les grandes communautés régulières représentaient une puissance morale et matérielle dont l'exemption et les privilèges pontificaux exaltaient l'indépendance et qui se ramifiait dans la Chrétienté tout entière. En général, elles furent des instruments efficaces dans les mains d'Alexandre III.

Les divers ordres ne réagirent pas tous avec le même ensemble. Les couvents des Prémontrés se partagèrent ; on y fut alexandrin en France, victorien en Allemagne et Alexandre dut intervenir auprès de l'abbé de Prémontré pour empêcher l'extension du schisme [5]. L'abbé de Cluny, on l'a vu, prétendit rester neutre. Ses terres se trouvaient à cheval sur le Royaume et l'Empire. Quand, finalement, l'abbé Hugues III de Montlhéry se décida pour Victor IV, il fut déposé par Alexandre III et remplacé par Étienne de Bourg, abbé de Saint-Michel de Cluse [6].

Au contraire, on ne peut douter du concours apporté par les Templiers. Ils tenaient les châteaux du Vexin, si convoités par Henri II, et le lais-

(1) H. REUTER, *op. cit.*, t. I, p. 170 et 501 et suiv.
(2) Cf. *infra*, p. 129.
(3) Beaucoup d'évêques, à la suite du roi, décidèrent de recevoir le cardinal en simple pèlerin. Les autres, et leur avis prévalut, voulurent le recevoir en légat, c'est-à-dire lui concédèrent « palefroiz blanz et chapes roges comme l'apostoile ». L'auteur de l'*Estoire d'Eracles*, dans *Hist. des Croisades, hist. occid.*, t. I, p. 871 et suiv., ajoute : « Li prelat qui furent coart et lasche le reçurent comme légat ; si en furent puis si charchies et grevez en maintes manières que molt s'en repentirent ... » Ces ambassades avaient évidemment pour but de recueillir non seulement les adhésions à la cause d'Alexandre, mais des fonds nécessaires à la Curie pour subsister et pour agir dans la situation fort précaire où elle se trouvait. Les doléances des Syriens, parmi tant d'autres, ne prouvent rien de plus.
(4) MANSI, *Conc. ampl. coll.*, t. XXI, p. 1145.
(5) *H. de Fr.*, t. XV, p. 774.
(6) ROBERT DE TORIGNY, dans M. G. H., *SS.*, t. VI, p. 512.

sèrent s'en emparer sans coup férir, dès que la permission des légats lui
eut permis de brusquer le mariage de son fils. Quant aux Hospitaliers,
c'est en grande partie grâce à leurs fonds qu'Alexandre III put subsister
et même, au dire de certains qui n'étaient pas toujours des ennemis,
achever de convaincre les partisans trop indécis [1]. Ils assuraient les relations maritimes avec la Terre Sainte et leurs bateaux étaient à la disposition du pape.

Les Cisterciens furent des premiers à reconnaître Alexandre III [2]. La
gloire de l'ordre, depuis la mort de saint Bernard, était l'archevêque de
Tarentaise, Pierre, dont les vertus et les dons de thaumaturge ressus-
citaient, dit Walter Map, la « sainteté d'un autre âge » [3]. Presque seul,
au début, parmi les prélats du royaume de Bourgogne soumis à l'Empire,
il s'affirma en faveur d'Alexandre et ne cessera de prêcher, au plus fort
du schisme, en Lombardie, en Toscane, et jusqu'en Campanie, pour
fortifier les hésitants et soustraire le clergé et le peuple à l'influence des
évêques victoriens. Quand le chapitre général se fut décidé pour Alexandre,
l'attitude des Cisterciens d'Allemagne fut d'abord plus réservée. « Nous
avons à passer entre Charybde et Scylla », écrit l'abbé d'Eberbach à son
confrère d'Ebrach. Et il conclut prudemment qu'il faut attendre « le
jugement commun de l'Église ». Un autre demande son avis à un confrère
alsacien et une réponse secrète par retour du courrier. Il voit parfaitement
bien les dangers du schisme et aussi les représailles qui attendent les
abbayes cisterciennes situées en terre d'Empire. Il l'avertit cependant
de l'héroïque décision du chapitre général et l'invite à imiter leurs frères
qui, « préférant ce qui demeure à ce qui passe, n'hésitent pas à perdre
tous leurs *temporalia* pour la vérité ». D'autres se montrent moins braves
et recommandent de se soumettre à l'autorité pourvu qu'elle procure
la paix, ce qui revient à dire : « Suivons les évêques et attendons les événements [4]. » Mais bientôt, devant l'ultimatum de Frédéric Barberousse
qui leur donnait à choisir entre l'obédience de Victor ou l'expulsion,
un très grand nombre se décidèrent pour l'exil et, au milieu des pires
difficultés, allèrent se réfugier en France [5]. Quoique en terre d'Empire,
le prieur de la Grande Chartreuse, Anthelme, se rangea de bonne heure
du côté d'Alexandre, ainsi que la célèbre abbaye de Clairvaux où saint
Bernard n'était pas encore oublié, dont les relations avec l'épiscopat
français étaient nombreuses et dont l'abbé, Fastrade, fut l'un des plus
fermes alexandrins.

Templiers, Hospitaliers, Cisterciens, n'étaient-ils pas dans l'ordre monastique les plus puissants soutiens que pût avoir Alexandre III ? Celui-ci

(1) GERHOCH DE REICHERSBERG, *De investigatione antichristi*, I, 48, dans M. G. H., *Libelli de lite...*, t. III, p. 356.
(2) Cf. S. MITTERER, *Die Cisterzienser im Kirchenstreit zwischen Papst Alexander III und Kaiser Friedrich I Barbarossa*, dans *Cisterzienser Chronik*, t. XXXIV, 1922, p. 1-8, 21-26, 35-40 ; à contrôler pour le détail et l'interprétation avec M. PREISS, *Die politische Tätigkeit und Stellung der Cisterzienser im Schisma von 1159-1177*, dans *Historische Studien*, Berlin, Ebering, 1934, Heft 348.
(3) WALTER MAP, *De nugis curialium*, Dist. II, cap. 3 (éd. M. R. JAMES, Oxford, 1914, p. 65).
(4) W. OHNSORGE, *loc. cit.*, p. 29 et suiv.
(5) HELMOLD, *Chronica Slavorum*, dans M. G. H., *SS.*, t. XXI, p. 176 et suiv.

ne faisait sans doute que leur rendre justice quand il avouait pour eux trois ses préférences et le désir de ne pas leur ménager ses faveurs [1].

LE SENTIMENT DE L'ÉGLISE UNIVERSELLE

Plus décisive encore fut la façon dont s'exprimèrent, au lendemain du concile de Pavie, quelques-uns des hommes qui faisaient ou traduisaient l'opinion du plus grand nombre. Certes, un saint Bernard n'était plus là pour faire entendre sa voix. Mais sa pensée restait vivante. On a vu l'influence exercée, au moment décisif, par de grands évêques, par Arnoul de Lisieux sur Henri II, sur Louis VII par son frère Henri, archevêque de Reims. Ce dernier, ancien novice de Clairvaux, avait été un disciple chéri du saint. Il ne faut pas négliger ces influences directes. Plus souvent qu'on ne croit, ces hommes se connaissaient personnellement. Alexandre III était lié d'amitié avec Henri bien avant son élévation au pontificat [2], de même qu'avec Arnoul de Lisieux. Celui-ci avait étudié le droit à Bologne où Alexandre avait été professeur. Luc de Gran, métropolitain de l'Église hongroise, comme Jean de Salisbury, avait étudié à Paris [3]. Des relations mutuelles que rien n'arrêtait et dont l'extension nous étonne, une vie scolaire qui s'abreuvait aux mêmes sources, et déjà tendait à se concentrer aux mêmes lieux, expliquent la similitude des réactions. Sous le coup des événements de Pavie, celles-ci sont nettement défavorables à la politique impériale. Dans sa lettre aux évêques anglais, Arnoul démasque le jeu de Frédéric : le schisme a été suscité pour affirmer la victoire de l'Empire sur le Sacerdoce, mais ce n'est qu'une étape vers la restauration de l'Empire dans son ancien éclat, en vue de soumettre tous les royaumes à sa puissance [4]. Et dans son style de rhéteur trop exercé, il enlève toute valeur aux décisions de Pavie : « Il n'y a pas d'arbitrage quand les parties refusent de s'y soumettre, ni de sentence judiciaire quand elle n'émane d'aucune juridiction compétente ou déléguée... On ne peut parler de procès entre gens qui sont d'accord pour ne trouver nul litige. Et si l'on ne fait place à la contradiction, impossible d'ouvrir ou de conclure un débat [5]. » A son tour, Jean de Salisbury proteste contre l'emploi qui a été fait de la force : « La justice doit s'exercer librement, et d'après l'ancien droit, quiconque veut la troubler par la force mérite la peine capitale ; les jugements d'Église doivent être encore plus libres que les autres ; de par les saints canons, l'élection du pasteur doit être accomplie librement dans l'Église, sans désignation préalable par l'autorité laïque. De même, si elle vient à être examinée, elle doit l'être dans l'Église, par des juges d'Église, selon les règles de l'Église, loin de tous laïcs et gens armés. » Il s'élève enfin contre la prétention tant de fois exprimée par l'empe-

---

(1) GIRAUD LE CAMBRIEN, *E speculo ecclesiae, Dist. III*, c. 12 (M. G. H., *SS.*, t. XXVII, p. 418, éd. J. S. BREWER, *G. C. opera omnia*, dans *Rerum britann.... script.*, Londres, 1873, t. IV p. 205.)
(2) *P. L.*, CC, 96.
(3) W. HOLTZMANN, *loc. cit.*, p. 415.
(4) A. HAUCK, *op. cit.*, t. IV, p. 255.
(5) ARNOUL DE LISIEUX, *Epist. ad archiepiscopos et episcopos Angliae*, dans *P. L.*, CCI, 39.

reur germanique de régler seul le sort de la Chrétienté : « Qui a permis aux Allemands de s'ériger en tribunal des nations et à ces gens brutaux et violents d'établir qui bon leur semble comme chef de tous les chrétiens ? » Et surtout : « Qui a soumis l'Église universelle au jugement d'une église particulière ? [1] »

Dans la bouche de cet homme modéré, une telle indignation porte témoignage. Elle exprime bien le sentiment général que la papauté ne pouvait plus être la propriété d'une couronne ou d'une nation et que, si Rome restait enfermée dans l'Empire, le siège de l'Église pouvait bien être devenu insaisissable.

LA SITUATION EN ITALIE   Les premiers à le vouloir prouver furent les évêques lombards parmi lesquels se développait une croissante opposition à la mainmise impériale. Le dur traitement infligé à Crême, l'encerclement de Milan ne leur laissaient plus d'illusions sur les intentions de Frédéric Barberousse à l'égard de ceux qui le bravaient encore. Au lendemain du concile de Toulouse dont le retentissement avait été grand dans toute la Chrétienté et même en Allemagne, Frédéric éprouva le besoin de renouveler les décisions de Pavie qui étaient restées lettre morte pour beaucoup d'entre eux. Les évêques de Vérone, Brescia, Plaisance, comme bientôt ceux de Padoue et de Bologne, avaient mieux aimé subir l'exil et la persécution que de s'y soumettre. Mais, en même temps qu'il les convoquait à Crémone pour y tenir un nouveau concile, Frédéric descendait en Italie avec le ban et l'arrière-ban de l'Empire. Le déploiement de ses forces prenait si bien le pas sur l'instrument juridique que le concile parut faire partie des bagages de l'armée : l'empereur ayant dû quitter Crémone pour des raisons militaires, le concile ajourna ses assises en même temps qu'on levait le camp, pour les reprendre à Lodi le mois suivant (24 juin 1161). Du reste, les décisions conciliaires en faveur de Victor, encore une fois renouvelées, n'eurent pas plus d'effet sur l'épiscopat que les armes sur le particularisme lombard. Fait significatif, dès le 28 juin 1160, devançant de plusieurs semaines Alexandre III, c'est l'archevêque de Milan, Uberto, qui le premier avait jeté l'anathème contre l'empereur, contre Victor et leurs partisans. Aussi bien est-ce sur Milan qu'en ce printemps de 1162 tous les yeux étaient fixés. L'empereur l'assiégeait depuis deux ans. Sa chute prochaine rendait la situation d'Alexandre précaire, même en Italie centrale. Seuls le sud de l'État pontifical et la région d'Orvieto échappaient à la domination des impériaux. Depuis l'élection mouvementée de septembre, Alexandre III s'était instinctivement rapproché de la frontière siculo-normande, d'abord à Terracine, puis à Anagni. Mais l'insurrection des vassaux de Guillaume Ier, pour la plupart inféodés au parti de Victor IV, montra que le royaume de Sicile ne pouvait plus offrir pour le moment un abri très sûr. Salerne et Capoue toutes voisines

---

(1) Jean de Salisbury, *Epist.*, LIX ; *P. L.*, CXCIX, 38 et suiv., cité par E. Jordan, *L'Allemagne et l'Italie aux XIIe et XIIIe siècles*, dans *Histoire générale* publiée sous la direction de G. Glotz, *Hist. du moyen âge*, t. IV, 1re part., p. 79.

étaient gagnées par l'agitation. Alexandre pensa pouvoir s'établir à Rome
où ses partisans croissaient en nombre, où le parti impérial avait dû
leur céder le pas, au lendemain de nouvelles élections du sénat. Il y rentra
solennellement le 6 juin 1161. Mais bientôt des troubles se produisirent
à nouveau, probablement à l'instigation du parti victorien renforcé depuis les décrets de Lodi. L'été approchait. Sur le conseil de ses propres
amis, après avoir donné pleins pouvoirs dans Rome à un cardinal estimé,
Jules de Palestrina, Alexandre se réfugia dans les villes de la campagne
romaine. On le trouve le 27 juin à Palestrina où il demeure jusqu'à l'automne. Le 30 septembre, il est sur la côte. Il songe déjà sans doute à
quitter le pays où il se sent traqué. Ses relations avec les royaumes de
l'ouest les lui désignent tout naturellement comme un refuge possible.
On ne peut préciser si Louis VII l'a réellement invité et à quel moment.
Dans l'incertitude de ce que feraient les princes encore hésitants ou chan-
geants, il avait été question, dès avant le concile de Beauvais, de chercher
asile auprès de l'archevêque de Reims, Samson. Pour le moment (début
décembre 1161), Alexandre cherche à se soustraire par un embarquement
aux conséquences redoutées de la chute de Milan, d'un jour à l'autre
attendue. Sans doute sur l'ordre du roi Guillaume, quatre galères siciliennes viennent à Terracine se mettre à la disposition du pape. Le
18 décembre, l'archevêque de Pise, Villanus, s'était embarqué sur un bateau
de guerre, juste à temps pour y rejoindre le pape et célébrer avec lui la
fête de Noël. Le lendemain, le pape et les cardinaux s'embarquent à leur
tour avec leur nombreuse suite, leurs bagages et leurs porteurs. A peine
la passe franchie, un ouragan les emporte et les jette sur des récifs. Les
galères paraissent si endommagées qu'on les juge incapables de poursuivre la route. Il fallut les réparer. Mais Alexandre décida de ne pas
attendre, il monta sur le bateau de l'archevêque de Pise et avec lui gagna
Circeo. A Piombino son compagnon lui réserva une réception magnifique. A Bada ils furent rejoints par les cardinaux qui, de Gaëte, les avaient
rattrapés sur des voiliers rapides. De conserve, on gagna Livourne,
où l'on apprit que les consuls pisans refuseraient l'entrée de leur port.
C'était déjà l'effet de la politique impériale. Le danger se rapprochait.
On se hâta vers Porto Venere, Portofino et enfin, le 21 février 1162, on
arrivait à Gênes.

Les Génois, plus indépendants que les Pisans, l'archevêque Syrus en
tête, firent à Alexandre un accueil enthousiaste et l'invitèrent à demeurer,
malgré les injonctions de l'empereur. Il séjourna deux mois à Gênes, et les
nombreuses lettres qu'il écrivit de là démontrent qu'en dépit des difficultés accrues, son activité directrice ne se relâchait en rien.

LE COLLOQUE DE MILAN   La chute retentissante de Milan, le 1er mars
1162, parut interdire tout espoir du côté de
l'empereur. C'est le moment que choisit Alexandre pour rouvrir les
négociations et il écrivit à Eberhard de Salzbourg pour lui demander
de prendre langue avec Frédéric. Accompagné d'Hartman de Brixen,
Eberhard se mit aussitôt en route pour l'Italie (mars 1162). A Crémone

où se trouvaient Victor IV et ses cardinaux, il refusa de voir et d'entendre ces « schismatiques », et gagna directement Pavie, puis Milan où il assista à la solennelle entrée de son maître le 26 mars. Le 30, c'est sur l'initiative de Frédéric, qui songeait à réunir bientôt à Rome un nouveau concile, que s'ouvrit une sorte de conseil aulique et religieux. En présence des deux cardinaux victoriens, venus de Crémone, de douze évêques et d'autres princes, on s'entretint des affaires de l'Église. Eberhard fut pressé de s'expliquer sur son choix. On semblait donc ne pas tenir les décrets de Pavie et de Lodi pour décisifs. On ne lui fit aucun reproche quand il se déclara pour Alexandre. Il dédaigna encore de répondre aux cardinaux victoriens et, s'adressant à l'empereur, exposa ses arguments. Ce fut en vain. Chacun resta sur ses positions. Frédéric, alors dans toute l'ivresse du triomphe, n'était pas prêt à céder du terrain. Les villes lombardes, terrorisées après les exécutions de Crême et de Milan, s'offraient successivement à lui. Il préparait son expédition contre la Sicile et s'assurait l'alliance des républiques maritimes. Après Pise, Gênes, elle-même intimidée, allait bientôt prêter son concours à Frédéric.

ALEXANDRE III QUITTE L'ITALIE   L'échec du colloque de Milan ôtait à Alexandre toute sûreté en Italie. Seule la voie de mer restait libre. Et sur le même rivage méditerranéen il y avait un point de débarquement tout indiqué : l'évêché de Maguelone, dont relevaient eux-mêmes les comtes de Montpellier, était depuis Innocent II sous le patronage du Saint-Siège. C'était alors un des points les plus fréquentés du littoral. Il ne restait plus qu'à s'y rendre. Les Génois armèrent trois galères et deux voiliers rapides auxquels se joignit celui de l'archevêque de Pise, et la flottille pontificale leva l'ancre le 25 mars 1162. Après six jours de navigation, elle accosta dans une des îles de Lérins[1] où le mauvais temps la contraignit de passer la semaine sainte ; les fêtes de Pâques y furent célébrées. Puis elle reprit la mer pour arriver enfin, le 11 avril, en vue de Maguelone.

§ 2. — Le séjour de la papauté en France[2].

Ce voyage mouvementé prêta le flanc aux railleries des adversaires[3]. Il n'en préparait pas moins, à brève échéance, le renversement de la situation critique où se trouvait Alexandre III. Celui-ci ne pouvait conti-

---

(1) Dom L. H. COTTINEAU, *Répertoire topobibliographique des abbayes et prieurés*, t. II, Mâcon, 1937, col. 2668, identifie l'*insula de Liguris* de Boson avec l'île de Bergeggi (sur la Riviera, diocèse de Savone) où se trouvait le monastère de Saint-Eugène, fondation de Lérins.

(2) BIBLIOGRAPHIE. — I. SOURCES. — Outre la correspondance groupée dans *P. L.*, CC, voir les textes narratifs canoniques et conciliaires dans BOUQUET, *Hist. de Fr.*, t. XV ; WATTERICH, *op. cit.*, t. II et MANSI, *Conc. ampl. coll.*, t. XXI.
II. TRAVAUX. — Le médiocre ouvrage de F. DE LAFORGE, *Alexandre III ou rapports de ce pape avec la France aux débuts de la lutte du Sacerdoce et de l'Empire*, 2e éd., Sens, 1905, in-8°, XII, 319 p., laisse à désirer une étude détaillée du séjour d'Alexandre III en France. Sur les rapports du pape et du roi de France, voir A. LUCHAIRE, *Le roi Louis VII et le pape Alexandre III*, dans *Comptes rendus de l'Ac. des sciences morales et polit.*, t. XLVII, 1897, ou du même dans LAVISSE, *Histoire de France*, t. III, part. I, p. 38 et suiv.

(3) Surtout celles de Victor IV, cf. l'article de KEHR, cité *supra*, p. 51, n. 4.

nuer la lutte qu'avec l'appui des royaumes de l'Europe occidentale. Or, de ce côté, il n'était encore sûr de rien. Loin de s'en émouvoir, Alexandre, dès les premières heures de son séjour en France, sut se présenter non pas en isolé, en fugitif, mais en chef de l'Église universelle, conscient de son droit [1] et de la force qu'il représentait, habile à faire valoir qu'elle pouvait être utile au royaume lui-même. Dès qu'il aura désarmé les rancunes de Louis VII, par sa clairvoyance, par son habileté, il saura, de l'exil même, étendre son autorité, retrouver tous ses moyens d'action. Cela ne se fit pas en un jour.

ALEXANDRE III A MONTPELLIER A Maguelone trop exiguë pour contenir les arrivants et la foule venue pour les recevoir, le pape revêtit chape rouge et insignes pontificaux et, de là, monté sur une haquenée blanche, se rendit à Montpellier où il fit une entrée solennelle. Le comte de Saint-Gilles et Guilhem VII, seigneur de la ville, lui rendirent les honneurs militaires. Puis il reçut les hommages de nombreux seigneurs, de Trencavel, vicomte d'Albi, d'Hermengarde de Narbonne et même d'un représentant de l'« émir des musulmans » qui, après l'avoir harangué, se prosterna devant lui [2]. Mais d'ambassadeurs royaux point encore. Il fallait attendre. Le dimanche suivant, le pape dit la messe à la cathédrale et fit lui-même le récit de son élection. Le nombre des nouveaux venus croissant de jour en jour, dès le 17 mai il put tenir un concile où assistèrent les archevêques de Sens, Tours, Aix, Narbonne et de nombreux évêques, parmi lesquels naturellement celui de Maguelone, Jean de Montlaur. Octavien et ses partisans furent excommuniés. On édicta quelques canons [3]. Mais surtout on chercha à gagner du temps et à connaître le résultat des négociations en cours avant de se remettre en route.

L'ATTITUDE DU ROI DE FRANCE Louis VII et sa femme à qui Alexandre avait annoncé son arrivée ne s'empressaient guère de répondre. Devant tant de froideur on multiplia les précautions. Et au lieu d'envoyer en ambassadeurs deux cardinaux de sa suite, comme il en avait d'abord eu l'intention, le pape se ravisa pour désigner à leur place des prélats français bien en cour, dont le frère du roi Henri, tout nouvel archevêque de Reims. Il ne pouvait plus ignorer les griefs de Louis VII à l'égard de ses légats. La dispense accordée à l'occasion du remariage du roi n'avait pas suffi à les faire oublier et Louis VII se plaignait qu'Alexandre n'eût d'égards que pour Henri II. L'arrivée du pape sur ses terres ne laissait pas de rendre le roi de France circonspect pour d'autres raisons qui tenaient aux conjonctures de sa

---

(1) *Lettre d'Alexandre III à Henri de Reims* en lui envoyant le *pallium*, dans *P. L.*, CC, 137.
(2) H. REUTER, *op. cit.*, t. I, p. 194, rapporte le fait d'après Boson, WATTERICH, *op. cit.*, t. II, p. 388, mais le tient pour légendaire. On ne voit pas bien pourquoi. La présence à Montpellier d'un prince musulman, vraisemblablement almohade, n'avait rien d'extraordinaire à cette date. Cf. J. ROUSSET DE PINA, *L'entrevue du pape Alexandre III et d'un prince sarrasin à Montpellier le 11 avril 1162 ...*, dans *Études médiévales offertes à ... Augustin Fliche...*, Montpellier, 1952, p. 161-184.
(3) MANSI, *Conc. ampl. coll.* t. XXI, col. 1159.

politique extérieure. Qu'il se fît protecteur d'Alexandre, il courait le danger d'une guerre avec Frédéric. Dès février, Victor IV lui avait envoyé une ambassade pour le détourner du parti d'Alexandre, encore à Gênes. Derrière Victor, il y avait l'empereur qui, dans une lettre à Hugues de Soissons [1], n'avait pas caché que la protection de l'ennemi de l'Empire serait considérée comme un *casus belli*, et massait déjà des troupes en Bourgogne. Mais, d'autre part, refuser à Alexandre l'asile qu'il demandait était impossible. Déjà son peuple, comme lui-même dans le fond de son cœur, ne l'eût pas permis. Dans cette impasse il ne prêta que trop facilement l'oreille aux suggestions du comte de Champagne, Henri, qui, victorien déclaré, lui montrait comme seule issue possible la solution impériale : un nouveau concile où les deux papes, en présence des deux souverains, se soumettraient à un arbitrage. C'est dans cette intention qu'en mai il chargea le comte de Champagne d'entrer en pourparlers avec Frédéric [2]. Alexandre fut mis au courant de la démarche. Quand il en reçut la nouvelle de la bouche des envoyés royaux, l'abbé de Saint-Germain Théobald et Louis de Cahors, ce fut pour lui une cruelle déception. Malgré son désir constant d'une réconciliation, il pouvait moins que jamais songer à se soumettre à un concile ouvert sous les auspices de l'empereur. Alexandre III fit répondre par un refus. Ce refus étonna, indigna même Louis VII — « il est curieux, aurait-il dit, qu'ayant conscience de la justice de sa cause, le pape répugne tant à faire la preuve de son innocence (devant un concile) » [3] — et faillit le jeter dans les bras de Frédéric. Car, aussitôt après, il pressa le comte de Champagne de conclure les pourparlers. On décida pour le 19 août une rencontre des deux souverains à Saint-Jean-de-Losne.

LE CONGRÈS DE SAINT-JEAN-DE-LOSNE   Les inquiétudes d'Alexandre redoublèrent. Avec insistance [4], il charge Henri, archevêque de Reims, Hugues, évêque de Soissons, de faire pression sur le roi, pour l'empêcher de se fourvoyer dans cette affaire dont il ne présage rien de bon, ni pour l'Église ni pour le royaume. Puis par Alès, Mende, Privas, Le Puy, il se met en route vers Clermont où le roi lui a enfin donné rendez-vous. Mais plus elle se rapproche, plus Alexandre semble redouter cette entrevue. Pour amadouer le prince, il

---

(1) W. Ohnsorge, *Die Legaten Alexanders III in ersten Jahrzehnt seines Pontifikats (1159-1169)*, Diss., Dresde, 1927, p. 50.

(2) Boson, dans Watterich, *op. cit.*, t. II, p. 382 et suiv., dit que l'intention de Frédéric était d'obtenir la déposition des deux papes par un jugement de l'Église universelle, en vue d'en élire un troisième. Selon Hughes de Poitiers, *De libertate monast. Vizeliacensis*, dans M. G. H., SS., t. XXVI, p. 146, il y eut seulement entre Frédéric et Henri de Champagne accord sur le point de réunir les prélats des deux églises, française et allemande, avec les grands. Les deux princes se soumettraient ensemble à celui que l'assemblée aurait désigné comme le véritable pape. Si l'un des deux papes refusait de se présenter, il serait hors de cause. Louis voulait au contraire qu'on prononçât une nouvelle sentence sur l'élection. Mais ce point ne pouvait plus être mis en discussion par Alexandre. Ce qui est clair, c'est que pour Frédéric le but de ces tractations était de détacher Louis d'Alexandre et de faire reconnaître Victor. Sur ces négociations préliminaires voir H. Reichel, *Die Ereignisse and der Saône in Aug. und Sept. 1162*, Diss., Halle, 1908, p. 43-57. A. Hauck, *op. cit.*, t. IV, p. 266, n'admet pas la véracité de Boson. Cf. en sens contraire, W. Ohnsorge, *op. cit.*, p. 52. On trouvera les sources réunies dans Watterich, *op. cit.*, t. II, p. 524 et suiv.

(3) Hughes de Poitiers, dans Watterich, *op. cit.*, t. II, p. 526.

(4) Jaffé-Wattenbach, *Reg.*, 10.752.

se fait précéder par les deux légats dont il avait dû à Montpellier ajourner la mission. Finalement c'est à Souvigny, près de Moulins, que le pape et le roi se voient pour la première fois, après le 10 août. Les conversations durèrent deux jours. Nous connaissons par Boson le point de vue de la Curie, par Hugues de Poitiers celui du roi[1]. A sa grande surprise, Louis en personne ne put triompher du refus bien arrêté d'Alexandre. En vain lui proposa-t-il de l'escorter jusqu'au château de Vergy où le pape aurait pu garder l'expectative en toute sécurité. Alexandre se contenta d'envoyer au congrès cinq cardinaux[2], à seule fin d'attester que son élection avait été régulière et canonique ; puis il se retira au monastère de Déols dans l'attente anxieuse des événements.

Louis dut partir seul. A Dijon il prit connaissance des conditions nouvelles du pacte négocié par Henri de Champagne et où celui-ci, outrepassant ses instructions, lui avait forcé la main. En cas d'absence de l'un des deux papes, l'autre serait *ipso facto* reconnu par les deux princes. Que le roi ne tienne pas ses engagements et Henri ferait hommage à l'empereur des possessions qu'il tenait en fief de la couronne de France. Louis flaira la trahison. L'abbé de Cluny ne lui laissa pas ignorer les préparatifs militaires qui se faisaient sous ses yeux[3]. Des lettres circulaient déjà en Bourgogne où Frédéric faisait passer le roi de France pour victorien. Pris entre le souci de la parole donnée, celui de l'Église, de ses intérêts propres, Louis VII se résigna à s'exécuter, mais pour la forme. Chose curieuse, il en fut ainsi de part et d'autre, car du côté impérial on ne se faisait guère d'illusion sur l'espoir d'entraîner Louis VII[4]. Empereur et roi s'arrangèrent donc pour ne pas se rencontrer. Chacun vint à son tour sur les bords de la Saône constater la défaillance de l'autre. Au soir du 29 août, les légats pontificaux repartirent pour Déols, persuadés que le danger était définitivement écarté. Mais dès le 30, le comte Henri vint secouer l'inertie de son beau-frère : celui-ci ne pouvait se laver du reproche de parjure qu'en donnant des otages garantissant qu'au terme nouveau, le 19 septembre, il serait accompagné d'Alexandre. Louis se laissa faire encore. Si la Curie avait appris avec joie, au retour des légats, que le colloque était ajourné et le congrès manqué, elle fut atterrée quand des ambassadeurs royaux vinrent transmettre au pape la stricte mise en demeure du roi d'avoir à se présenter avec lui au prochain concile. Alexandre III[5], cette fois, prit peur. Il n'était pas le seul à mesurer le danger ; à tous, la conjoncture paraissait redoutable. Très conscient du risque qu'il courait et faisait courir à Louis VII, Alexandre réitéra son refus. Mais aussitôt il se tourna du seul côté d'où pouvait maintenant venir le salut. C'est sur ses instances, appuyées par Arnoul, évêque de Lisieux, et plusieurs évêques anglais, que Henri II promit des secours.

(1) Pour l'un et l'autre, voir les textes cités à la note 2 de la page précédente.
(2) Bernard de Porto, cardinal évêque, Hubald de Sainte-Croix, Jean de Sainte-Anastasie, cardinaux prêtres, Hyacinthe de Sainte-Marie-in-Cosmedin, Ardicio de Saint-Théodore, cardinaux diacres, W. OHNSORGE, *loc. cit.*, p. 56.
(3) *H. de Fr.*, t. XVI, p. 130.
(4) A. HAUCK, *op. cit.*, p. 267.
(5) BOSON, dans WATTERICH, *op. cit.*, t. II, p. 391.

Une forte armée sortit de Normandie à point pour faire réfléchir Barbe-rousse sur les inconnues d'une guerre que personne d'ailleurs ne souhaitait. La raréfaction des vivres sur cette rive de la Saône, où de nombreuses troupes étaient cantonnées depuis deux mois, fournit à Frédéric un prétexte honorable pour se retirer sur Besançon. Il ne daigna même pas venir au rendez-vous du 19 septembre. Quand le roi de France, esclave de sa parole, et la mort dans l'âme, se présenta au pont de Saône, ce fut pour s'entendre redire par Rainald de Dassel les impertinences que l'empe-reur venait de proférer à Dôle. Il tourna bride, et édifié par ce qu'il avait vu et entendu, il courut mettre son royaume en état de défense, convaincu que le pape s'était en l'occurrence montré plus prudent que lui.

LE SYNODE DE DOLE   Ses réticences, en effet, n'avaient pas empêché Frédéric Barberousse d'aller de l'avant et de vouloir grouper encore une fois toute l'obédience possible autour de Victor IV. Malgré bien des efforts, le synode de Dôle ne réunit en fait que l'épiscopat allemand, et il n'y eut guère, comme prince étranger, que le roi de Danemark, Waldemar. On y entendit successivement Victor, Frédéric et son chancelier. Victor commémora son élection dont c'était justement le troisième anniversaire (7 septembre 1168) et chercha à forcer la conviction des évêques, de plus en plus ébranlée, en restrei-gnant en leur faveur le droit d'appel au pape. Quant à Frédéric, il ne ménagea rien ni personne. Il fallait expliquer l'absence des autres souve-rains. « C'est, dit-il, qu'ils ne songent qu'à faire tort à l'empereur romain et prétendent régler le droit dans une ville où ils n'ont que faire. » — « Que diraient les rois de France et d'Angleterre, renchérit le chancelier, si l'empereur se mêlait de décider d'une élection épiscopale dans une ville à eux ? Ils n'ont donc pas le droit de décider d'une élection qui a eu lieu à Rome, ville impériale [1]. » Comme si le siège de Rome pouvait être mis sur le même pied que Londres ou Paris ! Ces propos excessifs, où l'on sentait percer un vif dépit à l'égard des « rois des provinces » qui avaient décliné l'invitation et par là fait échouer la conférence, n'avaient plus cours, même en Allemagne, depuis deux règnes [2]. Ils n'y servirent pas la cause de Victor. Celui-ci ne réunit au concile de Trèves qu'un épiscopat allemand réticent. En fait, la faillite du congrès de Saint-Jean-de-Losne ne servit que la cause d'Alexandre. Celui-ci ne dissimula pas sa joie [3]. Il put redire, comme il l'avait annoncé dès son arrivée en France, que sa présence servait les intérêts du roi autant que ceux de l'Église. La menace d'une invasion germanique avait été écartée. Les sommations de Frédéric se terminaient par une vaine reculade dont lui-même put mesurer les conséquences [4]. Les derniers malentendus qui séparaient le pape et le roi de France étaient dissipés. La réconciliation des deux souverains de l'ouest devenait possible. Et concile pour concile,

(1) Saxo Grammaticus, *Ex... Gestis Danorum...*, dans M. G. H., SS., t. XXIX, p. 114.
(2) A. Hauck, *op. cit.*, t. IV, p. 268, n. 4.
(3) Jaffe-Wattenbach, 10.757.
(4) Cf. A. Hauck, *op. cit.*, t. IV, p. 266, n. 4.

celui qu'Alexandre méditait, depuis plusieurs mois, de réunir allait faire briller en lui le véritable chef de l'Église universelle.

LE CONCILE DE TOURS   Au lendemain de l'alerte, le roi d'Angleterre et le roi de France vinrent successivement à Déols congratuler le vrai vainqueur de la crise : Alexandre s'employa à sceller entre eux l'accord qui venait de se montrer si utile à la paix et à sa sécurité. La rencontre eut lieu à Coucy-sur-Loire, au sud de Blois. De magnifiques tentes avaient été dressées pour les trois personnages. Et quand le pontife se mit en selle, les deux rois lui rendirent également l'*officium stratoris*, le Capétien et le Plantagenet réconciliés tenant chacun une rêne. Henri II ne fut pas fâché d'éclabousser de son opulence son suzerain moins doré et fit de somptueux cadeaux à l'abbaye de Déols.

De Coucy, le pape se mit en route pour Tours ; il y est le 29 septembre 1162. La ville lui parut convenir à la réunion du concile projeté. Il s'agissait de donner tout son éclat à une manifestation dont le retentissement achèverait de galvaniser les alexandrins de plus en plus nombreux même dans l'Empire. Il fallait souhaiter une participation nombreuse de l'épiscopat anglais. En terre angevine, elle serait plus facile. Dès le mois d'octobre 1163, Alexandre s'ouvrit à Louis VII de cette intention [1]. On convint que le concile aurait lieu en mai. Dès le début de décembre, les convocations furent lancées. Le cardinal Théodin porta l'invitation destinée au roi d'Angleterre [2]. Henri II réunit une sorte de diète pour en délibérer. Mais jaloux défenseur des prérogatives ducales en Normandie, il ne laissa partir les évêques qu'après avoir obtenu du pape l'assurance formelle qu'aucun nouvel usage ne serait introduit dans le royaume, et qu'on ne ferait rien qui pût affaiblir la dignité de la couronne [3]. Premier signe d'une méfiance évidente dont on ne pouvait prévoir les suites : le roi était encore au mieux avec Thomas Becket. C'est avec son assentiment que l'ex-chancelier devenu primat d'Angleterre partit en grand appareil pour le concile où il devait siéger à la droite du pape.

Après un voyage et un séjour de plusieurs semaines à Paris (6 février-28 avril 1163), Alexandre III par Chartres (29 avril) revint à Tours où l'affluence était déjà si grande que Louis VII dut intervenir pour enrayer la hausse exagérée des loyers. Avec leur suite, il n'y eut pas moins de dix-sept cardinaux, cent vingt-quatre archevêques ou évêques, plus de quatre cents abbés, dont ceux de Cluny et de Vézelay, sans compter une foule de clercs de moindre importance. Autre signe des temps, plusieurs évêques allemands avaient notifié en secret leur adhésion à Alexandre. Plusieurs autres venaient de terres d'Empire, de Bourgogne en particulier. Arnoul, évêque de Lisieux, inaugura le concile par un discours où il se fit sans doute le porte-parole d'Alexandre III lui-même [4].

(1) W. Ohnsorge, *op. cit.*, p. 57.
(2) H. Tillmann, *Die päpstlichen Legaten in England bis zur Beendigung der Legation Gualas (1218)*, Diss., Bonn (1926), p. 55.
(3) Ainsi, des passeports royaux étaient-ils nécessaires aux prélats anglais pour sortir du royaume et se rendre au concile. Alexandre III, en accordant la lettre de non-préjudice exigée par le roi, le reconnaissait implicitement.
(4) C'est, dit-il, sur l'ordre du pape qu'il prend la parole. *P. L.*, CCI, 153. Il est impossible de

Le problème du moment y était abordé de front, mais avec une rigueur, une sérénité qui, sans exclure la plus ferme conviction, contrastaient avec le ton des conciles impériaux. Il s'agissait de l'unité et de la liberté de l'Église. Elles étaient également menacées, l'une par les schismatiques, l'autre par les tyrans. Aux évêques de défendre courageusement l'une et l'autre, fût-ce aux dépens de leurs biens ou au péril de leur vie. Ils seraient soutenus par le Christ s'ils s'efforçaient de l'imiter au lieu de se laisser subjuguer par le luxe et l'avarice. Puis Alexandre refit encore une fois le récit de son élection, non qu'il y eût bien lieu d'en examiner à nouveau la légitimité, mais pour la faire publiquement reconnaître. Le concile aborda ensuite les travaux les plus divers : arbitrage de conflits en cours, promulgation de nombreux canons disciplinaires [1], mesures à prendre contre les hérétiques albigeois, discussions christologiques. Sur toutes les questions, le pape avait le dernier mot [2]. Le concile de Tours manifestait aux yeux de tous l'autorité d'Alexandre III, dans l'exercice incontesté de son magistère.

VAINS ESPOIRS DE RÉCONCILIATION On s'était bien gardé pourtant d'envenimer le conflit avec Frédéric Barberousse et d'accabler l'absent. Si Victor IV et ceux qui avaient participé à son sacrilège (auxquels on ajouta nommément Rainald de Dassel et l'abbé de Cluny, Hugues III) furent de nouveau excommuniés, ce n'était qu'une réponse à l'excommunication lancée six mois plus tôt, de Trèves, par Victor IV. Mais contre l'empereur lui-même la sentence ne fut pas renouvelée. Au cours du concile, toute attaque personnelle avait été évitée. Dans son discours, Arnoul l'avait visiblement ménagé : « Si Frédéric n'avait préféré son propre avantage à l'honneur de Dieu, il serait le plus vaillant des princes par la prudence et par la vertu ; ...d'ailleurs, annonçait-il, la grâce de Dieu aura raison de lui [3]. » La réconciliation semblait dans l'air. De fait, tout en continuant à prendre des précautions contre celui qui se déclarait toujours son ennemi, Alexandre III multipliait les tentatives de rapprochement. La constance de ces efforts, dans la bonne comme dans la mauvaise fortune, est à remarquer. Au moment très sombre de son départ pour la France, il avait suscité, nous l'avons vu, le colloque de Milan [4]. Après le congrès manqué de Saint-Jean-de-Losne, la même démarche fut encore demandée au même intermédiaire ; Eberhard de Salzbourg promit de sa part « le pardon de tout ce qui avait été fait contre l'Église de Dieu et contre lui personnellement et que l'empereur serait traité avec honneur comme le plus puissant de tous les princes » [5]. Peu de temps avant, le même Eberhard et Hartmann de Brixen s'étaient

trancher la question de savoir si le discours d'Arnoul a été prononcé en plusieurs séances. Il semble que la rédaction en ait été faite après coup. Cf. H. REUTER, *op. cit.*, t. I, p. 456. MIGNE le publie en deux morceaux ; MANSI en un seul, *Conc. ampl. coll.*, t. XXI, col. 1167.
    (1) Remarques intéressantes sur leur nombre et leur classement, qui varie selon les sources dans H. REUTER, *op. cit.*, t. I, p. 547, c.
    (2) HEFELE-LECLERCQ, *Histoire des conciles*, t. V, 2e partie, p. 976.
    (3) *P. L.*, CCI, 154.
    (4) Voir *supra*, p. 66.
    (5) H. REUTER, *op. cit.*, t. I, p. 229.

encore entremis à Mayence (avril 1163)[1]. Dans l'été qui suivit le concile, peut-être après une tentative de médiation du roi d'Angleterre[2], une importante mission de deux cardinaux et de deux évêques tenta à Nüremberg une nouvelle négociation[3]. Les légats avaient surtout pour instructions de laver Alexandre de l'accusation de complot avec le roi de Sicile, — c'était toujours le grief le plus grave pour beaucoup d'évêques allemands, même les plus modérés dans l'expression de leurs dissentiments. — Mais Frédéric s'en tint encore à son idée d'arbitrage, il en renouvela seulement les conditions qui sont curieuses. Deux personnages, non encore compromis dans l'un ou l'autre camp, seraient élus pour l'Église tout entière ; ils en choisiraient à leur tour sept autres, *sive latini sive teulonici*, liés comme eux par la foi du serment et, devant tous, les deux thèses seraient soutenues et débattues ; sur l'avis de leur sept conseillers, les deux juges décideraient en dernier ressort et, sans conteste ultérieure, lequel des deux papes devait être maintenu, ou encore si l'on devait rejeter l'un et l'autre[4]. Les mêmes conditions furent obstinément posées lorsqu'au printemps de 1164 (mi-avril)[5] le cardinal Hyacinthe, le futur pape Célestin III, et le cardinal Guillaume, du titre de Saint-Pierre-ès-Liens, furent envoyés à Suse, à la cour impériale. L'empereur, cette fois, jugea inutile de les recevoir et de se répéter. Pour Alexandre, l'arbitrage imposé ne valait pas mieux qu'un refus.

LE BASILEUS   Aussi bien songeait-il dès ce moment à affirmer sa situation par d'autres moyens. Si l'empereur d'Occident ne voulait pas venir à résipiscence, il restait de se tourner vers l'empereur d'Orient. Le basileus s'était toujours montré favorable à Alexandre. Il ne demandait, semble-t-il, qu'à entrer dans la coalition dont le pape a pu un instant former le dessein[6]. Il rêvait déjà de rétablir à son profit l'unité impériale. L'idée lui en avait peut-être été suggérée par Alexandre lui-même[7]. Il ne cessait en tous cas de soutenir de ses subsides les villes lombardes et, dès ce moment, l'or de ses élégants hyperpères brille dans l'ombre de toutes les intrigues italiennes. Des ambassades, chargées de mettre au point ces divers projets, furent envoyées par Manuel Comnène en 1163, à Louis VII en même temps qu'à Alexandre III. Le détail des négociations, tenu très secret, est mal connu, mais il semble que d'importantes sommes d'argent aient été mises au service du pape[8]. L'idée même de la coalition ne put se réaliser. Manuel n'avait que peu de sympathies en Occident depuis la seconde croisade. Louis VII reçut plutôt froidement

(1) A. Hauck, *loc. cit.*, p. 270.
(2) *Ibid.*, p. 271.
(3) W. Ohnsorge, *op. cit.*, p. 59 et n. 207.
(4) H. Sudendorf, *Registrum*, t. I, Iéna, 1849, p. 67, n° xxiv (*Lettre d'Albert de Freising à Eberhard de Salzbourg*).
(5) L. Leineweber, *Studien zur Geschichte Cölestins III*, Diss., Iéna, 1905, p. 25 et Ohnsorge, *op. cit.*, p. 62, n. 215.
(6) *Lettre du cardinal Guillaume à Manuel Comnène*, dans *H. de Fr.*, t. XVI, p. 55 et suiv.
(7) H. Sudendorf, *op. cit.*, t. II, p. 138, n° lv (*Lettre de Burchard, notaire impérial, à ..., abbé de Sieburg*).
(8) F. Chalandon, *Jean II et Manuel Comnène*, t. II, p. 562. Sur toutes ces négociations, *ibid.*, p. 558-564.

ses avances. Des divergences profondes opposaient les intérêts du roi de Sicile ou du roi de Hongrie, par exemple, à ceux de l'ambitieux Comnène [1]. Même les perspectives d'union des Églises, que Manuel allait faire miroiter bientôt, ne pouvaient faire oublier à Alexandre que l'appui problématique de Byzance risquait de lui faire perdre d'efficaces alliés [2]. Il allait au plus pressé.

LA MORT D'OCTAVIEN.
ÉLECTION DE PASCAL III

La mort de Victor IV vint couper court à ces projets. Ce dernier avait suivi Rainald de Dassel en Lombardie, puis en Romagne et en Toscane où le chancelier avait fait en sa faveur une intense propagande. Il tomba malade à Lucques et y succomba le 20 avril 1164. Son autorité était si peu réelle que ni les chanoines de la cathédrale, ni ceux de San Frediano ne voulurent accorder la sépulture à cet excommunié. Ses serviteurs durent l'enterrer hors les murs de la ville, dans un couvent de pauvres moines. En apprenant la nouvelle, les cardinaux alexandrins firent éclater une joie que le pape sut noblement rappeler à la mesure. De leur côté, les cardinaux victoriens songèrent bien à revenir à Alexandre, mais craignant d'être humiliés par lui comme les pierléonistes par Innocent II [3], ils se tinrent cois. Quant à Frédéric, les bruits les plus divers coururent sur son attitude. Il songea peut-être à une réconciliation, s'il est vrai qu'il fit venir auprès de lui, pour lui demander conseil, le cardinal de Pavie, homme de confiance d'Alexandre. Il n'eut guère le temps d'hésiter [4]. Rainald brusqua les choses. Le jour même de l'enterrement, il fit élire un successeur à Victor IV. Il n'y avait avec lui que deux cardinaux, Gui de Crême, du titre de Saint-Calixte, et Jean, du titre des Saints-Sylvestre-et-Martin, deux évêques allemands, ceux de Trèves et de Lodi, et le préfet de Rome. Henri de Liége fut d'abord désigné, mais se récusa. Gui de Crême fut enfin élu et couronné. Il prit le nom de Pascal III. Tout cela s'était fait, semble-t-il, en dehors de Frédéric [5]. Mais s'il a pu songer à saisir l'occasion de mettre fin au schisme, il prit très vite son parti de la nouvelle élection qui le prolongeait. Qu'il en fût l'auteur ou l'exécutant, la décision de Rainald était d'autant plus grave que la mort de Victor IV avait fait partout espérer une détente [6] et qu'en Italie comme en Bourgogne et en Allemagne, le parti schismatique était en train de s'émietter.

(1) Son voisinage était aussi dangereux pour Ladislas de Hongrie que pour Guillaume de Sicile. Leur grand souci était de l'écarter l'un de la plaine du Danube et de la côte dalmate, l'autre de l'Italie méridionale.
(2) Le cardinal Ardicio repart pour Constantinople en 1164. W. OHNSORGE, *op. cit.*, p. 66. Les négociations duraient encore en 1165 : *P. L.*, CC, 339.
(3) BOSON, dans WATTERICH, *op. cit.*, t. II, p. 397.
(4) *Lettre d'un anonyme à Thomas Becket*, dans WATTERICH, *op. cit.*, t. II, p. 538. Hauck rejette la plupart des données de cette lettre d'un observateur pourtant bien informé. A. HAUCK, *op. cit.*, p. 272.
(5) W. GIESEBRECHT, *Geschichte der deutschen Kaiserzeit*, Braunschweig, 1880, t. V, p. 397 et suiv., pense que Rainald a désobéi à son maître en faisant élire Pascal ; A. HAUCK, *op. cit.*, t. IV, p. 273, n. 2, est de l'avis contraire. Selon lui, Frédéric a approuvé Rainald, puisque peu de temps après il l'a récompensé « pour ses innombrables et signalés services » : K. STUMPF, *Die Reichskanzber*, Innsbrück, 1865, n. 4018.
(6) *Lettre à Thomas Becket*, citée *supra*, n. 4.

ÉMIETTEMENT DU PARTI SCHISMATIQUE

En Italie, malgré tous les efforts qu'il déployait depuis un an, Rainald n'arrivait à des résultats que par la terreur. Il avait été jusqu'à confisquer les biens de la famille d'Alexandre et à en bannir tous les parents mâles. Il pourchassait les évêques alexandrins et partout faisait élire à leur place des partisans de Pascal. L'opposition cependant grandissait. Même à Pise où les consuls s'étaient fait de dociles agents, l'archevêque Villanus préféra s'enfuir que de céder ; la population et le clergé restèrent fidèles à Alexandre. Si, à Bergame, l'évêque Gérard et, à Lodi, l'évêque Albéric se décidèrent pour le pape impérial, à Gênes, l'archevêque Syrus et son successeur Hugues, ainsi que les patriarches de Grado et d'Aquilée, demeurèrent alexandrins. Mais surtout l'attitude des villes du nord vint affaiblir la situation impériale. Même des villes comme Crémone et Pavie, depuis longtemps satellites de l'Empire, se mirent à lui résister, à poser comme condition du maintien de leur alliance le retour au régime antérieur. Vérone avait constitué une ligue où se groupèrent d'abord Padoue, Vicence et Trévise. A elles se joignit bientôt la puissante Venise elle-même, qui, dès ce moment, semble avoir eu l'appui de Byzance, et où se retrouvaient, depuis le début du schisme, les réfugiés alexandrins [1]. Il n'y avait pas encore d'alliance véritable entre le pape Alexandre et ces villes. Mais n'avaient-elles pas le même adversaire ? Frédéric sévit sans tarder ; en accordant aux villes des conditions très inégales, il réussit à diviser assez leurs intérêts pour empêcher la ligue de se développer. Une expédition punitive contre Vérone échoua cependant et il dut repasser les Alpes, laissant derrière lui des rancunes inassouvies et une situation très peu sûre pour Pascal III.

En Bourgogne, Rainald éprouva les conséquences de cet échec. Il profita de ce qu'il ramenait en grande pompe les reliques des rois Mages dans sa ville épiscopale pour chercher à gagner à l'obédience de Pascal les évêques bourguignons. Il les réunit en concile à Vienne [2], mais ne put triompher de leur attitude récalcitrante. Non seulement aucun ne voulut se prononcer en faveur de Pascal, mais plusieurs proposèrent de l'excommunier [3].

En Allemagne, la mort d'Eberhard de Salzbourg (été 1164), suivie de celle de Hartmann de Brixen, sembla décapiter le parti alexandrin. Mais l'évêque de Passau, Conrad, pourtant victorien naguère, manifesta sur le siège de Salzbourg, et avec moins de ménagements pour Frédéric, la même fermeté que son prédécesseur. D'ailleurs ses électeurs l'avaient élu à la condition qu'il ne reconnaîtrait pas Pascal III et il tint parole, même au prix de ses régales. Au diocèse de Passau, il avait été sûrement en rela-

---

(1) Cf. H. Sudendorf, *op. cit.*, t. II, p. 135, n° LV (cité p. 74, n. 7) : le mot du notaire Burchard, *Rollandina cardinalitas que ibi habitare consuevit* (Dœberl, *Mon. Germania eselecta*, IV, 196, cité par E. Jordan, *op. cit.*, p. 89, n. 61) et l'éloge rendu à Venise par Alexandre III dans sa lettre à l'archevêque Thibaud de Zara (cité par le même et reproduit par P. Kehr, dans *Kaiser Friedrich I. und Venedig während des Schismas, Quellen und Forschungen aus italienischen Archiven und Bibliotheken*, t. XVII-1 (1914), p. 235-236).

(2) De préférence à Lyon dont le siège venait d'être occupé par l'abbé de Pontigny, désigné par la double influence d'Alexandre et du roi de France. H. Reuter, *op. cit.*, t. II, p. 152 et suiv.

(3) *Lettre à Thomas Becket*, cit. *supra*, dans Watterich, *op. cit.*, t. II, p. 539.

tions avec le prévôt de Reichersberg, Gerhoch, connu pour ses nombreux écrits, moine austère autant que fidèle sujet de Frédéric, mûri par trente ans d'épreuves et de controverses sur les rapports du Sacerdoce et de l'Empire dont il eût voulu séparer nettement les deux domaines. Gerhoch, d'abord très troublé par les événements de 1159, se tourna de plus en plus vers les alexandrins qui le considérèrent bientôt comme acquis à leur cause [1]. Pour le parti impérial, la défection de l'archevêque de Mayence, premier prélat de l'Allemagne, était plus grave encore. C'est à Frédéric que Conrad de Wittelsbach, frère du comte palatin Otton, devait son siège. Mais, ancien chanoine de Salzbourg, il avait vécu dans l'entourage d'Eberhard et partageait les idées de son archevêque plus que celles de sa famille. Depuis longtemps, il correspondait avec Alexandre et, à l'automne de 1164, prit prétexte d'un pèlerinage à Saint-Jacques-de-Compostelle pour lui rendre visite et se ranger sous son obédience [2]. Quelques mois plus tard, l'adhésion de deux archevêques, Hillin de Trèves et Wichman de Magdebourg, ne faisait plus de doute dans l'entourage d'Alexandre. Elle ne manqua pas de faire impression dans l'Allemagne du nord où leur influence était considérable. La prudence de certains évêques, soucieux de ne pas se compromettre définitivement avec l'antipape, en disait encore plus long sur le peu de confiance qu'inspirait le pape impérial. Les ordres conférés par un schismatique étaient alors considérés comme nuls. Le neuvième canon du concile de Tours avait rappelé cette règle et nommément frappé de nullité les ordinations d'Octavien [3] ; c'est ainsi que l'on voyait, entre autres, les évêques de Metz et de Verdun éluder, tant qu'ils pouvaient, leur sacre et Rainald de Dassel, tout le premier, se maintenir en deçà de la prêtrise [4]. Peut-être exagérait-on à la cour d'Alexandre en déduisant de tout cela que sa cause n'avait plus d'adversaires parmi les évêques allemands, mais l'empereur lui-même sentait qu'il ne les avait plus en main. Il s'agissait donc de les obliger à le suivre en coupant tous les ponts derrière soi. Raffermir l'obédience de Pascal III, empêcher les princes de passer du côté d'Alexandre, tel fut l'objet mûrement réfléchi de la diète convoquée à Würzbourg pour la Pentecôte de 1165.

LA DIÈTE DE WURZBOURG — Elle s'ouvrit le 23 mai. Le récit des notaires impériaux et celui d'un anonyme partisan d'Alexandre, qui assista à la diète en observateur, concordent sur les résultats acquis [5]. Le premier, l'empereur jura de ne jamais reconnaître le schismatique Roland ou son successeur, de ne jamais favoriser ses partisans, à moins qu'ils n'eussent abjuré, de soutenir jusqu'à la mort le pape Pascal, de ne jamais souffrir que les évêques de son obédience fussent

(1) H. REUTER, *op. cit.*, t. II, p. 128 et suiv.
(2) ROMUALD DE SALERNE, dans MURATORI, *Rer. Italic. Scriptores*, nouv. édit., par GARUFI, t. VII, parte 1, Città di Castello, 1935, p. 250.
(3) MANSI, *Conc. ampl. coll.*, t. XXI, col. 1176 et dans les *Décrétales*, I, v, tit. XXXVII, c. 4,
(4) JEAN DE SALISBURY, *Epist.*,1, 59, dans *P. L.*, CXCIX, 41 : «...*nec video quare. cum episcopatum ambiat, a Victore suo distulerit consecrari, nisi quia imminentem ruinam timet* ».
(5) Voir le premier dans M. G. H., *Const.*, I, p. 315, 316 et 317-318 et le second dans *P. L.*, CC, 1454 et suiv. Cf. *Lettre d'Alexandre III à Louis VII, ibid.*, 382.

dépouillés de leurs dignités. Contrairement à l'usage, l'empereur s'était
lié par un serment et engagé même pour son successeur à l'Empire. Il
s'agissait d'empêcher tout retour en arrière. Après l'empereur, les princes
puis les prélats jurèrent à leur tour. Mais sur ce dernier point les récits
diffèrent. Si l'on en croit la source impériale, les quarante archevêques
et évêques présents auraient prêté le serment demandé. Au contraire,
selon l'anonyme alexandrin, tous, sauf l'évêque de Verden, auraient
déclaré d'abord qu'ils préféraient renoncer aux régales plutôt que de
jurer. Du moins, la plupart cherchèrent à annuler le caractère définitif
et obligatoire du serment, en y introduisant des clauses qui réservaient
l'avenir ou partageaient leur responsabilité. L'archevêque de Magdebourg, Wichmann, « *cum fletu et planctu maximo* », jura sous réserve
que les autres évêques jureraient aussi ; encore ce serment cesserait-il
d'être valable le jour où ils ne jouiraient plus des régales. L'évêque de
Bamberg également se réserva le droit de se délier en rendant les régales.
Les évêques de Verden et de Freising, en l'absence de leur archevêque,
se firent accorder des délais. Ainsi, cinq évêques seulement auraient
prêté serment sans conditions. Encore y avait-il parmi eux Rainald
de Dassel et ses deux suffragants ; il fut enfin mis en demeure de donner
l'exemple [1] aux autres évêques élus et de se faire sacrer. Le 2 octobre
suivant, il dut s'exécuter solennellement en présence de Frédéric. On
décida en outre à Würzbourg que tous les absents auraient à prêter le
même serment, dans les six semaines suivantes, qu'ils fussent clercs
ou laïcs, sous peine de déposition, de confiscation ou de bannissement [2].
La persécution s'organisait comme la propagande. L'archevêché de
Mayence fut enlevé à Conrad qui s'était enfui auprès d'Alexandre, au
cours de la diète, et donné à Christian de Buch, évêque batailleur et
débauché, tout nouvellement promu chancelier de l'Empire. On ordonna
aux curés de prêcher contre Alexandre, d'insérer le nom de Pascal dans
les prières publiques faites pour le pape chaque dimanche. L'empereur
employait tous les moyens pour lier plus étroitement à la couronne impériale l'église allemande. Cette rude mainmise lui paraissait nécessaire au
moment où il songeait à reporter en Italie la lutte contre Alexandre
et quand son chancelier lui ramenait de l'ouest un concours inespéré :
celui du roi d'Angleterre.

*AMBIGUITÉS DE LA
POLITIQUE DE HENRI II*   Depuis ses démêlés avec Thomas Becket, Henri II
faisait mine de se détacher de l'obédience
d'Alexandre. Quelques jours avant la réunion
de la diète de Würzbourg, Rainald avait réussi non seulement à négocier
le mariage de la fille aînée de Henri II avec Henri le Lion, mais obtenu
du roi d'Angleterre la promesse de reconnaître Pascal III. Les ambassadeurs anglais qui l'avaient accompagné à Würzbourg avaient même

---

(1) Selon l'anonyme correspondant d'Alexandre III, l'empereur aurait été des plus véhéments
à son égard. WATTERICH, *op. cit.*, t. II, p. 548-549. Ni HAUCK, *op. cit.*, t. IV, p. 276, ni E. JOR-
DAN, *op. cit.*, p. 94, n. 11, ne tiennent cette scène pour vraisemblable.
(2) L'anonyme ajoute : « Sous peine de mutilation. » *Ibid.*

déclaré officiellement au nom de leur maître que tout le royaume d'Angleterre rejetait Roland et adhérait à la politique de Frédéric. Mais Henri II
avait présumé de l'autorité de sa couronne sur l'Église anglaise ; les
évêques et les abbés réunis à Londres ne voulurent pas le suivre. Aussi
revint-il très vite à la politique de bascule que lui dictaient ses intérêts,
laissant toujours espérer sa défection aux agents de Frédéric [1], tout en
assurant de sa fidélité le pape Alexandre.

LA CURIE A SENS Décidément, celui-ci ne pouvait guère compter que
sur le roi de France. Après le concile de Tours,
il aurait pu demeurer sur les terres du Plantagenet. Les deux rois
l'avaient également invité à choisir la ville dont il ferait sa résidence [2].
Mais, soit qu'il ait pressenti le conflit qui le séparerait d'Henri II, soit
qu'il ait voulu se rapprocher d'une capitale déjà chère aux hommes
d'études, il préféra se fixer sur le domaine des Capétiens [3]. Le choix de
cette résidence fut probablement l'objet de ses entretiens de Paris où
le pape séjourna pendant le carême de 1163 et où il célébra les fêtes de
Pâques [4]. Il y avait reçu un brillant accueil de la population et même de
Louis VII, peu rassuré cependant bien qu'il lui eût promis de « ne jamais
rien faire qui pût porter atteinte à son honneur et à son autorité » [5].
C'est au cours de ces réceptions qu'Alexandre lui conféra une distinction
enviée : la rose d'or que le pape décernait chaque année, le dimanche
de *laetare*, à une personne considérée comme le modèle des vertus
chrétiennes [6].

Le pontife, arrivé peu de temps après à Sens, s'y installa avec les cardinaux et sa suite. Pendant près de deux ans (30 sept. 1163-7 avril 1165) [7],
c'est de Sens qu'il dirigea l'Église et collabora avec le roi, tout en
restant prêt à saisir le moment favorable à son retour en Italie.

Cependant, la chancellerie itinérante n'avait jamais cessé de fonctionner.
Bien des lettres et des actes en font foi. Fixée à Sens, elle reprend la
direction de la Chrétienté tout entière et le nombre des documents, datés
de là, atteste son activité ininterrompue. Alexandre reste en relations
avec toute l'Europe. Ses légats le relient à Byzance, à la Hongrie, à l'Angleterre. Des agents le renseignent constamment sur l'Allemagne et
l'Italie, en dépit de toutes les difficultés. Les évêques de marque viennent
lui rendre visite. C'est à Sens que Thomas Becket vient expliquer la
situation de l'Église anglaise et la gravité de son conflit avec Henri II
et c'est à douze lieues de là, à l'abbaye cistercienne de Pontigny, qu'il
se retire pour attendre des temps meilleurs. Par les Cisterciens, Alexandre
dispose de sources d'information et d'agents dévoués dans toute la Chré-

(1) H. REUTER, *op. cit.*, t. II, p. 211 et suiv.
(2) BOSON, dans WATTERICH, *op. cit.*, t. II, p. 396.
(3) C'est probablement l'objet des deux lettres adressées par Alexandre III à Louis VII et à
l'archevêque de Reims, *P. L.*, CC, 179 et suiv.
(4) Il y consacra l'église de Saint-Germain-des-Prés le 21 avril 1163. *Gallia Christ.*, VII, 71.
(5) *P. L., Ibid.*, 239.
(6) *P. L., Ibid.*, 198 et suiv.
(7) JAFFE-WATTENBACH, 10.944-11.173.

tienté. Il ne quittera pas la France sans avoir raffermi les statuts et la cohésion d'un ordre qui lui a été, dès son avénement, si précieux, et dont la direction, par les quatre abbayes-mères, y est centralisée [1].

En ce qui concerne l'Église de France, il collabore surtout avec le frère du roi, Henri, dont on a vu le rôle dès le début du schisme [2]. Cet ancien cistercien était plus fait pour le cloître que pour la direction d'un diocèse. Austère et dur pour lui-même, sa rigueur pour ses ouailles avait souvent besoin d'être tempérée par le roi ou le pape [3]. Elle provoqua des réactions violentes, comme cette révolte des bourgeois de Reims qu'il fit durement châtier par les reîtres du comte de Flandre. C'est à lui que le pape s'adresse maintes fois pour obtenir des subsides, ordinaires ou extraordinaires [4], pour ses besoins ou ceux des cardinaux, ou pour ceux de l'Église d'Orient [5]. Le pape le ménage [6], fait respecter ses décisions [7] par le roi et si l'évêque de Paris, Maurice de Sully, successeur de Pierre Lombard et maître des écoles parisiennes, a pu être investi d'un magistère théologique s'étendant à tout le royaume [8], l'archevêque de Reims, indirectement, a la haute main sur l'administration de l'Église de France. « Rien ne peut se faire, surtout dans ce royaume, lui écrit Alexandre, sans que vous y preniez une part active et efficace [9]. » Il est, avec le chancelier Hugues, évêque de Soissons, son principal intermédiaire auprès de Louis VII. Il assiste à toutes leurs entrevues et c'est Alexandre qui réclame sa présence et ses conseils [10]. Renseigné sur le caractère influençable du roi et peut-être trop enclin à n'agir que par personne interposée, comme il le montrera fâcheusement au cours de l'affaire Thomas Becket, Alexandre III l'incite à cultiver l'amitié du souverain pour en devenir le conseiller indispensable et écouté [11].

ALEXANDRE III ET LOUIS VII   La méfiance du début finit par se dissiper chez le roi de France. Dans la correspondance échangée avec le pape exilé, il n'en reste guère de traces. En tous cas, Louis VII y est comblé d'éloges : « Nous nous remettons à vous comme à l'unique défenseur de l'Église après Dieu [12] » ... « Vous êtes son véritable fils, son véritable protecteur et en quelque sorte son bailli [13]. » Ce n'est pas le ton d'une amabilité ordinaire. Pour juger comme il convient de ces relations, il faut se souvenir que Louis VII était un homme très sincèrement religieux. Aussi simple dans ses habitudes que grand dans ses manières, sa réputation de générosité envers les pauvres

---

(1) *P. L.*, CC, 390-394 : *Lettre à l'abbé de Cîteaux*, 5 août 1165.
(2) Voir *supra*, p. 64.
(3) *P. L.*, CC., 187, 193.
(4) *Ibid.*, 233 et 405.
(5) *Ibid.*, 328.
(6) *Ibid.*, 276. Toutefois il sait bien lui rappeler en lui envoyant le *pallium* que nul ne saurait être appelé archevêque sans la confirmation de l'élu par le siège de Rome. *Ibid.*, 136.
(7) MIGNE, *Ibid.*, 200.
(8) *Chron. Reichersperg*, dans M. G. H., *SS.*, t. XVII, p. 471.
(9) *P. L.*, CC., col. 179.
(10) *Ibid.*, 265 et 288.
(11) *Ibid.*, 166.
(12) *Ibid.*, 180.
(13) *Bajulus. Ibid.*, 269.

s'était répandue au delà de son royaume [1]. Le souverain, en lui, s'effaçait volontiers devant le chrétien de la commune espèce. Il demande au pape des conseils sur l'ordonnance des cérémonies de sa chapelle ou sur la durée de ses jeûnes [2], aussi bien qu'il réclame et obtient son indulgence envers l'évêque d'Orléans [3] ou qu'il lui signale le développement de l'hérésie albigeoise en Flandre [4]. De son côté, le pape lui recommande tantôt un pèlerin détroussé [5], tantôt un prisonnier démuni [6]. Il lui demande de ratifier la fondation à Compiègne d'une maison de refuge gratuite pour les malheureux [7]. Il l'avertit qu'il ferait bien de terminer une querelle survenue entre deux frères à propos d'un héritage et il le prévient, affirme-t-il, uniquement « parce qu'on lui a dit que cela regardait le roi » [8]. A la demande de Louis VII, il règle, au mieux des intérêts de la couronne, le procès survenu entre cet évêque et l'abbé de Flavigny [9]. Rapports de bon voisinage. Certes, il dépassait de beaucoup ses attributions quand il suggérait au roi de créer un marché à Ferrières [10]. Aussi, quelques incidents survinrent, comme il était fatal, entre les deux juridictions, également jalouses de leur indépendance. Le roi crut devoir se plaindre en plusieurs cas où l'intervention de la justice pontificale paraissait porter atteinte à son autorité. Il reçut chaque fois excuses ou explications qui annonçaient des mesures satisfactoires [11]. On constate une égale bonne volonté de part et d'autre ; nul conflit sérieux. Après dix mois de séjour et de services rendus, parmi lesquels l'aide financière de l'Eglise de France n'a pas été le moindre [12], on peut croire à la sincérité du témoignage que le pontife adresse au roi :

Quand nous considérons avec quelle générosité et quel dévouement vous vous êtes mis, ainsi que votre royaume, à la disposition entière de saint Pierre, pour nous être agréable, nous nous demandons si nous ne pécherions pas en ne vous aimant pas de tout notre cœur, si nous n'offenserions pas Dieu... en manquant de zèle pour l'exaltation de votre personne, de votre royaume et de tout ce qui vous touche [13].

Dès son arrivée, d'ailleurs, Alexandre avait fait valoir auprès du chancelier qu'il s'était décidé à passer en France « pour administrer plus commodément l'Église universelle, mais aussi pour l'utilité et la paix du royaume » [14]. Avec plus de clairvoyance, peut-être, que de tact, il ne perdait pas une occasion de rappeler à son hôte que sa présence servait les intérêts de la couronne.

(1) *P.L.*, CC, 194 ; WALTER MAP, *De nugis curialium*, Dist. V, cap. 5 (éd. M.R. JAMES, *op. cit.*, p. 221).
(2) *P. L.*, CC, 208.
(3) *Ibid.*, 162 et suiv.
(4) *Ibid.*, 293 et suiv.
(5) *Ibid.*, 187.
(6) *Ibid.*, 270.
(7) *Ibid.*, 314.
(8) *Ibid.*, 278.
(9) *Ibid.*, 152.
(10) Sans doute pour être agréable à l'abbé du monastère visé dont la situation avait besoin d'être améliorée. *Ibid.*, 277.
(11) *Ibid.*, 207, 239, 306.
(12) Dès avant le départ pour la France, Alexandre demanda des fonds : *Ibid.*, 109.
(13) *Ibid.*, 299. Alexandre III n'abusa pas de l'hospitalité royale ; pendant son séjour en France, il ne conféra pas un seul bénéfice. C'est du moins ce qu'affirmeront, en 1247, les messagers de saint Louis à la cour papale, témoignage tardif, mais peu suspect signalé par PETIT-DUTAILLIS, *La monarchie féodale en France et en Angleterre*, Paris, 1932, p. 230.
(14) *P. L.*, CC, *Ibid.*, 137.

Il ne semble pas douteux que l'autorité de Louis VII ait bénéficié, dans le Midi languedocien comme en Bourgogne, de la lutte d'influences qui se poursuivait dans ces contrées, sur le plan politique et religieux, et où se confondaient en effet les intérêts du roi et du pape [1]. Celui-ci se devait de ménager l'autorité et le prestige de son protecteur. Il renforçait par là sa propre situation. Quand Rainald de Dassel, à son retour d'Italie, répandit dans la vallée du Rhône et de la Saône une multitude d'agents qui s'infiltraient subrepticement dans le royaume de France, c'est Alexandre qui avertit Louis VII du danger et lui conseille d'ouvrir l'œil [2]. Quand les envoyés de Manuel Comnène s'annoncent de Saint-Gilles, durant l'été de 1163, il trace au roi sa ligne de conduite et lui recommande de ne pas diminuer la majesté royale en allant au devant des ambassadeurs, mais de les attendre chez lui [3]. Le pape et le roi échangent leurs informations, négocient d'un commun accord. C'était le fruit d'une constante collaboration, de relations directes et personnelles assidûment recherchées par Alexandre [4]. Il faudra les fausses manœuvres répétées au cours de l'affaire Becket pour réveiller dans l'esprit de Louis VII les soupçons des premiers jours ; alors il s'indignera des variations de la politique pontificale et de sa persistante faiblesse à l'égard du roi d'Angleterre [5]. Pour le moment, entre Henri II, prêt à se conduire en ennemi, et Frédéric toujours irréconciliable, Alexandre n'avait pas le choix. Seule la terre de France semblait permettre au pape romain, comme à l'archevêque de Cantorbéry, de garder sa liberté d'action. Mais l'hospitalité accordée simultanément aux deux exilés volontaires risquait de concentrer sur elle l'orage qui menaçait. Quand, au début de 1165, les Romains vinrent l'inviter à retourner dans leur ville, Alexandre consulta, outre l'épiscopat français et les cardinaux, les rois de France et d'Angleterre : ni l'un ni l'autre ne l'ont retenu.

LE RETOUR A ROME   La situation lui était présentée sous un jour favorable. Le cardinal du titre des Saints-Jean-et-Paul, vicaire du pape à la suite de Jules de Palestrina, avait opéré un vrai revirement. Sans doute avec l'aide de l'or byzantin avait-il pu financer au sénat des élections favorables à Alexandre, obtenu la restitution de l'église de Saint-Pierre et de la Sabine jusque-là aux mains des schismatiques. Mais les préparatifs de Frédéric montraient que Rome serait son objectif. Déjà son chancelier y proférait des menaces. Et les Romains avaient dû promettre de reconnaître Pascal si Alexandre n'était pas bientôt de retour. Bien qu'il prévît les difficultés qui l'attendaient, Alexandre décida de partir, convaincu qu'il y allait du salut de l'Église et de sa propre cause.

---

(1) P. FOURNIER, *Le royaume d'Arles et de Vienne*, Paris, 1891.
(2) *P. L.*, CC, 300.
(3) *Ibid.*, 261.
(4) *Ibid.*, 313.
(5) Alexandre III semble avoir été de bonne heure attiré par la cour anglaise. Il y avait envoyé pour y faire son éducation un jeune parent qui s'y distingua par son entrain et sa vertu, « se gardant de l'incontinence française et conservant la modestie et l'austérité italiennes ». *Lettre d'Arnoul de Lisieux à Alexandre. P. L.*, CCI, 25.

Après avoir célébré une dernière fois la fête de Pâques (4 avril 1165) à Sens, il partit pour Paris, où il fit ses adieux au roi de France. Puis par Étampes, Saint-Benoît-sur-Loire, Bourges, où Thomas Becket, qu'il ne devait plus revoir, prit congé de lui, par Clermont, Le Puy, Alès, il gagna Montpellier. Au Puy [1], il est rejoint par Conrad de Mayence, transfuge de la diète de Würzbourg, et aussitôt il écrit à Louis VII pour lui annoncer les bonnes nouvelles reçues d'Allemagne. De Montpellier où il séjourne plus de deux mois, Alexandre lui écrit encore pour le mettre en garde contre les manœuvres de Frédéric, le prier de rester fermement attaché à sa cause et lui communiquer sa confiance. Alexandre paraît, à ce moment, si sûr de l'avenir qu'il adresse une lettre à tous les princes chrétiens pour les inviter à une nouvelle croisade [2]. Puis il se rend à Mauguio, près de Maguelone, avec sa suite pour s'y embarquer. Ce n'est pas sans difficultés. Les Génois avaient montré peu d'empressement à se charger de la traversée et subordonné leur concours à la constitution d'une ligue en train de se nouer entre les villes lombardes [3]. Ils redoutaient aussi leurs ennemis les Pisans, alliés de l'empereur. On dut recourir à un navire de pèlerins, armé par les Hospitaliers. Le cardinal évêque d'Albano et trois autres cardinaux avaient pris les devants dans un premier convoi. Le 22 août 1165, deux barques devaient conduire à bord le reste des cardinaux et le pape. L'embarquement de l'escorte et des bagages était terminé quand apparurent à l'horizon les galères pisanes. Au plus vite, l'esquif où se trouvaient le pape et l'archevêque de Mayence regagna Maguelone. Fausse alerte. Les Pisans laissent le navire de l'Hôpital passer au large sans l'inquiéter et viennent rassurer le pape sur leurs intentions. Alexandre s'embarque à nouveau et, par une mer démontée, rejoint les cardinaux à Messine. En vassal fastueux, le roi de Sicile lui fait porter de riches présents et appareiller cinq galères dont l'une teinte en pourpre en l'honneur du pontife. En novembre, Alexandre se remet en route ; par Salerne et Gaëte, la flotte pontificale arrive à Ostie le 22 novembre 1165 et remonte le Tibre jusqu'à Saint-Paul. Le 23, le clergé, le sénat et le peuple romains, venus à sa rencontre, le conduisent en grande pompe jusqu'au Latran.

Sur le chemin du retour, Alexandre n'avait pas manqué d'informer les hôtes qu'il laissait derrière lui des péripéties du voyage. De Maguelone, pour couper court aux fausses nouvelles, il avait narré son faux départ à Henri de Reims. A peine arrivé à Rome, c'est encore à l'archevêque ami du roi de France qu'il exprime sa gratitude, sa joie et ses espoirs [4]. Pourtant les nuages s'amoncelaient : l'empereur préparait une nouvelle descente en Italie, l'antipape s'installait à Viterbe, et du roi d'Angleterre, allié des premiers jours, l'affaire Becket avait fait un nouvel adversaire.

---

(1) Le pape dut faire un assez long séjour au Puy et devait y recevoir une ambassade de Frédéric. Sur l'ordre de Louis VII, les comtes d'Auvergne fournirent une escorte au train pontifical, *Lettre du chanoine C. à Louis VII*, dans *H. de Fr.*, t. XVI, p. 121 et suiv.
(2) *P. L.*, CC, 384-386. Cf. *infra*, p. 186.
(3) *Lettre d'Otton à Thomas de Cantorbéry*, dans WATTERICH, *op. cit.*, t. II, p. 546.
(4) *P. L.*, CC, 395, 398, 400.

CHAPITRE III

L'AFFAIRE THOMAS BECKET [1]

§ 1. — Henri Plantagenet, l'épiscopat britannique et l'Église romaine de 1159 à 1164.

LE ROI ET L'ÉGLISE
D'ANGLETERRE DEVANT
LE SCHISME DE 1159

On a vu comment, en septembre 1159, la brusque disparition d'Adrien IV, au moment même où Barberousse s'apprêtait à marcher sur Rome et à engager la lutte contre le pontife, allié des cités lombardes et du roi de Sicile, l'existence d'une minorité

(1) BIBLIOGRAPHIE. — I. SOURCES. — Elles constituent une énorme masse de matériaux, pour la plupart réunis dans la collection des *Chronicles and Memorials of Great Britain and Ireland*, publiée à Londres sous la haute direction du Master of the Rolls (*Rolls Series*). C'est à cette collection que nous nous référons, sauf indication spéciale.
Chroniques des règnes de Henri II et Richard Ier : ROBERT DE TORIGNY ou DU MONT, édit. HOWLETT, 1889 ; RALPH DE DICETO, *Ymagines Historiarum* (édit. STUBBS, 2 vol., 1867) ; ROGER DE HOVEDEN, *Chronique* (édit. STUBBS, 4 vol., 1868-1871) ; *Gesta Regis* (1170-1192) (édit. STUBBS, 2 vol., 1867) ; GUILLAUME DE NEWBURGH, *Historia Anglicana* (édit. HOWLETT, 2 vol., 1884) ; GERVAIS DE CANTORBÉRY, *Chronique* (édit. STUBBS, 2 vol., 1879-1880) ; GIRAUD LE CAMBRIEN, *Opera omnia* (édit. BREWER et DIMOCK, 5 vol., 1861-1868) ; ÉTIENNE DE ROUEN, *Draco Normannicus* (édit. HOWLETT, 1885).
Actes et documents législatifs : L. DELISLE et E. BERGER, *Recueil des Actes de Henri II roi d'Angleterre et duc de Normandie, concernant les provinces françaises et les affaires de France*, 3 vol., Paris, 1909-1916 ; *The Great Rolls of the Pipe*, en cours de publication, Londres, depuis 1884 ; STUBBS, *Select Charters*, 9e édit., Oxford, 1921 ; RANULF DE GLANVILLE, *Tractatus de Legibus et Consuetudinibus Regni Angliae*, édit. WOODBINE, Newhaven, 1932.
Histoire ecclésiastique de l'Angleterre dans la seconde moitié du XIIe siècle. Très nombreux documents sur le conflit de Thomas Becket et Henri II, en majeure partie réunis dans les *Materials for the History of Thomas Becket, archbishop of Canterbury*, édit. J. C. ROBERTSON et J. B. SHEPPARD, 7 vol., 1875-1885 ; les quatre premiers tomes contiennent les œuvres des biographes dont les principaux sont : GUILLAUME DE CANTORBÉRY, *Vita et Miracula* (t. I) ; ÉDOUARD GRIM, ALAIN TEWKSBURY, JEAN DE SALISBURY (t. II) ; GUILLAUME FITZ-STEPHEN, HERBERT DE BOSHAM (t. III) ; les tomes V, VI et VII renferment une volumineuse correspondance du plus haut intérêt (808 lettres de papes, de rois, d'évêques et autres personnages). Outre les *Materials*, consulter pour l'histoire de Thomas Becket : *Thomas Saga Erkibiskup*, édit. E. MAGNUSSON, 2 vol., 1882 et GUERNES DE PONT-SAINTE-MAXENCE, *La vie de saint Thomas Becket*, Hippeau, Paris, 1859 ; édit. E. WALBERG, Lund, 1922 et Paris, 1936 (*Les Classiques français du moyen âge*).
Sur le siège archiépiscopal de Cantorbéry, cf. GERVAIS DE CANTORBÉRY, *Chronique* et *Actus Pontificum* ; sur l'Église d'York : *Historians of the Church of York and its archbishops*, t. I et II, *Vies de archevêques* ; t. III, *Illustrative Documents*, édit. J. RAINE, 1879-1894.
On trouvera de nombreux renseignements complémentaires sur les rapports des rois, de l'épiscopat britannique et de la papauté dans les *Papsturkunden in England* de W. HOLTZMANN, 2 vol., Berlin, 1930-1931 et 1935-1936 (dans *Abhandlungen der Gesellschaft der Wissenschaften zu Göttingen*, Neue Folge, philologisch-historische Klasse), la *Magna Vita Sancti Hugonis episcopi Lincolniensis*, édit. DIMOCK, 1864 ; la *correspondance* de GILBERT FOLIOT et celle de JEAN DE SALISBURY, éditées par GILES, Oxford, 1848 et reproduites dans *P. L.*, CXC et CXCIX, qui n'ont été que partiellement reprises dans les *Materials* ; une édition critique des *Lettres de Jean de Salisbury* est en préparation par les soins du Rév. W. J. MILLOR ; cf. aussi les *Lettres* et *Œuvres* de PIERRE DE BLOIS, *P. L.*, CCVII ; le *Registre* de MAITRE DAVID (ms. *Vat. lat.* 6024), édité avec de nombreuses fautes par F. LIVERANI dans son *Spicilegium*, Florence, 1863 ; les *Lettres* d'ARNOUL DE LISIEUX, édit. F. BARLOW (Camden Society, third ser., vol. LXI, Londres, 1939).
Enfin, l'esprit et les mœurs du clergé britannique sont décrits dans le *Policraticus* et le *Metalogicon* de JEAN DE SALISBURY, édit. GILES, Oxford, 1848, t. III, IV, V, reprise dans *P. L.*, CXCIX ; édit. C. C. I. WEBB, 3 vol., Oxford, 1909 et 1929. Fort utiles encore à cet égard peuvent être les documents réunis sous le titre *The Anglo-Latin satirical poets and epigrammatists of the Twelfth century*, édit. WRIGHT, 2 vol., 1872, notamment le *Tractatus Nigelli contra curiales et officiales clericos*, t. I, p. 146-230.
II. TRAVAUX. — Signalons d'abord quelques répertoires qui, à côté d'ouvrages plus généraux

impérialiste parmi les cardinaux, non moins que la présence à Rome des
envoyés de l'empereur, avaient suscité un nouveau schisme dans l'Église

tels que les *Regesta* de JAFFE-WATTENBACH et les *Concilia* de MANSI, sont appelés à rendre les
plus grands services : A. W. HADDAN and W. STUBBS, *Councils and ecclesiastical documents relating
to Great Britain and Ireland*, 3 vol., Oxford, 1869-1878 ; J. LE NEVE, *Fasti Ecclesiae Anglicanae*,
nouvelle édition corrigée et annotée par T. D. HARDY, 3 vol., Oxford, 1854 ; W. STUBBS, *Registrum
sacrum Anglicanum (Episcopal succession in England)*, Oxford, 1897 ; Rev. J. DOWDEN, *The
bishops of Scotland prior to the Reformation*, Glasgow, 1912 ; J. ROBERTSON, *Concilia Scotiae,
Ecclesiae Scoticanae statuta tam provincialia quam synodalia quae supersunt*, Édimbourg, 1866,
2 vol. ; R. W. EYTON, *Court, Household and Itinerary of King Henry II*, Londres, 1878 ; L. LANDON,
The Itinerary of King Richard I, Pipe Rolls Society, Londres, 1935 ; J. W. E. DOYLE, *The official
Baronage in England (1066-1865)*, 3 vol., Londres, 1886 (t. Ier seulement).
    Bien que conçues du point de vue politique, les Histoires générales peuvent apporter une vue
d'ensemble sur les questions ecclésiastiques dès que celles-ci intéressent directement la royauté,
ce qui fut justement le cas pour l'Angleterre de la seconde moitié du XIIe siècle. Consulter les
résumés de W. J. CORBETT, F. M. STENTON et M. POWICKE dans la *Cambridge Medieval History*,
t. V-VI, Londres et New-York, 1926 et 1929 ; F. POLLOCK et F. W. MAITLAND, *The History of
English law*, t. I, Cambridge, 1898 ; W. STUBBS, *Histoire constitutionnelle de l'Angleterre*, édit.
française avec *Introduction, notes et documents historiques* par CH. PETIT-DUTAILLIS. Traduction
du texte anglais d'après la dernière édition par G. LEFEBVRE, 3 vol., Paris, 1907-1927 (t. Ier).
Parmi les ouvrages français, L. HALPHEN, *L'essor de l'Europe*, Paris, 1932, 2e édition refondue,
1940, t. VII de la collection *Peuples et Civilisations* publiée sous la direction de L. HALPHEN et
PH. SAGNAC ; CH. PETIT-DUTAILLIS, *La monarchie féodale en France et en Angleterre*, Paris, 1933 ;
ID. et P. GUINARD, *L'essor des États d'Occident*, Paris, 1937, t. IV-2 de l'*Histoire du moyen âge*,
dans l'*Histoire générale* publiée sous la direction de G. GLOTZ. On pourra négliger sans dommage
les affirmations sommaires, souvent partiales, toujours dépourvues de nuances, que A. L. POOLE
a repris à ses devanciers sur la question, dans le volume, par ailleurs utilement documenté, de
la collection *The Oxford History of England* consacré à la période 1086-1216, *From Domesday
Book to Magna Carta*, Oxford, 1951.
    On consultera aussi J. H. ROUND, *Geoffrey de Mandeville. A study of the anarchy*, Londres, 1892 ;
F. M. STENTON, *The first century of English feudalism, 1066-1168*, Oxford, 1932 ; J. H. RAMSAY,
The Angevin Empire or the three reigns of Henry II, Richard I and John, 1154-1216, Londres, 1903 ;
A. S. GREEN, *Henry II*, Londres, 1915 ; L. F. SALZMAN, *Henry II*, Londres, 1917 ; K. NORGATE,
Richard the Lion heart, Londres, 1924. Ces ouvrages se placent également du point de vue politique.
    Les questions proprement ecclésiastiques et le problème des rapports entre les deux pouvoirs,
rapidement abordés dans les Histoires de l'Église telles que R. W. STEPHENS et W. HUNT, *A
History of the English Church from the Conquest to the accession of Edward I*, Londres, 1929 et Dom
CH. POULET, *Histoire du Christianisme*, t. II, Paris, 1935, sont longtemps restées sans travail
d'ensemble : H. BÖHMER, *Kirche und Staat in England und in der Normandie im XI. und XII.
Jahrhundert*, Leipzig, 1899, ne traite que de manière tout à fait sommaire la période en question,
et Z. N. BROOKE, *The English Church and the Papacy from the Conquest to the reign of John*, Cambridge, 1931, soulève les problèmes intéressants plus qu'il ne les résout. Pour le règne long et décisif
de Henri II, cette lacune est comblée par R. FOREVILLE, *L'Église et la Royauté en Angleterre sous
Henri II Plantagenet (1154-1189)*, Paris, 1943.
    L'attitude de Henri II vis-à-vis de l'Église romaine et de l'Église d'Angleterre, son œuvre de
codification des coutumes royales et la résistance qu'elle a provoquée chez le canoniste, disciple
de Gratien, que fut Thomas Becket, ont fait l'objet d'études fragmentaires dont les principales
sont : F. BARLOW, *The English, Norman and French councils called to deal with papal schism of
1159* (dans *English Historical Review*, t. LI, 1936, p. 264-268) ; F. W. MAITLAND, *Henry II and
the criminous clerks* (*Ibid.*, t. VII, 1892, p. 224-234) ; R. GENESTAL, *Thomas Becket et la décrétale
« At si clerici »*, au t. II de son ouvrage *Le Privilegium fori en France du Décret de Gratien à la
fin du XIVe siècle*, Paris, 1923 ; J. T. ELLIS, *Antipapal legislation in the medieval England, 1066-
1377*, Washington, 1930 ; G. LE BRAS, *Notes pour servir à l'histoire des collections canoniques :
VII. Les collections canoniques en Angleterre après la conquête normande* (dans *Revue historique de
droit français et étranger*, t. XI, 1932, p. 144-153) ; S. E. THORNE, *Le droit canonique en Angleterre*
(*Ibid.*, t. XIII, 1934, p. 499-513) ; H. W. R. LILLIE, *Saint Thomas of Canterbury's opposition to
Henry II* (dans *Clergy Review*, t. VIII, 1934, p. 261-283) ; C. R. CHENEY, *Legislation in the mediaeval
English Church* (dans *English Historical Review*, t. L, 1935, p. 193-224 et 385-417) ; ID., *The punish-
ment of felonous clerks* (*Ibid.*, t. LI, 1936, p. 215-236) ; C. JOHNSON, *The reconciliation of Henry II
with the Papacy : a missing document* (*Ibid.*, t. LII, 1937, p. 465-467).
    Sur Thomas Becket il existe une profusion d'ouvrages dont beaucoup sont périmés et peu satis-
faisants : depuis la Réforme, les uns l'ont considéré comme un factieux, d'autres ont tenté son
apologie. Rarement, on a su apprécier la portée réelle des questions soulevées dans sa résistance
au roi. Les biographes du martyr ont été étudiés par L. HALPHEN (dans *Revue historique*, t. CCII,
1909, p. 35-45), et par E. WALBERG, *La tradition hagiographique de saint Thomas Becket avant la
fin du XIIe siècle*, Paris, 1929 (recueil d'articles parus de 1915 à 1927 dans diverses publications).
Pour la vie de Thomas Becket, outre les ouvrages bien vieillis de Mgr G. DARBOY, *Saint Thomas
Becket, archevêque de Canterbury et martyr*, 2 vol., Paris, 1858 (2e édit., 1860) et de Dom A. L'HUIL-
LIER, *Saint Thomas de Cantorbéry*, 2 vol., Paris, 1891-1892, et le résumé de Mgr DEMIMUID, *Saint
Thomas Becket*, Paris, 1909, nous signalerons seulement les dernières œuvres parues : W. H.
HUTTON, *Thomas Becket archbishop of Canterbury*, 2e édit., Cambridge, 1926 ; S. DARK, *Saint

romaine [1]. Menacé par le cardinal Octavien, devenu l'antipape Victor IV, dans son autorité morale autant que dans sa situation en Italie, Alexandre III dut s'efforcer de rallier à sa cause la fidélité des évêques d'Occident et le suffrage des princes chrétiens ; les premières années de son pontificat furent dominées par le souci constant de contrebalancer l'hostilité de Barberousse par l'amitié de Louis VII et l'appui de Henri II Plantagenet. En fait, ce dernier, recherchant un profit immédiat, entendait bien se faire payer largement la fidélité branlante et le secours illusoire qu'il consentit à apporter à la cause de Roland Bandinelli. La reconnaissance même du nouveau pape allait être pour le Plantagenet l'occasion d'un gain appréciable.

L'empereur Frédéric Ier tenta à maintes reprises, par ses ambassadeurs et par ses lettres, d'amener le roi d'Angleterre à entrer dans l'obédience de Victor IV. De son côté, Alexandre III, inquiet de l'issue des démarches impériales, écrivait à l'évêque de Lisieux, Arnoul, en le priant de « veiller sans cesse auprès du roi », qui résidait alors dans le duché de Normandie, et d'employer toute sa « sollicitude pour le maintenir dans la dévotion « envers l'Église romaine et la sienne, en dépit des fréquentes sollici- « tations de l'empereur et de ses envoyés » [2]. Quelque temps après, Jean

Thomas of Canterbury, Londres, 1927 ; J. HALLER, *Die Tragödie Thomas Becket* (dans *Die Welt als Geschichte*, t. IV, 1938, p. 97-124) ; R. SPEAIGHT, *Thomas Becket*, Londres, 1938 ; Z. N. BROOKE, *The effect of Becket's murder* (dans *Cambridge Historical Journal*, vol. II, p. 213-229). Sur le culte et la popularité du saint, cf. T. BORENIUS, *The Iconography of saint Thomas of Canterbury*, Oxford, 1929 et P. A. BROWN, *The development of the Legend of Thomas Becket*, Philadelphie. 1930.
Depuis la rédaction de ce chapitre, achevée dès 1939, Dom KNOWLES a largement contribué à l'intelligence du conflit en analysant dans une série d'études la psychologie des protagonistes : *Archbishop Thomas Becket. A character study*, Londres, s. d. (*The Raleigh Lecture*, 1949) ; *The Episcopal colleagues of Thomas Becket*, Cambridge, 1951.
Sur Jean de Salisbury, l'ouvrage bien vieilli de DEMIMUID, *Jean de Salisbury*, Paris, 1873, n'est pourtant pas remplacé. Quelques études de détails le complètent heureusement : R. L. POOLE, *John of Salisbury at the papal court* (dans *English Historical Review*, t. XXXVIII, 1923, p. 321-330) ; du même, *The early Correspondence of John of Salisbury* (dans *Proceedings of the British Academy*, vol. XI, 1924) ; sous le même titre, H. G. RICHARDSON (dans *English Historical Review*, 1939, t. LIV, p. 471-473) ; J. DICKINSON, *The medieval conception of Kingship as developed in the Policraticus of John of Salisbury* (dans *Speculum. A Journal of medieval Studies*, t. I, 1926, p. 308-337) ; ID., *The Stateman's book of John of Salisbury being the IVth, Vth and VIth, and selections from the VIIth and VIIIth books of the Policraticus*, New-York, 1927.
Sur les métropoles britanniques, on pourra consulter I. J. CHURCHILL, *Canterbury administration. The administrative machinery of the archbishopric of Canterbury illustrated from original records*, Londres, 1933 (2 vol. dont un de documents), qui ne consacre malheureusement que quelques pages à la fin du XIIe siècle. Ses conclusions ont été reprises par le Rév. HUGUES, *The catholic archbishops of Canterbury* (dans *Clergy Review*, t. VII, 1934, p. 207-218). A. Mc KILLIAN, *A chronicle of the archbishops of Canterbury*, Londres, 1913, fait une place assez large aux prélats du XIIe siècle. Dom F. CABROL, *The pallium in the History of the Church of England* (dans *Dublin Review*, t. CXCIV, 1934, p. 189-198), n'apporte que des notions élémentaires et des faits très connus. Le siège d'York a fait l'objet de quelques brèves monographies : A. H. THOMPSON, *The medieval archbishops in their diocese* et *The dispute with Canterbury*, parues l'une et l'autre dans les *York Minster historical tracts*, Londres, 1927. En fait, la querelle des métropoles n'est vraiment exposée dans son ensemble que dans l'ouvrage déjà cité de R. FOREVILLE, *L'Église et la Royauté en Angleterre sous Henri II Plantagenet, 1154-1189*.
Dans ce même livre se trouvent précisés pour la première fois les rapports des métropoles d'York et de Canterbury avec l'Église d'Écosse et celle d'Irlande, que Henri II tenta de soumettre à sa domination en même temps qu'il subjuguait les princes locaux. Pour l'Écosse, on trouvera quelques renseignements dans P. H. BROWN, *History of Scotland*, t. I, Cambridge, 1902 (2e édit., 1911) ; J. DOWDEN, *The medieval Church in Scotland*, Glasgow, 1910, parfois entaché de parti-pris protestant, est très bref sur le XIIe siècle. Pour l'Irlande, cf. Dom L. GOUGAUD, *Les chrétientés celtiques*, Paris, 1911 ; W. A. PHILIPPS, *History of the Church of Ireland from the earliest times to the present day*, Oxford, 1934, 3 vol. (t. II) ; S. GWYNN, *The student's History of Ireland*, Londres, 1925 ; A. CURTIS, *A History of mediaeval Ireland from 1110 to 1513*, Londres, 1923, 2e édit., Londres, 1938. — Pour le Pays de Galles, J. E. LLOYD, *A History of Wales from the earliest times to the Edwardian Conquest*, Londres, 1911, 3e édit., 1939.
(1) Cf. *supra*, p. 50 et suiv.
(2) *P. L.*, CC, 88-89 (Anagni, 1er avril 1160).

de Salisbury, alors secrétaire du vieil archevêque de Cantorbéry, Théobald, redoutait encore que Henri II ne se laissât gagner au parti impérial et constatait que l'Église d'Angleterre était divisée ; l'évêque de Winchester et celui de Durham eussent volontiers reconnu Octavien, s'il leur eût été loisible de manifester publiquement leur avis, tandis que l'archevêque d'York, Roger de Pont-l'Évêque, soutenait de toutes ses forces la cause d'Alexandre III [1].

En fait, Henri II, pas plus que le Conquérant, n'eût admis que les évêques prissent, en la matière, une décision individuelle ; pour se prononcer, l'épiscopat britannique devait attendre que le roi lui-même eût pris position et qu'il eût autorisé la réunion d'un concile chargé d'entériner la décision royale plutôt que d'examiner la validité de l'une et de l'autre élections pontificales [2]. Toutefois, dans l'attente, l'influence personnelle des évêques s'exerçait auprès du roi et, plus que toute autre, celle de l'archevêque de Cantorbéry qui, dès l'origine, avait opté pour Alexandre III et s'apprêtait maintenant, à la demande du roi et malgré la maladie qui l'accablait depuis quelque temps, à présider le concile de Londres où l'Église d'Angleterre devait définir son attitude devant le schisme, non sans tenir compte d'ailleurs des intérêts du Plantagenet [3].

CONCILES DE LONDRES, NEUFMARCHÉ ET BEAUVAIS (1160)

Grâce à l'influence du primat d'Angleterre et du chancelier, Thomas Becket, archidiacre de Cantorbéry, dont Théobald s'était séparé depuis quelques années en faveur de Henri II, le concile de Londres rallia l'Église britannique autour du roi dans une commune adhésion au pape légitime (juin 1160) ; quelques semaines plus tard, l'épiscopat normand, réuni à Neufmarché, adoptait une attitude analogue (juillet 1160) [4]. Cependant, lors de la paix conclue au mois de mai précédent entre Louis VII et Henri II, les deux rois s'étaient engagés à se concerter avant de promulguer officiellement leur décision. En conséquence, une conférence commune aux deux royaumes s'ouvrit à Beauvais le 22 juillet. Les envoyés des deux compétiteurs au trône pontifical y furent entendus. La cause d'Alexandre III y fut éloquemment défendue par Guillaume de Pavie, cardinal de Saint-Pierre-aux-Liens, dont l'attitude lors de l'assemblée schismatique de Pavie avait été pourtant des plus équivoques [5]. Il réussit à emporter l'adhésion des princes, dont le siège ne restait plus à faire il est vrai, mais qui demeuraient toujours

(1) Jean de Salisbury, *Epistolae*, édit. J. A. Giles, *Joannis Saresberiensis opera omnia*, t. I, p. 70 ; *P. L.*, CXCIX, 43.

(2) Cf. dans Guillaume Fitz-Stephen, *Vita S. Thomae* (*Materials for the history of Thomas Becket*, t. III, p. 27-28), la colère de Henri II contre l'évêque du Mans qui avait publiquement reconnu Alexandre III avant la promulgation de la décision royale.

(3) Jean de Salisbury, *Epistolae* (édit. J. A. Giles, t. I, p. 69-70 ; *P. L.*, CXCIX, 42-43).

(4) Pour les conciles de Londres et Neufmarché, cf. les chroniques de Guillaume de Newburgh, *Historia Anglicana*, II, IX ; Fitz-Stephen (dans *Materials*, t. III, p. 27) ; Robert du Mont (dans *P. L.*, CLX, 492) ; ainsi que quelques lettres : Gilbert Foliot (dans *Materials*, t. V, p. 16-19) ; Arnoul de Lisieux (édit. F. Barlow, p. 29-33, 36-49 et *P. L.*, CCI, 31-32, 34-36, 37-45, 46) ; Jean de Salisbury (édit. J. A. Giles, t. I, p. 70, et *P. L.*, CXCIX, 42-43). On trouvera une excellente mise au point dans F. Barlow, *The English, Norman and French councils called to deal with papal schism of 1159* (*E. H. R.*, t. LI, 1936, p. 264-268, et R. Foreville, *op. cit.*, p. 95, n. 1.

(5) *Materials*, t. VI, p. 373.

libres de revenir sur une décision qui n'avait pas encore été rendue publique. D'ailleurs, Henri II et Louis VII en prorogèrent encore la notification officielle et le Plantagenet obtint de son royal partenaire l'avantage de promulguer lui-même, en temps opportun, la décision des deux royaumes [1].

RECONNAISSANCE OFFICIELLE D'ALEXANDRE III

Le roi d'Angleterre s'en prévalut pour faire pression sur les légats d'Alexandre III et leur extorquer la dispense nécessaire à la célébration immédiate du mariage de son fils aîné, Henri, qui n'avait pas six ans, avec Marguerite de France, fille de Louis VII, qui en avait tout juste deux. Le mariage des enfants royaux fut donc célébré en novembre 1160. Par là, Henri II passait outre à la réserve de l'accord anglo-français selon laquelle il n'entrerait en possession de la dot de la jeune princesse, à savoir les châteaux du Vexin normand conquis par Louis VII en 1151 — particulièrement la forteresse de Gisors, longtemps convoitée et remise à la garde des Templiers — qu'après la célébration même du mariage qui, dans la pensée du roi de France, ne devait pas se faire avant que les enfants aient atteint l'âge nubile [2]. Se voyant joué, Louis VII, sans plus attendre la bonne volonté du Plantagenet, reconnut officiellement Alexandre III, et, peu après, Henri II en fit autant pour son propre compte, mettant fin ainsi à la grosse incertitude que les deux grands royaumes occidentaux avaient laissé peser plus d'une année durant sur l'Église romaine [3].

DISPARITION DE L'ARCHEVÊQUE THÉOBALD

L'archevêque de Cantorbéry, Théobald, mourut le 18 avril 1161, après une longue maladie. Avec lui disparaissait le meilleur conseiller de la maison d'Anjou en Angleterre, le protecteur du chancelier, le plus ferme soutien de l'Église romaine et, dans les circonstances présentes, d'Alexandre III dans le royaume britannique. Cette disparition, à l'heure même où le Plantagenet prenait conscience de sa puissance, où il s'efforçait d'étendre sa domination sur de nouveaux territoires (Bretagne 1158, Toulousain 1159, Vexin 1160) [4], où il ne devait pas tarder, à l'instar de Barberousse, à restaurer son autorité sur ses feudataires ecclésiastiques aussi bien que laïques, remettait en question le rôle de l'église de Cantorbéry.

Sous le dernier pontificat, à la faveur de l'anarchie qui marqua le règne d'Étienne de Blois, le primat avait dirigé la politique ecclésiastique du royaume en un sens particulièrement favorable à l'Église romaine : légat en Angleterre, Théobald avait développé les appels en cour de Rome et veillé sur les élections épiscopales [5]; il s'était opposé à la politique

(1) F. BARLOW, *art. cité*.
(2) Accord de mai 1160 (dans L. DELISLE et E. BERGER, *Recueil des actes de Henri II concernant les provinces françaises*, t. I, n° CXLI).
(3) F. BARLOW, *art. cité*.
(4) CH. PETIT-DUTAILLIS et P. GUINARD, *L'essor des États d'Occident*, p. 130-131 (dans G. GLOTZ, *Histoire générale, Histoire du moyen âge*, t. IV-2).
(5) Z. N. BROOKE, *The English Church and the Papacy*, p. 183.

incohérente d'Étienne qui méconnaissait ou méprisait les droits de l'Église ; enfin, conformément à l'interdiction pontificale, il avait refusé de sacrer son fils, Eustache de Boulogne, soutenu l'impératrice Mathilde, mère de Henri II, et contribué largement à asseoir la puissance de la maison d'Anjou [1]. Combien de temps le Plantagenet, malgré les recommandations de Théobald sur son lit d'agonisant, laisserait-il vacant le premier siège du royaume ? Respecterait-il la liberté canonique des électeurs de Cantorbéry ou imposerait-il le candidat de son choix [2] ? Enfin, quel que fût l'élu, serait-il le digne continuateur de Lanfranc, d'Anselme et de Théobald lui-même, dans cette Église d'Angleterre qui constituait une puissance féodale, au milieu d'un épiscopat déjà étroitement uni à la papauté et cependant facilement enclin à servir les volontés d'un prince énergique ?

L'ÉGLISE D'ANGLETERRE — L'Église d'Angleterre jouissait alors d'un grand prestige. Des liens de plus en plus étroits l'unissaient à l'Église romaine. L'anarchie du temps d'Étienne et les abus de ce prince avaient creusé un fossé entre la maison de Blois et l'épiscopat. L'action de Théobald et bientôt, malgré l'avènement du Plantagenet, la présence sur le trône pontifical de l'Anglais Nicolas Breakspear, devenu le pape Adrien IV, avaient permis le développement des relations directes entre l'Église d'Angleterre, autrefois dans une dépendance étroite de la royauté normande, et le Siège apostolique [3]. Dès lors, le primat d'Angleterre, les évêques même avaient pris l'habitude de recourir directement au pape sans plus solliciter de congé royal : les appels en cour de Rome, les visites *ad limina* s'étaient largement développés, tandis que les tribunaux ecclésiastiques, établis en Angleterre par le Conquérant, attiraient à eux un nombre sans cesse croissant de causes, en accord d'ailleurs avec les principes du droit canonique récemment codifiés et précisés dans la vaste compilation de Gratien. Des écoles de droit civil et de droit ecclésiastique s'ouvraient dans le royaume, sous l'impulsion de prélats mécènes, tel Théobald de Cantorbéry qui avait su grouper autour de lui tout ce que le jeune clergé britannique comptait d'hommes distingués par leur intelligence et leur savoir et qui avait patronné l'enseignement de Vacarius [4]. Ce rôle de mécène était repris par les anciens clercs de Cantorbéry, notamment par Roger de Pont-l'Évêque, promu en 1154 au siège archiépiscopal d'York.

Cependant, l'emprise féodale demeurait très forte sur l'Église d'Angleterre : les évêques, comme les abbés et prieurs, attendaient beaucoup de la libéralité royale. Seigneurs de fiefs parfois très importants, ils prêtaient serment de fidélité au roi ; grands feudataires, ils s'étaient fortement compromis dans les luttes féodales qui opposèrent les maisons rivales d'Anjou et de Blois ; ils devaient au roi assistance en son conseil et fréquentaient la cour ; certains même servaient le prince à titre de

(1) *Materials*, t. VI, p. 57. Cf. J. H. Round, *Geoffrey de Mandeville. A study of the anarchy.*
(2) Jean de Salisbury, *Epistolae* (édit. J. A. Giles, t. I, p. 56-57 ; *P. L.*, CXCIX, 34-35).
(3) Z. N. Brooke, *op. cit.*, p. 132 et suiv. ; 164 et suiv., 189.
(4) Gervais de Cantorbéry, *Actus Pontificum*, t. II, p. 384.

ministres, tandis qu'une armée de clercs, largement pourvus de bénéfices, au reste aspirants à l'épiscopat, demeuraient les plus dévoués serviteurs du Plantagenet dont ils constituaient le personnel éclairé, méthodique, déjà spécialisé ; leur influence était grande parce qu'ils étaient les détenteurs en même temps que les agents de l'autorité. Entre les dignitaires ecclésiastiques et les barons laïques, il n'y avait guère de différences appréciables : apparemment, même train de vie, mêmes fonctions et même autorité ; les clercs cependant jouissaient du prestige que leur conféraient une formation intellectuelle accomplie et l'habitude de la dialectique.

L'ÉPISCOPAT BRITANNIQUE EN 1162. GILBERT FOLIOT A la date de 1162, l'épiscopat anglais comprenait une majorité de prélats normands parmi lesquels plusieurs appartenaient à de puissantes lignées féodales : Henri de Winchester, quelque temps légat en Angleterre, était le propre frère du feu roi Étienne. Longtemps exilé à la suite des luttes dynastiques et des rivalités politiques auxquelles il avait été étroitement mêlé, il s'était enfin rallié à la maison d'Anjou et achevait, dans la dignité d'une vieillesse sereine et dans l'auréole d'une charité large en aumônes, une carrière longue et mouvementée ; la disparition de Théobald faisait de lui l'arbitre, en même temps que le doyen, de l'épiscopat britannique. Hugues du Puiset, évêque de Durham, fils du vicomte de Chartres, était peut-être apparenté lui aussi à la famille de Blois. Les vastes domaines de son évêché en faisaient l'un des plus puissants barons de la couronne d'Angleterre. D'autres prélats, Jocelin de Bohun, évêque de Salisbury, Robert de Chesney, évêque de Lincoln, Walter de Rochester, frère de Théobald, l'évêque d'Ely, Néel, et celui de Worcester, Roger Fitz-Robert, l'archevêque d'York, Roger de Pontl'Évêque, enfin, étaient d'origine normande. Pour la plupart, les évêques normands établis dans le royaume par le Conquérant et ses fils avaient su acclimater en Angleterre de vieilles habitudes de docilité aux ducs-rois ; parfois même ils se pliaient par ambition à une véritable servilité envers le prince.

C'est une telle attitude que flétrit Jean de Salisbury dans son *Policraticus*, écrit en 1159 : véritable Tartuffe avant la lettre, le courtisan ecclésiastique feint d'être ce qu'il n'est pas, cache ce qu'il est, se couvre de vêtements grossiers, prie à haute voix, affecte la pâleur, porte les cheveux courts et se rase la tête ; il pousse de profonds soupirs et répand à volonté des larmes obséquieuses et artificielles ; il est toujours prêt à dévoiler les torts des autres, s'enrichit aux dépens des familles dont il capte les héritages, achète ou sollicite de la faveur du prince des bénéfices au moyen desquels il tâche de s'élever au premier rang [1]. Certes il faut faire ici la part de l'exagération poétique ; toutefois, Jean de Salisbury vise des hommes qu'il a vu manœuvrer à la cour de Henri II et désigne clairement l'un d'entre eux, Gilbert Foliot, hypocrite et envieux, qui, détracteur des autres, ne cessa d'accuser de tiédeur ses chefs jusqu'au

---

(1) JEAN DE SALISBURY, *Policraticus*, VII, xxi.

jour où, par un tel marchepied, il eut acquis pour lui-même les charges les plus élevées [1]. On savait dans les deux royaumes qu'il s'abstenait de boire du vin et l'on célébrait sa science autant que ses austérités [2]. Prélat ambitieux sous des apparences d'humilité, Gilbert Foliot s'était rapidement élevé dans la carrière des honneurs : prieur de Cluny puis d'Abbeville, il avait été promu abbé de Gloucester en 1139, évêque de Hereford en 1148 [3]. La vacance de l'église de Cantorbéry lui donna l'espoir, bientôt déçu d'ailleurs, de monter sur le siège primatial. Dans la conquête de la suprématie, un obstacle se dressait devant l'évêque de Hereford en la personne du brillant chancelier d'Angleterre, Thomas de Londres, archidiacre de Cantorbéry.

LE CHANCELIER D'ANGLETERRE THOMAS BECKET

Un homme qu'on aurait pu croire pétri d'ambition tant il s'était élevé rapidement et dont la fortune étonnante n'avait pas manqué de susciter des envieux, tel était le chancelier de Henri II. Né à Londres de parents appartenant à la bourgeoisie commerçante, Thomas Becket avait fait des études remarquables : son éducation avait été confiée au chanoine Robert de Merton ; plus tard, l'archevêque Théobald, qui attachait alors à l'Église de Cantorbéry les hommes les mieux doués, l'avait distingué et envoyé en France et en Italie pour y accomplir certaines missions et y parfaire son instruction. Après l'élection de Roger de Pont-l'Évêque au siège d'York, Théobald l'avait promu archidiacre de Cantorbéry, puis, tout en lui conservant le titre et les bénéfices y attachés, l'avait donné pour chancelier au jeune roi Henri II.

De haute stature et de maintien distingué, doué au surplus d'une intelligence brillante et d'un naturel enjoué, passionné pour la chasse presque autant que son jeune maître, Thomas Becket n'avait pas tardé à devenir son ami et son compagnon de plaisir aussi bien que son meilleur collaborateur dans l'administration de ses vastes domaines et dans l'œuvre guerrière qu'il avait déjà entreprise. Cependant, le chancelier gardait des mœurs pures et l'habitude de la mortification au milieu des délices de la cour ; respectueux des églises, il s'efforçait pourtant de développer l'autorité royale et déployait le faste requis du premier ministre du plus puissant prince d'Occident. Large en aumônes, adulé autant que pouvait l'être le dispensateur des faveurs royales, il savait toutefois écarter les courtisans et s'attacher de vrais amis, tel Jean de Salisbury qui lui dédia son *Policraticus* [4] et devait lui rester fidèle dans l'infortune et jusqu'à l'heure suprême de sa fin tragique. Celui-ci usait envers lui d'une rare franchise, le mettait en garde contre les périls des cours et savait enfin reconnaître en lui la bonté de l'homme et la justice du ministre [5].

Entre le roi et son chancelier l'accord semblait parfait et l'amitié inaltérable, au point que Thomas Becket paraissait aux yeux de tous

(1) Jean de Salisbury, *Policraticus*, VII, xxiv.
(2) Fitz-Stephen, *Materials*, t. III, p. 36 ; *Ibid.*, t. V, p. 43.
(3) *Materials*, t. VII, p. 556.
(4) *Policraticus*, Prologue.
(5) *Ibid.*

comme le second du royaume ; prudent et habile, il n'avait pas encore heurté de front les desseins du Plantagenet dont il réussissait souvent à détourner les accès de colère, parfois à réparer les injustices, qu'il surpassait toujours, d'ailleurs, en magnanimité.

ÉLECTION ET SACRE DE THOMAS BECKET AU SIÈGE DE CANTORBÉRY (27 MAI ET 3 JUIN 1162) La vacance du siège de Cantorbéry ne fut guère prolongée plus d'une année : elle dura exactement treize mois et demi, du 18 avril 1161 au 27 mai 1162. Henri II, libéré de la tutelle de Théobald, s'efforçait alors de reprendre sur l'Église d'Angleterre le pouvoir que son ancêtre Henri Ier Beauclerc avait exercé au début du siècle : mainmise sur les élections épiscopales, contrôle des relations épiscopales avec l'Église romaine. Il crut arriver à ses fins en établissant sur le premier siège du royaume son chancelier, Thomas de Londres.

Séjournant alors en Normandie, il dépêcha son grand justicier, Richard de Lucé, accompagné de quelques dignitaires ecclésiastiques, avec mission d'amener les électeurs de Cantorbéry à choisir pour archevêque et primat d'Angleterre Thomas le chancelier [1]. S'il est avéré que la volonté royale fut notifiée aux moines qui constituaient le chapitre régulier de l'église primatiale, il reste cependant que l'élection elle-même fut régulière : assemblés en la chapelle royale de Westminster, le prieur de Christchurch et quelques moines délégués par leurs frères élurent Thomas Becket, les évêques de la province donnèrent leur consentement à l'élection, le roi son assentiment par l'intermédiaire de son fils aîné et de ses envoyés ; le jeune prince lui-même et les grands du royaume acclamèrent l'élu [2]. Une seule voix s'était élevée pour protester, celle de Gilbert Foliot, évêque de Hereford, qui aspirait au siège primatial ; mais, accusé d'ambition et d'impudence par ses collègues dans l'épiscopat, il s'était empressé de donner sa voix au chancelier et l'avait acclamé plus fort que quiconque [3]. L'unanimité des suffrages s'était donc faite sur le nom du candidat royal qui fut élu, conformément à la pratique du temps de Henri Ier depuis le concordat de Londres (1107), compromis tacite entre les exigences canoniques et la vieille coutume anglo-normande de la désignation royale [4]. En fait, cette pratique même avait été récemment condamnée par Adrien IV qui avait promulgué en Angleterre l'interdiction de sacrer évêque ou de bénir abbé tout candidat désigné d'avance par le pouvoir laïque (Bénévent, 5 février 1156) [5].

Les évêques de la province de Cantorbéry hâtèrent le sacre du nouvel élu ; on pouvait craindre en effet un revirement de Henri II : poussé

---

(1) *Materials*, t. V, p. 524. L'authenticité du document (une lettre de Gilbert de Londres à Thomas de Cantorbéry) est justement mise en doute par Dom L'HUILLIER, *Saint Thomas de Cantorbéry*, t. I, p. 425-432 (appendice, note B). Toutefois, en l'espèce, le fait est corroboré par les biographes, notamment : ÉDOUARD GRIM, *Materials*, t. II, p. 365-367 ; HERBERT DE BOSHAM, *Ibid.*, t. III, p. 183-184 ; FITZ-STEPHEN, *Ibid.*, t. III, p. 35-36 ; GUILLAUME DE CANTORBÉRY, *Ibid.*, t. I, p. 8-9.

(2) GERVAIS DE CANTORBÉRY, *Chronique*, t. I, p. 169-170 ; HERBERT DE BOSHAM, *Materials*, t. III, p. 184-185.

(3) *Materials*, t. VI, p. 16.

(4) Cf. *Histoire de l'Église*, t. VIII, p. 415.

(5) JAFFE-WATTENBACH, 10.139 ; et *supra*, p. 85.

par la reine-mère, il aurait même envoyé, croit-on, des ordres secrets annulant les premiers [1]. On redoutait plus encore le renouvellement de l'antique querelle des métropoles pour la suprématie : l'archevêque d'York, s'il eût eu le temps d'accourir du fond de sa lointaine province, eût réclamé le droit de consacrer le nouvel élu et fondé ainsi sa prééminence sur l'archevêque du sud [2]. Aussi Thomas Becket, qui avait seulement reçu le diaconat, fut-il ordonné prêtre par l'évêque de Rochester le samedi 2 juin et reçut-il la consécration épiscopale le dimanche de la Pentecôte (3 juin 1162) des mains de Henri de Winchester, doyen d'âge, que la mort récente de l'évêque de Londres, Richard de Belmeis (4 mai 1162), plaçait au premier rang des suffragants de l'église de Cantorbéry. Auparavant, le prélat consécrateur avait sollicité et obtenu, pour le nouvel archevêque, du prince royal agissant au nom de son père, remise de toutes dettes vis-à-vis de la couronne [3].

LE NOUVEL ARCHEVÊQUE   Ce qui semble avoir le plus frappé les contemporains de Thomas Becket, c'est le changement de vie qu'ils remarquèrent chez celui qui, la veille encore, menait un train quasi royal, s'adonnait à la chasse et paraissait en toutes circonstances le ministre des volontés royales. Ils furent témoins d'une transformation extérieure si radicale et si prompte qu'ils l'attribuèrent à un changement d'humeur et de caractère [4].

De fait, le nouvel archevêque délaissait les longues courses à travers la campagne, les chiens, les faucons ; il s'adonnait à l'étude et à la prière, s'entourait, comme naguère Théobald, de clercs distingués par leur savoir, aimait à s'entretenir avec eux et s'efforçait de réparer dans la retraite les lacunes que les années passées au service du roi lui avaient laissées dans l'étude des sciences sacrées [5]. Ce faisant, il s'appliquait de toutes ses forces à ce qu'il considérait maintenant comme son devoir d'état : réparer les déficiences d'une formation cléricale interrompue par le maniement des affaires publiques et la vie à la cour, afin de remplir dignement un ministère pastoral qui s'étendait bien au delà des limites de son diocèse, puisque, primat d'Angleterre, il se sentait comptable devant Dieu de ses frères dans l'épiscopat et du roi lui-même dont il devenait le premier conseiller ecclésiastique. Cependant, le nouveau primat gardait un train de vie seigneurial destiné maintenant à subvenir aux besoins de ses clercs et dès nombreux hôtes, des pauvres surtout qu'il aimait à servir chaque jour de ses propres mains et à l'intention desquels il laissait ouvertes les portes de sa demeure archiépiscopale [6]. Pour lui, il adoptait un régime plus austère et les moines de Christchurch, qui, secrètement, avaient souhaité l'élévation d'un religieux de leur ordre sur le siège illustré par saint Augustin, Lanfranc, Anselme et Théobald

(1) *Materials*, t. V, p. 516-517.
(2) Gervais de Cantorbéry, *Actus Pontificum*, t. II, p. 390.
(3) Édouard Grim, *Materials*, t. II, p. 367 ; Fitz-Stephen, *Ibid.*, t. III, p. 36.
(4) Notamment Guillaume de Cantorbéry : *tamquam transformatus in virum alterum* (*Materials*, t. I, p. 10).
(5) Fitz-Stephen, *Materials*, t. III, p. 38.
(6) Id., *Ibid.* ; Édouard Grim, *Ibid.*, t. II, p. 371.

du Bec, ne pouvaient plus guère trouver prétexte à lui reprocher des allures par trop séculières [1].

Par ailleurs, Thomas Becket était fermement résolu à poursuivre l'effort de son prédécesseur en vue d'assurer le respect des droits de l'Église. Sur ce point cependant, il avait encore à s'éclairer : l'étude, la méditation, la prière devaient l'y aider, et aussi un contact de jour en jour plus étroit avec l'Église romaine. Dès son élévation au siège de Cantorbéry, il avait sollicité du pape l'octroi du pallium ; Alexandre III, qui, chassé d'Italie par les armes triomphantes de Barberousse, touchait alors au littoral de France, le remit aux envoyés de l'archevêque à Montpellier, dans le courant du mois de juillet 1162 [2]. Thomas Becket le reçut à Cantorbéry le 10 août, pieds nus et revêtu des ornements pontificaux par déférence pour l'autorité du pape [3]. Encore influençable au début, la volonté du nouvel archevêque semble se fortifier au fur et à mesure que son esprit s'éclaire au contact des Pères, à la lecture des écrits de ses prédécesseurs, particulièrement d'Anselme pour lequel il nourrissait une grande vénération et qu'il entreprit de faire inscrire au catalogue des saints lors d'une première audience du pontife romain [4].

L'ÉPISCOPAT ANGLAIS AU CONCILE DE TOURS (1163) — En 1163, en effet, Alexandre III avait convoqué un concile général à Tours, dans les États mêmes du Plantagenet ; le nouvel archevêque obtint du roi, pour lui et ses confrères dans l'épiscopat, licence de quitter le royaume pour se rendre à l'appel du pape. Dès son approche de la cité où allait bientôt s'ouvrir le concile, le primat d'Angleterre fut accueilli par la foule du peuple qui l'avait acclamé naguère comme chancelier de Henri II et par une multitude de dignitaires ecclésiastiques. Le pape lui-même le reçut avec une grande bienveillance [5].

Le concile ranima la fidélité des évêques à la cause d'Alexandre III. Il renouvela un certain nombre de prescriptions canoniques demeurées jusque là lettre-morte en Angleterre plus encore peut-être que sur le continent : il s'agissait surtout de révoqur les aliénations de biens ecclésiastiques faites au profit des laïques (canons 3 et 10) [6]. Ces aliénations étaient plus importantes en Angleterre que partout ailleurs, en raison des récentes luttes féodales que le royaume d'Étienne de Blois avait connues. Le concile de Tours acheva d'orienter Thomas Becket dans le dévouement aux intérêts de l'Église romaine et à ceux de l'église de Cantorbéry qui désormais lui paraissaient solidaires. A son retour, il devait conformer son attitude aux prescriptions conciliaires, aux recommanda-

(1) GUILLAUME DE CANTORBÉRY, t. I, p. 10-11 ; ÉDOUARD GRIM, *Ibid.*, t. II, p. 368.
(2) RALPH DE DICETO, *Ymagines Historiarum*, t. I, p. 307 ; GERVAIS DE CANTORBÉRY, *Chronique*, t. I, p. 171-172 ; HERBERT DE BOSHAM, *Materials*, t. III, p. 189.
(3) FITZ-STEPHEN, *Materials*, t. III, p. 36.
(4) C'est à cette intention que Thomas Becket avait demandé à Jean de Salisbury de composer un abrégé de la vie d'Anselme de Cantorbéry par Eadmer : *P. L.*, CXCIX, 1009-1040 ; au demeurant, saint Anselme ne devait être canonisé qu'en 1494 par Alexandre VI.
(5) HERBERT DE BOSHAM, *Materials*, t. III, p. 254.
(6) MANSI, t. XXI, col. 1177, 1179-1180.

tions du pape et aux vues des cardinaux les plus fermement attachés à la cause d'Alexandre III et aux droits de l'Église romaine. C'est là qu'il noua une amitié profonde avec le cardinal Humbald d'Ostie, l'un des meilleurs auxiliaires d'Adrien IV, et avec Conrad, archevêque de Mayence, expulsé de son siège par Barberousse en raison de sa fidélité au pape légitime et promu par celui-ci au rang de cardinal de Sabine.

PREMIERS ACTES DE THOMAS DE CANTORBÉRY   Déjà l'archevêque de Cantorbéry, désireux de se consacrer entièrement aux devoirs de sa fonction, avait résigné la chancellerie et fait remettre au roi les sceaux [1]. Celui-ci en fut d'autant plus profondément affecté qu'il avait voulu, à l'exemple de l'empereur, un archevêque pour chancelier [2], et qu'il avait cru confondre ainsi les deux glaives pour mieux asseoir sa domination sur les évêques du royaume comme sur les barons laïques. Selon les canons récemment remis en honneur à Tours, Thomas Becket s'efforçait enfin de restaurer dans leur intégrité les domaines de l'église de Cantorbéry aliénés sous ses prédécesseurs : il réclamait au roi le château de Rochester, la tour de Saltwood et celle de Hythe et s'opposait, au nom de la justice comme de l'immunité ecclésiastique, à la conversion en impôt royal de l'aide au vicomte, jusqu'ici librement consentie au sheriff par les grands propriétaires ecclésiastiques aussi bien que laïques, pour qu'il assurât l'ordre et la sécurité publique [3].

RIVALITÉ DES ARCHEVÊQUES D'YORK ET DE CANTORBÉRY   C'est enfin au concile de Tours que se manifestèrent, semble-t-il, les premiers symptômes de la rivalité de Thomas Becket et de Roger d'York : ce dernier prétendait, en vertu de l'antériorité de son sacre, à la prééminence sur l'archevêque de Cantorbéry. Froissé de l'accueil réservé au primat d'Angleterre à son arrivée dans la ville du concile et mécontent de n'avoir pas obtenu, au cours des sessions générales, la préséance sur lui, il avait porté plainte par devant le pontife romain. Il ne semble pas que la question du droit primatial de Cantorbéry ait été agitée au cours d'un concile qui fut absorbé par le souci des intérêts supérieurs de l'Église romaine [4] ; du moins, Alexandre III devait-il réserver et maintenir les droits respectifs des deux archevêques d'Angleterre, en invoquant l'exiguïté de l'église où le concile s'était réuni, exiguïté qui n'avait pas permis un strict respect des préséances [5]. Dans la suite, l'archevêque d'York allait multiplier les affronts envers son collègue de Cantorbéry : appelé à séjourner fréquemment dans la province méridionale pour assister le roi en son conseil, il y vint en provo-

(1) Les sceaux furent retournés à Henri II, alors en Normandie, par Ernulf, chancelier de l'église primatiale, avant janvier 1163. A cette date, le roi s'embarque pour l'Angleterre.
(2) RALPH DE DICETO, *Ymagines Historiarum*, t. I, p. 307-308.
(3) GERVAIS DE CANTORBÉRY, *Chronique*, t. I, p. 174 ; ÉDOUARD GRIM, *Materials*, t. II, p. 373-374 ; FITZ-STEPHEN, *Ibid.*, t. III, p. 43.
(4) On n'a pas à tenir compte des affirmations du pamphlétaire ÉTIENNE DE ROUEN, dans son étrange poème, le *Draco Normannicus*, III, 13 (*Chronicles of the reign of Stephen, Henry II and Richard I*, t. II, p. 744).
(5) *Historians of the Church of York and its Archbishops*, t. III, *Illustrative Documents*, p. 72.

cateur, faisant porter devant lui sa croix archiépiscopale, insigne du pouvoir métropolitain et du pouvoir primatial à l'intérieur des limites du ressort en cause [1]. Devant les protestations de Thomas Becket, il fit appel au pape et cita l'archevêque de Cantorbéry au tribunal de l'Apôtre (octobre 1163) [2].

Ainsi, l'ex-chancelier de Henri II, devenu primat d'Angleterre, se voyait dans l'obligation de défendre, face à la volonté du roi qu'il avait servi jusqu'ici, les droits imprescriptibles de l'église d'Angleterre dont il était désormais le chef et de l'église de Cantorbéry qui lui était spécialement confiée ; il se heurtait encore aux prétentions rivales de l'archevêque d'York et à l'hostilité d'un épiscopat docile aux volontés royales, jaloux aussi, par ambition, d'un homme parvenu si rapidement au sommet des honneurs, qui, au surplus, constituait une puissance féodale dont Henri II s'efforçait de réduire l'indépendance et de mettre l'autorité au service du pouvoir royal.

§ 2. — Le conflit entre le roi et le primat : les constitutions de Clarendon (1164).

PRÉLIMINAIRES DU CONFLIT Irrité de la résignation de la chancellerie par l'archevêque de Cantorbéry, mécontent de voir échouer le plan qui lui était cher et jaloux de l'autorité qui paraissait lui échapper, poussé d'ailleurs par des conseillers ambitieux, en qui la prompte élévation du chancelier avait éveillé l'envie et l'esprit de vindicte, le roi revendiqua ou laissa revendiquer par ses barons et officiers des droits acquis par l'Église, mais dont certains avaient été exercés auparavant, sinon toujours en Angleterre, du moins en Normandie, par les premiers rois anglo-normands, Guillaume le Conquérant, Guillaume le Roux et Henri Ier.

C'est ainsi qu'on put voir un vassal de l'église de Cantorbéry, Roger comte de Clare, refuser de faire hommage à l'archevêque et prétendre ne tenir que du roi ; puis un seigneur laïque, Guillaume d'Eynesford, expulser le curé institué par Thomas Becket dans l'église de son fief et réclamer le droit de patronage, porter plainte enfin à la cour du roi de l'excommunication dont l'archevêque l'avait frappé. Henri II s'éleva, au nom des prérogatives de la couronne, contre les sentences ecclésiastiques qui pouvaient frapper ses barons directs sans son autorisation, tant qu'il n'avait pas fait rendre justice lui-même [3]. Sur son ordre enfin, des sheriffs citaient à leur barre certains clercs accusés de crimes. Thomas Becket, prêt à rendre justice lui-même ou à faire rendre justice par ceux des évêques ses suffragants intéressés en la cause, s'opposa à la comparution des accusés devant les tribunaux laïques [4], et ce en vertu du privilège

---

(1) D'après la définition de Du Cange.
(2) *Materials*, t. V, p. 45-46.
(3) Fitz-Stephen, *Materials*, t. III, p. 43 ; Ralph de Diceto, *Ymagines Historiarum*, t. I, p. 311-312.
(4) Fitz-Stephen, *Materials*, t. III, p. 45-46 ; Édouard Grim, *Ibid.*, t. II .p. 374-375 ; Ralph de Diceto, *Ymagines Historiarum*, t. I, p. 313.

de for, prescrit par les canons, institué en Angleterre par le Conquérant [1] et considérablement accru par la pratique au milieu du XIIe siècle.

L'ASSEMBLÉE DE WESTMINSTER
(1er OCTOBRE 1163)

Les droits que le primat d'Angleterre lui contestait, Henri II s'efforça de les obtenir avec l'assentiment du baronnage dans l'assemblée du royaume réunie à Westminster le 1er octobre 1163. Sans revenir sur les cas particuliers des clercs précédemment incriminés, le roi se plaignit d'une façon générale des nombreux crimes commis par des clercs depuis quelques années et de l'indulgence excessive des tribunaux épiscopaux à leur égard. Il demanda qu'à l'avenir tout clerc dégradé par la cour ecclésiastique fût traduit à la cour du roi pour y être condamné à la peine de droit commun attachée au crime perpétré. Le primat renouvela sa résistance motivée et l'épiscopat anglais tout entier appuya ses protestations [2]. Cependant, la tentative de Henri II pour restaurer le contrôle royal sur l'administration de la justice par l'Église débordait largement les limites du royaume d'Angleterre : certaines provinces de l'empire Plantagenet étaient soumises à des mesures analogues.

Dès le mois de février 1162, Henri II, tenant sa cour à Rouen, avait remis en vigueur dans le duché de Normandie d'anciennes dispositions datant du Conquérant, promulguées au concile de Lillebonne (1080), d'ailleurs renouvelées sous Henri Ier, qui établissaient l'arbitrage de la cour ducale en certaines causes où des clercs pouvaient être impliqués [3]. D'autre part, le Plantagenet s'efforçait d'obtenir de l'évêque de Poitiers, par l'entremise des officiers royaux, qu'il abandonnât, au profit de sa cour, la connaissance des litiges fonciers concernant les veuves, les orphelins et les clercs et celle des cas d'usure ; qu'il renonçât aussi à frapper d'anathème les barons de la couronne [4]. L'évêque de Poitiers, ami de Thomas Becket, s'opposa à cette tentative au même titre que le primat d'Angleterre. Seuls les évêques normands paraissent avoir accepté sans résistance de renoncer à des prérogatives dont, en fait, ils n'avaient guère joui sous les prédécesseurs de Henri II, pas même sous Étienne de Blois auquel Geoffroy Plantagenet avait arraché le duché dès 1144.

L'ASSEMBLÉE DE CLARENDON

Quelques mois plus tard, au cours de la seconde quinzaine de janvier 1164, le roi, qui avait réuni sa cour à Clarendon, invita les évêques à se conformer aux coutumes du royaume telles qu'elles étaient observées au temps de son aïeul Henri Ier [5]. Les prélats demandèrent à connaître ces cou-

---

(1) W. STUBBS, Select Charters, 9e édit. révisée par DAVIS, Londres, 1921, p. 99-100 ; F. LIEBERMANN, Die Gesetze der Angelsachsen, t. I, p. 485.
(2) HERBERT DE BOSHAM, Materials, t. III, p. 266 et suiv.
(3) MANSI, t. XX, col. 555-558, canons I, VII et XIII.
(4) Materials, t. V, p. 38-39.
(5) ÉDOUARD GRIM, Materials, t. II, p. 379 et suiv. ; FITZ-STEPHEN, Ibid., t. III, p. 46 et suiv. ; HERBERT DE BOSHAM, Ibid., t. III, p. 278 et suiv. ; RALPH DE DICETO, Ymagines Historiarum, t. I, p. 312.

tumes : une discussion assez vive s'engagea sur certaines d'entre elles exposées par les officiers royaux. Mais Henri II entendait bien obtenir satisfaction. Thomas Becket, après une longue opposition fondée sur les prescriptions du droit canon, consentit à lui donner la promesse verbale et absolue qu'il réclamait avec une obstination inflexible et engagea les évêques ses suffragants, qui jusqu'ici l'avaient soutenu dans sa résistance, à suivre la même ligne de conduite. La clause de réserve, d'usage courant dans toute l'Église latine, « sauf l'honneur de Dieu et de mon ordre », avait été omise sur l'insistance du roi [1]. L'archevêque devait d'ailleurs se repentir de cette concession contraire aux canons et à l'usage, s'en imposer pénitence et en demander absolution au pontife romain [2]. Un véritable coup de théâtre se produisit alors : sur l'ordre de Henri II, les clercs du roi exhibèrent une charte en seize articles, préalablement rédigée, et invitèrent les évêques, qui avaient donné leur consentement oral, à confirmer leur promesse en y apposant leurs sceaux. Ceux-ci se conformèrent à l'ordre royal, mais le primat refusa catégoriquement et obstinément de donner une approbation officielle au texte des coutumes [3].

L'attitude de l'ancien chancelier, si vivement critiquée par ses suffragants dans la suite du conflit, taxée par certains mêmes de parjure, et difficilement comprise des historiens, est pourtant aisée à expliquer : s'il consentit à donner une promesse verbale à certaines dispositions contraires aux canons, tolérées cependant par ses prédécesseurs sur le siège de Cantorbéry comme par les pontifes romains eux-mêmes, et qui pouvaient toujours être remises en question, on conçoit par contre qu'il n'ait pas voulu engager sa responsabilité d'archevêque et de primat d'Angleterre dans l'établissement d'un document destiné à faire loi [4].

D'ailleurs, dans leur teneur même, les constitutions de Clarendon, qui donnèrent lieu à une discussion article par article, bien qu'elles concernent diverses catégories sociales, sont manifestement destinées à réprimer l'indépendance croissante de l'Église d'Angleterre vis-à-vis du pouvoir royal [5].

SIGNIFICATION ET PORTÉE DES CONSTITUTIONS DE CLARENDON

Les seize articles de la charte de Clarendon visent d'abord à renforcer l'inféodation de l'épiscopat britannique à la royauté angevine en sanctionnant juridiquement une série de pratiques anglo-normandes généralement observées depuis l'avènement de Henri II comme sous ses prédécesseurs. Ainsi, les fiefs d'église sont assimilés aux fiefs lais : pendant la vacance ils font retour au domaine

---

(1) *Materials*, t. VI, p. 251, lettre de Thomas Becket à Alexandre III, où le primat rappelle qu'il avait prêté un serment absolu aux coutumes de Clarendon.
(2) *Ibid.*, t. VI, p. 96.
(3) *Ibid.*, t. V, p. 234-235 et p. 112.
(4) *Ibid.*, t. V, p. 142-143.
(5) Le texte des constitutions de Clarendon est publié dans : *Materials*, t. V, p. 73-79 ; W. STUBBS, *Select Charters*, p. 163-167 ; GUILLAUME DE CANTORBÉRY, *Materials*, t. I, p. 18-23 (dans un ordre quelque peu différent) ; HERBERT DE BOSHAM, *Ibid.*, t. III, p. 280-284, signale seulement les articles combattus par l'archevêque et tente de reproduire sa réfutation.

royal et le roi en fait percevoir les revenus au profit du Trésor ; la nomination des évêques a lieu dans la chapelle royale, sur le conseil de ceux
des électeurs mandés par le roi et des conseillers habituels du prince
(c'est la confirmation explicite de la pratique en vigueur depuis le concordat de 1107) ; au même titre que les autres barons, l'élu doit faire hommage-lige au roi avant sa consécration, en réservant toutefois l'honneur
de son ordre (art. XII) ; l'évêque est astreint à l'ensemble des redevances
féodales et aux services féodaux à l'exception des jugements comportant
sentence de mort ou de mutilation (art. XI) ; enfin, les églises des fiefs
royaux ne peuvent être aliénées de manière perpétuelle à titre de franche
aumône, sans l'autorisation du roi (art. II).

Autrement plus graves apparaissent ceux des articles de Clarendon
qui traitent de la compétence des tribunaux royaux : ils menacent directement les privilèges judiciaires de l'Église d'Angleterre. Ces articles instituent d'abord dans les tribunaux ecclésiastiques une procédure déjà
en vigueur à la cour du roi, mais qui se généralisera en 1166 seulement
par l'Assise de Clarendon, l'institution du grand jury ou jury d'accusation
(art. VI) ; ils visent surtout à étendre au détriment des cours ecclésiastiques la compétence des tribunaux royaux aux actions pour dettes,
même dans les cas de parjure (art. XV), aux clercs impliqués dans les
causes civiles concernant la détermination de la nature des tenures
(art. IX), le patronage ou la présentation des églises (art. I) et aux clercs
accusés de crimes (art. III).

Ce dernier article est à coup sûr le plus nouveau, le plus important et
celui qui devait déchaîner dans la suite la polémique la plus acharnée ;
à vrai dire, il vise un double but : il s'oppose aux abus du privilège de
cléricature, celle-ci devant être reconnue à la cour du roi avant l'engagement de toute procédure devant les tribunaux d'Église ; il permet aussi
au ministère public de suivre la cause jugée par la cour ecclésiastique
et de frapper immédiatement le clerc dégradé par l'évêque de la peine
de droit commun attachée au crime dont il a été reconnu coupable.
L'expression *l'Église ne doit plus le protéger* désigne en effet, comme l'autorise toute l'interprétation contemporaine, l'abandon immédiat du clerc
coupable et dégradé au bras séculier [1]. Si celui-ci n'est pas jugé par la
cour laïque, il y est cependant traduit deux fois et perd le privilège du
canon, sinon le privilège du for ; encore, ce dernier est-il menacé par
l'attraction possible d'un nombre croissant de causes, même criminelles,
par la cour du roi.

Enfin, les hommes du roi ne peuvent être excommuniés par l'évêque
avant contrainte exercée à sa requête par l'officier royal s'ils se sont refusés
à comparaître à son tribunal (art. X). Quant aux tenants en chef et aux
officiers du roi, ils ne peuvent être frappés d'excommunication, ni leurs

---

(1) Cf. *Materials*, t. V, p. 405 ; Ralph de Diceto, *Ymagines Historiarum*, t. I, p. 313 ; Gervais
de Cantorbéry, *Chronique*, t. I, p. 174 ; *Summa causae inter Regem et Thomam*, *Materials*, t. IV,
p. 202. Parmi les travaux modernes, F. W. Maitland, *Henry II and the criminous clerks* (dans
English historical Review, t. VII, 1892, p. 226) et H. W. R. Lillie, *Saint Thomas of Canterbury's
opposition to Henry II* (dans *Clergy Review*, t. VIII, 1934, p. 266) ; R. Foréville, *op. cit.*, p. 137
et suiv.

terres d'interdit, sans l'autorisation de celui-ci, ou, s'il est absent d'Angleterre, du grand justicier, afin que le roi puisse rendre justice lui-même en ce qui est de la compétence de sa cour et que, sur son ordre, la cour ecclésiastique connaisse de ce qui ressortit à sa propre juridiction (art. VII). Les excommuniés n'auront plus à donner caution de leur conduite future [1], mais seulement à se présenter au jugement de l'Église (art. V). Ces articles donnent à la cour du roi la connaissance de causes qui, pour la plupart, vers le milieu du xiie siècle, soit *ratione personae*, soit *ratione materiae*, ressortissaient à la cour ecclésiastique ; outre des profits pécuniaires importants, le Plantagenet, par l'examen sinon toujours par le jugement d'un nombre croissant de causes, visait à contrôler la puissance de l'Église comme celle des grands feudataires laïques.

Les articles de Clarendon, s'ils renforcent l'autorité du roi sur l'épiscopat britannique, restreignent d'autant celle de l'Église romaine dans le royaume d'Angleterre. Déjà les articles I et IX tendent à empêcher le pontife romain de connaître des causes où seraient impliqués des clercs, en spécifiant qu'elles devront être traitées et terminées dans le royaume. L'article XIII fait du roi le seul juge des différends qui pourraient s'élever entre les prélats et les seigneurs laïques considérés les uns et les autres comme tenants en chef du roi, barons de la couronne et pairs du royaume ; le roi contraindra ses barons à faire justice à l'Église en sa cour, sans que le départ entre les causes féodales et les causes ecclésiastiques puisse être établi, tant il est vrai que les premières entraînent souvent les secondes. L'article VIII réglemente la marche des appels dans les cours ecclésiastiques ; il confirme, certes, la hiérarchie des juridictions à l'intérieur du royaume, mais dénie aux évêques le droit de déférer à Rome les causes importantes sans l'autorisation expresse du roi : celui-ci se réserve de contraindre le métropolitain intéressé (York ou Cantorbéry) à faire justice et à terminer l'affaire. S'il reconnaît en droit la juridiction suprême de l'Église romaine, ce dernier article s'oppose en fait à la liberté d'appel au Siège apostolique : l'appel à Rome reste un cas d'exception laissé à l'arbitraire du roi et pratiquement destiné à tomber rapidement en désuétude. L'article IV, enfin, refuse aux dignitaires du royaume le droit d'en sortir sans congé royal : il fait donc obstacle, s'il ne les interdit pas complètement, aux relations directes de l'épiscopat et du Siège apostolique : poursuite des appels en cour de Rome, visites *ad limina*, assistance aux conciles œcuméniques, obéissance aux mandements pontificaux, particulièrement s'il s'agit de censures ecclésiastiques frappant le royaume, le roi, ses vassaux et ses ministres.

Toutes ces dispositions ne sont pas nouvelles ; jamais cependant elles n'avaient été formulées avec la même précision, ni surtout libellées en une charte soumise à la confirmation des évêques.

---

(1) W. STUBBS, *Select Charters*, Glossary, p. 527 : *vadium ad remanens : security for future good behaviour*, interprétation autorisée d'ailleurs par les discussions que le refus de Thomas Becket de se conformer à cet article vis-à-vis des excommuniés allait entraîner au cours des tractations ultérieures (cf. R. FOREVILLE, *op. cit.*, p. 318 et suiv.).

L'OPPOSITION CANONIQUE DE THOMAS BECKET   Lors de l'assemblée de Clarendon et dans la suite du conflit, le primat d'Angleterre ne cessa de s'élever contre certaines dispositions inscrites dans la charte en question. Thomas Becket protesta surtout contre la réduction des privilèges judiciaires de l'Église et l'amoindrissement de ses libertés. Son opposition s'inspire des principes canoniques tels que Gratien les avait réunis et interprétés dans son *Décret* ; elle procède généralement par affirmations des droits de l'Église qu'il considère comme imprescriptibles : la liberté des élections épiscopales [1] ; l'inaliénabilité des biens de l'Église, patrimoine des pauvres du Christ [2] ; l'indépendance de l'Église vis-à-vis du pouvoir laïque [3] ; la suprématie du pouvoir spirituel en vertu de laquelle l'évêque ne peut comparaître devant l'assemblée du royaume pour y subir le jugement du roi [4] ; le maintien des privilèges du for et du canon pour les clercs qu'il est injuste de châtier deux fois pour un même crime (dégradation suivie de peine corporelle de droit commun) [5] ; l'obéissance des évêques, particulièrement des métropolitains revêtus du pallium, à l'Église romaine [6] ; la primauté de juridiction du Siège apostolique [7]. Nul doute, pour Thomas de Cantorbéry, que, par les constitutions de Clarendon, l'Église d'Angleterre, complètement inféodée à la royauté, dépouillée peu à peu de ses privilèges de for et de canon, n'eût été bientôt détachée de la juridiction, sinon encore de la foi, de Pierre [8].

LE JUGEMENT DE NORTHAMPTON   Par suite de l'attitude du primat, Henri II avait donc échoué dans sa tentative pour subordonner l'Église d'Angleterre au pouvoir royal, une première fois en réunissant entre les mêmes mains la charge de chancelier et celle d'archevêque de Cantorbéry, une seconde fois en soumettant à l'approbation de ce dernier la charte de Clarendon. La haine qu'il vouait maintenant à celui qui naguère encore était son meilleur ami, et qu'il avait réussi à dissimuler jusqu'au heurt de Clarendon, allait éclater au plein jour d'une nouvelle assemblée convoquée pour le début d'octobre 1164 au château royal de Northampton [9].

Thomas Becket y fut cité par devant le roi sur la plainte d'un officier royal, Jean le Maréchal, qui, ayant revendiqué un manoir de l'archevêché, avait été débouté par la cour ecclésiastique. Conformément au droit de Clarendon (art. IX), poussé d'ailleurs par Henri II lui-même qui cherchait l'occasion de condamner le primat dans sa cour, il la portait maintenant devant le roi. L'affaire de Jean le Maréchal n'était qu'un

(1) HERBERT DE BOSHAM, *Materials*, t. III, p. 284-285.
(2) *Materials*, t. V, p. 496.
(3) *Ibid.*, p. 280-281.
(4) *Ibid.*, p. 139, 519.
(5) H. W. R. LILLIE, *art. cité*, p. 271-272, donne un excellent aperçu de l'argumentation de Thomas Becket sur ce point.
(6) HERBERT DE BOSHAM, *Materials*, t. III, p. 283.
(7) *Materials*, t. V, p. 357.
(8) *Ibid.*, t. VI, p. 36.
(9) HERBERT DE BOSHAM, *Materials*, t. III, p. 296 et suiv. ; FITZ-STEPHEN, *Ibid.*, p. 49 ; GUILLAUME DE CANTORBÉRY, *ibid.*, t. I, p. 29 et suiv.

prétexte : à peine fut-elle évoquée ; le roi condamna par défaut l'archevêque, bien qu'il se fût excusé selon les modalités de la coutume.
Thomas Becket fut ensuite accusé de félonie pour avoir renié sa promesse
de Clarendon ; amercié, il dut garantir un cautionnement de cinq cents
livres. Il fut enfin pris à partie sur la gestion des fonds publics durant
l'exercice de la chancellerie, malgré la décharge de toutes dettes obtenue
du prince royal après son élection au siège de Cantorbéry.

L'APPEL DE THOMAS BECKET   Thomas Becket entendait bien ne pas
se laisser juger par l'assemblée du
royaume sans protester contre l'illégalité d'un tel jugement au regard
du droit canon. Il se rendit à la séance, où devait être prononcée la sentence finale, revêtu des ornements pontificaux et portant la croix archiépiscopale, pour signifier à tous qu'il ne pouvait recevoir le jugement
de la cour royale frappant en lui, par delà le baron de la couronne, feuda-
taire du roi, l'archevêque de Cantorbéry, primat d'Angleterre et père
spirituel des barons, des évêques et du prince lui-même [1].

Le château résonnait du bruit des armes et Thomas se sentait menacé
dans sa liberté personnelle autant que dans son honneur. Ses propres
suffragants et Roger d'York lui-même paraissaient effrayés de ce qui
se tramait dans le conseil privé du roi ; après avoir contribué à exciter
sa colère, ils n'osaient intercéder pour l'apaiser. L'archevêque de Cantorbéry récusa le jugement du prince et, par un appel au Siège apostolique,
se plaça lui-même et son église sous la protection du pontife romain,
tandis que, sous la pression du roi et de ses officiers, Gilbert Foliot, suivi
par d'autres suffragants de Thomas Becket, opposaient à l'appel de
leur métropolitain un contre-appel destiné à les soustraire aux anathèmes
qu'il pourrait éventuellement fulminer sur eux [2]. Puis, devant les assistants interdits, qui ne songèrent point à s'opposer à son départ, le primat
sortit du château royal à la porte duquel l'attendait une foule d'humbles
gens qui lui firent escorte jusqu'au monastère de Saint-André où il avait
élu résidence pour son séjour à Northampton.

Ainsi, par son appel au pape, Thomas Becket opposait aux constitutions de Clarendon, qui tentaient de la restreindre, la liberté de l'Église,
notamment le libre recours au tribunal de l'Apôtre. Désormais, le conflit
était posé sur le terrain juridique : coutumes du royaume inscrites dans
la charte de Clarendon d'une part, appel à Rome garanti par le droit
canon d'autre part.

LA FUITE DU PRIMAT   La nuit qui suivit le jugement de Northampton, averti en secret que le roi méditait de
le faire jeter en prison, Thomas Becket réussit à s'enfuir du monastère
de Saint-André et de la ville [3]. Le dévouement des chanoines réguliers
de l'ordre de Sempringham lui assura des compagnons de voyage et un
gîte d'étape en étape jusqu'au littoral. Sous l'habit d'emprunt d'un

---

(1) HERBERT DE BOSHAM, *Materials*, t. III, p. 305.
(2) *Ibid.*, p. 303-308 ; t. V, p. 139-140.
(3) ÉDOUARD GRIM, *Materials*, t. II, p. 399.

convers du même ordre, il put s'embarquer et aborder enfin, à marée basse, un peu à l'écart de Gravelines, le 2 novembre 1164 [1]. Il touchait à la terre de France où déjà le pape Alexandre III avait trouvé asile : le primat d'Angleterre allait être contraint d'y demeurer en exil six longues années durant.

§ 3. — Exil et martyre de Thomas de Cantorbéry.

ALEXANDRE III CONDAMNE LES CONSTITUTIONS DE CLARENDON

Thomas Becket se hâta de quitter les terres du comte de Boulogne, Mathieu d'Alsace, dont il savait les relations amicales avec Henri II ; il ne séjourna pas davantage sur celles de son frère, Philippe, comte de Flandre, qui venait d'accueillir l'ambassade du roi d'Angleterre. Celle-ci comprenait, outre le grand justicier, Richard de Lucé, l'archevêque d'York et les évêques de Londres, Exeter, Worcester, Chichester. Ils avaient pour mission de prévenir le comte de Flandre et le roi de France contre l'archevêque et, si possible, d'obtenir son extradition [2] ; ils venaient en outre déférer au pontife romain, alors à Sens, l'appel des suffragants de Cantorbéry contre leur métropolitain [3]. Partout, ils précédèrent l'exilé, mais ils furent confondus dans leur attente. Louis VII et Alexandre III, mis au courant des faits par l'un des fidèles de Thomas Becket, Herbert de Bosham, manifestèrent leur surprise du traitement réservé à l'archevêque par le roi d'Angleterre. Le roi de France tint à se rendre en personne à la rencontre de l'exilé jusqu'à Soissons, afin de lui offrir l'hospitalité dans son royaume [4]. Quant à celui-ci, il avait hâte de remettre entièrement sa cause entre les mains du pape.

Thomas de Cantorbéry fut reçu par le pape en présence des cardinaux. Il exposa sa conduite, lut la charte des coutumes dont un exemplaire lui avait été remis à Clarendon et en expliqua la signification précise. Alexandre III en condamna les articles I, III, IV, V, VIII, IX, X, XII et XV, soit près des deux tiers [5]. Il réprouva la tentative même du roi d'Angleterre d'introduire une législation en opposition directe avec les lois de l'Église. Thomas Becket fut délié de la promesse d'observer lesdites constitutions, promesse extorquée d'ailleurs sous la pression royale ; le pape lui enjoignit de ne jamais s'engager à l'avenir en quelque cause analogue sans réserver l'honneur de Dieu et de son ordre [6]. Et, comme l'archevêque voulait résigner entre ses mains sa charge pastorale, Alexandre III le confirma sur son siège [7] ; il reconnut aussi la primatie de l'église de Cantorbéry [8].

(1) ÉDOUARD GRIM, *op. cit.*, t. II, p. 399-400 ; sur les étapes de l'archevêque, cf. HERBERT DE BOSHAM, *Ibid.*, t. III, p. 323-325 ; GUERNES DE PONT-SAINTE-MAXENCE, *La vie de saint Thomas Becket*, v. 2011 et s. ; R. GRAHAM, *Saint Gilbert of Sempringham and the Gilbertines*, Londres, 1901, p. 17-18.
(2) *Materials*, t. V, p. 134-135.
(3) FITZ-STEPHEN, *Materials*, t. III, p. 72-74 ; GUILLAUME DE CANTORBÉRY, *Ibid.*, t. I, p. 44-46.
(4) FITZ-STEPHEN, *Ibid.*, t. III, p. 72 ; G. DE CANTORBÉRY, *Ibid.*, t. I, p. 43 ; *Ibid.*, t. V, p. 58.
(5) *Ibid.*, t. V, p. 384, 387-388, 390.
(6) *Ibid.*, t. VI, p. 521.
(7) *Ibid.*, t. III, p. 76 ; GUILLAUME DE CANTORBÉRY, *Ibid.*, t. I, p. 46 ; ÉDOUARD GRIM, *Ibid.*, t. II, p. 403.
(8) *Ibid.*, t. VI, p. 215.

L'EXIL A PONTIGNY.
LA PERSÉCUTION ROYALE
A douze lieues de Sens et non loin d'Auxerre, dans un vallon solitaire entouré de bois, s'élevait l'abbaye cistercienne de Pontigny. Sous la conduite de l'abbé Guichard, futur archevêque de Lyon, les moines y exerçaient une large hospitalité : c'est là qu'à la demande du pape, Thomas Becket fut reçu. Il devait y demeurer environ deux ans (fin novembre 1164-novembre 1166). Le primat d'Angleterre y prit secrètement l'habit cistercien, s'appliqua à l'étude et à la prière, continua à approfondir le droit canon [1]. Toutefois, la vindicte du roi d'Angleterre ne cessa de poursuivre l'exilé jusque dans sa lointaine retraite : dès la Noël 1164, sur ordre de Henri II, et malgré l'appel du primat, Ranulf de Broc mettait sous séquestre les biens de l'église de Cantorbéry [2] ; des peines de bannissement et de confiscation frappaient la famille de l'archevêque, les clercs qui lui étaient demeurés fidèles et leurs propres familles [3] : avant de quitter le royaume d'Angleterre, ils durent jurer de se rendre à Pontigny afin de lui donner le spectacle de leur détresse. Ce fut un pitoyable exode de clercs et de laïques, de femmes, d'enfants et de vieillards [4] ; il fallut pourvoir aux besoins de ces réfugiés dénués de tout : la charité des religieux, celle du pape, celle du roi et des évêques de France s'y employa. Il fallut aussi, dans la suite, tenir compte du sort de ces malheureux, notamment de la situation des clercs de Cantorbéry, lors des négociations de paix qui se poursuivirent au cours des longues années de leur exil.

VAINS EFFORTS DE MÉDIATION
De la Noël 1164 à Pâques 1166, plusieurs tentatives de médiation furent entreprises. A la demande de Thomas Becket et par l'entremise de Nicolas du Mont-aux-Malades, la reine-mère (qui portait le titre d'impératrice en raison d'un premier mariage avec l'empereur Henri V) s'efforça d'obtenir de Henri II qu'il renonçât à imposer à l'épiscopat de prêter serment à la charte de Clarendon et qu'il se contentât d'une simple promesse de respecter les coutumes orales, promesse réservant, par ailleurs, la liberté de l'Église [5]. En plein accord avec l'impératrice Mathilde, Alexandre III et Louis VII essayaient de leur côté de fléchir le roi d'Angleterre et d'obtenir le retour en grâce de l'archevêque de Cantorbéry. Mais l'entrevue des rois, fixée vers la mi-avril 1165 à Pontoise, n'eut pas lieu, le roi d'Angleterre s'étant dérobé à la dernière minute à l'annonce de la présence probable du pape [6]. En juin, Alexandre III, sur la voie du retour en Italie, en vertu de l'appel de Thomas Becket, cassa la sentence royale de Northampton qui avait, « au mépris des formes du droit et de la coutume ecclésiastique », prononcé « confiscation des biens meubles de l'archevêque de Cantorbéry, lesquels sont tous sans exception biens d'Église »,

(1) ÉDOUARD GRIM, *op. cit.*, t. V, p. 163 ; JEAN DE SALISBURY, *Vita Sancti Thomae, Ibid.*, t. II, p. 314.
(2) *Ibid.*, t. V, p. 496.
(3) *Ibid.*, t. V, p. 151, 152.
(4) *Ibid.*, t. V, p. 168.
(5) *Ibid.*, t. V, p. 147-149.
(6) GUERNES DE PONT-SAINTE-MAXENCE, vers 3986 et suiv.

parce que l'inférieur ne peut juger son supérieur, à plus forte raison s'il lui doit obéissance [1]. A Pâques 1166, dans une nouvelle entrevue avec Louis VII, Henri II, revenu sur le continent depuis peu, refusa d'entrer en pourparlers avec lui au sujet de l'archevêque et de rendre sa grâce aux clercs de Thomas Becket, s'ils ne prêtaient serment aux constitutions, rompant ainsi la foi qu'ils devaient à l'archevêque. Pour la plupart, ils préférèrent demeurer en exil [2].

De son côté, le primat d'Angleterre tentait d'amener le roi à méditer sur le respect qu'en sa qualité de prince chrétien il devait à l'Église, et lui adressait à cette intention trois lettres successives [3].

Mais loin de rétablir la paix de l'Église et du royaume et de réconcilier Henri II et Thomas Becket, tous ces efforts restèrent vains : Henri II regardait alors vers la Germanie schismatique et y cherchait appui pour faire pression sur Alexandre III qui avait regagné l'Italie, espérant obtenir ainsi maintes concessions dans sa lutte contre Thomas de Cantorbéry.

HENRI II ET LE SCHISME GERMANIQUE

L'antipape Victor IV était mort et Guy de Crême l'avait remplacé sous le nom de Pascal III. A la diète de Würzbourg, les envoyés de Henri II, Richard d'Ilchester, archidiacre de Poitiers, et Jean d'Oxford promirent en son nom que le roi d'Angleterre et tout le royaume demeureraient « fidèles au pape Pascal », le soutiendraient et rompraient tout rapport « avec Roland le schismatique et son parti » [4]. Ce serment, l'Église d'Angleterre se refusa à le ratifier [5] ; du moins, permit-il au Plantagenet de faire pression sur Alexandre III, menaçant de verser dans le schisme s'il n'obtenait pas satisfaction dans l'affaire de Thomas Becket [6]. Il aurait souhaité, soit la destitution pure et simple de l'archevêque, soit son transfert à un autre siège. Alexandre III se montra ferme sur ce point, mais Henri II devait en obtenir des concessions de moindre importance qui lui permirent toutefois de maintenir, en face de Thomas Becket, sous des formes plus ou moins voilées, les prétentions de Clarendon et de prolonger quasi indéfiniment l'exil du primat.

THOMAS BECKET LÉGAT POUR L'ANGLETERRE (24 AVRIL 1166)

Malgré les nombreuses ambassades du roi d'Angleterre, en dépit de l'influence réelle de plusieurs cardinaux gagnés aux fallacieuses promesses du Plantagenet par l'or britannique répandu à profusion, le pontife romain, par les bulles des 5 et 8 avril 1166, confirmait la primatie de l'Église de Cantorbéry [7] et, le dimanche de Pâques, 24 avril 1166, revêtait Thomas Becket du pouvoir

---

(1) *Materials*, t. V, p. 178-179 ; JAFFE-WATTENBACH, 11.208 (Clermont-Ferrand, juin 1165).
(2) *Materials*, t. V, p. 361, 349-350, 366-367.
(3) *Ibid.*, t. V, p. 266-268, 269-278, 278-282. Pour la date, l'ordre de succession et la teneur de ces lettres, cf. R. FOREVILLE, *op. cit.*, p. 213-227.
(4) *Materials*, t. V, p. 183.
(5) GERVAIS DE CANTORBÉRY, *Chronique*, t. I, p. 207.
(6) *Materials*, t. V, p. 162 ; *Ibid.*, t. VI, p. 272, 363.
(7) *Ibid.*, t. V, p. 323, 324-326.

de légat en Angleterre [1], après avoir refusé au roi une telle concession en faveur de Roger de Pont-l'Évêque [2]. Mais, désireux de ménager la susceptibilité de Henri II, il conférait dans le même temps à l'archevêque d'York la légation d'Écosse et l'exemptait de la juridiction du légat d'Angleterre [3].

LES CENSURES DE VÉZELAY   Thomas Becket avait déjà frappé de suspense l'évêque de Salisbury, Jocelin, qui, sur les instances du roi et au mépris des droits de certains des chanoines de Salisbury, exilés pour leur fidélité à l'archevêque, avait élevé au doyenné de cette église Jean d'Oxford, excommunié notoire pour ses relations avec les schismatiques et le serment prêté à Würzbourg au nom du roi [4].

Le dimanche de Pentecôte, 12 juin 1166, le nouveau légat pontifical promulguait solennellement du haut de la chaire de Vézelay la condamnation portée par le pape sur les constitutions de Clarendon et dénonçait comme excommuniés Jean d'Oxford, doyen intrus de Salisbury et fauteur du serment schismatique ; Richard d'Ilchester, coupable du même serment ; les ministres du roi, auteurs responsables de la charte de Clarendon, Richard de Lucé et Jocelin de Bailleul ; Ranulf de Broc, Thomas Fitz-Bernard et Hugues de Saint-Clair, officiers royaux qui s'étaient emparés, sur ordre de Henri II, des revenus et des possessions de l'église de Cantorbéry ; globalement enfin, tous ceux qui avaient mis la main sur les biens de cette même église [5]. Quant au roi, assurément le principal responsable, s'il fut épargné, c'est en raison d'une maladie qui mettait alors ses jours en danger [6]. Frappant les ministres et officiers royaux en vertu de ses pouvoirs de légat, Thomas Becket usait donc d'un droit que les constitutions de Clarendon lui refusaient [7].

THOMAS BECKET   Henri II tenta de se couvrir, lui, son
A SAINTE-COLOMBE DE SENS   royaume, ses ministres et ses évêques, par un appel en cour de Rome [8], tandis qu'il cherchait à frapper directement le légat par de nouvelles mesures de persécution : l'abbé et le chapitre général de Cîteaux étaient sommés de cesser de donner asile à l'exilé en l'abbaye de Pontigny, sous menace d'expulsion du royaume de tous les moines de l'ordre [9]. Thomas Becket ne voulut point demeurer à Pontigny dans de telles conditions, et, déclinant les offres princières de Louis VII, sollicita une simple cellule en l'abbaye bénédictine de Sainte-Colombe de Sens. Il devait y passer les

---

(1) *Materials*, t. V, p. 329-331.
(2) La concession de la légation d'Angleterre à Roger d'York, Sens, 27 février 1164 (*Materials*, t. V, p. 85-87) fut retirée avant même d'avoir été notifiée au roi et à l'intéressé (*Ibid.*, t. V, p. 91, 94).
(3) Après 1165, semble-t-il ; cette légation est mentionnée en 1166.
(4) Cf. la confirmation de cette sentence par le pape dans *Materials*, t. V, p. 364, 375-376.
(5) *Ibid.*, t. V, p. 383-384, 387-388, 390-391.
(6) *Ibid.*, t. V, p. 382-383.
(7) Article VII, cf. *supra*, p. 99-100.
(8) *Materials*, t. V, p. 381-382.
(9) J. M. CANIVEZ, *Statuta Capitulorum Generalium Ordinis Cisterciensis ab anno 1116 ad annum 1220*, t. I, Louvain, 1933, p. 75.

quatre dernières années de son exil, années remplies de négociations ardues avec les légats *a latere* chargés par le pape de régler le conflit pendant entre l'archevêque et le roi d'Angleterre.

LES NÉGOCIATIONS DE 1167-1168   Évitant de heurter systématiquement le Plantagenet, en raison même des difficultés qu'il rencontrait en Italie, Alexandre III restaura Jean d'Oxford dans le doyenné de Salisbury [1] et consentit à envoyer sur les terres continentales de Henri II le légat que sollicitait celui-ci, à savoir le cardinal de Saint-Pierre-aux-Liens, Guillaume de Pavie, celui-là même qui, en 1160, avait accordé la dispense pour le mariage des enfants royaux [2], auquel il adjoignit Odon de Saint-Nicolas-in-Carcere-Tulliano, homme intègre, mais d'assez pâle figure. Ils avaient reçu pleins pouvoirs pour « connaître, entendre et, avec l'aide de Dieu, terminer canoniquement » le conflit qui opposait le roi et le primat [3]. Ces pouvoirs extraordinaires, dont le pape s'était désisté en leur faveur sur les instances du roi d'Angleterre, leur furent pratiquement retirés dès le 7 mai 1167 devant les plaintes des exilés qui tenaient le cardinal de Pavie en grande suspicion [4]. Cependant, l'année 1167 se passa pour l'archevêque, dont les pouvoirs de légat étaient suspendus en raison de leur mission [5], dans la crainte de ce que les cardinaux légats pourraient tramer contre lui avec le roi d'Angleterre [6].

Ceux-ci avaient quitté Rome au début du printemps [7] ; obligés à un grand détour par suite d'une nouvelle descente germanique en Italie, ils ne rencontrèrent pas Henri II, occupé à guerroyer, d'abord dans ses provinces méridionales, puis en Bretagne, avant le mois de novembre [8]. Successivement, ils purent s'entretenir avec le roi à Caen, avec le primat aux Planches, localité située à la frontière du domaine capétien, entre Gisors et Trie, le 18 novembre ; de nouveau, avec le roi à Argentan, le 26 novembre. Les pourparlers se prolongèrent jusqu'au 29. Ce fut peine perdue : Thomas Becket posait pour condition *sine qua non* du jugement qui lui était offert dans son conflit avec le roi la restitution préalable des biens de son église, spoliés en dépit de l'appel qu'il avait interjeté à Northampton ; Henri II se refusait à la moindre restitution et maintenait les dispositions de Clarendon [9].

L'année 1168 se passa en vains efforts d'arbitrage en vue de réconcilier Louis VII avec Henri II et ce dernier avec Thomas Becket [10]. La mauvaise foi du roi d'Angleterre, vis-à-vis de son suzerain comme à l'égard de l'archevêque de Cantorbéry, éclata au grand jour lors du guet-apens de La Ferté-

(1) *Materials*, t. VI, p. 113.
(2) Cf. *supra*, p. 88.
(3) *Materials*, t. VI, p. 83 ; JAFFÉ-WATTENBACH, 11.299 (Latran, 1er décembre 1166).
(4) *Materials*, t. VI, p. 200 ; JAFFÉ-WATTENBACH, 11.348 (Latran, 7 mai 1167).
(5) *Materials*, t. VI, p. 85.
(6) *Ibid.*, t. VI, p. 208-209, 209-210, 217-218, 220, 226-227.
(7) *Ibid.*, t. VI, p. 262.
(8) EYTON, *op. cit.*, p. 106-108.
(9) *Materials*, t. VI, p. 245 et suiv., 261, 280 et suiv.
(10) *Ibid.*, t. VI, p. 384, 409.

Bernard (1er juillet 1168) où le roi de France se vit joué par le Plantagenet [1].

Alexandre III ne désespérait pourtant pas de la paix, et, dès la fin de l'année, il déléguait trois religieux, les prieurs du Mont-Dieu, de Grandmont et du Val-Saint-Pierre, pour tenter une fois encore de réconcilier les rois et de rapprocher Henri II et Thomas Becket [2]. Les délégués pontificaux présidèrent deux conférences : à Montmirail, le 6 janvier 1169, le roi d'Angleterre fit hommage à Louis VII et consentit à accorder sa paix à l'archevêque tout en continuant d'exiger de lui la reconnaissance absolue des constitutions de Clarendon [3]. A Saint-Léger-en-Iveline, le 7 février suivant, il dut, bon gré mal gré, écouter lecture d'une bulle menaçant ses terres d'interdit. Visant seulement à gagner du temps jusqu'au retour des ambassadeurs qu'il avait mandatés à la Curie, il se contenta de remplacer le terme de « coutumes » par celui de « dignités du royaume » [4] et s'efforça d'obtenir du primat, par l'intermédiaire de l'évêque de Poitiers, qu'il consentît à le rencontrer en Touraine quinze jours plus tard. Thomas Becket refusa de se prêter à cette nouvelle pérégrination dans laquelle il ne pouvait voir qu'une tentative dilatoire [5].

ENTREVUE DE HENRI II
AVEC THOMAS BECKET
A MONTMARTRE

Déjà, la plupart des suffragants de l'Église de Cantorbéry se rapprochaient de leur métropolitain : les évêques d'Exeter et de Worcester s'étaient solidarisés avec lui dès 1166 [6] ; l'excommunication de Jocelin de Salisbury, l'échec des dernières négociations de paix et bientôt l'excommunication de Gilbert Foliot, coupable de tolérer des fautes graves dans son clergé et de n'avoir point déféré à la citation de son métropolitain [7], allaient détacher de la cause du roi les autres évêques de la province de Cantorbéry et Hugues de Durham lui-même, pourtant suffragant de Roger d'York toujours hostile au primat [8]. Enfin, une nouvelle et vigoureuse intervention du pape laissait espérer un prompt règlement du conflit : Alexandre III venait, en effet, de nommer de nouveaux légats, Gratien, neveu d'Eugène III, sous-diacre de l'Église romaine et notaire apostolique, et Vivien, archidiacre d'Orvieto, avocat à la Curie [9]. Chargés d'un mandat strict et d'une mission de courte durée, ils rencontrèrent Henri II en Normandie dans la seconde quinzaine d'août et opposèrent la plus grande fermeté aux volontés du roi qui réclamait, avant même l'ouverture des négociations, l'absolution incondi-

---

(1) *Materials*, t. VI, p. 455 et suiv. ; attendu en négociateur, le roi d'Angleterre parut à la tête d'une armée.

(2) *Ibid.*, t. VI, p. 440 (Bénévent, 25 décembre 1168) ; JAFFE-WATTENBACH, 11.405 (bulle classée au 25 mai dans Jaffe). Sur la date, cf. R. FOREVILLE, *op. cit.*, p. 190, n. 2.

(3) *Materials*, t. VI, p. 510, 521-522.

(4) *Ibid.*, t. VI, p. 511-512, 520-521, 517-518.

(5) *Ibid.*, t. VI, p. 492-493, 493-494, 510-511.

(6) *Ibid.*, t. VI, p. 63.

(7) Pour l'excommunication de Foliot, cf. la date, dimanche des Rameaux, 13 avril 1169, dans *Materials*, t. VI, p. 581-582, t. VII, p. 51-52 ; les motifs, *Ibid.*, t. V, p. 504 ; la proclamation en Angleterre, *Ibid.*, t. VI, p. 603-606.

(8) *Ibid.*, t. VI, p. 56-58 ; t. VII, p. 175-176.

(9) *Ibid.*, t. VI, p. 538, 567.

tionnée des prélats excommuniés par Thomas Becket [1]. A plusieurs reprises, le Plantagenet menaça de rompre les pourparlers et les légats n'en purent obtenir aucune garantie : il consentit seulement à reconnaître que l'archevêque de Cantorbéry n'avait envers lui aucune obligation quant à l'administration de la chancellerie, donnant ainsi un démenti formel à ses propres affirmations à Northampton. Par ailleurs, il refusait de lui restituer les biens de son église et exigeait toujours une clause de sauvegarde des « dignités du royaume », nouvelle désignation des coutumes [2].

Cependant, le Plantagenet réussit à obtenir de Vivien un nouveau délai, tandis que Gratien s'acheminait à la Curie et que l'archevêque de Sens, légat pour la France, accomplissait son voyage *ad limina*. Craignant tout de la fermeté de ces personnages qu'il savait acquis de longue date à la cause du primat, Henri II accepta les bons offices de Louis VII, et, en présence du roi de France et de Vivien, consentit à recevoir Thomas Becket à Montmartre le 18 novembre 1169. Là furent arrêtés quelques termes de réconciliation qui allaient constituer les bases mêmes des négociations ultérieures : les coutumes du royaume étaient passées sous silence, le roi accordait à l'archevêque sa grâce, la sécurité et la paix, lui promettait la restitution des biens de son église dans l'état où les avaient tenus ses prédécesseurs, excluant ainsi les terres aliénées par eux, en possession desquelles Thomas Becket s'était efforcé de rentrer. Mais il refusa obstinément de lui donner le baiser de paix. Comme les précédentes, l'entrevue de Montmartre aboutissait à un échec [3].

MISSION DE L'ARCHEVÊQUE DE ROUEN ET DE L'ÉVÊQUE DE NEVERS Dès le mois de janvier 1170, Alexandre III constituait une nouvelle commission pontificale chargée de négocier sur les bases établies à Montmartre et d'obtenir si possible, du roi, le baiser de paix pour l'archevêque, non moins que des garanties sérieuses de respecter à l'avenir la liberté de l'Église [4]. Des nouveaux commissaires pontificaux, l'un, Rotrou de Rouen, ne désirait pas s'attirer la colère de Henri II, l'autre, Bernard de Nevers, manquait de la fermeté nécessaire au succès de sa mission : par ses atermoiements et la lenteur de ses déplacements, il allait laisser au Plantagenet toute latitude de passer en Angleterre pour y faire procéder au couronnement de son fils aîné, Henri le Jeune [5]. Le roi franchissait en effet la mer le 3 mars 1170, bientôt rejoint par Gilbert Foliot, relevé de l'excommunication le 5 avril sur ordre du pape par l'archevêque de Rouen [6]. De concert avec l'évêque de Londres et avec l'archevêque d'York, Henri II préparait en secret la cérémonie et promulguait les mesures propres à paralyser l'action des commissaires pontificaux, de Thomas Becket et d'Alexandre III.

(1) *Materials*, t. VII, p. 71.
(2) *Ibid.*, t. VII, p. 117-118.
(3) *Ibid.*, t. VII, p. 162, 169 ; pour la date de l'entrevue de Montmartre, cf. L. HALPHEN, *Les entrevues de Louis VII et Henri II durant l'exil de Thomas Becket en France* (dans *Mélanges Bémont*, Paris, 1913, p. 154-155).
(4) *Materials*, t. VII, p. 198-202, 203-204.
(5) *Ibid.*, t. VII, p. 311-312.
(6) EYTON, *op. cit.*, p. 136 ; *Materials*, t. VII, p. 275, 276, 277.

ISOLEMENT DU ROYAUME D'ANGLETERRE

Déjà certaines mesures avaient été établies par ordonnance royale après l'échec de la conférence de Montmartre ; ainsi, depuis la fin de l'année 1169 les appels au pape ou à l'archevêque étaient prohibés ; toute obéissance à leurs mandements, interdite sous peine de prison et de confiscation ; leurs partisans étaient menacés des mêmes châtiments ; aucun clerc ne pouvait franchir le détroit sans un sauf-conduit du roi ou du grand justicier ; le denier de saint Pierre était versé dans le Trésor royal pour être dépensé sur l'ordre du roi ; tout porteur de lettres d'interdit sur le royaume serait déféré en jugement comme traître [1].

Au printemps de l'année 1170, le Plantagenet renforça la surveillance des côtes ; il fit maintenir sous bonne garde, à Caen, Marguerite de France, épouse de son fils aîné ; il donna ordre de refuser à bord de tout navire, et jusqu'à son retour sur le continent, l'évêque de Nevers, délégué du pape [2] ; une interdiction analogue devait frapper l'évêque de Worcester, chargé par Thomas Becket de faire opposition au couronnement [3]. Henri II édicta la peine de mort contre tout porteur de lettres de l'archevêque de Cantorbéry, celle de la prison contre tout porteur de bulles pontificales en Angleterre [4]. Le royaume était coupé de toutes libres relations avec le continent : de par la volonté royale, les constitutions de Clarendon prenaient leur plein effet.

De son côté cependant, Thomas Becket avait obtenu du pape des bulles interdisant, particulièrement à l'archevêque d'York, le couronnement du prince royal, privilège du siège primatial de Cantorbéry [5]. Malgré ses efforts multipliés, la prohibition pontificale, si elle put franchir la mer, se heurta aux mesures coercitives de Henri II, et Roger d'York crut pouvoir usurper impunément le rôle du primat [6] : ainsi, la vieille rivalité d'York et de Cantorbéry renaissait à la faveur du conflit de l'Église et du royaume.

COURONNEMENT DE HENRI LE JEUNE (14 JUIN 1170)

Armé chevalier par son père, Henri le Jeune fut aussitôt couronné par l'archevêque d'York assisté des évêques de Londres, Salisbury, Rochester, Durham, et peut-être Saint-Asaph, le dimanche 14 juin 1170, en l'église Saint-Pierre de Westminster, dans la province même de Cantorbéry [7]. C'était là une violation froidement perpétrée des mandements pontificaux réitérés depuis 1164, de l'interdiction récente d'Alexandre III, soupçonnée, sinon connue du roi et des prélats ; c'était aussi un véritable attentat contre les droits vénérables de l'antique métropole de Cantorbéry, mère et tête des chrétientés britanniques [8].

---

(1) Le texte de l'ordonnance de 1169 se trouve dans Roger de Hoveden, *Chronique*, t. I, p. 231-232 et dans Gervais de Cantorbéry, *Chronique*, t. I, p. 214-215.
(2) *Materials*, t. VII, p. 311-312.
(3) Fitz-Stephen, *Ibid.*, t. III, p. 103 ; Roger de Worcester fut arrêté à Dieppe par Richard du Hommet.
(4) *Materials*, t. VII, p. 311.
(5) *Ibid.*, t. VII, p. 216-217.
(6) *Ibid.*, t. VII, p. 309.
(7) *Ibid.*, t. VII, p. 316 ; Gervais de Cantorbéry, *Chronique*, t. I, p. 219.
(8) Ces droits furent exposés par le primat à l'entrevue de Fréteval, *Materials*, t. II, p. 328-332.

Les conséquences d'un tel acte devaient être incalculables : il allait mener au meurtre de Thomas Becket et aussi, par des voies combien détournées il est vrai, à la paix de l'Église et du royaume. Mais, à l'heure même où il savait attirer sur lui, sur ses États, sur l'épiscopat d'Angleterre, les censures ecclésiastiques, Henri II, conscient de la gravité du péril, s'empressait de proclamer son acceptation des termes de paix que les évêques de Rouen et Nevers étaient chargés de lui proposer [1], et il s'embarquait en hâte pour la Normandie afin de renouer les pourparlers et d'écarter ainsi la promulgation des lettres d'interdit que l'archevêque de Cantorbéry, légat pour l'Angleterre, avait alors en sa possession.

LA RÉCONCILIATION DE FRÉTEVAL (22 JUILLET 1170) — Ayant obtenu de Henri II l'assurance qu'il rendrait à l'archevêque de Cantorbéry sa grâce et sa paix conformément aux termes arrêtés à Montmartre, l'évêque de Nevers et l'archevêque de Rouen se rendirent à Sens auprès de l'exilé. Celui-ci consentit à les accompagner à la conférence des rois qui devait avoir lieu le 20 juillet à proximité du château de Fréteval-en-Dunois (Orléanais). A la prière des médiateurs, auxquels s'était joint l'archevêque de Sens, Henri II fixa au 22 juillet son entrevue avec Thomas Becket. Bien que le baiser de paix lui fût toujours refusé, sur la caution de Guillaume de Sens qui se porta garant de la sincérité du roi d'Angleterre, l'archevêque de Cantorbéry accepta le compromis.

Le jour venu, en présence d'une grande multitude, le roi s'avança le premier vers le primat ; ils échangèrent maints signes de réconciliation et d'amitié et chevauchèrent quelque temps à l'écart, s'entretenant de la dignité de l'église de Cantorbéry et de ses privilèges violés lors du récent couronnement. Henri II promit une digne réparation : le renouvellement solennel par l'archevêque de Cantorbéry du couronnement du jeune roi, conjointement avec sa femme Marguerite de France. Le primat s'humilia alors aux pieds du roi qui descendit à son tour de cheval pour lui tenir l'étrier. Revenus ensuite au milieu de la foule enthousiaste, Henri II rendit à Thomas Becket sa paix, la sécurité, l'église de Cantorbéry avec ses possessions, dans l'état le plus favorable où il les avait tenues au début de son pontificat, et lui promit restauration des droits du siège primatial. Il ne se sépara pas de l'archevêque avant d'avoir sollicité et obtenu sa bénédiction [2].

RUPTURE DE LA PAIX DE FRÉTEVAL — En fait, la paix de Fréteval n'apportait à Thomas Becket aucune des garanties qu'il était en droit d'escompter : ni la restitution préalable de quelques-unes au moins des possessions de son église, ni même le baiser de paix, sceau d'une réconciliation sincère et gage certain de sécurité, et, ce qui n'était pas moins grave, les deux parties demeuraient sur la réserve,

---

(1) *Materials*, t. VII, p. 300.
(2) Pour le récit des négociations de Fréteval, nous suivons le procès-verbal d'un témoin anonyme, probablement Jean de Salisbury (cf. *Materials*, t. VII, p. 338-342).

maintenant leurs positions respectives. Si on avait, en effet, volontairement écarté le fond du débat, c'est-à-dire les coutumes du royaume clairement définies à Clarendon, le roi était décidé, sinon à les imposer, du
moins à garantir l'honneur de la couronne ; le primat, à réserver l'honneur de Dieu et de son ordre.

Dans ces conditions, l'exécution des clauses de paix allait susciter les
plus graves difficultés. S'il avait montré à Fréteval quelques velléités
de bienveillance envers Thomas Becket, Henri II était rapidement
retombé sous l'influence néfaste des conseillers les plus farouchement
attachés à la lettre des constitutions de Clarendon et, par suite, les plus
hostiles au primat, influence qui s'exerçait plus directement encore sur
Henri le Jeune, maintenant lieutenant général du royaume d'Angleterre.
Ainsi, Herbert de Bosham, délégué par Thomas Becket pour reprendre
possession des biens de l'église de Cantorbéry, se heurta à la mauvaise
volonté évidente des officiers du roi. Les revenus de l'archidiocèse avaient
été placés sous séquestre jusqu'à la prochaine fête de Noël [1]. L'archevêque
d'York et l'évêque de Londres, qui avaient lieu de redouter les censures
du légat à son retour en Angleterre, ne cessaient d'intriguer auprès du
jeune roi, comme auprès de Henri II, afin qu'en imposant à Thomas de
Cantorbéry le respect des constitutions de Clarendon, ils fussent, par là
même, à l'abri des sanctions qu'ils s'étaient attirées par le couronnement
du 14 juin ; ils tentaient aussi de favoriser, par des élections conformes
à l'article XII des mêmes constitutions, la promotion d'évêques dociles
au pouvoir royal pour remplir les vides que, depuis six ans, la mort avait
causés parmi les suffragants du primat exilé [2].

Devant tant d'obstacles accumulés, certain de la mauvaise foi du roi
et des prélats, Thomas Becket sollicita et obtint d'Alexandre III de nouveaux pouvoirs très étendus : la confirmation explicite des prérogatives
du siège de Cantorbéry, dépouillant l'usurpation du métropolitain d'York
de toute valeur de précédent pour l'avenir [3] ; le renouvellement de son
mandat de légat du Siège apostolique en Angleterre [4] ; des pouvoirs
extraordinaires de censure, dont seuls étaient exclus le roi, sa femme et
ses fils [5]. Le pape lui avait adressé des bulles frappant de suspense Roger
d'York et les évêques coupables d'avoir prêté leur concours au couronnement de Henri le Jeune et juré d'observer les coutumes du royaume ;
Gilbert de Londres et Jocelin de Salisbury, absous conditionnellement
d'une sentence antérieure d'excommunication, seraient replacés sous le
coup de l'anathème [6]. Cependant, sachant bien que les mesures prohibi-
tives frappant tout porteur de lettres pontificales étaient remises en
vigueur, le légat ne pouvait songer à retourner en Angleterre avec les
bulles dont il était muni [7]. A la veille de s'embarquer, il promulgua donc

(1) *Materials*, t. VII, p. 389, 408.
(2) *Ibid.*, t. VII, p. 409.
(3) *Ibid.*, t. VII, p. 354.
(4) *Ibid.*, t. V, p. 328-329, certainement du 9 octobre 1170 ; JAFFE-WATTENBACH, 11.270.
(5) *Materials*, t. VII, p. 382-383 ; JAFFE-WATTENBACH, 11.846 (Segni, 13 octobre 1170).
(6) *Materials*, t. VII, p. 357 ; JAFFE-WATTENBACH, 11.832 (Veroli, 10 septembre 1170).
(7) *Materials*, t. VII, p. 403, 409.

les sentences du pape [1]. La paix de Fréteval, viciée dès le principe par la dissimulation du roi, et dont l'exécution même était renvoyée *sine die* par suite des intrigues nouées dans l'entourage de Henri II et de son fils, allait être finalement rompue par la promulgation des censures pontificales, à l'encontre des dispositions de Clarendon.

LE RETOUR DU PRIMAT   Le retour à Cantorbéry de l'archevêque exilé fut une marche triomphale au milieu de la foule des humbles qui l'acclamaient partout sur son passage. Il fut aussi, de la part du roi et des siens, une succession d'opprobres : l'envoi de Jean d'Oxford pour lui faire escorte de Rouen à Sandwich ; le rivage où il aborda rempli de gardes en armes prêts à user de violence ; l'appel des évêques au pontife romain contre les censures apostoliques ; la sommation des officiers royaux d'avoir à délier les évêques de l'excommunication et le refus par les excommuniés de prêter le serment d'usage prohibé par l'article V de Clarendon ; l'interdiction d'accéder à la cour de Winchester où siégeait Henri le Jeune et l'ordre de se confiner dans les limites de son propre diocèse, sans compter maintes vexations personnelles jusque dans sa ville archiépiscopale [2].

Tandis que le primat d'Angleterre essuyait tous ces affronts, les prélats excommuniés et suspens s'étaient hâtés de rejoindre Henri II en Normandie. Furieux des censures qui frappaient les évêques, gagné au surplus par la rancune et le désir de vengeance qu'ils manifestaient, le roi laissa échapper des paroles de colère et de haine qui armèrent le bras des meurtriers : « N'y aura-t-il donc personne pour me débarrasser de ce clerc outrecuidant ? [3] »

LE MEURTRE DE THOMAS BECKET   Le mardi 29 décembre, quatre che-
(29 DÉCEMBRE 1170)   valiers, partis de l'entourage royal, arrivèrent à Cantorbéry ; aidés de Ranulf de Broc qui mit à leur disposition une petite troupe d'hommes d'armes, et d'un clerc dévoyé prêt à l'accomplissement des plus odieuses besognes, ils pénétrèrent dans le palais archiépiscopal ouvert aux hôtes de passage et aux pauvres. Ayant gagné la salle où le primat s'entretenait avec ses clercs, ils le prirent à partie pour avoir osé, au mépris de la majesté royale à laquelle il aurait dû déférer le jugement, excommunier des familiers du roi. Une longue discussion s'ensuivit. Enfin, pressé par les siens, Thomas Becket consentit à gagner la cathédrale où les moines s'étaient déjà rassemblés pour l'heure des vêpres, mais il refusa d'en laisser barricader les portes. Les agresseurs purent ainsi pénétrer dans le sanctuaire ; ils s'efforcèrent sans succès d'en chasser l'archevêque qui leur fit face et tomba enfin sous les coups répétés de leurs glaives [4].

(1) *Materials*, t. VII, p. 403, 410.
(2) *Ibid.*, t. VII, p. 400, 404, 409-412 ; Fitz-Stephen, *Ibid.*, t. III, p. 124 ; Guillaume de Cantorbéry, *Ibid.*, t. I, p. 117 ; Herbert de Bosham, *Ibid.*, t. III, p. 483.
(3) Fitz-Stephen, *Ibid.*, t. III, p. 127 ; Guillaume de Cantorbéry, *Ibid.*, t. I, p. 121 ; Herbert de Bosham, *Ibid.*, t. III, p. 481, 487.
(4) D'après le récit de deux témoins oculaires : Édouard Grim, *Ibid.*, t. II, p. 430-440 ; Jean de Salisbury, *Ibid.*, t. VII, p. 462 et suiv. (lettre à Jean évêque de Poitiers, reprise par l'auteur dans sa *Vita Sancti Thomae, Ibid.*, t. II, p. 319-321).

La scène se passait à la lueur des torches dans le bras nord du transept, à quelques pas de l'autel dédié à saint Benoît, au milieu de la confusion générale des moines épouvantés. Leur crime perpétré, les meurtriers trouvèrent le champ libre devant eux et les portes ouvertes : ils s'éloignèrent tard dans la nuit, après s'être livrés au pillage en règle des richesses du palais archiépiscopal [1]. Alors seulement que tout fut rentré dans le calme, les moines de Christchurch et les clercs de l'archevêque ensevelirent à la dérobée le corps de Thomas Becket en un sarcophage de marbre, dans la crypte de la cathédrale [2]. Auparavant cependant, ils avaient pieusement recueilli le sang précieux de celui qu'ils considéraient déjà comme le martyr de la liberté de l'Église en Angleterre, et dont le culte ne devait pas tarder à se répandre dans tout l'Occident.

§ 4. — Henri II et l'Église romaine après la mort de Thomas Becket (1170-1189).

INTERDIT SUR LES DOMAINES CONTINENTAUX ET SUR LA PERSONNE DU PLANTAGENET

La fin tragique du primat affecta grandement le roi d'Angleterre, conscient d'avoir suscité, par ses paroles imprudentes, le meurtre du 29 décembre ; la crainte des censures qu'il ne pouvait manquer d'attirer sur sa personne et sur ses États l'accablait plus encore [3]. A la nouvelle du martyre de l'archevêque de Cantorbéry, les dignitaires du royaume de France, le roi lui-même, profondément indignés, écrivirent au pape, le pressant de frapper les coupables : ils désignaient à sa vindicte le roi d'Angleterre, l'archevêque d'York et l'évêque de Londres [4]. La rumeur publique chargeait le Plantagenet de la plus lourde responsabilité.

En vertu de pouvoirs reçus du pape, au cas où la paix de Fréteval serait violée à l'égard de Thomas Becket [5], l'archevêque de Sens, légat du Siège apostolique, promulgua, le 25 janvier 1171, l'interdit sur les terres continentales de Henri II. Celui-ci, après la consternation des premiers jours, s'était efforcé d'écarter de sa personne, de ses terres et des siens, les sanctions tant redoutées ; une ambassade comprenant les évêques de Lisieux, d'Évreux et de Worcester, ainsi que quelques clercs du roi, avait été dirigée vers Sens ; n'ayant pu empêcher la promulgation de l'interdit, ils avaient interjeté appel au pape et s'acheminaient maintenant vers l'Italie afin de plaider la cause du roi et celle des prélats frappés d'excommunication et de suspense par Thomas Becket, et grandement compromis depuis lors par le meurtre du primat [6]. Ils réussirent, non sans peine tant la cour pontificale leur était devenue hostile à la suite de l'odieux attentat, à écarter la sentence d'interdit sur le royaume d'Angleterre. Cependant, le jeudi saint, Alexandre III prononça solen-

(1) *Materials*, t. VII, p. 467.
(2) *Ibid.*, t. VII, p. 468-469.
(3) *Ibid.*, t. VII, p. 440.
(4) *Ibid.*, t. VII, p. 429-433, 433-435, 428.
(5) *Ibid.*, t. VII, p. 376-377 ; JAFFE-WATTENBACH, 11.842 (Anagni, 9 octobre 1170).
(6) *Ibid.*, t. VII, p. 442-443, 444.

nellement l'excommunication générale sur les meurtriers de l'archevêque de Cantorbéry et sur tous ceux qui leur avaient prêté assistance, conseil, ou seulement donné leur assentiment ; il confirma l'interdit lancé par Guillaume de Sens sur les terres continentales du roi d'Angleterre, la suspense et l'excommunication des évêques de Londres et Salisbury, la suspense de l'archevêque d'York, promulguées par Thomas Becket ; le pape frappait enfin le roi d'Angleterre d'interdit *ab ingressu ecclesiae* ; son absolution était réservée à de nouveaux légats *a latere* habilités à juger de la sincérité de son repentir [1].

L'EXPÉDITION D'IRLANDE   Henri II chercha une diversion en même temps, semble-t-il, qu'une sorte d'action expiatoire dans l'accomplissement d'un dessein depuis longtemps projeté, approuvé autrefois par le pape Adrien IV, l'expédition d'Irlande [2]. En fait, à la date où il entreprit la conquête de l'île, le Plantagenet y trouvait à la fois des facilités de pénétration et un réel avantage politique : l'un de ses grands vassaux avait échappé à la colère et à la disgrâce royale en partant à l'aventure en Irlande, où la fortune l'avait rapidement élevé. Richard de Clare, comte de Pembroke, plus connu sous l'appellation de Strongbow, avait soutenu l'un des nombreux rois du pays, Dermot Mac Murregh ; en 1171 la mort de Dermot, dont il avait épousé la fille, faisait de Strongbow un prince puissant qui, d'un jour à l'autre, pouvait s'ériger en roi du pays. Appelé à la fois par les Irlandais en lutte contre la domination de Strongbow et par ce dernier qui désirait rentrer en grâce auprès de lui, heureux, au surplus, d'accomplir une sorte de croisade en réparation du meurtre de Thomas Becket, Henri II trouva l'occasion opportune de mettre la main sur la région presque sans coup férir. Il débarqua à Waterford en octobre 1171, passa l'hiver à Dublin, reçut l'hommage-lige des rois du sud, mit garnison le long de la côte orientale, nomma Strongbow comte de Leinster, Hugues de Lacy comte du Meath et gouverneur de Dublin, convoqua enfin le concile de Cashel [3].

LE CONCILE DE CASHEL (1172)   Lors de l'assemblée solennelle réunie à Cashel en 1172 qui groupa, comme en Angleterre, un nombre important de dignitaires tant laïques qu'ecclésiastiques, Henri II se fit reconnaître pour roi suprême par les rois du sud et par une partie des évêques irlandais : les uns et les autres lui prêtèrent serment de fidélité [4]. Il ne négligea pas, pour autant, les intérêts de l'Église : le concile de Cashel fut une nouvelle tentative pour soumettre l'Irlande aux usages latins et à la discipline romaine, et s'efforça de poursuivre, par le renouvellement des prescriptions canoniques concernant le mariage chrétien et le baptême des enfants, l'œuvre réformatrice de saint Malachie [5].

(1) *Materials*, t. VII, p. 473-474, 477, 484.
(2) Cf. *supra*, p. 34.
(3) GERVAIS DE CANTORBÉRY, *Chronique*, t. I, p. 234-235 ; HOVEDEN, *Chronique*, t. II, p. 29-30 ; *Gesta Regis*, t. I, p. 28.
(4) GERVAIS DE CANTORBÉRY, *Chronique*, t. I, p. 235 ; HOVEDEN, *Chronique*, t. I, p. 30.
(5) MANSI, t. XXII, p. 132-135 ; *Gesta Regis*, t. I, p. 28.

*CONFIRMATION PONTIFICALE
ET RÉFORME ECCLÉSIASTIQUE
EN IRLANDE*

Après le concile de Cashel, Henri II envoya au pape une ambassade chargée de lui porter des lettres du légat en Irlande, Christian de Lismore, et des évêques, de l'informer aussi de la situation du pays. Il est probable qu'il demanda alors confirmation du privilège d'Adrien IV [1]. Toujours est-il qu'Alexandre III adressa en retour aux évêques, aux rois d'Irlande, et à Henri II lui-même, des bulles rappelant les vices des populations et confirmant au Plantagenet le pouvoir de réformer la discipline selon les règles en usage dans l'Église d'Angleterre, ainsi que le droit de gouverner le pays en accord avec les rois et les évêques [2]. Les bulles d'Alexandre III sont du 20 septembre 1172 ; elles manifestent la bienveillance du pape à l'égard de Henri II qui, à cette date, avait accepté les conditions posées à son absolution par les légats délégués à cet effet. La confirmation pontificale fut envoyée en Irlande sur l'ordre de Henri II alors de retour sur le continent, par Guillaume Fitz-Audelin, probablement au début de 1173 ; elle fut solennellement proclamée au synode de Waterford (1173) qu'il avait mission de réunir [3]. Plus tard, en 1177, 1185 et 1187, Henri II obtint encore d'Alexandre III et de ses successeurs sur le siège de Pierre le droit de concéder le royaume et la couronne d'Irlande à l'un de ses fils ; il se contenta cependant de constituer Jean, le dernier, surnommé sans Terre, seigneur de l'Irlande [4].

Quant à la réforme morale et disciplinaire, elle fut poursuivie avec le concours de l'épiscopat : sur ce point, le roi d'Angleterre sut gagner la confiance de certains évêques irlandais, notamment de Christian de Lismore et de Laurent O'Toole, archevêque de Dublin ; tout en demeurant, par ses origines celtiques, très fortement attaché au parti irlandais, hostile au nouveau conquérant, celui-ci put obtenir quelques mesures de clémence en faveur de ses compatriotes : il devait entretenir de bonnes relations avec le Plantagenet et mourir à Eu, en Normandie, alors qu'il tentait encore de plaider auprès de lui la cause irlandaise [5]. La mort des évêques celtiques allait, d'ailleurs, favoriser la promotion, sous l'influence, du roi, d'évêques anglo-normands, acquis à la discipline romaine il est vrai, mais aussi fortement inféodés à la royauté angevine que ceux du royaume, gratifiés, comme ces derniers, de vastes domaines par la libéralité de Henri II, tel ce Jean Cumin, serviteur dévoué du roi, qui,

(1) *Gesta Regis*, t. I, p. 28 ; le pape aurait confirmé à Henri II et à ses héritiers le royaume d'Irlande et les en aurait fait rois à perpétuité. D'après GIRAUD LE CAMBRIEN, *Expugnatio Hibernica*, t. V, p. 315, Alexandre III aurait ratifié la donation d'Adrien IV. Un fait paraît certain, c'est la confirmation du royaume d'Irlande au Plantagenet par Alexandre III, qu'elle soit ou non le renouvellement du privilège de son prédécesseur.
(2) Ces bulles datées de Tusculum, 20 septembre 1172 (JAFFE-WATTENBACH, 12.162, 12.163, 12.164), ont été enregistrées au Livre Noir de l'Échiquier. Elles confirment à la fois les termes de GIRAUD et ceux des *Gesta*, à savoir la concession au roi d'un double pouvoir : domination politique et réforme ecclésiastique, cf. J. H. ROUND, *The Commune of London* ; Essay VIII, *The Pope and the conquest of Ireland*.
(3) J. H. ROUND, op. cit., p. 182-190.
(4) *Gesta Regis*, t. I, p. 161, 339 ; t. II, p. 3-4.
(5) *Ibid.*, t. I, p. 270.

en 1181, fut appelé à succéder à saint Laurent O'Toole sur le siège de Dublin [1].

LA RÉCONCILIATION DE HENRI II   Déjà les évêques frappés par Thomas Becket avaient été absous. Le premier, Roger d'York fut restauré après avoir accompli la purge canonique de l'infamie qui pesait sur lui depuis le meurtre du primat, par devant l'archevêque de Rouen et les délégués de l'évêque d'Amiens, peu après le 13 décembre 1171 [2]. Le cas de Londres et de Salisbury était plus grave. Gilbert Foliot fut absous de l'excommunication à Gisors dès le début d'août 1171, mais restauré seulement dans le courant de l'année suivante après une formalité analogue [3]. Quant à Jocelin de Salisbury, Alexandre III finit par le dispenser, en raison de son âge et de ses infirmités, d'un voyage *ad limina*, à condition pourtant que quelques dignitaires ecclésiastiques de son diocèse répondissent en sa présence des accusations portées contre leur évêque [4]. Henri II, lui, avait mérité des mesures de clémence par le serment de ses ambassadeurs à la Curie qu'il obéirait aux ordres du pape [5] et par l'expédition d'Irlande qu'il eut l'adresse de présenter comme une sorte de croisade. De nouveaux légats furent dirigés vers ses possessions : c'étaient les cardinaux Albert de Saint-Laurent-in-Lucina et Theodwin de Saint-Vital, hommes énergiques et habiles qui devaient avoir raison des procédés dilatoires du Plantagenet et assurer une paix durable à l'Église d'Angleterre. Ayant réglé les affaires d'Irlande au synode de Cashel, traversé l'Angleterre en avril, le roi vint à la rencontre des légats en Normandie : les termes de réconciliation étaient arrêtés dès le mois de mai 1172, et, le 21, Henri II put faire sa soumission conditionnelle en séance publique, tandis que son fils aîné, mandé à cet effet, confirmait les promesses paternelles [6]. Le roi fit d'abord, comme les évêques incriminés, la purge canonique d'innocence, en jurant qu'il n'avait ni ordonné, ni voulu le meurtre de l'archevêque de Cantorbéry. Il promit ensuite :

1° d'entretenir pendant un an, à dater de la prochaine fête de Pentecôte, deux cents soldats pour la défense de la Terre Sainte ;

2° de prendre la croix trois ans après la prochaine fête de la Nativité du Seigneur et de partir en personne l'été suivant, à moins qu'il ne se mette à la disposition du pape. Si toutefois il allait combattre les Sarrasins en Espagne, son départ pour Jérusalem serait retardé de la durée même de cette expédition ;

3° de laisser libres les appels à Rome pour causes ecclésiastiques ; toutefois, s'il tenait quelques personnes pour suspectes, il pourrait en exiger l'assurance qu'elles ne chercheraient à nuire ni à sa personne ni à son royaume ;

(1) Curtis, *A History of Ireland*, p. 63 ; W. A. Philipps, *History of the Church of Ireland*, p. 65 et suiv.
(2) *Materials*, t. VII, p. 498-501, 502, 505-506.
(3) *Ibid.*, t. VII, p. 506-508 ; Jaffe-Wattenbach, 12.143 (Tusculum, 27 février 1172) ; *Ymagines Historiarum*, t. I, p. 347.
(4) *Materials*, t. VII, p. 509-510 ; la date, Bénévent, 30 mars 1172, paraît contestable.
(5) *Ibid.*, t. VII, p. 474, 477.
(6) *Ibid.*, t. VII, p. 513-516.

4⁰ d'abroger les coutumes hostiles à l'Église établies sous son règne ;

5⁰ de restituer à l'Église de Cantorbéry toutes ses possessions, dans l'état où elle les détenait un an avant l'exil de Thomas Becket ;

6⁰ de rendre sa paix, sa grâce et leurs biens aux clercs et aux laïques dépossédés et bannis pour la cause de l'archevêque.

Ces clauses furent enjointes au roi en rémission de ses péchés. Il prêta serment de les exécuter et son fils aîné prit l'engagement de les tenir au lieu et place de son père si celui-ci en était empêché ou venait à mourir. L'un et l'autre jurèrent, en outre, de ne jamais se soustraire à l'obédience du pape Alexandre ou de ses successeurs catholiques, tant que ceux-ci les tiendraient pour rois chrétiens et catholiques. A ces clauses solennellement promulguées, s'ajoutaient quelques pénitences secrètes imposées au roi. Henri II, conduit par les légats devant la porte de l'église, s'agenouilla et reçut l'absolution ; il fut ensuite introduit dans l'église, A quelques jours de là, il dut paraître en public au milieu d'une grande assemblée d'évêques et de laïques, afin de bien signifier à tous qu'il était réellement absous [1].

Ce n'était pourtant là qu'une absolution conditionnelle, subordonnée à un commencement d'exécution des clauses arrêtées entre le roi et les légats, subordonnée aussi à l'acceptation du pape qui s'était réservé la décision finale. Une bulle du 2 septembre 1172 confirme, en effet, les termes mêmes dè l'accord du 21 mai, en y ajoutant toutefois l'obligation de relever les ecclésiastiques du serment exigé d'eux d'observer les coutumes du royaume [2]. La réconciliation définitive de Henri II avec l'Église eut lieu à Avranches, le 27 septembre, en la fête des saints Côme et Damien : le Plantagenet fit satisfaction à Dieu et au souverain pontife et prouva son innocence devant les cardinaux légats, l'archevêque de Rouen et de nombreux évêques, en l'église Saint-André [3]. L'accord du 27 septembre 1172 présente une très grande importance, non qu'il faille attacher une attention exagérée à la formalité de l'acte de réconciliation, ou même à la lettre des engagements du roi. Avec une nature de la trempe de celle de Henri II, les actes seuls, non les promesses, apportent une garantie réelle. Toutefois, la charte même de Clarendon était désavouée et l'obligation où les évêques se trouvaient d'y souscrire, désormais effacée ; les appels à Rome pouvaient jouir d'une liberté suffisante ; le roi et les évêques avaient dû prêter serment de se tenir à la disposition du pape et cesser de transiger avec ses injonctions. C'est dire que le but essentiel de la résistance du primat était atteint. Il avait vaincu par l'effusion de son sang. De plus, toute menace de schisme paraissait écartée et l'action même des légats allait assurer la liberté canonique des élections épiscopales.

(1) *Materials*, t. VII, p. 514-516 ; *Ibid.*, *De reconciliatione Regis*, p. 516-518.

(2) C. Johnson, *The Reconciliation of Henry II with the papacy : A missing document* (E. H. R., 1937, t. LII, p. 465-467).

(3) *Gesta Regis*, t. I, p. 31-33 ; Hoveden, *Chronique*, t. II, p. 35-36 ; Gervais de Cantorbéry, *Chronique*, t. I, p. 238-239.

LES ÉLECTIONS ÉPISCOPALES
DE 1173

Le long conflit entre le roi et le primat, la fin tragique de ce dernier, l'interdit qui pesa sur le roi et une partie de ses domaines avaient empêché toute élection épiscopale depuis 1164. En septembre 1172, avant même la réconciliation définitive de Henri II, les cardinaux Albert et Theodwin s'étaient employés à mettre fin aux trop longues vacances des églises du royaume [1]. En raison des difficultés d'élection au siège primatial, succession redoutable récusée par plus d'un, les évêchés vacants ne purent être pourvus avant la fin avril 1173. Si les élections furent régulières et conformes aux canons, le nouvel épiscopat fut constitué en grande partie par des clercs dévoués aux intérêts du roi, qui, durant le conflit, avaient exercé leur influence à la cour pontificale en sa faveur ; ils paraissaient maintenant aptes à maintenir la paix enfin rétablie et, par leurs entrées mêmes à la cour, à garantir efficacement les droits de leurs sièges respectifs contre les empiétements des officiers royaux. Il faut ajouter à leur actif d'avoir su rallier les suffrages des meilleurs amis de Thomas Becket [2]. Ainsi furent promus : Jean de Greneford, doyen de Chichester, à la même église ; Robert Foliot, archidiacre d'Oxford et neveu de l'évêque de Londres, au siège de Hereford ; Richard d'Ilchester, archidiacre de Poitiers, à Winchester ; Geoffroi Ridel, archidiacre de Cantorbéry, à l'église d'Ely ; Reginald Fitz-Jocelin, archidiacre de Salisbury et fils du vieil évêque Jocelin, à celle de Bath ; enfin, Geoffroy Plantagenet, fils naturel de Henri II, était élu évêque de Lincoln. Ces évêques, suffragants de Cantorbéry, durent attendre, pour être consacrés, l'élection de leur métropolitain. Après de longues tractations entre le chapitre régulier et les évêques de la province, Richard, prieur de Douvres, fut promu au siège primatial, le 3 juin 1173 [3]. Un incident inattendu allait retarder encore le sacre des nouveaux élus et susciter une nouvelle intervention pontificale.

RÉVOLTE DE HENRI LE JEUNE.
SON APPEL A ROME

A cette date, un vaste soulèvement féodal paraissait devoir ébranler les fondements de l'empire angevin : seigneurs indisciplinés et turbulents d'Aquitaine soutenus par la reine Aliénor qui gouvernait le pays au nom de son fils Richard, vassaux normands incités à la révolte par la suspicion où Henri II tenait son fils aîné, Bretons rebelles dont l'esprit d'indépendance était encore attisé par l'impatience de Geoffroy tenu à l'écart du pouvoir, et jusqu'aux comtes de Leicester et de Norfolk, à l'évêque de Durham et au roi d'Écosse, Guillaume le Lion, tous semblaient vouloir secouer le joug que le Plantagenet faisait lourdement peser sur eux. Henri le Jeune et ses frères, forts de l'appui des comtes de Flandre et de Boulogne et de l'alliance de Louis VII, à la cour duquel ils s'étaient réfugiés, crurent trouver dans les

---

(1) Lettre circulaire des légats aux chapitres des églises vacantes, d'après RALPH DE DICETO, *Ymagines Historiarum*, t. I, p. 366-367 ; *Materials*, t. VII, p. 553.
(2) JEAN DE SALISBURY, édit. GILES, t. II, p. 276, 277, 278 ; *P. L.*, CXCIX, 370-371.
(3) *Gesta Regis*, t. I, p. 69, 74, 80, 81 ; *Ymagines Historiarum*, t. I, p. 368-369 ; GERVAIS DE CANTORBÉRY, *Chronique*, t. I, p. 239-244.

récentes élections épiscopales un prétexte pour ruiner la réconciliation d'Avranches, et, mettant le pape dans leur jeu, renverser plus aisément leur père afin de régner à sa place. Au nom de la liberté ecclésiastique, le jeune roi fit donc appel au Siège apostolique de la promotion des serviteurs de Henri II : par cet appel, il fit opposition au sacre de Richard de Cantorbéry ; on ne voulut point passer outre et la cérémonie dut être différée jusqu'à ce que le pape ait pu connaître de la cause et en décider [1]. Après examen de la forme des élections, Alexandre III devait confirmer les nouveaux élus, sacrer Richard de Cantorbéry à Anagni, le 7 avril 1174, lui remettre le pallium, confirmer la primatie de son église et l'investir de la légation dans sa province. A son retour, le primat allait procéder au sacre de ses suffragants [2].

Ainsi, le recours à Rome, loin d'ébranler la puissance du Plantagenet, contribuait à rétablir son prestige ; les derniers mois de l'année 1174 allaient en outre lui permettre de vaincre ses ennemis, de pardonner à ses fils, et de réduire à sa merci le roi d'Écosse.

LE TRIOMPHE DE L'ÉGLISE DE CANTORBÉRY   Au moment où elle recevait un nouveau pasteur, l'église de Cantorbéry, longtemps opprimée par la persécution royale, profanée par le meurtre du primat et interdite au culte, connaissait un triomphe sans partage. De toutes parts, des pèlerins accouraient au tombeau de l'archevêque dans la crypte ; les miracles se multipliaient soit sur sa tombe, soit au contact des ampoules où ses disciples avaient précieusement recueilli son sang versé pour la liberté de l'Église [3]. En 1173 enfin, la cathédrale fut solennellement réconciliée et rendue au culte sur ordre d'Alexandre III [4]. La même année, au début du carême, ayant reçu les témoignages et les sollicitations des légats et de l'épiscopat britannique, examiné les miracles qui lui avaient été relatés, le pape, convaincu que Thomas Becket avait lutté jusqu'à la mort pour la justice de Dieu et l'indépendance de l'Église et s'était, par l'effusion de son sang, ouvert le ciel, l'avait, du commun conseil de ses frères, solennellement inscrit au catalogue des saints dans le collège glorieux des martyrs [5]. Le 10 mars, il en informait les légats Albert et Theodwin, demeurés sur les terres du Plantagenet pour veiller à l'exécution des clauses de la paix d'Avranches, en leur adressant des bulles destinées au roi, aux moines de Christchurch et à l'Église anglaise tout entière [6]. Il ordonnait de célébrer la fête du nouveau martyr le 29 décembre, jour de sa passion. Le culte public

(1) *Ymagines Historiarum*, t. I, p. 388 ; GERVAIS DE CANTORBÉRY, *Actus Pontificum*, t. II, p. 397 ; *Chronique*, t. I, p. 245. Le texte du manifeste de Henri le Jeune au pape est publié dans *Recueil des Historiens des Gaules et de la France*, t. XVI, p. 643-648.
(2) *Gesta Regis*, t. I, p. 69-70 ; *Ymagines Historiarum*, t. I, p. 395 ; GERVAIS DE CANTORBÉRY, *Actus Pontificum*, t. II, p. 397 ; *Chronique*, t. I, p. 247, 251.
(3) Cf. les recueils de *Miracula sancti Thomae*, dans *Materials*, t. I et t. III ; GUERNES DE PONT-SAINTE-MAXENCE, vers 5885 et suiv.
(4) *Materials*, t. VII, p. 551, 552 ; GERVAIS DE CANTORBÉRY, *Chronique*, I, p. 236 ; la cathédrale resta fermée une année presque entière, du 29 décembre 1170 au 21 décembre 1171, date de sa réconciliation par les évêques d'Exeter et de Coventry, *Ibid.*, p. 229.
(5) *Materials*, t. VII, p. 549-550.
(6) *Ibid.*, t. VII, p. 544-545, 545-546, 547-548 ; JAFFE-WATTENBACH, 12.199, 12.201 et 12.203 (Segni, 12 mars 1173).

de Thomas de Cantorbéry se répandit rapidement en France, en Italie et dans toute la Chrétienté ; on en trouve encore d'antiques témoignages dans maintes représentations, soit du pontife, soit de la scène même du martyre : statues, vitraux, mosaïques, enluminures en manifestent la popularité.

L'incendie même qui, en 1174, dévora le chœur de la cathédrale de Cantorbéry allait contribuer à la gloire de l'église primatiale et du saint qui l'avait arrosée de son sang : il put sembler aux contemporains que les flammes achevèrent de purifier le lieu du sacrilège ; l'incendie permit surtout d'élever un mémorial somptueux au martyr : Guillaume de Sens, le maître d'œuvre auquel Hugues de Toucy avait confié la construction de la cathédrale de Sens, achevée durant le séjour de Thomas Becket dans cette ville, fut appelé à reconstruire le chœur de celle de Cantorbéry ; il en éleva les arcades et la voûte ; après sa chute d'un échafaudage et son retour en France, il fut donné à un moine de Cantorbéry, Guillaume l'Anglais, d'élever la chapelle qui, désormais et jusqu'à la Réforme, allait abriter la châsse où fut déposé, après sa translation en 1220, le corps du glorieux martyr [1].

Le triomphe de l'église de Cantorbéry fut complet lorsque Henri II y parut en pénitent pour faire amende honorable à l'archevêque dont il avait, involontairement sans doute, provoqué la mort et auquel, par sa persécution, il avait valu la palme du martyre. Le 12 juillet, il entra dans la crypte, les épaules nues pour recevoir les coups de verges des évêques et des moines, et s'agenouilla enfin sur la tombe de Thomas Becket pour implorer son pardon. Le roi ne devait pas tarder à connaître que l'archevêque lui accordait sa protection aussi bien que son pardon : il apprit bientôt en effet la victoire de ses armes sur les Écossais qui ravageaient le Northumberland, et la prise du roi d'Écosse, Guillaume le Lion, survenues le lendemain du jour où il accomplissait sa pénitence publique au tombeau du martyr (siège du château d'Alnwick, 13 juillet 1174) [2]. Quelque temps après, le Plantagenet achevait de rallier tous ses ennemis : ses fils rebelles se rendaient à sa merci (30 septembre 117) et ne tardaient pas à lui restituer leur fidélité.

DÉVELOPPEMENTS ULTÉRIEURS DU CONCORDAT D'AVRANCHES [3] *(1176-1180)*

La réconciliation de Henri II avait laissé en suspens plus d'une question litigieuse, et, pour si grande que fût la diligence des légats Albert et Theodwin qui assurèrent des élections épiscopales saines, ils n'avaient pu franchir la zone des problèmes réservés, les questions de juridiction, sur lesquelles le roi et ses légistes se montraient irréductibles. On semblait arrivé à une

____

(1) 7 juillet 1220, GERVAIS DE CANTORBÉRY, *Continuation*, t. II, p. 112 ; lettres d'Honorius III, *Materials*, t. VII, p. 582, 584. Pour l'incendie et la reconstruction de la cathédrale, cf. GERVAIS DE CANTORBÉRY, *Chronique*, t. I, p. 24. — Le chœur de la cathédrale de Cantorbéry rappelle celui de Sens.

(2) *Ibid.*, t. I, p. 248-249 ; *Gesta Regis*, p. 66.

(3) Pour de plus amples détails sur la question, se référer à notre ouvrage : *L'Église et la Royauté en Angleterre*, p. 417-443.

impasse : d'une part, Alexandre III, au plus fort de l'activité législative du pontificat, réaffirmait les principes canoniques, de l'autre, Henri II parachevait les réformes judiciaires inaugurées en 1164, par la promulgation de l'assise de Northampton (1176) et l'organisation des circuits de justiciers itinérants assurant à tous le bénéfice de la justice royale. Cependant, l'effort conjugué d'un pape canoniste et d'un roi législateur — contraint d'ailleurs par les événements de 1173-1174 à se concilier la papauté et à ménager certaines susceptibilités chez les factieux de la veille — allait permettre d'aboutir à des solutions juridiques procédant de l'esprit concordataire qui imprégnait déjà l'acte d'Avranches.

La médiation du cardinal de Saint-Ange, Hugues de Pierleone, légat pontifical autorisé par le roi à pénétrer en Angleterre où il séjourna de la fin octobre 1175 à la fin juin 1176 [1], facilita la négociation d'un premier compromis, aux termes duquel [2] Henri II s'engageait :

1° à ne pas prolonger au delà d'une année — sauf cas d'empêchement légitime — la vacance des églises ;

2° à mettre fin à l'impunité dont avaient joui jusque là les auteurs d'attentats contre les membres du clergé [3] (ainsi, les meurtriers de Thomas Becket n'avaient pas été inquiétés par la justice royale) [4] ; désormais, outre l'excommunication dont ils étaient frappés, de tels criminels seraient passibles de la peine de mort, à l'instar de ceux qui auraient assassiné un chrétien ou un juif ;

3° à abandonner les clercs criminels au for ecclésiastique, sauf s'ils s'étaient rendus coupables de délits à l'encontre du privilège de la forêt royale ;

4° à ne traduire ou laisser traduire les clercs par devant les tribunaux séculiers en matière civile que pour répondre, soit à lui-même, soit à tout autre seigneur, d'un service laïque concernant un fief laïque.

C'était, de la part du roi — et en dépit de ses exigences fort impopulaires concernant la forêt — une renonciation formelle à certaines des prétentions élevées à Clarendon, notamment à l'article III des fameuses constitutions. Par la décrétale *Al si clerici* (1177) [5], Alexandre III condamna l'extension aux clercs, par cet article, d'une procédure qui les soumettait, à l'instar des laïques, au grand jury ou jury d'accusation. En revanche, des conflits de compétence éclataient entre cours ecclésiastiques et cours séculières en matière de patronage des églises [6], ce droit paraissant lié à la possession du sol, dont il était issu. Bientôt cependant, la mise en œuvre de procédures plus savantes et l'évolution même des

(1) *Gesta Regis*, t. I, p. 104, 117.
(2) *Ymagines Historiarum*, t. I, p. 410.
(3) Une lettre de Richard de Douvres (*Materials*, t. VII, p. 561-564), remontant probablement au début de l'année 1176, et consécutive à de nouveaux attentats, prépara la voie à cette mesure en explicitant les motifs qui la rendaient nécessaire.
(4) Ils s'étaient réfugiés à Knaresborough (Yorkshire), et Henri II s'était contenté de les autoriser à gagner la Curie romaine pour solliciter la levée de l'excommunication majeure qu'ils avaient encourue. Le pape leur avait imposé pour pénitence de servir dans la milice du Temple.
(5) X, II, I, 4. Adressée à Romuald archevêque de Salerne, mais rapidement connue en Angleterre en raison des liens étroits qui unissaient alors la cour d'Angleterre et la cour des Deux Siciles.
(6) Voir notamment une bulle où Alexandre III se plaint des empiétements du for séculier (X, III, XXVIII, 21 ; JAFFE-WATTENBACH, 13.744) ; postérieure à l'accord de 1176, elle est antérieure au 1er octobre 1178.

conceptions canoniques allaient faciliter un partage de compétence satisfaisant pour les deux parties.

Dès 1178, Alexandre III abandonnait au roi la connaissance des causes relatives à la nature des tenures où des clercs se trouveraient impliqués [1], ce qui permit aux justiciers de Henri II d'établir sur des bases définitives l'assise *Utrum* (en vue de la détermination de fief lai ou d'aumône), qui avait été promulguée dès 1164. D'autre part, s'il affirmait le caractère éminemment spirituel du droit de patronage [2], le pape réussissait par sa jurisprudence à créer un droit incorporel de présentation [3], issu du *dominium*, mais subordonné au consentement de l'évêque par l'indispensable collation ou institution canonique ; scindant alors un procès naguère unique, les légistes du Plantagenet réservèrent aux cours royales, par l'assise de *dernière présentation* (1179-1180), le procès possessoire concernant la saisine du droit, et abandonnèrent aux cours ecclésiastiques le pétitoire — c'est-à-dire le procès sur le patronage des églises — chaque fois, du moins, que la sentence prononcée au possessoire ne préjugeait pas du fond de la question, rendant inutile un second procès. C'est cette nouvelle procédure qui, vers la fin du règne, fut codifiée par Ranulf de Glanville, justicier royal, dans son traité justement célèbre, *De legibus et consuetudinibus regni Angliae* [4].

Les négociations entre la cour d'Angleterre et la Curie romaine, poursuivies après 1173, avaient donc abouti à un ensemble de transactions utiles à la bonne entente des deux pouvoirs. Avec les dispositions arrêtées en 1172 à Avranches, elles constituent, par leur esprit autant que par leur objet, un véritable concordat.

LES AFFAIRES D'ÉCOSSE — Depuis le premier quart du XIIᵉ siècle, les pontifes romains s'étaient efforcés de soumettre les évêques écossais à la juridiction de l'archevêque d'York. En 1155, Adrien IV leur avait encore renouvelé l'ordre de le reconnaître pour métropolitain [5]. Alexandre III avait enfin, dix ans plus tard environ, renforcé la position de l'archevêque d'York au regard des diocèses écossais en conférant à Roger de Pont-l'Évêque la légation d'Écosse [6]. En fait, deux églises surtout menaient une opposition acharnée à la suprématie d'York : celle de Glasgow, dont l'évêque Ingelram avait obtenu d'être consacré par le pape lors du séjour d'Alexandre III à Sens (28 octobre 1164) [7], et celle de Saint-Andrews, qui prétendait au titre de métropole et dont l'évêque Richard s'était fait consacrer par les évêques

---

(1) JAFFE-WATTENBACH, 13.106 ; *Ymagines Historiarum*, t. I, p. 427-428. Du 1ᵉʳ octobre 1178. En Italie au contraire, le pape maintenait la compétence exclusive du for ecclésiastique pour la détermination de la nature des biens ressortissant aux clercs (JAFFE-WATTENBACH, 13.970).

(2) *Décrétales*, X, II, I, 3 ; JAFFE-WATTENBACH, 13.277.

(3) *Ibid.*, X, III, XXXVIII, c. 11, 20, 12, 8 et 24 ; JAFFE-WATTENBACH, 13.893, 13.882, 13.896, 11.154, 14.031.

(4) Voir le fonctionnement de l'assise de dernière présentation tel que le décrit Glanville, L. IV, c. 1, 7, 10, 12 et 13. ED. WOODBINE, p. 75 et suiv.

(5) JAFFE-WATTENBACH, 10.000 (27 février 1155) ; cf. *supra*, p. 36.

(6) Cf. *supra*, p. 106.

(7) DOWDEN, *The Bishops of Scotland*, p. 297-298.

d'Écosse comme par ses suffragants (1165) [1]. La subordination ecclésiastique de l'Écosse à la métropole d'York se trouva pourtant renforcée
par les contingences politiques : le roi, prisonnier de Henri II depuis la
bataille d'Alnwick (13 juillet 1174), dut, bon gré mal gré, signer le traité
de Falaise et accepter de devenir l'homme-lige du roi d'Angleterre ;
les évêques écossais eux-mêmes durent s'engager à reconnaître la sujétion
due à l'Église anglaise par l'Église écossaise, telle qu'elle existait au temps
de leurs prédécesseurs [2]. Si le traité de Falaise fut solennellement ratifié
le 10 août 1175, en l'église Saint-Pierre d'York, les évêques refusèrent
de faire leur soumission au métropolitain d'York lors du concile pan-
britannique de Northampton (1176), présidé par le légat du pape, Hugues
de Pierleone, sous prétexte que rien de pareil n'avait été exigé de
leurs prédécesseurs [3]. De retour dans leurs diocèses, ils firent appel au
pape, le priant de les prendre sous sa protection. Alexandre III suspendit
l'exercice du droit métropolitain d'York sur les évêques écossais jusqu'à ce
qu'il ait pu procéder lui-même à l'examen de la question [4]. Déjà, l'évêque
de Glasgow avait réussi, par privilèges pontificaux, à obtenir l'exemption à perpétuité de toute juridiction métropolitaine [5]. Malgré l'envoi
de plusieurs légations *a latere*, notamment en 1177 et 1178, la reprise
de la lutte entre Guillaume le Lion et Henri II, non moins que les graves
difficultés suscitées par la double élection de 1178 au siège de Saint-
Andrews, allaient retarder de dix ans la solution de la question d'Écosse.
En 1178, en effet, les chanoines réguliers de l'église de Saint-Andrews
élurent pour pasteur Jean l'Écossais, tandis que le roi nommait au même
siège son chapelain Hugues ; une longue querelle s'en suivit entre la
papauté et le roi d'Écosse. Celui-ci fut excommunié par Roger d'York
et Hugues de Durham, à la demande d'Alexandre III, et son royaume
mis en interdit. Le transfert de Jean à Dunkeld (1183), puis l'excommunication (1186) et la déposition d'Hugues (1188) ne mirent pas fin à la
lutte ; seules la mort de l'ancien chapelain royal, atteint de la malaria,
à Rome où il était venu plaider sa cause (1188), et la confirmation pontificale au chancelier du roi, Roger de Beaumont, nommé par Guillaume
le Lion au siège de Saint-Andrews, devaient ramener la paix dans l'Église
d'Écosse (1189) [6]. A cette date, où le Plantagenet vint à disparaître,
la question de la subordination des diocèses écossais à la métropole
d'York demeurait toujours pendante.

SAINT HUGUES D'AVALON [7]   Dans ses dernières années, Henri II manifesta un plus grand respect de l'Église
romaine et des libertés ecclésiastiques. Il y fut certes astreint par les
circonstances, les conditions mêmes de sa réconciliation en 1172 et la

   (1) Dowden, *op. cit.*, p. 7-8.
   (2) *Gesta Regis*, t. I, p. 94-95.
   (3) *Ibid.*, t. I, p. 111-112.
   (4) Jaffe-Wattenbach, 12.729 (Anagni, 30 juillet 1176).
   (5) *Ibid.*, 12.468 (30 avril 1175), 13.390 (19 avril 1179).
   (6) *Gesta Regis*, t. I, p. 250, 263-266, 281-283, 290, 292-294 ; t. II, p. 41-65 ; W. Stubbs, *Councils and ecclesiastical documents*, t. II, p. 251-272 ; Dowden, *The Bishops of Scotland*.
   (7) Avalon, Isère; comm. de Saint-Maximin, arr. de Grenoble, cant. de Goncelin.

révolte de ses fils en 1173-1174 ; bientôt, cependant, de nouveaux malheurs s'abattirent sur le vieux roi, le frappant dans ses enfants : la mort de Henri le Jeune, associé à la couronne depuis 1170, survenue en 1183, et celle de Geoffroy, comte de Bretagne, en 1186.

De tels événements le rendirent plus accessible à certaines influences favorables aux libertés ecclésiastiques. A coup sûr, celle qui s'exerça le plus aisément et le plus efficacement auprès du Plantagenet fut l'influence d'Hugues d'Avalon. Parmi les œuvres pies fondées par le roi en réparation du meurtre de l'archevêque de Cantorbéry, se trouvait l'érection de la première Chartreuse en Angleterre, non loin de la bourgade royale de Witham, au diocèse de Bath and Wells. Les premiers prieurs s'étaient vite découragés de ne pouvoir, dans les abris provisoires établis à proximité du village, instituer dans toute sa rigueur la vie solitaire des Chartreux ; la fondation périclitait, elle paraissait vouée à disparaître à bref délai. C'est alors que Henri II chargea l'élu de Bath, Reginald Fitz-Jocelin, qui accompagnait Richard de Cantorbéry dans son voyage *ad limina*, de solliciter du prieur de la Grande Chartreuse l'envoi d'un moine capable de régir dignement la pauvre Chartreuse de Witham. Hugues d'Avalon fut désigné à l'attention du roi par un noble de Maurienne [1].

C'était un homme de caractère droit et de vie exemplaire ; il obtint du roi qu'il cédât aux villageois un lieu propice pour s'établir. Ayant ainsi procuré une solitude près de Witham, Hugues d'Avalon y fit observer la règle de saint Bruno et entreprit la construction des bâtiments [2]. Par la sainteté de sa vie, le prieur de Witham ne tarda pas à prendre un réel ascendant sur le roi. Nul n'était plus volontiers écouté et consulté : il savait détourner les accès de colère du Plantagenet, obtenir de lui des dons pour les églises et les monastères, le conseiller discrètement en matière d'élections épiscopales et abbatiales, écarter le choix royal des hommes indignes ou seulement trop attachés aux affaires séculières ; il sut même, dans certains cas, amener le roi à respecter les règles canoniques et la liberté d'élection [3].

En 1186, après la résignation de Geoffroy Plantagenet (1181) et le court passage de Walter de Coutances (élu en 1183 et transféré à Rouen en 1184), Henri II voulut élever Hugues de Witham au siège de Lincoln. Le roi avait donné congé d'élire et accordé la liberté d'élection au chapitre. Celui-ci présenta trois candidats habilement choisis parmi les clercs royaux, chanoines de l'église de Lincoln. Henri II protesta qu'il ne donnerait jamais un évêché par faveur, et leur enjoignit d'élire le prieur de la Chartreuse de Witham. Bien que peu disposés à le choisir pour pasteur, le chapitre céda devant l'insistance royale ; il se heurta alors à l'opposition de l'élu qui, repoussant une élection si manifestement dirigée par la volonté royale, incita les délégués du chapitre à retourner dans leur église pour y procéder avec leurs collègues à la nomination canonique d'un pasteur, non pas selon la volonté d'un homme, fût-il roi ou évêque,

(1) *Magna Vita sancti Hugonis*, II, 1, p. 52-55 ; II, 3, p. 60 ; II, 4, p. 66.
(2) *Ibid.*, II, 5 et 6, p. 67-73.
(3) *Ibid.*, II, 7, p. 75-79.

mais sous l'inspiration de l'Esprit Saint. C'est ainsi qu'Hugues d'Avalon
fut élu évêque de Lincoln : il accepta alors de prendre le gouvernement
de ce vaste diocèse dès que le prieur de la Grande Chartreuse l'eût relevé
de la direction de la Chartreuse de Witham [1]. Dans ses nouvelles fonctions, Hugues de Lincoln devait trouver plus d'autorité encore auprès de
Henri II.

REPRISE DU PROJET DE CROISADE.
LA FIN DU PLANTAGENET
(6 JUILLET 1189)

A la fin de sa vie, Henri Plantagenet
reprit, de concert avec le jeune roi
de France, Philippe Auguste, des projets de croisade que la prise de Saint-
Jean-d'Acre par les armées de Saladin et le siège de cette ville, entrepris
par les chrétiens, rendaient particulièrement opportuns. Dès 1188, le
roi d'Angleterre avait institué, dans toute l'étendue de ses domaines un
impôt spécial pour subvenir aux nécessités des armées d'Orient : la dîme
saladine (*the Saladin tithe*) dont la perception était confiée à des religieux [2].
Mais la lutte acharnée que son jeune suzerain lui imposait depuis que,
d'accord avec Richard Cœur de Lion, de nouveau rebelle à son père, et avec
Jean sans Terre lui-même, il avait mis la main sur le Maine et la Touraine,
suffisait à user les dernières forces du Plantagenet. Épuisé plus encore
que vaincu, Henri II signa enfin la capitulation d'Azay (4 juillet 1189),
par laquelle il consentait à faire hommage au roi de France pour tous ses
fiefs continentaux, lui cédait Graçay, Issoudun et la suzeraineté du comté
d'Auvergne. Il s'engageait en outre à partir avec lui en croisade à la
mi-carême 1190 ; le rendez-vous des rois était fixé à Vézelay. Deux jours
après, le 6 juillet 1189, le roi d'Angleterre expirait dans la chapelle du
château de Chinon auprès du seul de ses fils qui lui fût demeuré fidèle,
Geoffroy le bâtard, qu'il méditait d'élever au siège archiépiscopal d'York.
Le lendemain 7 juillet, les barons portèrent son corps en l'abbaye de
Fontevrault où il fut enseveli. Il était donné à son fils et successeur à la
couronne d'Angleterre, Richard Cœur de Lion, d'accomplir, sans nouveau
délai, le vœu de croisade du Plantagenet.

(1) *Magna Vita sancti Hugonis*, III, 1, 2, 3, p. 102-109 ; *Gesta Regis*, t. I, p. 345-346.
(2) *Gesta Regis*, t. II, p. 30-33 ; Lees, *Records of the Templars in England*, Oxford, 1935, Introduction, p. LVIII.

CHAPITRE IV

LA POLITIQUE ITALIENNE D'ALEXANDRE III ET LA FIN DU SCHISME

§ 1. — La diplomatie d'Alexandre III et l'échec de Frédéric Barberousse[1].

En retournant à Rome, Alexandre III n'avait pu se leurrer longtemps sur la situation véritable. Il se retrouvait en Italie plus exposé que jamais et presque de tous les côtés, l'horizon s'était bien vite assombri. Si l'affaire Becket n'était pas entrée dans sa phase aiguë et si rien ne laissait prévoir l'éclat des crises prochaines, le pape, un mois après son retour, n'en apprenait pas moins l'adhésion du roi d'Angleterre aux décisions de Würzbourg. Frédéric Barberousse en voyait sa position renforcée, tandis que Rainald de Dassel, non sans duplicité, se prêtait encore à tous les rapprochements du côté d'Alexandre III[2].

FRÉDÉRIC BARBEROUSSE FAIT CANONISER CHARLEMAGNE

C'est alors que tous deux réussirent à rehausser en même temps le prestige de l'empereur et l'autorité de leur pape en obtenant de Pascal III la canonisation de Charlemagne (29 décembre

(1) BIBLIOGRAPHIE. — I. SOURCES. — On trouvera les textes essentiels dans J. M. WATTERICH, *Pontificum romanorum… vitae*, 1862, t. II ; à compléter par la correspondance des principaux personnages du temps, dans la *Patrologie latine* de MIGNE : en tout premier lieu, celle de JEAN DE SALISBURY, dont l'édition par J. A. GILES, 5 vol., Oxford, 1848, est reproduite par MIGNE, *P. L.*, CC, et dans BOUQUET, *Historiens de France*, t. XV. Sur la ligue lombarde, voir VIGNATI, *Storia diplomatica della lega lombarda*, Milan, 1866, qui est moins une histoire qu'un recueil de textes. Enfin ROMUALD DE SALERNE, *Chronicon*, dans M. G. H., *SS.*, t. XIX, p. 427 et rééditée par GARUFI dans MURATORI, *Rerum italicarum scriptores*, nouvelle édition, t. VII, part. I, Città-di-Castello, 1935, in-4°, 442 p. ; c'est cette édition que nous citons. La chronique se termine en 1178. Elle est importante pour l'étude des relations mutuelles des cours pontificale, normande et byzantine.
II. TRAVAUX. — Outre les ouvrages généraux de A. FLICHE, A. DUFOURCQ, L. HALPHEN, E. JORDAN et A. HAUCK déjà cités (voir bibliographie générale), cf. H. REUTER, *op. cit.*, t. II et III ; W. GIESEBRECHT, *Geschichte der deutschen Kaiserzeit*, t. V (*Friedrichs Kämpfe gegen Alexander III, den Lombardenbund und Heinrich der Löwen*), Leipzig, 1888, qui donne du point de vue impérial tout le détail. — A notre connaissance, il n'y a pas d'ouvrage d'ensemble sur l'histoire des relations de la papauté avec les communes en général et les villes lombardes en particulier. L'ouvrage de U. BALZANI, cit. *supra*, p. 50, n. 1, sommaire, s'arrête à 1168. A voir, les études de J. FICKER, *Zur Geschichte des Longobardenbundes*, dans *Sitzungsberichte der Wiener Akademie der Wissenschaften*, t. LX, 1868, et surtout celles de F. GÜTERBOCK : *Alla vigilia della lega lombarda, il despotismo dei vicari imperiali a Piacenza*, dans *Archivio Storico italiano*, t. XCV, 1937, p. 188-217, et *Der Friede von Montebello und die Weiterentwicklung des lombardischen Bundes*, Diss., Berlin, 1895 (Cf. dans *Historische Vierteljahrschrift*, t. XIV, 1911, p. 12-35, sa controverse avec K. HADANK sur Legnano : *Zur Kontroverse über die Schlacht bei Legnano*). Sur les relations avec les cours normandes et byzantines, les deux ouvrages de F. CHALANDON, *Histoire de la domination normande en Italie et en Sicile*, t. II, 1907, p. 303-385, et *Les Comnène, Études sur l'empire byzantin aux XIe et XIIe siècles*, t. II (*Jean II et Manuel Comnène*), Paris, 1912, se complètent d'une manière exhaustive jusqu'à la mort de Manuel (1180).
(2) Au cours d'une maladie, Rainald aurait fait mine de vouloir se réconcilier avec lui. JEAN DE SALISBURY, *Epist.*, CXCI, dans *P. L.*, CXCIX, 203. Cette lettre attribuée à Gérard Pucelle par W. GIESEBRECHT, *Geschichte der deutschen Kaiserzeit*, t. V, p. 519, et t. VI, p. 457, est rendue à son auteur par A. HAUCK, *op. cit.*, t. IV, p. 284, n. 5. Cf. H. REUTER, *op. cit.*, t. II, p. 216 et suiv.

1165). Nimbé d'une gloire épique toute récente [1], il ne manquait à ce dernier que l'auréole de la sainteté, dont Alexandre III avait paré déjà la dynastie anglaise [2], pour faire figure d'héroïque modèle. Comme disait le rescrit impérial [3], la propagation de la foi chrétienne, la conversion des barbares et l'acceptation du risque de mort en avaient fait un confesseur et un martyr. Au milieu des grands souvenirs d'Aix-la-Chapelle, ses reliques furent exhumées et offertes solennellement à la vénération des foules. En Frédéric comme en Charlemagne, majesté princière et magistère religieux ne se trouvaient-ils pas également confondus ? Cette cérémonie semblait lui conférer ce double pouvoir et justifier par avance l'emploi des forces qu'il rassemblait pour le conserver.

PRÉPARATIFS D'UNE NOUVELLE EXPÉDITION EN ITALIE — Pendant toute l'année 1166, il ne songea qu'à préparer une nouvelle expédition en Italie, redevenue le théâtre du conflit. S'emparer d'Alexandre III, introniser Pascal III, tels étaient les buts immédiats. Contrecarrer l'influence de Byzance, grandissante dans la péninsule, tenter sur l'Italie méridionale un raid fructueux, cela n'était pas à dédaigner non plus, car l'appui du basileus et l'alliance sicilienne restaient les seules ressources de son adversaire.

NÉGOCIATIONS D'ALEXANDRE III — Les circonstances, en effet, se liguaient contre Alexandre III. Guillaume Ier venait de mourir à Palerme (7 mai 1166) ; son successeur, Guillaume II, n'était encore qu'un adolescent dont la minorité allait faire le jeu des ambitions rivales, nombreuses à la cour de Sicile. La régente, Marguerite de Navarre, était parfaitement consciente du danger commun, mais ne pouvait faire beaucoup mieux que de secourir la papauté de ses deniers, comme Guillaume Ier l'avait fait lui-même jusqu'au dernier moment [4]. Les fréquentes allées et venues du cardinal Jean de Naples attestent l'activité de ces relations entre Rome et Palerme. En même temps reprenaient les négociations qui s'étaient nouées, on l'a vu, dès 1163, avec Byzance [5].

---

(1) Cf. G. PARIS, *Histoire poétique de Charlemagne*, Paris, 1905, surtout p. 59-64, H. REUTER, *op. cit.*, t. I, p. 79 et t. III, p. 772, et M. BUCHNER, *Pseudo Turpin, Rainald von Dassel und der Archipoet in ihren Beziehungen zur Kanonisation Karls der Grosse*, dans *Zeitschrift für französische Sprache und Literatur*, t. LI, 1928, p. 21-29, où il semble bien démontré que l'*Historia Caroli Magni* a pour auteur l'archi-poeta et a été écrite à la veille et en vue de la canonisation. Cf. R. FOLZ, *Le souvenir et la légende de Charlemagne dans l'Empire germanique médiéval*, Paris, 1950, p. 159-237.

(2) Lettre datée d'Anagni, 7 février 1161, dans *P. L.*, CC, 106, en réponse à la demande du clergé d'Angleterre en faveur de la canonisation d'Édouard le Confesseur, mort quatre-vingts ans plus tôt.

(3) *AA. SS., Januarii*, t. II, p. 888. Cf. HUILLARD-BRÉHOLLES, *Historia diplomatica Frederici secundi*, t. VI, 1re partie, p. 224-226. En fait les églises de l'Allemagne de l'ouest rendaient un culte à Charlemagne depuis quelques années déjà. Sur ce culte, voir CABROL et LECLERCQ, *Dictionnaire d'archéologie chrétienne et de liturgie*, t. III, col. 803 et suiv. Cf. R. FOLZ, *Études sur le culte liturgique de Charlemagne dans les églises de l'Empire*, Paris, 1951.

(4) Avant de mourir, Guillaume Ier avait fait parvenir 60.000 florins à Alexandre III ; JEAN DE SALISBURY, *Epist.*, CXLV, dans *P. L.*, CXCIX, 138.

(5) Voir *supra*, p. 74.

LES OFFRES DE MANUEL COMNÈNE — Manuel ne cachait pas sa sympathie pour les Occidentaux [1] et ses prétentions à l'empire universel. Le vieux rêve, toujours caressé, de refaire à son profit l'unité de l'Empire, l'hostilité dont Frédéric faisait preuve à son égard en soutenant la Hongrie, son ennemie, par une habile politique matrimoniale et des ambassades comminatoires [2], tout le poussait à intervenir. A Ancône, depuis que la ville s'était donnée à lui, à Gênes qu'il excitait contre Venise, enfin auprès du jeune roi normand auquel il faisait offrir la main de sa fille et héritière, partout il faisait sentir sa présence.

A la papauté en difficulté, comme au temps des Ottons, le basileus offrait son appui. Une ambassade vint transmettre ses propositions à la Curie : en échange de la couronne impériale et du rétablissement de l'unité de l'Empire, Manuel se déclarait prêt à sceller l'union des Églises, et, comme toujours, à fournir d'abondants subsides. Après en avoir délibéré avec les cardinaux, Alexandre III se montra fort réservé et, sans rompre les pourparlers, ajourna sa réponse [3]. Sur son ordre, Ubald, cardinal évêque d'Ostie, et Jean, cardinal du titre de Saint-Jean-et-Paul, se rendirent à Constantinople où une discussion théologique et des négociations se poursuivirent parallèlement, sans résultat [4].

L'EXPÉDITION IMPÉRIALE — Cependant, la situation s'aggravait. A Pise, l'archevêque Villanus avait dû céder son siège à un partisan de Pascal. Seules les villes de la ligue véronaise se montraient prêtes à la résistance. Les Lombards cherchaient eux aussi à se liguer ; mais pour le moment, ils ravalaient leurs griefs et se tenaient cois [5]. Tout semblait se courber sous l'orage. Quand il parut à Lodi, l'empereur, sans être dupe de cette attitude, mais pressé d'en finir, se montra souriant et inflexible. Il fit renouveler les serments de Würzbourg, remplacer quelques évêques trop peu soumis et se hâta vers Ancône. Neutraliser cette citadelle, occupée depuis peu par les Byzantins, lui parut prudent, avant de marcher sur Rome.

FERMETÉ D'ALEXANDRE — L'heure était décisive pour Alexandre III. Rainald de Dassel et Christian de Buch avaient précédé l'empereur, occupé la campagne et gagné les villes, l'une après l'autre, à l'obédience de Pascal, lequel, de Viterbe, attendait son heure.

---

(1) La chose était si connue qu'on en fit bientôt des contes. ROBERT DE CLARI s'en est fait l'écho dans le récit d'une mystification bouffonne qu'on peut lire dans sa *Conquête de Constantinople*, chap. XVIII.

(2) F. CHALANDON, *Les Comnène*, t. II, p. 595.

(3) Le pape aurait posé comme condition la translation à Rome de la résidence impériale. Cf. F. CHALANDON, *op. cit.*, t. II, p. 565, 569 et W. NORDEN, *Das Papsttum und Byzanz*, Berlin, 1903, p. 104.

(4) Dans la préface de son traité *De erroribus Grecorum* consacré à la question controversée entre les deux églises sur la procession du Saint-Esprit, HUGUES ETERIANO témoigne de l'intérêt que Manuel y prit personnellement. (*P. L.*, CCII, 232-233.)

(5) *Lettre du cardinal Otton à Thomas Becket*, dans *P. L.*, CXC, 990. Les Génois règlent leur attitude sur celle des Lombards. Si la ligue lombarde se constitue contre l'empereur, ils offriront galères et subsides, sinon ils ne bougeront pas. *Confederationem autem si futura est, in proximo audiemus....*

A Rome même, la situation d'Alexandre était précaire. Il ne s'y maintenait qu'à prix d'or [1] et les Romains résistaient mal au plus offrant. Au peuple hésitant et qui cherchait à tromper les deux partis, le pape ne ménageait pas ses avis, traçant des plans de défense, offrant les subsides dont disposait l'Église, proposant de reprendre en main les villes voisines, de mettre sans bruit des hommes sûrs à leur tête. Vains efforts : Alexandre III n'était pas écouté. Il ne put même pas empêcher de renaître le conflit qui avait si souvent éclaté entre Rome et ses voisines. Après avoir détruit Albano de fond en comble, les Romains décidèrent contre Tusculum une sortie d'autant plus imprudente que les troupes de Rainald, campées dans les environs, ne demandaient qu'à intervenir contre eux ; leur jactance ne suffit pas à les sauver [2]. Aux troupes de Rainald se joignirent bientôt celles de Christian ; elles firent des Romains, à Monteporzio (29 mai 1167), un si grand massacre qu'on évoqua les souvenirs de Cannes et que la population masculine en fut diminuée pour longtemps. Ce désastre en présageait d'autres. Cependant, Alexandre III était le seul à ne point se décourager. A son tour, il séparait soigneusement sa cause de celle de la ville. « Certes, concédait-il, l'Église est frappée par cet échec ; toutefois, le dommage subi est moins grave qu'on ne le dit [3]. » Sans se laisser abattre, il fit réparer les murs et, dans le désarroi de tous, fut l'âme de la résistance. De leur côté, les légats de Frédéric resserraient leur étreinte, détruisaient les récoltes, les fortifications extérieures, en vue d'un assaut en règle auquel il ne manquait plus que la présence de l'empereur.

FRÉDÉRIC A ROME   Aussitôt informé, celui-ci leva le siège d'Ancône et le 24 juillet occupa, avec toute son armée, le Monte Mario. Le lendemain il attaqua le château Saint-Ange que défendait la milice papale [4]. Repoussés, les assaillants se tournèrent alors contre l'église de Saint-Pierre, mais leurs machines de siège n'ayant pu faire de brèche [5], ils mirent le feu au portique et au sanctuaire allemand de Santa Maria in Turri qui en flanquait l'entrée. Epouvantée d'une telle profanation et pour éviter un plus grand désastre, la garnison livra le passage : Alexandre III, dans cette extrémité, quitta le Latran avec les siens pour se réfugier dans les maisons fortes des Frangipani et enfin au Colisée, mué en forteresse.

La cour de Palerme, intéressée d'ailleurs à s'opposer aux projets de Barberousse, offrit encore ses services. Deux galères siciliennes, remontant le Tibre, vinrent se mettre à la disposition du pape pour l'emmener

---

(1) Sans les secours venus de France, il n'aurait pu répondre de l'ordre dans la ville. Cf. *Lettre d'Alexandre III à Henri de Reims*, dans *H. Fr.*, t. XV, p. 849 : il lui demande cent marcs d'argent dont les Templiers de Paris seront les bailleurs. L'argent venait aussi d'Angleterre.

(2) H. REUTER, *op. cit.*, t. II, p. 254.

(3) *Lettre à Henri de Reims* (1er juillet 1167), *H. Fr.*, t. XV, p. 855.

(4) *...familia quae alio nomine vocatur masnada*, c'est-à-dire sa « *mesnie* ». (BOSON, dans WATTERICH, *op. cit.*, t. II, p. 405.)

(5) Saint-Pierre était fortifié : *positis etiam propugnaculis et aliis bellorum instrumentis in altitudine sanctuarii supra corpus beati Petri*, nous dit GERHOCH DE REICHERSBERG, *Comment. in psalmos* dans *P. L.*, CXCIV, 41. L'attaque de ces fortifications, consacrées comme la basilique (cf. t. VI, p. 282), ajoutait au scandale.

hors de Rome. Les 60.000 florins qu'elles apportaient de la part de Guillaume II lui permirent de se fortifier et d'acheter, surtout aux portes, d'utiles concours. Il voulut demeurer. Son courage s'imposait à tous. « Chaque jour, nous dit Boson, entouré des évêques et des cardinaux, il tenait conseil, expédiait les affaires, rendait ses sentences[1]. » Cette attitude résolue incita Frédéric à proposer un compromis. Conrad de Mayence, autorisé par le pape à se rendre dans le camp impérial, en rapporta les propositions suivantes : si Alexandre III acceptait d'abdiquer, Pascal III en ferait autant, et un nouveau concile procéderait, en dehors d'eux, à un nouveau choix, la paix serait rendue à l'Église et les prisonniers recouvreraient leur liberté. Cette dernière clause poussa les Romains à presser Alexandre III d'accepter. Ils lui faisaient honte de préférer la dignité pontificale au rachat de ses ouailles. Les évêques et les cardinaux ne voulant pas céder, l'impatience populaire se fit telle que le pontife jugea plus prudent de s'éloigner ; déguisé en pèlerin, par Terracine et Gaëte, il se rendit secrètement à Bénévent, suivi bientôt de toute la Curie[2].

Cependant, Frédéric Barberousse s'installait à Rome et se hâtait d'exploiter son succès. Il reçut le serment de fidélité du sénat qui, désormais, tiendrait de lui ou de son représentant l'investiture. Il fixa à cinquante le nombre de ses membres. Alexandre III perdit toute influence ; son vicaire, Gauthier, fut évincé et le préfet de Rome qui, jusque-là, avait relevé de lui[3], tint pour un temps son pouvoir de l'empereur.

TRIOMPHE SANS LENDEMAIN Le vrai but de l'expédition, c'est-à-dire l'extradition d'Alexandre III et de ses cardinaux, n'en était pas moins manqué. Frédéric eut beau, le 22 juillet, introniser Pascal III, lui faire jurer fidélité par les Romains, se faire sacrer solennellement, le 1er août, lui et sa femme Béatrice, il ne jouit pas longtemps de son triomphe. Une fois de plus, mais avec une soudaineté et une virulence exceptionnelles, la peste s'abattit sur l'armée germanique, lui ôtant le fruit de sa victoire. De nombreux princes et évêques succombèrent et, dans l'entourage immédiat de l'empereur, ce fut une moisson de victimes. La perte la plus sensible fut celle de Rainald de Dassel ; si le chancelier mourut pieusement, les éloges dont il fut couvert par son maître avaient raison de célébrer en lui moins un évêque qu'un serviteur irremplaçable de l'État. Les chefs disparus, chacun ne songea plus qu'à fuir la contagion ; l'armée se désagrégea et l'empereur lui-même dut en hâte déguerpir, talonné par la mort. A Pontremoli, les montagnards lui barrèrent la route, et c'est en fugitif qu'il vint s'enfermer dans Pavie[4].

(1) Boson, dans Watterich, *op. cit.*, t. II, p. 406.
(2) Les terres du roi de Sicile étaient réputées les plus sûres de la péninsule. Cf. Romuald de Salerne, *édit. cit.*, p. 273-274. « Nos voyageurs et nos pèlerins savent par expérience qu'on est plus sûr de n'être pas détroussé dans les forêts de son royaume que dans les villes des autres pays. »
(3) L. Halphen, *Études sur l'administration de Rome au moyen âge*, Paris, 1907 (Bibl. de l'École pratique des Hautes Études, Sc. Phil. et Hist., fasc. 166), p. 23 et n. 3.
(4) D'après Boson, dans Watterich, *op. cit.*, t. II, p. 407.

LA LIGUE LOMBARDE   Cette catastrophe retentissante, interprétée par tous comme le jugement de Dieu, comme la vengeance de saint Pierre outragé jusque sur son tombeau [1], provoqua un brusque revirement dans toute l'Italie, et en premier lieu parmi les Lombards. Spontanément, les villes combattirent avec une ardeur redoublée l'oppresseur et l'excommunié [2] ; la colère divine semblait avoir sanctifié leur révolte. Les villes n'avaient d'ailleurs pas attendu l'échec de Frédéric pour s'organiser. Dès le mois de mars 1167, Mantoue, Bergame et Brescia se groupaient autour de Crémone et invitaient les autres communes à se joindre à elles. Lodi, elle-même, impériale pour ainsi dire de fondation, adhérait bientôt à l'union. Le 1er décembre 1167, la grande ligue, y compris les communes de la ligue véronaise et Venise, se donnait un gouvernement fédéral qui groupait, sous le nom de *recteurs*, les représentants, égaux en droit, de seize villes.

Alexandre III vit tout de suite le parti qu'il pouvait tirer de ce mouvement. C'est sur son ordre que le nouvel archevêque de Milan, Galdino della Scala ou Gaudin, vint prendre possession de son siège. Bientôt nommé légat, cet homme énergique sut profiter des circonstances pour ramener la Lombardie à l'unité religieuse. A Lodi, il déposa rudement l'évêque schismatique Albéric pour confier le diocèse à un alexandrin éprouvé, Albert de Ripalta Sicca, et ramena celui-ci en grande pompe de Bergame où il demeurait [3]. Il rassembla ses ouailles dispersées et la reconstruction de Milan dut sans doute beaucoup à son éloquence enthousiaste et à son autorité [4]. La situation devint vite intenable pour Frédéric Barberousse qui dut précipitamment quitter la Lombardie et, non sans essuyer maints affronts, *transalpinare*. Avant de regagner l'Allemagne, passant par la Bourgogne [5], depuis longtemps récalcitrante, il y rencontra une désapprobation aggravée par les humiliations qu'il venait de subir.

FONDATION D'ALEXANDRIE   Derrière lui, le mouvement ne fit que s'amplifier : non contentes d'avoir rebâti Milan, premier défi à l'empereur, les communes lombardes décidèrent, sans le consulter, d'élever une ville nouvelle. Le site était bien choisi, dans la plaine de Marengo, au confluent du Tanaro et de la Bormida. Les habitants des bourgades environnantes, en peu de temps la peuplèrent

---

(1) Cf. WATTERICH, *op. cit.*, t. II, p. 407, 570 et suiv. La milice de Viterbe participa au pillage et enleva notamment les portes de bronze de Santa Maria in Turri. Elles ne seront rendues à Saint-Pierre qu'en 1200. Cf. A. LUCHAIRE, *Innocent III, Rome et l'Italie*, p. 50 et 54. Une mosaïque d'or disparut aussi dans l'incendie.

(2) L'excommunication datait du 20 septembre 1159. Le bruit courut qu'elle avait été renouvelée après le désastre de l'été 1167. — A. HAUCK, *op. cit.*, t. IV, p. 288, n. 4, le met en doute, après W. GIESEBRECHT, *op. cit.*, t. VI, p. 473. L'attitude des Italiens et des Allemands à ce moment paraît bien corroborer les dires de JEAN DE SALISBURY qui en parle comme étant de notoriété publique : *Quid nota recenseo ?... Epist.*, CCXVIII, CCXIX, CCXXXV, dans *P. L.*, CXCIX, 242, 245, 266.

(3) *Anonymi Laudensis Continuatio*, M. G. H., SS., t. XVIII, p. 658-659.

(4) *AA. SS., Aprilis*, t. II, p. 594.

(5) L'archevêque de Lyon Guichard, ferme partisan d'Alexandre III, venait d'être réintégré dans son diocèse (JEAN DE SALISBURY, *Epist.*, CCXXXIII, dans *P. L.*, CXCIX, 262 et *Epist.*, CCXLIX, *ibid.*, 294). Cf. F. GÜTERBOCK, *Zur Geschichte Burgunds im Zeitalter Barbarossas*, dans *Zeitschrift für schweizerische Geschichte*, XVII, 1937, Heft 2, p. 145-229, et Ph. POUZET, *La vie de Guichard, abbé de Pontigny (1136-1165) et archev. de Lyon (1165-1181)*, dans *Bull. Soc. litt. hist. et archéol. de Lyon*, t. X, 1926-1928, p. 117-1150 et tiré à part, Lyon, 1929.

et commencèrent les fossés. « Ville de chaumes »[1], ramassis de malfaiteurs, insinuait en maugréant l'adversaire. Après un an, la nouvelle ville n'en comptait pas moins, selon Boson, quinze mille hommes en état de porter les armes. « En l'honneur de Dieu, de saint Pierre, de toute la Lombardie et d'Alexandre », la ville prit le nom d'Alexandrie[2]. Ses consuls vinrent à Bénévent en offrir la propriété au pape éponyme et lui garantir une redevance annuelle.

ALEXANDRE III ET LA LIGUE   L'hommage n'était pas seulement symbolique. Non qu'Alexandre III ait voulu favoriser l'émancipation des communes, comme on l'a répété longtemps, mais parce qu'il voyait en leur union un moyen puissant d'entraver les usurpations de l'Empire, également dangereuses pour l'Italie et pour l'Église[3]. Pouvait-il compter absolument sur les villes ? Leur alliance était surtout militaire, leurs buts limités, leurs dissensions, on devait le voir bientôt, toujours prêtes à renaître. Dans l'ardeur égoïste de la lutte, les fiefs épiscopaux et les abbayes n'étaient pas toujours épargnés et là comme ailleurs le mouvement communal ne tarda pas à comporter des tendances hostiles à l'Église : Alexandre III allait être obligé d'écrire deux fois aux recteurs de Lombardie pour protéger le monastère de Nonantola contre les attaques de Modène[4]. Cependant le vrai chef de la ligue, c'était bien lui. Mieux que les villes elles-mêmes, il en a vu la portée politique. Contre vents et marées il en maintiendra la fragile cohésion[5], orientera son action diplomatique, inspirera les solutions décisives. Les documents, comme les faits, ne permettent pas de mésestimer l'immense effet moral produit par cette alliance ni l'ampleur des échos qu'elle suscita dans la Chrétienté[6] en général et surtout dans les cœurs italiens[7]. L'opinion alexandrine identifiait ouvertement la cause du pape et celle de la ligue. Henri II estimait le crédit des Lombards si puissant à la Curie, qu'il les sollicitait, à prix d'or, d'intervenir en sa faveur[8]. Au cours des négociations qui vont jalonner le conflit avec l'empereur, celui-ci multi-

---

(1) *Civitas palearum.* (Romuald de Salerne, *Chronicon*, édit. cit., p. 263.)

(2) Selon C. Patrucco, *Perché e come fu fondata Alessandria*, Casale, 1927, la fondation d'Alexandrie, en mai 1168, serait à rattacher à la politique piémontaise du marquis de Montferrat, Guillaume le Vieux. La cité aurait d'abord groupé des partisans de l'empereur. La fondation par la ligue lombarde au contraire, aurait eu pour effet d'amener dans la ville neuve un groupe d'autres familles hostiles aux Montferrat, à Pavie, à l'empereur, mais liées aux intérêts de Milan. Cf. F. Graf, *Die Gründung Alessandrias*, Dresde, 1887. Sur la fondation et les remaniements de l'évêché, voir l'article de A. Baudrillart dans le *Dictionnaire d'histoire et de géographie ecclésiastiques*, t. II, col. 369 et suiv.

(3) Il ne faisait d'ailleurs que suivre la ligne de conduite tracée par Adrien IV. Chancelier de l'Église depuis 1153, Alexandre III avait donc présidé aux stipulations du traité passé en 1159 avec les villes lombardes et donné à celles-ci, comme tous les cardinaux, l'assurance que la mort d'Adrien IV ne changerait rien à la politique de la Curie. Voir *supra*, p. 30. Cf. A. Hauck, *op. cit.*, p. 239, 240, n. 1.

(4) *Lettres aux recteurs de Lombardie.* (P. L., CC, 1042 et 1090.)

(5) *Lettre à Conrad archevêque de Mayence,* ...*Opportet nos... ad eorum unitatem vigili studio et meditatione intendere,* dans P. L., CC, 770 et *Lettre aux cardinaux légats en Lombardie,* ...*ad corroborationem et conservationem praedictae unitatis evigilatis, ibid.*, 1081.

(6) Jean de Salisbury, *Epist.*, CCXXXIV, dans *P. L.*, CXCIX, 263 et Thomas de Cantorbéry, *Epist.*, VI, dans *P. L.*, CXC, 443.

(7) Cf. Boson, dans Watterich, *op. cit.*, t. II, p. 408-409, s'indigne des projets de Frédéric *qui totam Italiam in probrosam servitutem nitebatur reducere...* et Romuald de Salerne, *Chronicon*, édit. cit., p. 272.

(8) Jean de Salisbury, *Epist.*, CCLXXXVIII, dans *P. L.*, CXCIX, 329.

pliera les tentatives pour les brouiller avec le pape, mais ce sera toujours en vain [1]. Quand on apprit la fondation d'Alexandrie, la ville nouvelle incarna si bien aux yeux des contemporains la communauté des intérêts qui liaient le pape et la ligue que le bruit courut bientôt qu'Alexandre III céderait aux instances de ses consuls et viendrait s'y installer [2]. Rome et la campagne étaient encore si peu sûres qu'il pouvait se laisser tenter.

LA SITUATION A ROME Même après le départ des Allemands, la ville restait divisée. Tandis que Gauthier, cardinal évêque d'Albano, cherchait à restaurer le vicariat au profit d'Alexandre III, le préfet de Frédéric restait à son poste, et pendant qu'Alexandre se tenait encore éloigné de Rome, Pascal, lui, n'en avait pas bougé [3]. Le clergé romain demeurait lui-même très partagé. Certains pensaient même, comme l'abbé de Sainte-Marie-du-Transtévère, que le désastre militaire de 1167 n'avait pas suffi à prouver la légitimité d'Alexandre III et réservaient leur jugement [4].

ÉLECTION DE L'ANTIPAPE CALIXTE III La mort de Pascal III (20 septembre 1168), les nouvelles élections du sénat (début de novembre) qui devaient, disait-on, entraîner un revirement général en faveur d'Alexandre III [5], ne modifièrent en rien la situation. Ce qui restait de cardinaux schismatiques élut pape un certain abbé de Strumi, Jean, donné tantôt comme cardinal évêque d'Albano, tantôt comme cardinal évêque de Tusculum [6]. Il prit le nom de Calixte III. De leur côté, les Romains ne songeaient plus qu'à se venger de Monteporzio et Alexandre III ne put empêcher la reprise de la guerre avec Tusculum [7]. Ainsi, sur son propre domaine, la papauté restait

(1) Voir *infra*, p. 139 et suiv., 141 et suiv..
(2) JEAN DE SALISBURY, *Epist.*, CCXLIV, dans *P. L.*, CXCIX, 283.
(3) H. REUTER, *op. cit.*, t. II, p. 279.
(4) *Quamdiu ergo super istorum pontificum... sortem divini judicii non videris cadere...* le doute est toujours permis tant que le choix de Dieu ne s'est pas manifesté. *De vera pace...* édit. A. WILMART, déjà citée, p. 79, l. 11.
(5) JEAN DE SALISBURY, *Epist.*, CCLXI, dans *P. L.*, CXCIX, 302.
(6) Cf. *Chronicon Fossae Novae*, dans MURATORI, *Scriptores rerum italicarum*, t. VII, col. 873, et ROMUALD DE SALERNE, *Chronicon*, édit. *cit.*, p. 259. Sur Jean de Struma ou Strumi, voir l'étude de G. DOMENICI, *L'antipapa Callisto III*, dans la *Scuola cattolica*, t. XLIII, 1915, p. 199-216 et 456-471.
(7) Pendant toute la période qui sépare les deux expéditions italiennes de Frédéric, les hostilités furent permanentes entre Tusculum et la commune romaine dont les ambitions croissantes, au cours du XIIᵉ siècle, venaient compliquer les rivalités féodales qui n'avaient cessé de troubler le séjour de la papauté sur ses propres États. Sur ce point comme sur beaucoup d'autres, la politique d'Alexandre III suivit celle d'Eugène III et d'Adrien IV. Elle tendait à réduire, pas à pas, au profit de la souveraineté pontificale, les forces des féodaux du Latium. On peut admirer qu'elle y ait réussi pour sa part, malgré les difficultés du moment. La chronologie est difficile à établir. Nous nous risquons à donner la suite des événements d'après Boson et Romuald de Salerne, auxquels il faut ajouter, d'une part, les textes des divers accords intervenus entre les parties et insérés dans le *Liber censuum* et, d'autre part, l'acte publié dans *Studi e documenti di storia e diritto*, 1896, analysé et daté par A. DIGARD, *La fin de la seigneurie de Tusculum*, dans *Mélanges Paul Fabre*, Paris, 1902, p. 292 et suiv., dont nous adoptons les conclusions.
En 1167, Alexandre s'était réfugié, on l'a vu, à Bénévent, afin de se soustraire aux instances des Romains qui le pressaient de se soumettre aux injonctions du vainqueur. Il y fit un long séjour et n'en revint que pour recevoir à Veroli les ouvertures d'Eberhard de Bamberg ; c'est là que les Romains vinrent lui demander de reprendre la guerre contre Tusculum. Le pape s'y opposa d'autant plus qu'il était en train de négocier avec Raynon, par le truchement des Frangipani ; c'est l'accord analysé par Digard, qui stipulait l'inféodation de la seigneurie de Tusculum au Saint-Siège, et donnait en échange à Raynon, habilement éloigné de la campagne, la seigneurie de Terracine. Les

soumise à tous les hasards de ces luttes mesquines autant qu'inextin-
guibles. Jusqu'en 1178, Alexandre III ne put rentrer dans Rome. En
attendant des jours meilleurs, il promenait sa vie errante d'un bout à
l'autre de la campagne. Juchés sur leurs vieux murs herniques, les sévères
châteaux de Segni, d'Anagni et de Ferentino l'abritaient une fois de plus[1].
De ces résidences successives, il poursuivait sa tâche directrice. Les péripéties de l'affaire Becket lui amenaient tour à tour des émissaires des
deux partis ; il encourageait les Lombards, les alexandrins d'Allemagne
et d'Italie, maintenait la fidélité des cours amies de France et de Sicile,
tentait de déjouer les manœuvres que Frédéric multipliait pour réparer
son échec. Enfin il continuait de négocier avec l'empereur grec Manuel
Comnène. Entre l'insécurité où il ne cessait de vivre et l'activité continue
dont il restait le centre, le contraste est saisissant.

NOUVELLES OUVERTURES DE MANUEL COMNÈNE — L'empereur d'Occident s'étant fait l'adversaire de l'Église, Manuel jugea bon de
renouveler ses avances. Une ambassade vint
à Bénévent réitérer ses offres. Ce qu'il proposait n'était pas nouveau.
C'était toujours le retour de l'Église grecque à l'unité romaine en échange
de la couronne impériale. Mais cette fois, il s'était sans doute donné la
peine de préciser les points de doctrine et de discipline sur lesquels il
était nécessaire de s'accorder pour que l'union fût possible ; du moins la
réponse que fit Alexandre le laisse supposer. « Ces propositions soulevaient
des problèmes qu'il était impossible de résoudre pour le moment et
auxquels les décrets des Pères ne permettaient pas de répondre favorablement[2]. »

De cette réserve motivée, Alexandre songeait d'autant moins à sortir
que le rétablissement de l'unité impériale en faveur du basileus, qui
aurait été le prix de ces concessions, n'aurait en rien atténué l'opposition

Romains, indignés de voir si facilement pardonné l'allié de Rainald et pressés de venger sur
lui leurs récents malheurs, passèrent outre et attaquèrent leur ennemi. Pris de peur, Raynon,
malgré le serment de fidélité qui le liait à Alexandre, donna sa ville au préfet impérial, en échange
des seigneuries de Montefiascone et de Borgo san Flaviano qui, elles-mêmes, dépendaient du Saint-
Siège. Alexandre III protesta contre cette dilapidation illicite du patrimoine apostolique. Raynon,
d'ailleurs mal reçu à Montefiascone, se retourna vers Alexandre, mais ne rentra en possession de sa
seigneurie qu'après lui en avoir fait hommage, en totalité cette fois ; c'est l'acte du 8 août 1170.
(Boson, dans WATTERICH, op. cit., t. II, p. 414-415 et Le Liber Pontificalis, éd. L. DUCHESNE,
t. II, Paris, 1892, p. 422-423.)
    Plus tard, les Romains proposèrent à Alexandre III de lui rouvrir leurs portes et de se soumettre
de nouveau à son autorité, mais à la condition de pouvoir démanteler les remparts de Tusculum,
ce qu'ils firent mais sans tenir leurs promesses. Alexandre III, dès lors exposé au moindre coup
de main, fit relever les murs de Tusculum, y laissa une garnison sous l'autorité des Frangipani
et se fixa provisoirement à Anagni. Plus tard, le 11 octobre 1179, Alexandre III échangeait,
avec Raynon, Norma et Vico contre le château de Lariano. « Désormais les descendants de Théo-
phylacte n'avaient plus un pouce de terrain dans les monts Albains », et la maison de Tusculum,
jadis si puissante, « allait finir obscurément dans la région où elle était transplantée », c'est-
à-dire la Maritime.
    (1) D'après les données de sa correspondance, de 1166 à 1175, Alexandre III réside successi-
vement au Latran (18 mars 1166-5 janvier 1167), à Bénévent (8 février 1168-21 février 1170),
d'où il se rend à Veroli (9 mai-9 septembre 1170), pour y recevoir Eberhard de Bamberg, puis par
Alatri, Ferentino, Anagni, Segni, il gagne Tusculum où il séjourne du 30 octobre 1170 à la fin
de janvier 1173 ; enfin, on le trouve successivement à Segni (14 mars 1173), à Anagni (28 mars
1173-1er mars 1174), à Ferentino (19 novembre 1174 et 5 juillet 1175) et de nouveau à Anagni
(19 octobre 1175-28 novembre 1176). C'est de là qu'il partira pour Venise.
    (2) BOSON dans WATTERICH, op. cit., t. II, p. 411.

de principe qui mettait déjà les deux pouvoirs en conflit. La conception que Manuel se faisait de l'Empire était tout aussi intransigeante que celle de Frédéric et se compliquait de ses prétentions à donner et même à imposer son sentiment en matière doctrinale. D'autre part, s'il ne les partageait pas lui-même, Manuel n'avait pu vaincre les préventions de son clergé et de son peuple contre le pontife romain auquel les Grecs reprochaient toujours l'abus qui se faisait du droit d'appel à Rome, la mention du pape dans la liturgie, et son train digne d'un empereur plus que d'un pontife [1]. Chez les Latins régnait une égale méfiance : les Grecs y étaient plus redoutés que les Turcs. On s'inquiétait, même à la Curie, de leurs empiétements depuis qu'un Grec avait remplacé le patriarche latin d'Antioche [2]. Enfin, pour Alexandre III, donner suite aux ouvertures de Manuel, c'était se brouiller avec Venise [3], avec la cour normande ombrageuse devant les prétentions de Manuel sur l'Italie méridionale. C'était enfin rendre impossible toute réconciliation avec Frédéric. Même si les subsides offerts lui eussent permis d'acheter Rome et l'Italie tout entière, comme Manuel s'en vantait [4], le succès eût été sans lendemain. L'ambassadeur byzantin dut repartir vers son maître avec tout l'argent qu'il avait apporté, suivi des deux cardinaux qui examinèrent sur place, comme l'avaient fait les légats de 1167, les possibilités plus ou moins réelles d'union sur le terrain théologique.

Malgré ce refus poli, les relations avec le basileus ne furent pas interrompues de longtemps. Manuel revint à la charge avec une insistance tout orientale que rien ne pouvait lasser [5]. Sans doute, comme Frédéric, pensa-t-il enfin que le meilleur moyen de réussir était de se créer un parti dans Rome même et il offrit bientôt la main d'une de ses nièces à Odon Frangipani [6]. Ce mariage, qui resserrait les liens des guelfes avec Byzance, fut conclu sous les auspices du pape. Sans rien sacrifier d'essentiel, Alexandre III s'efforçait ainsi de ne pas décourager son allié.

FRÉDÉRIC SE RESSAISIT EN ITALIE Au lendemain des événements de 1167, on avait pu croire un instant à un triomphe décisif de sa cause. Les meilleurs esprits s'étaient fait beaucoup d'illusions [7]. La vérité était tout autre. A Rome, l'empereur n'avait dû son échec qu'aux circonstances, non aux forces réelles qu'on lui avait opposées. L'élection de Calixte III, aussitôt reconnue

(1) F. Chalandon, *Les Comnène*, t. II, p. 569.
(2) Cf. W. Norden, *Das Papsttum und Byzanz*, Berlin, 1903, p. 104.
(3) Les Vénitiens, dès 1172, se rapprochèrent du roi de Sicile par haine contre les Grecs. En 1175, un traité fut même conclu qui sanctionnait l'alliance. Cf. F. Chalandon, *Histoire de la domination normande en Italie et en Sicile*, t. II, p. 373 ; les relations économiques l'expliquent autant que les mobiles politiques : le roi de Sicile approvisionnait en blé la République maritime et avait accueilli sur ses terres une nombreuse colonie vénitienne, qui se chargeait de ce trafic. Ce traité sera rappelé au moment des négociations pour la paix de Venise. Cf. Romuald de Salerne, *édit. cit.*, p. 280 et suiv.
(4) Watterich, *op. cit.*, t. II, p. 404. Pour l'Anglais Boson, qui avait lu Salluste, le mot de Jugurtha restait toujours vrai : *quia Roma, si inveniret emptorem, se venalem preberet* (*Ibidem*, p. 402).
(5) Boson, *frequenti visitatione*, dans Watterich, *op. cit.*, t. II, p. 411.
(6) De même il donnera plus tard sa fille Marie et le titre de César à Guillaume de Montferrat quand celui-ci prendra en Lombardie la tête de l'opposition à la politique impériale. Cf. F. Chalandon, *op. cit.*, t. II, p. 599.
(7) Jean de Salisbury, *Epist.*, CCXLIV, dans *P. L.*, CXCIX, 283.

par Frédéric Barberousse, y laissait les adversaires en présence. En 1171, l'effectif des obédiences rivales y était encore sensiblement équivalent [1]. La capture de l'antipape qui, de loin, paraissait prochaine à certains alexandrins, ne fut pas même tentée. En Lombardie, la révolte des villes avait bien pu ruiner l'autorité impériale, mais ses effets restaient localisés. Passé le moment de stupeur provoqué par sa fuite, Frédéric n'avait pas tardé à reprendre en main ses agents et à recommencer sourdement la lutte. Au printemps de 1168, Alexandre se plaignait déjà de ce que la « persécution de l'Église n'avait en rien cessé » [2]. Dans le reste de l'Italie, il avait bien été reconnu par Sienne sa ville natale, puis par Florence, mais les domaines de l'Empire y étaient toujours occupés par des seigneurs allemands, fidèles à Frédéric. L'un d'eux, Bidulf, venait d'être investi du duché de Spolète ; de même la marche d'Ancône et l'exarchat furent donnés en fief à Conrad de Lutzelhard [3]. Le rachat des biens de la comtesse Mathilde à l'insouciant Welf VI montrait que l'empereur entendait conserver ses moyens d'action dans la péninsule. Malgré les succès de sa politique lombarde, Alexandre était donc loin d'avoir acquis la maîtrise de l'Italie.

ATTITUDE DE
L'ÉGLISE ALLEMANDE

En dépit des événements, l'épiscopat allemand suivait l'empereur et continuait d'échapper au pape. Seules les provinces du Sud-Est lui demeuraient fidèles. Encore, sur ce terrain qu'il n'atteignait que difficilement, Alexandre devait-il plus d'une fois intervenir. Par des lettres répétées, il encourageait la résistance, quelquefois même contre les prélats placés par Frédéric à la tête d'une province ecclésiastique. C'est ainsi qu'il admonestait le clergé et les fidèles d'Augsbourg. Au prévôt de Ratisbonne, il recommandait de recevoir les clercs même des autres diocèses qui renonceraient au schisme et sanctionnait la confiscation des revenus et des dîmes qui devait punir ceux qui resteraient irréductibles [4]. En faisant cardinal Conrad de Mayence, en le nommant légat pour la Bavière, il donnait un chef aux alexandrins de l'Allemagne du Sud. Ceux-ci rencontraient parfois un appui parmi les princes eux-mêmes. Si Henri le Lion adhérait au schisme, Welf au contraire soutenait ceux qui, à Augsbourg, refusaient l'obéissance à l'évêque schismatique Conrad [5] ; Ottokar de Styrie et le duc Henri d'Autriche agissaient de même sur leurs terres. Le siège de Salzbourg restait le centre de l'opposition. Le nouvel archevêque Adalbert, pourtant neveu de Frédéric, se montrait alexandrin aussi déterminé que ses prédécesseurs Eberhard et Conrad. L'empereur refusa de le reconnaître et bien qu'Adalbert eût consenti pour se maintenir à sacrifier ses régales, il n'en exigea pas moins une nouvelle élection ;

_____

(1) *Cum igitur Calixtus multitudinem validam et Alexander habeat sociam multitudinem copiosam...* (*De vera pace...*, édit. cit., p. 182, l. 8).
(2) P. L., CC, 483. *Lettre à Thomas Becket*, 19 mai 1168.
(3) H. REUTER, op. cit., t. III, p. 13 et suiv.
(4) P. L., CC, 525 et 1022.
(5) H. REUTER, op. cit., t. II, p. 201. Sur l'attitude mal définie de Henri le Lion pendant le schisme, *ibid.*, p. 231-236.

mais il attendra plusieurs années avant de le faire déposer[1]. Et, fait
caractéristique, tout en conférant l'archevêché de sa seule autorité, il
n'osera pas contester l'élection du remplaçant, Henri de Berchtesgaden,
un alexandrin notoire. De même il dut ménager Ulric d'Aquilée qui, plus
habile qu'intransigeant, et sans qu'on puisse d'ailleurs douter de son
adhésion à la cause alexandrine, s'était concilié tour à tour les deux
pouvoirs en conflit.

Partout ailleurs, Frédéric restait le maître. Il n'y a là rien d'étonnant.
Si l'empereur ne nommait plus directement les évêques, l'élection avait
lieu souvent en sa présence ou du moins sous la pression de ses agents qui
recommandaient aux électeurs le candidat de son choix. A la faveur
du schisme, cette influence n'avait fait que croître. Quand il y avait contestation, c'est à lui que revenait le droit de trancher. Pour tous les sièges
de quelque importance, la plupart des promus étaient désignés par sa
chancellerie et souvent appartenaient à son entourage immédiat. A
Cologne, il donna pour successeur à Rainald, Philippe de Heinsberg,
un de ses familiers ; sur le siège de Metz, à l'alexandrin Dietrich de Bar
succéda en 1171 un de ses amis et, en 1173, un de ses cousins. La plupart
des nouveaux évêques, à Augsbourg, à Münster, à Worms, à Liége, étaient
des adversaires d'Alexandre III. A Hambourg, Baudouin, successeur
de Hartwig, reçut sans sourciller le pallium de Calixte. Les clercs inférieurs
qui faisaient mine de se soustraire à l'obédience de l'antipape étaient
menacés d'exclusion. Mis en demeure de choisir entre une démission
et la consécration des mains d'un schismatique, la plupart adoptèrent
cette dernière solution. On discerne bien des velléités de résistance :
Albert de Freising, Conrad de Ratisbonne, se tiennent longtemps sur la
réserve, mais ils finissent par céder aux mesures d'intimidation qui sont
prises contre eux ; et l'on peut dire en somme que le grand effort fait par
Frédéric pour maintenir l'épiscopat allemand dans le schisme avait
porté ses fruits[2].

Cette soumission générale n'entraînait pas toujours l'adhésion des
consciences. Et Frédéric le savait si bien que pour achever de les gagner,
il donnait habilement à croire qu'il ne voulait que la paix.

PREMIERS POURPARLERS
DE PAIX

Dès 1167, avant même de regagner l'Allemagne
après son échec, il avait paru désirer une
réconciliation avec l'Église. S'il faut en croire
Jean de Salisbury, c'est un parent de l'empereur, retiré à la Chartreuse
de Silvebénite, près de Grenoble, qui en eut l'initiative, et lui fit accepter
la médiation du prieur de la Grande Chartreuse, de l'abbé de Cîteaux et
même de Guillaume, l'évêque alexandrin expulsé de Pavie. Mais Frédéric,
dont la pensée était encore fort réticente, ne s'était prêté à la négociation
que pour pouvoir s'échapper plus facilement d'Italie. Dès qu'il eut recouvré

---

(1) A. HAUCK, *op. cit.*, t. IV, p. 292-293, 296 et suiv.
(2) *Ibid.*, p. 290-293. Le nombre des partisans d'Alexandre III tendait à augmenter dans les
monastères, sauf peut-être chez les Prémontrés et les Clunisiens. Cf. A. HAUCK, *ibid.*, p. 294.

sa liberté d'action, il se déroba et l'affaire en resta là [1]. En 1169, les pourparlers reprirent cependant. C'est encore dans les cercles monastiques
que se trouvèrent les médiateurs et particulièrement chez les Cisterciens.

MÉDIATION DES CISTERCIENS   Leur organisation indépendante, la tra-
                                 dition toujours vivante de saint Bernard,
leur fidélité à la cause alexandrine, chèrement payée par leurs communautés d'Allemagne, tout faisait d'eux les plus sincères partisans de la
paix [2]. Aussi bien, les abbés de Cîteaux et de Clairvaux se rendirent-ils
avec empressement à l'invitation de Frédéric Barberousse qui les chargea
peut-être de transmettre des propositions officieuses [3] et en tout cas de
sonder les dispositions d'Alexandre III. Accueillis d'abord avec joie à
Bénévent, ils ne purent triompher, semble-t-il, de la méfiance qui régnait
dans l'entourage du pape. Le fait est que les ouvertures de Frédéric
parurent suspectes : ses mandataires se montraient fort accommodants,
mais n'avaient pas mission de conclure. Les pourparlers traînèrent pendant un an, et l'équivoque où l'on s'enlisait ne cessa que lorsqu'on apprit,
au début de 1170, l'arrivée prochaine d'un plénipotentiaire impérial
muni, cette fois, d'instructions précises.

LES ENTRETIENS DE VEROLI [4]   Il s'agissait de l'évêque de Bamberg,
                                    Eberhard, dont les sentiments alexan-
drins auraient rassuré la Curie si elle n'avait appris, en même temps,
que son mandat prétendait éluder l'examen de la question lombarde.
Alexandre III, soucieux d'éviter toute manœuvre de nature à le brouiller
avec ses alliés, prévient aussitôt le danger. Il se hâte d'inviter les villes
de la ligue à lui envoyer chacune un représentant qualifié, leur promettant
de ne jamais rien conclure sans eux. Les députés lombards l'ont rejoint
bien avant qu'Eberhard eût fait connaître son arrivée. Celui-ci avait
reçu des instructions qui le liaient strictement : sur sa demande, la Curie
doit quitter les terres du roi de Sicile et venir l'attendre à Véroli. Introduit
en plein consistoire, il demande aussitôt à Alexandre III de lui parler
sans témoins. Le pape refuse d'abord : il ne fera rien sans en délibérer
avec les cardinaux et les Lombards ; mais se réservant le droit de les mettre
au courant, il finit par accepter. Tout cela pour s'entendre affirmer dans
le tête-à-tête que l'empereur n'en voulait plus à sa personne et reconnaîtrait les ordinations faites depuis le schisme. De sa propre légitimité,
il n'était question qu'en des termes confus qu'Eberhard, lié par son
mandat, se refuse à expliquer ou modifier [5].

(1) JEAN DE SALISBURY, *Epist.*, CCXLIV, dans *P. L.*, CC, 282.
(2) Cf. M. PREISS, *Die politische Tätigkeit und Stellung der Cisterzienser im Schisma von 1159-1177* (*Historische Studien*, Heft 248), Berlin, Ebering, 1934.
(3) Voir la discussion des sources dans H. REUTER, *op. cit.*, t. III, *Krit. Beweisführungen*, n° 33.
— Cf. JEAN DE SALISBURY, *Epist.*, CCXCII et CCXCIII, dans *P. L.*, CXCIX, 337-338, et BOSON, dans WATTERICH, *op. cit.*, t. II, p. 412 et 413.
(4) Tout le détail curieux de ces tractations nous est connu par BOSON, *loc. cit.*
(5) On ignore les exigences précises formulées par Frédéric. A. HAUCK, *op. cit.*, t. IV, p. 295, n. 3, suppose qu'il voulait, en échange de la reconnaissance des ordinations d'Alexandre III, que celui-ci reconnût les évêques allemands promus par lui depuis le schisme. C'est du moins la demande qu'il formula aux entretiens de Pavie. Voir *infra*, p. 142 et suiv.

Revenu auprès des cardinaux et des Lombards assemblés, Alexandre III leur rapporta le détail de l'entretien et après délibération en commun, formula sa réponse. Il s'étonna qu'Eberhard se fût fait le naïf instrument du piège visiblement tendu par son maître. Il souligna ce qu'il y avait de contradictoire dans l'attitude de l'empereur qui voulait bien, grâce à Dieu, ratifier ses ordinations, mais qui refusait de le considérer comme pape légitime, bien qu'il eût été élu canoniquement et reconnu comme tel par tous les princes chrétiens. Cependant, il se déclara prêt à conclure la paix quand l'empereur donnerait des preuves de ses bonnes dispositions.

Une paix manquée excite les antagonismes [1]. Eberhard éconduit, le schisme se prolongeait. Qu'Alexandre III en parût responsable, c'est ce qu'escomptait Frédéric. Que le pape resserrât son alliance avec les Lombards, raison de plus pour les châtier ; pendant quatre ans l'empereur va s'y préparer.

DIPLOMATIE D'ALEXANDRE III   La diplomatie d'Alexandre III mit à profit ce délai pour remédier aux divisions de ses alliés et les maintenir attachés à sa cause, par une attentive politique matrimoniale. En 1171, le pape réussit à faire échouer un mariage entre une fille de Manuel et le fils aîné de Frédéric Barberousse. Les tractations se prolongèrent sans aboutir, tant il est vrai que tout séparait les deux empereurs. Frédéric lui-même ne pouvait ignorer qu'à Gênes, en Lombardie, à Ancône, même en Allemagne, c'était Manuel qui finançait l'opposition de ses adversaires. En revanche, Alexandre III s'entremit volontiers en vue d'unir le fils de Manuel avec une fille de Louis VII [2]. Le fidèle appui de ce dernier et la stabilité de la maison capétienne lui paraissaient assez nécessaires pour qu'il n'ait pas hésité, et sur un ton pressant, à lui conseiller de faire couronner dès 1171 le prince héritier [3]. Pourtant, ce n'était pas sans peine qu'il maintenait de bonnes relations avec les cours de l'Ouest : les rois de France et d'Angleterre, de plus en plus, s'absorbaient dans leur rivalité encore envenimée, en 1173, par la révolte des fils de Henri II. Au cours de l'affaire Becket, il s'était vu contraint d'user de ménagements à l'égard du roi dont la collusion avec Frédéric était toujours à craindre. Puis il s'était tout à fait réconcilié avec lui. Cette politique, jugée en France trop conciliante, y avait refroidi bien des dévouements. La même année, Alexandre III devait intervenir énergiquement pour dissuader Louis VII d'accueillir les ouvertures de Frédéric qui proposait sa fille Sophie au futur Philippe Auguste [4].

En 1173, il eut à prévenir un plus grave danger. La cour de Palerme, lassée des atermoiements de Manuel qui ne se décidait pas à envoyer

---

(1) A la diète de Fulda, le 8 juin 1170, Frédéric déclara comme à Würzbourg que jamais il ne reconnaîtrait Alexandre. Cf. A. HAUCK, *op. cit.*, t. IV, p. 295.
(2) JAFFE-WATTENBACH, 11.883, 11.894. Cf. F. CHALANDON, *Les Comnène*, t. II, p. 605.
(3) Dans MIGNE, *P. L.*, CC, 843. Le conseil ne sera suivi, comme on sait, que huit ans plus tard, en 1179. Pour encourager le roi, Alexandre cite l'exemple de Manuel qui venait d'en faire autant. Il ne dit rien de Frédéric qui, dès 1168, avait fait aussi sacrer son successeur, mais on peut croire que ce précédent n'avait pas peu contribué à motiver sa démarche.
(4) *Lettres à Henri de Reims du 28 février 1172 et 6 septembre 1173*. (P. L., CC, 783 et 964.)

la princesse héritière, depuis longtemps promise au roi, finit par rompre avec Byzance. Et Barberousse de s'empresser d'offrir la main de la même Sophie au prétendant mortifié. Le poids de l'influence pontificale fit échouer ce projet, d'ailleurs contraire aux intérêts bien entendus de Guillaume II[1]. Et l'heure était proche où Alexandre III négocierait l'union de ce dernier avec la princesse Jeanne, fille du roi d'Angleterre, et empêcherait ainsi, du moins pour le moment, l'alliance si redoutable du Hohenstaufen et du roi normand[2].

NOUVELLE EXPÉDITION DE FRÉDÉRIC EN ITALIE   Cette prudente politique restait hantée par un but qui n'était pas atteint, la conclusion d'un accord avec l'Empire, et par un danger qui se rapprochait : le retour offensif de Frédéric.

Malgré ses efforts auprès de la cour de France en vue d'obtenir la médiation de Louis VII[3], Alexandre ne put faire prévaloir une solution pacifique. A l'automne de 1174, l'empereur franchissait de nouveau les Alpes, décidé à se venger des humiliations subies sept ans plus tôt. Comme toujours un corps expéditionnaire l'avait devancé dans le centre de la péninsule ; depuis 1172, Christian de Buch s'y dépensait, non sans succès, pour la cause impériale. Quant à lui il arrivait, cette fois, avec un contingent de ces mercenaires brabançons dont le nom seul répandait au loin la terreur[4].

SIÈGE MANQUÉ D'ALEXANDRIE   Après avoir brûlé Suse, il se hâte d'aller mettre le siège devant la ville dont l'existence même lui paraissait un insupportable défi parce qu'elle incarnait justement l'alliance du pape et des Lombards, la toute neuve Alexandrie. La ville, quoique faiblement fortifiée, résista cependant plusieurs mois[5] ; l'hiver l'y aida et aussi la solidarité lombarde. A Plaisance, au cours d'une sorte de conseil de guerre, les députés des villes et les nobles décidèrent de lui envoyer un convoi de vivres et de renforts. C'est l'arrivée de cette armée de secours qui obligea Frédéric à lever le siège (Pâques 1175) et à se prêter aux négociations.

TRÊVE DE MONTEBELLO   Elles s'engagèrent sous le signe de la liberté de l'Église et des villes[6] ; les Lombards demandèrent qu'aucun changement ne fût apporté au statut d'Alexandrie qui en était le symbole, c'est-à-dire qu'elle demeurât ville libre. Ils

---

(1) Romuald de Salerne, *édit. cit.*, p. 266.
(2) F. Chalandon, *Histoire de la domination normande en Italie et en Sicile*, t. II, p. 376 et suiv. ; les négociations eurent lieu au printemps de 1176.
(3) *Lettre d'Alexandre III à Henri de Reims*, 19 avril 1174. (*P. L.*, CC, 987.)
(4) Le 7e canon du concile de Latran les mettra au ban de l'Église comme les hérétiques (voir *infra*, p. 168). Cf. *Lettre d'Étienne, abbé de Cluny, à Louis VII*. (*H. Fr.*, t. XVI, p. 130.)
(5) Le cardinal Boson, à propos d'un fait d'armes, au cours du siège, raconte que les citadins crurent voir saint Pierre en personne, monté sur un cheval blanc et revêtu d'une armure étincelante, marcher à leur tête ; trait légendaire, commun sous diverses formes à bien des récits de croisades (cf. Paul Rousset, *Les origines et les caractères de la première croisade*, Neuchatel, 1945), mais qui traduit l'état d'esprit du moment.
(6) *Salva Ecclesiae Romanae ac nostra libertate pro qua decertamur...* écrit Boson. (Watterich, *op. cit.*, t. II, p. 425.)

posèrent comme première condition que Frédéric reconnût Alexandre III et se réconciliât avec lui. Ils maintinrent leur droit de se liguer et de s'armer dès à présent et à l'avenir pour la défense de l'Église et la leur. Pour tout le reste, les communes prenaient le contre-pied des décrets de Roncaglia [1]. Ces propositions furent soumises à l'arbitrage des consuls de Crémone qui les remanièrent en tenant compte des contre-propositions impériales [2].

Sur deux points, l'arbitrage crémonais contrariait le projet de paix des Lombards. Il passait sous silence l'obligation faite à Frédéric Barberousse de se réconcilier avec Alexandre III et laissait simplement aux villes toute latitude de rester fidèles au pape. Bientôt l'un des notables signataires des propositions lombardes affirmera solennellement que Frédéric aurait à ce moment accepté toutes leurs conditions si les villes avaient voulu passer au schisme. Que l'offre ait été faite ou non, elle était bien maladroite. Les évêques alexandrins étaient nombreux et influents dans les conseils de la ligue [3] : ils n'auraient pu abandonner cette clause essentielle. Mais c'était bien dans la ligne politique de Frédéric de disjoindre les deux problèmes et de séparer les deux alliés. Quant à Alexandrie, l'arbitrage donnait seulement aux habitants le droit de rentrer avec tous leurs biens dans leurs villages d'origine.

Le désaccord sur ces deux points fit avorter les négociations. Mais l'armistice tenait toujours. Frédéric, n'ayant pu séparer les Lombards d'Alexandre III, se tourna vers celui-ci pour le détacher de la ligue.

ENTRETIENS DE PAVIE De Pavie où il s'était enfermé, il fit de nouvelles ouvertures à la Curie. Il s'adressa personnellement à trois des cardinaux les plus en vue, leur proposant de venir les rejoindre pour conférer de la paix à rétablir entre l'Empire et l'Église. Ces propositions réveillèrent les méfiances d'Alexandre III. Estimant cependant qu'il ne devait manquer aucune occasion de traiter, il laissa partir les trois prélats dûment avertis. Le cardinal d'Ostie, Hubald, arriva le premier à Plaisance où le rejoignirent bientôt ses deux confrères venus par un autre chemin pour pouvoir, au passage, s'aboucher à Lodi avec les recteurs de Lombardie. De là, les trois légats remontèrent jusqu'à Pavie où l'empereur les fit escorter. La première séance ne fut pas que de pure forme. L'empereur ôta son casque et vint, tête nue, complimenter en allemand les trois légats sur leurs trônes, puis il les invita à parler les premiers. Hubald prit la parole ; s'excusant de ne pas pouvoir rendre à un excommunié son salut, et manifestant l'urgent besoin de la paix, ressenti par tous, reprocha à l'empereur d'hésiter encore à reconnaître Alexandre. Les deux autres cardinaux parlèrent dans le même sens, tour à tour flatteurs et invectifs. Les jours suivants, les légats eurent de

---

(1) Cf. P. W. FINSTERWALDER, *Die Gesetze des Reichtags von Roncaglia von 11.XI.1158* ; dans *Zeitschrift der Savignystiftung für Rechtsgeschichte-germanistische*, t. LI, 1931 et F. GUETERBOCK, *Der Friede von Montebello und die Weiterentwiklung des Lombardenbundes*, Berlin, 1895.

(2) M. G. H., *CC.*, t. I, p. 339-346. Cf. E. JORDAN, *L'Allemagne et l'Italie aux XIIe et XIIIe siècles*. (*Histoire générale : Histoire du moyen âge*, de G. GLOTZ, t. IV, 1re partie, Paris, 1939, p. 108.)

(3) ROMUALD DE SALERNE, *loc. cit.*, p. 273 et suiv. Cf. WATTERICH, *op. cit.*, t. II, p. 594.

nouveaux entretiens avec l'empereur et les dignitaires de sa cour. Les
difficultés commencèrent dès qu'on parla de paix séparée. Les légats n'en
voulurent pas. On convoqua donc les Lombards. Mais l'empereur s'abstint
dès lors de participer aux conversations et désigna Christian, son chancelier, l'archevêque de Cologne Philippe et son protonotaire Wortwin pour
conduire les pourparlers.

Les entretiens recommencèrent à trois, cette fois. Mais Frédéric ne
cessa de maintenir des exigences que les Lombards jugèrent inadmis-
sibles, et au sujet des affaires ecclésiastiques « ce qu'il demanda dépassa
tout ce qui avait été concédé jusque-là à un laïc »[1]. Il s'agissait sans doute,
une fois de plus, de la légitimation des ordinations schismatiques en
Allemagne.

Sur la question d'Alexandrie, on ne put s'entendre davantage. Les
Lombards voulaient attribuer à cette cité les mêmes droits qu'aux autres
villes de la ligue, tandis que l'empereur refusait d'en admettre même
l'existence. Les légats, ne pouvant aboutir sur ces bases, prirent le chemin
du retour.

LEGNANO   De nouveau les relations se tendirent à l'extrême. Le pape
punit Pavie du constant appui qu'elle avait apporté aux
schismatiques en la privant des honneurs liturgiques dont son évêque
jouissait depuis longtemps. Il parut au contraire récompenser les Alexandrins de leur exploit en érigeant leur ville en évêché et, comme s'il eût
voulu fortifier leur constance, il leur choisit comme évêque un membre
du clergé romain, le sous-diacre Arduin[2]. Les hostilités reprirent en
Lombardie. Les confédérés étaient restés sous les armes. Et Frédéric
n'attendait que des renforts d'Allemagne pour marcher sur Milan. A
Legnano il se heurta fortuitement aux troupes de la ligue et ce qui n'avait
d'abord été qu'une surprise d'avant-gardes se changea en déroute pour
l'armée impériale. Elle laissait sur le terrain un grand nombre de morts,
un riche butin d'armes et de chevaux et la bannière personnelle de Frédéric.
Cette victoire inespérée étonna les vainqueurs eux-mêmes et les rendit
plus intraitables. Ils prétendirent continuer la guerre et exploiter à
fond un succès qui pouvait être sans lendemain. Pressé par son entourage,
Frédéric se persuada qu'il ne lui restait qu'à faire la paix avec l'Église.
Alexandre III était moins que jamais dans une situation à se refuser aux
négociations. Ses conditions n'avaient jamais varié. Du vaincu de Legnano,
il n'exigea rien de neuf, rien qu'il n'eût exigé de l'empereur au temps
de sa puissance.

§ 2. — La paix de Venise[3].

PRÉLIMINAIRES D'ANAGNI   De leur côté, quand les plénipotentiaires
impériaux se présentèrent à Anagni pour
discuter les préliminaires d'un accord, ils tentèrent d'obtenir encore

(1) Boson, dans Watterich, *op. cit.*, t. II, p. 428.
(2) F. Ughello, *Italia sacra*, t. IV, Venise, 1719, c. 314 et 321.
(3) Bibliographie. — I. Sources. — Sur les négociations préliminaires, outre Boson, Romuald

une paix séparée[1]. Mais dès que le pape, en réponse à leur compliment inaugural, eut pris la précaution de leur déclarer qu'il n'y aurait pas de paix véritable sans participation de ses alliés Lombards, Siciliens et Grecs, ils n'insistèrent pas et se bornèrent à demander que les négociations fussent secrètes entre le pape et les cardinaux d'une part et les légats impériaux de l'autre : ceci pour déjouer les manœuvres des ennemis de la paix, et il y en avait, disaient-ils, dans les deux camps[2]. Ces deux points étant acquis, la discussion dura encore quinze jours et devint ardue quand on aborda l'épineuse question des ordinations schismatiques et les contestations territoriales. Sur la question primordiale de la légitimité d'Alexandre III, l'empereur s'inclina et avec l'impératrice Béatrice et leur fils, le jeune roi Henri, il reconnut Alexandre comme le pape légitime, catholique et universel. C'était la concession essentielle du côté impérial. Quant à l'antipape, l'empereur, sans même le consulter, se contenta pour lui de la promesse d'une abbaye ; ses « soi-disant cardinaux » conservaient seulement les dignités et les ordres qui étaient les leurs avant le schisme. Il y avait loin, on le voit, de la modération d'Alexandre III à la sévérité de ses prédécesseurs dans les mêmes circonstances[3]. Cette mansuétude faisait briller sa force plus que d'excessives rigueurs qu'il était d'ailleurs sage d'éviter. Après une si longue crise, l'autorité, même légitime, était discréditée. Aux yeux des esprits les plus religieux, l'échange abusif des excommunications entre les deux camps, l'incertitude qui avait régné longtemps sur le véritable détenteur du pouvoir d'excommunier n'avait laissé d'autre ressource à l'« homme spirituel » que de se placer au-dessus d'elles[4].

LE SORT DES CLERCS ALLEMANDS ET ITALIENS

Aussi quand il fallut régler le sort des clercs compromis dans le schisme, Alexandre accorda-t-il un traitement de faveur à ceux d'Allemagne et tint le plus grand compte des questions de personne. L'alexandrin Conrad résignerait le siège de Mayence d'où Frédéric l'avait chassé, au profit du chancelier Christian qui serait confirmé par le pape. En compensation il aurait le premier archevêché vacant en Allemagne. Ulric serait réintégré sur le siège d'Halberstadt à la place de l'intrus Géron. Les prétentions de l'évêque de Brandebourg à l'archevêché

DE SALERNE est le plus abondant en détails. Les discours qu'il prête aux parties reflètent bien l'état d'esprit réciproque. On trouvera la traduction des discours prononcés à la conférence de Ferrare dans HEFELE-LECLERCQ, *Histoire des conciles*, t. V, 2e part., p. 1072, n. 2. — Les textes des accords sont dans WATTERICH, *op. cit.*, t. II, p. 440-445 et 597-639 (*passim*)et dans M. G. H., LL., IV (*CC.*), t. I, p. 349-354, 357-359 et 360-373. — La *De pace veneta relatio*, éditée par U. BALZANI, dans *Bulletino dell' Istituto storico italiano*, n° 10, Rome, 1890, n'ajoute pas grand'-chose à la copie qu'en a donnée ARNDT dans M. G. H., SS., t. XIX, p. 461-463, où l'on trouvera le formulaire détaillé des serments ; voir enfin l'*Histoire des ducs de Venise* dans M. G. H., SS., t. XIV, p. 82-89.

II. TRAVAUX. — Outre les travaux cités *supra*, p. 127, voir surtout P. KEHR, *Der Vertrag von Anagni im Jahre 1176*, dans *Neues Archiv*, t. XIII, 1888, p. 75 et suiv., et la conclusion de son étude sur *Rom und Venedig bis ins 12. Jarhundert*, dans *Quellen und Forschungen aus italienischen Archiven und Bibliotheken*, t. XIX, Rome, 1927.

(1) Le texte du pacte dans M. G. H., LL., t. II, IV, *loc. cit.*, note précédente ; cf. P. KEHR, cit. *ibid.*, p. 109.
(2) BOSON dans WATTERICH, *op. cit.*, t. II, p. 426.
(3) Qu'on se souvienne de l'attitude d'Innocent II avec les Pierleonistes, au concile de 1139.
(4) Cf. le *De vera pace*, publié par Dom WILMART, édit. citée, p. 153-154, 179 et 182.

de Brême seraient examinées avec bienveillance, le cas des évêques de Strasbourg et de Bâle soumis au jugement conjoint du pape et de l'empereur. Les ordinations conférées pendant le schisme par d'anciens catholiques ou par ceux qui tenaient d'eux leurs ordres resteraient valables pour les clercs d'Allemagne.

Pour ceux d'Italie et en général des pays non-allemands, leur cas serait soumis au tribunal apostolique avec faculté pour l'empereur d'intervenir en faveur de six ou douze d'entre eux. L'évêque alexandrin de Mantoue serait réintégré sur son siège et son compétiteur transféré à Trente. Une mutuelle promesse de paix s'étendait à l'entourage de chacune des parties, aux cardinaux pour la papauté, à la famille impériale et à ses serviteurs pour l'Empire. Quiconque viendrait à troubler la paix serait menacé au plus tôt d'excommunication et la même menace serait renouvelée en un concile général dont l'urgent besoin était ressenti par tous. Une trêve était accordée et, en attendant, toute sécurité garantie au pape pour sa personne et pour ses biens, la libre circulation partout rétablie.

RÈGLEMENT DES LITIGES TERRITORIAUX
Restaient à liquider les litiges territoriaux subsistant entre le Sacerdoce et l'Empire, depuis les origines du conflit. L'empereur rendrait à la papauté l'héritage mathildique et les *regalia* du patrimoine de Saint-Pierre, tels qu'ils existaient au temps d'Innocent II, enfin la préfecture de Rome, sous réserve des droits revendiqués par l'Empire. De même, les biens et les *regalia* enlevés injustement aux clercs à l'occasion du schisme leur seraient restitués. L'examen des litiges antérieurs au temps d'Adrien IV serait commis à des arbitres choisis par les parties, y compris le roi de Sicile. En cas d'abstention de ce dernier, le pape et l'empereur les régleraient d'un commun accord.

INQUIÉTUDE DES LOMBARDS
Entre Frédéric et les Lombards les conditions de la paix seraient fixées par les représentants des trois parties, les plénipotentiaires pontificaux et impériaux ayant en dernier ressort voix prépondérante. Il y aurait eu là une menace pour les Lombards, si l'attitude constante d'Alexandre, avant comme après les entretiens d'Anagni, ne leur avait garanti sa fidélité. Du reste, la possibilité d'un désaccord était prévue ; dans ce cas l'empereur s'engagerait à prolonger de trois mois, à partir de la rupture des négociations, la trêve en cours [1].

Enfin toute décision définitive était ajournée jusqu'à la réunion d'un congrès en Haute-Italie dont la convocation était décidée par Alexandre III dans l'intérêt des Lombards, dont le lieu ne serait pas fixé sans les consulter, et où le pape, malgré son âge, se rendrait en personne pour en diriger les débats. Les Lombards furent pourtant très inquiets. Le

---

(1) Certains alexandrins notoires comme le duc Welf, par exemple, trouvaient ces ménagements inutiles et poussaient le pape à sacrifier ses alliés à la paix, urgente pour l'Église. Cf. H. REUTER, *op. cit.*, t. III, p. 254.

secret des négociations d'Anagni aviva leurs alarmes, entretenues soigneusement par la propagande impériale qui se vantait partout d'avoir conclu la paix.

Le bruit s'en répandit jusqu'en France et Alexandre III dut démentir à plusieurs reprises ces fausses nouvelles, calmer les susceptibilités qu'elles éveillaient chez Louis VII [1], rassurer la ligue et même l'empêcher de se dissocier sous l'action délétère de ces injustes soupçons. Crémone n'en abandonna pas moins la confédération en attendant de pactiser avantageusement pour son compte avec Frédéric : c'était d'ailleurs le couronnement de sa politique antérieure. Terdona fit de même [2]. Frédéric se crut-il assez fort de ces défections dans le camp de ses adversaires [3] pour remettre tout en question ? Il semble en avoir eu l'idée, et si ce n'est lui, ce fut son entourage. Bientôt il accusera publiquement ces méchants conseillers. Le fait est qu'il songea encore à donner le change sur l'objet de la grande assemblée qui se préparait. Reprenant ses projets de 1162, il annonça pour le 25 janvier 1177 la réunion d'un concile où devaient comparaître les deux papes [4].

LE CHOIX DU LIEU DU CONGRÈS   Mais Alexandre III était moins que jamais disposé à laisser discuter sa légitimité. Le patriarche d'Aquilée, Ulric, convoqué entre autres par l'empereur, fit la sourde oreille [5] et les protestations des Lombards achevèrent de persuader à Frédéric qu'il faisait fausse route. Il n'insista pas. Les légats d'Alexandre, Hubald, cardinal évêque d'Ostie, et Raynier, cardinal évêque de Saint-Georges, se rendirent à Modène en vue de fixer avec l'empereur et les Lombards le lieu du prochain congrès. L'empereur proposa Ravenne, mais les légats n'en voulurent pas et, sur la proposition des Lombards, Bologne fut désignée d'un commun accord.

Aussitôt le pape se met en route pour Venise ; tandis qu'un groupe de cardinaux prend la route de terre, il va s'embarquer à Viesti, au pied du mont Gargano ; treize galères ont été mises à sa disposition par le roi de Sicile. Romuald archevêque de Salerne et Roger comte d'Andria ne le quitteront plus à partir de ce moment jusqu'à la conclusion de la paix.

Le voyage fut mouvementé ; il fallut attendre les vents favorables, puis essuyer une tempête, ce qui rendit nécessaires plusieurs escales dans l'archipel dalmate : « Mais c'était un beau spectacle, dit Boson, que cette flottille dominant les vagues, toutes voiles dehors [6]. » A Zara Alexandre III, monté sur son cheval blanc, fit une magnifique entrée au milieu des acclamations d'une foule qui voyait un pape pour la première fois et dont le parler slave résonnait étrangement aux oreilles

---

(1) *Lettre d'Alexandre III au cardinal légat Pierre de Saint-Chrysogone*, 30 avril 1177. (*P. L.*, CC, 1108.)

(2) Les consuls de Trévise en auraient fait autant, sans une réaction très vive de leurs concitoyens. Cf. BOSON, dans WATTERICH, *op. cit.*, t. II, p. 436 et 445.

(3) A Venise, il groupera vingt-deux communes de la Haute-Italie contre les vingt-cinq de la ligue.

(4) Cf. A. HAUCK, *op. cit.*, t. IV, p. 303.

(5) Sur le double jeu de ce prélat, voir H. REUTER, *op. cit.*, t. III, p. 255-259.

(6) BOSON, dans WATTERICH, *op. cit.*, t. II, p. 436.

romaines. Après quatre jours on reprit la mer et, le 23 mars 1177, c'est à Venise que l'on put jeter l'ancre. Les Vénitiens, alexandrins fidèles depuis le début du schisme, firent au pape un accueil enthousiaste.

A peine avait-il débarqué, les envoyés de Frédéric le prièrent de changer le lieu des négociations et proposèrent de sa part Pavie, Ravenne ou Venise ; ils ne voulaient plus de Bologne, où les plénipotentiaires impériaux, fort haïs depuis la campagne de Christian de Buch, risquaient beaucoup d'être malmenés. Le pape fit remarquer « que l'empereur ne devait s'en prendre qu'à soi d'avoir accepté ce qui maintenant lui déplaisait » [1] : et il refusa de rien changer sans l'avis des cardinaux qui l'attendaient à Bologne, ni sans l'accord des recteurs de la ligue qu'il convoqua à Ferrare pour le début d'avril.

CONFÉRENCE DE FERRARE — Les Lombards étaient encore sous l'impression des bruits qui avaient circulé après les préliminaires d'Anagni et craignaient que la paix ne se fît sans eux. Or, ils estimaient avoir supporté tout le poids de la lutte et entendaient bien tirer tout le parti possible de leur victoire. A Ferrare, ils le rappelèrent avec éloquence et sans aménité. Le pape dut les rassurer. Dans le discours tout rempli de métaphores nautiques qu'avaient pu lui inspirer ses nombreuses et mauvaises traversées, il confirma ses constantes intentions de refuser toute paix d'où ils seraient exclus. Il reconnut en eux les plus brillants défenseurs de « la grandeur de l'Église et de la liberté de l'Italie ». La paix lui avait été souvent offerte, il avait toujours refusé de la conclure séparément. Cependant la méfiance persistait et fut longue à désarmer. Au moment même où Alexandre donnait cette assurance, son légat Hildebrand, partant en mission pour Salzbourg, se vit refuser le passage par les recteurs de la Marche, restés malgré tout soupçonneux [2]. Trois jours après le premier échange de vue entre Alexandre III et ses alliés, arrivaient à Ferrare, Christian de Buch en tête, les sept délégués de l'empereur. A leur tour, le pape et les cardinaux désignèrent pour traiter en leur nom sept d'entre eux dont le plus influent était le négociateur des entretiens de Pavie, Hubald Allucingolo, cardinal évêque d'Ostie. De leur côté, les Lombards élurent sept représentants, parmi lesquels on ne remarquait pas moins de quatre évêques, ceux de Turin, de Bergame, de Côme et d'Asti. Bien entendu les représentants de la ligue furent invités à prendre part aux négociations. Mais dans quelle ville auraient-elles lieu ? C'est la première question qui, de nouveau, se posa.

Tour à tour Impériaux et Lombards mettaient en avant le nom d'une ville de leur appartenance, dont ils fussent les plus sûrs, chacun pour leur compte. A défaut de Bologne, dont les premiers ne voulaient pas, on a vu pour quelles raisons, les Lombards proposaient une des villes de leur ligue, Plaisance, Ferrare, ou Padoue. Christian de Buch, pour leur faire pièce, nommait les villes impériales, Pavie, Ravenne ou même Venise où

(1) Boson, dans Watterich, *op. cit.*, t. II, p. 438.
(2) *P. L.*, CC, 1120-1121.

l'empereur entretenait des intelligences dans les partis populaires et à laquelle les Lombards ne pouvaient guère reprocher que sa neutralité, également intéressée à ménager l'empereur et le roi de Sicile. Finalement l'avis d'Alexandre III, appuyé par les Siciliens, prévalut et Venise fut choisie. Pour couper court aux dernières objections des Lombards, à la demande d'Alexandre III, le gouvernement vénitien dut donner des gages, garantir la sécurité des personnes et des biens des plénipotentiaires, la liberté pour chacun d'aller et venir, promettre de ne laisser, sous aucun prétexte, entrer l'empereur dans la ville sans la permission expresse et préalable du pape.

Jusqu'au dernier moment, on s'entoura de précautions, un coup de force restait donc possible. La crainte, justifiée ou non, développe l'ingéniosité du plus faible : elle fit naître ce réseau d'engagements et de clauses préalables qui prémunissaient les négociateurs contre toute surprise et s'efforçaient, à distance, de désarmer et de lier un vaincu toujours redoutable [1].

LA PAIX DE VENISE.
ULTIMES TENTATIVES DE FRÉDÉRIC BARBEROUSSE POUR DICTER LA PAIX

A Venise où il revient le 10 mai, c'est encore Alexandre qui fixe l'ordre des débats ; on négociera d'abord la paix entre l'empereur et les Lombards, puis, sans les disjoindre, la paix du roi de Sicile et de l'Église. Cette procédure avait pour le pape l'avantage de ménager les susceptibilités toujours renaissantes de ses alliés et de lui réserver tout naturellement, en cas de difficulté, le bénéfice de l'arbitrage. Il avait vu juste. Entre plénipotentiaires lombards et impériaux la discussion ne sortit pas de l'impasse où la confinaient des prétentions inconciliables, les premiers voulant s'en tenir à l'arbitrage crémonais, les seconds ne renonçant pas à brandir les décrets de Roncaglia. Sollicité par les deux parties, Alexandre III proposa de remettre à plus tard la discussion des points litigieux [2] et, à défaut d'une paix perpétuelle, de conclure, en attendant, une trêve de dix ans pour les Lombards et de quinze ans pour le roi de Sicile. En ce qui concernait l'Église, il n'y avait plus qu'à ratifier les clauses déjà formulées à Anagni.

Il fallut en référer à l'empereur, qui résidait à Pomposa. Celui-ci, fort mécontent des trêves, renvoya ses légats avec mission de conclure la paix avec l'Église seule. Mais en même temps, il négociait de son côté et à leur insu : par l'intermédiaire de l'évêque de Clermont Pons, de l'abbé de Bonneveaux Hugues et de son vice-chancelier Godefroy, il fit savoir qu'il accorderait les trêves à une seule condition qui devait être acceptée aveuglément et qu'il ne confierait qu'à deux cardinaux désignés par le pape. Celui-ci chargea les cardinaux Hubald et Théodin de s'enquérir de

_____

(1) S'est-on avisé que la paix de Venise offre l'un des premiers exemples de ces ressources de procédure dont le droit international a fait, depuis, tant d'usage ? Appelée constamment à équilibrer des forces très inégales, l'Église romaine a sans doute joué, dans le perfectionnement de ces pratiques diplomatiques, un rôle qui reste à préciser et qui paraît très important.

(2) Voir *supra*, p. 145. Finalement, c'est l'arbitrage crémonais qui servit de base à la discussion. Cf. ROMUALD DE SALERNE, *édit. cit.*, p. 277.

la demande impériale. Mais il redoutait un piège et il n'eut de cesse qu'il n'eût obtenu, des émissaires mêmes de l'empereur, l'aveu de cette clause secrète. Il s'agissait de laisser à l'empereur l'usufruit pendant quinze ans des biens de la comtesse Mathilde auxquels il avait cependant renoncé par le pacte d'Anagni et de remettre à plus tard la discussion sur les titres de propriété.

Le pape, d'accord avec le roi de Sicile, accepta le compromis en le modifiant sur un point : les quinze ans écoulés, l'héritage mathildique lui revenant, ce ne serait plus à lui, mais à l'empereur de faire valoir ses droits éventuels. Quand le chancelier apprit que l'empereur négociait par-dessus sa tête, il se plaignit amèrement au pape des intrigues dont il était entouré [1] et, pour accélérer la marche des négociations et couper court aux menées de ses envieux, il lui fit accepter que Frédéric se rapprochât. Alexandre III consentit à ce que l'empereur vînt à Chioggia, sous réserve qu'il prêterait serment de ne pas se rapprocher davantage sans sa permission.

Cette méfiance persistante n'était pas injustifiée. Frédéric, à peine arrivé à Chioggia, se prêtait à une nouvelle manœuvre dont les *popolani* de Venise, accourus à sa rencontre, avaient pris l'initiative. Ils le pressaient de rompre toutes les entraves et d'entrer dans la ville où, avec leur appui, il dicterait la paix. Frédéric se garda de les décourager. Les *popolani* forcèrent la main du doge et allèrent en pleine nuit réveiller le pape pour lui arracher son consentement à l'entrée de Frédéric dans la ville. De Chioggia, celui-ci guettait le moment d'intervenir. Songeait-il encore à s'imposer par la violence, à soumettre Alexandre au jugement d'un concile ? C'est peu probable, mais la nouvelle de son arrivée brusquée suffit à semer la panique. Les députés lombards partirent précipitamment en direction de Trévise. Les députés siciliens proposèrent à Alexandre de s'esquiver sur leurs galères. Son sang-froid sauva la paix. Cherchant à gagner du temps, il refusa de partir avant le retour des cardinaux en mission auprès de l'empereur. Sur une intervention comminatoire des députés siciliens auprès du doge, les Vénitiens, craignant les représailles que le roi normand pourrait exercer sur leurs concitoyens nombreux en Pouille, ou sur leur ravitaillement en céréales, demandèrent eux-mêmes au doge de revenir sur sa décision. Une délégation vénitienne vint faire amende honorable auprès d'Alexandre et des Siciliens, qui affectèrent de se faire prier, et tout rentra dans l'ordre.

Dans l'entourage de Frédéric, la lassitude était extrême. Les princes ne le suivaient plus et son chancelier le lui dit tout net : « Nous ne pouvons revenir sur les accords d'Anagni où nous nous sommes engagés pour vous. Nous vous servirons à raison des biens temporels et des *regalia* que nous possédons. En ce qui concerne Alexandre, c'est lui que nous reconnaissons comme pape catholique, et comme notre père dans les choses spirituelles. En aucun cas nous ne retournerons à Calixte [2]. »

Frédéric dut se résigner. Il accorda les trêves, ratifia les termes de

(1) WATTERICH, *op. cit.*, t. II, p. 616.
(2) ROMUALD DE SALERNE, *édit. cit.*, p. 275-282.

l'accord enfin réalisé le 21 juillet 1177. C'étaient les clauses d'Anagni, moins la restitution des biens de la comtesse Mathilde, le tout sous la garantie du serment qu'il prêterait ou plutôt ferait prêter par douze de ses princes, dès qu'il serait admis à Venise.

LA RÉCONCILIATION DE SAINT-MARC Le pape rappelle aussitôt les recteurs de Lombardie repliés à Trévise et donne l'ordre aux Vénitiens d'aller chercher l'empereur à Chioggia. Celui-ci était encore sous le coup de l'excommunication. Trois cardinaux vont à sa rencontre à San Niccolo al lido, pour l'absoudre et recevoir, des évêques qui l'accompagnaient, leur renonciation solennelle à l'obédience des trois antipapes. Alors seulement le doge vient l'accueillir et, au milieu d'une foule immense, l'escorte jusqu'à Saint-Marc. Là, sur une estrade dressée devant l'atrium, entre les deux immenses bannières de Venise, Alexandre III l'attendait. L'empereur se prosterne à ses pieds. Ému jusqu'aux larmes en présence de l'adversaire qu'il n'avait pas revu depuis la diète de Besançon, Alexandre le relève, lui donne le baiser de paix et le bénit aux accents du *Te Deum*, entonné à pleine voix par les Allemands (24 juillet). Le lendemain le pape officie en personne à Saint-Marc et y prêche en présence de l'empereur [1] qui, à la sortie comme à l'entrée, lui rend les honneurs traditionnels [2], puis sans cérémonies, vient se présenter jusqu'à la porte de la chambre où le pape s'était retiré avec les cardinaux. Nouvelle entrevue, tout intime cette fois, où, de part et d'autre, l'on fait assaut d'amabilités et de bonne humeur. Le 1er août, dans une assemblée tenue sous la présidence du pape au palais du patriarche de Venise, l'empereur, après avoir avoué ses erreurs dont il ne manque pas d'incriminer ses conseillers, fait jurer solennellement en son nom, selon l'usage, la paix et les trêves. Un cardinal se rendit près de Rovigo, au château de Gaiba, pour y recueillir le serment de l'impératrice et de son fils.

Enfin, le 14, dans un concile tenu à Saint-Marc, Alexandre III excommunie tous ceux qui menacent de troubler la paix, sous réserve d'un délai de quarante jours en faveur des schismatiques qui reviendraient à résipiscence. Au moment où les cierges sont renversés et jetés à terre, on entend l'empereur proférer à haute voix, avec toute l'assistance, le *fiat* rituel.

Ainsi prit fin le schisme. Après un conflit de dix-huit ans, ces manifestations extérieures de soumission, de la part de Frédéric Barberousse, purent apparaître comme une victoire personnelle d'Alexandre III. En outrant l'humiliation subie par le premier, en prêtant au second un

---

(1) Il fut écouté si avidement par Frédéric qu'il fit traduire son sermon en allemand. Au cours des entrevues, Frédéric et Alexandre communiquaient au moyen d'interprètes. Cf. U. BALZANI, *De pace Veneta relatio, loc. cit.*, p. 12.

(2) Il est d'usage de les supposer connus. Il est pourtant utile de rappeler qu'ils consistaient, à l'entrée, à assumer l'*officium ostiarii*, c'est-à-dire à faire fonction d'huissier, et à la sortie, à faire fonction d'écuyer, *stratoris* : tenir l'étrier à celui qui montait en selle et conduire le cheval par la bride. Ces rites protocolaires avaient conservé toute leur force symbolique. Quand, en 1154, Frédéric avait refusé à Nepi de rendre ces mêmes honneurs à Adrien IV, les cardinaux, effrayés à l'idée de ce qui allait se passer, se réfugièrent en hâte dans la forteresse voisine. A Venise Alexandre III se contenta du geste et dispensa l'empereur de l'accompagner jusqu'au quai voisin.

intraitable orgueil, la légende postérieure l'amplifia sans mesure [1]. En fait, le pape l'annonça au monde catholique, en des termes modérés où il se louait moins des avantages obtenus que d'avoir pu conserver intacts l'honneur dû à sa charge et les traditions héritées de ses prédécesseurs [2]. Dans son discours de Ferrare, suprême élégance ou suprême habileté, aucune allusion aux succès militaires d'Alexandrie ou de Legnano, mais seulement aux forces morales qui avaient eu le dernier mot : « C'est Dieu et non pas l'homme qui a produit ce spectacle admirable à nos yeux, d'un vieux prêtre sans armes repoussant la fureur teutonique et vainquant sans guerre la puissance impériale [3]. »

RETENTISSEMENT ET INDÉCISION DE LA PAIX — A la nouvelle de la paix, ce fut un soulagement dans la Chrétienté entière. On célébra les mérites des principaux négociateurs, du côté de l'Empire, Wichman de Magdebourg et Philippe de Cologne, du côté de l'Église les cardinaux Hubald, évêque d'Ostie, et Théodin, du titre de Saint-Vital. Le pape et l'empereur se plurent également à rendre hommage aux deux cisterciens qui avaient travaillé sans relâche à les réconcilier : l'évêque de Clermont Pons et l'abbé de Bonnevaux Hugues [4]. Quant à Alexandre III, ennobli par l'âge et l'épreuve, il en imposait à tous : dans les deux camps on reconnaissait la parfaite dignité de sa vie, sa sagesse et son courage : il sortait grandi de la lutte. Il avait su déjouer les manœuvres de l'adversaire, conserver ses alliances, tenir bon dans l'épreuve et, le moment venu, rapprocher les parties par d'opportunes transactions. L'idée des trêves était de lui. Les Lombards, qui les reprochaient à Alexandre comme une demi-trahison, manquaient de clairvoyance ; l'avenir devait lui donner raison.

Le roi de Sicile, autre inséparable allié, y gagna la reconnaissance par Frédéric de son titre de roi, tenu jusque là du pape seul ; ses plénipotentiaires avaient beau nier qu'aucun différend l'eût jamais séparé de l'empereur et affecter dans les débats un superbe détachement, Christian de Mayence n'en avait pas moins battu ses troupes à Carsoli, deux mois avant Legnano [5]. Son mariage avec la fille de Henri II, conclu peu de temps avant la paix, n'avait pas contribué à les rapprocher ; c'est Alexandre III, nous l'avons vu, qui l'avait négocié [6]. Aussi bien, est-ce

(1) Cf. H. REUTER, *op. cit.*, t. III, p. 304 et 758. Au palais ducal de Venise ces scènes sont représentées à la gloire de la ville et du doge Ziani. Elles ont inspiré, à Sienne, patrie d'Alexandre, les fresques que Spinello Aretino et son atelier ont exécutées dans la salle des prieurs du palais communal, à la gloire d'Alexandre III. Le texte de Boson a sans doute inspiré l'artiste ; les scènes représentées, où les voyages maritimes tiennent une grande place, sont significatives d'une tradition qui n'était pas étroitement locale.
(2) Cf. ses lettres dans *P. L.*, CC, 1130, 1131, 1135.
(3) ROMUALD DE SALERNE, *édit. cit.*, p. 272.
(4) Ils furent nommément remerciés, avec le chartreux Thierry, dans les lettres préliminaires aux protocoles de Venise. (M. G. H., *LL.*, t. II, p. 153 et 154.) Sur Hugues de Bonnevaux, voir Fr. MARIE ANSELME (alias DIMIER), *Saint Hugues de Bonnevaux, de l'ordre de Cîteaux*, abbaye de Tamié, 1941. Le rôle de ce dernier dans la réconciliation finale fit évoquer le souvenir de saint Bernard ; c'est du moins ce qu'il faut retenir de la gracieuse légende rapportée par HÉLINAND DE FROIDMONT, *Chronicon*, a. 1185, dans *P. L.*, CCXII, 1178, où l'on voit une colombe tracer son devoir à l'abbé : « Saint Bernard t'envoie dire de faire la paix entre le pape et l'empereur. »
(5) Le 10 mars 1176, cf. F. CHALANDON, *Histoire de la domination normande en Italie et en Sicile*, t. II, p. 375.
(6) Voir *supra*, p. 141.

surtout au titre de portier des Lieux Saints, de champion du Christianisme contre l'Islam, et, pour tout dire, d'allié du pape, qu'il obtint de Frédéric sa trêve particulière [1].

Autant que de finesse Alexandre III avait fait preuve de modération ; en traitant avec l'empereur, il avait tout subordonné à la nécessité de mettre fin au schisme. Hormis ce résultat, les solennités de Venise ne peuvent donner le change sur le caractère tout provisoire et incomplet de la paix. Les questions de principe avaient été de part et d'autre soigneusement éludées. Sauf la promesse d'un mutuel appui, nulle clause, même de forme, ne se prononçait sur la hiérarchie de deux pouvoirs, sur leur conflit de prééminence. La diète de Besançon, le serment de Würzbourg paraissaient oubliés. S'il pouvait, sur ce point, s'estimer vainqueur, Alexandre III se contentait d'une victoire silencieuse. De son côté, l'empereur ne renonçait à rien et son autorité, dans tous les domaines, ne fera bientôt que se renforcer.

EFFACEMENT DE BYZANCE Autre anomalie ; Manuel ne fut pas même représenté à Venise, comme le prouve l'ambassade qu'il envoya s'informer de la paix, à la fin de 1177, et qui d'ailleurs ne dépassa pas Otrante. Pourtant, les préliminaires d'Anagni avaient défini l'obligation de le comprendre dans la paix [2]. Ce sont les circonstances qui l'ont éliminé des négociations finales, mais tous avaient intérêt à son effacement. Il venait de se faire battre par le sultan de Qôniyah, Kilidj Arslan [3], mais c'est Frédéric lui-même qui avait encouragé son ennemi [4]. Barberousse entendit profiter sans délai de la situation nouvelle. La lettre qu'il écrivit à Manuel au lendemain de la paix de Venise permet de saisir sur le vif la façon dont il interprétait les événements. Sa réconciliation avec le pape tranche à ses yeux le débat entre les deux prétendants à l'empire universel, et à son bénéfice exclusif. Il signifie à Manuel que le « royaume de Grèce » doit être gouverné sous son autorité. Il rappelle la théorie des deux glaives qui ne laisse pas de place à une troisième puissance. Il va jusqu'à proposer sa médiation dans le conflit qui opposait, à Byzance même, le patriarche et le basileus [5].

Quant à Alexandre III, il considéra sans doute que la défaite des armées byzantines empêcherait de longtemps Manuel de jouer un rôle en Occident. Mais la réconciliation de Saint-Marc ne mettait pas fin à la politique de

---

(1) Cf. le discours de ROMUALD DE SALERNE, *loc. cit.*, p. 290 et la réponse de l'empereur, *ibid.*, p. 291.

(2) Cf. F. CHALANDON, *Les Comnène*, t. II, p. 597 et suiv., est le seul historien qui ait signalé cette anomalie.

(3) A Myriokephalon, aux sources du Méandre, en 1176 ; cf. F. CHALANDON, *ibid.*, t. II, p. 511. Cette bataille porta un coup très grave à la puissance byzantine en Asie mineure.

(4) Pour F. CHALANDON, *ibid.*, p. 598, c'était la riposte de Frédéric à l'appui fourni par Manuel à Henri le Lion. Alexandre III avait-il reçu lui-même des avances de Kilidj Arslan ? C'est ce qu'on doit admettre (voir *infra*, p. 160, n. 1), mais rien ne permet de fixer la date de ces relations.

(5) W. NORDEN, *op. cit.*, p. 111, n. 2 et p. 113. Alexandre III n'était certes pour rien dans l'attitude insolente de Frédéric. Mais on ne sait pas grand'chose de ses relations avec Byzance après 1178. W. OHNSORGE, *Ein Beitrag zur Geschichte Manuels von Byzanz*, dans *Festschrift Albert Brackmann dargebracht von Freunden, Kollegen und Schülern*, Weimar, 1931, p. 371-393, a montré qu'il faut reporter à l'année 1147 une lettre datée jusqu'alors de 1180. (*H. Fr.*, t. XV, p. 974 et suiv.)

bascule que, depuis Adrien IV, la papauté avait suivie entre les deux détenteurs du titre impérial. Comme au temps des Otton et pour les mêmes raisons, elle avait eu recours au basileus pour contre-balancer la domination de l'empereur germanique ; celui-ci venant à composition, l'empereur byzantin devenait, pour l'heure, négligeable [1]. Les accords de Venise n'en soufflent mot.

QUESTIONS TERRITORIALES Sur les questions territoriales, l'incertitude subsistait. La paix stipulait bien que l'Église recouvrerait les *regalia* de saint Pierre et toutes ses possessions, mais sans les énumérer ni les délimiter. C'eût été rouvrir un long débat que le cours des temps n'avait cessé d'obscurcir et de compliquer. Un arbitrage était prévu pour les litiges antérieurs à Adrien IV, mais rien pour les autres. On n'avait pas même réglé la succession mathildique. A part soi, aucun des deux compétiteurs n'y renonçait pour toujours et comptait bien faire prévaloir des droits qui, en somme, se balançaient. Selon Boson, avant de quitter Venise, Frédéric remit l'affaire sur le tapis et, revenant sur la clause secrète précédemment acceptée, prétendit garder ces biens au delà des quinze ans prévus et tant qu'une commission d'arbitrage n'aurait pas statué sur leur attribution définitive. Ce qui est sûr, c'est que les biens restèrent en sa possession et qu'il s'adjugea, en outre, la terre de Bertinoro dont Alexandre venait de recueillir l'héritage et dont le pape se laissa dépouiller, semble-t-il, sans élever de protestation [2].

QUESTIONS ECCLÉSIASTIQUES Les questions proprement ecclésiastiques n'étaient pas tranchées plus nettement. Là comme ailleurs, on avait esquivé les difficultés au lieu de les résoudre. Le plus grave problème qui se posait concernait les clercs de tout rang, ordonnés pendant le schisme. Les accords d'Anagni, dont la paix répétait les termes, avaient prévu le règlement de leur situation d'une façon toute différente, nous l'avons vu, pour l'Italie et pour l'Allemagne.

CLERCS D'ALLEMAGNE C'est qu'à Würzbourg Frédéric s'était engagé par serment à ne jamais abandonner les évêques qu'il avait pressé de se faire sacrer, à la suite de Rainald. Son autorité sur l'église allemande, son autorité tout court était en jeu. D'où les ménagements exceptionnels dont bénéficièrent les plus grands dignitaires. Christian était en effet maintenu sur le siège de Mayence dont Conrad était toujours le titulaire. S'il était juste de récompenser le principal auteur du revirement impérial, il l'était moins de légitimer l'usur-

---

(1) Du reste, en Orient, l'Église romaine avait toujours à lutter contre les empiétements de Byzance. En 1178, Alexandre III écrit encore au clergé d'Antioche pour l'inviter à s'opposer résolument aux projets de Bohémond III, qui, tout dévoué à Manuel, eût volontiers installé dans sa capitale un patriarche orthodoxe. Cf. W. NORDEN, *op. cit.*, p. 104. Enfin les événements allaient montrer que l'équilibre des forces tendait à s'établir selon la loi des intérêts strictement entendus, Byzance recherchant l'alliance de Saladin contre le sultan de Qôniyah, lui-même tout disposé à s'allier avec Barberousse. Cf. R. GROUSSET, *Histoire des croisades*, t. III, p. 10 et 14.

(2) BOSON, dans WATTERICH, *op. cit.*, t. II, p. 443-444, 446. Cf. H. REUTER, *op. cit.*, t. III, p. 289-291 et 737-745.

pation. Conrad ne se laissa pas supplanter sans se plaindre et il fallut toute l'autorité persuasive d'Alexandre III pour le lui faire admettre. L'archevêché de Salzbourg, rendu vacant par la destitution d'Adalbert, accusé de simonie, lui échut en dédommagement. Il conserva, en outre, son chapeau de cardinal, son évêché de Sabine et fut bientôt nommé légat du Saint-Siège en Allemagne. Philippe fut également maintenu sur le siège de Cologne. Ulric, fidèle alexandrin de la première heure, fut rétabli sur le siège d'Halberstadt et Géron dut lui céder la place : après un si long temps, cela ne se fit pas sans jeter le désarroi parmi les nombreux clercs ordonnés par l'intrus.

On ajourna les décisions à prendre au sujet des évêques consacrés personnellement par Pascal III et chaque fois que deux compétiteurs prétendaient au même siège : par exemple à Hambourg-Brême.

Enfin le sort d'un grand nombre de clercs était laissé dans l'incertitude. Au demeurant, on manquait encore des lumières théologiques qui eussent permis d'apporter autre chose que des solutions transactionnelles, commandées plus ou moins par les égards dus aux personnes et par les circonstances [1].

CONFUSION DES THÉORIES SUR LE POUVOIR D'ORDRE

La doctrine relative aux conditions de transmission du pouvoir d'ordre, depuis longtemps débattue par les théologiens et depuis peu par les canonistes, n'était pas fixée le moins du monde [2]. Dans la confusion qui régnait encore on distingue pourtant deux tendances. Certains, remontant à la tradition la plus ancienne et la plus authentique, celle de saint Augustin et de saint Grégoire le Grand, formulaient la doctrine actuelle, c'està-dire la transmission inconditionnelle du pouvoir d'ordre dans et hors l'Église par un évêque authentique, ordonnant suivant les rites. C'était ce qu'enseignaient, au temps même d'Alexandre III, un maître bolonais, l'évêque de Vérone, Ognibene, et après lui, Gandolfo et Huguccio de Pise. Mais leur doctrine, qui devait pourtant s'imposer par la suite [3], était alors éclipsée par celle de maîtres plus en vue. Ceux-ci, s'appuyant à tort sur une connaissance fragmentaire de la tradition et en particulier sur les décisions d'Urbain II, insérées dans le décret de Gratien, subordonnaient l'efficacité des sacrements et par suite la validité du pouvoir d'ordre à la *licentia ordinis exsequendi*, c'est-à-dire à la ratification de l'Église. Un évêque, même devenu hérétique ou schismatique, mais antérieurement ordonné par un catholique, conservait ce pouvoir, mais ne pouvait le transmettre : si bien qu'un évêque, validement sacré par lui, ne pouvait à son tour conférer d'ordres valides. Dès la première génération, pour ainsi dire, la postérité sacerdotale d'un schismatique se voyait frappée d'une sorte de stérilité sacramentelle.

(1) Cf. A. Hauck, *op. cit.*, t. IV, p. 304 et suiv., et H. Reuter, *op. cit.*, t. III, p. 312-318 et p. 368-369.

(2) Cf. L. Saltet, *Les réordinations, étude sur le sacrement de l'ordre*, Paris, 1907, *passim*.

(3) Pas avant le début du xiiie siècle et surtout avec Raymond de Penafort. Cf. L. Saltet, *op. cit.*, p. 311-316.

Cette théorie constituait, à vrai dire, une régression dans l'évolution du droit canonique en la matière ; Urbain II lui-même n'était pas allé si loin. Elle n'en fut pas moins enseignée à Bologne pendant toute la deuxième moitié du XIIe siècle [1]. Et elle tendait à prévaloir dans l'Église, du fait qu'elle avait été professée par d'illustres maîtres, devenus les conseillers les plus écoutés de la Curie, par l'évêque d'Assise Rufin, par le cardinal Laborans et par Alexandre tout le premier, du temps qu'il enseignait à Bologne [2]. Chose curieuse, le pape n'appliqua pas rigoureusement à Venise les théories qu'il avait soutenues comme professeur. Il posa le principe que toutes les ordinations faites en Allemagne pendant le schisme seraient considérées comme valides, si elles avaient été faites par des évêques antérieurement catholiques ou « par ceux qui tenaient d'eux leurs ordres » [3]. C'était étendre le bénéfice de la validité de leurs ordinations à la deuxième génération de clercs issue d'un ordinant catholique, mais rien ne disait qu'il l'étendît au delà. Et dans une Allemagne si longtemps schismatique, il en restait encore un grand nombre auxquels cette concession ne s'appliquait pas. Les bénéficiaires eux-mêmes n'en connaissaient pas toujours les effets. Les clercs du diocèse d'Halberstadt ordonnés par Geron, à tort s'en virent exclus par le bouillant Ulric, dès son retour.

CLERCS D'ITALIE Quant à ceux d'Italie, aucune mesure d'ensemble n'était prévue, chaque cas étant laissé à l'appréciation du pape. L'incertitude générale explique l'affluence des clercs qui, de toutes parts, accouraient à Venise pour se mettre en règle. Pour la plupart la solution fut ajournée et plusieurs l'attendront encore pendant deux ou trois pontificats. Mais aux termes de la paix, un grand concile devait être bientôt réuni qui procéderait à la liquidation de ces difficultés en même temps qu'aux réformes qui s'imposaient après dix-huit ans de schisme.

RETOUR D'ALEXANDRE III A ROME Le 15 octobre [4], après avoir reçu les présents des Vénitiens et distribué maints privilèges à leurs églises, Alexandre quitta Venise, le doge ayant armé pour lui quatre galères ; par le même itinéraire qu'à l'aller, il retourna sans encombres à Anagni. A cette nouvelle, Calixte III, pris de peur, s'enfuit de Viterbe et alla se barricader au château de Monte Albano, chez un hobereau de la campagne qui comptait bien, de façon ou d'autre, monnayer son hospitalité. L'empereur se montra désolé et mit au ban de l'empire l'antipape et ses partisans, s'ils ne se décidaient pas, sans tarder, à reconnaître Alexandre. Il chargea Christian de Mayence de les amener à résipiscence, de restituer au Saint-Siège ses possessions dans l'Italie centrale, de restaurer l'autorité

---

(1) L. SALTET, *op. cit.*, p. 324.
(2) *Ibid.*, p. 298-307.
(3) L'accord d'Anagni disait : *Universi etiam ordinati a quondam catholicis vel ab ordinatis eorum in teutonico regno restituentur in ordinibus suis taliter susceptis.* Et la paix de Venise se bornait à ajouter : *Nec occasione hujus scismatis gravabuntur.*
(4) ROMUALD DE SALERNE, *édit. cit.*, p. 294.

d'Alexandre III dans Rome. Le chancelier se fit de bonne grâce le fourrier
de celui que, pendant dix ans, il n'avait cessé de traquer. Il mit à la
raison quelques impériaux irréductibles, rassura le plus grand nombre
que retenait seulement la peur des représailles. Tout se fit sous l'œil
de ses troupes et plus encore sous l'empire de la nécessité qui pressait
les Romains. Alexandre III, non plus, n'était pas inactif. La préfecture
de Rome, que la paix lui rendait, était encore entre les mains d'un adversaire. Mais cela n'empêcha pas les Romains d'envoyer une ambassade
à Alexandre pour le ramener parmi eux. Le pape l'accueillit sans empressement [1]. Il connaissait la versatilité des Romains, se souvenait de leurs
trahisons. Par l'entremise de trois cardinaux il posa ses conditions qui
furent acceptées. La commune garda en somme l'autonomie dont elle
jouissait depuis 1143, mais les sénateurs durent prêter serment de fidélité
au pape, lui rendre les *regalia* qu'ils avaient usurpés et garantir la sécurité
de sa personne, celle des siens et des pèlerins, dans et hors la ville. Ce qui
n'empêcha pas les Romains, dès l'été suivant, de voler au secours de
Viterbe que Christian s'employait à lui reconquérir [2]. Le 12 mars
Alexandre III quitta Tusculum pour retourner à Rome. Un long cortège
de clercs, précédé de croix et d'étendards, vint à sa rencontre et le ramena
en grande pompe, au milieu des sénateurs et des magistrats de la commune,
de la milice et de la noblesse en habits de parade, suivi d'un peuple immense
qui brandissait des rameaux d'oliviers et poussait les acclamations
d'usage. Monté sur son palefroi blanc, vieillard désabusé, Alexandre III,
d'un geste las, bénissait cette foule inconstante. Le soir même il put au
Latran se reposer des fatigues de la journée et y tenir le lendemain un
consistoire solennel où les clercs schismatiques de Rome furent traités
avec indulgence : après accomplissement d'une pénitence, ils seraient
confirmés dans leurs fonctions. Puis il retourna bientôt à Tusculum.
C'est là que, le 29 août, il accueillit Calixte III venu enfin lui demander sa
grâce. Sans lui tenir rigueur de ses atermoiments, il fit du pénitent son
commensal et son hôte [3].

§ 3. — Le troisième concile général du Latran (1179) [4].

L'INITIATIVE DU CONCILE — Réconcilié avec l'empereur, réinstallé à Rome
après de si longs troubles, Alexandre III
avait à reprendre en mains la direction de l'Église. Il fallait remé-

(1) Boson, dans Watterich, *op. cit.*, t. II, p. 449-451, dont la *Vita* se termine avec le retour
d'Alexandre III à Rome.
(2) Romuald de Salerne, *édit. cit.*, p. 295.
(3) *Ibid.*, p. 297. Alexandre ne semble pas avoir appliqué l'article de la paix qui prévoyait
la retraite de l'antipape dans une abbaye. Selon les uns, il aurait fini ses jours comme recteur,
selon les autres comme évêque de Bénévent. Cf. H. Reuter, *op. cit.*, t. III, p. 353.
(4) Bibliographie. — I. Sources. — Les textes se trouvent dans Watterich, *op. cit.*, t. II,
p. 642-649, et dans Mansi, t. XXII, col. 209-248. On notera que ce dernier dans l'*additio*
(col. 249-453) a groupé plusieurs centaines de décrétales qui sont l'œuvre des papes du xiie siècle
et non du concile. Les sources contemporaines divergent sur le nombre des canons promulgués
et semblent avoir connu des rédactions différentes. F. Vernet, *loc. infra cit.*, en signale plusieurs.
Celle que donne Roger de Hoveden, dans sa *Chronica*, édit. W. Stubbs, Londres, 1868-1871,
t. II, p. 172-189, collationnée sur les manuscrits de la Vaticane, est devenue quasi officielle en
entrant dans l'édition des *Concilia Generalia Ecclesiae Catholicae*, Rome, 1628, t. IV, p. 27-33. —

dier aux néfastes effets du schisme, régler la situation des évêques
et des clercs, laissée en suspens à Venise, arbitrer le cas des titu-
titulaires concurrents, dompter la crue des hérésies, grossie par l'orage [1].
Des réformes étaient souhaitées par tous. Dans une lettre adressée à
Alexandre III, Louis VII se faisait l'écho de ces vœux unanimes et de
l'espoir qu'on mettait en lui pour accomplir les actes nécessaires : « Déjà
vous l'emportez sur vos prédécesseurs par la durée de votre pontificat [2],
il vous appartient encore de l'emporter dans l'éternité bienheureuse.
Si vous le voulez, tout est sauvé. Agissez donc, agissez, afin que la sainte
Église regagne dans l'unité ce qu'elle a perdu dans le schisme ; les dommages subis sont à réparer par une action intégrale [3]. » Cette attente
passionnée s'exprime encore dans la lettre que Henri de Clairvaux adresse
au pape dans le même sens, et où il lui fait un tableau angoissé des progrès
redoutables de l'hérésie [4]. C'est une pressante mise en demeure d'agir et
de sévir.

Aussi bien, Alexandre III n'avait-il pas attendu ces suggestions pour
décider la réunion d'un concile général. Dans son discours de Ferrare,
il en avait proclamé l'urgence. A Venise [5] comme à Anagni, la décision
avait été prise en commun par le pape et l'empereur. Mais il n'était plus
question pour ce dernier de revendiquer l'ancienne prérogative impériale. Il ne songea même pas à siéger [6], encore moins à intervenir dans
l'assemblée, fût-ce officieusement, comme il l'avait fait à Pavie. En tout
l'initiative appartint au pape seul.

C'est le texte de ces vingt-sept canons qu'a reproduit Mansi ; B. MARAGONE, *Annales Pisani*,
a. 1179, dans MURATORI, *Rerum italicarum scriptores*, nouv. édit., t. VI, 2e partie, Bologne, 1936,
p. 67-68, donne une idée du retentissement du concile dans les milieux laïcs. Il se fait l'écho de
mesures qui ne figurent pas dans ces vingt-sept canons et dirigées contre les divorces ou sépa-
rations amiables, contre les notaires ou ceux qui prenaient acte de ces violations du sacrement,
contre les avortements et la stérilité volontaires ; Dom G. MORIN a retrouvé et publié le discours
inaugural de RUFIN, évêque d'Assise : *Le discours d'ouverture du concile général du Latran (1179)
et l'œuvre littéraire de Maître Rufin évêque d'Assise*, dans *Memorie della Pontificia Accademia di
Archeologia*, série III, *Memorie*, vol. II, Rome, 1928, p. 113-133. Sur le cérémonial en usage au concile, se reporter au *Pontificale romanum*, dont M. ANDRIEU a publié l'édition critique, *Le pontifical
romain au moyen âge*, t. I, *Le pontifical romain du XIIe siècle* (*Studi e Testi*, 86), Città del Vaticano,
1938, p. 255-260.
   GUILLAUME DE TYR, *Hist.*, XXI, 26, dans *Rec. des hist. des croisades, hist. occid.*, t. I, p. 1049,
signale qu'il avait fait un compte rendu des séances du concile, une liste des pères présents et
un recueil de pièces qui ne nous sont pas parvenus. Selon l'Anonyme de Laon, *Chronica, ad annum
1178 (sic)*, dans *H. Fr.*, t. XIII, p. 682, les canons, *statuta*, furent groupés en 44 *capitula* approuvés
par les pères, mais 12 *capitula* au contraire furent rejetés. Il est le seul à faire état de cette opposition. Cette source est aussi à consulter sur les Vaudois ou Pauvres de Lyon avec WALTER MAP,
De nugis curialium, Dist. I, Cap. XXXI, édit. M. R. JAMES, *Anecdota Oxoniensia*, Mediaeval and
modern series, vol. XIV, Oxford, 1914 ; et ÉTIENNE DE BOURBON, dans LECOY DE LAMARCHE,
Anecdotes historiques... tirées du recueil inédit d'Étienne de Bourbon, Publications de la Société de
l'histoire de France, n° 185, Paris, 1877, p. 290 et suiv. ; PIERRE LE CHANTRE, dans son *Verbum
abbreviatum* (*P. L.*, CCV), a donné quelques échos du concile auquel il a sans doute assisté.
   II. TRAVAUX. — HEFELE-LECLERCQ, *Histoire des conciles*, t. V, 2e partie, p. 1086-1112 ;
H. REUTER, *op. cit.*, t. III, p. 415-443 et 764-770. — Sur les Vaudois avant et pendant le concile de
Latran, voir l'exacte et neuve mise au point de PH. POUZET, *Les origines lyonnaises de la secte des
Vaudois*, dans *Revue d'histoire de l'Église de France*, t. XIII, 1936, p. 5-37 ; F. VERNET, art. *Latran*,
dans *Dictionnaire de théologie catholique*, t. VII, 2e partie, Paris, 1925, col. 2644-2652.
   (1) Voir *infra*, p. 330 s.
   (2) Un des plus longs de l'histoire (exactement vingt et un ans onze mois et vingt-trois jours) ;
Alexandre III était alors dans la dix-neuvième année de son pontificat.
   (3) La lettre de Louis VII à Alexandre III se trouve dans *H. Fr.*, t. XV, p. 964. Mais sur la forme
et la date, cf. A. LUCHAIRE, *Étude sur les actes de Louis VII*, Paris, 1885, p. 334, n. 1.
   (4) *H. Fr.*, t. XV, 959.
   (5) Art. 24 de la paix de Venise.
   (6) Il retourna en Allemagne par l'Italie centrale et la Bourgogne sans passer par Rome.

SON CARACTÈRE ŒCUMÉNIQUE   L'année 1178 se passa en préparatifs. Les convocations furent faites, soit par lettres, soit par l'intermédiaire de légats spécialement chargés de cette mission. Le pape rappelait qu'il détenait le ministère de l'Église universelle, et c'est à ce titre qu'il convoquait les évêques « pour l'assister de leur présence et de leurs conseils ». Pour éviter que le concile ne fût dominé par des tendances particulières, il fallait donner à ses décisions « l'autorité plénière d'une assemblée nombreuse »[1]. En Orient comme en Occident, la situation générale semblait favorable à la participation de toutes les églises. L'Orient latin, grâce au roi lépreux, se maintenait encore, quoiqu'en luttant pied à pied, en face du conquérant sarrasin. La réconciliation de Louis VII et de Henri II à Nonancourt (25 septembre 1177) avait suivi de près la paix de Venise. En Allemagne et en Bavière où les légats apparaissaient à l'automne, les troubles provoqués par Henri le Lion ne faisaient que commencer. C'est probablement pour cette raison que s'abstinrent certains des évêques les plus en vue comme Hermann de Münster, Philippe de Cologne, Wichmann de Magdebourg, plus préoccupés d'observer la crise politique que de participer à la réforme ecclésiastique. Néanmoins, dix-neuf évêques représentèrent les diocèses d'Allemagne, auxquels il faut ajouter l'effectif indéterminé des évêchés de Bourgogne. Les sept évêques venus de Palestine en même temps qu'une délégation des Hospitaliers et des Templiers furent d'autant plus remarqués qu'ils arrivaient auréolés de la récente victoire remportée par Baudouin IV sur Saladin[2]. Si le patriarche avait dû s'abstenir, on voyait du moins parmi eux l'archevêque de Tyr, Guillaume : fidèle à ses habitudes d'historien, celui-ci dressa une liste de tous les membres de l'assemblée et recueillit des documents qui malheureusement ne sont pas parvenus jusqu'à nous[3]. Même dans les pays qui, par tradition, avaient toujours mis obstacle à la centralisation ecclésiastique, ni la convocation, ni la participation au concile ne soulevèrent de difficultés sérieuses. En Sicile, le roi ne semble pas avoir usé des droits que lui donnait le concordat de Bénévent de retenir certains prélats. Mais le légat pour l'Angleterre ne put franchir la Manche qu'après avoir prêté le serment de garantie exigé déjà, lors des convocations au concile de Tours. Et en vertu du quatrième statut de Clarendon, toujours en vigueur, les évêques anglais ne purent quitter le royaume sans la permission du roi. Ceux d'Irlande et les deux métropolitains de Dublin et de Tuam, accompagnés de quatre suffragants, durent passer par l'Angleterre, qui, elle, n'envoya que six évêques ; encore l'archevêque de Cantorbéry n'était-il pas du nombre ; beaucoup donnèrent pour excuse la longueur du voyage, l'énormité des frais qu'il occasionnait et qui étaient à leur charge. Des possessions continentales, au contraire, douze évêques au moins se mirent en route. On ne

(1) *P. L.*, CC, 1184.
(2) A Ascalon, le 25 novembre 1177. Elle fut sans lendemain : Cf. GUILLAUME DE TYR, XXI, 23 et 26, dans *Recueil des historiens des croisades, hist. occid.*, I, p. 1049. Cf. R. GROUSSET, *Histoire des croisades*, t. II, p. 654-662.
(3) GUILLAUME DE TYR, *ibid*.

connaît pas l'effectif de la représentation de l'Écosse. Il y eut dix-neuf évêques espagnols, un Hongrois, un Danois, tandis qu'on ne sait rien de la participation des autres royaumes du Nord et de la Pologne, non plus que des évêques portugais. Les plus nombreux étaient les Italiens et les Français. A côté des évêques et des cardinaux se pressait la foule des abbés et des prieurs. La plupart de ceux qui n'avaient pu venir s'étaient fait représenter, quelquefois par des moines ; le prieur du Saint-Sépulcre représentait ainsi le patriarche de Jérusalem[1]. Si bien qu'on a pu évaluer à plus de trois cents le nombre des Pères présents à Rome[2]. Parmi les personnages notables, Jean de Salisbury, depuis évêque de Chartres, l'abbé de Clairvaux Henri, créé bien malgré lui cardinal au cours même du concile, Pierre de Blois, Pierre le Mangeur, un envoyé de l'Église grecque, Nectaire de Casula, et, peut-être moins remarqué de ses contemporains que de la postérité, le disert et malicieux curé de Westbury, Walter Map ; enfin une délégation des Pauvres de Lyon dont personne ne soupçonnait encore la destinée.

Si les caractères d'un concile œcuménique n'avaient pas encore été définis avec précision, celui-ci en réunissait les conditions aux yeux de tous : les convocations avaient atteint tous les pays, le concile se réunissait à Rome, à l'initiative et sous la direction du pape ; il devait légiférer pour toute l'Église.

LE DISCOURS INAUGURAL DE RUFIN — A la séance du 5 mars[3], l'évêque d'Assise Rufin, dans le discours inaugural que dom Morin a retrouvé[4], souligna ces caractères en même temps qu'il exalta le rayonnement du pontificat d'Alexandre III[5] et la monarchie ecclésiastique dont Rome est le siège :

... Glorieuse et illustre cité, en vérité, où viennent briller tous les princes de l'Église, comme les astres du ciel s'éclairent mutuellement des rayons qu'ils reçoivent tous de la même source de lumière, où l'on voit le sénat de la République chrétienne tout entière se réunir, comme en un prétoire céleste, méditer et rendre ses arrêts pour ainsi dire à l'Univers... Des cinq villes royales qui se disputent la primauté, Antioche, Alexandrie, Byzance, Jérusalem, Rome, seule, a mérité d'obtenir, comme la plus digne, la monarchie de toutes les églises... auxquelles elle dispense les clefs et le pouvoir de juger, comme à elle seule appartiennent la décision et le pouvoir de réunir un concile universel, de faire de nouveaux canons ou d'effacer les anciens.

En terminant, Rufin rendit hommage au caractère d'Alexandre III, « ce nouveau Josias, dont les fortes épaules étaient de taille à soutenir la masse de l'Église chancelante », dont les bienfaits s'étaient étendus

(1) Il avait d'ailleurs rang d'abbé et venait, dans les cérémonies, immédiatement après le patriarche de Jérusalem. (*P. L.*, CC, 1257.)

(2) Les données varient. Voir la discussion dans H. REUTER, *op. cit.*, t. III, p. 421 et suiv., 767 et suiv. Assez bien renseigné sur le concile, l'anonyme de Laon, non utilisé par H. REUTER, parle de 312 archevêques et évêques présents au concile. (*H. Fr.*, t. XIII, p. 682.)

(3) Le concile avait été convoqué pour le 18 février. Cf. H. REUTER, *op. cit.*, t. III, p. 427, n° 1.

(4) Voir *supra*, p. 156, n. 4.

(5) La comparaison finale avec les conciles antérieurs fait de celui de 1179 une *collectio universalis*, et plus loin, *sicut de toto pene mundo conventus hic adunatus ostenditur.* (Dom MORIN, *op. cit.*, p. 119). Le troisième concile général du Latran est le onzième des conciles œcuméniques.

« jusqu'à l'Arménie et la réputation jusqu'à l'Inde et aux extrémités de la terre »[1].

L'AUTORITÉ DU PAPE ET LES PÈRES — On ne sait rien de la procédure des séances, de l'ampleur des discussions, de la façon dont les Pères manifestaient leur adhésion ou leurs réserves, de l'existence d'un scrutin et de ses modalités[2]. Le texte des canons était sans doute préparé par une commission de canonistes, nombreux dans le concile, de plus en plus nombreux dans la Curie[3]. Dans sa lettre de convocation, le pape disait n'attendre des membres du concile que « l'assistance de leur présence et de leurs conseils » et ne s'appuyer sur leur nombre que pour donner plus de poids aux décisions prises[4]. En définitive, son autorité suprême n'était pas contestée. Rufin n'avait fait que formuler avec force une doctrine communément admise dont Pierre le Chantre, non sans réticence, se fait l'écho vers le même temps :

Dieu ne permet pas que l'autorité apostolique tombe dans l'erreur... C'est un sacrilège que de rejeter ou de blâmer ce qui est son ouvrage. Elle a le pouvoir de dicter, d'interpréter et d'abroger les canons... Il lui est même loisible de se déjuger si des raisons ou des preuves estimées équivalentes la poussent à dire non après avoir dit oui...[5].

Et l'auteur de cette dernière affirmation c'était, disait-on, Alexandre III lui-même. On ne pouvait concevoir plus librement l'exercice du magistère pontifical. Aussi, tout en reconnaissant au juge suprême un pouvoir totalement affranchi de la lettre, certains ne s'en inquiétaient pas moins

(1) En ce qui concerne l'« Inde », Rufin fait sans doute allusion au fait suivant : le 27 septembre 1177, Alexandre III avait adressé une lettre « au roi des Indes », en réponse au désir que celui-ci manifestait d'être mieux instruit de la religion chrétienne et d'obtenir le privilège d'un autel à Jérusalem et d'une église à Rome où les hommes savants de son pays viendraient s'instruire à leur tour. Voir sur cette lettre, F. ZARNCKE, *De Epistola Alexandri papae ad presbyterem Johannem patrio sermone scripta*, dans *In memoriam Johannis, Augusti, Ernesti... celebrandam*, Leipzig, 1874, et sur le prêtre Jean, du même auteur, *Der Priester Johannes*, dans *Abhundlungen der sächssische Gesellschaft*, t. XVII, p. 941 et suiv. Cf. *infra*, p. 185, note 6.

Quant aux relations d'Alexandre III avec l'Arménie, elles n'ont pas laissé de traces dans les sources. Elles sont sans doute à rapprocher des efforts faits au même moment (en 1169-1170 et 1178) par Manuel Comnène pour sceller l'union des églises arménienne et byzantine. Sur ces tentatives, qui n'aboutirent pas, voir HEFELE-LECLERCQ, *Histoire des conciles*, t. V, 2e partie, p. 1050, 1084 et suiv., et F. CHALANDON, *Les Comnène*, t. II, p. 655-660. Mais Manuel tint sans doute Alexandre au courant de ses relations avec l'Arménie, comme il le fit au sujet de ses relations avec les émirs seldjoucides et lui donna ainsi l'occasion d'intervenir à laquelle Rufin fait allusion. Cf. la réponse d'Alexandre III à une lettre de Manuel dans *H. Fr.*, t. XV, p. 952 (19 janvier 1176) et F. CHALANDON, *op. cit.*, t. II, p. 493-511.

Un sultan de Qôniyah, Kilidj-Arslan II ben Masud, aurait lui-même sollicité d'Alexandre III des éclaircissements sur la doctrine chrétienne. La réponse attribuée au pape dans les œuvres de Pierre de Blois qui en est probablement l'auteur (dans *P. L.*, CCVII, 1069 et suiv.) atteste l'intérêt porté à ces régions par Alexandre III et confirme ce que dit Rufin de sa renommée lointaine jusqu'en pays musulman. Selon la chronique de Mathieu de Paris, postérieure aux événements, cette lettre à la suite de laquelle le sultan se serait fait secrètement chrétien est de 1169. Pour J. HARTMANN, *Die Persönnlichkeit des Sultans Saladins im Urteil der abendländischen Quelle* (*Historische Studien*, H. 239), Berlin, Ebering, 1933, p. 55 et suiv. et n. 151, il n'y a pas lieu de douter de l'attribution de cette lettre à Alexandre III, qui d'ailleurs écrivit aussi à Saladin pour négocier l'échange de prisonniers chrétiens : *Ibid.*, p. 57 et suiv.

(2) L'anonyme de Laon, *loc. cit.* (*supra*, n. 123), est le seul à faire allusion au rejet de douze canons, par les Pères du concile ; on eût aimé savoir lesquels.

(3) Rufin était lui-même un illustre canoniste de l'école de Bologne. Mathieu d'Angers, qui avait enseigné l'un et l'autre droit à Paris et qui avait été, disait-on, précepteur du roi Henri II d'Angleterre, fut fait cardinal au cours du concile, suivi de près dans le Sacré Collège par le cardinal Laborans, réputé juriste bolonnais. Cf. *Histoire littéraire de la France*, t. IX, p. 53.

(4) *P. L.*, CC, 1184 : *Et quod bonum secundum consetudinem antiquorum Patrum provideatur et firmetur a multis. Quod si particulariter fieret, non facile posset plenum robur habere.*

(5) PIERRE LE CHANTRE, *Verbum abbreviatum.* (*P. L.*, CCV, 139 et 164.)

de l'instabilité et des abus dont l'exercice illimité de ce pouvoir était la cause :

> Il est évident que les décrets sont sujets au changement, cela tient à ce qu'ils émanent de la conscience du pape et qu'il les interprète à son gré. Qu'il rende un jugement conforme ou contraire aux canons, son arrêt sera juste ou réputé tel... [1].

La multitude de ces décrets, en multipliant les transgresseurs de la règle, ajoutait à la confusion. En prenant force de loi dans l'Église, leur masse croissante risquait de supplanter peu à peu l'Évangile. C'est du moins la crainte qu'aurait exprimée, au cours du concile, un des meilleurs esprits du temps, Jean de Salisbury :

> Gardons-nous de faire de nouveaux canons ou même d'en remettre en vigueur trop d'anciens. En se multipliant, ces trouvailles, dès lors qu'elles font autorité, nous accablent. A ne pas trier, même parmi l'utile, nous succombons sous le fatras. On ferait mieux de veiller et de travailler à l'observation de l'Évangile dont bien peu se soucient à présent. Craignons d'entendre le Seigneur nous dire : « Vous invalidez bel et bien un enseignement qui est de Dieu, pour conserver une tradition qui est votre œuvre. » (Marc VII, 8) [2].

L'ŒUVRE CONCILIAIRE Dans ses dernières séances (19 ou 22 mars) [3], le concile n'en promulgua pas moins vingt-sept canons touchant aux matières les plus diverses, mais dont beaucoup en somme ne faisaient que renouveler des canons plus anciens ou donner la sanction conciliaire à des décrétales antérieures. Ce n'est pas la papauté qui manifestait les tendances les plus conservatrices. Bien au contraire, à son initiative c'est la coutume qu'on opposait le plus souvent. Dans son œuvre de réforme, elle devait tout à la fois s'appuyer sur la tradition, mais aussi découvrir et corriger les abus qui s'abritaient à son ombre. Le canon 16, en rappelant qu'il n'est défendu d'enfreindre que les coutumes qui sont « conformes à la raison et aux canons », exprime bien l'attitude très libre d'Alexandre III à l'égard des résistances qu'il y avait à vaincre. Et il entendait bien user de la liberté d'innover, réservée au chef de l'Église.

Le concile avait à liquider le schisme et à en conjurer le retour. Ce fut l'objet des canons 1 et 2. Les vingt-cinq autres tendaient à améliorer ou à réformer les conditions de vie spirituelle et matérielle dans l'Église séculière, dans l'Église régulière et dans la société chrétienne.

IMPARFAITE LIQUIDATION DU SCHISME A Venise, la question des clercs consacrés personnellement par les antipapes avait été disjointe avec soin des mesures particulières prises en faveur de l'épiscopat allemand. Conformément aux décisions d'Innocent II, le concile annula les ordinations faites par les antipapes Octavien, Gui de Crème, Jean de Strumi, et par les prélats consacrés par eux. C'était le cas des évêques de Strasbourg et de Bâle

---

(1) PIERRE LE CHANTRE, *Verbum abbreviatum*. (P. L., CCV, 164.) Malgré les clauses de forme, tout le passage exprime une très libre opposition non exempte d'ironie.
(2) *Ibid.*, 235.
(3) Cf. H. REUTER, *op. cit.*, t. III, p. 766-767.

et même d'un certain nombre de clercs de moindre importance. La restitution intégrale des bénéfices et des biens ecclésiastiques distribués par les schismatiques fut rendue obligatoire (canon 2) [1]. Par contre, le principe validant les ordinations conférées par des évêques antérieurement catholiques ou par ceux qui tenaient d'eux leurs ordres fut maintenu strictement. C'était le cas des clercs du diocèse d'Halbersdadt ordonnés par Géron. Insuffisamment éclairés sur les mesures prises à Venise, ils étaient venus à Rome pour défendre leur cause contre les sévérités intempestives d'Ulric. Or, Géron avait été consacré par l'archevêque de Brême, Hartvig, validement ordonné lui-même longtemps avant le schisme. Ses propres ordinations restaient donc valables. Par une faveur spéciale, lui-même conserva ses pouvoirs en tous lieux, sauf dans le diocèse où pendant dix-sept ans il avait fait figure d'intrus [2].

Les membres de l'épiscopat allemand qui avaient été compromis dans le schisme abjurèrent solennellement. Après quoi, le *pallium* fut remis aux archevêques. Enfin, on reprit l'examen des élections douteuses, ajourné à Venise. Depuis la mort du schismatique Baudouin, le siège de Hambourg-Brême était revendiqué par deux compétiteurs dont l'un, Siegfried, se prévalait d'une élection régulière, antérieure même à l'installation de Baudouin. L'autre, Berchtold, lorsqu'il avait été unanimement élu par le chapitre, à la mort de Baudouin, n'était même pas sous-diacre. Bien accueilli à Rome, admis à siéger au concile parmi des évêques mitrés, Berchtold put croire d'abord sa cause gagnée. Mais Alexandre III, à la suite des deux cardinaux commis par lui, annula lui-même l'élection. Il lui suffisait qu'elle fût contraire aux règles canoniques. La confirmer eût été démentir l'effort même du présent concile pour améliorer le recrutement de l'épiscopat [3]. L'élection de Thierry de Metz fut d'ailleurs cassée pour les mêmes raisons [4]. Ce sont là les mesures que nous connaissons. Mais il y eut encore un grand nombre de clercs de tous rangs dont la situation ne fut pas réglée et ne le sera pas avant plusieurs années. Ce n'était pas une des conséquences les moins fâcheuses du schisme.

LE RÈGLEMENT
DES ÉLECTIONS PONTIFICALES

Le premier soin du concile fut de tirer la leçon des événements, et, pour en éviter le retour, de régler le mode d'élection du souverain pontife. Désormais, à défaut de l'unanimité, on devra tenir pour élu celui qui aura obtenu les deux tiers des suffrages. L'élu de

_____

(1) Cf. le canon 30 du Xe concile œcuménique en 1139.
(2) L. SALTET, *Les réordinations*, p. 327-328, n. 1.
(3) *Annales Stadenses*, dans M. G. H., SS., t. XVI, p. 348-349 et ARNOLD, *Chronica Slavorum* (M. G. H., SS., t. XXI, p. 132) ; A. HAUCK (*op. cit.*, t. IV, p. 308, n. 3 et 309, n. 1) attribue la décision papale à la pression exercée par l'empereur ; H. REUTER (*op. cit.*, t. III, p. 456 et n. 3) la met au compte de l'influence de Henri le Lion. Ces interprétations diverses, qui reproduisent celles des sources, semblent bien montrer l'indépendance du caractère d'Alexandre III, son souci de s'imposer aux évêques et de n'avoir pas à justifier ses contradictions. La sentence rendue, comme on lui rappelait qu'il avait d'abord jugé l'affaire autrement, il tourna les talons et ses huissiers firent évacuer la salle. Cette attitude est à rapprocher des principes qu'il professait. Cf. *supra*, p. 160.
(4) *Annales Marbacenses*. (M. G. H., SS., t. XVII, p. 161.)

la minorité, à moins que l'accord des deux tiers des voix ne finisse par se faire sur son nom, sera excommunié s'il refuse de se désister. Ainsi était exclu tout recours à l'autorité laïque dans l'élection pontificale. Les cardinaux ne seraient plus tentés, comme ils l'avaient fait au début du schisme, de demander à l'empereur de les départager. Leur rôle s'en trouvait grandi, d'autant plus que cessait toute distinction entre les voix des divers cardinaux : qu'ils fussent évêques ou diacres ou prêtres, ils ne formaient plus qu'un seul corps. Ce canon, qui mettait au point le fonctionnement d'un régime de cooptation particulièrement délicat à assurer à la tête de l'Église, était, en somme, issu des circonstances ; il est toujours en vigueur depuis sept siècles.

Selon le même canon, rien n'est changé aux autres élections ; car s'il y a désaccord, le recours à une autorité supérieure, « qui ne peut avoir lieu dans le cas particulier de l'Église romaine », est ici toujours possible. Aussi continua-t-on de faire confiance à l'opinion de la *major et sanior pars*. Néanmoins, on peut discerner dans la formule des canons 16 et 17 la tendance alors croissante à s'en tenir purement et simplement aux décisions de la majorité [1].

RÉFORMES DANS L'ORDRE ECCLÉSIASTIQUE
En même temps on définit les conditions d'aptitude aux fonctions épiscopales et sacerdotales. Nul ne pourra désormais être élu évêque s'il n'est âgé de trente ans révolus et s'il n'est de naissance légitime. Encore faut-il qu'il se recommande par ses mœurs et par sa science. Les doyens, archidiacres, curés et tous les ministres exerçant des fonctions qui comportent la *cura animarum* devront être âgés de vingt-cinq ans et choisis pour leurs qualités intellectuelles et morales. En possession de leur charge, ils devront se faire ordonner, selon le cas, prêtres ou diacres dans les délais prescrits, sous peine de déposition (canon 3).

En vue de remédier à la multiplication des clercs dépourvus de bénéfices ou de ressources personnelles [2], le canon 5 mit à la charge de l'évêque l'entretien de ceux qu'il aurait ordonnés sans les pourvoir d'un titre. En outre, il fut prescrit de ne promettre à personne nulle fonction, nul bénéfice ecclésiastique, avant qu'ils ne fussent réellement vacants. S'inspirant des mêmes préoccupations, le concile interdit le cumul des charges ecclésiastiques ou des paroisses qui avait pour effet de restreindre le nombre des bénéficiaires et l'on fit aux titulaires d'une charge un devoir de l'exercer en personne et de résider. On prit des dispositions analogues pour éviter la pluralité des recteurs laïcs à la tête d'une seule église (canons 13 et 17).

---

(1) *Grave nimis... quod pauci... ordinationem multoties impediunt... Quocirca... statuimus ut nisi a paucioribus et inferioribus aliquid rationabile fuerit ostensum... semper praevaleat... quod a majori et saniori parte capituli fuerit constitutum* (canon 16). ...*Ille praeficitur ecclesiae qui plurimorum eligitur et probatur assensu* (canon 17). (MANSI, t. XXII, p. 225 et suiv.)

(2) *Nisi forte talis qui ordinatur extiterit qui de sua vel paterna haereditate subsidium vitae possit habere.* (*Décrét.*, l. III, tit. V, c. 4.) C'est le premier canon à notre connaissance où il soit fait mention de patrimoine au lieu de titre ecclésiastique.

LES SANCTIONS.
LE DROIT DE DÉVOLUTION
Les infractions aux divers règlements concernant les élections, l'obtention et la collation des bénéfices furent sanctionnées par des peines qui allaient de la privation de l'exercice des ordres à la suspense et à l'excommunication, et aussi par la *dévolution* au supérieur des droits dont avait mésusé l'autorité inférieure [1]. Après un délai de six mois, tout bénéfice vacant doit être pourvu d'un titulaire, par le chapitre au défaut de l'évêque, par l'évêque au défaut du chapitre, et par le métropolitain au défaut de l'un et de l'autre (canons 3 et 8). A vrai dire, le terme de dévolution n'apparaît pas encore, mais le concile donna pour la première fois à cette procédure, qui d'ailleurs n'était pas nouvelle, la base canonique qui lui était nécessaire pour se développer comme elle le fit par la suite [2].

LE TEMPOREL DES ÉGLISES
On rappela les prescriptions tendant à protéger le temporel des églises contre toute dilapidation des clercs bénéficiaires d'une part et des laïcs d'autre part. Un clerc ne put disposer ni de son vivant, ni par testament, des biens de son église (canon 15). Aux évêques, abbés, archidiacres et doyens, il fut interdit d'exiger des églises de nouveaux impôts, d'augmenter les anciens (canons 4 et 7) et de s'en approprier les revenus. Il leur fut recommandé de ménager leurs inférieurs et de leur laisser les mêmes libertés qu'ils souhaitaient conserver eux-mêmes. Aux évêques il fut interdit également de lever des tailles sur la personne des clercs et des prêtres (canon 4). Des visites épiscopales étaient la source de nombreux abus, issus des droits féodaux de gîte et de procuration. Les prélats devront à l'avenir renoncer à voyager avec leur meute, leurs piqueurs et leurs fauconniers et se contenter d'un train réduit, de quarante à cinquante chevaux pour un archevêque, de vingt-cinq pour un cardinal, et vingt à trente pour un évêque, de cinq à sept pour un archidiacre, de deux pour un simple doyen. On n'exigera plus de banquets somptueux, mais on acceptera de bon cœur le nécessaire et le convenable, et dans certains cas, s'il faut parer à l'imprévu, on prélèvera un subside raisonnable. Ces mesures ne fixaient pas un droit pour ceux qui jusqu'alors s'étaient contentés à moindres frais, mais un maximum à ne jamais dépasser et qui, en aucun cas, ne devait grever le temporel des églises [3].

Quant aux seigneurs laïcs, ils ne pourront augmenter les charges des églises qu'en cas de nécessité et d'accord avec l'évêque (canon 19). Ils ne pourront disposer pour eux-mêmes ou pour d'autres laïcs des dîmes

(1) G. EBERS, *Das Devolutionsrecht vornehmlich nach katholischen Kirchenrecht*, Stuttgart, 1906, p. 172 et suiv.
(2) Que le pape ne soit pas nommément désigné après le métropolitain est interprété par A. HAUCK, *op. cit.*, p. 310, comme une preuve des ménagements dont Alexandre III voulait user à l'égard de Frédéric Barberousse et de ses craintes de voir se réveiller en Allemagne, où son autorité était mal assise, les susceptibilités mises à vif par le conflit récent. Mais, comme Hauck l'indique lui-même (après G. EBERS, *op. cit.*, p. 130 et suiv.), le recours au pape avait été stipulé dès 1080 (canon 6 du concile de Rome dans MANSI, t. XX, col. 531), dans les élections indécises ou anticanoniques. Et la suite des événements montra que, même en Allemagne, cela allait de soi.
(3) Les abus auxquels ce canon cherchait à remédier avaient été signalés et abondamment décrits entre autres par Louis VII. (*H. Fr.*, t. XV, p. 965, *P. L.*, CC, 1378-1380.)

qu'ils « détiennent au péril de leurs âmes »[1] et encore moins se passer de l'assentiment de l'évêque pour installer ou déposer des clercs. Le privilège du for fut affirmé de nouveau en faveur de ces derniers (canon 14).

MESURES CONTRE LA SIMONIE ET LE NICOLAISME

Les canons 7, 10 et 15 renouvellent en les complétant les décrets antérieurs contre la simonie. L'installation des évêques, abbés, prêtres ou clercs, l'admission des moines dans les monastères, de même que l'enterrement des morts, la bénédiction des époux et les autres sacrements dont la vénalité lèse gravement l'indigent, ne sauraient être l'occasion d'une extorsion quelconque. L'abus pour être ancien et, selon plusieurs, devenu coutumier, ne sera plus toléré (canon 7). Tous les clercs y compris les sous-diacres pourvus de bénéfices et, à plus forte raison, les moines ne peuvent remplir les fonctions d'intendants, d'administrateurs ou de juges pour le compte des personnes séculières. Ils ne pourront se constituer avocats devant les tribunaux laïcs que pour la défense de leurs églises ou des pauvres (canon 12). Enfin le canon 11 réitéra les sanctions antérieures contre l'incontinence des clercs sous toutes ses formes et l'uranisme chez les laïcs.

LIMITATION DES APPELS

L'efficacité de ces mesures fut renforcée par le règlement de la procédure d'appel. Si les évêques et les archidiacres ne pourront plus s'opposer sans préavis à l'appel interjeté par leurs justiciables, ceux-ci devront, en revanche, s'en tenir au délai prescrit par l'évêque et renoncer à faire appel inconsidérément, dans le seul souci de gagner du temps ou de se soustraire aux effets de la sentence et à la discipline ecclésiastique. Et pour limiter les appels faits à la légère, l'appelant qui fera défaut sera condamné aux frais par l'autorité inutilement mise en cause (canon 6).

DÉFENSE DE L'ÉPISCOPAT

Telles étaient les mesures prises à l'égard de l'Église séculière. Elles concernaient pour la plupart, on le voit, l'épiscopat, cherchaient à améliorer son recrutement, à limiter l'excès de ses pouvoirs, mais aussi à en accroître la responsabilité[2].

CONTRE LES EMPIÉTEMENTS DE L'ORDRE MONASTIQUE

L'autorité épiscopale était enfin soutenue contre les empiétements de l'ordre monastique en général, et en particulier des deux ordres rivaux dont l'archevêque de Tyr était venu se plaindre amèrement à l'occasion du concile : les Templiers et les Hospitaliers. Outrepassant les privilèges dont la papauté, et particulièrement Alexandre III,

(1) En France, on tourna la difficulté et l'on conserva aux laïcs les dîmes dont on jugea qu'ils étaient en possession à l'époque du concile. Cela dura jusqu'au XVIIIᵉ siècle sous le nom de *dîmes inféodées*.

(2) Le canon 27 leur déléguait le pouvoir de concéder des indulgences aux combattants de la guerre sainte. Le canon 19 les protège contre les exactions des seigneurs laïcs, comme portant atteinte à leur juridiction et à leur autorité.

les avait comblés, ils acceptaient de la part des laïcs des dîmes et des églises, admettaient les excommuniés aux sacrements et à la sépulture en terre consacrée, installant et déplaçant à leur gré les prêtres des paroisses. Tournant la règle qui leur permettait, à eux exceptionnellement, de célébrer des offices une fois par an dans les lieux interdits, ils s'y rendaient successivement de plusieurs maisons de l'ordre désignées à tour de rôle et arrivaient ainsi à y célébrer le culte toute l'année. Leurs fraternités, établies en plusieurs lieux, affaiblissaient également l'autorité épiscopale en y attirant par toutes sortes d'avantages ceux qui désiraient en faire partie et se soustraire par là à la juridiction de l'évêque. Dans les églises qui n'appartenaient pas de plein droit à l'évêque, ils durent lui présenter les prêtres et répondre de la *cura animarum* en lui versant une indemnité raisonnable, proportionnée aux facultés de ces églises (canons 9 et 10). Les abbés s'abstiendront de lever des impôts nouveaux (canon 7), de déplacer inconsidérément les prieurs et les prêtres installés, sans consulter l'évêque. La simonie était réprimée dans l'ordre monastique comme dans l'Église séculière. Les moines se virent rappelés aux exigences de leur état : pauvreté, chasteté, vie commune à l'écart du monde (canons 10, 11, 12).

LA SOCIÉTÉ CHRÉTIENNE Les neuf derniers canons fixèrent ou rappelèrent diverses prescriptions concernant la société chrétienne. Le concile renouvela les canons d'Innocent II et d'Eugène III réglant les institutions de paix, la trêve de Dieu, l'interdiction des tournois et la sécurité à garantir aux prêtres, moines, clercs, pèlerins, marchands et paysans dans leurs déplacements. La perception de nouveaux péages sans l'autorisation des rois et des princes fut interdite. La piraterie exercée contre les chrétiens naviguant pour leurs affaires ou naufragés tomba également sous le coup de l'excommunication (canons 24 et 26).

LIBERTÉ ET GRATUITÉ DE L'ENSEIGNEMENT Pour la première fois, l'enseignement des clercs et des écoliers sans ressources fut organisé : dans chaque cathédrale, on affectera un bénéfice suffisant à un maître chargé de les instruire gratuitement. Dans les autres églises et les monastères, ce qui autrefois pouvait être affecté à cet usage retrouvera le même emploi. La *licencia docendi* doit être obtenue sans frais ; la liberté d'enseigner ne peut être refusée à quiconque en est capable et en a demandé l'autorisation [1].

PROTECTION DES COMMUNAUTÉS DE LÉPREUX Tout en sauvegardant le statut des églises paroissiales, le canon 23 protégea pour la première fois les communautés de lépreux contre l'intransigeance des paroisses constituées :

(1) Canon 18... *Ne pauperibus, qui parentum opibus juvari non possunt legendi et proficiendi opportunitas subtrahatur...* C'est bien en vue « de donner le moyen d'étudier et de progresser aux élèves pauvres, à ceux que leurs parents ne peuvent entretenir » que la mesure est prise. La gratuité est stipulée ici pour l'école cathédrale ; ailleurs, elle est décrétée, même hors de l'évêché. Cf. *P. L.*, CC, 440 et 998.

elles pourront avoir leurs églises et leurs cimetières particuliers ; elles seront dispensées de la dîme.

CONDAMNATION DE L'USURE Le canon 25 condamna à nouveau le prêt à intérêt qui se pratiquait de plus en plus au point de paraître licite. Les usuriers notoires [1] ne seront plus admis à la communion et privés, s'ils persistent, de la sépulture chrétienne. Le clerc qui contreviendra à cette prescription ou acceptera une offrande de leur part devra restituer ce qu'il a reçu et demeurera suspens tant qu'il n'aura pas accompli la pénitence infligée par l'évêque.

JUIFS ET MUSULMANS Ces mêmes canons parèrent au danger des relations croissantes des chrétiens avec des juifs et des musulmans de condition supérieure. A ceux-ci il fut interdit d'avoir à leur service des esclaves chrétiens [2] ; et à tout chrétien de vivre sous leur toit.

Les chrétiens indignes et en cela « plus coupables que les musulmans eux-mêmes » qui, poussés par l'appât du gain, leur livrent des armes et des fournitures de guerre, acceptent de commander ou de piloter leurs navires, seront excommuniés, leurs biens confisqués par les princes laïcs et eux-mêmes réduits en servitude au profit de ceux qui les auront capturés [3].

En justice, le témoignage des chrétiens contre les juifs fut admis dans tous les cas, comme celui des juifs était admis par eux contre les chrétiens. Ceux qui, dans ce domaine, donnaient aux juifs le pas sur les chrétiens encoururent l'anathème, « car il importe que les juifs ne soient pas mis sur le même pied que les chrétiens, et si ceux-ci les protègent, que ce soit seulement par humanité ». Les juifs convertis étaient garantis contre toute expropriation. Les biens éventuellement confisqués par les seigneurs dont ils dépendaient durent leur être intégralement rendus sous peine d'excommunication. On devait faire en sorte que leur conversion les mît dans une situation meilleure qu'auparavant (canons 24 et 26).

LES HÉRÉTIQUES Enfin le 27e et dernier canon promulgua les mesures à prendre contre la recrudescence des hérésies [4]. Il rappela, après saint Léon, la répugnance de l'Église pour les peines sanglantes qui sont du ressort du prince, mais il admit que la crainte du supplice pût exercer un effet salutaire sur certains hommes. Il fit encore

(1) Le canon 25 parle seulement des *usurarii manifesti*. Pierre le Chantre nous apprend, non sans malice, que cette condition de notoriété était restrictive et fut précisée au cours de la discussion à la demande de certains qui la trouvaient inopportune. Qui tombe au juste sous l'anathème ? demandèrent-ils. — *Notorii tantum*, fut-il répondu. Et comme ils demandèrent encore ce qui constituait la notoriété, on leur dit : c'est le fait de s'avouer publiquement usurier ou de l'annoncer par quelque signe connu. *P. L.*, CCV, 158-159.

(2) *Sub alendorum obtentu* : « Sous prétexte d'enfants à nourrir (ou à élever) » — peut faire allusion soit à des nourrices ou domestiques chrétiens, soit à des enfants abandonnés, en période de crise alimentaire, à des familles musulmanes ou juives.

(3) Le canon 24 stipulait que l'excommunication devrait être fréquemment renouvelée contre eux dans les églises des villes maritimes. Cette mesure spéciale semble avoir été exécutée, au moins à Pise. Cf. MARAGONE, *Annales Pisani*, a. 1179, dans MURATORI, *Rerum italic. scriptores*, nouv. édit., t. VI, 2e partie, Rome, 1936, p. 68.

(4) Sur le mouvement des hérésies et les phases de leur répression, voir *infra*, chapitre VI.

une nette distinction entre ceux dont les ravages s'étendaient seulement dans le domaine spirituel et ceux dont la férocité s'exerçait sur les personnes et sur les biens. Les premiers, Cathares, Patarins ou Publicains, furent simplement retranchés de la société chrétienne : sous peine d'anathème, il fut interdit de les loger chez soi, de les admettre sur ses terres et de faire commerce avec eux. Mais les seconds, Brabançons, Aragonais, Navarrais, Basques, Cottereaux, Triaverdins, seront combattus par les armes. Leurs biens seront confisqués et il sera loisible aux princes de les réduire en servitude. Ceux qui se mettent à leur tête ou les prennent à leur service seront dénoncés publiquement à la messe du dimanche et frappés des mêmes peines ; envers les princes qui passeraient outre, nul hommage ni serment de fidélité ne demeurera valable. Tous les chrétiens furent invités à lutter contre eux courageusement, sous la responsabilité des évêques auxquels ils devront obéissance. Les combattants auront les mêmes privilèges spirituels et les mêmes garanties juridiques que les croisés pour leurs personnes et pour leurs biens.

On ne saurait trop souligner l'importance de ce décret. Pour la première fois, il nommait les régions où sévissait l'hérésie cathare : la Gascogne, l'Albigeois, la région de Toulouse et « autres lieux ». Certes, ces hérétiques étaient excommuniés et encouraient les peines consécutives à l'excommunication, mais rien ne laissait prévoir encore le recours aux expéditions répressives réclamées à grands cris par les évêques de France et surtout par l'ancien abbé de Clairvaux, Henri, fait cardinal au cours du concile. En revanche, contre les bandes armées qui, à « l'instar des païens », semaient la terreur et la ruine, il inaugurait la guerre sainte et, cette fois, en terre chrétienne [1].

LES VAUDOIS   On le voit, les Vaudois [2] ne sont pas nommés dans ce canon. C'est par suite d'une confusion que l'on a cru qu'ils avaient été condamnés par le concile de 1179 [3]. La réalité est tout autre. Quelque dix ans plus tôt, un riche marchand de Lyon, nommé Valdès [4], touché par la grâce en écoutant un jongleur réciter la légende de saint Alexis, avait résolu, tout en restant laïc, de mener une vie plus parfaite. Après avoir assuré l'avenir de sa femme et de ses filles, puis distribué le reste de ses biens aux pauvres, il avait à ses frais fait traduire en français, par deux prêtres de ses amis [5], la plus grande partie de la Bible, après quoi, il s'était mis à prêcher en tous lieux l'Évangile. De nom-

(1) Ces routiers du XIIᵉ siècle préfigurent les grandes compagnies. Après les avoir considérés comme un danger, les princes étaient de plus en plus portés à les utiliser. Quelques années avant le concile (1171-1172), entre Toul et Vaucouleurs, Frédéric et Louis VII s'étaient engagés mutuellement à n'entretenir aucune troupe de ce genre, à pied ou à cheval, entre le Rhin et les Alpes (*H. Fr.*, t. XVI, p. 697). Mais, peut-être pour en purger ses terres, nous avons vu que Frédéric en emmena peu après un fort contingent dans sa campagne d'Italie, et Philippe Auguste, à peine son père mort, en enrôla sous sa bannière pour combattre le comte de Flandre. (*H. Fr.*, t. XVIII, p. 250.) Cf. PISSARD, *La guerre sainte en pays chrétien*, Paris, 1912, p. 31-35.
(2) PH. POUZET, *art. cit.*, voir *supra*, p. 157, n.
(3) L'erreur a pour origine le recueil d'Étienne de Bourbon, cité *supra*, p. 157, n.
(4) Valdès, Vaudes ou Vaudois. Ses nom et prénom de Pierre Valdo, sous lesquels il est communément désigné, n'apparaissent qu'au XVᵉ siècle. Cf. PH. POUZET, *loc. cit.*, p. 12, n. 16.
(5) Étienne d'Anse professeur de grammaire, l'avait dictée et Bernard Ydros l'avait transcrite. Cf. P. POUZET, *loc. cit.*, p. 17.

breux compagnons avaient suivi son exemple. L'archevêque Guichard, ancien cistercien, avait d'abord favorisé, semble-t-il, leur apostolat. Leur fit-il ensuite des difficultés ? Toujours est-il que Valdès et plusieurs autres Lyonnais se trouvaient à Rome à l'occasion du concile et voulaient soumettre à l'approbation du pape leur version de la Bible, leur vœu de pauvreté et surtout leur activité de prêcheurs laïcs que l'archevêque de Lyon ne voyait déjà plus d'un très bon œil. Alexandre les accueillit paternellement ; approuvant leur vœu de pauvreté, il serra sur son cœur Valdès et se borna à maintenir la règle canonique qui interdisait aux laïcs de prêcher sans l'autorisation des clercs[1].

Mais son entourage montra moins de bienveillance. L'évêque chargé d'examiner deux membres importants de la secte se déchargea lui-même de ce soin sur un simple curé. Celui-ci, qui n'était autre, il est vrai, que Walter Map, trouvait encore cette tâche fort au-dessous de lui. C'est en clerc assez vain de sa science qu'il railla ces laïcs ignorants qui n'acceptaient pas d'être dirigés, alors qu'ils aspiraient à devenir eux-mêmes des conducteurs, « à l'instar de Phaëton qui ignorait jusqu'au nom de ses chevaux ». L'interrogatoire, ponctué par les éclats de rire de l'assistance, tourna sans peine à leur confusion ; mais les rieurs eux-mêmes n'étaient guère rassurés et discernaient sans illusion le danger qui les menaçait : « Pour l'instant, disait Map, ils commencent de la façon la plus humble parce qu'ils n'ont pu encore prendre pied ; si nous les laissons faire, ils nous mettront dehors[2]. » C'était faire preuve de clairvoyance. Venus en simples apôtres de la pauvreté volontaire, les « Pauvres de Lyon » (c'est le nom qu'on leur donna un peu plus tard) se conduisirent bientôt en contempteurs résolus de la hiérarchie. L'accueil reçu à Rome n'avait fait que les raidir.

TRADUCTIONS DE LA BIBLE ET DES PÈRES — La traduction de la Bible en français[3] que les Vaudois avaient soumise à l'autorité romaine fut sans doute approuvée ; en tous cas, ses auteurs ne furent jamais inquiétés. D'ailleurs, un certain Burgundio, venu de Pise au concile, assura qu'il avait traduit, sans doute du grec des Septante, une grande partie de la Genèse et apporta une traduction qu'il avait faite des homélies de saint Jean Chrysostome sur l'Évangile selon saint Jean. Du même Père grec il déclara connaître un commentaire des deux Testaments[4]. Tout cela atteste le renouveau des études et l'éveil des curiosités.

(1) E. TRON, dans le *Bollelino della Societa di studi valdesi*, a publié de 1907 à 1935 une série d'articles pour démontrer que Pierre Valdo n'est autre que le célèbre Pierre de Bruys qui se serait appelé Pierre des Broues (en latin *de Bruis*), hameau situé près de Saint-Jean-en-Royans (Drôme). Les pauvres de Lyon tireraient leur nom, selon le même auteur, d'un village voisin, Lyons, dont ces hérétiques avaient fait leur quartier général de 1113 à 1120. Je tire ces renseignements du compte rendu par E.-G. LEONARD (dans *Revue historique*, t. CXCVII, 1947, p. 254 et suiv.) du livre de G. GONNET, *Il valdismo medievale, Prolegomeni*, Torre Pellice, Soc. di studi valdesi, 1942.
(2) WALTER MAP, *De nugis curialium*, dist. 1, cap. XXXI, traduit et cité par P. POUZET, *op. cit.*, p. 15 et 18.
(3) En réalité en un dialecte voisin de l'occitan, selon M. CARRIÈRES, *Sur la langue de la Bible de Valdo*, extr. du *Bolletino della Societa di studi valdesi*, n° 85, 7 p. Voir le compte rendu de E. G. LÉONARD cité plus haut.
(4) ROBERT DE TORIGNY, *Chronica*, a. 1180, dans M. G. H., *SS.*, t. VI, p. 531.

L'ÉGLISE GRECQUE Cependant la présence au concile de l'abbé de Casula, Nectaire, envoyé spécialement de Byzance, n'eut pas pour effet de rapprocher l'Église grecque de l'Église romaine. Ce n'était pas un négociateur, mais un théologien intransigeant. Les succès oratoires qu'il chercha et obtint dans la dispute ne firent que hérisser les difficultés au lieu de les aplanir [1].

Ce n'est pas que le pape se soit désintéressé de l'union des Églises. Peu de temps avant le concile, on lui avait apporté de Constantinople le livre que Hugues Étérien avait consacré à la théologie comparée des Grecs et des Latins. Il en avait remercié l'auteur, l'invitant à user de son crédit personnel et de ses relations à la cour byzantine [2] pour travailler à l'union, mais sans faire la moindre allusion au contenu théologique du traité. Cette réserve prudente en matière doctrinale est un trait propre à Alexandre III, que met encore en lumière une autre circonstance du concile et qui vaut la peine d'être soulignée.

L'ÉCHO DES CONTROVERSES CHRISTOLOGIQUES AU CONCILE Certains voulaient que le pape se décidât à trancher en concile le débat qui, depuis le début du siècle, divisait à nouveau les théologiens sur les relations des deux natures avec le corps et l'âme dans la personne du Christ. Il n'y a pas lieu de raconter ici le détail de ces controverses, mais seulement de remarquer l'attitude du chef suprême de l'Église et, chose nouvelle, celle des cardinaux dont l'intervention jusqu'alors inusitée dans ce domaine fut réclamée à cette occasion.

Les théories adoptianistes ou nihilianistes s'étaient répandues en France à la suite de l'enseignement d'Abélard [3]. Gilbert de la Porrée et Pierre Lombard les avaient accréditées auprès de la grande foule des écoles [4], en dépit de la réaction des maîtres de l'abbaye de Saint-Victor qui s'étaient dressés contre elles [5].

La question passionnait les esprits, et en Occident comme en Orient on la discutait en présence d'un public très étendu. Très tôt, le nihilianisme ou l'adoptianisme abélardien essaima au loin. Dès 1126, un certain Luitolphe et, quelques années plus tard, un autre disciple d'Abélard, Adam, devenu chanoine du Latran, l'avaient enseigné à Rome. A la suite du maître parisien dont il a fort bien pu suivre les cours, Alexandre III lui-même l'avait professé dans sa chaire de Bologne [6]. Dans la seconde moitié du siècle, la controverse prit une nouvelle ampleur et, sortant du cercle des écoles, se déchaîna en Allemagne et

___

(1) H. REUTER, *op. cit.*, t. III, p. 442 et suiv.

(2) *P. L.*, CC, 1154. — Hugues Eterien était le frère de Léon, interprète de la chancellerie byzantine, comme il appert d'une lettre de Lucius III (*Cod. Vatic. Lat.*, n° 820, fol. 73, *Epistola consolatoria Lucii papae de obitu magistri Ugonis...*). On trouvera l'œuvre de Hugues dans *P. L.*, CCII, 231 et suiv.

(3) E. PORTALIÉ, *L'adoptianisme au XIIe siècle*, dans *Dictionnaire de théologie catholique*, t. I, 1re p., col. 413-418.

(4) JEAN DE CORNOUAILLES, *Eulogium*, dans *P. L.*, CXCIX, 1043, *...infiniti scholares*.

(5) Sur l'ensemble de la controverse, cf. J. DE GHELLINCK, *Le mouvement théologique du XIIe siècle*, Bruges-Bruxelles-Paris, 2e édit., 1948, p. 250-262. — Sur la position de Gautier de Saint-Victor, cf. *Hist. de l'Église*, t. XIII, p. 122-123.

(6) A. GIETL, *Die Sentenzen Rolands nachmals Papstes Alexander III*, Fribourg-en-Br., 1891, p. 176.

jusqu'à Byzance [1]. Grâce à Gerhoch de Reichersberg, nous sommes assez bien informés sur ce qui se passa en Allemagne [2] : la doctrine y fut enseignée avec un grand succès dans le diocèse de Würzbourg par le prévôt de Triefenstein, Folmar, qui, la poussant jusqu'à ses dernières conséquences, en vint à contester expressément le culte rendu à l'Eucharistie.

Averti du danger par Gerhoch, pressé d'intervenir, Alexandre III s'exécuta sans hâte et comme à regret. Il était alors en France, centre de diffusion de ces nouveautés. Juriste plus que théologien, canoniste plus que philosophe, il n'avait pas vu du premier coup d'œil les conséquences d'une doctrine qui l'avait lui-même séduit et qui pouvait encore prêter, du moins entre théologiens et clercs et loin des oreilles ignorantes, à la libre discussion. La Curie montrait la même réserve ; on y considérait comme « oiseuses » (vana) [3] les disputes en cours. Alexandre III se borna donc à interdire aux écoliers d'Allemagne les quaestiones indisciplinatas [4], dans les écoles et dans les réunions de clercs. Il recommanda d'éviter que la publicité donnée à ces débats n'induisît les âmes simples à de graves erreurs en interprétant à tort des propositions dont elles saisissaient imparfaitement la portée. Mais, au concile de Tours, il résista à toutes les sollicitations et ajourna toute mesure décisive. A Sens, le 24 décembre 1164, il prohiba de nouveau les discussions ouvertes en dehors de l'autorité dans les mêmes termes que ceux qu'il avait employés dans sa lettre à Gerhoch quelques mois plus tôt et que celui-ci avait soufflés [5]. Il invita l'évêque de Paris à proscrire l'adoptianisme dans toute la France, mais, malgré la présence de trois mille clercs, dit-on [6], la doctrine orthodoxe ne fut pas encore officiellement définie. En 1170, il écrivit à Guillaume de Champagne, archevêque de Sens et métropolitain de Paris, pour réprouver « la doctrine erronée de Pierre Lombard, naguère évêque de Paris ». Une lettre rédigée dans le même sens fut adressée aux évêques de Bourges, Tours, Reims et Rouen [7], mais ce n'est que sept ans plus tard, le 18 février 1177, que le pape lança l'anathème contre l'erreur et se décida à formuler, quoique d'une façon très succincte, la doctrine de l'Église [8]. Le même Guillaume, devenu archevêque de Reims, fut invité à réunir les maîtres des écoles de Paris, de Reims et des autres villes voisines, pour leur interdire l'enseignement de la doctrine incriminée [9].

(1) Manuel réunit un synode en 1166 où il intervint personnellement, non sans compétence, et fit prévaloir son avis contre les doctrines de Démétrios de Lampé. Cf. HEFELE-LECLERCQ, Histoire des conciles, t. V, 2e p., p. 1045-1049 ; MANSI, t. XXII, col. 1 et suiv., et F. CHALANDON, Les Comnène, t. II, p. 649 et suiv.

(2) A condition de ne pas oublier le goût de Gerhoch pour la polémique, sa manie de s'agiter et de se mettre en avant.

(3) Lettre du cardinal C. à Gerhoch, dans P. L., CXCIII, 585.

(4) Lettre d'Alexandre III à Gerhoch, 22 mars 1164, dans P. L., CC, 288. Il faudrait sans doute traduire : « les questions non inscrites au programme des études ».

(5) Lettre de Gerhoch au cardinal Henri, dans P. L., CXCIII, 573. On notera que Gerhoch s'adresse en même temps au cardinal Hyacinthe (ibid.) et au collège des cardinaux (P. L., CXCIII, 575).

(6) Ann. Reicherspergensis, dans M. G. H., SS., t. XVII, p. 471. — Tous ces clercs avaient été convoqués.

(7) P. L., CC, 685.

(8) Ibid., 684.

(9) F. DUCHESNE, Histoire de tous les cardinaux français..., 2 v. in folio, Paris, 1660-1666, t. II, p. 133, a fixé la date de cette lettre adoptée ensuite par tous les éditeurs. Texte dans H. DENIFLE, Chartularium Universitatis Parisiensis, t. I, p. 8 et suiv. et dans H. Fr., t. XV, p. 969.

Au concile du Latran, les adversaires de Pierre Lombard et surtout les tenants de l'école de Saint-Victor essayèrent d'obtenir une nouvelle condamnation. Mais là encore, Alexandre se montra plus modéré que son entourage et, cédant aux instances des disciples du maître parisien, en particulier au plaidoyer fougueux d'Adam, évêque de Saint-Asaph, il préféra s'abstenir [1].

FUT-IL QUESTION DE LA TERRE SAINTE ? Les actes du concile n'ont pas gardé trace de délibérations au sujet de la Terre Sainte, quoique les évêques syriens, les Templiers et les Hospitaliers y fussent largement représentés. Nul doute que la question de la croisade y ait été agitée. Depuis le début de son pontificat, Alexandre III n'avait cessé d'y songer. La réconciliation des rois de France et d'Angleterre, la paix conclue entre l'Église et l'Empire semblaient faire tomber les obstacles qui avaient jusqu'alors retardé toute opération d'ensemble. Cependant, les délégués syriens étaient arrivés porteurs d'une bonne nouvelle : les Francs venaient de remporter à Ascalon un brillant succès sur Saladin. La situation générale des lieux saints n'en restait pas moins précaire : les événements allaient se charger de montrer que, sans une vigoureuse réaction qui rendait nécessaire l'appoint de toutes les forces disponibles en Occident, elle risquait d'être à jamais compromise. Quelques semaines à peine après les dernières séances du concile, Saladin vengeait son échec d'Ascalon, au cours d'un vif engagement dans la forêt de Panéas et, le 10 juin 1179, infligeait aux Templiers une grave défaite à Marj Ayûm [2]. Alexandre III a-t-il connu ces nouvelles avant la dispersion des Pères ? C'est peu probable, puisqu'il attendra le 16 janvier 1181 pour adresser un solennel appel à la croisade, que sa mort, quelques mois plus tard, devait laisser sans écho [3].

EFFICACITÉ LIMITÉE DES DÉCRETS CONCILIAIRES Les canons promulgués ne représentent que le minimum admis d'un commun accord. Ceux qui concernent l'élection pontificale ou le choix des évêques, le droit de dévolution, l'organisation de l'ensei-

(1) Telle fut probablement son attitude. Du récit de Gautier de Saint-Victor, adversaire très violent de Pierre Lombard, il n'y a lieu de retenir avec certitude que le fait de la discussion et de la finale abstention d'Alexandre III. Ce récit, extrait d'une diatribe de Gautier, *Contra IV. labirinthos Franciae*, se trouve reproduit, d'après un manuscrit de la bibliothèque de l'Arsenal, par H. DENIFLE, *Die Sentenzen Abaelards und die Bearbeitungen seiner Theologie vor Mitte des XII. Jahrhunderts*, dans *Archiv für Literatur und Kirchengeschichte des Mittelalters*, t. I, 1885, p. 406-407 D'autre part, F. PELSTER a retrouvé, dans un manuscrit de la même bibliothèque, une seconde édition et une préface de l'*Eulogium* de Jean de Cornouailles, ancien disciple de Pierre Lombard, qui prouve que la première édition de cette œuvre a été écrite à la hâte, à la demande d'Alexandre III, en vue des discussions du concile, à l'automne de 1177. Or, Jean, parlant des erreurs du Lombard, se montre lui-même modéré, dit qu'il s'agissait d'une erreur d'*opinio* et non d'*assertio*, d'une *falsitas* et non tout à fait d'une *error*. (*Eulogium*, dans *P. L.*, CXCIX, 1052 et suiv.) Il considère une sentence comme opportune... : *fiat tandem illud*, mais il rappelle qu'Alexandre, à Tours, avait déjà montré peu d'empressement : *noluit... assertionem illam statim canonica ferire censura, ibid.*, 1043. Il faut ajouter que les avertissements successivement donnés avaient eu peu de succès dans l'épiscopat français. Cf. F. PELSTER, *Eine bisher ungedruckte Einleitung zu einer zweiten Auflage des Eulogium ad Alexandrum III Johannis Cornubiensis*, dans *Historisches Jahrbuch*, t. LIV, 1934, p. 223-229, où l'on trouvera toute la bibliographie de la question.

(2) R. GROUSSET, *Histoire des croisades*, t. II, p. 675-678.

(3) Voir *infra*, p. 186.

gnement, la désignation des hérétiques, les mesures en faveur des lépreux, eurent des conséquences immédiates et durables. Mais on peut mettre en doute l'efficacité de beaucoup d'autres.

A en croire plusieurs témoignages contemporains, la force des traditions anciennes, les habitudes invétérées des églises particulières, l'attitude rétive de ceux qui avaient intérêt à les conserver, tout concourut à rendre inopérants les canons qui prétendaient les battre en brèche. « Combien de nouveaux transgresseurs de la règle font les nouveaux décrets du concile du Latran ? » s'écrie Pierre le Chantre et il nous transmet l'écho des réactions soulevées par le canon 9 qui ne faisait que renouveler l'anathème contre ceux qui acceptaient églises ou dîmes de la main des laïcs [1]. Le canon 8, auquel on reprochait sa nouveauté et qui interdisait de promettre un bénéfice avant qu'il ne fût vacant, n'eut pas plus de succès [2]. De fait, Lucius III, en 1185, pourra déplorer que des moines poitevins n'en tinssent nul compte [3]. Un concile tenu à Rouen en 1190 dut renouveler l'anathème contre le même abus [4]. Le canon 5, qui tendait sans doute à le corriger ou à le prévenir, en engendra d'autres : l'obligation pour les évêques d'entretenir les clercs dépourvus finit par s'étendre jusqu'à ceux qui n'avaient même pas le diaconat et eut pour effet de grossir à la fois les charges épiscopales et la foule des clercs sans ressources et sans cure [5]. Tel fut le sort des nouveautés.

Que dire des canons qui ne faisaient que répéter les anciens ! Les mesures concernant le mariage, les degrés de parenté invalidant le lien, furent pratiquement sans effet [6]. Les prescriptions du canon 10 interdisant aux moines et aux chanoines réguliers d'habiter seuls dans les châteaux ou autres *loci populares* devront être rappelées quelques décades plus tard [7]. Philippe Auguste protestera contre le canon 20 qui interdisait à nouveau les tournois et qui n'empêcha rien. Au siècle suivant, l'excellent archevêque de Rouen, Eudes Rigaud, s'il ne les organise pas lui-même, ne se fera pas faute de célébrer la messe et de prêcher à l'ouverture d'un tournoi [8]. Malgré les progrès réalisés depuis la réforme grégorienne, et la prédication de saint Bernard, la simonie, le mariage des clercs, persistent un peu partout, encore vivaces en Allemagne, en Angleterre et en Suède [9].

Si l'on s'en tenait à ces constatations, l'on se ferait cependant une idée très incomplète des progrès de la législation canonique dus à l'action personnelle d'Alexandre III. Certes, le libellé des décrets du Latran, par la netteté du style, par l'ampleur des considérants, contraste avec la sécheresse de ceux qui émanent des conciles antérieurs et semble

---

(1) Pierre le Chantre, *Verbum abbreviatum.* (*P. L.*, CCV, 235.)
(2) *Ibid.* Cf. G. Mollat, *Les grâces expectatives du XIIe au XIVe siècle*, dans *Revue d'histoire ecclésiastique*, vol. XLII, 1947, p. 82 et suiv.
(3) *P. L.*, CCI, 1341.
(4) Hefele-Leclercq, *op. cit.*, t. V, 2e p., p. 1160.
(5) Étienne de Tournai, *Epist.*, CXCIV. (*P. L.*, CCXI, 476 et suiv.)
(6) Pierre le Chantre, *loc. cit.*
(7) *Lettre de Clément III à l'archevêque de Bourges Henri*, 11 juillet 1188, dans *P. L.*, CCIV, 1379.
(8) P. Andrieu-Guitrancourt, *L'archevêque Eudes Rigaud et la vie de l'Église au XIIIe siècle...*, Paris, 1938, p. 396-397.
(9) H. Reuter, *op. cit.*, t. III, p. 547-550.

bien porter sa marque. Mais ce n'est qu'une partie de son œuvre. On peut s'étonner, d'autre part, que les actes conciliaires restent muets sur tant d'autres questions qui pouvaient faire l'objet des préoccupations de tous. On ne voit pas que les Pères aient eu à se prononcer le moins du monde sur la direction générale de l'Église, l'orientation de son activité dans le monde chrétien, ni même sur son œuvre proprement apostolique en pays païen. C'était là, du consentement de tous, le rôle dévolu à la papauté. Il reste à examiner, dans leurs grandes lignes, ces divers aspects du gouvernement d'Alexandre III.

§ 4. — Alexandre III, l'Église et la Chrétienté [1]

La monarchie pontificale en formation à la fin du XIIe siècle doit à Alexandre III plus qu'à aucun de ses successeurs, à sa science canonique et à son rayonnement plus qu'au développement des pouvoirs ou des moyens de la Curie, plus qu'à un réel et volontaire accroissement de l'autorité du Saint-Siège sur les États. A l'égard de l'Empire comme sur son propre domaine, il est réduit, jusqu'à la fin, à l'impuissance.

LE PAPE JUGE ET JURISCONSULTE   L'irrésistible courant qui poussait depuis longtemps les divers membres de l'Église à prendre le pape pour arbitre de leurs litiges, pour garant de leurs privilèges, s'accentue et s'accélère sous le pontificat d'Alexandre III. Appelé constamment à interpréter, à appliquer ou à fixer le droit, il est le premier de ces grands papes jurisconsultes dont les décisions feront autorité pendant des siècles, prenant de plus en plus le pas, par la suite, sur les sentences patristiques et les décrets conciliaires.

Son tempérament latin, méthodique, l'idée qu'il se faisait de sa fonction, le prédestinaient à ce rôle. Pendant son séjour en France, à quelqu'un

---

(1) BIBLIOGRAPHIE. — I. SOURCES. — La source essentielle est ici le recueil publié par E. FRIEDBERG, *Corpus juris canonici...*, édit. 2a, Leipzig, 1922, t. II, *Decretalium collectiones*, où Raymond de Penafort a rassemblé sur l'ordre de Grégoire IX, de 1230 à 1234, de nombreuses décrétales. Sur 1871 chapitres, 470 sont extraits des décrétales d'Alexandre III, 596 sont extraits d'Innocent III et 189 de Grégoire IX lui-même. La correspondance pontificale est réunie dans *P. L.*, CC. Fr. ZARNCKE, *In memoriam Johannis Augusti Ernesti... die XX. mens. Jan. Anni 1875 celebrandam, de epistola Alexandri papae III. ad presbyterum Johannem...*, Leipzig, 1875, p. 5, en signale une collection plus complète que les éditions, dans un manuscrit du XIIe siècle de Cambridge (*Trinity College*, R. 9, 17) ; sous le nom de *Stroma* (titre emprunté aux *Stromata* de Clément d'Alexandrie), Alexandre III rédigea vers 1142-1148 un commentaire du décret de Gratien publié par F. THANER, *Die Summa magistri Rolandi nachmals papstes Alexander III*, Innsbrück, 1874 ; DENIFLE a retrouvé ses sentences publiées par le R. P. A. GIETL, *Die Sentenzen Rolands nachmals papstes Alexander III*, Fribourg-en-Br., 1891 et composées entre 1142 et 1150.

II. TRAVAUX. — Outre les importantes introductions de F. THANER et surtout d'A. GIETL aux éditions signalées ci-dessus, voir E. FRIEDBERG, *Die canones Sammlungen zwischen Gratian und Burchard von Pavia*, Leipzig, 1897, et S. DENIFLE, *Abälards Sentenzen und die Bearbeitungen seiner Theologia*, dans *Archiv für Literatur und Kirchengeschichte des Mittelalters*, t. I, 1891, p. 612 et suiv. Voir enfin les articles plus superficiels sur Alexandre III dans le *Dictionnaire de théologie catholique*, t. I, 1909, 1re p., col. 51-53, et dans le *Dictionnaire d'histoire et de géographie ecclésiastiques*, t. II, 1914, col. 208 et suiv. L'œuvre du pape comme canoniste et théologien est envisagée dans l'histoire générale des institutions ecclésiastiques des XIIe et XIIIe siècles au tome XII et dans l'histoire doctrinale au tome XIII de la présente collection (p. 167). Sur ce que le droit canonique doit à Alexandre III, les excellents travaux de détail de S. KUTTNER, *Kanonistiche Schuldlehre von Gratian bis auf die Dekretalen Gregors IX*, Citta del Vaticano, 1935 (Studi e Testi, n° 64) et de U. STUTZ, *Papst Alexander III. gegen die Freiung langobardischer Eigenkirchen* (*Abhandlungen der preussischen Akademie der Wissenschaften. Philos. histor. Klasse*, H. 6), Berlin, 1936, p. 1-37, contiennent des vues larges et neuves.

qui le félicitait d'être un bon pape, on l'avait entendu répondre avec son accent siennois : « Je seroi boene pape si je savais bien jujar, bien prédicar et pénitence donar[1]. » Juger, enseigner, corriger, tels étaient, selon lui, les devoirs majeurs de sa charge. A ceux du juge, on ne s'étonne pas qu'il ait donné la primauté. Sa formation l'avait préparé à les remplir avec compétence. Dans sa jeunesse, il avait pu suivre les cours d'Abélard dont l'influence est du moins manifeste sur sa méthode, sur son vocabulaire et, nous l'avons vu, sur les prémices de son enseignement. Disciple de Gratien, après avoir étudié à Bologne l'un et l'autre droit, il y était devenu maître, à son tour, jusqu'à son élévation au cardinalat en 1150.

CANONISTE ET THÉOLOGIEN Canoniste et théologien, il avait écrit sous le titre de *Stroma* l'un des premiers commentaires du *Décret* de Gratien, considéré comme la première « Somme » de ce temps qui allait en voir fleurir un si grand nombre. Un peu plus tard, il avait composé un recueil de « *Sentences* », qui, sur les sacrements et en particulier sur le mariage, apportait des distinctions utiles, et ce n'est pas là toute son œuvre dont une partie s'est perdue [2]. Théologie et droit canon y sont encore étroitement solidaires. Mais cette double culture, incarnée pour la première fois par le pontife romain, contribua à donner, plus que jamais, force de loi à ses moindres décisions. Les contemporains ne s'y trompèrent pas. « Depuis un siècle, dit un chroniqueur, on avait vu peu de papes aussi instruits : il fut, en effet, un très grand maître en théologie et l'un des plus marquants en droit romain et en droit canon. De nombreux problèmes juridiques et canoniques importants et difficiles ont été éclaircis et tranchés par lui [3]. »

SES DÉCRÉTALES Plus de cinq cents décrétales attestent cette activité. En nombre imposant, ces *consulta Alexandri* ont été insérés dans les premières collections canoniques [4] et l'on est frappé du peu de place qu'y occupent, par comparaison, les décisions des papes antérieurs. Comme un fleuve prend nom à sa source, presque toujours les siennes y sont citées les premières. Leur caractère pratique et souvent didactique [5], la portée universelle que leur conférait leur auteur, leur assurèrent un succès sans précédent. Bientôt, on verra les commentateurs de ces textes pontificaux se multiplier, en négliger le *Décret* de Gratien lui-même, et finalement les décrétalistes, comme on les appelait, supplanter les décrétistes. La « silve touffue » [6] des fausses décrétales,

---

(1) Le mot est rapporté textuellement par PIERRE LE CHANTRE, *Verbum abbreviatum* (*P. L.*, CCV, 199) et en latin par HELINAND DE FROIDMONT, *Chronicon*, a. 1181 (*P. L.*, CCXII, 1069).
(2) Plusieurs auteurs contemporains, entre autres Étienne de Tournai, citent de Roland des passages qu'on ne retrouve dans aucune des deux œuvres qui nous sont seules parvenues. Cf. A. GIETL, *op. cit.*, p. XIX.
(3) ROBERT DE TORIGNY, *Chronica*, a. 1182. (M. G. H., *SS.*, t. VI, p. 531.)
(4) Voir l'histoire résumée de ces premières compilations et leur bibliographie dans le *Dictionnaire de droit canonique* de R. NAZ, t. III, 1941, col. 1239 et suiv.
(5) Qu'on lise par exemple sa réponse à une consultation de Henri, archevêque de Reims, sur la procédure de l'appel, dans *P. L.*, CC, 802 et suiv.
(6) ÉTIENNE DE TOURNAI, *Epist.*, CCLI, *ad papam* (*P. L.*, CCXI, 517) : *profertur a venditoribus inextricabilis silva decretalium epistolarum quasi sub nomine sanctae recordationis Alexandri papae.*

qui, dans le dernier quart du siècle, se couvrirent du nom d'Alexandre III pour introduire maintes nouveautés, manifeste à la fois l'ampleur et l'origine de ce mouvement.

On doit en particulier à Alexandre III une synthèse originale des théories contemporaines sur la formation et la dissolution du lien matrimonial. On en a reconstitué avec vraisemblance l'élaboration successive [1], qui dénote à la fois l'indépendance de sa pensée à l'égard de l'enseignement reçu, son ouverture aux influences susceptibles de l'éclairer ou de le modifier, son art et son souci de concilier, sans artifice, les données contradictoires [2]. En affinant maintes conceptions que la justice et la coutume séculière continuaient d'ignorer, il a jeté les bases d'une casuistique qui, dans la pratique, devait profiter aux justiciables. En voici un curieux exemple : un ancien médecin, pris de scrupules au sujet de malades qui n'ont pas résisté à ses soins, ne croit pas pouvoir être ordonné. Il lui est répondu qu'il peut l'être si sa conscience ne lui reproche rien, et, dans le cas contraire, reçoit le conseil de ne pas accéder aux ordres supérieurs [3]. C'était, en dehors de tout serment, accepter le témoignage de la conscience comme critère de la faute. A la suite d'Abélard qui avait déjà introduit dans l'estimation de la responsabilité et des peines les notions d'*ignorantia* et de *negligentia*, Alexandre III distingue ce qui est corrigible (*vincibile*) de ce qui est sans remède (*invincibile*) avant que Pierre Lombard ne discerne à son tour l'ignorance pure et simple de celle qui est affectée. Du droit romain, il tire la distinction entre l'*ignorantia juris* et l'*ignorantia facti*. Il est encore à l'origine du concept de l'erreur sur la personne qui sera élaborée à la suite d'une de ses décrétales à propos des violences exercées sur les clercs [4]. Ces notions ne cesseront plus d'être perfectionnées et influenceront pour des siècles la théorie des *casus* dans le droit laïc. Ainsi les subtilités de la théologie, les ressources du droit romain dont il estimait qu'« on devait suivre les règles toutes les fois qu'elles n'étaient pas contraires aux canons » [5] lui ont permis d'assouplir la langue juridique, encore rudimentaire de son temps, mais qui, prononcée par lui, était désormais assurée de la plus large audience.

A cet empirisme centralisé, qui a été la règle de l'Église, on peut le dire, jusqu'à nos jours, à cette jurisprudence universaliste qui, pendant huit siècles, a tenu lieu de code et de loi, Alexandre III, avec toute l'autorité que lui donnaient sa science et sa fonction, est le premier pape qui ait apporté les éléments d'une méthode, d'un formulaire et presque autant

---

(1) J. DAUVILLIER, *Le mariage dans le droit classique de l'Église depuis le décret de Gratien* (*1140*) *jusqu'à la mort de Clément V* (*1314*), Paris, 1933.

(2) L. CAPERAN, dans son étude sur *Le problème du salut des infidèles, essai historique*, 2e éd., Toulouse, 1934, a retracé l'évolution des idées sur le baptême et sa nécessité pour le salut, chez les canonistes et les théologiens contemporains d'Alexandre III, mais ne dit mot de celui-ci qui a pourtant traité de cette question disputée dans son recueil de Sentences, cf. A. GIETL, *op. cit.*, p. 6-8, et dans un sens favorable à l'opinion qui admettait le salut, dans certaines conditions, même des non-baptisés.

(3) FRIEDBERG, *Corpus juris canonici*, editio 2a, l. I, tit. XIV, cap. 7, *ad aures nostras* : cette décrétale attribuée à Clément II a été restituée à Alexandre III par Friedberg.

(4) S. KUTTNER, *op. cit.*, p. XVI, 139 et suiv., 139 et suiv., 247, 257-298.

(5) P. L., CC, 858 : ... *Romanorum imperatorum leges... quae, tanquam canones, ubi canonibus non obviant, sunt observandae.* (*Lettre à l'archevêque d'Upsal.*)

que Gratien, d'un style. Par là, il a contribué grandement au succès des tribunaux ecclésiastiques qui s'affirme sous son pontificat.

EXTENSION DE LA COMPÉTENCE
DES TRIBUNAUX ECCLÉSIASTIQUES

D'une manière décisive, il en a étendu la compétence. Le droit de juger les litiges entre clercs était depuis longtemps refusé aux laïcs sous menace de peines. Avec lui, l'Église se sentit assez forte pour ne plus se contenter de menaces et pour en poursuivre l'exécution. Le tribunal ecclésiastique fut considéré désormais comme un privilège auquel on ne pouvait renoncer. Même le témoignage des laïcs n'y fut plus admis contre les clercs criminels. Ceux-ci, une fois dégradés par le tribunal ecclésiastique, échappèrent à toute action des juges laïcs [1]. En ce qui concerne le privilège du for, Alexandre a porté à leur point culminant les effets de la réforme grégorienne [2].

Bien plus, en désignant le droit des propriétaires sur les biens d'Église, comme un *jus spirituali annexum* et comme tel, soumis à la juridiction ecclésiastique, il a donné à ces tribunaux le moyen de traduire en pratique des théories qui ne cessèrent plus de se développer dans la doctrine et la législation canoniques. Le droit de patronage avait été déjà rejeté par Gratien. Alexandre, en luttant pied à pied, finit par réduire l'*advocatio*, très enracinée en Angleterre, à un simple droit de présentation. Il agit de même en Allemagne, en Italie où il n'hésita pas, par exemple, à contester les droits des princes de Capoue sur l'abbaye de Sainte-Marie et à rétablir, malgré l'abbesse, l'archevêque dans les siens en vertu des mêmes principes [3]. Or, cette notion du *jus spirituali annexum*, une fois introduite, était grosse de conséquences. Qu'il s'agît de mariage, d'actions dotales, de dîmes, de biens d'Église, de testaments, de contrats sanctionnés par serments, toute affaire qui touchait par quelque côté au spirituel fut soustraite à la compétence des juges laïcs. Peu à peu, ceux-ci se virent priver du droit de légiférer en ces matières ; on en vint même à contester leur compétence dans toute affaire civile qu'ils auraient jugée avec malveillance [4].

MULTIPLICATION DES APPELS
AU SAINT-SIÈGE

Certes, l'Église n'eut pas tout à y gagner. Ses tribunaux furent vite encombrés de causes innombrables. La papauté fut trop souvent appelée à intervenir, même là où elle n'avait que faire. Il n'en reste pas moins qu'en fixant la procédure des appels, en tenant

---

(1) Ceci en vertu du texte de Nahum (I, 12) invoqué à Clarendon par Thomas Becket, *Non iudicabit Deus bis idem in ipsum*, et que Guernes de Pont-Sainte-Maxence traduit non sans force :
     Clerc ne deivent, fait-il, a voz leis obeir
     Ne pur un sol mesfait duble peine suffrir.
Vie de saint Thomas Becket, édit. WALBERG (Classiques français du moyen âge), Paris, 1936, p. 1146-1147. Cf. *Decr.*, l. II, tit. I, cap. 4, *At si clerici*.
(2) R. GENESTAL, *Le privilegium fori en France du décret de Gratien à la fin du XIVᵉ siècle*, t. II, Paris, 1924, p. 20-26. Une réaction en sens inverse tendra à le réduire, après Alexandre III.
(3) U. STUTZ, *Papst Alexander III gegen die Freiung langobardischer Eigen-Kirchen*, loc. cit., p. 12-35.
(4) P. KIRN, *Der mittelalterliche Staat und das geistliche Gericht*, dans *Zeitschrift der Savigny Stiftung für Rechtsgeschichte. Kanon.-Abteil.*, t. XV, p. 173.

la main à l'exécution des sentences, Alexandre III a attiré la foule des plaideurs, laïcs autant que clercs [1], et ajouté aux raisons qui, depuis longtemps, faisaient préférer les tribunaux d'Église : garanties de l'instruction qui excluait les ordalies [2], douceur relative des peines, qui n'étaient jamais que des pénitences. Sa « prudhomie », son sens romain de l'équité, restaient également conscients des scrupules et des égards spéciaux que la justice d'Église se devait de conserver à l'égard des justiciables. « Il vaut mieux, écrit-il un jour, absoudre des coupables que d'user de la rigueur ecclésiastique contre des innocents. Il vaut mieux que les gens d'Église soient indulgents, plus même qu'il ne convient, que de montrer trop de sévérité dans la correction des vices [3]. » Et ceux qu'il fait relâcher sont des bourgeois de Reims accusés d'hérésie. On retiendra ce noble langage. Alexandre III est un des rares pontifes du moyen âge à l'avoir fait entendre. Aussi, la crue des procès portés devant la Curie, déjà déplorée en termes véhéments par saint Bernard, monte sous son pontificat.

EFFORTS FAITS POUR LES LIMITER

Pourtant, s'il a subi le courant, il a aussi cherché à l'endiguer. Le concile du Latran, nous l'avons vu, interdit les appels d'intention frauduleuse, ou simplement dilatoire, de la part des appelants ecclésiastiques [4]. En maintes circonstances, Alexandre III, décelant les mêmes intentions suspectes derrière des appels interjetés par des laïcs, les a déclarés irrecevables. Malgré l'usage qui s'établissait à leur détriment, il a toujours reconnu, quand il le fallait, la compétence des juridictions civiles. « En droit strict, déclare une de ses décrétales,... l'Église n'a pas à connaître les plaideurs laïcs qui ne sont pas ses sujets temporels [5]. » Une autre fois, il rappelle que c'est au propriétaire du fief qu'il appartient de juger les causes féodales [6]. Très souvent, il renvoie les plaideurs devant l'évêque du lieu [7] ou devant l'autorité légitime [8], ou même devant plusieurs arbitres [9], et, après avoir donné son avis, il s'en remet à ces derniers du soin

---

(1) En ce qui concerne les monastères, l'appel est une suite logique de la « protection ». A leur égard Alexandre III s'en servira surtout pour intervenir dans un sens modérateur, défenseur jaloux de leurs droits quand il le fallait, mais sachant sévir quand les abbés dépassaient les bornes de leurs privilèges. Cf. G. SCHREIBER, Kurie und Kloster im XIIten Jahrhundert, Studien zur Privilegierung, Verfassung... vornehmlich auf Grund der Papsturkunden von Paschalis II. bis auf Lucius III (1099-1181), Stuttgart, 1910, t. II, p. 204-207.
(2) Alexandre III renouvela expressément les condamnations des papes Étienne V et Nicolas I contre les épreuves de l'eau, du fer rouge, du duel judiciaire, dans une lettre à l'archevêque d'Upsal (P. L., CC, 859). Hoc sacramentum diabolicam continet praesumptionem sicut in decretali testatus est papa Alexander confirme PIERRE LE CHANTRE. (P. L., CCV, 237.)
(3) Lettre à Henri, archevêque de Reims, 23 décembre 1162, dans H. Fr., t. XV, p. 790.
(4) Cf. supra, p. 165.
(5) Decr., l. II, tit. XXVIII, cap. 7, si duobus.
(6) Decr., l. II, tit. II, cap. 6, Ex transmissa. Sur le rôle de la coutume dans l'extension de la compétence des tribunaux ecclésiastiques, aux yeux d'Alexandre III, voir R. NAZ, Dictionnaire de droit canonique, t. III, 1941, col. 1194 et suiv.
(7) Affaires concernant des laïcs : P. L., CC, 543, 653, 758, 765, 777, 805, 807, 947, 957, 963, 978, etc. ; affaires concernant des clercs, CC, 541, 614, 663, 683.
(8) P. KEHR, Papsturkunden in Spanien, dans Abhandlungen der Gesellschaft der Wissenschaften zu Goettingen, Phil. Hist. Kl., Neue Folge, H. XVIII, 2, t. I, Katalanien, Berlin, 1928, n° 202, p. 501 et n° 111, p. 400.
(9) On suivra les péripéties de cette procédure d'arbitrage au cours d'un procès entre les moines de Saint-Pierre d'Ager et l'évêque d'Urgel, dans P. KEHR, op. cit., n°ˢ 96-98, 105, 113-115, 118, p. 376-408.

de refaire l'enquête, de poursuivre l'affaire, ou de la terminer sans appel [1]. Des jugements sollicités et rendus, rien ne prouve qu'il ait voulu faire un instrument de centralisation. Celle-ci s'est renforcée par suite des nécessités financières plus que d'un plan prémédité.

LA SOURCE DES ABUS :
LES NÉCESSITÉS FINANCIÈRES [2]   Au cours d'un pontificat troublé, elles furent parfois si urgentes qu'Alexandre III en vint lui-même aux abus qu'il était le plus porté à combattre. Le 20 septembre 1161, c'était, il est vrai, au pire moment du schisme, voulant faire lever par les chanoines de Pise un emprunt sur leurs compatriotes, il accepte d'avance d'en passer par les taux usuraires des Pisans, « s'il n'y a pas moyen de faire autrement » [3].

D'une intégrité personnelle incontestée, il restitue généreusement au Mont-Cassin une table en or « d'un travail admirable et délicat » [4], que l'évêque de Préneste avait achetée au monastère et lui avait léguée par testament ; par contre il adresse à son légat en France des instructions minutieuses pour recouvrer sans retard vingt-quatre candélabres et autres pièces d'argenterie, déposés à la cathédrale de Limoges et provenant de la succession de l'évêque de Porto [5], donnant ainsi à cette date (27 mars 1178) l'un des rares exemples du droit de dépouille exercé par la chambre apostolique sur les biens meubles des évêques défunts.

Les mêmes soucis d'argent l'ont désarmé devant les sollicitations croissantes des monastères. S'il s'est défendu d'en prendre l'initiative [6], il n'en a pas moins multiplié les exemptions en leur faveur. En Angleterre, elles furent si nombreuses qu'elles provoquèrent de vives réactions dans la hiérarchie [7]. Il n'a pas véritablement organisé la perception des cens, il s'est même montré accommodant à l'occasion, mais il est le premier à faire mention du registre où ils étaient inscrits et dont la Curie ne se séparait pas dans ses multiples déplacements [8]. Si lui-même s'est encore efforcé de distinguer, parmi les bénéficiaires, les censiers qui demeuraient soumis à l'autorité diocésaine de ceux qui en étaient expressément affranchis, de plus en plus la chancellerie ne voulut voir dans le cens perçu qu'un signe uniforme de la propriété du Saint-Siège. Par voie de consé-

---

(1) *P. L.*, CC, 746, 747, 758, 777, 795, 797, 963.
(2) F. Schneider, *Zum älteren päpstlichen Finanzgeschichte*, dans *Quellen und Forschungen aus italienischen Archiven und Bibliotheken*, t. IX, 1906, p. 2-7 ; L. Nina, *Le finanze pontificie nel Medioevo*, t. II (Milan, 1930), p. 31 et suiv. ; K. Jordan, *Zur päpstlichen Finanzgeschichte in XI. und XII Jh.*, dans *Quellen und Forschungen...*, t. XXV, 1933-1934, p. 73, 75 ; W. Lunt, *Financial relations of the papacy with England to 1327*, dans *Studies in anglo-papal relations during the middle Ages*, I, Cambridge Mass., 1939, p. 48-55, 125 et suiv., 173-177.
(3) *P. L.*, CC, 125 : *sub convenientibus usuris, si aliter fieri nequeat.* Voir dans *H. Fr.*, t. XV, p. 849, un autre exemple de mouvement de fonds par les soins du Temple. Alexandre déplore que tout ce qu'on lui donne, même *in eleemosynam*, soit englouti par les usuriers, *usurarum ingluvies devorat*, Martène et Durand, t. II, p. 722.
(4) *P. L.*, CC, 1161.
(5) *Ibid.*, 1163.
(6) Cf. V. Loewenfeld, *Epist. pontif. rom. ineditae*, p. 134, nᵒ 242.
(7) *Lettre de Richard archevêque de Cantorbéry à Alexandre III*, dans *P. L.*, CC, 1456 et suiv. Cette lettre est insérée dans les œuvres de Pierre de Blois, édit. Giles, *Epist.*, 68. Cf. P. Fabre, *Étude sur le Liber Censuum de l'Église romaine*, Paris, 1892, p. 107-108.
(8) *Lettre d'Alexandre III à Maurice de Sully, évêque de Paris*, dans *P. L.*, CC, 333.

quence, tous les censiers qui n'étaient pas exempts tendirent eux-mêmes à le devenir [1].

Il use, encore discrètement, mais il use de son influence sur certains évêques pour faire conférer les bénéfices ou prébendes à ses protégés, et il lui arrive de menacer ceux qui tardent à se rendre à ses injonctions ou même à ses prières [2]. S'il combat le népotisme, il s'y résigne à l'occasion et en souriant : « Dieu nous a privés de fils, lui fait dire Pierre le Chantre, mais le diable nous a donné des neveux [3]. » Ce n'est pas là l'intransigeance des saints.

ALEXANDRE III ET LA MONARCHIE PONTIFICALE

En toutes circonstances, Alexandre III a défendu jalousement les privilèges de l'Église et, par exemple, l'autonomie de son organisation hiérarchique. Dans les conflits qui ont opposé, un peu partout, des métropoles concurrentes, il a agi avec le souci exclusif de respecter la tradition et le droit. Entre York et Cantorbéry, où s'affrontaient les rois d'Angleterre et d'Écosse, entre Tours et Dol derrière qui rivalisaient le Capétien et le Plantagenet, entre Aquilée et Grado qui se disputaient l'Istrie, l'une appuyée par Venise et l'autre par l'Empire, en Espagne enfin où l'a guidé seulement le souci de la reconquête, il est intervenu, en temporisant surtout, — son autorité y gagnait, — sans se laisser dominer, malgré la pression des princes ou des villes intéressées, par des préoccupations politiques.

Il s'est montré moins acharné qu'on ne le croit à étendre la souveraineté du Saint-Siège sur les princes temporels. Il s'est résigné assez facilement à l'abandon des revendications territoriales que la Curie, elle, gardait toujours en réserve. S'il y avait bien, par le perfectionnement des organes romains de l'administration et du droit, une sorte de monarchie pontificale en formation, il n'en a fait nulle part l'exposé juridique ou doctrinal. Il est remarquable que dans ses *Sentences*, ayant à traiter en théologien du pouvoir des clefs, il n'en tire nul argument en sa faveur. Il ne dit mot de la hiérarchie des puissances, de la doctrine de l'autorité, mais se borne à constater qu'en saint Pierre, tous les prêtres ont ce pouvoir en vertu de la parole du Christ : *Quod uni dico, omnibus dico* [4]. Peut-être s'est-on exagéré ses ambitions à cet égard. Dès l'époque où il devint chancelier de la Curie, sa modération était connue. Auprès d'Anastase IV, vieillard impulsif, il passait pour avoir joué, non sans peine du reste, un rôle pondérateur [5]. Il n'est pas sûr qu'à la diète de Besançon il ait

(1) P. FABRE, *op. cit.*, p. 109 et suiv.
(2) *P. L.*, CC, 806. Mais ce n'est pas encore le ton impératif que prendront des pontifes du XIIIe siècle ; cf. G. MOLLAT, *Les grâces expectatives du XIIe au XIVe siècle* (*loc. supra cit.*, p. 173, n. 2).
(3) *Verbum abbreviatum*, dans *P. L.*, CCXII, 211. C'est d'ailleurs le sourire d'un homme qui se surveillait. En fait le souvenir qu'il laissa est celui d'un pape énergique, peu enclin à pousser sa famille. Cf. le mot d'un ambassadeur siennois à la cour d'Urbain IV, rapporté par E. JORDAN, *L'Allemagne et l'Italie aux XIIe et XIIIe siècles*, dans *Histoire générale G. GLOTZ, Hist. du moyen âge*, t. IV, 1re p., Paris, 1939, p. 344.
(4) A. GIETL, *Die Sentenzen Rolands nachmals Papster Alexander III*, Fribourg-en-Br., 1891, p. 267.
(5) GERHOCH DE REICHERSBERG, *Epistola ad Alexandrum*, dans *P. L.*, CXCIII, 1389.

eu personnellement l'intention de réaffirmer les prétentions théocratiques
de l'Église romaine. Au cours de la lutte avec Frédéric Barberousse, comme
à l'égard de Henri II à propos de l'affaire Becket, nous l'avons vu plus
d'une fois hésiter et se contenter finalement de solutions incomplètes.

LES ILES BRITANNIQUES   Quand le roi d'Angleterre, aux abois devant
                              ses fils rebelles, sollicita ses bons offices,
Alexandre III se contenta, sans prendre parti, de prêcher la paix, par
l'intermédiaire de son légat Pierre de Tarentaise, peu enclin à jouer
un rôle politique. En confirmant les droits de Henri II sur l'Irlande,
il a encore rappelé le sien sur les îles, mais insisté sur l'œuvre morale à
accomplir dans ce pays resté fort barbare, plus que sur sa suzeraineté.
C'est pour les mêmes raisons qu'il a recommandé aux princes et au
peuple d'Irlande la fidélité au roi d'Angleterre [1].

LES ÉTATS IBÉRIQUES   Entre les divers royaumes ibériques, Cas-
                             tille, Léon, Navarre ou Aragon, il a tenu,
aussi longtemps qu'il était possible, la balance égale, sur le terrain politique comme sur le terrain ecclésiastique. Son attitude à l'égard
d'Alphonse Ier de Portugal a consisté à ratifier les faits, non à favoriser
spécialement l'ascension de celui qui, depuis 1143, relevait de l'Église
romaine. En lui reconnaissant (23 mai 1179) le titre royal, en lui confirmant, en outre, toutes les conquêtes à venir sur les Musulmans, Alexandre
accepte, sans en poser de nouvelles, les conditions éludées par la Curie
trente-cinq ans auparavant [2].

   Dans les péripéties du conflit interminable qui mit aux prises les prétentions rivales des métropolitains de Braga, de Tolède et de Compostelle, il a montré le même souci d'équilibre. Après avoir essayé, un moment,
d'adapter les circonscriptions ecclésiastiques aux nouvelles frontières
politiques nées de l'extension du Portugal et de l'indépendance du Léon,
il est revenu bientôt aux anciens cadres, soit qu'il les ait jugés plus solides
que ceux d'États en pleine croissance, soit plutôt qu'il ait voulu mettre
fin aux querelles des princes chrétiens de la péninsule en vue de coordonner leurs efforts pour la reconquête. « Puisque cela ne pouvait se
faire par la suprématie d'un seul État, on devait obtenir le même résultat
par une étroite solidarité d'États égaux en droit [3]. » Les provinces ecclésiastiques de Compostelle et de Braga, en continuant de s'enchevêtrer,
rendaient toute guerre bien difficile entre les rois de Léon et de Portugal
et préparèrent, en fait, leur réconciliation [4]. En Espagne, Alexandre III
avait senti que la reconquête était le seul facteur d'union.

---

(1) *P. L.*, CC, 884 et suiv.
(2) *Ibid.*, CC, 1237. La formule est, à vrai dire, ambiguë : *...Et omnia loca... in quibus jus sibi
non possunt christiani principes circumpositi vindicare...* Ce qui peut signifier, avec l'emploi de
l'indicatif présent : « nonobstant toute revendication des princes voisins » ou contenir, au contraire,
une restriction sauvegardant les droits des compétiteurs éventuels. Il arrivait à la chancellerie
romaine, comme aux autres, d'employer ces formules ambivalentes qui, le moment venu, donnent
le droit de s'adapter aux circonstances.
(3) C. Erdmann, *Das Papsttum und Portugal im ersten Jahrhundert der portugiesischen Geschichte,* dans *Abhandlungen der preussischen Akademie, Phil. hist. Kl.*, Bd V, Berlin, 1928, p. 47
et suiv.
(4) En 1184, voir *infra*, p. 250.

LA SICILE   En Sicile, terre vassale du Saint-Siège, l'insularité continuait de jouer, à l'inverse de la tradition pseudo-constan-
tinienne, en faveur du roi et non du pape. Alexandre III, fidèle au concordat de Bénévent, respecta les privilèges de l'île en matière ecclésiastique.
La couronne conserva son droit de veto sur les élections abbatiales et
épiscopales. Les visites *ad limina*, les convocations au concile, les appels
directs au pape restèrent soumis à l'autorisation royale [1]. Les rapports
ont été cependant excellents, et l'aide financière de la cour normande
très efficace. Mais on a pu s'étonner à bon droit que le vassal ne se
soit pas dérangé pour rendre visite personnellement à son suzerain
lorsque Alexandre III, à son retour de France, a séjourné trois mois
à Messine [2]. Il semble bien que Guillaume Ier ait voulu s'épargner le
serment de fidélité. Comme lui, Guillaume II s'est soustrait aux rites
de l'investiture. Alexandre III, en suzerain accommodant, n'a pas
réagi.

LE PATRIMOINE   Sur son propre domaine, il n'est pas moins réservé,
comme le montre l'épisode curieux de son interven-
tion contre une coutume de Bénévent [3]. Les habitants de cette ville
y pratiquaient, sans risques, une sorte de basse piraterie aux dépens
des marchands, des voyageurs et des pèlerins qui, en cours de route, y
tombaient malades. Ces malheureux perdaient en même temps le droit
de rentrer chez eux, de tester et même de choisir le lieu de leur sépulture. En cas de mort, leurs biens étaient divisés en trois parts : l'une
destinée à la Curie, une autre à la cathédrale de Bénévent et le reste à
leurs hôtes souvent soupçonnés, dans ces conditions, d'avoir hâté leur
trépas.
        Alexandre III voulut rétablir ces malades dans leur droit de dis-
poser, en toute liberté, d'eux-mêmes et de leurs biens. S'ils viennent à
mourir intestats, ces biens seront, sous la garantie de l'archevêque et de
quelques assistants, confiés pendant un an à une église de la ville, en
attendant de pouvoir être remis intégralement aux héritiers légitimes.
C'est seulement passé ce délai que la coutume antérieure pourra être
appliquée. Pour justifier cette mesure que dictaient pourtant la simple
équité, un incontestable désintéressement, que de précautions oratoires !
L'assentiment des cardinaux, le devoir de corriger, qui, « s'il incombe
spécialement au successeur de Pierre, est aussi celui de tous les évêques »,
sont tour à tour invoqués. Or, la ville de Bénévent, l'archevêque qui en
était le recteur et les magistrats qui l'assistaient relevaient directement
du Saint-Siège.

(1) E. JORDAN, *La politique ecclésiastique de Roger I et les origines de la « légation sicilienne »*,
dans le *Moyen âge*, t. XXV, 1922, p. 237-273 et t. XXVI, 1923, p. 32-65.
(2) P. KEHR, *Die Belehnungen der süditalienischen Normannenfürsten durch die Päpste (1059-
1192)*, dans *Abhandlungen der preussischen Akademie der Wissenschaften, Phil. hist. Kl.*, Jahrg.
1934, Berlin, 1935, p. 48. L'auteur critique et complète C. LUPO, *I Normanni di Sicilia di fronte
al papato*, dans *Archivio storico della Sicilia orientale*, t. XX, 1924, p. 56-59 et utilise une bulle de Clément III, jusqu'à lui négligée par les historiens. (J.-W., 16.375, *P. L.*, CCIV, 1486.)
(3) *P. L.*, CC, 595 et suiv.

LA FRANCE   En France, sa discrétion à l'égard du pouvoir royal et même en matière de bénéfices a laissé un durable souvenir [1]. Et pourtant, nulle part, on ne se faisait une idée plus haute du pouvoir pontifical. La lettre farcie de citations bibliques, adressée par Louis VII à Alexandre III avant le concile, a sans doute été rédigée par l'évêque chancelier ou même le cardinal légat, elle n'en est pas moins expressive :

... Le bien est facile à faire avec une si grande autorité... Qui, en effet, ne vous croit sur parole ? qui songe à vous désobéir ?... S'il se trouvait quelqu'un d'assez téméraire pour vous résister, faites tonner contre lui la voix terrible que Dieu vous a donnée, servez-vous du glaive tranchant mis entre vos mains pour exercer sur les nations la vengeance et les châtiments, pour enchaîner les rois et les puissants [2]. (Ps. 149, v. 8.)

Compte tenu du conformisme de la chancellerie et de l'hyperbole biblique, c'était prôner une sorte de dictature pontificale, en regard de laquelle les procédés d'Alexandre III paraissent timides. L'évêque de Paris ayant, en 1176, installé son archidiacre au mépris de l'appel interjeté par le légat, c'est avec tous les égards possibles qu'Alexandre fait demander au roi d'intervenir ; il accepte à l'avance la solution que le roi proposera si l'on ne veut pas revenir sur ce qui a été fait [3]. Et il s'agissait d'une atteinte au droit d'appel, une des libertés ecclésiastiques auxquelles il tenait le plus.

LA HONGRIE [4]   Dans le concordat qu'il a sans doute négocié avec le roi de Hongrie, il a fait, semble-t-il, de larges concessions. Comme au roi de Sicile, il lui a reconnu le privilège de légation, le contrôle des appels et un droit de regard sur l'octroi du *pallium*. Il est vrai que c'était au début du schisme et qu'il fallait récompenser la fidélité du prince [5]. Mais plus tard, en 1169, il a obtenu du roi Etienne III la renonciation de la couronne hongroise au droit de dépouille et à la libre disposition des évêchés et des abbayes [6]. Il eut cependant à faire respecter par Bela III la liberté des élections épiscopales. Mais à propos du siège de Split où se livrait, en 1181, derrière le candidat du roi et l'élu du chapitre local, la compétition, éternelle sur ces rives, des Vénitiens et des Croates, il est significatif que le pape ait fait intervenir, dans son plaidoyer pour la liberté de l'élection, l'opinion des habitants et l'intérêt

---

(1) Cf. les propos des envoyés de saint Louis à la cour d'Innocent IV, rapportés par Mathieu de Paris et signalés par Ch. Petit-Dutaillis, *La monarchie féodale en France et en Angleterre*, Paris, 1933, p. 230 et suiv. Cependant les premières provisions, très rares, il est vrai, datent de son pontificat. Cf. Reuter, *op. cit.*, t. III, p. 700. On trouvera dans *H. Fr.*, t. XV, p. 953 et 960, mention des faveurs obtenues par Girard Pucelle.

(2) *H. Fr.*, t. XV, p. 964.

(3) *P. L.*, CC, 1061 et suiv. Au cardinal-légat Pierre, du titre de Saint-Chrysogone, 6 novembre 1175.

(4) Les sources sont commodément répertoriées par ordre alphabétique et en partie reproduites dans A. F. Gombös, *Catalogus fontium historiale hungaricae... ab anno DCCC usque ad annum MCCC*, 3 vol., Budapest, 1937-1938. Cf. pour Alexandre III sous les nos 124-130 ; pour l'évêque de Gran (Esztergom en hongrois) sous le n° 3541, *Stringonensis episcopus*.

(5) W. Holtzmann, *Papst Alexander III. und Ungarn*, dans *Ungarische Jahrbücher*, t. VI, 1926, p. 410-415.

(6) *Ibid.*, p. 418 et *P. L.*, CC, 58.

bien compris de la couronne hongroise [1]. Il a ménagé Bela III, il l'a même
soutenu, au moment de son couronnement (1173), contre le primat, un
alexandrin de la première heure. Par là, il a secondé la politique de Manuel
à qui Bela devait tout et par qui la Hongrie fut liée à Byzance.

BOHÊME ET POLOGNE   Il n'a rien fait, semble-t-il, pour renouer directement avec la Bohême et la Pologne, vassalisées
par Frédéric. L'évêque de Prague était le véritable chef du pays, inféodé
à l'Empire, pratiquement indépendant de Rome. L'Église polonaise,
muette au cours du schisme, absente au concile, n'est sortie de l'ombre
qu'en 1180, mais l'initiative est venue du Grand-Duc Casimir le Juste et
de l'archevêque de Gniezno, Sbyzlaw. Après avoir réuni un concile à
Lecyzca en 1180 [2], ils en firent, l'année suivante, confirmer les décisions
par le pape qui se borna à sanctionner les décisions prises contre les abus [3].

LA DALMATIE ET BYZANCE   En Dalmatie, dans les dépendances de
l'Empire byzantin, il a toujours eu égard aux
intérêts de Byzance. De tout ce qui tenait à l'Église latine, il a sans doute
tâché de faire reconnaître son obédience, mais Manuel voulait un moment
y amener l'Église grecque elle-même.

Alexandre III a envoyé des légats au prince de Kiev en 1160, mais on
ne sait rien du but ni du résultat de leur mission [4]. Il n'en reste pas moins
à souligner que ce pontificat, qui se termine presque en même temps que
le règne de Manuel, a connu, les derniers temps, des relations faciles entre
les chrétientés latines et grecques. Ces facilités paraîtront d'autant plus
grandes, quand l'imminente réaction anti-latine aura déchaîné dans l'Empire ses effets et provoqué entre les deux mondes une profonde et durable
rupture, qui jusque-là n'existait pas encore.

DÉFENSE DE LA CHRÉTIENTÉ   Alexandre III a repris la tradition apostolique et missionnaire de la papauté. Il
y voit une de ses attributions essentielles. Ce que nous savons de ses
interventions dans les missions du Nord, ou à propos des chrétientés
d'outre-mer, malgré les échecs subis ou les lacunes de notre information,
ne laisse pas de doute à ce sujet. C'est en chef clairvoyant de l'Église
universelle qu'il en a suivi, « de jour en jour, les gains ou les pertes » [5].

EN PAYS SLAVE   La lutte avec l'Empire a, sans doute, en grande
partie paralysé son action : l'évangélisation des
Slaves plus ou moins tributaires de l'Empire, Wendes, Obotrites, Pomé-
raniens, lui a échappé comme elle a échappé, et pour les mêmes raisons,
à l'empereur lui-même. C'est Henri le Lion et Albert l'Ours qui, en toute

---

(1) *P. L.*, CC, 1311.
(2) HEFELE-LECLERCQ, *Histoire des conciles*, t. V, 2e p., p. 1113.
(3) P. L., CC, 1304.
(4) N. DE BAUMGARTEN, *Chronologie ecclésiastique des terres russes du Xe au XIIIe siècle*, dans
Orientalia christiana, vol. XVII, I, Rome, 1930, p. 101.
(5) P. L., CC, 607. *Lettre à Absalon, évêque de Roskilde*, 4 nov. 1169.

indépendance, l'ont conduite rudement dans ces régions, en conquérants plus qu'en zélés convertisseurs. Là, Alexandre III n'a pu que ratifier les faits accomplis. Mais il a pris en main l'évangélisation de l'Esthonie et de la Finlande. En assignant ce but commun aux royaumes du Nord, il a sans doute voulu faire taire les rivalités nationales ou intestines [1]. Il a fait preuve de réalisme. Au chef de la mission d'Esthonie, bénédictin français, il fait adjoindre le moine Nicolas, esthonien lui-même, qui pourra prêcher dans leur langue aux gens de sa race. Quand la mission est sans ressources, il s'inquiète de ses besoins en faisant appel à la générosité des Danois. A l'égard des Finnois, dont l'expérience a démontré la mauvaise foi, il recommande la méfiance : « Vous ne vous contenterez plus de leurs promesses, écrit-il aux évêques suédois… S'ils vous demandent encore de prendre leur défense en faisant valoir leur nom de chrétien, faites-vous livrer, s'ils en ont, les places que vous devrez occuper ou obtenez des sûretés telles qu'ils ne puissent plus se dédire ni vous circonvenir et qu'ils soient obligés de pratiquer le christianisme [2]. »

EN TERRE SAINTE   Avec non moins d'attention et de clairvoyance, Alexandre III a suivi les événements en Palestine. Malgré la double élection de 1159, il avait été très vite reconnu par l'église de Syrie comme seul pape légitime. Son autorité sur le continent en avait été grandie. Il y gagna de ne jamais perdre contact avec l'Orient byzantin et même musulman. Le sultan de Qôniyah, dont la mère, disait-on, était secrètement chrétienne [3], lui demanda des textes des Écritures [4] et des éclaircissements sur la foi. Il lui a répondu [5], comme il a répondu à ce fameux « Roi des Indes » qui aimanta si longtemps l'imagination des utopistes du moyen âge [6], en maître spirituel de l'Occident.

(1) *P. L.*, CC, 860. En 1169, tout en donnant à l'évêque de Roskilde, Absalon, juridiction sur l'île de Rügen tout entière, il avait prudemment réservé les droits de l'église saxonne. Une fois l'île acquise au christianisme, impartialement en partage la juridiction entre les évêques de Roskilde et de Schwerin, suppôts des ambitions concurrentes du roi de Danemark et du duc de Saxe.
(2) *P. L.*, CC, 852. *Lettre à l'archevêque d'Upsal.*
(3) ROBERT DE TORIGNY, *Chronica*, a. 1182. (M. G. H., SS., t. VI, p. 531.) D'après ARNOLD DE LÜBECK, *Chronica Slavorum*, édit. LAPPENBERG-PERTZ, dans M. G. in *usum scholarum*, Hanovre, 1868, p. 23 et suiv., son arrière-grand'mère était allemande et de sang royal, ce qui rend moins invraisemblable que ne le pense J. HARTMANN, *Die Persönnlichkeit des Sultans Saladin im Urteil der abendländischen Quelle, Historische Studien*, 239, Berlin, Ebering, 1933, p. 55 et suiv., la nouvelle rapportée par MATHIFU DE PARIS (M. G. H., SS., t. XXVIII, p. 112) qu'il s'était fait secrètement chrétien.
(4) Le Pentateuque, les prophéties d'Isaïe et de Jérémie, les évangiles des saints Jean et Mathieu, les épîtres de saint Paul ; voir *P. L.*, CCVII, 1069.
(5) *P. L.*, CCVII, 1069 et suiv. Cf. *supra*, p. 160, n. 1.
(6) Sous le nom du Prêtre Jean avait circulé vers 1165 une lettre, sans doute un faux, mais qui semble avoir eu son origine dans les espoirs que les Chrétiens de Syrie, au lendemain de la chute d'Édesse, avaient mis dans l'intervention d'un roi chrétien d'Extrême-Orient, dont la conversation d'Otto de Freising (*Chronicon*, VII, xxxiii, dans M. G. H., SS., t. XX, p. 266) avec l'évêque Hugues de Gabala (Cf. t. IX, 1re p., p. 189 et 190, n. 1) fait déjà mention. D'après L. OLSCHKI, *Der Brief des Presbyters Johannes*, dans *Historische Zeitschrift*, Bd. 144, Heft 1, 1931, p. 12, cette lettre, adressée aux souverains d'Occident, serait l'expression, sous une forme populaire et simpliste, d'un goût pour l'utopie politique qui s'est fait jour dès le xiie siècle. R. HENNIG, *Das Christentum im mittelalterlichen Asien und sein Einfluss auf die Sage vom « Priester Johannes »*, dans *Historische Vierteljahrschrift*, XIX er Jahrgang, Dresde, 1935, p. 234-252, s'est efforcé de retracer l'histoire obscure de ces chrétientés nestoriennes d'Asie (*ibid.*, p. 235-242) dont le véritable « Prêtre Jean » pourrait bien être issu. Etait-ce le prince Yelutaschi, chef du peuple des Keraït, dans le Turkestan, qui, selon des sources arabes, aurait adopté le christianisme au début du xiie siècle (*ibid.*, p. 245-247) ? C'est ce que pense R. HENNIG après F. ZARNCKE (Cf. *supra*, p. 160, n. 1) et Ch.-V. LANGLOIS, *La vie en France au moyen âge*, t. III, *La connaissance de la nature et du monde…*, Paris, 1927,

Il n'a pas, un instant, oublié la chrétienté d'outre-mer. Avec une hauteur de vues qui suppose une information très avertie, il a prévu la catastrophe prochaine, discerné ses causes, envisagé tous les moyens de la prévenir. Les troubles du schisme, la rivalité des rois de France et d'Angleterre, la déception générale après l'échec de la dernière croisade dont sa maturité l'avait fait témoin, rien ne l'a découragé. A défaut d'une expédition de grande envergure que la lassitude et les divisions des princes d'Occident faisaient toujours ajourner, il obtient pour la Terre Sainte des secours en hommes et surtout en argent ; il s'inquiète des pertes, intervient auprès de Saladin lui-même pour négocier un échange de prisonniers [1]. Il réconcilie, non sans peine, Louis VII et Henri II [2], les chevaliers du Temple et ceux de l'Hôpital [3]. On a de lui trois bulles de croisades : il est intervenu chaque fois que les événements tournaient mal et il a su les interpréter avec lucidité.

En 1165 [4], avant de quitter Montpellier pour regagner l'Italie, il renouvelle la bulle d'Eugène III. Il venait d'apprendre la prise de Harim et de Panéas par Nûr ed Din. Il s'agissait de sauver Antioche, alors inféodée à Byzance par son roi et, peut-être déjà, par son patriarche.

En 1169 [5] et en 1173 [6], ses appels soulignent à point nommé les dangers de l'unité, d'abord politique, puis religieuse qui se réalise alors pour la première fois dans l'Islam levantin [7] et il adjure l'Occident de s'unir à son tour. Avec un grand sens politique, il a compris qu'une diversion des Byzantins par le Nord pouvait encore sauver la situation et il n'a pas refusé son concours à Manuel [8] quand celui-ci a réclamé l'appui des forces occidentales contre les Turcs Seldjoucides [9].

En 1181, il n'est pas dupe de la trêve consentie par Saladin après sa victoire de Mardj Ayûn et il lance un dernier et pathétique appel [10]. Il peint en termes vigoureux les maux dont va périr, six ans plus tard, la monarchie hiérosolymitaine : l'épuisement du roi lépreux, l'avilissement des caractères, la terre vidée d'hommes pour la défendre. Il annonce l'attaque imminente et démontre la nécessité d'agir sans retard et en force. Mais la clairvoyance ne remplace pas les moyens de se faire obéir

---

p. 44-70. Était-ce l'empereur de Nubie ou d'Éthiopie comme le pensent d'autres auteurs (*ibid.*, p. 47, n. 1) ? Cf. C. MARINESCO, *Encore une fois le problème du prêtre Jean*, dans *Académie Roumaine, bulletin de la Section historique*, XXVI-2, 1945, p. 202-222 ; la légende de cette chrétienté lointaine et de ce roi fabuleux proliféra de bonne heure et longtemps dans la littérature en langue romane et dans les milieux missionnaires, cf. J. POU Y MARTI, *La legenda del Preste Juan entre los Franciscanos de la Edad media*, dans *Antonianum*, XX, 1945, *Miscellanea P. Livario Oliger*, p. 65-96. Elle dura jusqu'à la Renaissance non sans avoir joué son rôle dans l'élan générateur des grandes découvertes du XVIe siècle ; de nos jours même, elle trouve encore un écho dans le livre récent de M. P. BENOÎT, *Le Prêtre Jean*, Paris, 1952.

(1) C'est ce qui ressort d'une lettre de Saladin à Lucius III en 1184 ; cf. HARTMANN, *op. cit.*, p. 57 et suiv.

(2) Lettres à Henri, archevêque de Reims, *P. L.*, CC, 927, 962, 967

(3) *Ibid.*, 1243.

(4) *P. L.*, CC, 384 et suiv.

(5) *Ibid.*, 599-601.

(6) *Ibid.*, 927.

(7) R. GROUSSET, *Histoire des Croisades*, t. II, p. 533-537 et 587-593.

(8) *P. L.*, CC, 1063.

(9) La lettre de Manuel datée à tort de 1180 dans *H. Fr.*, t. XV, p. 974, est en réalité de 1147. Cf. l'article de W. OHNSORGE cité p. 152, n. 5.

(10) *P. L.*, CC, 1294.

et la volonté d'organiser. Les forces chrétiennes restèrent dispersées, désunies. Les ordres militaires continuèrent de jouir, à l'égard du roi de Jérusalem, d'une indépendance anarchique à laquelle le pape n'a pas su, ni peut-être voulu, mettre fin.

Si ces efforts pour la plupart furent vains, ils manifestent du moins la continuité et l'universalité de l'action directrice qu'Alexandre III a tenté d'exercer sur le monde de son temps. La résistance grandissante des princes, la lutte avec l'Empire auraient pu absorber toute son énergie. Elles ne l'ont pas empêché de perfectionner les organes de l'administration ecclésiastique et de donner à l'élaboration du droit canon, à l'enseignement et à la formation des clercs une impulsion décisive. C'est ce qui devait durer.

DERNIÈRES RELATIONS AVEC L'EMPIRE   Sa paix avec Frédéric n'a été qu'une trêve. L'église d'Allemagne continua d'échapper à son influence directe. Tout choix y resta soumis à la ratification impériale. Il ne put s'opposer au passage de Siegfried du siège de Brandebourg à celui de Hambourg-Brême. Il assista impuissant à l'institution des droits de dépouille et de régale dont l'empereur se mit à faire ouvertement usage [1]. De son côté cependant, il fit tout pour éviter les difficultés. Ses légats assistèrent, sans mot dire, aux délibérations qui consacrèrent la déchéance de Henri le Lion [2]. Dans le conflit qui mit les villes lombardes aux prises avec Frédéric pour l'exécution des clauses de la paix, c'est lui qui intervint comme médiateur pour obtenir la libération des prisonniers de Côme [3]. Jusqu'à la fin, sa loyauté fut constante envers les deux parties. Tout porte à croire qu'il a su par là conquérir l'estime de son ancien adversaire. Les relations de l'Empire et de l'Église y gagnèrent de rester sans nuages jusqu'à sa mort.

Répit trompeur, gros de nouveaux orages. La ligue lombarde s'émiette sous ses yeux et ne sera bientôt plus qu'un souvenir. Le pape mort, des ennemies d'hier, de Milan même, d'Alexandrie, Frédéric va se faire en peu de temps des alliées. Si la réunion de la Sicile et de l'Empire sous le même sceptre, dont l'ancien négociateur de Bénévent n'a jamais perdu de vue le danger, est encore différée, le temps est proche où elle ne pourra être empêchée. Toutes les questions pendantes, la sécurité dans Rome, le règlement des ordinations schismatiques en Allemagne, la succession mathildique, vont se poser à nouveau et dans les mêmes termes à ses successeurs.

LA FIN DU PONTIFICAT   A Rome déjà, le plus proche passé recommençait. Alexandre III y voyait renaître les ambitions anarchiques et l'hostilité de ces mêmes Romains qui naguère avaient réclamé son retour. Ils ne rendaient pas les régales promises et refusaient

(1) A. HAUCK, *op. cit.*, t. IV, p. 312 et suiv.
(2) H. REUTER, *op. cit.*, t. III, p. 446 et suiv.
(3) F. GÜTERBOCK, *Kaiser, Papst und Lombardenbund nach dem Frieden von Venedig,* dans *Quellen und Forschungen aus italienischen Archiven und Bibliotheken,* Bd. XXV, 1933-1934, p. 177-181. C'est le cardinal Laborans qui fut l'artisan de la médiation.

toute obéissance. L'insécurité devint telle que le pape fut obligé de quitter le Latran pour se réfugier dans les châteaux de la campagne, trois mois à peine après la fin du concile. Il ne revit plus Rome jusqu'à sa mort. Le chancelier impérial, Christian de Mayence, loyal exécutant des clauses de la paix, s'employa, sans y parvenir, à pacifier le pays et finit pas tomber aux mains de ses adversaires, menés par Conrad de Montferrat.

Suprême dérision, les féodaux de la campagne, groupés autour de la famille de l'antipape Victor IV, donnèrent un successeur à Calixte III qui, nous l'avons vu, s'était déjà démis à Venise, et firent pape un des leurs, Lando di Cozza [1]. Allait-on reprendre les armes ? Il n'était question pour la famille et pour la faction victorienne de Lando que de se faire grassement payer sa retraite. Le dernier antipape du XIIe siècle, le dernier avant ceux du grand schisme, fut conduit à Velletri où Alexandre III lui enjoignit de se retirer au monastère de la Cava.

De Velletri, Alexandre III, peut-être pour se rapprocher de Christian de Mayence qui depuis sa libération exerçait les fonctions de légat impérial dans le duché de Spolète, se rendit à Tusculum, puis à Viterbe. Mais la révolte y grondait. Il dut se déguiser en pèlerin pour gagner la ville forte de Cività Castellana où il mourut peu de temps après (30 août 1181). Sa mort ne désarma pas les Romains. C'est avec peine que les cardinaux obtinrent que sa dépouille fût inhumée au Latran. Elle y fut accueillie par des flots d'injures, criblée de pierres, souillée de boue [2]. Ainsi finit l'un des plus grands pontificats du moyen âge.

(1) Sous le nom d'Innocent III qu'un autre que lui devait illustrer.
(2) SIGEBERT DE GEMBLOUX, *Continuat. Aquic.*, dans M. G. H., *SS.*, t. VII, p. 420.

CHAPITRE V

LA PAPAUTÉ DE LA MORT D'ALEXANDRE III
A L'AVÉNEMENT D'INNOCENT III [1]

§ 1. — La papauté à Vérone.

ÉLECTION DE LUCIUS III — Le 1er septembre 1181, deux jours après la mort d'Alexandre III, les cardinaux élurent pour lui succéder l'évêque d'Ostie et de Velletri, Hubald Allucingoli. Intronisé le 6 septembre, dans sa cathédrale de Velletri, par l'évêque de Porto et l'archiprêtre d'Ostie, il prit le nom de Lucius III.

Il avait été l'un des principaux négociateurs du traité de Bénévent et de la paix de Venise, le conseiller le plus écouté de son prédécesseur [2], mais « vieux hom estoit et de petite letreure » [3]. Animé d'un haut idéal religieux, d'esprit conciliant, par goût et par l'effet de l'âge, son avénement

---

(1) BIBLIOGRAPHIE. — I. SOURCES. — Elles nous renseignent très incomplètement sur cette période. WATTERICH, *Pontificum Romanorum... vitae*, Leipzig, 1862, t. II, p. 650-748, donne les principaux textes, lettres et annales. HUILLARD-BRÉHOLLES, *Examen des chartes de l'Église romaine, contenues dans les rouleaux dits Rouleaux de Cluny*, dans *Notices et Extraits des manuscrits*, t. XXI, 2e p., 1865, p. 319-363, a publié pour la première fois trente cinq pièces ignorées des anciens annalistes dont dix-sept concernent la deuxième moitié du XIIe siècle : lettres des papes et des empereurs, traités. Elles ont été reproduites dans M. G. H., *LL.*, IV (*CC.*), t. I, *passim*. Les *Annales de Marbach*, dans M. G. H., *SS.*, t. XVII, p. 161 et suiv. ; les *Gesta Treverorum, continuatio*, III, dans M. G. H., *SS.*, t. XXIV, p. 384 et suiv. et surtout le continuateur d'Helmold, ARNOLD DE LÜBECK, dont la *Chronica Slavorum*, l. III, IV, V, dans M. G. H., *SS.*, t. XXI, p. 142-213, reproduite par M. LAPPENBERG, dans M. G. H., *Scriptores rerum germanicarum in usum scholarum*, Hanovre, 1868, donne des précisions introuvables ailleurs et, quoique très sensible à l'honneur de l'Empire, semble plutôt favorable à la politique pontificale.
II. TRAVAUX. — Sur les derniers démêlés de la papauté avec Frédéric Barberousse et la politique impériale en Italie après la paix de Venise, les travaux de P. SCHEFFER-BOICHORST, *Kaiser Friedrichs I. letzter Streit mit der Kurie*, Berlin, 1866, et de W. LENEL, *Der Konstanzer Frieden von 1183 und die italienische Politik Friedrichs I*, dans *Historische Zeitschrift*, 1923, p. 189-261, ont été renouvelés par celui do H. KAUFFMANN, *Die italienische Politik Kaiser Friedrich I nach dem Frieden von Constanz (1183-89), Beiträge zur Geschichte der Reichspolitik und Reichsverwaltung der Staufen in Italien (Greifswalder Abhandlungen zur Geschichte des Mittelalters*, hgg. von A. Hofmeister, 3, Greifswald, 1933). Sur les relations de Clément III et de Célestin III avec Henri VI, l'ouvrage de TH. TOECHE, *Kaiser Heinrich VI*, Leipzig, 1867, est toujours utile. Les dissertations de J. CARO, *Die Beziehungen Heinrich VI zur römische Kurie während der Jahre 1190-1197*, Rostock, 1902, et de J. LEINEWEBER, *Studien zur Geschichte Papst Celestins III*, Iéna, 1905, sont largement dépassées par J. HALLER, *Heinrich VI und römische Kirche*, dans *Mitteilungen des Inst. für österreich. Geschichtsforschung*, t. XXV, 1914, p. 384-454 et 545-669. On doit à K. WENCK, *Die römischen Päpste zwischen Alexander III und Innocenz III und der Designationsversuch Weihnachten 1197*, dans *Papsttum und Kaisertum, Forschungen... Paul Kehr... dargebracht*, hgg von A. BRACKMANN, Munich, 1926, bien des indications nouvelles, ainsi qu'à E. JORDAN, *L'Allemagne et l'Italie au XIIe siècle*, t. III de l'*Histoire générale. Histoire du moyen âge*, sous la direction de G. GLOTZ, Paris, 1939. Sur la papauté et Byzance, voir W. NORDEN, *Das Papsttum und Byzanz*, Berlin, 1903.
(2) *...In quo summa consilii romanae curiae pendebat*, écrit ARNOLD, *Chronica Slavorum*, II, IX, dans M. G. H., *SS.*, t. XXI, p. 132.
(3) GUILLAUME DE TYR, traduit par ERACLES, *Historia*, XXII, 7, dans *Recueil des Historiens des Croisades, Hist. occid.*, t. I, p. 1075 ; édit. P. PARIS, Paris, 1880, t. II, p. 419.

semblait devoir prolonger l'accalmie qui s'était faite à la fin du dernier pontificat entre le Sacerdoce et l'Empire.

Cependant, les contestations autour de l'héritage mathildique, la liquidation du schisme en Allemagne restaient épineuses. Elles se compliquèrent par les événements qui suivirent l'élection au siège de Trèves et qui rebondirent jusqu'à la fin du siècle. Très vite, entre les deux pouvoirs, les rapports se tendirent.

Quant aux Romains, habitués à soutirer d'énormes sommes à chaque nouveau pontife, Lucius III se les aliéna d'emblée. Disciple de saint Bernard qui l'avait lui-même accueilli, jadis, dans la fraternité de prières de son ordre [1], il avait conservé dans sa rigueur l'esprit des premiers Cisterciens et voyait avec raison, dans ces extorsions, la source de maints autres abus. Il refusa de s'y prêter, ou ne le put : les Romains ne le lui pardonnèrent pas [2].

HOSTILITÉ DES ROMAINS   Demeuré à Velletri, après son avénement, il dut attendre deux mois avant de pouvoir rentrer dans Rome ; cinq mois plus tard, la prudence l'obligea à revenir à son point de départ [3]. La ville, administrée maintenant par vingt-cinq sénateurs, rouvrit les hostilités contre Tusculum. Sous le prétexte que les Tusculans avaient reconstruit leurs murs, les Romains se mirent en campagne et les battirent le 28 juin. Pas plus qu'auparavant, la papauté ne put imposer son arbitrage et dut recourir aux Allemands [4].

On revit Christian de Mayence s'empresser de châtier les Romains d'avoir malmené le pape, débloquer Tusculum et reconstruire les remparts, symbole et garant de la suzeraineté pontificale. Mais sa brusque fin [5] rendit les Romains plus agressifs. A la fin de septembre 1183, Lucius se vit obligé de reprendre la vie errante de ses prédécesseurs, passant successivement de Segni à Anagni, à Veroli et à Sora. Pendant ce temps, la violence de ses ennemis se donne libre carrière : Tusculum est de nouveau détruite, l'incendie ravage les terres papales, des soldats ou des clercs du parti pontifical sont aveuglés ou éborgnés, affublés des insignes cardinalices, promenés en cortège dérisoire [6]. Fuyant l'avanie, Lucius III se met en route pour la haute Italie en vue de conférer avec Frédéric Barberousse. Par Ancône et Rimini, il atteint en juin Faënza, puis, par Bologne et Modène, arrive à Vérone où il est reçu solennellement le 22 juillet 1184. Toute la Curie l'avait suivi. Pendant six ans, jusqu'en 1188, la papauté fut absente de Rome.

---

(1) JAFFE-WATTENBACH, 14.683 (15 juillet 1182).
(2) K. WENCK, *op. cit.*, p. 419 et suiv.
(3) Il séjourne à Rome de novembre 1181 à mars 1182.
(4) Des subsides furent demandés partout ; deux légats furent envoyés au début de 1184 à Henri II qui, sur le conseil des prélats d'Angleterre, préféra donner une forte somme à la Curie plutôt que de laisser quêter les légats. Cf. HEFELE-LECLERCQ, t. V, 2e p., 1115 et suiv.
(5) Il mourut d'une fièvre maligne, sous les murs de Tusculum à peine rebâtis par ses soins. (BENOIT DE PETERBOROUGH, dans WATTERICH, *op. cit.*, t. II, p. 652.) Le bruit courut naturellement qu'il avait été empoisonné. Dans une lettre adressée aux évêques d'Allemagne, Lucius III recommanda à leurs prières cet ancien adversaire de l'Église romaine mort à son service. (*P. L.*, CCI, 1224.)
(6) *Annales Stadenses*, a. 1183, dans M. G. H., *SS.*, t. XVI, p. 350.

*LE PAPE ET L'EMPEREUR
A VÉRONE*

Du côté de l'Empire, la paix s'avéra également précaire. Les problèmes à résoudre restaient entiers : héritage mathildique et autres contestations territoriales, liquidation des affaires ecclésiastiques en Allemagne. Les négociations avaient été reprises en mai-juin 1182 par l'intermédiaire de l'archevêque de Salzbourg, Conrad. Elles s'étaient sans doute poursuivies à la diète de Constance (25 juin 1183). Deux légats pontificaux y assistèrent sans qu'on sache rien de leur intervention. Ils ne purent que constater le renversement de la situation. L'alliance de la ligue lombarde avec le Saint-Siège avait fait les frais de la transaction. Débaptisée, jusqu'à la fin du siècle Alexandrie n'est plus : dans le traité, elle porte le nom de Cæsarea. Quand, d'un commun accord, le pape et l'empereur décidèrent de se rencontrer pour la fête des saints Pierre et Paul, en 1184, l'empereur proposa pour lieu de rendez-vous Vérone, Brixen ou Mantoue [1]. C'est à Vérone que Lucius III arriva le premier. Il y attendit l'empereur tout l'été : celui-ci venait de célébrer à Mayence une diète mémorable et, au passage, s'attardait à Milan, sa nouvelle alliée. Les conversations ne commencèrent qu'au début d'octobre. Dès les premières semaines de novembre, Frédéric était reparti.

On a très peu de détails sur cette entrevue. Mais on connaît les décisions prises : elles ont ceci de commun qu'elles ne concernent que la politique extérieure de la Chrétienté : sa défense contre l'infidèle ou contre l'hérétique. Le patriarche Héraclius et les grands maîtres des Templiers et des Hospitaliers étaient présents. Ils demandèrent, de la part du roi de Jérusalem Baudouin IV, des secours pour la Terre Sainte. Après un sermon émouvant de l'archevêque de Ravenne, Lucius III obtint facilement de Frédéric la promesse d'entreprendre une croisade et d'en commencer les préparatifs à la Noël [2].

Les deux pouvoirs s'accordèrent encore pour combattre l'hérésie. La fameuse décrétale *ad abolendam*, promulguée par Lucius III, institua la séparation des pouvoirs répressifs — à l'Église celui de juger, au bras séculier celui de punir — qui devait aboutir aux abus de la future inquisition. Elle eut pour corollaire un édit impérial [3].

Sur tous les autres points, on piétina sans aboutir. Au sujet des biens mathildiques, les propositions de 1182 furent reprises. Elles firent l'objet principal des pourparlers comme en fait foi la lettre où l'empereur accepte de se rendre à Vérone. On ne les connaît que par elle. Que le pape renonce à toute revendication et l'empereur s'engage à lui verser le dixième, aux cardinaux le neuvième de tous les revenus, présents et futurs, en Italie. Si le pape estime, au contraire, ne pas pouvoir renoncer sans dommage à ses possessions, on consultera pour l'attribution des biens contestés une commission d'enquête bipartite. Des échanges pourraient après coup corriger ces attributions au gré des parties [4].

(1) M. G. H., *LL.*, IV (*CC.*) t. I, p. 421.
(2) *Annales Marbacences*, a. 1184, dans M. G. H., *SS.*, t. XVII, p. 162.
(3) Le décret de Frédéric s'est perdu. Sur la décrétale de Lucius III, voir *infra*, p. 349.
(4) M. G. H., *LL.*, IV, *loc. cit.*

De ces deux solutions, la première ôtait à la papauté toute indépendance et sans doute fut dès l'abord rejetée. A Vérone il semble bien que seule la deuxième ait été envisagée. On exhiba les diplômes, on confronta les titres [1]. Mais Lucius III resta sur la réserve. Venu dans l'espoir d'obtenir des secours contre les Romains, il ne reçut aucune réponse ferme. La lettre de l'empereur montre que celui-ci n'était pas sans arrière-pensée [2]. Qui donnerait force exécutoire aux décisions des enquêteurs ? Admettre les échanges, n'était-ce pas prolonger l'ère des discussions ? Le procès, une fois de plus, resta sans solution. L'empereur ne fut pas moins déçu par les décisions de Lucius III dans les affaires ecclésiastiques qui restaient à régler.

LIQUIDATION DU SCHISME A Venise, Frédéric n'avait obtenu que pour l'Allemagne le maintien des clercs dans leur charge et la validation de leur ordination. Le sort des clercs d'Italie, à part une douzaine d'entre eux, était resté en suspens. Or, le canon 2 du concile de Latran, en cassant les ordinations des évêques schismatiques et de ceux qu'ils avaient ordonnés, avait remis tout en cause. Aussi un certain nombre de clercs des deux pays affluaient à Vérone pour demander leur réintégration. L'empereur plaida de nouveau pour les Allemands. Le premier jour, Lucius demanda à chacun de faire par écrit sa requête : on statuerait sur chaque cas. Mais le lendemain, influencé, dit-on, par Conrad, archevêque de Mayence, et par l'évêque de Worms, le pape changea d'attitude [3]. Selon lui, la paix de Venise avait réglé des cas particuliers sur lesquels il ne songeait pas à revenir, mais la règle générale, édictée au concile de Latran, ne pouvait être changée que par un nouveau concile qu'il se proposait de réunir prochainement à Lyon.

L'AFFAIRE DE TRÈVES En mai 1183, l'élection de Folmar au siège de Trèves avait donné lieu à contestation, incident sans importance et où il ne s'agissait d'abord que d'ambitions rivales et d'un désaccord entre le chapitre et les laïcs. Mais la nécessité d'un arbitrage avait dressé de nouveau l'un contre l'autre le pape et l'empereur. Celui-ci prétendait conserver le droit de nommer les archevêques. Il avait convoqué les électeurs à la diète de Constance et, avec l'assentiment des princes, ordonné de procéder, sous ses yeux, à une nouvelle élection. Malgré les protestations de Folmar et de ses partisans, le parti contraire avait élu à sa place le prévôt de la cathédrale, Rodolphe de Wied, auquel Frédéric s'était empressé de donner l'investiture. Folmar, ne se tenant pas pour vaincu, avait fait occuper la cathédrale de Trèves par ses partisans, et empêché Rodolphe de prendre possession de son siège. Puis il avait, bien entendu, fait appel au pape. A Vérone, Lucius III parut se laisser

---

(1) Arnold de Lübeck, *Chronica Slavorum*, III, xi, dans M. G. H., *SS.*, t. XXI, p. 155.
(2) Comme le montre ce passage : *Tum demum daretur nobis cognoscere unde Romanam ecclesiam possemus honorare*, l'empereur ne s'engage pas à appliquer les décisions des enquêteurs : ce qu'il concédera sera pure faveur. (M. G. H., *LL.*, IV, *loc. cit.*)
(3) Arnold de Lübeck, *loc. cit.*

fléchir, et sur les instances de l'empereur promit d'abord de consacrer Rodolphe. Finalement, il fit reprendre l'instruction, invita les compétiteurs à comparaître et ajourna sa décision.

LE COURONNEMENT DE HENRI VI ET SES FIANÇAILLES AVEC CONSTANCE DE SICILE

Enfin, Frédéric voulait, de son vivant, faire couronner son fils empereur. Lucius III, « par représailles autant que par raison », différa, tant qu'il put, sa réponse et finit par se récuser, deux empereurs, objecta-t-il, ne pouvant régner en même temps [1].

Cette attitude flottante et réticente, au cours d'une entrevue que le pape avait lui-même demandée, à laquelle il était venu en ami de l'empereur et de la paix, reste un problème pour l'historien. On l'a attribuée à l'influence des cardinaux hostiles ou encore à celle des évêques allemands présents à Vérone, surtout des rhénans : c'est en effet le moment où l'archevêque de Cologne, Philippe, entre en conflit ouvert avec l'Empire [2]. On a cherché à l'expliquer surtout par l'annonce des fiançailles de Henri VI avec Constance, fille de Roger II et tante du roi Guillaume de Sicile. Bien qu'on ignore tout des préliminaires de ce projet, il est difficile de penser qu'il ait pu échapper à la Curie. Certes rien ne faisait prévoir la portée de l'événement. Le roi régnant en Sicile avait trente ans, sa femme dix-huit : la stérilité de leur union, même après trois ans de vie commune, n'était qu'une probabilité. Les fiançailles de Henri VI n'impliquaient alors que l'alliance et pas encore la succession sicilienne. L'alliance pouvait servir les projets de croisade auxquels Lucius ne cessait de penser [3]. En tant que suzerain du royaume de Sicile, il dut être consulté. Fût-ce à contre-cœur, pouvait-il refuser son consentement ? C'est le moins qu'on puisse conclure du silence des sources sur toute protestation de sa part [4].

La suite des événements prouve que la Curie avait compris le danger. Aussi bien Lucius III, qui avait participé à la conclusion du traité de Bénévent, ne pouvait se le dissimuler. Après les Lombards, que la paix de Constance avait liés à la cause impériale, le pape risquait de perdre son dernier appui dans la péninsule. Ainsi s'expliquerait sa croissante réserve.

(1) ARNOLD DE LÜBECK, *loc. cit.*, p. 156.
(2) ARNOLD DE LÜBECK, *Chronica Slavorum*, III, xii.
(3) Cf. K. WENCK, *op. cit.*, p. 424.
(4) L'une d'elles, la seule qui puisse faire croire que Lucius III ait été lui-même l'instigateur du projet, et sur laquelle M. HALLER, *op. cit.*, p. 414 et suiv., a bâti une ingénieuse construction, n'a pas voulu, sans doute, dire davantage. Tout repose sur quatre vers de Pierre d'Eboli :

Traditur Augusto coniunx Constantia Magno
Lucius in nuptu pronuba causa fuit
Lucius hos jungit quos Celestinus inungit,
Lucius hic unit, Celicus ille sacrat.

(PIETRO DA EBOLI, *Liber ad honorem Augusti*, V, v. 21-24, édit. SIRACUSA, *Fonti per la storia d'Italia*, XXXIX, Rome, 1906, p. 5.) En tenant compte du balancement des mots, on peut réduire leur signification à ceci : les fiançailles de Henri VI ont eu lieu sous le pontificat de Lucius III et le sacre sous celui de Célestin III. Écrits à l'époque où Henri VI va prendre possession de l'héritage sicilien, ces vers de propagande ne manquent pas de faire valoir la participation de la papauté aux événements déterminants : argument de légitimité. Il est vrai que le mariage, célébré en janvier 1186, n'est même pas mentionné : l'hostilité d'Urbain III était trop connue. Mais, si l'on se reporte aux circonstances qui ont précédé le couronnement d'Henri VI par Célestin III, la mention avantageuse qu'en fait le poète en pendant du rôle joué par Lucius atténue beaucoup, à nos yeux, la portée de ce qu'il dit de celui-ci.

Lassé de ses refus, Frédéric quitta Vérone, peu de jours après que la nouvelle des fiançailles de Henri VI eut été officiellement publiée.

MORT DE LUCIUS III Mais partir n'est pas rompre. Les négociations se poursuivirent, au sujet du couronnement et de l'affaire de Trèves qui se gâtait. Cependant, quand l'empereur repassa par Vérone, le raidissement à la Curie s'était accru. Du reste, Frédéric prenait des gages, obtenait le concours de Milan pour la défense de ses droits sur les terres mathildiques qu'il occupa ou fit occuper presque partout par des fonctionnaires impériaux. A Trèves et à Coblence, Henri VI confisquait les biens et détruisait les maisons des partisans de Folmar et si le pape, indigné, n'osa passer outre en sacrant celui-ci archevêque, c'est que les menaces de Frédéric le firent reculer [1]. Avant de mourir, le 25 novembre 1185, Lucius III recommandait encore à son successeur de ne pas couronner Henri VI. A l'égard de l'Empire, ce pontificat d'heureux augure s'achevait sur une note de méfiance accentuée.

ÉLECTION D'URBAIN III Le jour même de la mort de Lucius, à la hâte, et comme pour faire pièce au parti impérial, les cardinaux élurent, à l'unanimité, le pire ennemi des Hohenstaufen dans le Sacré Collège, Humbert Crivelli, d'une famille milanaise victime des proscriptions de 1163 et connu pour ses rancunes contre la famille impériale. Le nouvel élu, ancien archidiacre de Bourges, puis archevêque de sa ville natale, était alors cardinal du titre de San Lorenzo in Damaso et archevêque de la capitale lombarde. Tout en acceptant la tiare, il ne voulut pas quitter le siège de Milan et, pour éviter que les régales ne fussent détournées par l'Empire pendant la vacance du siège, en dépit des règles canoniques il y installa un fondé de pouvoir chargé de les toucher pour lui [2]. Aussi ne peut-on être dupe des termes amènes par lesquels le pape s'exprima, quelques semaines plus tard, pour notifier son élection à l'empereur et aux évêques.

CONSÉCRATION DE FOLMAR Quand les conversations reprirent, on fit
ET NOUVELLE RUPTURE assaut de griefs. Le pape reprochait à Frédéric d'avoir ruiné trop d'églises en s'appropriant indûment les biens des évêques défunts et en abusant du droit de régale, d'avoir dissous plusieurs couvents de femmes et confisqué leurs revenus, sous prétexte que ces couvents se multipliaient outre mesure. Sur la question du couronnement il s'en tint à la position de Lucius III. Lors du mariage de son fils avec Constance, célébré à Milan le 27 janvier 1186, Frédéric se contenta de le faire désigner comme son successeur et de le faire couronner roi d'Italie. Mais pour la cérémonie, il s'adressa au patriarche d'Aquilée, depuis longtemps gagné à la cause impériale, au mépris du droit d'Urbain III, auquel il appartenait comme archevêque de Milan [3].

(1) ARNOLD DE LÜBECK, III, XI, *loc. cit.*, p. 155.
(2) P. SCHEFFER-BOICHORST, *op. cit.*, p. 82.
(3) H. KAUFFMANN, *op. cit.*, p. 88-101.

Le 1er juin, malgré une promesse faite quelques mois auparavant aux envoyés de l'empereur, le pape consacrait Folmar archevêque de Trèves. Cette fois, ce fut la rupture, presque la menace d'un nouveau schisme. L'exaspération de Frédéric s'accrut du fait qu'une partie au moins des évêques de l'Allemagne occidentale l'avait abandonné, même Berthold, évêque de Metz, qu'il avait protégé pendant le schisme et qui lui devait son siège ; même Philippe de Cologne, grand bénéficiaire de la chute de Henri le Lion — il y avait gagné l'évêché de Paderborn — qui tenait de l'empereur et son duché de Westphalie et son archevêché de Cologne. Mais Philippe n'avait rien d'un Rainald de Dassel. Grand seigneur ecclésiastique, imprudemment grandi par l'autorité du prince, il songeait moins à seconder la politique impériale qu'à assurer son indépendance dans l'intérêt économique et politique du riche et vaste territoire dont il était devenu le chef [1]. D'autre part une antipathie profonde l'animait contre Henri VI. Ainsi, d'adversaire du pape Alexandre III, était-il devenu, en Allemagne, le principal appui du pape Urbain qui l'y nomma légat en 1186.

DIÈTE DE GELNHAUSEN A la consécration de Folmar, Frédéric répondit en faisant occuper par Henri tout ce qu'il put des États de l'Église, en coupant Vérone et la Curie de toute communication avec l'extérieur. Puis revenu en Allemagne, il convoqua l'archevêque de Cologne, tâta ses dispositions, mais le légat n'avait rien d'un médiateur et l'empereur n'était pas disposé à la moindre concession : l'entrevue échoua [2].

Alors Frédéric recourut au moyen dont il avait si souvent usé et tenta de regrouper autour de lui l'épiscopat allemand réuni à Gelnhausen, le 28 novembre 1186. L'empereur prononça lui-même le discours d'ouverture, protesta contre l'hostilité manifeste du pape Urbain auquel il reprocha personnellement de retenir les régales de Milan et de priver la ville d'évêque, de vouloir réveiller l'hostilité lombarde en soutenant Crémone et les opposants d'Italie, enfin d'avoir consacré Folmar avant que celui-ci n'eût reçu l'investiture impériale. Il proclama son droit à maintenir des avoués laïques auprès des églises. Il affecta de plaider en même temps pour la défense des droits de l'Empire et celle des églises, ruinées par les exigences romaines. L'archevêque de Mayence ayant parlé dans le même sens, au nom des évêques présents on rédigea une lettre au pape où, en faisant valoir les mêmes griefs, on le priait de trouver une solution équitable. L'épiscopat s'était donc solidarisé avec l'empereur. Le rédacteur de la lettre, Wichmann, archevêque de Magdebourg, était l'un de ceux sur qui Urbain III, jusque-là, avait cru pouvoir compter. A la Curie, cette volte-face stupéfia [3]. Il y avait cependant, au Sacré Collège, un parti modéré, à la tête duquel se trouvait le chancelier

---

(1) A. HAUCK, *Kirchengeschichte Deutschlands*, t. IV, p. 319 et suiv.
(2) ARNOLD DE LÜBECK, III, XVIII. LAPPENBERG (M. G. H., *SS.*, t. XXI, p. 159, n. 44) doute de l'authenticité de ce dialogue, sans raison valable à nos yeux.
(3) ARNOLD DE LÜBECK, III, XIX, *loc. cit.*

Albert de Mora ; il obtint un moment la promesse du pape de surseoir à l'installation de Folmar et de proposer une nouvelle élection.

MORT D'URBAIN III   Mais l'intransigeance d'Urbain III reprit le dessus [1]. A l'annonce d'une ambassade impériale, il se déroba. Quand celle-ci arriva à Vérone, ce fut pour apprendre son départ pour Venise. Il se proposait d'y lancer contre l'empereur une excommunication qui n'avait été retardée que par l'intervention des prudents Véronais [2]. En chemin il s'arrêta à Ferrare, où il périt d'une brusque dysenterie dans la nuit du 19 au 20 octobre [3]. Il fut inhumé dans la cathédrale, où il repose encore.

§ 2. — Grégoire VIII et le retour à Rome de Clément III.

ÉLECTION DE GRÉGOIRE VIII   La mort d'Urbain III délivrait l'Église d'une crise imminente. Mais un nouveau danger avait déjà surgi. La nouvelle du désastre de Hattin était parvenue à Ferrare au cours de l'été. Elle changea la face des choses. Elle pesa sans nul doute sur le choix du nouveau chef de la Chrétienté. La croisade s'imposait, comme le retour à Rome. On songea, un moment, au cardinal de Palestrina parce qu'il était bien vu des Romains [4], puis au cardinal d'Albano, ancien abbé de Cîteaux, mais qui se récusa [5]. Enfin, et dès le 21 octobre, les cardinaux élurent à l'unanimité le cardinal Albert de Mora [6]. C'était un Bénéventais ascète et lettré [7]. Il avait été chanoine régulier de Saint-Martin de Laon [8] et professeur de droit à Bologne. Fait cardinal par Adrien IV au titre de San Lorenzo in Lucina, légat d'Alexandre III en Angleterre, en Dalmatie et en Portugal [9], il remplissait depuis dix ans les fonctions de chancelier de l'Église romaine. Il était connu pour sa piété, la pureté de ses mœurs et la conception tout antique et pastorale qu'il avait des devoirs de sa charge [10]. Les statuts qu'il avait rédigés durant un séjour à Bénévent, à la demande d'un chapitre de cha-

(1) K. Wenck, op. cit., p. 427.
(2) Avant de quitter Vérone, il avait consacré la cathédrale. Un détail de sculpture y glorifie la papauté et Arthur Kingsley Portre (Lombard architecture, t. III (New-Haven,... 1917), p. 469-470 et 478) le veut contemporain d'Urbain III.
(3) A. Cartellieri, Philipp II August König von Frankreich, t. II, 1906, p. 265.
(4) Il ceindra lui-même la tiare cinquante-sept jours plus tard et sera le pape Clément III.
(5) Aubri des Trois Fontaines, M. G. H., SS., t. XXIII, p. 860 et suiv. Cf. K. Wenck, op. cit., p. 428 et suiv.
(6) Albert de Mora ou de Morra, fils de Sartorius de Morra, alias Spanadcione, de Bénévent. Cf. P. Kehr, op. infra cit., p. 249. L'atmosphère de l'élection est rendue par le pape lui-même dans sa lettre aux évêques allemands dans P. L., CCII, 1537. Sur Grégoire VIII, le travail de K. Wenck, op. cit., p. 428-431, et celui de P. Kehr, Papst Gregor VIII als Ordensgründer, dans Miscellanea F. Ehrle (Studi e Testi, vol. 38), t. II, Rome, 1924, p. 248-276, ôtent presque toute utilité aux thèses antérieures de Kleemann, Papst Gregor VIII, dans Ienaer Histor. Arbeiten, H. IV, Bonn, 1912, et de P. Nadig, Gregor VIII 57 tägiges Pontifikat, Bâle, 1890.
(7) Il avait composé un Ars dictandi ; cf. N. Valois, Étude sur le rythme des bulles pontificales, dans Bibl. École des Chartes, t. XLII, 1881, p. 161 et suiv., 257 et suiv. Geoffroy de Viterbe lui avait dédié la dernière partie de son Pantheon, dans M. G. H., SS., t. XXII, p. 176.
(8) Ex chronico anonymi Laudunensis, dans H. Fr., t. XVIII, p. 706. Selon la règle du chapitre on lui envoyait chaque année le vêtement, devenu celui de Prémontré.
(9) Nadig, op. cit., p. 10 et suiv.
(10) Ad episcoporum maxime spectat officium afflictis et laborantibus subvenire, unumque illorum, licet deficientibus meritis nostris, Deus esse nos voluit. (P. L., CCII, 1538 et suiv.)

noines réguliers, se signalent par l'austérité de leurs prescriptions et par l'accent mis sur des vertus que les moines de son temps tendaient parfois à oublier : l'amour du travail et de la pauvreté, la prééminente charité [1]. Le nouveau pape prit le nom de Grégoire VIII. A peine élu, il manifesta son intention de ne jamais recourir aux armes, comme l'avaient fait avant lui certains papes et cardinaux, auxquels, selon lui, il appartenait seulement de faire l'aumône et de louer Dieu, nuit et jour [2]. On s'attendait à voir souffler un vent de réformes [3].

A l'égard de l'Empire, son passé laissait prévoir un changement complet d'attitude : le jour même de sa consécration (25 octobre), on ne put s'y tromper quand on vit l'évêque de Toul, bien qu'excommunié par Folmar à cause de ses accointances impériales, assister librement à la cérémonie.

PRISE DE JÉRUSALEM PAR SALADIN

Dès son avénement, il avait proclamé l'urgence de la croisade. Il avait lancé déjà plusieurs appels, quand on apprit la prise de Jérusalem par Saladin. Ce fut un nouveau choc au retentissement profond. Un siècle d'efforts s'écroulait ; à l'humiliation du désastre militaire s'ajoutait le deuil sentimental et religieux qui s'attachait à la perte de la ville sainte, but des pèlerins, rêve de tous les croyants [4].

POLITIQUE D'APAISEMENT EN VUE DE LA CROISADE

Le souci de rassembler toutes les forces chrétiennes en vue de l'expédition nécessaire prit alors le pas sur tout le reste. On ne songea plus à la Curie qu'à se réconcilier et avec l'Empire et avec les Romains. Malgré son grand âge, Grégoire VIII quitta Ferrare à la mi-novembre. On le trouve successivement à Modène et à Parme, ayant déjà, sans doute, Rome pour but. Il écrivit, le 29, à l'empereur une lettre très bienveillante et pleine de franchise en vue de rétablir la paix [5], puis une autre le lendemain à Folmar, pour lui reprocher la sévérité excessive des mesures prises contre ses adversaires et lui interdire désormais d'excommunier ou de déposer qui que ce fût dans sa province sans l'autorisation papale [6]. Fait significatif : celui qui était chargé de porter cette lettre à son destinataire n'était autre que l'évêque de Toul, excommunié naguère par le bouillant archevêque, sentence dont le pape avait affecté, nous l'avons vu, de ne tenir nul compte.

Ces mesures d'apaisement, l'excellente réputation dont le nouveau

(1) P. KEHR, *op. cit.*, p. 264, 270. Ces statuts datent de 1186 et sont destinés aux chanoines réguliers de Saint-André de Bénévent et de la Trinité de Palazzolo.
(2) *Annales Romani*, dans WATTERICH, *op. cit.*, t. II, p. 691-692.
(3) ÉTIENNE DE TOURNAI écrit dans une lettre à Grégoire VIII (*P. L.*, CCXI, 543) : *In promotione vestra... praesumentes quod... resurgat paupertas spiritus.* Cf. *Gesta Trevirorum* (M. G. H., SS., t. XXIV, p. 389) : *Multa enim proposuerat immutare in ecclesia Dei...* D'autres, moins révérencieux ou plus inquiets, insinuaient que l'excès de ses austérités lui avait « dérangé la cervelle ». Cf. GUILLAUME DE NEWBURY, *De rebus anglicis*, III, xxi, dans *H. Fr.*, t. XVIII, p. 12. P. SCHEFFER-BOICHORST, *op. cit.*, p. 148 et suiv., en note, donne la plupart des textes concernant la personnalité religieuse de Grégoire VIII.
(4) Voir *infra*, p. 201 et 208, ce qui se rapporte à l'action de la papauté dans la troisième croisade.
(5) WATTERICH, *op. cit.*, t. II, p. 688-689.
(6) *Ibid.*, p. 690.

pontife jouissait à la cour de Frédéric, entraînèrent une détente immédiate. L'empereur et son fils firent rétablir aussitôt la liberté de la circulation sur les routes italiennes et escorter la Curie en voyage par une troupe mixte aux ordres d'un Romain et d'un Allemand.

MORT DE GRÉGOIRE VIII   De Parme, Grégoire VIII se dirigea vers le Sud. A Lucques, chose frappante de sa part, il trouve le temps de faire jeter au vent les cendres de l'antipape Octavien et arrive à Pise le 10 décembre [1]. Il s'agissait là de réconcilier Pisans et Génois, rivaux sur mer et outre-mer, en vue d'obtenir le concours de leur flotte pour l'imminente croisade. Mais, tombé malade le 17, Grégoire VIII mourut et fut enterré le 19, après un pontificat de huit semaines dont la brièveté coupa court aux réformes qu'il méditait.

ÉLECTION DE CLÉMENT III   Toujours sous la pression des nouvelles d'Orient, et plus soucieux que jamais du retour dans la ville éternelle, les cardinaux élurent le même jour le cardinal Paul Scolari, évêque de Palestrina, qui prit le nom de Clément III et fut consacré le lendemain. C'était un Romain de naissance que ses relations avec les familles romaines désignaient, plus qu'un autre, pour mettre fin honorablement à l'exil de la Curie et conduire à son terme, du moins sur le plan politique, l'œuvre à peine esquissée par son prédécesseur : réconcilier les princes chrétiens en vue de promouvoir au plus tôt la croisade, arbitrer les litiges qui divisaient les villes italiennes, faire la paix avec les Romains. Achevant l'œuvre de Grégoire VIII, il obtient, entre Pise et Gênes, la conclusion de l'accord dont les cardinaux Pierre et Soffred avaient préparé les voies. Il réconcilie également Parme et Plaisance et, dès le 16 janvier, envoie ses mandataires aux Romains en vue de conclure la paix. A la fin du mois, il quitte Pise et arrive à Rome au début de février pour y être reçu au milieu de l'enthousiasme général [2].

Il fallut, cependant, négocier jusqu'à la fin de mai avant d'aboutir. Le nouveau contrat qui stabilisait, pour bien peu de temps, les relations du pape et de la commune fut ratifié par le sénat le 31 mai 1188 [3].

TRAITÉ DU 31 MAI 1188 AVEC LES ROMAINS   Les sénateurs promirent de rendre toutes les églises, y compris Saint-Pierre, ainsi que toutes les régales suburbicaires et prêtèrent serment de fidélité, donc reconnurent leur allégeance. En revanche, le pape s'engageait à payer aux sénateurs et aux fonctionnaires de la commune les gratifications habituelles [4]. La libre circulation était rétablie pour la Curie et tous

(1) WATTERICH, *op. cit.*, t. II, p. 692.
(2) *Ibid.*, p. 693-699.
(3) Texte dans *Liber censuum*, édit. FABRE-DUCHESNE, t. I, p. 373 et suiv., et dans WATTERICH, *op. cit.*, t. II, p. 699-703. — Cf. l'étude de TOMASSETTI, *La pace di Roma* (anno 1188), dans la *Rivista internazionale di scienze sociali...*, 1896.
(4) « *Senatoribus qui erunt per tempora beneficia et presbiteria consueta. Item judicibus, advocatis, scriniariis...* Le *presbyterium* est un don que le pape faisait à son avénement et dans certaines circonstances (tradition du *donativum*). Cf. DU CANGE, *Glossarium...*, au mot *presbyterium*, cite notre texte.

ses visiteurs, la sécurité du patrimoine mise à la charge du sénat. En définitive, Clément III cédait sur la question de Tusculum ; s'il en conservait toujours la propriété, il dut s'engager à obtenir des Tusculans la destruction de leurs murs et à les excommunier si ses ordres n'étaient pas exécutés au 1er janvier 1189. Le pape devait tout de même accorder son aide, au moins morale, à la ville de Rome. En cas de non exécution de cette clause, il renonçait à intervenir contre les Romains en cas de guerre avec ses voisins. Surtout il accepta d'en passer par toutes leurs exigences financières et d'assouvir une avidité que dix ans d'absence de la papauté avaient aiguisée. Ces concessions mirent fin, pour le moment du moins, à une longue querelle. Il est vrai que, sur bien des points, la lettre du traité ne fut pas respectée ; le droit de battre monnaie, réservé au pape, continua d'être exercé en pratique par le sénat qui en tira une croissante influence. La réconciliation prévoit la restitution au pape des *regalia*, mais il semble que le sénat ait conservé péages et tonlieux ; en fait le sénat garda la haute main sur l'administration de Rome d'où furent exclus la plupart des fonctionnaires pontificaux [1].

On peut se demander si cette réconciliation eût été possible ou durable avec un pape comme Grégoire VIII, décidé à réformer profondément les habitudes de la Curie. Celle que ramenait Clément III n'avait en rien changé ; elle attirait à elle des richesses considérables et ne manqua pas, à son retour, d'en faire largesse aux Romains qui n'y virent que leur dû. Le pape lui-même, séculier élevé à l'ombre de Sainte-Marie-Majeure, n'était ni choqué par ces usages dont il avait vu vivre tant de gens de son entourage, ni capable, par caractère autant que par ses attaches locales, de les réformer [2]. Malgré les apparences, c'était une paix précaire, toujours menacée, toujours à racheter. Clément III ne put lui-même tenir, jusqu'à la fin, sa promesse de répondre des Tusculans. Cependant, son autorité n'en fut pas gravement ébranlée. De Rome, dont la papauté avait enfin repris possession, il put se consacrer entièrement à l'organisation de la croisade.

Le 27 mai 1188, Clément III s'adressa à l'archevêque de Gênes dont le concours sur mer était indispensable ; son légat, le cardinal Henri d'Albano, multiplia les prédications en vue de réconcilier les princes d'Occident, et à l'automne de 1188 il annonçait à Byzance que l'empereur Frédéric, les rois de France et d'Angleterre, le roi de Sicile, le duc de Bourgogne et même les Frisons et les Danois, s'étaient unis à son appel.

PAIX DE 1189 AVEC L'EMPIRE   Le premier à vouloir partir fut Frédéric Barberousse, mais non sans avoir fait sa paix avec Clément III. On est peu renseigné sur ces négociations qui commencèrent dans les derniers mois de l'année 1188. Mais l'on sait que

---

(1) L. HALPHEN, *Étude sur l'administration de Rome au moyen âge*, Paris, 1907, p. 81-83 et 87 et suiv., et A. DE BOUARD, *Le régime politique et les institutions de Rome au moyen âge (1252-1347)*, Paris, 1920, p. 170-171.

(2) K. WENCK, *op. cit.*, p. 436 et suiv. L'auteur insiste beaucoup et avec raison sur les origines romaines de Clément III ; il affirme que c'était un séculier. C'est moins sûr qu'il ne le dit. Selon R. DAVIDSOHN, *Geschichte von Florenz*, t. I, 1896, p. 585, Clément III avait été moine à Vallombreuse, de l'ordre de saint Jean Gualbert, canonisé en 1193 par Célestin III.

le pape avait promis de couronner Henri VI. Sur cette base, les légats Pierre et Jourdain, alors en Allemagne, reçurent l'ordre de conclure, ce qui fut fait à Strasbourg le 3 avril 1189. L'acte de l'accord, du reste tout provisoire, s'est perdu et on ne le connaît que par les mesures d'exécution [1]. En échange de la promesse du couronnement, le pape rentrait en jouissance de toutes les terres occupées du patrimoine, mais aucun des litiges antérieurs n'était réglé définitivement. Cependant, le cardinal Soffred s'efforça de liquider l'affaire de Trèves. Folmar fut invité à se démettre et comme il s'y refusait, fut effectivement déposé. Toutes les censures lancées par lui furent levées et l'on procéda à une nouvelle élection. Le nouveau promu n'était autre que le chancelier impérial, Jean, qui devait recevoir bientôt l'investiture pontificale.

La paix ainsi rétablie, l'empereur peut prendre hautement la tête de son armée. En croisé loyal, le premier parmi les princes d'Occident, il la conduit à son destin, le plus funeste et le plus imprévu de la troisième croisade.

§ 3. — La troisième croisade [2].

LA SITUATION EN TERRE SAINTE Après l'échec de la deuxième croisade, le péril turc avait laissé peu de répit aux États latins du Levant. En quarante ans, malgré des succès partiels,

---

(1) E. JORDAN, *op. cit.*, p. 148.

(2) BIBLIOGRAPHIE. — I. SOURCES. — Celles qui concernent l'histoire générale de l'expédition se trouvent indiquées dans les travaux d'ensemble sur les croisades ou dans les ouvrages spécialement consacrés à celle-ci et cités ci-dessous, de L. BRÉHIER, CARTELLIERI, FISCHER et RIEZLER, à compléter par les indications de J. CALMETTE, *Le Monde féodal*, coll. *Clio*, t. IV, Paris, s. d., p. 426-428. Parmi les sources narratives, les sources arabes (*Recueil des historiens des croisades, historiens orientaux*, 5 vol., Paris, 1872-1906) ne sont pas à négliger, pour l'histoire religieuse comme pour le reste. A signaler J. KRAEMER, *Der Sturz des Königreichs Jerusalem (583/1187)*, *in der Darstellung des 'Imad ad Din al-Katib al Isfahani*, Wiesbaden, 1952.

Les lettres et bulles des papes sont dispersées et incomplètement rassemblées dans MANSI, *Conciliorum amplissima collectio*, t. XXII : celles d'Alexandre III ont été indiquées au chapitre IV. On a une bulle de Lucius III du 6 novembre 1184, dans P. KEHR, *Papsturkunden in Sizilien*, dans *Göttinger Nachrichten*, 1899, p. 329 ; elle ci, dans *P. L.*, CC, 1294, n'étant que la réédition presque inchangée du texte de la bulle d'Eugène III, *Quantum praedecessores*. On en connaît trois de Grégoire VIII, *Audita tremendi* du 29 octobre et du 3 novembre 1187, dans *P. L.*, CCII, 1539, et *Quum divina patientia*, du 29 novembre 1187, celle-ci écrite sous l'impression de la nouvelle de la chute de Jérusalem et dont la diffusion n'est connue que par un chroniqueur danois, l'*Anonymus de profectione Danorum in terra sancta*, dans *Historia de profectione Danorum*, édit. LANGEBEK, V, 345 ; on en a deux de Clément III, *Quuam gravis est*, du 10 février 1188, dans GIRAUD LE CAMBRIEN, édit. BREWER-WARNER, t. VIII, p. 237-239, et du 27 mai 1188, dans J. von PFLUGK-HARTTUNG, *Acta inedita*, t. III, p. 363, auxquelles il faut ajouter sa lettre aux évêques de Catalogne du 4 mars 1189, dans P. KEHR, *Papsturkunden in Spanien, Vorarbeiten zur Hispania Pontificia*, t. I, Berlin, 1926, n. 235, p. 536. Sur la prédication de la troisième croisade, on trouvera plus loin l'indication des textes, en note.

II. TRAVAUX. — Il n'y a pas d'ouvrage d'ensemble sur la troisième croisade. Sommaire sur le rôle de l'Église, mais excellente vue générale dans L. BRÉHIER, *L'Église et l'Orient au moyen âge, les croisades*, 5e édit., Paris, 1928, ch. VI. Du point de vue qui nous intéresse, sur la croisade impériale on consultera, quoique vieillis, les ouvrages de RIEZLER, *Der Kreuzzug Kaiser Friedrichs I.*, dans *Forschungen der deutschen Geschichte*, vol. X, Gottingen, 1870, et C. FISCHER, *Geschichte des Kreuzzugs Kaiser Friedrichs I.*, Leipzig, 1870, bien qu'ils utilisent encore le récit de Tageno qui est un faux du XVIe siècle(cf. M. KAUFMANN, *Das Tagebuch des Tagenos*, Würtzbourg, 1924, et F. GÜTERBOCK, *Il Diario di Tageno e alre fonti della terza crociata*, dans *Bulletino dell' Istituto storico italiano per il medio evo ad Archivio Muratoriano*, no 55 (1941), p. 223-275) ; sur la croisade franco-anglaise, A. CARTELLIERI, *Philipp II August, König von Frankreich*, Leipzig, 1899-1922, dont le tome II, 1906, lui est consacré, ainsi que le début du t. III, 1913, p. 21-29 ; enfin R. GROUSSET, *Histoire des croisades et du royaume franc de Jérusalem*, t. II, Paris, 1935 et t. III, 1936 ; sur la participation scandinave, comte P. RIANT, *Expéditions et pèlerinages des Scandinaves en Terre Sainte au temps des croisades*, Paris, 1865. Plus spécialement sur le rôle de l'Église, A. GOTTLOB,

des raids heureux, leur situation n'avait cessé d'empirer et le désastre final
qui venait frapper l'Occident de stupeur concluait une longue suite de
revers et de fautes.

Les secours en hommes et en argent envoyés par les Occidentaux,
à la demande des ambassades syriennes, malgré leur importance, n'arrivaient que par fractions et saisonnièrement, au gré des vents et des marines
rivales. En Europe, ni l'empereur, ni le pape n'avaient été en mesure
de coordonner les efforts. Les chefs francs de Syrie s'en étaient montrés
également incapables. Depuis la mort de Manuel, l'appui de Byzance
s'était dérobé[1]. Les ordres militaires eux-mêmes, qui dépendaient directement de la papauté, se prévalaient de cette situation particulière
pour avoir une politique à eux, souvent en conflit avec celle des princes,
et qui ajoutait leurs compétitions aux leurs. La papauté qui les avait
privilégiés semble avoir voulu leur assurer des ressources et une totale
indépendance. Elle n'a pas usé de son autorité pour en faire les exécutants
d'une politique ou d'un plan de défense qu'elle ne paraît même pas avoir
conçu. A la puissance de Saladin dont les conquêtes et l'ascendant avaient
réalisé pour la première fois l'unité des forces musulmanes et fanatisé
ses troupes, les chefs de la Terre Sainte, laïcs et ecclésiastiques, n'opposaient plus que leurs divisions ou des caractères corrompus.

PREMIÈRES MESURES DE GRÉGOIRE VIII   L'Europe n'ignora pas les fautes commises[2].
Dans les appels réitérés qu'il lança au lendemain
de la prise de Jérusalem, Grégoire VIII y fait
clairement allusion, mais c'est pour en étendre tout aussitôt la responsabilité à l'ensemble du peuple chrétien. L'Occident ne pouvait rester
indifférent à l'anéantissement d'un effort presque centenaire, à la rupture
de la route du pèlerinage entre tous sacré, à l'interdiction des Lieux
Saints. Grégoire VIII s'applique, comme ses devanciers, à porter le
remords dans le cœur des pécheurs en leur présentant l'épreuve comme
un jugement de Dieu qui les atteint tous, en leur proposant la croisade
avant tout comme un moyen de réparation et de salut. Ainsi la papauté
donnait-elle à l'événement sa plus haute signification religieuse, à chaque
conscience le sentiment d'un devoir personnel à remplir.

En outre, par des mesures pénitentielles de restrictions, individuelles
et collectives, Grégoire VIII prend en quelque sorte le deuil de la Chrétienté. Il change les couleurs du sceau pontifical[3], interdit et fait interdire

Die päpstliche Kreuzzugssteuern des XIII Jhdts, ihre rechtliche Grundlage, politische Geschichte
und technische Verwaltung, Heiligenstadt, 1892, dont les premières pages concernent le XIIᵉ siècle ;
et, du même, Kreuzablass und Almosenablasse, dans Kirchenrechtliche Abhandlungen, t. XXX-
XXXI, Stuttgart, 1906 ; U. SCHWERIN, Die Aufrufe der Päpste zur Befreiung des Heiligen Landes,
Historische Studien, t. XXX, I, Berlin, 1937 ; en appendice p. 132-139, l'auteur étudie l'histoire
de la transmission jusqu'à nous des bulles pontificales ; BRIDREY, La constitution juridique des
croisés et le privilège de la croix, Paris, 1900, et M. VILLEY, La croisade, essai sur la formation d'une
théorie juridique, Paris, 1942.

(1) Un appui extérieur paraissait si nécessaire que les grands de Terre Sainte avaient été jusqu'à
offrir le royaume de Jérusalem au roi Henri II d'Angleterre, en 1185. Cf. PIERRE DE BLOIS, Ep.
CXIII, P. L., CCVII, 340.

(2) SICARD DE CRÉMONE, Chronicon, dans P. L., CCXIII, 517, se montre fort au courant des
véritables causes, proches ou lointaines, du désastre. Il incrimine l'iniquitas des Chrétiens et la
violation des trêves par Renaud de Châtillon et ses séides.

(3) I. von PFLUGK-HARTTUNG, Die Bullen der Päpste, Gotha, 1901, p. 121.

partout le luxe des vêtements, toutes les dépenses somptuaires, ordonne à tous les fidèles un jeûne extraordinaire pendant cinq ans, tous les vendredis comme en carême, l'abstinence d'aliments gras tous les mercredis et les samedis. Lui-même et toute la Curie donneront l'exemple en y ajoutant l'abstinence du lundi [1]. Les cardinaux, de leur côté, décident de parcourir le monde en prêchant et en mendiant, de s'abstenir de monter à cheval et de refuser tout cadeau de leurs justiciables jusqu'à la délivrance de Jérusalem. Avec le pape, ils envisagèrent un moment de promulguer une trêve générale de sept ans, entre tous les princes chrétiens, sous peine d'excommunication contre les récalcitrants [2]. Mais on préféra finalement confier à des légats le soin de conclure les négociations nécessaires et surtout celui de prêcher la croisade.

LÉGATIONS D'HENRI D'ALBANO ET DE JEAN D'ANAGNI — Au moment de l'élection du successeur d'Urbain III, le cardinal Henri d'Albano avait refusé la tiare pour se consacrer à cette prédication. Élu aussitôt après lui, Grégoire VIII, en le nommant à nouveau légat, le confirma dans la mission qu'il s'était choisie. Après sa légation de 1181 chez les hérétiques albigeois, celle-ci, qui sera la dernière, achevait de faire de lui dans le Sacré Collège le vrai fils spirituel de saint Bernard. L'archevêque de Tyr, Josse [3], venu de Palestine en Sicile et de là en Italie, une voile noire au mât de son navire, fut chargé de l'accompagner. Au cardinal d'Albano, à l'archevêque de Tyr, revient le mérite d'avoir décidé l'empereur à prendre la croix et d'avoir obtenu, non sans peine, l'adhésion des rois de France et d'Angleterre.

De Ferrare [4], ils partent ensemble, probablement fin novembre 1187, pour la Bourgogne. Dès le début de décembre, Frédéric Barberousse tient à Strasbourg une diète où le légat se contente de faire sonder le terrain par deux de ses émissaires. Henri, évêque de la ville, détermine par son éloquence de nombreux chevaliers à prendre la croix, mais l'empereur ajourne encore sa décision, la subordonnant à l'attitude que prendront les rois de France et d'Angleterre, peut-être aussi à sa réconciliation avec l'archevêque de Cologne. Henri d'Albano et Josse se rendent alors à Mouzon et assistent à l'entrevue de Frédéric Barberousse et de Philippe Auguste, le jour même où, à Pise, s'éteignait Grégoire VIII, le 17 décembre [5]. Le 21 janvier de l'année suivante, ils sont à Gisors où l'éloquence de Josse amène Philippe Auguste et Henri II à se réconcilier, sous la pression

---

(1) GRÉGOIRE VIII, bulle *audita tremendi*, dans *P. L.*, CCII, 1539. Son légat Henri d'Albano fit appliquer ces prescriptions en les précisant. Mais il renonça à faire adopter aux Allemands la règle du repas réduit à un seul plat. Cf. *P. L.*, CCIV, 247.

(2) PIERRE DE BLOIS, *Ép.* CCXIX, dans *P. L.*, CCVII, c. 508 (*à Henri II*) et dans B. DE PETERBOROUGH, éd. STUBBS, t. II, p. 15 ; cf. A. CARTELLIERI, *op. cit.*, t. II, p. 43.

(3) Et non Guillaume, comme l'a prouvé G. KLEEMANN, *Papst Gregor VIII*, Diss., Iéna, 1912, p. 26, n. 3.

(4) Cf. I. FRIEDLÆNDER, *Die päpstlichen Legaten in Deutschland und Italien am Ende des XII. Jahrhunderts (1181-1198)*, Diss., Berlin, 1928, p. 38-45.

(5) Folmar de Trèves fit les frais de l'entrevue. Par l'entremise du légat, Frédéric obtint qu'il ne fût plus soutenu par l'archevêque de Reims auprès duquel il s'était réfugié. (Cf. A. CARTELLIERI, *op. cit.*, t. I, p. 263 et suiv.) L'archevêque de Mayence se réconcilia à la diète de Mayence ; cf. AUBRI DES TROIS FONTAINES, *H. Fr.*, t. XVIII, p. 749.

d'une assistance dont ils ne partageaient pas l'enthousiasme, et à prendre les premières mesures en vue de l'expédition projetée. Fin février, le cardinal d'Albano est à Mons où il croise le comte de Hainaut Baudouin. Puis, par Liége et la Basse Lorraine, soulevant les foules et distribuant les croix, il gagne Cologne, pour y inviter l'archevêque à faire sa paix avec Frédéric. Enfin il arrive à Mayence où, en même temps que l'empereur, il avait invité les évêques et les princes germaniques à se grouper en ce qu'il appelait une « diète du Christ » [1], pour le dimanche de *lælare* (27 mars 1188). Ne sachant pas l'allemand, c'est au moyen d'interprètes qu'il se fait entendre, mais après lui, l'évêque de Würzbourg et chancelier de l'Empire, Godefroy, déploie efficacement son éloquence. L'empereur prend le premier la croix ; treize mille personnes suivent son exemple, dans un élan qui entraîne, réconciliés, ses adversaires les plus entêtés comme l'évêque d'Utrecht Baudouin, le comte de Gueldre, et sans doute aussi l'archevêque de Cologne. L'empereur, son fils et la plupart des princes, se donnant un délai d'un an pour leurs préparatifs, font vœu de partir pour la saint Georges de l'année suivante.

A son retour en France, le légat se trouve dans une position difficile. La guerre avait déjà repris entre les rois de France et d'Angleterre. Il s'entremet encore à Bonmoulin et obtient un armistice jusqu'au 13 janvier 1189. Mais quand Richard se fut ligué avec Philippe Auguste contre son père, en raison des obstacles que cette alliance mettait encore au départ pour la croisade, il l'excommunia [2] : ce fut le dernier acte de sa légation. Il retourna en Flandre et mourut au couvent de Mareuil, près d'Arras, le 1er janvier 1189, sans avoir réussi à terminer la guerre [3].

Clément III lui donna pour successeur le cardinal Jean d'Anagni, du titre de Saint-Marc, qui n'arriva pas davantage à imposer son arbitrage. A la Ferté-Bernard, où les deux rois se rencontrèrent une dernière fois le 16 juin, le légat menaça en vain le roi de France d'interdire son royaume s'il ne faisait à Henri II les concessions nécessaires. Philippe Auguste contesta au représentant de l'Église romaine le droit d'intervenir dans une affaire qu'il considérait comme d'ordre intérieur et accusa le légat de s'être laissé séduire par les sterlings anglais. Celui-ci dut mettre hors de cause les deux souverains et se contenta d'excommunier quiconque mettrait obstacle à la paix [4]. Malgré le départ, au printemps, de la croisade allemande, Richard Cœur de Lion et Philippe Auguste attendront encore un an avant de se mettre en route.

D'autres légats avaient été envoyés en Danemark [5] et jusqu'en

(1) *Curia christi*. Cf. I. FRIEDLÆNDER, *op. cit.*, p. 39, n. 22.
(2) Excommunication dont il fut « absous » peu après, à l'occasion de son couronnement, par l'archevêque de Cantorbéry Baudouin et l'archevêque de Rouen Gauthier. (Cf. RAOUL DE DICETO, dans *H. Fr.*, t. XVII, p. 634.)
(3) A. CARTELLIERI, *op. cit.*, t. I, p. 269, 296 et suiv.
(4) BENOIT DE PETERBOROUGH, *Vita Henrici II*, dans *H. Fr.*, t. XVII, p. 487 et suiv. Après la mort de Henri II (6 juillet 1189), le cardinal d'Anagni se rend en Angleterre, mais, à peine débarqué à Douvres, se voit refuser par la reine Aliénor le droit d'aller plus loin sans l'autorisation de Richard. On notera ce signe de méfiance. Muni d'un sauf-conduit, le légat se rend à Cantorbéry d'où il repart le 11 décembre avec le jeune roi sur le continent pour aider les évêques du royaume angevin à recueillir la dîme saladine. Cf. RAOUL DE DICETO (*Imagines historiarum*, dans *H. Fr.*, t. XVII, p. 635) qui donne la date du 12 décembre pour l'arrivée du cardinal Jean à Douvres.
(5) P. RIANT, *op. cit.*, p. 265-270-277 ; les légats sont en Danemark fin décembre 1187.

Pologne [1]. Baudouin, archevêque de Cantorbéry, cistercien lui aussi, l'évêque de Cambrai, Gervais, parcoururent l'Angleterre et l'île de Man, l'archevêque de Ravenne prêcha en Toscane [2]. Par eux et autour d'eux s'amplifia la prédication de la croisade et la diffusion des mesures prises par le pape ou par l'épiscopat en faveur de ceux qui, personnellement ou financièrement, prendraient part à l'expédition.

LA PRÉDICATION DE CROISADE   On ne saurait parler d'une véritable organisation de la prédication, mais depuis Alexandre III, les bulles de croisade sont lues en chaire et commentées dans toutes les églises [3]. Les thèmes utilisés par les prédicateurs s'inspirent essentiellement des bulles pontificales. Les évocations de l'histoire juive, de l'exode de Moïse aux exemples des Macchabées, le devoir de secourir les chrétiens d'Orient, de maintenir en terre chrétienne les lieux où le Christ a vécu et souffert, la croisade présentée aux pécheurs comme une œuvre de pénitence et de rachat, sont ceux qui reviennent le plus souvent : ils n'offrent rien de bien nouveau depuis saint Bernard [4].

LA PROPAGANDE ÉCRITE   Mais il n'y eut pas que des sermons. Des écrits circulèrent qui, souvent, n'en sont qu'une transcription plus soignée. Il est probable que c'est le discours que le cardinal d'Albano a plus ou moins répété au cours de sa mission que nous trouvons inséré par lui dans son *De peregrinante civitate Dei* [5]. Les arguments traditionnels y sont développés avec une éloquence persuasive, parfois désabusée : « ...Car ce sont surtout les choses qu'ils voient qui émeuvent les hommes de notre temps : ...aujourd'hui la foi semble morte [6]. » Empruntant ses exemples à saint Augustin, mais les interprétant avec l'admiration que nourrissaient pour les Anciens les contemporains et les disciples d'Abélard, il rappelle le prix que les Romains attachaient à la justice, à la liberté, les sacrifices qu'ils savaient faire à la cité terrestre [7] ; il fait honte aux chrétiens qui n'en feraient pas autant pour la Jérusalem céleste. A l'égard des princes, il fait jouer l'amour-propre et la crainte de l'opinion. C'est ainsi qu'il apostrophe Richard, croisé l'un des premiers, mais le dernier parti : « Oh ! très énergique cheva-

(1) Les *Annales capituli Cracovienses* et les *Annales Polonorum*, a. 1189, dans M. G. H., SS., t. XIX, p. 593 et 628, signalent l'arrivée du cardinal Jean dit Malabranca.

(2) I. FRIEDLÆNDER, *op. cit.*, p. 47.

(3) Du moins les premières preuves datent du pontificat d'Alexandre III, en ce qui concerne les bulles adressées aux évêques. Lettre d'Alexandre III, 16 janvier 1181, dans P. L., CC, 1297. Cf. M. VILLEY, *op. cit.*, p. 111, n. 70.

(4) Sur cette argumentation traditionnelle, voir WOLFRAM, *Kreuzpredigt und Kreuzlied*, dans *Zeitschrift für deutsches Altertum*, t. XXX, 1886, p. 89-132, et P. ROUSSET, *Les origines et les caractères de la première croisade*, Neuchâtel, 1945, chap. VIII et IX. C'est celle qu'on retrouve dans le discours que l'évêque de Strasbourg, Henri, prononça (voir *supra*, p. 202) devant Frédéric Barberousse, dans CANISIUS, *Thesaurus monumentorum*, édit. BASNAGE, t. III, 1725, pars 2, p. 502. — Les jugements portés sur Saladin en Occident sont imprégnés de terminologie augustinienne. Cf. J. HARTMANN, *Die Persönlichkeit des Sultans Saladin im Urteil der abendländischen Quelle*, Histor. Studien, n. 239, Berlin, 1933, p. 124-131.

(5) P. L., CCIV, 254-402. La *digressio.. quo lamentatur auctor de Jerusalem ab infidelibus capta* (*ibid.*, 350-361), écrite en novembre 1188, est probablement le discours prononcé par le cardinal légat à l'entrevue de Bonmoulin, en tout cas à son retour d'Allemagne. Cf. *ibid.*, 357.

(6) *Ibid.*, 351.

(7) *Ibid.*, 294.

lier du Christ : tous vous jugeront, tous se moqueront et vous montreront du doigt si vous n'achevez pas ce que vous avez commencé ! [1] » Dans un opuscule inspiré par les mêmes circonstances [2], Pierre de Blois utilise aussi l'exemple des Anciens, mais aux fins d'un curieux raisonnement, d'ordre tout pratique : les riches et les puissants sont plus exposés que les autres à mourir de mort violente, donc ils doivent préférer une mort à coup sûr glorieuse au destin misérable qui, presque toujours, les attend. Pour lui, ce n'est ni l'argent ni la multitude des soldats, ni même le courage des combattants qui donnera la victoire ; l'équipement militaire est lui-même une chose secondaire, c'est la force spirituelle qui, seule, compte : « Quand les Juifs recherchaient Jésus pour le faire mourir et qu'il s'agissait d'acheter des épées, il a voulu que les douze se contentassent de deux glaives... Le glaive unique de saint Pierre, on le voit aujourd'hui, l'a emporté sur les armes d'Alexandre et de César. » Aussi Pierre de Blois a-t-il peu de confiance dans les grands de la terre. A l'entendre, au cours de la croisade précédente, seule « la piétaille » des provinces ou même « la main des femmes » a fait œuvre utile, et « l'on voit bien maintenant que Dieu, ayant réprouvé les gens auxquels il avait offert l'occasion de ce pèlerinage, a réservé la gloire du succès à des hommes de modeste condition ». Ce haut idéalisme ne l'empêche pas devoir juste et de tirer la leçon des faits. Si Conrad et Louis VII avaient exécuté leur vœu avec plus de piété et de plus humbles moyens, au lieu d'entraîner avec eux toute une foule onéreuse et indisciplinée, ils auraient rétabli la paix perpétuelle en Terre Sainte. Quant aux chefs anglais qui, peut-être pour de bonnes raisons, diffèrent depuis si longtemps l'expédition présente, « pourquoi n'envoient-ils pas au moins des hommes de confiance pour la précéder, pour rassembler les vivres, pour s'aguerrir aux dangers, pour préparer les passages et tâter l'ennemi » [3] ?

Parfois la réalité fut embellie. On sait comment Renaud de Châtillon avait été l'un des grands fauteurs de discorde dans le royaume de Jérusalem et le grand responsable de la reprise de la guerre avec Saladin. La fierté courageuse de ses derniers moments, — prisonnier du sultan il le défiait encore avant de tomber sous ses coups — le haussa au rang de martyr et fit tout oublier. L'émouvant récit qui circula, et dont Pierre de Blois est encore l'auteur, s'inspire de témoignages authentiques, mais, aux commentaires qui l'accompagnent, on pourrait croire, bien à tort, qu'il s'agit d'une vie de saint [4].

LA PROPAGANDE POPULAIRE   Les thèmes religieux passèrent dans les chansons de croisade, qui ne sont que des « décalques de sermons » [5] et reproduisent le plus souvent des arguments dictés par l'Église. Jamais ce genre littéraire n'a été aussi fécond qu'à ce moment. La littérature provençale est alors en plein essor et cette

---

(1) *P. L.*, CCIV, 360.
(2) Pierre de Blois, *De hierosolymitana expeditione acceleranda.* (P. L., CCVII, 1057-1070.)
(3) *Ibid.*, 1067-1070.
(4) Pierre de Blois, *Passion de Renaud de Châtillon, prince d'Antioche.* (*P. L.*, CCVII, 957-976.)
(5) A. Jeanroy, *La poésie lyrique des troubadours*, Toulouse-Paris, 1934, t. II, p. 205 et suiv.

propagande courtoise a eu, sans nul doute, un succès considérable. A côté des poètes de cour, les rimeurs forains multiplièrent les amplifications sur les massacres, les complaintes où le nom de la Jérusalem perdue, répété comme une litanie, sans doute aussi par l'auditoire, évoquait les lamentations des anciens prophètes et faisait naître au cœur des simples l'impatience de la délivrer[1]. Le clergé promena sur les marchés des images faites pour émouvoir jusqu'à la foule illettrée. Sur l'une on voyait le Christ ensanglanté, flagellé par les Sarrasins avec cette légende : « Voilà le Christ que Mahomet, prophète des Musulmans, a frappé, blessé et tué[2]. » De Palestine, le marquis de Montferrat en avait expédié une autre représentant le plan de Jérusalem, au milieu duquel tous reconnaissaient l'église du Saint-Sépulcre qu'un cheval, monté par un cavalier sarrasin, couvrait d'ordures[3].

CARACTÈRE RELIGIEUX DE LA GUERRE   Nous connaissons ces détails par les chroniques arabes. Elles se montrent fort au courant de l'émotion qui s'est propagée en Occident, de l'ampleur des moyens mis en œuvre et des mobiles religieux de la guerre. Elles en font, mieux que d'autres, un tableau saisissant.

Il n'y a pas une ville, pas une contrée ou une île, pas une localité, petite ou grande, qui n'équipe des vaisseaux ou ne lance des escadrons. Des populations sédentaires se mettent en marche. Elles sortent de leur retraite... On répand les trésors, on épuise les mines, on envoie les fruits de l'épargne et les biens les plus précieux sont prodigués. Les églises donnent leurs troncs, les femmes de haut rang offrent leurs bijoux, etc... Évêques et prêtres sortent avec leur croix... Dans toutes leurs assemblées, on proclame que ces contrées leur appartiennent, que l'Islam tue et extermine leurs frères à Jérusalem, que tous ceux qui s'exileront de leur demeure pour combattre l'Islam obtiendront le pardon de leurs péchés et seront purifiés de toute tache, que quiconque est hors d'état de prendre part à l'expédition doit équiper et envoyer à ses frais un homme valide. Ils arrivent couverts de leurs armures, après avoir revêtu le cilice, et leurs recrues se succèdent sans relâche.

Et l'auteur de ce texte de fouetter le zèle de ses coreligionnaires par l'exemple des Francs qui « faisaient le sacrifice de leurs biens pour la défense de leur foi et le salut de leur âme ». Car, pour lui-même, il s'agit bien « de la lutte du dogme de la Trinité contre le monothéisme »[4] dont les victimes seront, dans les deux camps, saluées comme des martyrs.

INDULGENCES ET EFFORT DE GUERRE   L'échec de la deuxième croisade avait démontré, malgré tout, que la foi et l'enthousiasme ne suffisaient pas à vaincre tous les obstacles. Un grand effort fut fait pour améliorer la discipline et l'efficacité

---

(1) Même en Orient où la poésie du lointain ne jouait plus, il y en a eu de curieux exemples. Cf. l'élégie dont le patriarche d'Arménie Grégoire Dgh'a est l'auteur, dans *Recueil des historiens des croisades, Documents arméniens*, t. I, p. 291-307 et surtout p. 291. La conduite du patriarche fut d'ailleurs peu en harmonie avec le zèle versificateur qu'il déployait pour la croisade. Voir aussi les chansons syriennes éditées et traduites par NOELDEKE, *Zwei syrische Lieder auf die Einnahme Jerusalems durch Saladin*, dans *Zeitschrift der deutscher Morgenländischer Gesellschaft*, t. XXVII, 1873, p. 489-510.
(2) IBN-AL-ATIR. (*Recueil des historiens des croisades, historiens orientaux*, t. II, 1re p., p. 3 et 4.)
(3) ABU-SHAMA, *Les deux jardins.* (*Recueil des historiens des croisades, historiens orientaux*, t. IV, p. 472 et suiv.)
(4) *Lettre au diwan de Bagdad*, citée par Abu-Shama, *ibid.*, p. 432.

des troupes. Leur recrutement et le financement de l'expédition bénéficièrent des mesures prises par les successeurs d'Eugène III, pour préciser les obligations du vœu et la forme des indulgences. Déjà Adrien IV avait compris la nécessité de payer une solde aux combattants [1]. Alexandre III avait proportionné l'indulgence de croisade à la durée du service, en ne l'accordant plénière qu'aux combattants qui serviraient au moins deux ans. Il avait également innové, dès 1166, en liant l'indulgence à une contribution aux frais de croisade. Un tiers des pénitences était remis aux donateurs [2]. Mais il ne s'agissait encore que de dons volontaires. Cela ne pouvait suffire. Aussi, quand les rois d'Angleterre et de France établirent les premiers impôts de croisade, l'Église n'hésita pas à corroborer leurs décisions en étendant à leur application le jeu des sanctions spirituelles. Sur les instructions du pape Lucius III, dont la bulle s'est perdue, les évêques de Normandie récompensèrent d'une indulgence ceux qui payaient l'impôt de croisade [3]. En assurant aux croisés qui devaient périr la rémission totale de leurs péchés et la vie éternelle, en accordant une indulgence plénière aux survivants, Grégoire VIII n'a fait qu'imiter ses prédécesseurs, mais il fit une innovation importante en étendant partiellement le bénéfice de ces mesures à ceux qui, ne pouvant partir eux-mêmes, subviendraient aux frais d'un remplaçant et en acceptant que les clercs fussent également taxés. Clément III, allant plus loin, proportionna l'indulgence à la valeur personnelle des croisés et à celle de leurs apports. Il exigea de tous les prélats une contribution financière, d'ailleurs sans en fixer le montant, et prit des précautions pour la nomination des collecteurs [4]. Sans nul doute il faut voir dans ces interventions pontificales l'origine de l'usage qui va s'établir au XIIIe siècle de financer la croisade aux dépens des seuls revenus ecclésiastiques.

LA DIME SALADINE [5]   A l'action du pape se joignit celle de l'épiscopat, quand Henri II et Philippe Auguste décrétèrent la dîme saladine. C'était un impôt d'État, mais l'assentiment et les sanctions de l'Église furent publiés par la voix des évêques. Après le synode du Mans (fin janvier 1188) que Henri II réunit après l'entrevue de Gisors, ceux-ci rédigèrent une lettre circulaire qui en définissait les dispositions pour le domaine angevin. Sous peine d'excommunication, tout clerc, comme tout laïc, non croisé, devait la dîme de ses revenus d'un an et la dîme des biens meubles en sa possession, à l'exception des céréales de l'année en cours ; n'étaient exempts d'impôt que les livres, les vêtements et les ornements d'église. A tous ceux qui payaient la dîme, une indulgence de la moitié de leur peine était accordée en même temps qu'une remise sur les dîmes non encore payées et les péchés oubliés [6].

Le synode de Geddington (11 février 1188) fit appliquer à l'Angleterre

(1) A. GOTTLOB, Kreuzablass und Almosenablasse, op. cit., p. 171.
(2) Ibid., p. 119-122.
(3) MANSI, t. XXII, col. 485 et suiv.
(4) N. PAULUS, Geschichte des Ablasses im Mittelalter, t. I, Paderborn, 1922, p. 203 et suiv.
(5) On trouvera une bonne étude d'ensemble dans A. CARTELLIERI, op. cit., t. II, p. 52-74.
(6) Ibid., p. 55-57.

les décisions du Mans. Tandis que le roi d'Écosse et les évêques de son royaume préférèrent se libérer en un seul versement de 5.000 marcs d'argent, en Angleterre la dîme saladine fut levée et sanctionnée par des commissions formées en majorité de clercs, les paroisses formant les circonscriptions fiscales [1]. Les Juifs ne furent pas exemptés de la dîme et, proportionnellement à leur nombre, contribuèrent pour d'énormes sommes : ce qui d'ailleurs ne les mit pas à l'abri des cruautés du fanatisme ou de la vindicte de leurs débiteurs obérés [2].

Ce ne fut qu'en mars, au synode de Paris, que Philippe Auguste décréta la dîme saladine. Il en exempta expressément les Cisterciens, les Chartreux, l'ordre de Fontevrault et les lépreux. Mais à la différence de l'Angleterre, la dîme saladine fut levée et sanctionnée en France, non par les clercs, mais par les seigneurs laïcs, ce qui souleva une tempête [3]. Le clergé protesta au nom de la liberté et des privilèges ecclésiastiques, au nom des pauvres dont les églises avaient à assurer la subsistance, surtout par crainte des suites à prévoir de ce précédent. Pierre de Blois s'indigna contre les évêques trop empressés à se soumettre aux exigences de Philippe Auguste. Étienne de Tournai, scandalisé de cette charge inouïe imposée « aux fils de Lévi », protesta auprès du pape. Nous ne connaissons pas la réponse de Clément III. Celui-ci, au demeurant, avait déjà pris position. Son légat Jean d'Anagni, aidait à recueillir la dîme saladine dans les diocèses de Poitiers et de Limoges [4]. Mais l'agitation obligea Philippe Auguste à promettre solennellement de ne plus jamais lever de dîmes. L'opposition s'accrut quand il s'avéra qu'il ne tenait pas sa promesse et devant les abus de toutes sortes auxquels la levée donna lieu en Angleterre comme en France [5].

Quant à l'empereur, il avait stipulé pour son compte que seuls participeraient à la croisade ceux qui pourraient pourvoir à leur entretien et à celui d'un cheval pendant deux ans ou être au moins porteurs de trois marcs d'argent. Aussi n'y eut-il pas de dîme saladine en Allemagne [6]. Par contre, il semble bien qu'elle ait été levée en Pologne [7].

LA PAPAUTÉ ET LA DIRECTION
DES OPÉRATIONS

Si la papauté a bien été l'âme de la prédication, si elle a contribué par ses moyens propres au soutien financier de l'expédition, délibérément elle a renoncé à prendre, comme elle l'avait fait au temps des premières croisades, la direction des opérations.

Grégoire VIII répugne à jouer ce rôle. Il lui paraît convenir à la dignité

---

(1) A. CARTELLIERI, op. cit., t. II, p. 61.
(2) Cf. RAOUL DE DICETO, dans H. Fr., t. XVII, p. 636.
(3) A. CARTELLIERI, op. cit., t. II, p. 63-72.
(4) Ibid., p. 88.
(5) Le roi Richard obtint du pape Clément III un privilège l'autorisant à exempter de la croisade qui il voudrait pour assurer la garde de ses terres. Le roi fit naturellement payer cher ces exemptions et en tira d'immenses ressources. Cf. A. GOTTLOB, Kreuzablass und Almoserablasse, loc. cit., p. 171.
(6) A. GOTTLOB, Die päpstliche Kreuzzugsteuern, supra cit., p. 5.
(7) A. GOTTLOB le nie (op. cit., p. 18) ; les conciles de Lenczig et de Cracovie le décrétèrent. (MANSI, t. XXII, col. 581 et 582.)

impériale et c'est dans ce sens qu'il écrit à Frédéric Barberousse [1]. Au contraire, celui-ci assume sa tâche en pleine conscience de ses droits. Dans une lettre adressée à Saladin, il invoque celui des empereurs romains sur les provinces d'Asie et par conséquent sur la Palestine, qu'il prétend reconquérir en tant que chef temporel de la Chrétienté [2]. Ce droit, la papauté elle-même pouvait le revendiquer, en vertu de la prétendue donation de Constantin. La suite des événements, le choix que fit Barberousse de la route continentale à seule fin de montrer sa force à Byzance, la politique orientale que suivra bientôt son fils, donnent à penser que, si la mort n'avait interrompu ses projets, le conflit du Sacerdoce et de l'Empire n'aurait pas manqué de renaître outre-mer.

En ce qui concerne Clément III, comment interpréter le geste par lequel il a conféré la bannière de saint Pierre à l'archevêque de Pise Hubald, nommé légat de la croisade [3] ? On ne peut certes pas en conclure qu'il ait cherché, fût-ce indirectement, à exercer le commandement. Mais on peut y voir mieux qu'un geste symbolique [4], une significative préférence. Parmi les promoteurs de l'expédition, les uns préconisaient l'itinéraire continental qu'avait déjà suivi la deuxième croisade, les autres, le passage par mer. Entre les deux solutions, la papauté opina-t-elle ? La pression exercée sur les puissances navales par Grégoire VIII, les nombreuses traversées d'Alexandre III, le fait que Philippe et Richard aient d'abord adopté puis abandonné la voie de terre [5], enfin le choix de ce gonfalonier, tout porte à croire qu'elle pencha pour la voie maritime. L'avenir lui donnera raison.

HEURS ET MALHEURS DE LA TROISIÈME CROISADE — La voie de terre fut fatale à l'armée allemande. Malgré sa discipline et sa cohésion, que l'empereur sut maintenir fermement, elle s'usa dans les Balkans, se heurta à l'hostilité déclarée, à la demi-trahison de Byzance, à celle des fils du sultan de Qôniyah. Destin paradoxal, ce fut son chef qui se noya, et dans l'eau rare d'un oued ! (10 juin 1190.) Après quoi, très amoindrie par ses pertes et la défection d'un grand nombre, elle se regroupa sous l'autorité du neveu de l'empereur, Frédéric de Souabe, pour se fondre, démoralisée, dans l'armée des croisés de l'Ouest, sous les murs de Saint-Jean d'Acre.

L'expédition franco-anglaise aurait eu rapidement le même sort si ses arrières n'avaient été en tout temps assurés par les flottes pisane et génoise [6]. Celles-ci ne furent pas les seules. Une escadre vénitienne

---

(1) *P. L.*, CCII, 1558. *Cognoscimus siquidem insufficientiam nostram.* (Cité par M. VILLEY, *op. cit.*, p. 166.)

(2) Lettre de Frédéric à Saladin, dans BENOIT DE PETERBOROUGH, *H. Fr.*, t. XVII, p. 487 et suiv. Cf. RIEZLER, *op. cit.*, p. 11.

(3) *Breviarium pisanae historiae*, a. 1186, édit. MURATORI, t. VI, p. 191.

(4) Comme le veut C. ERDMANN, *Entstehung des Kreuzzugsgedankens*, Stuttgart, 1934, p. 166 et suiv.

(5) Philippe Auguste avait envoyé des ambassadeurs à Byzance. Cf. BENOIT DE PETERBOROUGH, dans *H. Fr.*, t. XVII, p. 484 et suiv. ; A. CARTELLIERI, *op. cit.*, t. II, p. 57 et suiv.

(6) Saladin insiste sur les avantages de cette supériorité navale pour ses adversaires dans une lettre qu'il adresse au sultan du Maroc pour lui demander, d'ailleurs sans succès, le concours de la flotte maghrébine. *Rec. des historiens des croisades, historiens orientaux*, t. IV, p. 500 et suiv.

rejoignit en route celle de Pise [1]. Parmi les croisés scandinaves, surtout des danois, ceux qui adoptèrent le voyage par mer, si ce ne furent pas les plus hauts barons, ont été les plus nombreux. Longeant les côtes de Portugal, ils contribuèrent à la prise d'Alvor [2] sur les Maures ; ils furent suivis de près par une flotte brémoise et flamande qui s'empara de Silves [3] ; puis tous gagnèrent Messine. Là, s'étaient rassemblées toutes les forces navales de la Chrétienté. Les navires siciliens avaient déjà sauvé Tripoli.

C'est à Messine que les armées de Richard et de Philippe Auguste se rejoignirent. Elles s'y attardèrent six longs mois et Richard fit encore bande à part pour aller conquérir l'île de Chypre avant de se rendre en Palestine. Le siège de Saint-Jean d'Acre traînait déjà depuis deux ans quand elles furent enfin à pied d'œuvre. Il n'y a pas à relater ici le détail des opérations, ni leurs péripéties mémorables. A peine la ville conquise (le 13 juillet 1191), la discorde éclata entre les chefs. Un petit incident devait avoir de grandes conséquences : le duc d'Autriche Léopold, ayant planté sa bannière sur l'une des tours, Richard la fit jeter dans le fossé, affront qui lui coûtera cher. Quelques jours plus tard, Philippe Auguste fut trop heureux de pouvoir prétexter une maladie et les négociations de son rival avec l'ennemi pour quitter l'armée et le « Saint-Sépulcre » [4] au grand scandale de ses compagnons d'armes. Passant par Rome, il se fit relever de son vœu, sans réussir, comme il l'aurait bien voulu, à discréditer auprès de la Curie l'allié qu'il allait trahir [5]. Richard continua la guerre, mais manqua le succès qui seul importait aux vrais croisés. Par sa faute, Jérusalem resta aux mains de Saladin ; la côte seule était reconquise. La trêve du 2 septembre 1192, qui mettait fin à la troisième croisade, était un compromis très éloigné, dans ses résultats comme dans son esprit, des buts initiaux de l'expédition. De plus en plus la diplomatie l'emportait sur l'esprit de croisade. Un instant, Richard envisagea même l'inféodation du royaume franc de Syrie aux Ayoubides, le mariage de sa sœur, Jeanne de Sicile, avec le frère de Saladin. Mieux encore, c'est le sultan qui étendit à tous les chrétiens la liberté du pèlerinage dans la ville sainte dont il restait le maître, liberté que Richard eût volontiers restreinte à ses seuls sujets [6].

Mais le manque d'enthousiasme, les jalousies et les combinaisons des chefs étaient jugés sévèrement par la foule des croisés. L'abandon de Jérusalem à son sort désespéra la « gent menue » [7]. Pour beaucoup,

---

(1) HEYD, *Histoire du commerce du Levant*, trad. FURCY-RAYNAUD, 2e édit., Leipzig, 1923, t. I, p. 312.

(2) P. RIANT, *op. cit.*, p. 277 et suiv.

(3) Sur la croisade brémoise, cf. *Narratio itineris navalis ad Terram sanctam*, dans M. G. H., SS., *nova series*, t. V, p. 179-196.

(4) *Les poésies de Peire Vidal*, édit. J. ANGLADE, *Classiques français du moyen âge*, Paris, 1913, p. 101 et suiv.

(5) A. CARTELLIERI, *op. cit.*, t. II, p. 251 et suiv.

(6) R. GROUSSET, *op. cit.*, t. III, p. 76-83 et p. 97-110.

(7) Le récit d'AMBROISE, *Estoire de la guerre sainte*, édit. Gaston PARIS, *Documents inédits de l'histoire de France*, Paris, 1897, reflète bien l'opinion des combattants chrétiens de la commune espèce,

> ...Nos autres qui a pié fumes
> Ço veïmes que nos peümes (v. 12.039 et suiv.).

surtout chez les humbles, l'esprit du vœu avait été le véritable ressort
de leur énergie. Malgré la cruelle déception qu'ils ressentirent devant
les maigres résultats de leurs efforts — même sur la côte, Beyrouth leur
échappait encore — ceux-là estimèrent que la croisade n'avait pas été
inutile et qu'on ne pouvait compter pour rien « le sacrifice et le triomphe
spirituel de cent mille martyrs » [1].

PREMIÈRES CRITIQUES   L'échec fut ressenti moins gravement que
                    celui de la deuxième croisade. Dès le départ,
l'opinion l'avait prévu comme le châtiment promis aux abus que la
levée de la dîme saladine avait suscités. Après coup, on entendit peu de
lamentations. Mais, pour la première fois, des voix s'élevèrent dont les
critiques, de proche en proche, pouvaient ébranler l'idée même de guerre
sainte.

D'abord, on avait déploré que l'Église eût été appelée à fournir la plus
grande part des frais de guerre. Dans sa correspondance, Pierre de Blois
se plaint à plusieurs reprises de l'appauvrissement qui en était résulté
pour les Églises de France et d'Angleterre. Pour lui, les trésors de l'Église
étaient destinés aux pauvres et non au fisc ; la croisade est devenue un
scandale pour ces derniers et la Chrétienté « retentit de leurs sanglots » [2].
Dans les chansons des trouvères eux-mêmes, on relève l'écho de ces ran-
cœurs. « La convoitise en a croisé plus que la foi », dit Quesne de Béthune,
et il sépare sa cause de « ces brigands qui se sont croisés pour dîmer clercs,
bourgeois et sergents » [3]. Du reste, les plaintes des clercs n'étaient pas
toujours inspirées par les motifs les plus purs et Pons de Capdœil s'indigne,
au contraire, de leur inertie intéressée :

Ceux qui connaissent les lois et les leçons [du psautier], le bien et le mal,
ne veulent pas partir eux-mêmes ; j'en sais de tels qui aiment mieux déshériter
les Chrétiens que les Sarrasins félons et, si vous en parlez, ils diront que c'est
vous les pécheurs ; ceux qui prêchent, là aussi, devraient d'abord se prêcher
eux-mêmes. Mais convoitise a fait perdre le sens au clergé [4].

(1) Cf. le passage de Geoffroi Vinisauf traduit et cité par MICHAUD (Bibliothèque des croisades,
Paris, 1829, t. II, p. 725). Après un an de siège, les pertes chrétiennes devant Acre sont déjà éva-
luées à plus de 50.000, chiffre donné « comme établi avec précision » par une source arabe (Recueil
des historiens des croisades, historiens orientaux, t. V, p. 28) ; à 120.000 en tout selon d'autres calculs
(cf. L. BRÉHIER, op. cit., p. 132, n. 2). Nombreuses étaient les femmes dans l'expédition. Les unes,
portant la cuirasse et le casque, prenaient part au combat ; « trois cents autres », recrutées pour un
plus rude usage, « se donnaient spontanément comme la plus méritoire offrande et croyaient
que nul sacrifice ne peut dépasser le leur ». (Ibid., historiens orientaux, t. IV, p. 433.) Ce témoignage
d'un Oriental, malgré son étrangeté, trouve peut-être son explication dans ces lignes non moins
singulières d'Ambroise : « Il mourut là bien cent mille hommes parce qu'ils s'abstenaient de femmes,
c'étaient des gens qui s'en tenaient à l'amour de Dieu et ils ne seraient pas morts sans cette abstinence... » (AMBROISE, loc. cit., v. 1295 et suiv., p. 462 de la traduction de G. PARIS.) Même version
dans VINISAUF, loc. cit., qui ajoute que tous assistaient chaque matin à la messe célébrée par leurs
chapelains. D'autre part JOACHIM DE FLORE, glosant sur le sort des vierges consacrées à Dieu,
lors de l'invasion de la Thébaïde par les adeptes de l'Islam, contraire au vœu de virginité, se pose
la question : Quatenus etsi corpore prostitute sunt, saltem mente et fide incorrupte manerent ? (Expositio... in Apocalipsim, Venise, 1527, fol. 130.)
(2) P. L., CCVII, 356.
(3) Cité par CH. LENIENT, La poésie patriotique en France au moyen âge, Paris, 1891, p. 134 ou
p. 193. Ou dans RAYNOUARD, Choix de poésies originales des troubadours, Paris, 1816-1821, t. IV.
(4) PONS DE CAPDOEIL, chanson XIII, str. 5, dans M. DE NAPOLSKI, Leben und Werke des Tro-
badors Pons de Capduoill, Halle, 1880, p. 68, traduite par A. JEANROY, op. cit., t. II, p. 209 ; cf.
chanson XXVI, édit. NAPOLSKI, p. 89.

CONTRE LES CLERCS COMBATTANTS   Du côté de l'Église, au contraire, on s'inquiéta de voir trop de clercs enclins à prendre eux-mêmes les armes. Le métier militaire leur était toujours défendu. Verser le sang, même en combattant, restait une cause de censure. Mais à bien lire les chroniques, on s'aperçoit que beaucoup d'entre eux n'avaient pas répugné à prendre le heaume et la cotte, à se mêler aux troupes combattantes ; dans l'ardeur de la lutte, il arrivait souvent que l'un d'entre eux ne se contentât pas de cet arroi guerrier et se jetât dans la mêlée. Cela était encore cause de scandale, mais cela se faisait [1]. Vingt ans auparavant, Gerhoch de Reichersberg consentait que moines et clercs tout équipés, lance et bouclier au poing, fissent nombre sur les remparts pour impressionner les Sarrasins ; il admettait même qu'ils pussent lancer pierres ou javelots sur l'ennemi, pour le tenir à distance, du moment qu'ils n'avaient pas l'intention de tuer. Mais comment empêcher dès lors que les plus hardis d'entre eux ne se laissent aller, dans l'ardeur de la lutte, à faire usage de leurs armes ? [2]... Clément III dut prendre à plusieurs reprises des mesures contre les clercs soldats. Par précaution contre toute méprise entraînant de part et d'autre les réflexes d'attaque et de défense, une de ses décrétales interdit à tous les clercs le port de la tenue militaire [3]. Mais il ne semble pas que les prescriptions pontificales aient toujours été suivies, particulièrement à la croisade. Guillaume de Tyr nous relate le cas de plusieurs chanoines du Saint-Sépulcre qui avaient pris part aux combats. Qu'ils aient été tués lui paraît la juste punition de leur faute [4]. L'auteur anonyme du *Tractatus de paenitentia*, répondant à un ami qui lui exprimait son désir de cueillir le martyre en rejoignant l'armée des croisés d'Allemagne, le blâme nettement et ironise sur cette « nouvelle forme de martyre qui consiste pour se faire tuer à vouloir tuer ». Malgré ces avertissements, nous dit-il, de nombreux clercs et moines avaient suivi l'armée, s'y mêlant aux laïcs. Or, selon lui, les moines travailleront plus au succès de la croisade « en priant qu'en combattant » [5].

(1) Cf. AMBROISE, *loc. cit.*, v. 9885 et suiv. (p. 438 de la traduction de G. Paris), où l'on voit des clercs punis pour des faits de ce genre, au cours même du combat.
(2) GERHOCH DE REICHERSBERG, *Comment. in psalmos*, dans *P. L.*, CXIV, 42.
(3) *Id.*, CCIV, 1492.
(4) GUILLAUME DE TYR, XXII, 16, *Recueil des historiens des croisades, historiens accidentaux*, t. I, p. 1095.
(5) *P. L.*, CCXIII, col. 893 et suiv.
    Magis certe juvant prece
    Quam pugnando manu, nece ;
    Supercincta flocco spata
    Auget non tollit peccata.
    Ce paragraphe et le suivant étaient rédigés quand j'ai eu connaissance de l'article de G. H. FLAHIFF, *Deus non vult. A critic of the Third Crusade*, dans *Mediaeval Studies*, vol. VI, 1947, p. 162-189, qui publie en appendice, d'après le ms. 27 du Pembrocke College de Cambridge et le ms. 15 de la cathédrale de Lincoln, un texte inédit de Raoul Niger dont les chapitres x et xi (*ibid.*, p. 182) contiennent, à propos des Sarrasins, ces lignes significatives que je résume : « Faut-il égorger les Sarrasins ? Dieu ne leur a-t-il pas donné la Palestine ou du moins l'occupent-ils sans sa permission ?... Il faut les repousser des terres qui sont à nous, mais de manière que le remède de la violence ne soit pas pire que le mal. Partout, que le glaive de la parole de Dieu les frappe afin qu'ils viennent à la foi volontairement et non par force. Car Dieu hait la torture et les hommages obtenus par la contrainte... Je ne vois pas de quel droit on peut prendre les armes pour tuer les Sarrasins, Le pape ne peut faire que ce qu'admettent le bon sens et l'équité. » Selon M. Flahiff, l'œuvre serait dédiée au vertueux Guillaume aux Blanches mains, alors archevêque de Reims, que Raoul Niger félicite de montrer peu d'empressement à se croiser.

CONTRE L'IDÉE DE CROISADE Voilà un son tout nouveau. C'est l'utilité même de la croisade qui semble déjà mise en cause. Le simple pèlerinage paraît au même auteur d'une vertu douteuse, parce qu'il fait rompre les vœux monastiques. Ces lieux que l'on va parcourir par curiosité plus que par piété, un moine peut les visiter en esprit. Et de recommander le pèlerinage spirituel et symbolique dont tous les bienfaits peuvent se trouver chez soi, « sinon sur les lieux mêmes, du moins à travers leurs signes »[1]. Avec beaucoup plus de véhémence, l'auteur des Annales de Würzbourg s'en prend aux prédicateurs de la croisade dont le succès contagieux lui semble presque une folie. « Ces pseudo-prophètes, ces fils de Belial, ces suppôts de l'antéchrist, par leurs discours, trompent les Chrétiens en les excitant à courir sus aux Sarrasins. Non seulement la foule, mais les rois, les ducs et les marquis se ruent au massacre général, croyant rendre hommage à Dieu, et c'est la même erreur que commettent les évêques, les archevêques et les abbés en se précipitant à leur suite, au péril de leur âme et de leur corps [2]. » Joachim de Flore voit plus loin. Grand commentateur de l'*Apocalypse*, il croit discerner en l'Islam la septième tête de la bête qui renaît sous les coups, « qui vit encore et cause la mort d'un grand nombre ». Mais, ajoute-t-il, « si les chrétiens doivent en venir à bout, ce sera en prêchant plus qu'en combattant... »[3]. Pendant le séjour de Richard à Messine, il lui avait, en somme, prédit l'échec de la croisade : c'était bien, sous une autre forme, exprimer sa réprobation. Après les événements, il voit en eux la leçon donnée par Dieu à toute l'Église, « la victoire étant donnée à ceux qui l'emportent non par le nombre de leurs soldats, mais par la foi »[4]. Par là, il annonce saint François d'Assise et Raymond Lulle.

Certaines œuvres écrites pour les laïcs traduisent un même changement d'attitude. N'est-il pas significatif que, dans son poème de *Carité*, tout imprégné de l'idéal chrétien, *le reclus de Molliens*, énumérant les devoirs du chevalier, ne mentionne même pas celui de prendre la croix contre l'infidèle [5] ? Guernes de Pont-Sainte-Maxence affirme bien haut pour son temps que le royaume de Dieu est ouvert à tous les hommes et que les « Sarrasins » y sont appelés comme les autres [6]. Dans une strophe inspirée par la troisième croisade, Pierre Cardinal, simple troubadour, semble ériger la croix elle-même en symbole de l'universalité du christianisme : « Des quatre extrémités de la croix, l'une se dresse vers le ciel, l'autre plonge en bas vers l'abîme, la troisième regarde l'Orient et la dernière l'Occident. La croix marque ainsi que le pouvoir du Christ s'étend à tous les pays de l'Univers [7]. »

(1) *P. L.*, CC, XIII, 891. Faut-il voir là les premiers linéaments de la « composition du lieu », chère à la méthode ignacienne ?
(2) *Annales Herbipolenses*, a. 1147, dans M. G. H., *SS.*, t. XVI, p. 3.
(3) *Expositio... in Apocalipsim*, Venise, 1527, fol. 164 v°.
(4) *Ibid.*, fol. 134 v°.
(5) A. G. van HAMEL, *Li romans de Carité et Miserere du Reclus de Molliens, poèmes de la fin du XIIᵉ siècle*. (Bibl. École Hautes Études, Sc. philol. et hist., fasc. 61 et 62, t. I, Paris, 1885, p. 17-27.)
(6) GUERNES DE PONT-SAINTE-MAXENCE, *Vie de saint Thomas Becket*, éd. E. WALBERG, *Class. franç. du moyen âge*, vol. 77, p. 22, v. 706-707.
   Deux nus apele tuz a sun regne, li pius,
   Sarazins e paens, cristiens e geius.
(7) Cité par FAURIEL, *Histoire de la poésie provencale*, t. II, Paris, 1846, p. 127.

Ces voix sont encore isolées. Et ces dernières formules restent typiquement ambiguës. Elles peuvent tout aussi bien justifier et l'extension illimitée de l'Église invisible et les prétentions de l'Empire à la domination universelle. Six ans après la mort de Frédéric Barberousse, son fils suscitera une nouvelle croisade dont les mobiles seront pareillement confondus.

§ 4. — Clément III et Henri VI.

HENRI VI ET LA SUCCESSION DE SICILE
Le départ de Frédéric Barberousse pour la croisade, en mai 1189, avait mis Clément III en présence d'un jeune prince de vingt-cinq ans, imbu des mêmes idées que son père, mais infiniment moins doué que lui pour faire supporter sa lourde autorité. Physiquement débile, il compensait cette faiblesse par une intelligence et une volonté également puissantes ; prompt à concevoir et à imaginer, avec cette démesure propre à séduire des cœurs germaniques et qui chez lui n'excluait, dans l'exécution, ni le calcul ni la rigueur. A l'égard de l'Église d'Allemagne il suivit la politique paternelle et prétendit garder la haute main sur l'épiscopat, assistant aux élections, faisant pression au besoin, comme à Würzbourg où il imposa son frère Philippe, trop jeune pour être éligible canoniquement. Cela n'empêchait pas ses candidats de rencontrer des rivaux, parfois soutenus par une forte opposition [1] qui n'attendait pour s'amplifier que son absence.

Avant de partir, Frédéric Barberousse avait demandé à Clément III de remettre à plus tard le couronnement de son fils, promis dans leurs derniers accords. Il songeait sans doute aux affaires d'Allemagne. Retenu par elles, Henri VI ne se pressait guère de retourner en Italie, quand survint l'événement qui devait l'y attirer et le prendre tout entier, la mort de Guillaume II à Palerme, le 18 novembre 1189. L'absence d'héritier mâle faisait de Henri VI, époux de Constance, le successeur du roi de Sicile. Le rêve des Hohenstaufen allait-il se réaliser ?

On ignore comment réagit Clément III devant la prétention que Henri VI éleva tout aussitôt en invoquant à la fois les droits de l'Empire sur l'Italie méridionale et les droits successoraux de sa femme. Mais, comme ses prédécesseurs, n'avait-il pas tout à craindre de la réunion sous un même sceptre du Nord et du Sud de la péninsule ? Du reste il n'était pas homme à renoncer à sa suzeraineté sur le royaume sicilien et, quelques mois plus tôt, il avait réussi à obtenir de Guillaume II le serment de fidélité dont les rois normands s'étaient dispensés pendant plus d'un siècle [2]. La suzeraineté du Saint-Siège sur une Sicile dévolue à l'Empire

(1) A. HAUCK, *op. cit.*, p. 688 et suiv.
(2) Publié par HUILLARD-BRÉHOLLES, *Rouleaux de Cluny*, n° 111, dans *Notices et Extraits des manuscrits*, t. XXI, 2ᵉ part., p. 323. Cf. P. KEHR, *Die Belehnungen der süditalienischen Normannenfürsten durch die Päpste (1059-1192)*, dans *Abhandlungen der preussischen Akademie der Wissenschaften*, Berlin, 1934, p. 48-51. Le serment fut prêté à Palerme devant les deux cardinaux légats Albin de Santa Croce et Pierre de San Lorenzo in Damaso dans l'été 1188. Le renouvellement de ce serment était de règle à chaque pontificat, mais depuis que les princes normands étaient rois, l'usage s'était aboli. Et Clément III dans une lettre, signalée par KEHR, qui a échappé aux autres historiens, dispense à l'avenir le roi de Sicile et ses successeurs de cette formalité : *P. L.*, CCIV, 1486.

créait une situation juridique inextricable, le pape devenant suzerain de l'empereur, lequel de son côté ne renonçait pas à la prééminence. L'évidence du danger donne à penser que Clément III s'est employé activement à le conjurer. En fait, tout dépendait de l'autorité que Henri VI arriverait à prendre dans le royaume sicilien.

La réaction des Siciliens eux-mêmes simplifia le problème. Les seigneurs du royaume décidèrent, en effet, malgré l'intervention de l'archevêque de Palerme, Gautier Ophamil, en faveur de Constance, de donner la couronne au bâtard du duc Roger, fils de Roger II, au comte de Lecce, Tancrède [1]. On ne sait exactement l'influence qu'a exercée Clément III dans cette décision. Plusieurs sources la déclarent déterminante [2]. Ce qui est sûr, c'est qu'en janvier 1190, Clément III approuva formellement le couronnement de Tancrède, confirma, en outre, le pacte conclu par ce dernier avec Richard Cœur de Lion et dirigé contre Henri VI. Il ne se pressa point pour autant de conférer la Sicile en fief au jeune roi, d'autant moins qu'un candidat au trône, Roger de Andria, avait encore des partisans. Songea-t-il à profiter de ces circonstances pour annexer purement et simplement le royaume à l'État pontifical ? C'est ce que laisse entendre une source allemande [3].

Sur le continent, Henri VI pouvait compter sur Amalfi et sur l'abbé du Mont-Cassin. Mais cela n'empêcha pas l'Italie méridionale, dans son ensemble, de lui résister victorieusement. Le corps expéditionnaire qu'il y avait envoyé sous la conduite de Henri de Kalden, en mai 1190, échoua au siège d'Ariana et dut battre en retraite en septembre. Au contraire, Tancrède ne cessait de gagner du terrain et le mois suivant capturait son rival Roger de Andria. Même l'abbé du Mont-Cassin pencha un moment pour le vainqueur.

HENRI VI EN ITALIE.
MORT DE CLÉMENT III
C'est alors que Henri VI, réconcilié en juillet 1190 avec Henri le Lion et l'archevêque de Cologne, jusque-là chef de l'opposition en Allemagne occidentale, se met en route pour le Sud. C'est en chemin qu'il apprend la mort de son père qui le faisait héritier de l'Empire. En janvier 1191, il apparaît en Lombardie et dépêche ses légats aux sénateurs de Rome et au pape, en vue de son couronnement. Au passage, il obtient le concours de Plaisance pour la récupération des biens mathildiques et le 1er mars celui des Pisans pour la conquête de la Sicile [4]. A la fin de mars, il est à Anguillara, sur les terres de Léon de Monumento, un de ces fourriers que l'Empire avait toujours su se ménager en Italie. Il s'apprêtait à gagner Rome quand on apprit la mort de Clément III (fin mars 1191) [5].

---

(1) F. CHALANDON, *Histoire de la domination normande en Italie et en Sicile*, t. II, p. 424 et suiv. ; le 8 décembre 1189 ou début de janvier 1190.
(2) *Annales Casinenses*, dans M. G. H., *SS.*, t. XIX, p. 314 et ARNOLD DE LÜBECK, *Chronica Slavorum*, V, 5, édit. *in usum scholar*, p. 152 et M. G. H., *SS.*, t. XXI, p. 182.
(3) J. HALLER, *op. cit.*, p. 550 et suiv.
(4) *Ibid.*, p. 552 et suiv.
(5) On ignore la date exacte de sa mort. Cf. WATTERICH, *op. cit.*, t. II, p. 707, n. 4.

§ 5. — Le pontificat de Célestin III.

ÉLECTION DE CÉLESTIN III   En d'autres circonstances, le nombre accru des cardinaux laissés par Clément III aurait sans doute rendu difficile l'élection du nouveau pape. La présence de Henri VI non loin de Rome intimida les ambitieux et, bien que l'on ignore tout des tractations qui précédèrent le vote du 30 mars, il semble bien que l'élu le fut à son corps défendant et peut-être par crainte d'un schisme [1]. C'était un vieillard de quatre-vingt-cinq ans, naturellement ami de la paix et connu pour tel, le cardinal Hyacinthe, du titre de Sainte-Marie-in-Cosmedin. Ordonné prêtre le 13 avril, il fut consacré le jour suivant par l'évêque d'Ostie. Il appartenait à la famille Bobo, alliée aux Orsini [2].

C'était, comme Clément III, un Romain d'origine, d'une famille profondément enracinée dans la campagne. Mais, à l'inverse de son prédécesseur, au cours d'un cardinalat de quarante-sept ans, il n'avait cessé de remplir au loin des missions qui faisaient de lui un homme d'une riche expérience, aux horizons élargis. Au temps lointain de sa jeunesse, il avait été à Paris l'élève d'Abélard et, au concile de Sens, avait défendu la cause de son maître comme celle d'Arnaud de Brescia. En relations suivies avec Gerhoch de Reichersberg, au moment de la double élection de 1159, il était apparu comme l'homme de la conciliation. Légat d'Adrien IV en Allemagne, il avait réussi à désarmer momentanément la colère de Frédéric Barberousse au lendemain de la diète de Besançon. Cela ne l'empêcha pas de rester fidèle à Alexandre III, qu'il accompagna en France et de jouer auprès de lui et de Thomas Becket un rôle modérateur. Il avait été plusieurs fois légat en Espagne et au Portugal [3].

Les témoignages contemporains sont unanimes à reconnaître son intégrité, sa mansuétude, la douceur de son éloquence, la dignité de sa vie et sa science théologique. Sa passivité, son goût des moyens termes, l'ont souvent fait taxer de faiblesse. D'autres historiens, frappés par le résultat de ses efforts et l'échec final de Henri VI, ont vu en lui un calculateur obstiné dont la patience et l'habileté ont préparé et rendu possibles les grands succès d'Innocent III [4]. Devant les lacunes et la discontinuité de notre information pour toute cette période, il est, du reste, difficile de porter un jugement sûr. Cependant, et bien qu'il soit entaché d'un certain parti-pris qu'expliquerait la rivalité de leurs familles, on retiendra l'avis de son illustre successeur qui s'y connaissait en hommes et put lui reprocher la faiblesse qui l'avait conduit, pour arriver à ses fins malgré les dangers de sa position, à louvoyer, à dissimuler, à exercer trop timidement

---

(1) K. Wenck, *op. cit.*, p. 442, n. 2 et suiv.

(2) Guillaume le Breton, *Philippide*, IV, 290, et *Chron.*, LXII, dans *Œuvres de Rigord et de Guillaume le Breton* (*Société de l'Histoire de France*), t. I, p. 193 et t. II, p. 107, affirme qu'il était apparenté avec Philippe Auguste (*cognato suo*).

(3) En 1154 et en 1172-1174. Cf. Leineweber, *op. cit.*, p. 13-27 et C. Erdmann, *Das Papsttum und Portugal im ersten Jahrhundert der portugiesischen Geschichte*, dans *Abhandl. der Preuss. Akad. Phil.-Hist. Kl.*, Berlin, 1928, V, p. 43 et suiv.

(4) Cf. les opinions citées par J. Haller, *op. cit.*, p. 568 et suiv.

son autorité spirituelle [1]. Le fait est que les événements finirent par donner raison à ce temporisateur.

LE SACRE DE HENRI VI ET LA FIN DE TUSCULUM Les Romains lui avaient demandé de ne couronner Henri VI qu'après la restitution de Tusculum. Lui-même était lié par la promesse que leur avait faite Clément III de la leur livrer. Mais comme elle était occupée par des troupes impériales, le pape ouvrit des négociations avec l'empereur qui rongeait son frein à Anguillara. Il lui fit promettre, en échange du couronnement, de rendre Tusculum pour qu'il pût, à son tour, la remettre aux Romains.

L'accord une fois conclu sur cette base, le sacre de l'empereur eut lieu le 15 avril. Au cours de la cérémonie, Célestin III a-t-il pris l'initiative d'imposer à Henri VI l'investiture par le globe ? C'est ce qu'on peut conclure des déclarations d'Innocent III, sept ans plus tard [2]. Le globe, pour la Curie, c'était le signe de la royauté ; pour les symbolistes du temps, c'était celui de la monarchie universelle. Aussi Henri VI aurait d'abord repoussé cette innovation, puis se ravisant, l'aurait acceptée. Il ne s'agissait nullement d'investiture féodale, mais d'un détail du rituel. L'incident, en montrant l'importance qu'on y attachait de part et d'autre, n'en marque pas moins « un léger progrès dans l'évolution qui transformait les positions respectives du pape et de l'empereur » [3].

Au lendemain des brillantes fêtes du couronnement, les troupes impériales quittèrent Tusculum et les Romains s'acharnèrent à la détruire de fond en comble sans que Henri VI eût rien fait pour lui épargner ce sort cruel. Son abandon ne profita guère à Célestin III. Peu de temps après, une sorte de condottière, Benoît Carushomo, s'empara du pouvoir avec l'appui du peuple romain et réduisit à rien celui des sénateurs : ennemi de cette noblesse romaine à laquelle les deux derniers papes étaient étroitement liés, il se lança avec ses bandes à la conquête de la Sabine et de la Maritime et conquit une grande partie de l'État pontifical. Cette équipée éphémère — elle ne dura que deux ans — mit fin, cependant, à l'ancien régime sénatorial. Successivement, Jean Capocci, puis un Pierleoni [4] s'arrogèrent le gouvernement, sans que Célestin III ait songé à s'indigner ni de la violation du traité de 1188, ni de l'occupation du patrimoine. Voulait-il conserver, malgré tout, les bonnes grâces des Romains, utiles à la résistance contre l'empereur ? Cela n'empêcha pas un certain nombre d'entre eux de s'enrôler sous la bannière d'Henri VI [5]. Plus probablement, il se résigna, ne pouvant faire autrement.

(1) *Lettre d'Innocent III à l'empereur Alexis* (août 1198), dans *P. L.*, CCXIV, 326 et *Lettre du même au patriarche de Constantinople*, ibid., 328.
(2) *Registrum de negotio romani imperii*, dans *P. L.*, CCXVI, 1025.
(3) E. JORDAN, *Henri VI a-t-il offert à Célestin III de lui faire hommage pour l'Empire ?* dans *Mélanges d'histoire du moyen âge offerts à M. Ferdinand Lot*, Paris, 1925, p. 306. Selon Jordan, c'est la Curie qui a pris l'initiative de cette innovation. Selon V. PFAFF, *Kaiser Heinrich VI höchstes Angebot an die römische Kurie (1196)*, dans *Heidelberger Abhandlungen*, hgg. von K. Hampe et W. Andreas, H. 55, Heidelberg, 1927, p. 18 et suiv., l'investiture par le globe était un rite ancien mais tombé dans l'oubli et dont le rétablissement a été demandé par l'empereur.
(4) Lequel essaya, un instant, de rappeler les sénateurs. Cf. J. HALLER, *op. cit.*, p. 565.
(5) *Annales Casinenses*, a. 1192. (M. G. H., *SS.*, t. XIX, p. 315.)

ÉCHEC DE HENRI VI
DEVANT NAPLES

Qu'il renonçât à se taire, il n'en était pas moins condamné à l'impuissance. Il eut beau protester [1], Henri VI, au lendemain du couronnement, passa outre, envahit le royaume de Sicile et alla mettre le siège devant Naples. Quand les secours de la flotte sicilienne et, une fois de plus, l'épidémie eurent triomphé de l'armée allemande, Célestin III a-t-il eu recours à d'autres moyens pour contrecarrer les ambitions de l'empereur ? Les sources ne le disent pas explicitement, mais la logique des faits et l'évidence des intérêts contraires rendent la supposition vraisemblable. Sous les murs de Naples, le jeune Henri de Brunswick, fils d'Henri le Lion, avait passé au camp des assiégés, puis avait rendu visite au pape avant de regagner l'Allemagne où son père relevait lui-même la tête. Or, le 5 août 1191, Célestin III leur accordait un privilège significatif : ni le père ni le fils ne pourraient être excommuniés que par le pape ou un légat [2]. Au moment où l'opposition des Welfs et celle des grands seigneurs ecclésiastiques de l'Ouest se conjuguaient contre Henri VI, c'était désarmer l'épiscopat allemand resté fidèle à l'empereur. Célestin III n'a donc pu voir d'un mauvais œil la révolte qui se préparait et qui dès la fin d'août obligea l'empereur à abandonner la partie en Italie, en y laissant l'impératrice aux mains de l'ennemi [3].

L'OPPOSITION EN ALLEMAGNE
ET L'AFFAIRE DE LIÉGE

Le conflit latent ne fit que changer de théâtre. A peine de retour, Henri VI se mit à disposer librement des évêchés vacants. A Cambrai, à Cologne, à Worms, il imposa ses candidats sans trop se soucier des électeurs, à quoi Célestin III répliqua en traitant en intrus l'évêque de Worms nommé par l'empereur [4].

Autour du siège vacant de Liége se noua une compétition plus grave. Dans la personne même des candidats, Albert de Louvain et Albert de Rethel, s'affrontaient les deux maisons rivales de Brabant et de Hainaut, déjà en train de se disputer la Flandre. Le 8 septembre 1191, l'élection d'Albert de Louvain, frère du duc de Brabant, bien qu'il eût obtenu la majorité, fut contestée sous la pression de l'empereur qui, le 13 janvier 1192, imposa un homme à lui, le prévôt de Bonn, Lothaire de Hochstaden. Albert fit appel au pape et, malgré tous les obstacles dressés sur sa route, parvint à se rendre à Rome en avril. Célestin III ratifia son élection en juillet et prit des dispositions pour que le sacre eût lieu hors d'atteinte des agents impériaux qui, au même moment, sévissaient lourdement à Trèves. Albert, revenu d'Italie, venait de se faire consacrer par l'archevêque de Reims quand il fut assassiné le 24 novembre 1192 par quelques chevaliers, ses vassaux [5]. Dans ce crime, qui rappelait si fâcheusement

---

(1) ARNOLD DE LÜBECK, *Chronica Slavorum*, V, 5, édit. *in usum scholarum*, p. 152 ; *Annales Casinenses*. (M. G. H., *SS.*, t. XIX, p. 314.)

(2) JAFFE-WATTENBACH, 16.736.

(3) L'impératrice, trahie par les Salernitains, fut livrée à Tancrède, qui l'emmura à Messine. Cf. F. CHALANDON, *op. cit.*, t. II, p. 458.

(4) J. CARO, *Die Beziehungen Heinrichs VI zur römischen Kürie während der Jahre 1190 bis 1197.* Diss., Breslau, 1902, p. 17-20.

(5) TH. TŒCHE, *Kaiser Heinrich VI*, Leipzig, 1867, p. 216 et suiv., 228 et suiv. Cf. Edouard

l'affaire Becket, chacun voulut voir la main de Henri VI [1]. Pour tous ses ennemis il justifia la rébellion.

Du reste, le frère de la victime, le duc Henri de Brabant, aspirait à la couronne impériale et le jeune Henri de Brunswick se flattait de la même espérance. A l'automne de 1192, les princes conjurés s'ouvrirent de leur projet au pape Célestin qui se garda bien de les éconduire [2]. Mais il réagit, en somme, faiblement. A la suite de l'assassinat d'Albert de Louvain, il se contenta d'excommunier Lothaire, l'évêque désigné par Henri VI, qui dut se rendre à Rome, prouva son innocence et néanmoins resta privé de sa dignité. Par ailleurs, il a essayé d'affaiblir la position de Henri VI en Italie.

L'ABBÉ DU MONT-CASSIN INTERDIT Nous avons vu que l'abbaye du Mont-Cassin était un des points d'appui de l'Empire dans le sud de la Péninsule. Cependant, Henri VI tardant à se montrer, l'abbé Roffroi avait reconnu Tancrède. Pour l'en punir, Henri VI, au retour de sa malheureuse expédition, l'avait emmené avec lui comme otage, confiant le gouvernement du monastère à un de ses fidèles, le doyen Adenulf [3]. C'est alors que, profitant de l'absence de l'empereur, Célestin III excommunia le doyen et ses moines [4]. Aussitôt l'empereur protesta et pria le pape de suspendre l'interdit. La tension s'accentuait. Quand Célestin III tenta, un peu plus tard, de négocier une trêve entre l'empereur et Tancrède, par l'entremise de l'abbé de Casamari, il se heurta à un refus catégorique [5]. Henri VI n'était pas homme à se lier les mains ; ce qu'il voulait c'était prendre possession de la Sicile.

LE CONCORDAT SICILIEN (GRAVINA, JUIN 1192) Le pape resserra alors ses liens avec Tancrède qui, pendant ce temps, avait gagné en autorité. En mai 1192, il reconnut officiellement ses droits et lui inféoda le royaume [6], non sans avoir obtenu pour l'église sicilienne de nouvelles concessions.

A Gravina, en juillet 1192, les cardinaux Albinus, évêque d'Albano, et Grégoire, du titre de Sainte-Marie-in-Aquiro, conclurent avec Tancrède un concordat qui réduisit sensiblement les privilèges de la couronne. La liberté des élections épiscopales n'avait plus que le pape pour arbitre, le roi ne gardant qu'un droit de veto limité ; le droit d'appel était reconnu à tous les évêques du royaume et tous les cinq ans, le pape pouvait y

---

de MOREAU, *Albert de Louvain, prince-évêque de Liége*, Bruxelles, 1946, *Coll. Saints de nos provinces*, p. 66-86, et *Dict. d'hist. et de géogr. eccl.*, t. I, c. 1530-1531.

(1) A. HAUCK, *op. cit.*, t. IV, p. 693, n. 6, est le seul à rejeter cette accusation.

(2) GISLEBERT DE MONS, *Chronicon Hanoniense*, dans M. G. H.,*SS.*,t. XXI, p. 582 et A. HAUCK, *op. cit.*, t. IV, p. 694.

(3) *Annales Casinenses*, M. G. H., *SS.*, t. XIX, p. 315, col. 1 et 2.

(4) HUILLARD-BRÉHOLLES, *Rouleaux de Cluny*, n° VIII, dans *Notices et extraits*, t. XXI, 2e part., p. 328.

(5) *Ibid.*, n° IX, 329, Henri VI répond « qu'il ne veut à aucun prix entendre parler de la trêve », mais propose une rencontre entre ambassadeurs à Viterbe ou Orvieto où l'on pourrait discuter « plus aisément qu'à Rome ». On ne sait rien de cette entrevue.

(6) *Ibid.*, n° X, p. 330 et suiv. Cf. P. KEHR, *Die Belehnungen der süditalienischen Normannen Fürsten durch die Päpste (1059-1192)*, *loc. cit.*, p. 51. Le serment fut prêté à Alba sur le lac Fucin.

envoyer librement un légat [1]. Enfin Célestin III obtint de Tancrède qu'il lui remît sa prisonnière l'impératrice Constance, gage qui pouvait être de poids dans les prochaines négociations avec Henri VI. Mais les cardinaux qui ramenèrent Constance à la cour pontificale rencontrèrent en chemin l'escorte allemande de l'abbé Roffroi que son séjour à la cour de Henri VI avait fait passer dans le camp impérial et qui allait reprendre possession de son abbaye. Que se passa-t-il exactement au cours de cette entrevue ? On l'ignore. En tout cas, Constance refusa de se rendre à Rome ; par Tivoli, elle passa dans le duché de Spolète et, de là, regagna l'Allemagne. Elle esquivait le rôle, caution ou truchement, que le pape lui réservait [2].

La situation de Célestin III, à ce moment, n'était pas brillante : Constance se dérobait, Henri VI faisait payer au pape l'investiture de Tancrède en lui coupant l'accès de Rome où Carushomo était d'ailleurs le maître et d'où il rançonnait l'État pontifical. Cette situation explique le peu de zèle qu'il déploya pour la libération du roi Richard.

LIBÉRATION DU ROI RICHARD   On sait comment celui-ci avait été fait prisonnier au retour de la croisade, le 21 décembre 1192, par le duc Léopold d'Autriche, avide de venger l'injure faite à sa bannière par le roi anglais, au siège d'Acre. En tant que pèlerin et croisé, Richard avait droit à la protection pontificale. Sa capture souleva un grand scandale. Pourtant le pape s'abstint de toute intervention auprès de l'empereur, malgré les lettres pressantes que lui adressa Pierre de Blois de la part de la reine-mère Aliénor d'Angleterre [3]. Célestin III se contenta d'excommunier Léopold et de frapper son duché d'interdit au cas où l'emprisonnement de Richard se prolongerait [4]. En réalité, il appliquait strictement le droit canonique. La prudence lui commandait de ne pas faire davantage. Une guerre ouverte avec Henri VI n'aurait servi de rien. A des mesures de coercition personnelle il pouvait craindre que l'empereur ne répondît en livrant Richard à Philippe Auguste, ce qui n'eût pas manqué de faire passer le roi de France dans le camp de ses ennemis [5].

TENSION AVEC L'EMPEREUR   Enfin, depuis six mois, les rapports avec
HENRI VI EN SICILE   l'empereur s'étaient sans cesse tendus.
Entre le clergé allemand et la Curie les communications furent coupées et Henri VI en vint lui-même à retenir

(1) HUILLARD-BRÉHOLLES, *Rouleaux de Cluny*, nº XI, dans *Notices et Extraits*, t. XXI, 2ᵉ part., p. 331-334.
(2) F. CHALANDON, *op. cit.*, t. II, p. 467 et suiv. Cf. R. MOLS, art. *Célestin III*, du *Dict. d'hist. et de géogr. ecclés.*, t. XII, 1950, col. 67-68.
(3) *P. L.*, CCVI, 1262-1272. La reine rappelle que le père de Richard avait été l'un des premiers à reconnaître Alexandre III. Elle aurait pu espérer plus de gratitude et laisse planer une menace de vengeance, en cas de schisme futur. (*Ibid.*, 1264 et suiv.)
(4) WATTERICH, *op. cit.*, t. II, p. 738, cf. p. 733. Plus tard Célestin III intervint encore auprès de Léopold et lui imposa de rendre à Richard sa rançon et ses otages et de se croiser avec ses troupes, s'il voulait être relevé de l'interdit. Léopold mourut à la fin de décembre 1194, absous par l'archevêque de Salzbourg, après avoir promis de donner satisfaction. Ce n'est pas sans peine que son fils le duc Frédéric exécuta sa promesse. Cf. la lettre de Célestin III à l'évêque de Vérone dans *P. L.*, CCVI, 1036 et suiv.
(5) Cf. J. HALLER, *op. cit.*, p. 584 et suiv.

prisonnier un légat pontifical, le cardinal Octavien d'Ostie. Pendant deux ans, de la fin de l'année 1192 jusqu'au mois d'avril 1195, on peut dire que la rupture des relations a été complète [1].

La mort de Tancrède, le 20 février 1194, ôta à Célestin III le dernier atout qui lui restait. La couronne revenait à un enfant, le jeune Guillaume III. Rien ne pouvait plus empêcher Henri VI de s'emparer de l'héritage sicilien.

Célestin III revit passer les armées de Henri VI sous les murs de Rome qui, cette fois, lui avait fermé ses portes. Sans s'y attarder, l'empereur se rendit maître en peu de temps de tout le royaume, conquit successivement Naples et Palerme, la Pouille et la Calabre ; il battit l'armée sicilienne près de Catane et entra à Salerne en vainqueur le 20 novembre 1194 pour s'y faire couronner solennellement à la Noël. Une fois maître de l'héritage sicilien, il se garda bien d'en réclamer l'investiture ou même de prêter le serment de fidélité qui avait jusqu'alors obligé la dynastie dont il prenait la suite. Il prit même des mesures pour limiter les interventions du pape dans la question des diocèses siciliens [2]. Décidément, Henri VI renouait toutes les traditions de la couronne normande. Il en adopta aussitôt la politique orientale.

CÉLESTIN III ET LA POLITIQUE ORIENTALE DE HENRI VI — Reprendre la lutte contre l'Empire byzantin, mettre fin à ses ingérences en Italie, le punir de son alliance avec les infidèles en prenant l'initiative d'une nouvelle croisade, le contraindre à s'y associer, reconstituer à ses dépens la monarchie universelle, telles étaient alors les ambitions de Henri VI. Déjà l'encerclement de Byzance se dessinait. C'est le moment où le roi d'Arménie [3] et le nouveau roi latin de Chypre, Amauri de Lusignan, reconnaissent la suzeraineté de l'empereur germanique. Sans tarder, à Palerme, celui-ci fiance à son frère Philippe la princesse Irène, fille du basileus Isaac, veuve du duc Roger, et s'ouvre à elle de ses prétentions à supplanter Byzance [4].

N'ayant pu sauver la Sicile, il est naturel que Célestin III ait voulu contrecarrer ces desseins. Du moins réussit-il à faire renoncer l'empereur à son projet d'expédition immédiate [5]. L'ultimatum que Henri VI fit parvenir à Isaac l'Ange offrit la paix au lieu de la guerre et se borna à demander l'appoint de la flotte byzantine pour la prochaine croisade. Quand Isaac eut été détrôné par son frère Alexis, l'usurpateur se rapprocha plus étroitement encore de Célestin III qui lui conserva son appui. En échange de ses efforts de médiation, que les Byzantins étaient peut-être disposés à payer, le pape a-t-il rouvert le problème de l'union des Églises ? Rien

---

(1) A. HAUCK, *op. cit.*, t. IV, p. 696, n. 4.
(2) En son absence, Constance suivit la même politique. Cf. la lettre (3 octobre 1195) où celle-ci proteste contre les ingérences pontificales en la matière, publiée par P. KEHR, dans *Quellen und Forschungen aus italienischen Archiven und Bibliotheken*, t. VIII, 1905, p. 50 et suiv.
(3) Il avait été couronné et sacré par l'archevêque de Mayence, Conrad, que Célestin III avait désigné comme légat du Saint-Siège pour la croisade allemande. Cf. *P. L.*, CCVII, 430 (note 86).
(4) *Annales Marbacenses*, M. G. H., SS., t. XVII, p. 166.
(5) W. NORDEN, *op. cit.*, p. 124, n. 2 et 3. Cf. TŒCHE, *op. cit.*, p. 380.

ne le prouve et il ne reçut en tous cas que des promesses verbales[1]. Pour tous, l'ambition de Henri VI faisait passer la question au second plan. Quand le roi de Chypre, Amauri, envoya des messagers à la Curie, au cours de l'année 1195, en vue d'introduire la hiérarchie catholique dans l'île, jusque-là byzantine, Célestin III, tout en se réjouissant de cette extension de la catholicité, n'en fit pas moins des réserves sur la légitimité de l'inféodation à l'Empire[2].

CÉLESTIN III ET LA CROISADE IMPÉRIALE — On observe de sa part la même attitude réticente à l'égard de la croisade entreprise par Henri VI. Celle-ci n'était pour l'empereur qu'un moyen de s'imposer en Orient et de neutraliser l'opposition pontificale. Célestin III ne pouvait s'y tromper. Ce n'est pas qu'il n'eût pensé lui-même à reprendre la lutte contre l'Islam. La mort de Saladin, en 1193, et la division de son empire avaient fait renaître quelque espoir de rétablir la situation au Levant. Célestin III s'était adressé au clergé d'Angleterre pour demander de nouveaux secours pour la Terre Sainte et proposer à l'activité belliqueuse des Anglais, qui se dissipait dans les tournois, cette occasion de faire leurs preuves de valeur physique et morale[3]. En Espagne, la situation avait empiré et la grave défaite d'Alarcos (5 avril 1195) rendait nécessaire un nouvel effort : il s'emploiera bientôt à le stimuler par l'entremise de son neveu, le cardinal légat Grégoire de Saint-Ange[4]. Cependant quand l'empereur s'ouvrit de ses projets, il montra peu d'empressement. Il ne tenait pas à le voir assumer ce rôle, encore moins à entériner le fait accompli. Or Henri VI n'avait pas attendu l'approbation pontificale pour se faire croiser par l'évêque de Sutri ; le jour de Pâques (2 avril 1195), il avait fait vœu d'envoyer, au printemps suivant, une forte armée en Terre Sainte ; il avait déjà annoncé la croisade dans toute l'Allemagne[5]. Mais circonvenu par les cardinaux auxquels Henri VI s'était adressé directement, convaincu par la bonne foi de l'évêque de Passau, Wolfger, venu en messager à la Curie, Célestin III finit par accepter d'envoyer ses légats continuer les pourparlers à la cour impériale. Sa lettre du 27 avril 1195, bien qu'elle mît fin à une longue rupture, reste méfiante[6]. Il attendra plusieurs mois avant de publier son propre appel à la croisade et la fera prêcher, en même temps qu'en Allemagne, en Angleterre, en Bohême, en Danemark, en Pologne et en Espagne, avec le visible souci d'éviter que la croisade ne fût purement allemande[7].

---

(1) *Lettre d'Innocent III à Alexis* (*P. L.*, CCXIV, 1123).
(2) Cf. *P. L.*, CCVI, 1148. W. NORDEN, *op. cit.*, p. 130 et suiv.
(3) *P. L.*, CCVI, 973 (janvier 1193), 1107 (juillet 1195), 1135 (janvier 1196).
(4) P. KEHR, *Das Papsttum und die Königreiche Navarra und Aragon bis zur Mitte des 12. Jhdts*, dans *Abhandl. der preuss. Akad. der Wissensch., Phil.-hist. Kl.*, n° 4, Berlin, 1928, p. 52.
(5) M. G. H., *LL.*, IV (*CC.*), t. I, p. 514.
(6) WATTERICH, *op. cit.*, t. II, p. 741.
(7) MANSI, t. XXII, col. 610 ; *Neues Archiv*, t. VI, p. 369 ; P. RIANT, *Expéditions et pèlerinages des Scandinaves en Terre Sainte au temps des croisades*, Paris, 1865, p. 279 et suiv. ; J. CARO, *op. cit.*, p. 48. *Lettre de Célestin III à l'archevêque de Cantorbéry* (25 juillet 1195), dans *P. L.*, CCV, 1107 et suiv., et 12 janvier 1196, *ibid.*, 1135 et suiv.

CÉLESTIN III ET L'HÉRÉDITÉ DE LA COURONNE IMPÉRIALE

Quant aux véritables intentions de Henri VI, elles devinrent évidentes quand on le vit s'abstenir personnellement de l'expédition, employer les troupes croisées venues d'Allemagne à mater les mécontents d'Italie déjà prêts à se soulever[1], mettre la main sur les fiefs mathildiques et les distribuer à ses *ministeriales* ou à de proches parents. Son frère, le remuant Philippe de Hohenstaufen, avec le titre de duc de Toscane et de Campanie, enserrait étroitement l'État pontifical, poussant ses incursions jusque dans les faubourgs de Rome [2]. Enfin, depuis un an, l'empereur avait un fils, le futur Frédéric II. Pour réunir sur la tête de l'enfant la double couronne, germanique et sicilienne, pour assurer l'hérédité de l'Empire dans sa maison, Henri VI, tout en estimant ne pouvoir se passer de l'assentiment du pape, ne songeait qu'à l'intimider.

Aussi bien Célestin III se montra-t-il fort circonspect quand l'empereur fit de nouvelles avances au printemps de 1196. Il venait d'apprendre que les princes, après avoir quelque temps regimbé, avaient fini par consentir au couronnement de Frédéric comme roi des Romains et à l'hérédité de la couronne impériale [3]. Un seul, l'archevêque de Cologne, Adolphe, avait obstinément refusé de se rallier, mais justement, on ne pouvait se passer de lui : antique privilège et tradition voulaient qu'il couronnât le roi élu à Aix-la-Chapelle [4]. Son refus obligeait Henri VI à recourir au pape. Mais Célestin III pouvait-il voir d'un bon œil s'instaurer l'Empire héréditaire ? L'accepter c'était pour lui se priver des moyens d'action dont il pouvait toujours user en Allemagne tant que l'Empire resterait électif, c'était renoncer par avance aux liens de vassalité qui unissaient la Sicile au Saint-Siège et que Henri VI se gardait bien de reconnaître [5].

LES NÉGOCIATIONS DE 1196 [6]

Mais il ne pouvait se dérober aux négociations. Au début de mai, il envoie à la cour un légat, le cardinal Pierre Diani, pour y traiter de questions générales touchant à « l'accroissement de l'Église universelle et du Saint-Empire » ; des lettres sont échangées au sujet de la croisade et de la lutte contre les hérétiques [7]. Il semble qu'un accord allait être conclu lorsque, à la fin de juin, au moment où l'empereur repartait pour l'Italie, Célestin III lui adresse une lettre pleine de reproches qui ne laissent pas d'illusions sur l'état des relations mutuelles à ce moment. Le pape se plaint de la captivité que subissent plusieurs évêques siciliens, entre autres

(1) WATTERICH, *op. cit.*, t. II, p. 756 et suiv.
(2) Il fut même excommunié comme l'a prouvé J. FICKER, *Forschungen zur Reichs und Rechtsgeschichte Italiens*, t. II, p. 313 ; TH. TŒCHE, *Kaiser Heinrich VI*, p. 434, n. 3. Cf. Innocent III, *Registrum de negotio imperii*, Epist. 29 et 33, dans *P. L.*, CCXVI, 1027-1032.
(3) Cf. E. PERELS, *Der Erbreichsplan Heinrichs VI*, 1927.
(4) J. HALLER, *op. cit.*, p. 606 et suiv.
(5) On ignore la date du refus formel qui fut opposé par Henri VI, selon Innocent III, *Registrum de negotio romani imperii*. (*P. L.*, CCXVI, 1026.)
(6) Excellente mise au point dans E. JORDAN, *L'Allemagne et l'Italie aux XIIe et XIIIe siècles. Histoire générale* publiée sous la direction de G. GLOTZ, *Histoire du moyen âge*, t. IV, 1re p., p. 162 et suiv.)
(7) HUILLARD-BRÉHOLLES, *Rouleaux de Cluny*, nos XIII et XIV, dans *Notices et Extraits*, t. XXI, 2e p., p. 335 et suiv., donne les lettres de l'empereur.

l'archevêque de Palerme, de ce que l'archevêque de Siponto ait été empêché de prendre possession de son siège. L'ambassadeur d'Alexis auprès de la cour papale avait été jeté en prison et aveuglé par les agents de l'empereur ; Philippe de Hohenstaufen, violant l'État pontifical, s'était emparé de Vetralla. L'insolence de la réponse [1] donne la mesure de la patience de Célestin III : les négociations se poursuivirent. Elles durèrent tout l'automne, mais se firent par intermédiaires et à distance suffisante de Rome.

Le détail des débats échappe à l'historien. Nous n'en connaissons rien que par les réflexions faites après coup, et qui sont l'aveu d'un échec. Cependant les sources disent clairement que l'empereur était venu demander l'onction royale pour son fils et — peut-être pour créer un précédent significatif — voulait que lui fût conféré en même temps le baptême [2], peut-être aussi la couronne de Sicile. En échange, que proposa-t-il au pape ? On l'ignore au juste. Dans une lettre adressée à Célestin III et dont la date reste incertaine, Henri VI se vante de lui avoir offert ce qu'aucun empereur avant lui n'avait offert à aucun pape [3]. Ce ne pouvait être, comme on l'a soutenu, la vassalité de l'Empire à l'égard du Saint-Siège [4]. C'eût été beaucoup. Ce ne pouvait être non plus la renonciation aux droits de régale et de dépouille [5]. C'eût été bien peu. Selon Giraud le Cambrien [6], Henri VI aurait invité le pape à renoncer au patrimoine de l'Église, déjà perdu en fait, et à accepter en compensation une partie des revenus de toutes les églises métropolitaines d'Allemagne à raison d'un canonicat par église, les cardinaux, les chapelains et les clercs de la chapelle papale devant recevoir de chaque évêché des prébendes annuelles et proportionnelles à leur rang. Un concile général aurait étendu le même système à toute la Chrétienté [7]. C'était, en plus substantiel, ce qu'avait déjà proposé Frédéric Barberousse à Lucius III [8]. Etait-ce là ce que Henri VI faisait valoir comme une offre exceptionnelle ? Ce qui est

(1) C'est par elle que l'on connaît les griefs de Célestin III. Cf. HUILLARD-BRÉHOLLES, *Rouleaux de Cluny*, nº XV. (*Ibid.*, p. 337 et suiv.)

(2) Innocent III, *Registrum de negotio romani imperii*, *loc. cit.*, déclare sans valeur le serment des princes à Würzbourg parce que prêté à un prince non encore baptisé.

(3) HUILLARD-BRÉHOLLES, *Rouleaux de Cluny*, nº XVI. (*Ibid.*, p. 339.) La lettre est datée *Capuae XV, Kal Dec.*, c'est-à-dire du 17 novembre. Mais, à cette date, l'empereur était encore aux environs de Rome. Cf. les différentes hypothèses émises pour expliquer cette anomalie dans V. PFAFF, *art. cit.*, *op. cit.*, p. 56-60 et J. HALLER, *op. cit.*, p. 624 et suiv. ; M.Ch.-E. PERRIN, *Les négociations de 1196 entre l'empereur Henri VI et le pape Célestin III* (*Mélanges Halphen*, Paris, 1951), p. 564-572, adopte la date du 18 décembre retenue par PFAFF (cité *ibid.*, p. 566, n. 3).

(4) E. JORDAN, *Henri VI a-t-il offert à Célestin III de lui faire hommage pour l'Empire ?* dans *Mélanges d'histoire du moyen âge offerts à M. Ferdinand Lot*, Paris, 1925, p. 285-306, a réfuté sur ce point J. HALLER, *op. cit.*, p. 647-659, et montré que le texte sur lequel s'appuie cette hypothèse (cf. *Registrum de negotio romani imperii* d'Innocent III dans *P. L.*, CCXVI, 1025) ne désigne en réalité qu'une innovation dans le rituel du couronnement. Cf. *supra*, p. 217. Mêmes conclusions dans PFAFF, *op. cit.*, cf. CH.-E. PERRIN, *op. cit.*, p. 567-568.

(5) J. CARO, *op. cit.*, p. 43.

(6) *Speculum ecclesiae*, IV, dans M. G. H., SS., t. XXVII, p. 419-420.

(7) Avec J. HALLER (*op. cit.*, p. 641 et suiv.) et V. PFAFF (*op. cit.*, p. 18 et suiv., 39 et suiv.) ; nous admettons que cette offre a pu être faite. Peut-être ne fut-elle pas la seule, encore que l'importance donnée par l'empereur à ses propositions ne doive pas être prise au mot. (Cf. E. JORDAN, *loc. cit.*, *supra*, p. 212, n. 2.) PERRIN, *op. cit.*, p. 568-572, y voit l'indice de clauses que nous ignorons, « tendant à garantir le patrimoine de Saint-Pierre contre les empiétements des agents... impériaux et même à reconnaître, d'une manière indirecte, les droits de la Papauté sur certains... territoires » qu'ils administraient, telles que, déjà, un serment de sécurité, voire de vassalité, de Markward d'Aweiler pour le duché de Ravenne et la marche d'Ancône. (Voir ci-après, p. 225.)

(8) Voir *supra*, p. 191.

sûr, c'est que le pape fît répondre qu'il ne pouvait être question de faire la paix sur cette base. La crainte de perdre toute indépendance l'emporta sur l'attrait des revenus fixes et réguliers dont la Curie avait pourtant le plus grand besoin, et dont l'un des négociateurs, le camérier Cencius, travaillait vers le même temps à dresser l'inventaire. De cette indépendance, sans doute Célestin III préféra-t-il à tout autre des gages territoriaux.

Les nouvelles qui lui arrivaient d'Allemagne l'encourageaient à ne pas faiblir. Son légat, le cardinal Fidentius, du titre de Saint-Marcel, s'y trouvait au moment où les princes de Saxe et de Thuringe, réunis à Erfurt, dénonçaient leurs engagements antérieurs, se déclaraient ouvertement contre le projet d'Empire héréditaire et faisaient mine de se passer des ordres impériaux pour aller à la croisade. Il se déroba donc, en demandant un délai jusqu'à l'Épiphanie ; Henri VI dut se contenter de faire procéder à l'élection de son fils qui eut lieu à Francfort, le 25 décembre 1196, « conformément aux anciennes coutumes », et cette fois l'archevêque de Cologne finit par lui prêter serment [1]. De Tarente, le 10 février 1197, Henri VI écrivit encore au pape au sujet des églises siciliennes. Cette lettre resta probablement sans réponse [2]. Elle fut suivie de l'arrivée des cardinaux auprès de Henri VI, mais les garanties qu'ils venaient demander furent refusées [3]. Au début de mars, nouvelle ambassade impériale dont les résultats nous sont inconnus.

De part et d'autre on semblait répugner à prendre l'initiative d'une rupture quand éclata soudain la grande révolte sicilienne. Que l'on n'ait pas manqué, dans l'entourage impérial, d'accuser le pape de complicité [4], montre bien où en étaient les choses. Les relations furent interrompues pendant toute la durée de la répression qui, comme on sait, fut féroce. Mais le 6 août 1197, Henri VI tombait malade pour ne plus se relever.

TESTAMENT DE HENRI VI   Le testament qu'il rédigea avant de mourir, et dont nous n'avons qu'un fragment [5], signe son échec et porte la marque de son inquiétude. Tout y est sacrifié à l'avenir de son fils. Il rend à l'Église la Sicile comme fief. Constance et le jeune Frédéric devront prêter serment au pape auquel la Sicile reviendra, en l'absence d'héritier légitime. Le pape devra recouvrer tout l'État pontifical, d'Aquapendente à Ceprano. Sa suzeraineté devra être reconnue à Ancône et à Ravenne par Markward d'Anweiler dont les terres lui

---

(1) A. Hauck, *op. cit.*, p. 703, p. 704, n. 2 et 3.
(2) Lettre datée de Tarente, 10 février. Huillard-Bréholles (*Rouleaux de Cluny*, n° XII, *loc. cit.*, p. 334) donne la date de 1195, mais nous nous rangeons aux arguments de J. Haller (*op. cit.*, p. 592, n. 1) et de V. Pfaff (*loc. cit.*, p. 60 et suiv.) qui la reportent à l'année 1197.
(3) Huillard-Bréholles, *Rouleaux de Cluny*, n° XVII (*loc. cit.*, p. 340 et suiv.). Ce que demandait exactement le pape n'est pas dit, mais contrevenait à l'intérêt et à l'honneur de l'Empire. (*Non ... expediens et decens esset.*)
(4) L'auteur des *Annales de Marbach*, chapelain de Henri VI, se fait l'écho des bruits qui couraient : *consciis, ut fertur, Lombardis et Romanis, ipso etiam, si fas est credi, apostolico Celestino.* Cf. *Annales Marbacenses* (M. G. H., SS., t. XVII, p. 167 et édit. Bloch (1907), p. 69), unique et bien faible témoignage sur lequel s'appuient A. Hauck, *op. cit.*, t. IV, p. 707 et J. Haller, *op. cit.*, p. 665 et suiv., le premier pour affirmer, le second pour simplement admettre la complicité du pape, mis hors de cause par K. Wenck, *op. cit.*, p. 451.
(5) Publié dans M. G. H., SS., I.L., IIb, p. 485.

reviendront au cas où Markward mourrait sans héritier. Toujours sous le coup de l'interdit qu'il avait encouru à la suite de l'emprisonnement de Richard Cœur de Lion, il songea sans doute à rentrer en grâce quand il envoya l'évêque de Bath offrir au roi Richard, en dédommagement, la restitution d'une partie de sa rançon. C'était à l'égard du pape reconnaître sa faute contre le roi-pèlerin [1]. Il n'aurait peut-être pas osé faire ce que fera son successeur, aller à la croisade malgré la censure papale. Il mourut à Messine, le 26 septembre. Son corps attendit le printemps suivant qu'Innocent III eût levé l'interdit qui l'avait frappé, pour être enterré dans la cathédrale de Palerme où, dans un sarcophage de porphyre, il repose encore. Mourant, il avait compris que seul l'appui de la papauté pourrait conserver à son fils l'Empire et la Sicile.

CÉLESTIN III TENTE DE DÉSIGNER SON SUCCESSEUR La mort de Henri VI faisait du pape le tuteur de l'Empire dont les destinées reposaient sur la tête d'un enfant de trois ans. Pratiquement la papauté allait disposer de la couronne impériale. Devant cette perspective inespérée, il n'est pas étonnant que Célestin III, âgé et déjà malade, ait désiré soustraire la tiare aux incertitudes d'une élection et renforcer par la cooptation la continuité de la politique pontificale. Si l'on en croit Roger de Hoveden [2], il réunit les cardinaux dans la nuit de Noël 1197 en vue de désigner son successeur et leur offrit de se démettre s'ils s'accordaient sur le nom du cardinal Jean de Saint-Paul [3]. Moitié par répugnance à innover, moitié par ambition, les cardinaux auraient refusé d'élire leur émule à cette condition. Ce qu'il faut du moins retenir, c'est le rôle de ce personnage. Dès le milieu de l'année 1197, il semble avoir joui de toute la confiance de Célestin III et sans doute est-ce à lui plus qu'au futur Innocent III, comme on l'a cru, qu'il faut attribuer le redressement de la politique pontificale en Italie pendant les derniers mois du pontificat [4].

LA LIGUE TOSCANE Dès le mois de mars 1197, le cardinal Pandulphe avait travaillé à apaiser les conflits qui divisaient les villes toscanes et à les unir contre le « tyran de Germanie ». Aussitôt après la mort de Henri VI, le cardinal Bernard, du titre de Saint-Pierre-aux-liens, le rejoignit à Florence où, le 11 novembre, une ligue fut instituée sous ses auspices. Lucques, Florence, Sienne, San Miniato, Prato, Volterra adhérèrent les premières. Arezzo suivit bientôt, mais Pistoia s'abstint. Les consuls de Sienne avaient auparavant traité avec la Curie pour se faire délier de leur serment de fidélité à l'Empire. Pise, sans

(1) J. CARO, *op. cit.*, p. 53.
(2) M. G. H., *SS.*, t. XXVII, p. 176.
(3) C'est son nom tiré du fait qu'il avait été bénédictin de Saint-Paul-hors-les-murs et non son titre. Il avait été fait cardinal du titre de Santa-Prisca par Célestin III en 1193. Etait-ce un Colonna dont la famille était en pleine ascension ? C'est affirmé par une source du XVIᵉ siècle B. ALTANER, *Zur Biographie des Kardinals Johannes von St-Paul (1214-1215)*, dans *Historisches Jahrbuch*, t. XLIX, 1929, p. 304-306, l'identifie avec un écrivain du même nom, médicologue de l'école de Salerne.
(4) K. WENCK, *op. cit.*, p. 456-463.

laquelle la ligue restait privée de débouché sur la mer, voulait garder les mains libres : les légats la frappèrent d'interdit, d'ailleurs sans résultat. Comme la ligue lombarde, la ligue toscane était administrée par des recteurs. L'influence des évêques y était aussi grande : celui de Volterra, Hildebrand, avec le titre de prieur ou de capitaine, en était la tête. Les recteurs et la Curie se promettaient mutuel appui. Ils s'engageaient à ne reconnaître aucun maître, à ne conclure aucune alliance sans l'approbation du Saint-Siège. Les décisions ne seraient prises qu'à la majorité des voix [1]. Mais il fallait que cette majorité comprît les membres principaux, ce qui revenait à introduire dans les votes fédéraux la notion de la *sanior pars* et, en fait, à reconnaître la prépondérance des villes sur les seigneurs, nombreux dans la ligue.

Une lettre du 23 décembre [2], adressée au nom de Célestin III par la Curie à l'évêque et au peuple d'Ascoli, promettait, dès que la santé du pape le permettrait, de leur procurer à eux et à leurs alliés un traité de paix perpétuelle. La ratification du traité devait avoir lieu le 1er janvier. Quand Célestin III mourut le 8, il semble que rien n'était encore terminé.

Que le mérite de cette politique revienne à Célestin III ou au cardinal de Saint-Paul, il est certain qu'elle fait contraste avec celle que suivra bientôt Innocent III. N'usant, comme Alexandre III, que des ressources de la diplomatie, de son autorité morale sur les villes et des armes spirituelles à l'exclusion des autres, Célestin III fait preuve d'une modération que n'auront plus ses successeurs du XIIIe siècle.

---

(1) R. DAVIDSOHN, *Geschichte von Florenz*, t. I, 1896, p. 612 et suiv.
(2) Ignorée de R. DAVIDSOHN, publiée par P. KEHR, *Italia Pontificia*, t. IV, p. 154, n° 2. Cf. K. WENCK, *op. cit.*, p. 463-467.

LIVRE III

LA VIE INTERNE DE L'ÉGLISE DANS LA SECONDE MOITIÉ DU XIIᵉ SIÈCLE

CHAPITRE PREMIER

ROME ET LA CHRÉTIENTÉ A LA FIN
DU XIIᵉ SIÈCLE

L'obsession du danger impérial, qu'il se présente sous forme de revendications théoriques de la suprématie, d'encerclement territorial ou de
tutelle financière, un schisme de dix-huit ans, les péripéties dramatiques
de l'affaire Becket, le réveil victorieux de l'Islam en Orient et finalement
en Espagne, telles ont été les graves vicissitudes de l'Église d'Occident
dans la seconde moitié du xiiᵉ siècle. Au cours de cette période troublée, la papauté n'a pas cessé pour autant d'intervenir dans la vie
interne de l'Église. Elle avait pris l'initiative du troisième concile du
Latran. Elle n'a jamais cessé de légiférer : les décrétales se sont multi-
pliées, sous ces huit pontificats, comme jamais auparavant.

Les églises particulières ont eu leur vie propre, souvent troublée,
elle aussi, par les circonstances politiques et les relations de la papauté
avec les princes : en Angleterre, le départ du roi Richard pour la croisade, en France le divorce de Philippe Auguste. Des conciles provinciaux ont cherché à remédier aux abus, à préciser la discipline ecclésiastique, à faire appliquer les réformes, en suivant l'impulsion romaine.
Certaines d'entre elles eurent à résoudre d'autres problèmes : l'Espagne, face au More agressif, reconstitue ses églises ; les royaumes du
Nord, contre les Slaves, organisent des milices, conquièrent et colo-
nisent sous la bannière des évêques. Aux uns et aux autres, l'appui de
la papauté n'a fait défaut ni dans l'ordre spirituel, ni dans l'organisation
ecclésiastique. La chrétienté romaine devient une réalité. La centralisation
du gouvernement pontifical s'efforce de l'étendre aux régions les plus
lointaines.

§ 1. — Le gouvernement pontifical et les progrès
de la centralisation romaine [1].

*LA SUCCESSION AU TRONE
PONTIFICAL*

Les papes de la fin du xiiᵉ siècle ont un trait
commun qui semble avoir nui à l'attention
qu'on accorde généralement à leur œuvre :
ils sont tous très âgés. Le conseil de saint Bernard à Eugène III a été

---

(1) BIBLIOGRAPHIE. — I. SOURCES. — Les registres des papes du xiiᵉ siècle sont perdus. Mais
ce qui subsiste de leur correspondance est publié dans MIGNE, *P. L.*, CLXXXVIII pour Anastase IV et Adrien IV, CC pour Alexandre III, CCI pour Lucien III, CCII pour Urbain III et
Grégoire VIII, CCIV pour Clément III et CCVI pour Célestin III. Les bulles pontificales antérieures
à 1305 et relatives à tous les aspects du « droit des gens » ont été analysées par G. BALLADORE

suivi à la lettre. Lucius reçut la tiare à l'âge où Alexandre III venait de clore un pontificat de vingt-deux ans : il en avait donc plus de quatre-vingts. Urbain III mort accablé d'ans, après vingt-trois mois de pontificat. Grégoire VIII mourut octogénaire, ainsi que Célestin III qui se vantait volontiers devant ses intimes de ses soixante-cinq ans de ser-

PALLIERI et G. VISMARA, *Acta pontificia uris gentium usque ad annum MCCCIV* (Biblioteca dell'unione cattolica per la scienze soziali, vol. XII), Milan, 1946.

Pour notre période, de nombreuses pièces inédites sont à glaner dans les *Regesta Pontificum romanorum*, publiés par P. KEHR, *Germania pontificia*, 3 t. en 4 vol., Berlin, 1910-1935 ; *Italia pontificia*, 8 vol., Berlin, 1906-1935 ; *Papsturkunden in Spanien*, I, *Katalanien*, II, *Navarra und Aragonen*, et par L. ERDMANN, *Papsturkunden in Portugal*, Berlin, 1926-1928 ; le même travail est encore à souhaiter pour la Castille et le Léon.

En ce qui concerne l'effort principal de centralisation et de mise en ordre des finances pontificales, le texte essentiel est le *Liber censuum de l'Église romaine* publié par P. FABRE et L. DUCHESNE (*Bibliothèque des Écoles françaises d'Athènes et de Rome*, 2e série, t. VI, fasc. 1 à 6), Paris, 1905-1910, avec une remarquable introduction de ce dernier. Parmi les textes réunis par le cardinal Cencius figure un *Ordo romanus* des XI⁰ et XII⁰ siècles, réédité par M. ANDRIEU, voir *infra*.

Aux sources épistolaires et autres mentionnées dans la bibliographie générale, en tête du présent volume, il y a lieu d'ajouter les œuvres suivantes qui, dans l'ordre chronologique, donnent une idée de l'état intérieur de l'Église et des critiques qu'il faisait naître dans cette seconde moitié du XII⁰ siècle : GERHOCH DE REICHERSBERG, *De corrupto Ecclesiae statu*, commentaire du psaume 64, extrait du commentaire sur les psaumes, et que l'auteur dédie spécia lement à Eugène III, dans *P. L.*, CXCIII et dans M. G. H., *Libelli de lite*, t. III. Cf. son *De novitatibus saeculi* : il date de 1156, est envoyé au pape Adrien IV qui ne répond pas. JEAN DE SALISBURY, *Entheticus de dogmate philosophorum*, écrit en 1156 et 1157, dans *P. L.*, XCIX (l'œuvre est, à la fin, un sévère tableau de l'Église d'Angleterre et de ses rapports difficiles avec le roi). Le 7e livre du *Policraticus*, édit. C. J. WEBB, 2 vol., Oxford, 1909, et dans *P. L.*, CXCIX, est un exposé de la réforme qu'il préconise. Le *Verbum abbreviatum* de PIERRE LE CHANTRE, dans *P. L.*, CCV, composé après 1173, est une mine de renseignements ; GIRAUD LE CAMBRIEN, *Speculum Ecclesiae*, édit. BREWER, dans *Rerum Brit. medii aevi*, script., t. XXI, Londres, 1861-1891, vol. IV, p. 3-354, œuvre de ton satirique, mutilée et incomplète, écrite vers 1215 dont les 2e et 3e parties traitent des divers ordres religieux et la 4e de l'Église romaine pour laquelle l'auteur est sans indulgence. La correspondance des principaux écrivains ecclésiastiques du temps serait à citer également. Les renvois utiles seront indiqués au bas des pages suivantes.

II. TRAVAUX. — Sauf l'ouvrage cité *supra*, p. 50, de LANGEN, il n'y a pas de bon ouvrage d'ensemble sur les papes de la deuxième moitié du XII⁰ siècle. Cependant l'étude de K. WENCK, *Die römische Päpste zwischen Alexander III und Innozenz III und der Designationsversuch Weihnachten 1197*, dans *Papsttum und Kaisertum*, Forschungen... P. KEHR dargebracht, hgg. von A. BRACK-MANN, Münich, 1926, contient maintes suggestions intéressantes et neuves, qui ont pour point de départ les *Epistolae cantuarienses* éditées par W. STUBBS dans *Chronicles and memorials of the Reign of Richard I*, t. II, Londres, 1865. Sur les élections pontificales, le livre de R. ZOEPFFEL, *Die Papstwahlen und die mit ihnen im Zusammenhangstehenden Zeremonie von 11-14 Jhdt...* Göttingen, 1871, est toujours utile ; J. von PFLUGK-HARTUNG, *Die Papstwahlen und das Kaisertum (1046-1328)*, Gotha, 1908. Sur l'évolution des notions de *sanior* et de *major pars*, voir N. HILLING, *Der Grundsatz der pars sanior bei der kirchlichen Wahlen*, dans *Festschrift Felix Porsch*, publié par la Görres Gesellschaft : *Veröffentlichungen der Sektion für Rechts und Sozialwissenschaften*, H. 40, Paderborn, 1923, p. 228-234. Sur le pontifical romain, voir S. DE PUNIET, *Le pontifical, romain*, Paris, 1930, et surtout M. ANDRIEU, *Le pontifical romain au moyen âge*, t. I, *Le pontifical romain du XII⁰ siècle* (*Studi e testi*, 86), Città del Vaticano, 1938. Sur le collège des cardinaux, on lira J. B. SAEGMULLER, *Die Tätigkeit und Stellung der Kardinäle bis Papst Bonifaz VIII*, Fribourg-en-Brisgau, 1896, et ses études complémentaires sur le même sujet dans *Theologisches Quartalschrif* (Tübingen), t. LXXX, 1898 ; t. LXXXIII, 1901 ; t. LXXXVIII, 1906 et J. M. BRIXIUS, *Die Mitglieder der Kardinalskollegium um 1130-1181*, Berlin, 1912 ; ainsi que V. MARTIN, *Les cardinaux et la curie*, Paris, 1930 ; sur la chancellerie, J. von PFLUGK-HARTUNG, *Die Bullen der Päpste bis zum Ende des 12. Jhdts*, Gotha, 1901 ; H. BRESSLAU, *Handbuch der Urkundenlehre für Deutschland und Italien*, t. I, Leipzig, 1912 ; N. VALOIS, *Essai sur le rythme des bulles pontificales*, dans *Bibl. de l'École des Chartes*, t. XLII, 1881, p. 161 et suiv., p. 257 et suiv. ; B. KATTER-BACH et W. PEITZ, *Die Unterschriften der Päpste und Kardinäle in der Bullae majores, vom XI bis zum XIV Jhdt.*, dans *Miscellanea Ehrle*, Bd. IV, 1924, p. 177-274. Sur les finances pontificales et les revenus du Saint-Siège, depuis l'étude capitale de P. FABRE, *Étude sur le Liber censuum de l'Église romaine*, Paris, 1892, ont paru F. SCHNEIDER, *Zum älteren päpstlicher Finanzgeschichte*, dans *Quellen und Forschungen aus italien. Archiv. und Bibliotheken*, t. IX, 1906, p. 1-37, K. JORDAN, *Zur päpstlichen Finanzgeschichte im 11 und 12 Jhdt.*, ibid., t. XXV, 1933-1934, p. 61-104, et W. LUNT, *Financial relations of the Papacy with England to 1327* (*Studies in anglo-papal relations during the middle ages*, I), Cambridge, 1939, *supra*, p. 174, n. 8. Sur le personnel de la chambre, mal connu, la carrière du cardinal Boson a fourni l'occasion de préciser plus d'un point à F. GEISTHARDT, *Der Kämmerer Boso* (*Histor. Studien*, Heft 293), Berlin, 1936. Sur les origines de la pénitencerie et l'octroi d'indulgences par les papes du XII⁰ siècle,

vice dans le diaconat avant de monter sur le trône de saint Pierre [1]. Clément III, plus jeune, souffrait d'une cruelle maladie d'estomac et n'avait guère plus de résistance : à peine élu, on escomptait déjà sa mort qui eut lieu trois mois plus tard [2]. Ce gouvernement de vieillards eut, au dehors, peu d'éclat, ce n'est pas étonnant. Mais s'il n'y a plus, pendant cette période courte et agitée, comprise entre la mort d'Alexandre III et l'avénement d'Innocent III, ce qu'on appelle un grand pontificat, on demeure néanmoins frappé de la continuité des progrès du gouvernement ecclésiastique, preuve que l'organisme avait atteint une certaine maturité et que ses membres avaient en commun avec leur chef une haute et claire conscience des buts à atteindre. Si le problème de la succession se posa souvent, il fut, chaque fois, résolu sans difficulté par la simple application des dispositions d'Alexandre III.

Le décret du Latran *licet de vitanda* [3] avait réglé définitivement le mode des élections pontificales. A l'unanimité requise jusque-là, il substitue la majorité des deux tiers des voix : au moins en ce qui concerne le chef de l'Église, il consacre donc la primauté de la *major* sur la *sanior pars*. Il n'est plus question de recourir au pouvoir impérial dont l'arbitrage n'est plus nécessaire, ni de l'intervention du clergé et du peuple, de pure forme depuis longtemps. Il ne fait plus aucune distinction entre les cardinaux. Autant que son contenu, ses silences prirent une importance décisive. En fait, il procura au Siège romain une continuité et une autonomie indiscutées jusqu'au XIVe siècle.

En même temps que la règle canonique trouvait sa forme définitive, la tradition était recueillie et les usages se précisaient qui en complétaient l'application dans la procédure et le cérémonial. Les *ordines romani*, mis en ordre et rédigés par les camériers de Lucius III et de Clément III, Albinus et Cencius, sont une source à ne pas négliger [4]. On y voit, du reste,

voir E. GOELLER, *Die päpstliche Penitentiaria von ihrer Ursprung biz zur ihrer Umgestaltung unter Pius V*, t. I, *bis Eugen IV*, t. II, *bis Pius V*, Rome, 1907-1911 ; N. PAULUS, *Geschichte des Ablasses im Mittelalter*, t. I, Paderborn, 1922, et A. GOTTLOB, *Kreuzablass und Almosenablass*, Stuttgart, 1908. Sur la procédure des canonisations on trouvera toute la bibliographie dans la thèse de Raymonde FOREVILLE, *Le livre de Saint Gilbert de Sempringham*, Paris, 1943, p. XXII-XXXV, qui suit S. KUTTNER, *La réserve papale du droit de canonisation*, dans *Revue historique du droit français et étranger*, t. XVII, 1938, 4e série, p. 172-228. Sur les pratiques nouvelles en matière de bénéfices ou de privilèges, H. BAIER, *Päpstlichen Provisionen für niederer Pfründen bis zum Jahre 1304*, Diss., Münster, 1911, G. J. EBERS, *Das Devolutionsrecht vornehmlich nach katholischem Kirchenrecht (Kirchenrechtliche Abhandl.* hrg. von U. STUTZ, vol. 37 et 38), Stuttgart, 1906 et dans la même collection les vol. 65 et 68 de G. SCHREIBER, *Kurie und Kloster im XII Jahrhundert... von Paschalis II bis auf Lucius III*, Stuttgart, 1910. Sur les légats, l'ouvrage capital est celui de K. RUESS, *Die rechtliche Stellung der päpstlichen Legaten bis Bonifaz VIII (Görres Gesellschaft... Sektion für Rechts und Sozial Wissenschaften*, Heft 13), Paderborn, 1912. Mais de nombreuses monographies ont paru depuis sur les légats et les légations de cette période : V. BACHMANN, *Die päpstlichen Legaten in Deutschland und Skandinavien*, Berlin, 1913 ; W. OHNSORGE, *Die Legaten Alexanders III im ersten Jahrzehnt seines Pontifikats (1159-1181)*, *Hist. Studien*, Heft 188, Berlin, 1929 ; I. FRIEDLAENDER, *Die päpstlichen Legaten im Deutschland und Italien am Ende des XII Jahrhunderts (1181-1198)*, *Hist. Studien*, Heft 177, Berlin, 1928 ; G. SAEBEKOW, *Die päpstlichen Legationen nach Spanien und Portugal bis zum Ausgang des XII. Jhdt.*, Berlin, 1931 ; G. DUNKEN, *Die politische Wirksamkeit der päpstlichen Legaten in der Zeit des Kampfes zwischen Kaisertum und Papsttum in Oberitalien unter Friedrich I*, *Hist. Studien*, Heft 209, Berlin, 1931, et enfin sur la notion de chrétienté à l'époque d'Alexandre III, de bonnes pages dans J. RUPP, *L'idée de chrétienté dans la pensée pontificale des origines à Innocent III*, Paris, 1939.

(1) PIERRE DE BLOIS, *Epist.* 123, dans *P. L.*, CCVII, 366 et suiv.
(2) K. WENCK, *loc. cit.*, p. 435.
(3) Cf. *supra*, p. 162.
(4) Chose curieuse, l'*ordo* d'Albinus, vers 1188, parle seulement de la *major pars*, tandis que

que la papauté du XIIᵉ siècle avait conservé, par bien des traits, son caractère antique et patriarcal. C'est ainsi que le « seigneur pape, dans toutes les processions où il va à pied », sauf le jour de l'exaltation de de la Croix, chemine encore pieds nus, lui et les cardinaux. Le jour de Pâques, entouré de cinq cardinaux diacres, de cinq cardinaux prêtres et du primicier, il fait un repas à l'antique, les convives allongés sur des lits, à l'imitation de Jésus et de ses apôtres [1]. Le pape assiste encore personnellement aux mascarades et autres fêtes burlesques dont les clercs romains étaient friands, bien qu'un souffle d'austérité en ait réduit le nombre depuis Grégoire VII [2].

Selon ces mêmes *ordines*, la réunion préparatoire à l'élection d'un pape devait commencer au Latran le troisième jour suivant la mort de son prédécesseur. En fait, mis à part le cas d'Alexandre III, le délai a été respecté au cours des huit élections qui s'échelonnèrent de 1154 à 1198. Des cinq élections postérieures au décret de 1179, trois ont eu lieu hors de Rome, mais aucune n'a pris plus de quarante-huit heures. Un changement significatif s'est produit. C'est aussitôt élu que le pape dut être intronisé par les cardinaux sur son siège épiscopal et ce n'est qu'ensuite qu'il prit place sur la fameuse *sedes slercoraria* pour y recevoir l'acclamation du peuple. Peu d'années auparavant, l'usage ancien subsistait : l'acclamation précédait l'intronisation [3]. La consécration et le couronnement devaient avoir lieu le premier dimanche suivant l'élection, l'épître et l'évangile y étaient lus en grec et en latin comme le jour de Pâques [4]. C'était le cardinal évêque d'Ostie qui présidait au sacre avec les autres cardinaux évêques ; à son défaut, l'archiprêtre d'Ostie ou celui de Velletri devait y participer.

Ni le décret de 1179, ni ces *ordines* ne posent de conditions d'éligibilité au souverain pontificat et, en principe, tous sont admis à recevoir la plus haute charge de l'Église. Mais, en fait, la cooptation se resserre et l'habitude s'est prise de ne plus choisir les papes que parmi les cardinaux. Des huit papes élus dans la seconde moitié du XIIᵉ siècle, quatre avaient été cardinaux évêques, trois cardinaux prêtres et un cardinal diacre. Leur diversité d'origine ne doit pas nous échapper pour autant. Si la plupart étaient nés en Italie, trois seulement étaient Romains et il y avait eu un Anglais. Si l'on examine l'ordre de leur succession, on croit pouvoir discerner une certaine alternance. Au moins jusqu'à l'avénement de Clément III, deux tendances semblent se faire équilibre parmi les cardinaux qui choisissent tour à tour des séculiers et des réguliers. Adrien IV

celui de Cencius (1192) dit encore : *in quem major et melior pars convenerit cardinalium.* P. FABRE et L. DUCHESNE, *Le Liber censuum de l'Église romaine,* t. I, p. 311 et t. II, p. 123. On suit une évolution plus nette des formules dans le texte des serments successivement prêtés en 1188 à Clément III, en 1192 à Célestin III par Guillaume II et Tancrède, en tant que rois de Sicile, vassaux du Saint-Siège dont l'appui pouvait être demandé au moment de l'élection, *a melioribus cardinalibus* (1188), puis *a majori et saniori parte cardinalium* (1192) ; *Rouleaux de Cluny,* pièces III et XIII publiées par HUILLARD-BRÉHOLLES dans *Notices et Extraits des manuscrits,* t. XXI, p. 323 et 331.

    (1) *Liber censuum...,* t. I, p. 292 et t. II, p. 129 et 132.
    (2) *Ibid.,* t. I, p. 107 de l'introduction par L. DUCHESNE.
    (3) *Ibid.,* t. I, p. 106. Le changement se fait dans les textes vers 1190.
    (4) *Ibid.,* t. I, p. 312.

est un ancien chanoine de Saint-Ruf, Lucius III, imprégné de l'esprit
cistercien, porte la bure blanche sous ses vêtements pontificaux, Grégoire VIII, ancien chanoine des Prémontrés de Laon, est lui-même fondateur et réformateur d'ordre : ils ont succédé à des séculiers, Anastase IV,
Alexandre III, Urbain III. Héritage d'Eugène III et de saint Bernard,
l'idéal ascétique et monastique rayonnait toujours, même à la Curie.
Il y comptait assez d'adeptes pour que, par deux fois, à la mort
d'Urbain III et à la mort de Grégoire VIII, le tiare ait failli échoir à ses
représentants les plus connus : le cardinal évêque d'Albano, Henri, ancien
abbé de Clairvaux, le cardinal évêque d'Ostie, Thibaud, ancien abbé
de Cluny. Mais ces tenants de l'esprit monastique se sont chaque fois
récusés [1].

En 1188, c'est un Romain qui est élu en la personne de Clément III.
C'est une date importante. Elle clôt, sans nul doute, l'époque où la Curie
pouvait se souvenir encore des adjurations de saint Bernard. Adrien IV,
Alexandre III, Grégoire VIII étaient encore tout pénétrés de son esprit.
A l'égard des Romains, ils avaient essayé de résister à leur avidité, aux
abus qu'elle engendrait. Lucius III était parti pour Vérone plutôt que de se
soumettre à leurs exigences. On avait prêté à l'austère Grégoire VIII des
projets de réforme dont la Curie n'eût pas été exempte. L'avénement de
Clément III marque le terme de cette dernière génération bernardienne.
Il est avant tout séculier et romain. Il congédie tout le personnel curial
de son prédécesseur. Le cardinal d'Albano, qui incarnait à la Curie la
rigueur cistercienne, cesse d'avoir la faveur [2]. En trois ans, le Sacré Collège s'augmente de plus de vingt cardinaux choisis pour la plupart dans
la noblesse de Rome ou de ses environs. Celle-ci fut la première à bénéficier de la paix de 1188 avec la Commune : elle la mit rapidement en
tutelle. Ses fils prirent l'habitude de se partager les carrières sénatoriale
et ecclésiastique. Leur influence fera peser les affaires romaines d'un
poids chaque jour plus grand dans les préoccupations de la papauté. Les
extorsions de la Curie et les sarcasmes qu'elles provoquent semblent bien
s'accentuer sous ce pontificat [3]. Avec Clément III et pour longtemps, la
papauté s'est de nouveau romanisée.

Enfin il y a lieu de signaler, à la fin de cette période, l'essai de cooptation directe tenté, nous l'avons vu, par Célestin III. Il avait proposé
d'abdiquer si l'accord se faisait de son vivant sur le successeur qu'il
avait désigné, un pieux bénédictin, le cardinal Jean de Saint-Paul. La
résistance des cardinaux fit échouer cette tentative. Ils ne voulurent ni
de l'abdication conditionnelle, ni de la désignation préalable [4]. Ils représentaient une force neuve et qui s'affirme alors de plus en plus comme
celle d'un corps étroitement solidaire et qui entend collaborer largement
au gouvernement de l'Église.

(1) K. WENCK, loc. cit., p. 430 et suiv.
(2) D'après la source anglaise utilisée par K. WENCK, loc. cit., p. 433.
(3) K. WENCK, loc. cit., p. 434 et suiv.
(4) Le canoniste Huguccio, contemporain de Célestin III, refuse au pape le droit de désignation,
mais le pape peut conférer et négocier avec les cardinaux sur le choix de son successeur. Cf. J.
HOLLWECK, Kann' der Papst seinen Nachfolger bestimmen ?, dans Archiv für Katholischen Kirchenrecht, t. LXXIV, 1895.

Les mots mêmes de collège et de consistoire font leur apparition vers le milieu du XIIᵉ siècle, s'appliquant à l'assemblée des cardinaux dont le rôle, peu à peu, s'étend à toutes les affaires, tant politiques qu'ecclésiastiques.

Il est difficile de préciser dans quelle mesure le schisme a contribué aux progrès de leur influence ; elle n'est certainement pas négligeable. Le conflit avec l'Empire, les contestations sur la légitimité même des deux élus de 1159 n'ont pu que rendre leur importance plus évidente et leur concours plus nécessaire aux deux pouvoirs. Alexandre III, au plus fort de la tourmente, les réunissait quotidiennement. Plus d'une fois, Frédéric Barberousse avait cherché à les opposer au pape même. Et du reste, il leur est arrivé d'imposer à leur chef plus d'une décision malheureuse. A la veille du traité de Bénévent, leur intransigeance avait prévalu contre la volonté d'Adrien IV : on se souvient de ses suites désastreuses [2]. C'est sans doute sur leurs injonctions que Lucius III refuse, à Vérone, de couronner Henri VI [3]. Par ailleurs, tous les actes importants sont munis de leurs subscriptions et de leurs sceaux. Au traité d'Anagni ils se portent expressément garants de l'exécution de ses clauses comme les princes l'avaient fait pour l'Empire, assurant ainsi la continuité de la politique pontificale.

C'est le moment où les canonistes répandent l'idée que l'Église est un organisme unitaire qui, comme le corps humain, se divise en plusieurs membres subordonnés. Ces membres sont les églises particulières. A l'évêque et au chapitre, à l'abbé et à ses moines correspondent, à la tête de l'Église, le pape et les cardinaux [4]. C'est au cours du XIIᵉ siècle qu'on assimile ces derniers au sénat romain auprès de l'empereur, ou, comme Rufin, dans son discours inaugural du troisième concile du Latran, aux *proceres*, aux grands qui assistent les rois, tandis que les archevêques sont comparés aux consuls, les évêques et les abbés tout simplement au peuple [5].

L'organisation de la Curie imite celle de l'ancienne cour impériale. L'*auditorium* où affluent, avec Alexandre III, toutes les causes portées à Rome en vertu du droit d'appel, est calqué sur le modèle antique. Le vice-chancelier, l'auditeur, les chapelains y remplissent les fonctions du préfet du prétoire, du questeur du palais, des *cubicularii*. Le consistoire est une transposition du synode romano-byzantin [6]. Le droit romain, de mieux en mieux étudié et connu, inspire les canonistes et les papes eux-mêmes : mainte décrétale fait entendre, comme en écho, le ton majestueux du Digeste [7].

(1) Ces termes semblent apparaître pour la première fois, collegium en 1150, consistorium en 1147 : J. B. SAEGMUELLER, *op. cit.*, p. 92, 99 et 172.
(2) F. CHALANDON, *Histoire de la domination normande en Sicile*, t. II, p. 288.
(3) Voir *supra*, p. 193.
(4) J. B. SAEGMUELLER, *op. cit.*, p. 225.
(5) Dom MORIN, *op. cit.*, p. 116 (voir *supra*, p. 156, n. 4). PIERRE DE BLOIS assimile les cardinaux aux *Patres conscripti*, P. L., CCVII, 377.
(6) Cf. G. LE BRAS, *Le droit romain au service de la domination pontificale*, dans *Revue historique du droit français et étranger*, t. 27, 1949, p. 377-399 et surtout p. 392.
(7) Cf. *supra*, p. 176, n. 5.

La formule *de communi fratrorum nostrorum concilio* devient rituelle dans toutes les décisions prises par le pape lui-même, privilèges, arbitrages, canonisations, approbation de règles canoniales ou conventuelles. En outre, les cardinaux examinent en consistoire et collationnent les actes anciens émanant de la papauté, en vérifient la rédaction et le style [1], en vue de discerner les faux des pièces authentiques. Ils prennent nettement le pas sur l'ancien juge du palais auquel ils font passer un examen probatoire avant de le présenter à la nomination du souverain pontife [2]. Ils semblent avoir, à côté du pape, autorité sur les notaires de la chancellerie. C'est également en corps qu'ils commencent à intervenir, nous le verrons, dans la nomination des légats et des nouveaux cardinaux.

A côté de ces fonctions en quelque sorte politiques et administratives, le Sacré Collège partage de plus en plus avec le pape la responsabilité des décisions d'ordre proprement ecclésiastique et même doctrinal. Les synodes romains qui se réunissaient périodiquement au XIe siècle se font très rares au XIIe siècle et disparaissent tout à fait à partir d'Adrien IV. Les assises du Sacré Collège en tiennent lieu. Aux cardinaux ainsi réunis en consistoire se joignent à l'occasion des évêques présents à Rome ou convoqués pour les besoins de la cause, mais l'assemblée tend à devenir exclusivenemt composée des cardinaux. Ils examinent les questions concernant les églises, les évêques, les abbés. Il arrive que le pape désigne parmi eux une commission restreinte devant qui les parties doivent présenter leurs thèses et leurs titres. C'est ce qui eut lieu en 1163, lors du procès qui opposait l'évêque de Maguelone au chapitre de Cluny au sujet de l'église Saint-Pierre de Montpellier [3]. Ils sont appelés en consultation en matière d'hérésie. Dans l'affaire des adoptianistes d'Allemagne, Gerhoch de Reichersberg s'adresse directement à eux en même temps qu'au pape [4]. C'est l'un d'entre eux qui lui transmet le résultat de leur consultation [5]. Alexandre III lui-même attend de leur en avoir référé avant de se prononcer sur les hérétiques signalés par l'archevêque de Reims [6].

Les prérogatives cardinalices s'affirment nettement au cours de la même période. Quand ils agissent en corps, on ne distingue plus les cardinaux évêques des cardinaux prêtres ou diacres. La distinction ne subsiste plus que dans le cérémonial, en particulier dans les cortèges où les cardinaux évêques ont encore le pas sur les autres [7]. En tant que cardinaux, les cardinaux prêtres et diacres passent avant les archevêques et les évêques et même avant les patriarches, comme on le constate pour le concile du Latran en 1179. La nomination d'un cardinal prêtre à un archevêché n'était plus considérée comme une promotion. Adrien IV refuse à Frédéric Barberousse de nommer le cardinal Gui de Biandrate sur le siège de Ravenne, voulant conserver à la Curie ce prince de

---

(1) P. Kehr, *Papsturkunden in Spanien*, t. II, p. 475 ; 28 juin 1174.
(2) *Liber censuum, loc. cit.*, CLVI, t. I, p. 419.
(3) Hefele-Leclercq, *op. cit.*, t. V, 2e part., p. 973.
(4) *P. L.*, CXCIII, 573, 575.
(5) *Ibid.*, 585.
(6) *H. Fr.*, t. XV, p. 790.
(7) *Liber censuum, édit. cit.*, t. I, p. 314, n. 6.

l'Église romaine en vue de le promouvoir chez elle « à une dignité plus haute »[1].

LE RECRUTEMENT DES CARDINAUX   Le recrutement des cardinaux a varié au cours du XIIᵉ siècle. Leur nombre a tendance à diminuer.

En treize ans de pontificat, Innocent II en avait créé cinquante-deux, Eugène III dix-neuf ; Célestin III n'en nomma que sept.

On se souvient que saint Bernard avait recommandé à Eugène III d'étendre ses choix à l'Église universelle[2]. Ses conseils semblent avoir été suivis : Eugène III fit appel à un Anglais, à un Lorrain, à deux Français et à des Italiens, mais s'abstint de choisir aucun Romain. Alexandre III accentua encore ce mouvement. Le 18 décembre 1165, Conrad de Mayence, déposé par Barberousse en faveur de son chancelier Christian, reçoit successivement le sacerdoce, le pallium en tant qu'archevêque de Mayence, le titre de cardinal prêtre de Saint-Marcel et bientôt celui de cardinal évêque de Sabine[3]. C'est également sous ce pontificat que l'habitude se prend de consulter le Sacré Collège pour la nomination des cardinaux. Déjà c'est sur leur avis conforme que le futur Adrien IV est fait cardinal par Eugène III. Sous Alexandre III, c'est à la suite d'un choix préalable du Sacré Collège que Guillaume, archevêque de Reims, est promu[4]. On voit le même pape s'informer auprès de Pierre de Celle et du légat permanent en France, le cardinal Pierre, évêque de Meaux, des hommes les plus remarquables de l'Église de France. Sur la liste qui lui est transmise, il nomme deux cardinaux : l'abbé de Clairvaux Henri, fait cardinal évêque d'Albano, et Bernerède, abbé de Saint-Crépin de Soissons, fait cardinal évêque de Palestrina[5].

Il n'en est plus de même à la fin du siècle. Clément III, en trois ans, nomme plus de vingt cardinaux[6] et il semble bien qu'il les ait choisis de préférence dans la noblesse romaine. C'est lui qui nomma Jourdan de Ceccano, d'une vieille famille comtale des monts Volsques, et Lothaire de Segni, le futur Innocent III. En promouvant le cardinal Octavien, il a fait la fortune de la famille de Bobo que Célestin III a illustrée après lui et dont la branche des Orsini va se détacher bientôt. A son tour, Célestin III favorisa sa propre famille. Deux cardinaux issus des Bobo étant morts, il les remplaça par deux de ses neveux, le cardinal Nicolas de Sainte-Marie-in-Cosmedin et le cardinal diacre de Saint-Théodore. Cela n'empêcha pas ses choix d'être parfois heureux. Ce fut le cas pour le cardinal de Saint-Paul, probablement un Colonna, pour le camérier Cencius, un Savelli, et le collègue de ce dernier, Pierre de Capoue, homme pieux et savant qui créa à Amalfi, sa patrie, un couvent cistercien et un asile pour les pauvres[7].

(1) J. B. SAEGMUELLER, *op. cit.*, p. 203.
(2) Voir t. IX, 1ʳᵉ partie, p. 148.
(3) J. B. SAEGMUELLER, *op. cit.*, p. 201 et note 4.
(4) *Ibid.*, p. 183 et suiv.
(5) *Histoire littéraire de la France*, t. XIV, p. 234.
(6) K. WENCK, *op. cit.*, p. 441, en dénombre vingt-cinq.
(7) *Ibid.*, p. 454 et suiv.

TENDANCES DIVERGENTES   Il est naturel que, dans ce corps dont dépendait la direction de l'Église et le choix du souverain pontife, se soient fait jour des tendances et même des pastis à peu près constants. L'Empire, la royauté de Sicile y avaient leurs *personnae gralae* qui prévalaient ou s'effaçaient selon les circonstances. Nous les avons vues s'affronter au moment du schisme de 1159. Du temps qu'ils étaient cardinaux, Urbain III et Grégoire VIII étaient connus, l'un pour ses rancunes, l'autre pour ses sympathies à l'égard de Frédéric Barberousse. Dans le dernier quart de siècle, Albinus passait pour être lié aux intérêts siciliens, et, d'ailleurs, prompt à changer de camp, si l'on en croit une source anglaise [1]. Sous Grégoire VIII, le cardinal Jean d'Anagni et, sous Clément III, son confrère Jourdan de Ceccano avaient représenté les intérêts de la couronne d'Angleterre. Le cardinal Hyacinthe, avant de devenir Célestin III, puis son neveu le cardinal Grégoire de Saint-Ange, à la suite de plusieurs légations, s'intéressaient tout spécialement aux affaires ibériques. Les cardinaux Henri d'Albano, Octavien, un Bobo, mais allié à Philippe Auguste, Bernerède, ancien abbé de Saint-Crespin de Soissons, le cardinal Mainard [2], ancien abbé de Pontigny, le cardinal Roffrid, abbé du Mont-Cassin [3], à qui sainte Hildegarde accordait assez de mérite pour lui dédier son commentaire sur la règle de saint Benoît, formaient un groupe de tendance monastique où les Français étaient les plus nombreux. Parmi les Italiens, les Toscans Gratien et Soffrede tranchaient à la Curie par leur caractère entier. Ils la délaissèrent volontairement, quand celle-ci acheva de se romaniser sous Clément III [4]. On peut se demander si les choix de ce dernier ne signifient pas justement la volonté de réagir contre ces tendances divergentes et centrifuges. L'élargissement du recrutement des cardinaux, préconisé par saint Bernard et réalisé depuis lors, tendait à les multiplier. Après tant d'années troublées, Célestin III a pu penser que le gouvernement spirituel et surtout temporel de l'Église avait besoin de stabilité et qu'assurer au Sacré Collège un recrutement plus homogène était l'un des moyens de la procurer.

LES CARDINAUX DE CURIE   A titre individuel, les cardinaux exercent de plus en plus les fonctions importantes de la Curie. Ils en forment le cadre. Inamovibles, ils assurent, dans le domaine extérieur et intérieur du gouvernement ecclésiastique, la plus grande continuité possible.

La charge de chancelier échoit presque toujours à un cardinal prêtre ou diacre. Seul l'antipape Calixte III donna la charge à un cardinal

---

(1) *Homo convertibilis* ; *Epist. cantuar.*, citées par K. WENCK, *op. cit.*, p. 440. On voit ce qui est par là insinué. Albinus avait eu une jeunesse besogneuse dont il nous a laissé un récit ampoulé, sous le titre de *Gesta pauperis scolaris Albini*, insérés dans le *Liber censuum*, édit. cit., t. II, p. 87-89.

(2) Fait cardinal évêque de Palestrina par Clément III, il composa en 1187 les statuts de l'ordre de Calatrava, en collaboration avec l'abbé de Cîteaux Guillaume ; cf. *Hist. litt. de la France*, t. XIV, p. 418.

(3) Fait cardinal par Célestin III, au titre des saints Marcellin et Pierre, cf. U. BERLIÈRE, *L'ascèse bénédictine des origines à la fin du XIIe siècle*, p. 23.

(4) K. WENCK, *loc. cit.*, p. 440.

évêque [1]. Parallèlement, la charge de camérier gagne en importance
du fait que le titulaire est souvent devenu cardinal comme Boson, Melior
et Cencius. A ce dernier, il est même arrivé, à la fin du siècle, de cumuler
son titre de camérier avec la fonction de chancelier [2] ; il devait en outre
devenir pape sous le nom de Honorius III.

VICARIAT ET PÉNITENCERIE   Enfin, à deux reprises, nous voyons
désigner un cardinal pour remplacer le
pape dans une partie de ses fonctions. Ce fut le cas du cardinal évêque
Henri d'Albano, pendant les derniers mois du pontificat de Lucius III
et de Grégoire VIII, puis du cardinal Jean de Saint-Paul, du titre de
Santa-Prisca, à la fin du pontificat de Célestin III [3]. Jusqu'où s'étendait
ce vicariat ? Il est difficile de le dire. Il semble bien qu'il ait comporté
pour son titulaire les prérogatives qui devinrent plus tard celles du cardinal
pénitencier [4] : recevoir les confessions à la place du pape, traiter
spécialement des cas réservés au Saint-Siège et des dispenses dont l'usage
et le nombre s'accroissent au cours de ces derniers pontificats du
XIIe siècle. C'est l'un des plus manifestes progrès de la centralisation
ecclésiastique. Déjà Innocent II, au concile de Reims, en 1131, puis au
deuxième concile du Latran en 1139, avait réservé au pape la sanction
des sévices exercés sur les clercs. Avec Clément III, l'incendie volontaire,
le pillage des biens d'église avec effraction, et, depuis Célestin III, le cas
des clercs conservant des relations avec des excommuniés, furent réservés
à la Pénitencerie romaine dont les débuts obscurs remontent à cette
époque et dont le cardinal de Saint-Paul aurait été le premier titulaire [5].

LES CARDINAUX LÉGATS   Enfin ce sont les cardinaux qui fournissent le
plus grand nombre des légats *a latere* qui se
multiplient depuis le pontificat d'Alexandre III [6]. Ce sont le plus souvent
des cardinaux prêtres ou diacres, rarement des cardinaux évêques.
Véritables leviers de la centralisation ecclésiastique, ils sont aussi les
mandataires itinérants de la puissance spirituelle du souverain pontife.
Ils sont le plus souvent nommés en consistoire, munis de lettres ou
d'instructions précisant l'objet de leur mission [7]. Ils recueillent les
témoignages sur les saints proposés pour la canonisation, rédigent ou
approuvent les règles des nouveaux instituts monastiques, consacrent
églises et autels, authentifient les reliques, donnent l'absolution des
péchés dans les cas réservés, et même, à la fin du siècle, distribuent de
si nombreuses indulgences [8] que cette activité spéciale devra être strictement limitée par la papauté elle-même ; ce sera l'œuvre d'Innocent III.

A l'époque où nous sommes, leur rôle, au spirituel du moins, ne soulève

(1) H. BRESSLAU, *op. cit.*, p. 200.
(2) Il avait la fonction, mais pas le titre. Cf. F. GEISTHARDT, *op. cit.*, p. 80.
(3) Voir *supra*, p. 226.
(4) E. GOELLER, *op. cit.*, t. I, *passim.*
(5) K. WENCK, *loc. cit.*, p. 470.
(6) TILLMANN, *op. cit.*, p. 74.
(7) L. FRIEDLAENDER, *op. cit.*, p. 133-141.
(8) I. FRIEDLAENDER, *op. cit.*, p. 127.

plus d'objections. Les attaques qu'ils encourent de la part des récalcitrants se confondent avec celles qui visent la Curie et ses exigences financières ; il est arrivé, en effet, qu'un cardinal légat ait eu à lever le cens [1].
Mais des reproches comme ceux qu'échangèrent saint Bernard et les
membres du Sacré Collège au lendemain de l'orageux concile de Sens ne
semblent plus s'être produits à la fin du XIIe siècle [2]. Leur autorité a grandi
au cours de cette période, du fait que les papes ont revêtu plusieurs
fois les cardinaux légats de la *plena potestas* qui en faisait les vice-papes,
ayant droit aux mêmes honneurs, aux mêmes insignes, haquenée blanche,
etc... [3]. Gérard Ithier, écrivant en 1188 la vie d'Étienne de Grandmont
que Clément III allait canoniser, raconte que Grégoire VII avait envoyé
des cardinaux légats pour examiner de près l'héroïcité des macérations
du pieux ermite encore vivant et commente leur visite en ces termes :
« Le Christ a voulu en effet que son serviteur, qui dès le commencement
avait recueilli l'approbation de son vicaire apostolique, reçût au terme
de sa carrière érémitique un témoignage de sainteté des vicaires de son
propre vicaire [4]. » Flatterie, sans doute, dédiée adroitement par l'hagio-
graphe aux cardinaux qui allaient être chargés, à leur tour, de délibérer
sur la canonisation d'Étienne, mais témoignage significatif de la puissance
spirituelle qui leur était déléguée et qui, à cette date, n'est plus contestée.

CARDINAUX CANONISTES   Au reste, leur prestige, si amoindri quand il
s'agissait de juger leur activité diplomatique
ou politique, n'avait pu que croître par l'accession au Sacré Collège et
par suite au trône pontifical d'hommes nourris de toute la science théologique et juridique de leur génération. Les plus illustres avaient été,
dans leur âge mûr, Alexandre III et Grégoire VIII, mais il faut y ajouter
le cardinal Laborans [5] qui travailla plus de vingt ans à une somme qui
s'est conservée [6], le cardinal Gratien, un neveu d'Eugène III qui avait
étudié à Paris et y fut le condisciple de Jean de Salisbury, le cardinal
Vivien, conseiller juridique éprouvé de la Curie [7] et qui s'intitulait lui-

(1) Le camérier Cencius trouvait bon que le cens fût collecté par des légats. (*Liber censuum*,
édit. cit., t. I, p. 4 et suiv.) Mais ce fut rarement un cardinal. Ce fut pourtant le cas du cardinal
Conrad qui reçut mission de lever le cens en Bavière en 1174, cf. H. REUTER, *op. cit.*, t. III, p. 200,
et du cardinal Jacinthe qui en 1173, à Coïmbre, leva contre le cens portugais : C. ERDMANN,
Das Papsttum und Portugal im ersten Jhdt. der portugiesischen Geschichte, Berlin, 1928 (*Abhandl.
der preuss. Akad., Phil.-Hist. Kl.*, h. V), p. 42.
(2) Saint Bernard a contribué pour sa part à grandir l'importance excessive qu'il leur reprochait
de se donner en s'adressant à eux en même temps qu'au pape. Cf. E. VACANDARD, *Vie de saint
Bernard, abbé de Clairvaux*, t. I, p. 158. L'habitude se généralise dans la deuxième moitié du siècle.
Nous avons vu Gerhoch de Reichersberg agir de même. Citons encore le cas d'un protégé de l'archevêque de Reims, Drogon, d'abord simple chanoine régulier de Ham, puis chancelier de l'église
de Noyon, mais *vir eruditus omnium saecularium disciplinis* (*H. Fr.*, t. XIII, p. 531) et qui n'hésita
pas à écrire aux cardinaux en même temps qu'au pape pour se plaindre d'une mesure dont il se
disait victime. Cf. MARTÈNE et DURAND, *Veter. Script. ampl. coll.*, t. II, col. 788-789.
(3) Voir le récit de la légation du cardinal Hugues, légat d'Alexandre III en Angleterre (1175),
dans H. REUTER, *op. cit.*, t. III, p. 382 et suiv.
(4) GÉRARD ITHIER, *S. Stephani Grandimontensis vita*, dans *P. L.*, CCIV, 1023.
(5) Cf. H. REUTER, *op. cit.*, t. III, p. 507.
(6) Fr. von SCHULTE, *Die Geschichte der Quellen und Literatur des Kanonischen Rechts von Gratian
bis auf Papst Gregor IX*, Stuttgart, t. I (1875), p. 148. C'est une refonte du décret de Gratien,
journellement commenté à Bologne, mine d'axiomes où était formulé de façon péremptoire le
principe de la suprématie pontificale.
(7) JEAN DE SALISBURY, *Epist.*, CCLXXXVIII, dans *P. L.*, CXCIX, 329.

même « avoué de la Sainte Église romaine »[1]. Le cardinal Mathieu, du
titre de Saint-Marceal, avait enseigné le droit civil et le droit canon à Paris
après avoir été, disait-on, précepteur du roi d'Angleterre Henri II[2].
Ce n'est pas le trait le moins marquant de cette période de transition, au
demeurant encore obscure, mais où s'élaborent la plupart des institutions ecclésiastiques de l'avenir, que la présence sur le Siège romain ou
dans le Sacré Collège de quelques-uns des plus grands canonistes de
ce temps.

LES REVENUS DU SACRÉ COLLÈGE   Depuis longtemps les revenus des
évêchés suburbicaires ne suffisaient
plus à l'entretien des cardinaux. La seconde moitié du XIIᵉ siècle marque
un tournant décisif à cet égard. Les papes durent partager avec le Sacré
Collège tout ce qui provenait du cens et du denier de saint Pierre. A ces
revenus touchés à titre collectif s'ajoutaient pour les cardinaux maints
cadeaux reçus à titre personnel, à l'occasion de la collation des bénéfices,
de la remise du pallium aux archevêques, des visites et consécrations
épiscopales. Ils reçoivent en outre une part des *presbyteria*, ou dons gra-
cieux faits par le pape lui-même à l'occasion de certaines fêtes.

Le *liber censuum*, rédigé, nous le verrons, à la fin du siècle, précise
minutieusement le montant de ces cadeaux et même la monnaie, mara-
boutins, sous de Pavie, sous de Provins, marcs d'argent ou d'or, à utiliser
pour les versements dont le tarif tend à se fixer. Au cours de leurs légations, les cardinaux sont pratiquement entretenus aux frais des églises
qu'ils visitent et, à l'occasion des négociations et des traités, on les voit
accepter de larges gratifications en nature ou en argent. Certains passent
pour très exigeants, d'autres pour ne pas faire les difficiles. Le cardinal
Jean d'Anagni se laisse amadouer pour une pelisse par le mandataire
des moines de Cantorbéry en conflit avec leur archevêque[3]. L'évêque
d'Urgel se déclare prêt à satisfaire « pleinement » aux dépenses nécessitées
par la cause qu'il confie à Hyacinthe, le futur Célestin III, alors légat en
Catalogne, et lui propose une substantielle provision[4]. Cependant, sous
l'impulsion de l'austère Grégoire VIII, les cardinaux s'engagèrent à ne
rien réclamer aux justiciables et à réduire leur train pendant toute la
durée de la croisade[5]. La manière même dont cette mesure nous est
rapportée démontre son caractère exceptionnel.

La nécessité de plus en plus onéreuse de pourvoir à l'entretien des
cardinaux a pesé lourdement sur la politique pontificale. L'Empire
le savait bien quand, à deux reprises, il a proposé à la papauté de la
débarrasser de ses soucis d'argent. Frédéric Barberousse à Vérone en 1183
et Henri VI en 1196 n'eurent garde de les oublier dans l'attribution des
revenus qu'ils proposèrent de verser régulièrement au Saint-Siège en
échange de la renonciation du pape aux temporalités[6].

(1) H. REUTER, *op. cit.*, t. II, p. 443.
(2) *Hist. litt. de la France*, t. IX, p. 53.
(3) K. WENCK, *loc. cit.*, p. 434.
(4) P. KEHR, *Papsturkunden im Spanien*, I, *Katalanien*, p. 459, nº 161, daté de 1174.
(5) Voir *supra*, p. 202.
(6) Voir *supra*, p. 191 et 224.

LES EMBARRAS FINANCIERS
DE LA PAPAUTÉ
La papauté redouta pour elle-même ce régime qui l'eût faite pensionnaire de l'Empire et pensionnaire de lui seul. Lucius III et Célestin III, nous l'avons vu, ont refusé les offres impériales. La souveraineté pontificale était sans doute à ce prix. Mais le souci corrélatif de s'assurer des ressources plus abondantes et plus régulières n'a pas servi l'autorité morale de la papauté et n'en est devenu que plus obsédant.

L'avidité de la Curie, sa vénalité sont l'un des reproches les plus constants qui lui sont faits par l'opposition. On sait de quelle façon véhémente saint Bernard a supplié Eugène III de réagir. Après lui, les plaintes n'ont fait que se multiplier. Encore faut-il remarquer que ces attaques font une distinction très nette et non de pure forme, semble-t-il, entre l'attitude personnelle des papes et celle de leur entourage. On reconnaît généralement le désintéressement des souverains pontifes. Celui d'Alexandre III est affirmé par plusieurs sources. Les attaches cisterciennes de Lucius III l'ont porté à rompre avec les habitudes antérieures. Il n'est pas douteux que les intentions profondément réformatrices de Grégoire VIII, si elles avaient pu se réaliser, auraient mis un frein aux habitudes dispendieuses de la Curie [1]. Mais tous ces efforts restèrent vains. L'avénement de Clément III et le retour d'influence de la noblesse romaine qui l'a suivi provoquèrent une recrudescence des vices organiques combattus par ses prédécesseurs.

LES DÉPENSES
Une nécessité plus forte, des besoins croissants expliquent en partie leur échec. D'où provient une si grande dépense ? Certes, les frais d'entretien du Sacré Collège et du personnel croissant de la « masnada », c'est-à-dire de la Curie et de la « maison » papale, sont une lourde charge, mais c'est peu de chose, sans doute, à côté des dépenses nées de l'insécurité où vivent les papes du XIIe siècle. A Rome et autour de Rome, ils sont en réalité sans défense et ne peuvent l'assurer que par les ressources de la diplomatie qui nécessite l'achat toujours plus onéreux des concours nécessaires, par l'entretien ou l'érection des remparts et des châteaux où ils s'abritent tour à tour. Pendant toute la durée du schisme et du pontificat itinérant d'Alexandre III, les revenus de la papauté s'étaient pratiquement évanouis et celle-ci n'avait vécu que des sommes dont les rois de France et d'Angleterre, puis les Templiers [2] avaient principalement fait l'avance. A peine de retour à Rome, il fallut reconstruire les murailles. Chaque fois qu'un traité est signé entre la papauté et les seigneurs de la campagne ou avec la Commune romaine se pose le problème de la reconstruction ou de la restauration des murs, travaux ruineux dont les frais et leur répartition sont l'objet de négociations laborieuses et de coûteux marchandages. En 1166, Alexandre III dépense les 60.000 florins légués par le roi de Sicile à la réfection des remparts et des portes de la cité léonine. En 1188,

(1) Voir *supra*, p. 189 et suiv., 196 et suiv.
(2) F. SCHNEIDER, *op. cit.*, p. 3 et 5.

le traité conclu par Clément III avec les Romains prévoit les sommes annuelles qui seront consacrées à ces travaux. Les mêmes dépenses donnent lieu à des accords analogues au cours de la lutte avec Tusculum. A tout cela s'ajoutent enfin les dépenses énormes qu'entraînent l'achat des consciences ou les usages, pratiquement imprescriptibles, imposés par l'avidité famélique des Romains. On a vu comment Lucius III, pour avoir cherché à rompre avec ces errements et à se dérober à ces exigences, s'était vu cruellement rappeler à l'ordre et, pour ne pas céder, avait dû partir pour Vérone. C'est Clément III qui capitula. Les Romains ne l'acceptèrent en 1188 qu'après avoir reçu de lui l'assurance qu'il verserait intégralement les gratifications habituelles [1].

LES REVENUS   Or, les revenus du Saint-Siège, au milieu du XIIe siècle, sont constitués par des ressources encore mal définies et très irrégulièrement perçues : denier de saint Pierre, cens de vassalité payés par les royaumes ou les seigneuries inféodés au Saint-Siège et enfin le cens payé par les monastères et les églises.

Le denier de saint Pierre n'était levé primitivement qu'en Angleterre [2] et au Danemark, en Pologne, semble-t-il, depuis le XIe siècle [3]. Au cours de sa légation de 1152-1154, le cardinal d'Albano, Nicolas Breakspear, devenu par la suite le pape Adrien IV, l'étendit à la Suède et à la Norvège [4]. Il était d'un denier par maison.

En ce qui concerne le cens versé par les vassaux du Saint-Siège, les renseignements font presque entièrement défaut pour la période qui nous occupe. La Sicile n'avait pas cessé d'être vassale du Saint-Siège, mais l'obligation du cens, si elle a été maintenue en fait, ne figure plus dans le serment prêté par Guillaume II à Clément III, ni dans le serment de Tancrède à Célestin III [5]. L'Aragon, autre État censier, a dû scrupuleusement s'acquitter si l'on en juge par la demande que fit à Célestin III le roi Alphonse II en 1191, pour obtenir de son suzerain l'autorisation d'altérer les monnaies catalanes [6] et en 1194 pour faire confirmer son testament [7]. Nous savons en outre qu'en 1179, c'est l'archevêque de Braga qui fut chargé de percevoir les sommes dues par le roi de Portugal. Mais les paiements se faisaient très irrégulièrement et Innocent III devra réclamer au roi Sanche Ier tous les arrérages dus depuis 1179. C'était, en principe, un impôt périodique, mais il arrivait aussi que l'inféodation fût matière à versement une fois pour toutes : c'est ainsi qu'Adrien IV conféra au préfet de Rome le fief de Civitá Castellana contre mille marcs d'argent [8].

---

(1) Cf. *supra*, p. 198 et suiv.
(2) W. Lunt, *op. cit.*, p. 48-55.
(3) P. Fabre, *op. cit.*, p. 120.
(4) *Ibid.*, p. 145, n. 1 et *supra*, p. 33.
(5) P. Kehr, *Die Belehnungen der süditalienischen Normannenfürsten durch die Päpste (1059-1192)*, dans *Abhandl. der preuss. Akademie der Wissenschaften*, Berlin, 1934, p. 49 et 51.
(6) P. Kehr, *Papsturkunden in Spanien*, I, p. 539, n° 238 (4 sept. 1191).
(7) P. Kehr, *Das Papsttum und der Katalanische Prinzipat bis zur Vereinigung mit Aragon*, dans *Abhandl. der preuss. Akad. der Wissenschaften*, Berlin, 1926, p. 63 et suiv.
(8) A. Hauck, *op. cit.*, t. VI, 5e éd., p. 231, n. 1.

LE CENS   C'est de la Chrétienté tout entière, où sont réparties les églises et les abbayes censières, que la papauté essaya de tirer la majeure partie de ses ressources. Pendant tout le xiie siècle, elle s'efforça d'améliorer la perception de ces redevances qui par elles-mêmes n'avaient pas forcément le caractère d'un revenu régulier. C'était en effet plutôt le signe extérieur en vertu duquel un monastère ou une église obtenait le privilège de relever directement et pour toujours du Siège apostolique. C'était une somme modique qui, en principe, ne variait pas et qui, en tout cas, était loin de croître en proportion de l'enrichissement des églises et de l'accroissement des propriétés foncières des couvents. Quelquefois même le cens a diminué au cours du xiie siècle. L'abbaye de Quedlinburg, par exemple, payait en principe une livre d'argent ; sous Lucius III, elle ne payait plus qu'un marc [1]. Il est arrivé que le pape lui-même soit intervenu pour qu'il ne soit pas augmenté : Alexandre III invite les évêques d'Angleterre à ne rien payer de plus que leurs prédécesseurs [2]. Pendant toute la période du schisme, beaucoup d'abbayes se dispensèrent d'acquitter leur cens.

Jusqu'à la fin du siècle, la collecte du cens reste occasionnelle. Tantôt c'est un mandataire spécial de la Curie, un simple moine aussi bien qu'un cardinal légat, qui est chargé de rassembler le cens dans la province, tantôt c'est le métropolitain. Ou bien, comme nous en avons la preuve pour le Portugal, pendant la période qui s'étend de 1156 à 1186, le cens est levé périodiquement, par exemple tous les cinq ans, ou bien, au contraire, on le paye d'avance et pour plusieurs années. C'est ainsi qu'il a été perçu trois fois par le chapitre de la cathédrale de Coïmbre et, au contraire, en 1173, par le cardinal légat Hyacinthe, moyennant reçu [3].

Au cours du temps, la signification du cens s'était altérée. De signe d'appartenance au domaine de saint Pierre, il était devenu le prix soit d'une vague protection, soit de l'exemption pure et simple à l'égard de l'autorité diocésaine. Les formules employées dans les privilèges n'étaient ni constantes ni précises. Elles donnaient souvent lieu à contestation. Le pape fut parfois obligé de s'adresser au métropolitain de la province pour lui demander de vérifier le bien fondé de ses exigences.

LE LIBER CENSUUM   Aussi naquit bientôt le besoin de dresser la liste des églises et des couvents assujettis. La tâche ne se fit pas en un jour. La première mention de livre censier date du pontificat troublé d'Alexandre III qui en emporta un exemplaire au cours de ses pérégrinations à travers la France [4] : c'était peut-être le registre établi au temps d'Eugène III. En 1185, le pape Lucius III fit à son tour colliger par Albinus les documents antérieurs : un polyptique composé par un certain Benoît, chanoine de Saint-Pierre, peut être le recueil d'Eugène III et sûrement celui du cardinal Boson, rédigé sous Adrien IV. C'est cette première collection qui fut entièrement vérifiée et remaniée, en 1192,

---

(1) K. Jordan, *op. cit.*, p. 73.
(2) P. Fabre, *op. cit.*, p. 142, n. 6. Décrétales de Grégoire IX, lib. III, tit. XXXIX, cap. XII
(3) K. Jordan, *op. cit.*, p. 75.
(4) *Lettre d'Alexandre III à Maurice, évêque de Paris*, dans P. L., CC, 333 D.

par le camérier de Célestin III, Cencius, bientôt cardinal, et qui est connu sous le nom de *liber censuum* de l'Église romaine : œuvre considérable qui prétendait donner sa forme définitive [1] au terrier de l'immense seigneurie pontificale, œuvre complexe et disparate — la liturgie, l'archéologie fantaisiste, le folklore romain, l'autobiographie s'y côtoient — mais dont la physionomie reflète bien l'administration encore rudimentaire et patriarcale qu'elle veut servir.

Ce qui, pour nous, donne son intérêt principal au *liber censuum*, c'est qu'il constitue, sur la base du cens, un tableau complet des provinces et des circonscriptions ecclésiastiques à la fin du XIIe siècle. Car s'il a eu pour effet de préciser les revenus censiers du Saint-Siège, les rentrées continuèrent à être des plus irrégulières et ce texte fondamental ne doit pas nous faire illusion sur les imperfections qui subsistaient dans l'organisation financière de la papauté. Certes, le *liber censuum* servira à fonder des prétentions nouvelles comme à justifier des cens tombés en désuétude et il a fourni par là une base solide au développement de la suzeraineté pontificale. Mais la papauté du XIIe siècle s'est toujours défendue, au moins théoriquement, d'avoir voulu exiger plus qu'il ne lui était dû. Elle n'a fait que suivre le mouvement qui, depuis Urbain II, poussait un nombre croissant d'églises et de monastères à se rattacher au Saint-Siège et dans l'ensemble, Alexandre III exprimait la vérité quand il disait que l'Église romaine avait moins l'habitude d'exiger que d'être sollicitée de la part des églises censières [2]. C'est, néanmoins, à partir de son pontificat que l'évolution s'accélère. Malgré les récriminations unanimes de l'épiscopat, les églises et les monastères qui se font concéder, moyennant un cens, non seulement la simple protection pontificale, mais la *libertas*, c'est-à-dire l'exemption qui les libérait totalement de la juridiction épiscopale, sont chaque jour plus nombreux. Encore Alexandre III est-il le dernier pape à s'être efforcé de distinguer les églises ou abbayes censières *ad indicium protectionis*, toujours soumises à l'autorité diocésaine, et celles qui, *ad indicium libertatis*, en étaient totalement affranchies [3]. Après lui, les formules changèrent peu, mais, à la faveur de cette *libertas* qui, au cours du siècle, avait encore une signification purement symbolique et spirituelle, tendit à se reconstituer, par une confusion tacitement entretenue par le Saint-Siège, le lien de vassalité temporelle dont le cens avait été primitivement le signe.

Au terme de cette évolution, Cencius, en énumérant dans son *Liber* les assujettis au cens, sans distinction, entendit bien que ceux-ci se considérassent tous, vassaux ou exempts, comme les simples usufruitiers de Saint-Pierre. A ce titre, le *Liber censuum* fut bien l'instrument le plus efficace et reste le document le plus significatif de la centralisation ecclésiastique.

---

(1) *Usque in exitum mundi*, dit Cencius, *Liber censuum*, édit. cit., p. 4.
(2) Voir *supra*, p. 245, n. 4.
(3) P. FABRE, *op. cit.*, p. 101-106, dans la décrétale citée par Fabre (Décr. IX, l. V, tit. XXXIII, *De privilegiis*, cap. VIII) la distinction est expressément faite. Fabre dit qu'il ne peut se prononcer sur la date, ne connaissant pas le légat à qui la lettre est adressée et qui eut à s'occuper de l'Église de Novare. D'après W. OHNSORGE, *Die Legaten Alexanders III...* Diss. Berlin, 1927, p. 12-14, je signale la légation du cardinal Jean de Sainte-Marie *in Porticu* qui, en 1160, passe par Novare.

§ 2. — La Chrétienté romaine à la fin du XIIe siècle.

L'ACTION DE LA PAPAUTÉ :
LÉGATS ET DÉLÉGUÉS

L'impulsion centrale s'étend à la Chrétienté tout entière par la législation conciliaire et par l'entremise des légats. Mais les décrets des trois conciles œcuméniques du XIIe siècle (Latran : 1123, 1139 et 1179) n'ont pas toujours été reçus par les princes ni appliqués par le clergé. Quant aux légats, de temporaire, leur mission tend à devenir permanente ; mais, de leurs anciennes fonctions, ils ne retiennent plus guère qu'un honneur désormais attaché à certains sièges, de sorte que les *legati missi* se transforment peu à peu en *legati nati*. Lorsque s'opère cette transformation, la papauté a depuis longtemps prodigué les exemptions à l'égard des légats permanents ; elle a multiplié les légations *a latere* confiées à des cardinaux de Curie dont les pouvoirs l'emportent sur tous autres et suspendent *ipso facto* toute autre légation pendant la durée de leur mission. Bien plus, les métropolitains eux-mêmes ont perdu une part considérable de leur juridiction, les appels se faisant directement de l'évêque au pape, et ce dernier nommant sur place des délégués ou commissaires, évêques ou abbés, chargés d'une affaire particulière, ayant pouvoir d'enquêter, devoir d'en référer à Rome, et ordre de se conformer aux instructions précises et détaillées à eux adressées par la Curie. Ces instructions sont à l'origine de maintes décrétales appelées à faire jurisprudence en des cas analogues. Elles prennent une extension considérable à partir du pontificat d'Alexandre III. Les commissaires ou délégués pontificaux sont désormais, avec les légats *a latere*, les agents les plus actifs et les plus efficaces de diffusion et d'application des principes canoniques et des mesures de réforme, auprès des princes comme des clergés nationaux. Cependant, les conditions locales, la pénétration plus ou moins avancée des idées grégoriennes, les résistances, qu'elles viennent des rois ou de l'épiscopat, conscients des empiétements du droit pontifical sur leurs privilèges traditionnels, créent, à travers la Chrétienté romaine, des différences dont la papauté doit tenir compte. Quels sont, vers la fin du XIIe siècle, les résultats de la centralisation pontificale dans les États chrétiens, au regard de la hiérarchie, de la réforme morale, de la liberté canonique des élections épiscopales, et du for ecclésiastique ?

LES ROYAUMES IBÉRIQUES[1].
LÉGATIONS DU
CARDINAL HYACINTHE

L'invasion almohade n'avait réussi ni à unifier l'Espagne musulmane, ni à expulser les chrétiens de leurs récentes conquêtes territoriales. La croisade contre les Maures était devenue une affaire spécifiquement ibérique : lorsque, en 1158-1159,

---

(1) BIBLIOGRAPHIE. — I. SOURCES. — P. KEHR, *Papsturkunden in Spanien, Katalanien*, Berlin, 1926 ; *Navarra und Aragon*, 1928 ; C. ERDMANN, *Papsturkunden in Portugal*, 1928, dans *Abhandlungen der Gesellschaft der Wissenschaften zu Göttingen, philologische historische Klasse. España Sagrada*, vaste collection éditée par E. FLOREZ, continuée par M. RISCO et la Real Academia (Madrid), depuis 1747 ; RODRIGO JIMENEZ DE RADA, *Rerum in Hispaniae gestarum chronicon*, dans le t. III de la *Colleccion de Padres Toletanos* ; BALUZE, *Marca hispanica, sive limes hispanicus*,

Louis VII avait projeté, de concert avec son rival Henri II, une croisade commune en Espagne, et négocié une trêve à cette fin avec le roi d'Angleterre, Adrien IV [1] l'avait dissuadé d'intervenir « sur les terres d'autrui sans avoir auparavant consulté les souverains et les peuples de ces terres » et l'avait morigéné de ce qu'il s'était proposé « d'y pénétrer immédiatement... avant d'avoir été informé par les princes des nécessités de leur pays et avant d'avoir été requis par eux d'intervenir ». Parmi les rois de la péninsule, plusieurs étaient des vassaux du Saint-Siège, leurs États étaient placés sous la protection spéciale de saint Pierre. La reconquête elle-même était retardée par les rivalités dynastiques ou territoriales de ces mêmes princes, et encore menée par chacun d'eux séparément. Depuis le XIe siècle, l'avance chrétienne en Espagne avait posé de graves problèmes. Elle n'avait pas seulement opposé les intérêts et les ambitions des rois de Castille, d'Aragon ou de Portugal après la constitution de ce royaume, mais encore dressé les unes contre les autres des églises lésées dans leurs droits récemment acquis ou dans leurs traditions de vénérable antiquité [2]. Il ne suffisait pas de relever de leurs ruines les édifices du culte chrétien, de rétablir des évêques dans les anciens sièges épiscopaux. Encore fallait-il reconstituer les ressorts territoriaux, restituer aux églises des biens passés en d'autres mains, faire triompher enfin les principes grégoriens auprès de populations, et parfois de clercs, longtemps soumis à la domination musulmane et gagnés aux mœurs et à la mentalité des Infidèles. Dès le début de la reconquête, la papauté, puissamment secondée par les ordres religieux, Clunisiens, puis Cisterciens, s'y était employée, principalement par ses légats.

Parmi ces légats, il faut faire une place à part au cardinal Hyacinthe, du titre de Sainte-Marie-in-Cosmedin — futur Célestin III — qui, à deux reprises, fut dirigé sur l'Espagne [3], y séjourna plus d'une année chaque fois, et fut appelé à prendre d'importantes mesures. En 1154-1156, le cardinal Hyacinthe fut délégué à la demande du roi Alphonse VII de Castille, mais ses pouvoirs s'étendaient à tous les territoires chrétiens de la péninsule. Il avait spécialement pour mission de faire reconnaître l'antique primatie de Tolède sur les métropoles de Braga, Santiago et

Paris, 1688, in-f°. Sur les églises particulières, voir surtout : *Historia Compostellana*, éditée par E. Florez, dans *España Sagrada*, t. XX, Madrid, 1765, p. 1-598 ; et J. Augusto Ferreira, *Fasto episcopaes de Igrejia primacial de Braga*, Braga, 1928-1935, 4 vol.

II. Travaux. — V. de la Fuente, *Historia ecclesiastica de España*, Barcelone, 1855 ; B. Gams, *Die Kirkengeschichte von Spanien*, 3 vol., Ratisbonne, 1876-1879 ; Dom L. Serrano, *El obispado de Burgos y la Castilla primitiva, desde el siglo V al XIII*, 3 vol., Madrid, 1935-1936, in-4° ; P. Kehr, *El Papado y los reinos de Navarra y Aragon hasta la mediados des siglo XII*, dans *Estudios de Edad Media de la Corona de Aragon*, t. II, 1946, p. 74-186 ; A. Lopez Ferreiro, *Historia de la Santa Iglesia de Santiago de Compostella*, 11 vol., Santiago, 1898-1909 ; A. Gordon Biggs, *Diego Gelmirez, first archbishop of Compostela*, Washington, 1949, *Studies in Mediaeval history, New Series*, vol. XII ; R. Da Cunha, *Historia ecclesiastica dos Arcebispos de Braga*, 2 vol. in-f°, Braga, 1634-1635 ; P. David, *Études historiques sur la Galice et le Portugal du VIe au XIIe siècle*, Paris-Lisbonne, 1947, notamment celle intitulée, *L'Énigme de Maurice Bourdin*, bien qu'elle éclaire surtout la période antérieure au milieu du XIIe siècle. Enfin, les articles : *Aragon, Barcelone* et *Braga* dans le *Dictionnaire d'histoire et de géographie ecclésiastiques*.

(1) Jaffe-Wattenbach, n° 10.546, du 18 février 1159 ; cf. *supra*, p. 37.

(2) On trouvera l'exposé de ces difficultés en ce qui concerne les diocèses de Galice et de Portugal, dans P. David, *Études historiques... La métropole ecclésiastique de Galice du VIIIe au XIe siècle. Braga et Lugo*, p. 119-184 ; *L'énigme de Maurice Bourdin*, p. 455-465.

(3) Sur ces légations, cf. l'article de R. Mols, *Célestin III*, dans le *Dictionnaire d'histoire et de géographie ecclésiastiques*, t. XII, col. 62-64.

Tarragone nouvellement rétablies. Il présida des conciles à Tuy, Valladolid et Lerida, mais ne réussit pas, malgré la menace de sentences canoniques, à obtenir des archevêques de Braga et de Compostelle qu'ils réglassent leurs conflits de juridiction ni qu'ils se soumissent au primat. Il reprit le chemin de l'Espagne en 1172, sur mission d'Alexandre III, et y séjourna jusqu'au début de 1174. Il était chargé d'aplanir les rivalités qui opposaient alors le Portugal, le Léon et la Castille, et de percevoir le cens sur les églises exemptes. Il tint des conciles à Léon, Lerida et Salamanque, régla de nombreux conflits de juridiction, notamment entre l'évêque de Lerida, les Hospitaliers et les Templiers [1] ; entre les églises de Saragosse et de Pampelune [2] ; entre l'évêque de Pampelune et le monastère de Saint-Sauveur de Leire. Il semble avoir usé de vastes pouvoirs, peut-être même dépassé l'ampleur de sa mission, car il fut désavoué par Alexandre III, particulièrement dans l'affaire de Saint-Sauveur de Leire, où le pape, cassant la sentence favorable à l'évêque, prononcée par le légat, confirma l'exemption du monastère et conféra à l'abbé l'usage de la mitre et de l'anneau. En revanche, Clément III confirma plusieurs des transactions ménagées par le cardinal Hyacinthe, et, après une nouvelle enquête, confiée par Urbain III aux évêques de Bayonne et de Tarazona, valida en 1188 la sentence que le légat avait prononcée dans l'affaire de Saint-Sauveur de Leire, dont l'abbé s'était prévalu de fausses bulles : le pape révoqua l'usage des pontificaux et déclara le monastère de plein droit épiscopal [3], décision confirmée peu après par Célestin III [4] qui allait diriger sur l'Espagne un nouveau légat, son propre neveu, le cardinal Grégoire de Saint-Ange (1193-1196). Après les légations en Ibérie du cardinal Hyacinthe, Clément III avait pris un ensemble de mesures de nature à affermir la hiérarchie en tenant compte, en partie au moins, de la situation créée par la reconquête dans le cadre des royaumes nationaux.

LE PORTUGAL   Le jeune royaume de Portugal avait été fondé et émancipé de la tutelle castillane par Alphonse Henri qui s'était reconnu vassal du Saint-Siège. En 1179, Alphonse VIII de Castille l'ayant définitivement dégagé de toute sujétion, Alexandre III confirma la suzeraineté pontificale sur la couronne [5], et, en 1190, Clément III en conféra l'investiture à Sanche Ier, moyennant un cens de deux marcs d'or [6]. Le nouveau royaume s'étant agrandi des récentes conquêtes d'Alphonse Henri dans l'Alemtejo (1158-1165) et de Sanche dans l'Algarve (1189), Clément III réorganisa la métropole de Braga, rétablie dès 1114 par Pascal II [7], dont les droits — par suite de l'attitude de ses titulaires

---

(1) Cf. les bulles de Clément III concernant ces affaires, dans P. KEHR, *Papsturkunden in Spanien, Navarra und Aragon*, n° 174, p. 521-522 ; *Katalanien*, n° 233, p. 534-536.
(2) Clément III, dans P. KEHR, *Navarra und Aragon*, n° 179, p. 529-530.
(3) *Ibid.*, n° 178, p. 526-529, 2 août 1189. Sur les antécédents de l'affaire sous les pontificats d'Alexandre III et d'Urbain III, cf. *ibid.*, n°s 132 à 139, 161, 165 (p. 466-479, 507, 510).
(4) *Ibid.*, n° 189, p. 540-541.
(5) JAFFE-WATTENBACH, n° 13.420.
(6) C. ERDMANN, *Papsturkunden in Portugal*, n° 124, p. 342-343.
(7) JAFFE-WATTENBACH, n°s 6474, 6475, 6414. Pour la date des deux premières bulles — 1114 et non 1115 — cf. C. ERDMANN, *Mauritio Burdino (Gregorio VIII) versão portuguesa* de A. PINTO DE CARVALHO, *Publicaçoes do Instituto Alemão da Universidade de Coimbra*, 1940.

et des empiétements de Diego Gelmirez — n'avaient pu devenir effectifs avant le pontificat de Joao Peculiar (1138-1175) [1], mais étaient toujours contestés par l'église de Compostelle ; le pape prit le chapitre cathédral sous la protection de saint Pierre [2] et enjoignit aux évêques de Galice (Astorga, Lugo, Mondonedo, Orense et Tuy), ainsi qu'à ceux de Portugal (Lamego, Lisbonne, Coïmbre, Porto, Evora et Silvès) de reconnaître le nouvel archevêque, Martin, pour leur métropolitain (avril 1190) [3]. Le diocèse portugais de Viseu n'est pas mentionné dans ce privilège ; en revanche, le siège de Silvès est institué, en territoire tout nouvellement reconquis. L'archevêque de Compostelle dut faire opposition à ce règlement, car Innocent III, par bulle du 20 juillet 1200 [4], lui signifiera de renoncer à toute juridiction métropolitaine sur les cinq évêchés de Galice susnommés, ainsi que sur les deux évêchés portugais de Viseu et Coïmbre. Ainsi, la juridiction de Braga débordait le royaume de Portugal pour s'étendre sur une partie du royaume de Léon.

LES ROYAUMES DE CASTILLE ET DE LÉON

Constitué en 1157 à la mort d'Alphonse VII de Castille, en faveur de son fils cadet Ferdinand II († 1188), et maintenu sous Alphonse IX (1188-1230), le royaume de Léon, s'il donnait satisfaction au séparatisme galicien dont l'archevêque de Compostelle, Diego Gelmirez, avait été le champion [5], contribuait à affaiblir la Castille, atteinte déjà par l'érection de l'ancien comté de Portugal en royaume et minée par les luttes intérieures. Alphonse VII n'avait pu conserver les territoires de Cordoue et d'Almeria qu'il avait arrachés aux Maures et, pendant vingt-cinq ans, la reconquête castillane dut marquer une pause. Son petit-fils, Alphonse VIII (1158-1214), après une minorité difficile et le rétablissement de son pouvoir sur toute l'étendue du royaume, passa à l'attaque, s'empara de Cuenca en 1177 et s'entendit avec le roi d'Aragon, aussi bien pour opposer un front commun aux Infidèles que pour le partage ultérieur des territoires reconquis : par le traité de Cazola en 1179, la limite de l'expansion castillane fut fixée au col de Biar ; au delà, la couronne d'Aragon pouvait étendre sa domination. Clément III, approuvant le désir du roi de Castille de dilater les limites du christianisme, institua le diocèse de Plasencia en territoire reconquis et laissa au prince le soin d'en fixer l'étendue [6]. Malheureusement, de nouvelles difficultés surgirent du fait du roi de Léon qui, non content d'enfreindre les lois du mariage chrétien en épousant une infante de Portugal, sa parente à un degré prohibé — mariage que le légat Guillaume déclara nul lors du concile de Salamanque — provoqua par sa défection dans les plaines de la Manche

---

(1) A. PIMENTA, art. *Braga*, dans le *Dictionnaire d'histoire et de géographie ecclésiastiques*, t. X, col. 357. — Voir le dossier de cette affaire, notamment les enquêtes ordonnées par Lucius III et Urbain III, dans les *Papsturkunden in Portugal*, p. 266 et suiv.
(2) C. ERDMANN, *Papsturkunden in Portugal*, nᵒ 123, p. 342.
(3) *Ibid.*, nᵒ 121, p. 339-340.
(4) Cf. A. PIMENTA, *art. cit.*, col. 357.
(5) Sur le rôle du personnage et la conquête de la dignité métropolitaine, cf. A. GORDON BIGGS, *op. cit.*
(6) JAFFE-WATTENBACH, nᵒ 16.590.

le désastre d'Alarcos (1195) et n'hésita pas à rechercher l'alliance des
musulmans en vue d'envahir le royaume de Castille et de le démembrer.
Uni au roi de Navarre et aux musulmans d'Estremadure, Alphonse IX
de Léon attaque la Castille à revers : les forteresses du Guadiana, notamment Calatrava, tombent entre les mains des musulmans ; Tolède et
Cuenca sont fortement menacées ; la Nouvelle Castille tout entière paraît
prête à s'effondrer. Le redressement chrétien sera l'œuvre de l'archevêque
de Tolède, Rodrigue Jimenez de Rada, qui, dans les premières années
du siècle suivant, saura rendre à la lutte contre les Infidèles en Espagne
le caractère d'une croisade internationale, seule capable de rompre la
pression almohade sur les royaumes chrétiens de la péninsule ibérique.

LE ROYAUME D'ARAGON   La métropole de Tarragone avait été restaurée
par bulle de Gélase II au bénéfice d'un titulaire
in partibus, l'évêque de Barcelone (1118)[1] ; en 1144 Lucius II avait remis
le pallium à Grégoire abbé de Cuxa[2] ; enfin Anastase IV avait fixé le
ressort provincial en lui assignant pour suffragants les sièges de Gérone,
Barcelone, Urgel, Vich, Tortosa, Saragosse, Huesca, Pampelune, Tarazona,
Calahorra et Lerida (1154)[3], soustrayant ainsi à l'archevêque de Narbonne
la juridiction qu'il avait exercée sur les évêchés de l'ancienne Marche
d'Espagne, Barcelone, Gérone et Urgel. En 1169, Alexandre III délimita
le diocèse de Barcelone[4]. Par l'acquisition de la Provence, du Roussillon,
de la suzeraineté sur les comtés de Béarn et de Bigorre, Alphonse II
(1162-1196) donna à la couronne d'Aragon, vassale du Saint-Siège[5],
une orientation politique nouvelle qui la détournait de la lutte contre les
Infidèles. Toutefois, il ne s'en désintéressa pas complètement et, malgré
l'échec d'un raid tenté sur Valence, il put affirmer la domination arago-
naise sur Tarragone et Tortosa et reconquérir la province de Teruel avec
Albarracin. Progrès précaires cependant, puisque, jusqu'à la fin du
siècle, les villes maritimes restaient sujettes aux attaques subites des
pirates sarrasins qui écumaient les côtes ; elles furent ainsi attaquées,
dévastées, au cours de l'été 1187, à tel point qu'au printemps suivant
Clément III[6] assigna la défense de Tarragone et de son territoire à tous
les hommes de la région qui, ayant pris la croix, auraient dû partir en
Terre Sainte pour reconquérir Jérusalem, entre temps tombée aux mains
de Saladin. Le territoire de Teruel n'était pas à l'abri des incursions des
musulmans de l'intérieur et l'évêché d'Albarracin, érigé par Alexandre III[7]
en 1172, n'eut qu'une existence éphémère et ne fut définitivement
rétabli qu'en 1213, après la grande victoire chrétienne de Las Navas de
Tolosa (1212).

---

(1) JAFFE-WATTENBACH, n° 6636.
(2) *Ibid.*, n° 8544 ; A. LAMBERT, art. *Barcelone*, dans le *Dictionnaire d'histoire et de géographie
ecclésiastiques*, t. VI, col. 685.
(3) P. KEHR, *Katalanien*, n° 65, p. 337-339. Cf. A. LAMBERT, *Barcelone*, col. 685 ; art. *Aragon*,
ibid., t. III, col. 1372.
(4) JAFFE-WATTENBACH, n° 11.624.
(5) P. KEHR, *Katalanien*, n° 107, p. 393 ; ID., *Cuando se hizo Aragon feudatorio de la Santa Sede*,
dans les *Estudios de Edad Media de la Corona de Aragon*, t. I, 1945, p. 285-326.
(6) P. KEHR, *Katalanien*, n° 226, p. 529-530 (22 avril 1188).
(7) Cf. A. LAMBERT, art. *Aragon*, col. 1372.

LE ROYAUME DE FRANCE [1].
LOUIS VII ET L'ÉGLISE

Au début de son règne, dominé par « l'amour immodéré » qu'il portait à Aliénor et par son chancelier, Étienne de Garlande, dans la fougue des jeunes années, Louis VII avait défendu, plus qu'il n'était sage, les prérogatives royales à l'égard de l'Église ; il avait pris violemment parti en des affaires personnelles : l'élection de Bourges où il avait opposé son propre candidat à l'élu du clergé local, Pierre de la Châtre, reconnu par le pape [2] ; la guerre de Champagne, qu'il entreprit pour défendre fort impolitiquement et jusqu'au crime — l'incendie de Vitry où périrent des centaines de personnes — la sœur de sa femme, Pétronille d'Aquitaine, contre l'épouse légitime et répudiée du sénéchal Raoul de Vermandois, nièce de Thibaut de Champagne. Dans l'une et l'autre affaires, après les grands éclats, l'interdit eut raison de son obstination. Le divorce royal en 1152, au retour de la croisade, approuvé pour raison de consanguinité par l'assemblée ecclésiastique de Beaugency, motivé en fait par l'inconduite notoire de la reine, s'il entraîna, par suite du mariage Plantagenet, de fâcheuses conséquences politiques, eut, en retour, une heureuse influence sur la conduite des affaires ecclésiastiques. Le pieux roi devint bientôt le protecteur par excellence des plus illustres exilés : le pape Alexandre III [3] et l'archevêque de Cantorbéry [4], Thomas Becket. Il s'acquit la réputation d'un prince épris de justice, soucieux d'arbitrer les différends, désarmé devant un adversaire déloyal, dominé par le parti réformiste. Son règne marque l'union étroite de la royauté capétienne et du Saint-Siège, et nul plus que Louis VII ne blâma, par sa conduite même, l'attitude d'un Barberousse, fauteur de schisme, et celle d'un Henri II, violateur des libertés de l'Église.

Dans le domaine royal, il abandonna généralement le choix des évêques aux électeurs canoniques, tout en ne cessant de maintenir son droit de confirmation. A l'élu, il concédait les *regalia* après le sacre et en recevait le serment de fidélité [5]. Dans les grands fiefs, il pratiqua une politique de protection à l'égard des églises, qui permit à la couronne de subs-

---

(1) BIBLIOGRAPHIE. — I. SOURCES. — On consultera les *Papsturkunden in Frankreich*, ancienne série publiée par W. WIEDERHOLD, dans les *Nachrichten von der königlichen Gesellschaft der Wissenschaften zu Göttingen, philologisch-historische Klasse*, Berlin, 1906-1913, in-4º ; nouvelle série publiée par H. MEINERT (pour la Champagne et la Lorraine seulement) et par J. RAMACKERS, dans les *Abhandlungen der Gesellschaft der Wissenschaften zu Göttingen, philologische historische Klasse*, Berlin, 1932-1942 ; A. LUCHAIRE, *Études sur les Actes de Louis VII*, Paris, 1885, in-4º ; L. DELISLE, *Catalogue des Actes de Philippe Auguste*, Paris, 1856 ; *Grandes chroniques de France*, publiées par J. VIARD, t. I, Paris, 1920, Société de l'Histoire de France ; RIGORD, *Chronique*, et GUILLAUME LE BRETON, *Philippide*, publiées par H. F. DELABORDE, 2 vol., Paris, 1885, même collection. Voir également les lettres des évêques, notamment Henri de France, Guillaume aux Blanches mains et Étienne de Tournai.

II. TRAVAUX. — P. IMBART DE LA TOUR, *Les élections épiscopales dans l'Église de France du IXᵉ au XIIᵉ siècle*, Paris, 1890 ; A. CARTELLIERI, *Philipp II. August König von Frankreich*, 5 vol., Leipzig, 1899-1922 ; H. GÉRAUD, *Ingeburge de Danemark reine de France*, dans la *Bibliothèque de l'École des Chartes*, t. VI, 1844 ; R. DAVIDSOHN, *Philipp II. August von Frankreich*, Stuttgart, 1888 ; V. MORTET, *Maurice de Sully, évêque de Paris*, dans les *Mémoires de la Société de l'Histoire de Paris et de l'Ile de France*, t. XVI, 1889, p. 105-318 ; J. MATHOREZ, *Guillaume aux Blanches mains évêque de Chartres*, Chartres, 1911, dans *Archives historiques du diocèse de Chartres* ; J. WARICHEZ, *Étienne de Tournai et son temps 1128-1203*, Tournai, 1937.

(2) Cf. t. IX, 1ʳᵉ partie, p. 74.
(3) Cf. *supra*, p. 79 et s.
(4) Cf. *supra*, p. 103 et s.
(5) P. IMBART DE LA TOUR, *op. cit.*, p. 447-449.

tituer, notamment dans le midi, son patronage au droit patrimonial des feudataires. Sur les terres du comte de Toulouse, où les évêchés faisaient encore partie intégrante du domaine comtal — bien que certains fussent déjà exempts du droit de dépouille — Louis VII prit sous sa protection l'archevêque de Narbonne, Béranger Ier, et l'archevêque de Lodève, Pierre (1157), puis Gaucelin, successeur de ce dernier (1162) ; en 1173, son intervention en faveur de l'église d'Agde est particulièrement significative, puisqu'il octroie à l'évêque une charte en vertu de laquelle il garantit l'élection canonique et interdit au comte ou au vicomte de mettre la main sur le temporel [1]. En revanche, dans le comté de Barcelone, désormais uni à la couronne d'Aragon, il ne semble pas qu'il ait pu agir utilement. L'union temporaire de l'Aquitaine à la couronne lui avait valu l'octroi d'un statut très libéral : dès 1137, sur autorisation de Louis VI le Gros, le prince avait confirmé la liberté d'élection aux sièges de Bordeaux, Agen, Poitiers, Saintes, Angoulême et Périgueux ; il avait également renoncé à toute intervention dans le choix de l'évêque et même au serment de fidélité de l'élu [2]. Ces églises étaient, par ailleurs, en vertu d'anciennes immunités, généralement exemptes des *regalia*. Mais, détachée du domaine royal après la répudiation d'Aliénor, et bientôt unie aux possessions angevines, l'Aquitaine perdit, en fait sinon en droit, certaines des libertés ecclésiastiques dont elle avait joui en paix sous la domination capétienne.

LA POLITIQUE ECCLÉSIASTIQUE DES PLANTAGENETS EN AQUITAINE

Henri II revint à la politique d'intrusion dans les élections épiscopales jadis pratiquée par Guillaume X. La tradition anglo-normande contribua à en renforcer la pratique. En 1158, le Plantagenet prétendit imposer son candidat, Jean de Sicle, écolâtre de Poitiers, au siège de Bordeaux, vacant par la mort de Geoffroy du Lauroux. Mais les électeurs, ayant refusé de procéder au scrutin en sa présence, désignèrent, après son départ, l'évêque de Périgueux, Raymond de Mareuil [3]. Ailleurs, par contre, Henri II réussit à introduire des clercs normands, tels Jean Bellesmains à Poitiers (1162), et plus tard, Guillaume le Templier, abbé de Reading, à Bordeaux. La domination angevine exerçait son influence jusqu'en Gascogne sur les sièges de Bazas, de Lectoure, de Bayonne, dont Richard Cœur de Lion confirma en 1170 les possessions et les droits [4], et sur celui d'Auch, dont l'archevêque partagea avec Bernard de Lescar, évêque de Bayonne, le commandement de la flotte du roi d'Angleterre à destination de la Terre Sainte [5].

(1) A. LUCHAIRE, *Études sur les Actes de Louis VII*, n°s 389, 461, 650, p. 225, 248, 304 ; P. IMBART DE LA TOUR, *op. cit.*, p. 471.
(2) A. LUCHAIRE, *op. cit.*, n° 1, p. 97 ; P. IMBART DE LA TOUR, *op. cit.*, p. 463-464.
(3) *Ibid.*, p. 464 ; R. FOREVILLE, *L'Église et la Royauté en Angleterre sous Henri II Plantagenet*, p. 9.
(4) P. IMBART DE LA TOUR, *op. cit.* p. 467.
(5) *Gesta Regis*, t. II, p. 110-111 ; ROGER DE HOVEDEN, t. III, p. 36.

EN ANJOU   A Angers, Geoffroy Plantagenet avait institué ou maintenu une coutume peu canonique, en vertu de laquelle
il choisissait entre trois candidats présentés par le chapitre. En 1153,
Henri II avait tenté de s'en prévaloir ; mais l'opposition des électeurs
et leur appel à Rome provoquèrent la condamnation formelle de cette
pratique par le pape Adrien IV (1156) [1] et permirent la nomination
canonique de l'abbé de Saint-Florent de Saumur, Mathieu de Loudun.
Cependant, à sa mort en 1162, le roi fit élire son candidat, le normand
Geoffroy Moschet, clerc de sa chancellerie, et, après la mort de ce dernier
survenue en 1177, un autre normand, son cousin Raoul de Beaumont [2].

EN NORMANDIE   Dans le duché de Normandie, les prérogatives du
prince étaient plus fortement enracinées qu'ailleurs.
La maison d'Anjou ne manqua pas de s'en prévaloir. Les nominations
épiscopales étaient à la discrétion du duc : Henri II s'opposa au sacre
d'Achard, abbé de Saint-Victor de Paris, élu évêque de Sées, et installa de
force, en son lieu et place, Froger ; cependant, en 1161, il notifia aux
électeurs de promouvoir le même Achard au siège d'Avranches [3]. Contrairement à l'usage royal de France, l'évêque devait solliciter et obtenir du
duc la remise des *regalia* avant son sacre [4].

Vestige d'un passé que le mouvement réformateur avait, partout
ailleurs en France, efficacement combattu, l'intrusion du duc de Normandie dans les élections épiscopales n'était qu'un aspect de la sujétion
qu'il imposait à l'Église. La juridiction de sa cour avait, de temps immé-
morial, pesé sur les clercs, bien qu'il eût très tôt reconnu les cours de
chrétienté. Au milieu du XIIᵉ siècle, les progrès envahissants de la justice
ecclésiastique furent enrayés, en Normandie d'abord. L'ordonnance de
Falaise (1159) qui instituait le jury d'accusation, puis la décision de la
cour ducale à Rouen en 1162, qui rendit vigueur à l'ordonnance de Lillebonne (1080), vinrent renforcer les « Plaids de l'Épée » sur les clercs criminels ou en contravention des lois de la forêt et les rendirent justiciables de la cour ducale dans les procès concernant la possession de la
terre. Ces coutumes normandes, Henri II tenta de les imposer en Aquitaine, mais il échoua devant l'opposition de l'évêque de Poitiers, Jean
Bellesmains (1163) [5]. Plus tard, il devait les étendre à l'Angleterre. Finalement, sur arbitrage de l'épiscopat normand, une transaction intervint
pour le duché, selon laquelle la cour ducale retenait la juridiction sur les
clercs dans les procès de fiefs lais et dans tous les cas ressortissant aux
« Plaids de l'Épée ». En contre-partie, les cours spirituelles auraient compétence dans toutes les causes de foi lésée et de parjure, de testament,
quelles que fussent les personnes, et sur celles concernant la succession des
clercs même intestats (fin 1190 ou début 1191). Ce règlement, en partie

(1) Jaffe-Wattenbach, 10.174 ; R. Foreville, *op. cit.*, p. 98.
(2) J. Boussard, *Le comté d'Anjou sous Henri Plantagenet et ses fils*, Paris, 1938, *Bibliothèque de
l'École des Hautes Études, Section des sciences hist. et phil.*, fasc. 271, p. 97-99.
(3) R. Foreville, *op. cit.*, p. 97-98.
(4) P. Imbart de la Tour, *op. cit.*, p. 457.
(5) R. Foreville, *op. cit.*, p. 118.

conforme aux canons promulgués par l'archevêque de Rouen en son synode provincial (février 1190)[1], devait être confirmé par Richard Cœur de Lion en 1198 ; enfin, après la conquête française, l'enquête sur les coutumes normandes ordonnée par Philippe Auguste allait en prendre acte[2].

Enfin, les légats pontificaux n'étaient pas admis en Normandie sans autorisation particulière du duc. Encore, le duché se fermait-il le plus souvent à leur action. Ce fut seulement sous la contrainte de l'interdit qui pesa sur lui après le meurtre de Thomas Becket, que Henri II donna aux légats d'Alexandre III, Albert et Theodwin, chargés de négocier sa réconciliation avec l'Église[3], toute faculté de visiter les églises normandes et de réunir, le 28 septembre, un concile qui stigmatisa les abus, prérogative refusée à tout légat en Normandie depuis le concile de Rouen qu'avait présidé Mathieu d'Albano en 1128[4].

Bref, l'avénement des Plantagenets marqua, dans leurs fiefs français comme en Angleterre, un raidissement à l'égard de l'Église : l'affirmation des privilèges ducaux en Normandie et, partout, le recul de l'ingérence pontificale. L'épiscopat, dévoué aux intérêts du roi, était souvent absorbé par les charges séculières. La réforme dépendait, en définitive, du bon vouloir du prince : ses progrès, lents dans le clergé séculier, furent cependant favorisés par la multiplication des fondations religieuses, généralement patronnées par lui.

LES PLANTAGENETS EN BRETAGNE. LA QUESTION DE DOL   A Avranches en 1172, l'archevêque de Tours et l'élu de Dol étaient venus soumettre aux légats pontificaux le différend séculier entre leurs églises[5]. Quelques évêques de Dol, honorés du pallium, avaient pris jadis le titre d'archevêques. Désavoué à plusieurs reprises — notamment en 1094 par Urbain II — mais confirmé par Adrien IV au temps où les Plantagenets commençaient à s'établir en Armorique, « l'archevêque » de Dol avait tenté de se soustraire à l'obédience de l'archevêque de Tours, dont les *regalia* ressortissaient au roi de France, et de s'ériger en métropolitain des évêques de Bretagne[6]. Mais, après la résignation d'Hugues le Roux (1161), Alexandre III[7] prescrivit au chapitre d'envoyer l'élu, Roger du Hommet, à Tours pour y recevoir le sacre. L'un et l'autre s'y refusèrent. La question ne fut pas tranchée à Avranches et demeura pendant presque jusqu'à la fin du siècle, les élus successifs préférant renoncer à la consécration, plutôt que d'entrer dans l'obédience du métropolitain de Tours. En 1199 enfin, tranchant sur le fond, Innocent III devait condamner définitivement les prétentions de Dol[8].

(1) Hefele-Leclercq, *Histoire des conciles*, t. V-2, p. 1158-1161, c. 15, 16, 21.
(2) Raoul de Diceto, *Ymagines historiarum*, t. II, p. 87 ; Dom Bessin, *Concilia Rotomagensis provinciae*, Rouen, 1717, in-f°, p. 104, 100 ; R. Foreville, *op. cit.*, p. 459-451.
(3) Cf. *supra*, p. 117.
(4) R. Foreville, *op. cit.*, p. 337.
(5) *Gesta Regis*, t. I, p. 34.
(6) Sur cette question, cf., outre les bulles d'Adrien IV (Jaffe-Wattenbach, n°s 10.063, 10.065, 10.102, 10.103, 10.362, 10.367, 10.504), B. Pocquet du Haut-Jussé, *Les papes et les ducs de Bretagne*, Paris, 1928 (*Bibliothèque des Écoles françaises d'Athènes et de Rome*), t. I, p. 32-42.
(7) Jaffe-Wattenbach, 10.671.
(8) Potthast, n° 726 ; *P. L.*, CCXIV, 625 et suiv.

Entre temps, l'influence angevine prévalut sur la plupart des églises bretonnes : certainement à Dol, Rennes et Nantes, où furent promus les candidats du roi d'Angleterre, au nombre desquels Étienne de Fougères, qui fut évêque de Rennes de 1168 à 1178 ; probablement aussi à Vannes, Quimper et Saint-Malo, où avait été transféré, depuis 1157, l'évêché d'Aleth [1].

PHILIPPE AUGUSTE ET L'ÉGLISE   L'avénement de Philippe Auguste (1180) marqua un certain raidissement de la politique royale à l'égard de l'Église. Non que cette politique ait été essentiellement différente de celle de Louis VII, mais parce que les droits de la couronne furent alors à nouveau affirmés avec vigueur et les libertés ecclésiastiques réduites en certains domaines. Une acquisition essentielle demeura cependant : la liberté canonique des élections, parfois même le libre choix des électeurs. Philippe Auguste la confirma souvent ; il l'introduisit en Normandie après la conquête (1204). Il alla même, dans certains cas, jusqu'à se dessaisir du droit de régale (par exemple à Langres en 1203, à Arras en 1204) [2]. Comme son père, il s'efforça d'étendre le patronage de la couronne sur les églises des fiefs méridionaux. En revanche, à l'instar de Henri II Plantagenet, il lutta afin d'enrayer l'extension de la juridiction ecclésiatique et, dès son avénement, il n'hésita pas à entrer en conflit sur cette question avec l'archevêque de Sens. Dans le duché de Normandie, désormais uni au domaine royal, il confirma la pratique judiciaire, précisée au temps de Richard Cœur de Lion, qui réservait les cas ducaux [3]. Il n'hésita ni à traduire un évêque à sa cour, ni à saisir le temporel *manu militari*, dès qu'il s'agissait de questions féodales et ses exigences en ce domaine furent grandes : taxations arbitraires, prestations de matériel de guerre, voire service d'ost personnel [4]. Contre cette dernière obligation s'éleva l'évêque de Tournai, Étienne [5], dont la promotion, en 1190, après la mainmise du roi sur la commune (1187), avait cependant marqué un nouveau progrès de l'influence capétienne aux portes de la Flandre.

L'AFFAIRE DU DIVORCE ROYAL   L'épiscopat du domaine royal brille alors de noms justement illustres : entre autres, Guillaume aux Blanches mains, cardinal de Sainte-Sabine et légat pontifical ; Henri de Sully, archevêque de Bourges et légat, qui présida un concile à Charroux en 1186 ; Maurice de Sully, théologien, réformateur et bâtisseur, et son frère Eudes, qui lui succéda sur le siège de Paris ; Étienne de Tournai lui-même, canoniste, également réformateur

---

(1) P. Imbart de la Tour, *op. cit.*, p. 459-461 ; B. Pocquet du Haut-Jussé, *Les Plantagenets et la Bretagne*, dans les *Annales de Bretagne*, t. LIII, 1946, p. 15.
(2) Ch. Petit-Dutaillis, *La monarchie féodale en France et en Angleterre*, Paris, 1933 (*L'évolution de l'humanité*), p. 297.
(3) Cf. *supra*, p. 254.
(4) Voir les exemples cités par Ch. Petit-Dutaillis, *L'essor des États d'Occident*, Collection Glotz, *Histoire du moyen âge*, t. VI, p. 56.
(5) L. Delisle, *Catalogue des Actes de Philippe Auguste*, nos 1393-1395 ; Étienne de Tournai, *Epistolae*, CCXXXIX, dans *P. L.*, CCXIV, 508-509.

et bâtisseur. Cependant, le prestige et la force de la couronne étaient tels que, parmi ces prélats, il ne s'en trouva qu'un petit nombre pour stigmatiser la conduite du roi dans une grave affaire matrimoniale : l'archevêque de Reims et ses suffragants, non seulement prononcèrent la nullité du mariage de Philippe Auguste avec Ingeborg de Danemark (Compiègne, novembre 1193) [1], mais encore se refusèrent à obtempérer aux injonctions du pape. Célestin III [2], ayant dirigé sur la France ses légats chargés de faire une enquête et exhorté en vain le coupable, déclara la sentence des évêques nulle et non avenue et interdit au roi de convoler en d'autres noces. Celui-ci n'en épousa pas moins sa cousine, Agnès de Méran, violant ainsi les lois canoniques et l'interdiction pontificale. A l'avénement d'Innocent III, la cour de France était en conflit avec Rome, et le nouveau pape, après plusieurs avertissements [3], entra dans la voie des sanctions : il enjoignit à ses légats de citer en jugement les évêques qui avaient prononcé la dissolution du mariage du roi avec Ingeborg, et d'obliger celui-ci à reprendre son épouse légitime, sous menace d'interdit. L'interdit fut effectivement prononcé par Pierre de Capoue, lors d'un concile réuni à Vienne (14 janvier 1200) [4] ; l'épiscopat, après quelques manœuvres dilatoires, finit par obtempérer et se résolut à promulguer la sentence pontificale. Le conflit, toutefois, devait se prolonger jusqu'en 1213.

L'ANGLETERRE [5]. *RETOUR AUX PRATIQUES DE CLARENDON*

Par sa solennité extraordinaire, le sacre de Richard Cœur de Lion (Westminster, 3 septembre 1189) [6] fut, pour le primat de Cantorbéry, une éclatante revanche sur l'humiliation de 1170 [7]. Dès le 15 septembre, en l'abbaye royale de Pipewell, le roi pourvut aux églises vacantes. Ainsi, le trésorier Richard accéda au siège de Londres ; Geoffroy de Lucé, fils du grand justicier de Henri II et lui-même justicier, à celui de Winchester ; le chancelier Guillaume Longchamp à celui d'Ely ; Hubert Gautier, doyen d'York, enfin, à celui de Salisbury [8]. Candidat du chapitre en 1186, lorsque Henri II s'était préoccupé de l'élection à l'archidiocèse d'York, sans d'ailleurs y donner suite, le nouvel évêque de Salisbury demeurait l'un des adversaires de l'archevêque désigné, Geoffroy Plantagenet, bâtard du défunt roi, élu le 10 août, sur vu de lettres royales dont l'authenticité reste sujette à caution [9]. Conforme aux vœux paternels,

(1) Sur l'affaire du divorce royal, cf. les travaux de CARTELLIERI, GÉRAUD et DAVIDSOHN cités *supra*, p. 252 (Bibliographie).
(2) JAFFE-WATTENBACH, n°s 17.241-17.243.
(3) POTTHAST, n°s 199 et 362 (1198).
(4) HEFELE-LECLERCQ, *op. cit.*, t. V-2, p. 1226.
(5) Pour la Bibliographie, on se reportera aux sources et travaux cités au chapitre III, L'affaire Thomas Becket, p. 84 s. Y ajouter les *Epistolae Cantuarienses (1189-1199)*, éd. STUBBS, formant le t. II des *Chronicles and memorials of the reign of Richard I (Rolls Series)*.
(6) Ce sacre est longuement décrit dans les *Gesta Regis*, t. II, p. 78-83, qui mettent l'accent sur son caractère éminemment religieux et quasi sacramentel ; également par ROGER DE HOVEDEN, t. III, p. 9-11. Pour le cérémonial, cf. J. WICKHAM LEGG, *English coronation records*, Londres, 1901, p. 46 et suiv. Sur l'importance donnée aux engagements royaux, cf. M. DAVID, *Le serment du sacre du IXe au XVe siècle*, dans *Le moyen âge*, t. VI, 1950, p. 223-227.
(7) Cf. *supra*, p. 110 s.
(8) *Gesta Regis*, t. II, p. 85 ; RAOUL DE DICETO, *Ymagines historiarum*, t. II, p. 69 ; GERVAIS DE CANTORBÉRY, *Chronique*, t. I, p. 458.
(9) *Gesta Regis*, t. II, p. 77 ; THOMAS STUBBS, *Vies des archevêques d'York, Continuation*, dans

cette élection avait grandement mécontenté Richard Cœur de Lion.

On revenait ainsi à la coutume sanctionnée par les constitutions de Clarendon (art. XII)[1] et le concordat de Londres [2] : élection en une chapelle royale du conseil des personnes mandées pour entériner la volonté du prince. Les élus sont des clercs royaux, grands officiers de la couronne ; la promotion de 1189 rappelle étrangement celle de 1173 [3]. Le roi appesantit encore son joug sur l'Église par un retour à des pratiques frisant la simonie, que l'Angleterre ne connaissait plus depuis la mort de Guillaume le Roux et la chute de son ministre de triste mémoire, Ranulf Flambard. Pressé d'argent en vue d'un prochain départ pour la croisade, Richard concéda à son demi-frère le temporel de l'église d'York, moyennant trois mille marcs. L'évêque de Winchester et l'abbé de Saint-Edmond durent racheter de même plusieurs manoirs et dépendances aliénés de leur église respective [4]. Et le chroniqueur qui rapporte ces faits, de conclure, non sans mélancolie : « Tous ceux qui le voulaient achetaient au roi aussi bien leur propre droit que celui d'autrui. »

NOUVELLES DIFFICULTÉS DE L'ÉGLISE DE CANTORBÉRY

L'archevêque Baudouin était en conflit avec son chapitre au sujet d'une église collégiale qu'il avait entrepris d'ériger dans la proche banlieue de Cantorbéry, à Hackington, en exécution d'un vœu de ses prédécesseurs, Anselme et Thomas Becket, en l'honneur de saint Étienne [5]. Comme il projetait de la dédier conjointement au premier et au nouveau martyr, les moines de Christchurch l'accusaient de vouloir détourner les offrandes déposées en la cathédrale sur la tombe de saint Thomas, et redoutaient d'être frustrés de l'élection archiépiscopale au profit du nouveau collège. En dépit d'appels à Rome, d'enquêtes nombreuses sur ordre royal ou pontifical, d'un arbitrage de Henri II (à Alençon en 1187), de la mise en état de siège du couvent, de l'interdit par lequel les moines y avaient riposté [6], de la suspense du prieur, remplacé par un homme à la dévotion de l'archevêque — Roger Norreys — l'affaire battait encore son plein à l'avénement de Richard.

Dès le 1er décembre 1189, le roi se rendit à Cantorbéry afin d'arbitrer le différend et de priver ainsi de son objet l'intervention du légat, qu'entre temps il retenait à Douvres. Norreys fut déposé et les constructions de Hackington vouées à la destruction ; mais les moines durent promettre obéissance à leur archevêque selon la règle de saint Benoît. Enfin libéré et reçu solennellement à Cantorbéry, le légat n'eut plus qu'à

Historians of the Church of York, t. II, p. 400-401 ; Guillaume de Newburgh, *Historia anglicana*, IV, 2, p. 300-301, met en doute l'authenticité des lettres de Richard Ier, mais ne conteste nullement le fait de l'élection sur le vu de ces lettres.

(1) Cf. R. Foreville, *op. cit.*, p. 132-133.
(2) *Ibid.*, p. 7-8.
(3) *Ibid.*, p. 373-383, et *supra*, p. 119.
(4) *Gesta Regis*, t. II, p. 78, 100, 91.
(5) Sur cette affaire, la source principale est la volumineuse correspondance réunie sous le titre *Epistolae Cantuarienses*. Elle a été longuement retracée par les chroniqueurs : Gervais de Cantorbéry, t. I, p. 337-592 ; Roger de Hoveden, t. II, p. 325, et t. III, p. 23-24 ; Raoul de Diceto, t. II, p. 42-43, 72, 89-90, 165, 170-171. Pour la critique de ces textes, le détail des faits et les références, nous renvoyons à notre ouvrage, *L'Église et la Royauté*, p. 536-542.
(6) *Epistolae Cantuarienses*, n° 182, p. 161.

casser l'arbitrage royal. Baudouin acquit ensuite, par échange avec le monastère Saint-André de Rochester, de nouvelles terres à Lambeth, où ses prédécesseurs avaient déjà une propriété, et y fit [transférer les matériaux de Hackington. Mais il ne lui fut donné ni de régler définitivement l'affaire de Hackington-Lambeth, ni de faire triompher les prétentions traditionnelles de l'église de Cantorbéry sur celle d'York.

L'appel à Rome d'Hugues de Durham, suffragant de la métropole du nord, celui d'Hubert Gautier et d'une fraction du chapitre [1], l'hostilité de la reine-mère et les intrigues du haut baronnage, retardèrent le sacre de Geoffroy d'York, que Baudouin revendiquait comme l'une de ses fonctions propres [2]. L'archevêque de Tours, Barthélemy, devait y procéder et remettre le pallium au bâtard de Henri II, sur mandat de Célestin III, le 18 août 1191 [3], le siège de Cantorbéry étant devenu vacant par la mort de Baudouin devant Acre († 19 novembre 1190).

LE GOUVERNEMENT ECCLÉSIASTIQUE. GUILLAUME LONGCHAMP Avant de s'embarquer pour la Terre Sainte, Richard Cœur de Lion régla la lieutenance du royaume : laissant à l'évêque de Durham, comte palatin, la justice suprême, du Humber à la frontière écossaise, il institua Guillaume Longchamp, évêque d'Ely et chancelier, grand justicier, c'est-à-dire vice-roi, tandis que ses messagers à la Curie sollicitaient de Clément III la légation d'Angleterre pour le même Longchamp. Elle lui fut accordée avec une plénitude inouïe à ce jour, à la fois sur les régions de l'Irlande soumises à la seigneurie du comte de Mortain, sur le Pays de Galles et sur toute l'Angleterre [4], en un temps où la prise de la croix par Baudouin de Cantorbéry et le délai du sacre de Geoffroy d'York laissaient au nouveau légat les mains entièrement libres.

Unissant en sa personne la totalité des pouvoirs, Longchamp ne tarda pas à se rendre odieux. D'humble extraction, il exerçait sa morgue arrogante sur les dignitaires ecclésiastiques comme sur les barons laïques ; il s'entourait d'un équipage tel qu'il ruinait les églises contraintes à l'héberger. Il usa de son autorité de légat pour asseoir sa domination, opprimer les églises et réduire les plus puissants comme les plus humbles en une commune servitude [5]. A la faveur d'une semblable confusion des pouvoirs, nul ne pouvait résister à ses ordres sans paraître fouler aux pieds et l'autorité du roi et celle du pape [6] ; nul ne pouvait se dresser contre sa tyrannie, comme naguère contre celle d'un roi, au nom du pouvoir spirituel et de la liberté de l'Église. Cependant, il se fit de puissants ennemis : l'évêque de Durham, les frères du roi, Jean comte de Mortain et de Glou-cester, seigneur d'Irlande, soutenu par la reine douairière, et Geoffroy

(1) *Gesta Regis*, t. II, p. 77, 79, 100-101, 146, 209, 225-226, 237-238, 240-241, 245-246.
(2) *Ibid.*, t. II, p. 86.
(3) *Ibid.*, t. II, p. 209.
(4) *Ibid.*, t. II, p. 106, 108 ; RAOUL DE DICETO, t. II, p. 83 ; JAFFE-WATTENBACH, n° 16.505.
(5) *Gesta Regis*, t. II, p. 143, 214-216.
(6) *Ibid.*, t. II, p. 108, 157-158.

Plantagenet, que, l'un comme l'autre, Richard Cœur de Lion voulait retenir sur le continent.

Dès que l'archevêque d'York eut débarqué, le grand justicier le fit arrêter, au pied même de l'autel où, à Saint-Martin de Douvres, il achevait de célébrer le saint sacrifice [1]. Ses violences, jointes à d'anciennes rancunes, soulevèrent contre Longchamp l'épiscopat, dirigé, à défaut du primat d'Angleterre, par celui de Normandie, Gautier de Coutances, archevêque de Rouen. Excommunié par ses pairs, il fut renversé à l'issue d'une assemblée mémorable tenue à Saint-Paul de Londres [2], à propos de laquelle on a pu parler de « chute ministérielle » [3]. Face au grand justicier de Richard Cœur de Lion, légat des papes Clément III et Célestin III, se révélèrent déjà les forces qui, près de vingt-cinq ans plus tard, devaient contraindre Jean sans Terre à capituler : l'épiscopat, le baronnage, la bourgeoisie londonienne [4]. Ni les protestations du pape, auquel il porta plainte, ni les menaces d'excommunication, ne fléchirent l'épiscopat anglo-normand, dès lors enclin à contester certaines interventions malencontreuses de la papauté dans les affaires du royaume. Le diocèse d'Ely fut mis sous séquestre et ses revenus versés au fisc [5]. L'archevêque de Rouen prit les rênes du gouvernement et sut acheter la faveur d'Aliénor et du comte de Mortain plus cher que Longchamp qui intriguait auprès d'eux afin de rentrer en grâce [6]. Les légats pontificaux, envoyés pour régler l'affaire, se virent fermer l'accès de la Normandie, et Rome s'empressa de lever l'interdit qu'ils avaient fulminé [7].

HUBERT GAUTIER VICE-ROI ET LÉGAT   Après la mort de Baudouin de Cantorbéry († 19 novembre 1190) et l'élection au siège primatial de l'évêque de Bath, Reginald, qui mourut avant d'avoir été intronisé († 26 décembre 1191), Richard Cœur de Lion, encore prisonnier en Autriche, envoya l'ordre d'élire l'évêque de Salisbury, Hubert Gautier [8]. Après sa libération, son retour et l'assemblée solennelle de Winchester (17 avril 1194), le roi, à la veille de s'éloigner à nouveau de l'Angleterre, nomma le nouvel archevêque « procurateur principal du royaume » [9] avec une autorité très étendue [10], et obtint pour lui, de Célestin III, la légation d'Angleterre avec un pouvoir supérieur même à celui dont Guillaume Longchamp avait naguère été investi, puisqu'il englobait la personne de l'archevêque et l'église d'York [11], qui, par privilège spécial du 13 mai 1191 [12], avaient été déclarées exemptes de toute commission de légat autre que celle des légats *a latere*.

(1) *Gesta Regis*, t. II, p. 210-211, 217-218 ; RAOUL DE DICETO, nᵒ 16.505.
(2) *Gesta Regis*, t. II, p. 212-213 ; RAOUL DE DICETO, t. II, p. 97-101.
(3) CH. PETIT-DUTAILLIS, *L'essor des États d'Occident*, p. 124.
(4) *Gesta Regis*, t. II, p. 214.
(5) *Ibid.*, t. II, p. 225.
(6) *Ibid.*, t. II, p. 239.
(7) *Ibid.*, t. II, p. 246-250.
(8) *Ibid.*, t. II, p. 226 ; RAOUL DE DICETO, t. II, p. 107-109 ; GERVAIS DE CANTORBÉRY, t. I, p. 509-512, 516-519.
(9) GUILLAUME DE NEWBURGH, V, 1, t. II, p. 417.
(10) *Ibid.*, V, 20, t. II, p. 466-471.
(11) JAFFE-WATTENBACH, nᵒ 17.202, 17.203 (18 mars 1195) ; RAOUL DE DICETO, t. II, p. 125-127.
(12) *Historians of the Church of York*, t. III, *Illustrative Documents*, p. 89.

A la fois justicier et légat, comme Longchamp, Hubert Gautier sut, à la faveur des circonstances — éloignement des frères du roi, retraite d'Aliénor en l'abbaye de Fontevrault — mais aussi grâce à sa propre autorité (qui ne fut d'ailleurs pas exempte de toute critique), épargner à l'Angleterre les soubresauts qu'elle avait connus sous le précédent ministère. En vertu de ses pouvoirs de légat, il visita le diocèse et la ville archiépiscopale d'York (1195), il y tint un concile où furent promulgués des canons disciplinaires et adressa au pape un rapport détaillé [1]. Par la légation — désormais restituée à l'archevêque de Cantorbéry et maintenue entre ses mains — l'antique primauté du siège de saint Augustin refleurissait. Au sein même de l'église primatiale, la paix ne devait pas tarder à renaître grâce au compromis final de 1200 préparé par la mission pacificatrice d'Hugues de Lincoln [2] : le collège de Lambeth, limité dans ses constructions et dans ses hôtes — une vingtaine de Prémontrés, à jamais privés de voix dans l'élection archiépiscopale — allait fournir au primat d'Angleterre une résidence proche de Westminster, où l'appelait constamment son rôle de premier conseiller de la couronne.

L'ÉGLISE ANGLAISE A LA MORT DE RICHARD CŒUR DE LION — Mortellement blessé au siège de Chalus, Richard Iᵉʳ mourut le 6 avril 1199, laissant la couronne à son frère Jean. Les dix années de son règne furent désastreuses pour l'Église d'Angleterre. En 1189, en effet, la résistance de Thomas Becket, le concordat d'Avranches, l'effort des légats, les malheurs du roi vieillissant, l'influence d'Hugues de Lincoln, avaient peu à peu frayé la voie à une discrimination du pouvoir spirituel et du pouvoir temporel. La tradition cependant n'en était pas encore établie : tout dépendait des dispositions du prince. Par son absence du royaume, l'omnipotence de ses ministres, la turbulence de ses évêques, Richard Cœur de Lion réduisit à néant les lentes acquisitions du règne précédent. En 1199, la concentration des pouvoirs, dont Clément III et Célestin III furent responsables autant que Richard, en avait favorisé la confusion et avait permis sans le moindre heurt le retour à l'esprit de Clarendon : les élections épiscopales et abbatiales demeuraient à la discrétion du roi ; les causes des évêques étaient déférées plutôt à la *Curia Regis* qu'au Siège apostolique [3] ; l'accès des terres royales avait été refusé aux légats *a latere* ; l'autorité du pape avait été méprisée, bafouée même parfois, malgré l'entente réelle du roi d'Angleterre et de l'Église romaine ; l'épiscopat, comme la baronnage laïque, se montrait de plus en plus indépendant ; seuls, l'ascendant et l'intégrité de Gautier de Coutances, puis d'Hubert Gautier, avaient fait triompher, pour un temps, l'ordre public. Dans ces conditions, l'avénement de Jean sans

___

(1) Raoul de Diceto, t. II, p. 146-148 ; Hefele-Leclercq, *op. cit.*, t. V-2, p. 1169-1171.
(2) R. Foreville, *op. cit.*, p. 540-542, où l'on trouvera toutes les références textuelles.
(3) *Gesta Regis*, t. II, p. 237-238. De semblables abus sont justement flétris dans le traité de Néel Wireker, *Contra curiales et officiales clericos*, dédié à Guillaume Longchamp (*Satirical poets of the twelfth century*, éd. Th. Wright, *Rolls Series*, t. I, p. 146-230), notamment p. 186, où l'auteur énumère les mauvaises coutumes toujours en vigueur. D'autres exemples des exactions de Richard Cœur de Lion sur les églises sont flétris dans la *Magna vita sancti Hugonis Lincolniensis* (éd. J. F. Dimock, *Rolls Series*).

Terre, dont le caractère ne pouvait qu'accroître les errements du règne précédent, allait gravement compromettre en Angleterre l'autorité pontificale en même temps que le pouvoir royal.

L'ÉCOSSE[1]. *RÈGLEMENT DE LA QUESTION MÉTROPOLITAINE* Le mouvement réformateur qui — sous l'influence de Lanfranc et de la reine Marguerite — avait atteint l'Écosse dès la fin du XIᵉ siècle, avait abouti, sous le règne d'Alexandre Iᵉʳ (1107-1124) et de son frère David (1124-1153), à l'établissement progressif, jusqu'à l'extrême nord du pays, d'une hiérarchie épiscopale à juridiction territoriale. Au milieu du XIIᵉ siècle, un épiscopat royal et diocésain avait définitivement supplanté l'ancienne église celtique fondée sur les monastères à juridiction, sans que les princes aient réussi, malgré leurs efforts, à obtenir l'érection du siège de Saint-Andrews en métropole nationale, ni à retenir les diocèses insulaires (Orcades, Sodor et Man) rattachés en 1153 à la métropole norvégienne de Trondjhem (Nidaros)[2].

A la faveur des circonstances, les métropoles anglaises — Cantorbéry et surtout York — avaient tenté d'étendre leur ressort sur les diocèses écossais, avec l'appui du roi d'Angleterre qui visait à l'hégémonie sur le royaume septentrional[3]. Toutefois, sur le point de s'éloigner de ses États pour une longue période et voulant écarter toute menace sur les frontières nord de ses terres, Richard Iᵉʳ s'était réconcilié avec le vieil adversaire de son père, Guillaume le Lion, son propre allié lors de la grande rébellion de 1173. Le 5 décembre 1189, au cours d'une entrevue entre les deux Lions, à Cantorbéry, le roi d'Angleterre avait définitivement libéré celui d'Écosse de l'hommage-lige et de toute sujétion envers la couronne[4], extorqués par Henri II à Falaise, du prince captif de ses armes (1174).

Cette restauration de l'indépendance et de la souveraineté du royaume d'Écosse, non moins que le règlement par Clément III, en 1189 également, de l'affaire de Saint-Andrews, permit à la papauté de donner une solution définitive au différend qui opposait l'Église écossaise à la métropole d'York, dont les prétentions séculaires sur les Églises du royaume septentrional s'étayaient, depuis 1174, sur la dépendance effective de l'Écosse à l'égard de la couronne d'Angleterre. Par la bulle *Filia specialis*, du 13 mars 1192, Célestin III libéra l'église écossaise de toute subordination envers le métropolitain d'York[5], désormais réduit à trois suffragants : Durham, Carlisle et Whithern (*Candida Casa*, dans le Galloway, territoire toujours rattaché à la couronne anglaise[6]). Il étendit à tous les sièges épiscopaux du royaume — Saint-Andrews, Dunblane, Dunkeld, Brechin, Aberdeen, Moray, Ross et Caithness — l'immédiateté dont, par privilège

(1) Pour la Bibliographie, cf. *supra*, p. 86.
(2) R. FOREVILLE, *op. cit.*, p. 64-70.
(3) *Ibid.*, p. 506 et suiv., et *supra*, p. 123 s.
(4) *Gesta Regis*, t. II, p. 98, 101-102.
(5) *Ibid.*, t. II, p. 234-235 ; ROGER DE HOVEDEN, t. II, p. 360-361 ; t. III, p. 173-174 ; JAFFE-WATTENBACH, 16.173 et 16.836. C'est par une fausse interprétation des *Gesta Regis*, où le nom du pape semble avoir été corrompu, que Hoveden donne deux privilèges semblables et en attribue l'initiative à Clément III en 1188 : cf. R. K. HANNAY, *The date of the « Filia specialis » bull*, dans *The Scottish historical Review*, t. XXIII, 1926, p. 171-177 ; R. FOREVILLE, *op. cit.*, p. 514, n. 3.
(6) *Gesta Regis*, t. I, p. 348-349.

spécial, jouissait depuis 1175 l'évêché de Glasgow [1]. Cette « hiérarchie acéphale » [2] devait se maintenir jusqu'en 1472, date à laquelle la papauté allait consacrer les prétentions de Saint-Andrews au titre de métropole ecclésiastique de l'Écosse [3].

L'IRLANDE [4]. PROGRÈS DÉCISIFS DE L'INFLUENCE ROMAINE — Concédée à Henri II Plantagenet par les pontifes romains, Adrien IV, puis Alexandre III [5], l'Irlande, propriété éminente du Saint-Siège, fut l'objet, dans le dernier quart du XIIe siècle, de plusieurs interventions de la papauté dans l'ordre temporel, soit en vue d'affermir le pouvoir du roi d'Angleterre (missions des légats pontificaux, Vivien en 1177 [6] et Alexis en 1180) [7], soit lorsqu'il s'agit d'en conférer l'investiture au plus jeune fils du roi [8] (1177, 1185, 1186). Si ce dernier ne fut pas couronné roi d'Irlande par le cardinal Octavien et Hugues de Nonant, envoyés à cet effet en Angleterre en 1186, par suite, semble-t-il, d'un revirement du Plantagenet, du moins avait-il reçu le titre de seigneur d'Irlande (*dominus Hiberniae*) [9] qu'il devait conserver après son accession au trône d'Angleterre (1199) et transmettre à son fils et héritier, Henri III.

Par ses interventions en faveur des conquérants anglais de l'Irlande, la papauté favorisa la diffusion des idées réformatrices, des prescriptions canoniques et des rites en usage dans l'Occident latin, à travers les vieilles chrétientés celtiques encore attachées à leurs traditions particulières. Le concile de Cashel [10], réuni au lendemain de la conquête (1172) et présidé par Christian de Lismore, premier abbé de Mellifont et digne continuateur de l'œuvre réformatrice de saint Malachie († 1148), régla, conformément aux canons et aux pratiques de l'Église d'Angleterre, les dîmes, le rite baptismal et la législation matrimoniale. En 1179, six ou sept évêques irlandais purent assister au troisième concile du Latran [11] et enr apporter les décisions. En 1186, le synode provincial de Dublin [12] dénonça les vices du clergé et du peuple et fit un devoir aux clercs d'enseigner les enfants dans la foi chrétienne. Il constata, en revanche, l'introduction en Irlande, notamment dans la région de Wexford, d'un abus invétéré en Angleterre et dans le Pays de Galles, le concubinage des clercs, et déposa les coupables, des Gallois pour la plupart.

La mainmise de la royauté anglaise sur l'Irlande ne se traduisit pas,

---

(1) JAFFE-WATTENBACH, 12.468 ; R. FOREVILLE, *op. cit.*, p. 508-509 ; et *supra*, p. 124.
(2) J. DOWDEN, *The medieval Church in Scotland*, p. 11.
(3) *Liber censuum*, p. 230, n. 1.
(4) Pour la Bibliographie, cf. *supra*, p. 86.
(5) Cf. *supra*, p. 34, 116.
(6) *Gesta Regis*, t. I, p. 137 ; GIRAUD LE CAMBRIEN, *Expugnatio Hibernica, Opera*, t. V, p. 345-346 ; HEFELE-LECLERCQ, *op. cit.*, t. V-2, p. 1063 (à l'année 1176, par erreur).
(7) W. HOLTZMANN, *Papsturkunden in England*, n° 180, p. 450. Cf. R. FOREVILLE, *op. cit.*, p. 501.
(8) *Gesta Regis*, t. I, p. 162-163, 339 ; t. II, p. 3-4 ; ROGER DE HOVEDEN, t. II, p. 133, 135, 306-307, 317 ; R. FOREVILLE, *op. cit.*, p. 501-502.
(9) Lors de l'assemblée d'Oxford en 1177.
(10) Cf. *supra*, p. 116.
(11) *Gesta Regis*, t. I, p. 221 ; ROGER DE HOVEDEN, t. II, p. 171.
(12) GIRAUD LE CAMBRIEN, *De Rebus a se gestis, Opera*, t. I, p. 65-66 ; HEFELÉ-LECLERCQ, *op. cit.*, t. V-2, p. 1135.

comme pour l'Écosse, par une tentative de subordination des diocèses
irlandais aux métropoles britanniques. L'organisation ecclésiastique
établie en 1152 par le légat pontifical Jean Paparo, lors du concile de
Kells [1], avait, au contraire, mis un terme à l'influence de Cantorbéry
sur les chrétientés danoises du littoral méridional. A l'époque de la
conquête anglo-normande, l'Irlande comptait une trentaine de diocèses [2],
répartis entre les quatre métropoles nationales : Armagh, Cashel, Dublin
et Tuam. En 1192, le *Liber censuum* de l'Église romaine [3] semble accuser de
légers remaniements (la fusion des sièges de Waterford et de Lismore,
le transfert d'Elphin à Roscommon, la fixation à Cairuc de l'évêché du
pays d'Ossory, l'érection ou la réapparition de Roscrea et d'Innigasthaig
dans la province de Cashel, de Clonmacnois et de Kilmagduach dans celle
de Tuam, de Duleck et de Rathlure dans celle d'Armagh). Surtout, à la
fin du XIIᵉ siècle, dans les régions d'Irlande entièrement soumises à la
domination anglaise, disparaît peu à peu la conception celtique d'un
épiscopat sans juridiction territoriale déterminée. Non seulement Henri II
avait exigé des évêques irlandais, comme des évêques anglais, un serment
de fidélité, mais les vacances permirent au roi de nommer des clercs
à sa dévotion ; dès 1175, il avait élevé maître Augustin, probablement
d'origine irlandaise, au siège de Waterford [4], et, après la mort de saint
Laurent O'Toole [5], archevêque de Dublin et légat pontifical († 1180),
il manda à sa cour les électeurs et leur fit accepter la candidature d'un
clerc royal, ancien justicier itinérant, Jean Cumin, que Lucius III devait
ordonner prêtre et consacrer de ses mains (mars 1182) [6]. Au cours d'un
long épiscopat de trente années, Jean Cumin fonda la puissance territoriale de son église. Grâce aux libéralités royales, il put constituer un
vaste évêché féodal, nanti de puissantes franchises et s'étendant de Dalkey,
sur la baie de Dublin, à Glendalough au sud, et Dunlavin à l'ouest [7]. La
mentalité celtique fut lente à s'accoutumer à cette conception de l'évêque,
élu sur candidature officielle et confirmé par le pape, serviteur dévoué
d'un prince étranger, et seigneur temporel d'un vaste territoire. Le
nouvel épiscopat, s'il ne devait jamais gagner le nord de l'Irlande, allait
s'implanter fermement au sud où il devait contribuer grandement à
asseoir le pouvoir épiscopal sur une base territoriale d'autant plus solide
que l'évêque devenait un puissant seigneur féodal. Il entretint d'étroites
relations avec l'Église d'Angleterre et avec le Saint-Siège, et, s'il favorisa
l'introduction des pratiques anglo-normandes, notamment en matière
d'élection, il répandit la discipline de l'Église latine et hâta l'assimilation
des églises celtiques à la Chrétienté romaine.

(1) R. FOREVILLE, *op. cit.*, p. 74-75.
(2) D'après les *Gesta Regis*, t. I, p. 27, et ROGER DE HOVEDEN, t. II, p. 31-32.
(3) P. 233-234. Cf. la comparaison des deux listes dans notre *Église et Royauté*, p. 502, n. 4.
(4) *Gesta Regis*, t. I, p. 103-104 ; ROGER DE HOVEDEN, t. II, p. 83.
(5) Sur ce prélat irlandais et son rôle, cf. les *Gesta Regis*, t. I, p. 102, 221, 270 ; ROGER DE HOVE-
DEN, t. II, p. 83, 171, 253 ; LEGRIS, *Saint Laurent O'Toole*, dans l'édition revue et abrégée par
P. CARPENTIER, p. 65-67.
(6) *Gesta Regis*, t. I, p. 280, 287 ; ROGER DE HOVEDEN, t. II, p. 263, 267.
(7) Cf. E. CURTIS, *A History of Ireland*, 3ᵉ éd., Londres, 1937, p. 63 ; W. A. PHILIPPS, *History
of the Church of Ireland*, Oxford, 1934, p. 65 et suiv.

LES PAYS SCANDINAVES ¹. *LA NORVÈGE:*
L'ORGANISATION ECCLÉSIASTIQUE ET
L'INTRODUCTION DE LA RÉFORME

Depuis la mission de Nicolas Breakspear, l'Église norvégienne jouissait d'une organisation nationale sous la juridiction d'un métropolitain siégeant à Nidaros (Trondjhem). A la fin du XIIᵉ siècle, elle comportait onze sièges épiscopaux répartis sur tous les territoires colonisés par les Norvégiens. En Norvège même, outre Nidaros, les quatre évêchés de Bergen (anciennement dans l'île de Selja), Stavanger, Oslo et Hamar ; en Islande, Skâlholt et Hôlar ; pour les Far Oër, Kirkebœ dans l'île de Strœmœ ; dans le Groenland, Gardhar (aujourd'hui Igalikœ) ; dans les Orcades, Kirkjuvâgr (Kirkwall) ; enfin, le diocèse de Sodor et Man qui s'étendait sur les Southern Isles (Suderœiene), c'est-à-dire sur les Hébrides méridionales et sur la grande île voisine. Quant aux églises fondées par les Scandinaves en Irlande, elles étaient, depuis le synode de Kells (1152) ², rattachées aux métropoles locales.

La mission du cardinal Breakspear avait permis également à l'Église norvégienne de s'affranchir du pouvoir séculier : le choix des évêques ressortissait aux chapitres cathédraux, le roi conservant seulement le droit de confirmation ; l'investiture laïque avait été prohibée ; les nominations aux cures paroissiales étaient passées du roi ou des propriétaires terriens aux évêques. Enfin, des efforts avaient été faits en vue de promouvoir le célibat ecclésiastique. L'archevêque de Nidaros, Eysten Erlendsœn, consacré et revêtu du pallium par Alexandre III en 1161, maintint l'Église norvégienne dans la voie ouverte par le légat. Après la défaite et la mort des princes rivaux qui s'étaient disputé le pouvoir, il oignit et couronna, à Bergen, Magnus Erlingssœn (c. 1164), affirmant ainsi le rôle de l'épiscopat dans l'élection du prince, naguère encore nommé par le *thing*. Lorsque Magnus eut atteint sa majorité, il sanctionna et fit confirmer par le *thing* de Gula les prérogatives de l'Église dans le choix et le couronnement des rois et sa liberté dans les élections ecclésiastiques (1174). Mais, de telles concessions furent le signal de la révolte

(1) BIBLIOGRAPHIE. — I. TRAVAUX D'ENSEMBLE SUR LES PAYS SCANDINAVES. — Un ouvrage fondamental analysant les sources : *Der nordiska religionem och Kristendomnen*, Stockholm, 1938 ; une étude générale : A. D. JŒRGENSEN, *Den nordiske Kirkes Grundlaeggelse og fœrste Udvikling*, Copenhague, 1874-1878 ; en français enfin, le petit volume de L. MUSSET, *Les peuples scandinaves au moyen âge*, Paris, 1951, apporte les données essentielles sur l'Église et les conditions de la vie religieuse, comme sur les problèmes politiques ou sociaux.
II. SOURCES PARTICULIÈRES A LA NORVÈGE ET AUX TERRITOIRES COLONISÉS PAR LES NORVÉGIENS. — *Regesta Norvegica 991-1263*, Kristiania, 1898, édit. G. STORM, d'après le *Diplomatarium norvegicum*. *Oldbreve til kundskab om Norges indre og ydre forhold*, édit. C. C. LANGE et C. R. UNGER, Christiania, 1847 ; *Monumenta historica Norvegiae. Latinske kildeskrifter til Norges historie i middelalderen*, édit. G. STORM, Kristiania, 1880 ; H. HERMANNSSON, *Bibliography of the sagas of the kings of Norway, Islandica*, III, Ithaca, 1910 ; ID., *The sagas of the kings, Bibliographical supplement, Islandica*, XVI, Ithaca, 1937 ; *Grœnlands historiske Mindesmaerker*, Copenhague, 1836-1845.
III. TRAVAUX RELATIFS A LA NORVÈGE. — Des histoires générales dont les plus récentes sont : M. GERHARDT, *Norwegiske Geschichte*, Hambourg, 1942 ; K. LARSEN, *A history of Norway*, Princeton, 1948. Les travaux concernant l'histoire de l'Église norvégienne sont, pour la plupart, déjà anciens ; on retiendra cependant : K. MAURER, *Die Bekehrung des norwegischen Stammes zum Christentum*, 2 vol., Munich, 1855-1856 ; R. KEYSER, *Den norske Kirkes Historie under Katholicismen*, Christiania, 1856 ; T. B. WILLSON, *History of the Church and State in Norway from the tenth to the sixteenth century*, Westminster, 1903 ; A. O. JOHNSEN, *Fra oettesamfunn til stassamfunn*, Oslo, 1948 : ce dernier ouvrage concerne essentiellement le règne de Sverre. Pour l'Islande enfin, JON HELGASON, *Islands Kirke fra dens Grundlaeggelse til Reformationen*, Copenhague, 1925.
(2) Cf. *supra*, p. 34.

du parti des *Birkebeiner* [1] qui prirent pour chef un prétendant au trône, Sverre Sigurdssœn, descendant illégitime de Harald Haarfagr. Lorsque, en 1180, à la suite de combats acharnés dont l'enjeu était la possession de Nidaros, l'armée de Magnus eut été taillée en pièces, l'archevêque dut s'exiler en Angleterre (1180) [2], d'où il fulmina l'excommunication sur Sverre, et le roi, en Danemark (1183), d'où il lança une attaque sur la Norvège. Bien que Magnus eût été battu et tué à Nore dans le Sogne Fjord (1184), l'archevêque, qui avait réintégré son diocèse dès 1183, rétablit la paix du *thing*, rédigea la loi constitutionnelle du royaume de saint Olaf et paracheva la reconstruction de la cathédrale de Nidaros [3].

A la mort d'Eysten (1186), Sverre, désormais roi incontesté, tenta de secouer la tutelle de l'Église et de rétablir le pouvoir royal dans ses antiques prérogatives. Mais il se heurta à l'énergique successeur d'Eysten, Erik Ivarssœn. Celui-ci, de retour de Rome, où Clément III l'avait investi du pallium, renforça les prescriptions canoniques relatives à la discipline cléricale et au mariage chrétien, et, lors du synode de Bergen (1190), prit nettement position contre les prétentions du roi qui revendiquait la nomination des évêques, voulait s'approprier une part importante des revenus archiépiscopaux et refusait de reconnaître le for ecclésiastique. Erik préféra l'exil à toute compromission et fit appel au pape qui, en 1193, l'autorisa à excommunier le roi. La Norvège connut alors une véritable lutte du Sacerdoce et de la Royauté.

LA LUTTE ET LE BILAN DE LA RÉFORME — L'excommunication de Sverre fut le signal d'un schisme dans l'épiscopat. Sverre réussit à se faire couronner roi par Martin — son chapelain promu évêque de Bergen — assisté de Nicolas d'Oslo (29 juin 1194). Toutefois, averti de ce qui se tramait, le pape Célestin III avait, dès le 15 juin, placé le siège de Nidaros sous la protection apostolique et confirmé toutes ses possessions [4] ; le 18 novembre, il fulminait l'excommunication [5] sur les prélats qui avaient contribué au sacre d'un prince excommunié. La soumission de Nicolas d'Oslo, réfugié en Danemark d'où il suscite un rival à Sverre en la personne d'Inge — un prétendu fils de Magnus — et lève des partisans, provoque contre le roi excommunié l'expédition des *Bagler* [6] ou « croisés de l'évêque ». L'affaire battait son plein à l'avénement d'Innocent III qui, dès 1198, jette l'interdit sur la Norvège [7]. En 1199, tout l'épiscopat norvégien est en exil et à nouveau uni autour de l'archevêque. Cependant, Sverre remporte dans le fjord de Trondjhem une grande victoire navale sur les *Bagler*, et lorsqu'il meurt en 1202, la couronne passe sur la tête de son bâtard Haakon. La lutte sans

---

(1) Outlaws des forêts, littéralement : ceux qui portent des jambières en écorce de bouleau. Pour le détail de ces luttes, cf. T. B. WILLSON, *op. cit.*, p. 134-181.
(2) A. O. JOHNSEN, *Om erkebiskop Oeysteins eksil 1180-1183*, dans *Det Kgl. Videnskabers Selskabs Skrifter*, nº 5, 1950, p. 13 et suiv.
(3) Érigée entre 1161 et 1180 ; l'influence des cathédrales de Sens et de Cantorbéry est manifeste. Cf. J. MEYER, *Domkirken i Nidaros*, Trondhjem, 1914.
(4) JAFFE-WATTENBACH, 17.126.
(5) T. B. WILLSON, *op. cit.*, p. 171.
(6) De *bagall* = *baculus* (crosse).
(7) POTTHAST, nº 386 (6 octobre 1198) ; *P. L.*, CCXVI, 362.

merci entre les factions connut, sous Haakon III Sverressœn, un apaisement momentané — l'interdit fut levé — mais elle devait reprendre après sa mort et se prolonger jusqu'à la reconnaissance par les *Bagler*, en 1208, d'Inge Bardssœn, neveu de Sverre et candidat des *Birkebeiner*.

Si, en Norvège même, les archevêques de Nidaros, formés à l'école de Saint-Victor [1], avaient réussi à maintenir les libertés de l'Église que Nicolas Breakspear avait su affranchir du pouvoir séculier, si l'évangélisation des campagnes et des îles se poursuivait, si les Cisterciens avaient été introduits sous l'influence anglaise dès avant 1150, et les chanoines réguliers après 1150 sous l'influence française, le bilan de la réforme restait encore précaire dans le pays même et surtout dans certaines des lointaines dépendances de la Norvège. En Islande, le droit canonique demeurait lettre morte : la polygamie, l'exposition des enfants non viables, le mariage des prêtres, le patronage laïque étaient fermement implantés dans les mœurs. Ni l'évêque réformateur de Skalholt, Thorlâkur Thorhallssœn (1178-1193), ni l'exemple des religieux (Bénédictins dès 1133, Augustins en 1168) ne réussirent à extirper les abus. Islandais et même Norvégiens maintenaient intacte plus d'une tradition païenne jusque dans les rites chrétiens et demeuraient encore foncièrement superstitieux.

LE DANEMARK [2]. L'ORGANISATION ECCLÉSIASTIQUE ET L'ÉPANOUISSEMENT DE LA CIVILISATION CHRÉTIENNE De tous les pays scandinaves, le Danemark est alors le plus profondément christianisé. Dès la fin du XIᵉ siècle, les campagnes avaient reçu une organisation paroissiale déjà très poussée. La plupart des sièges épiscopaux remontaient au IXᵉ et au Xᵉ siècles. Dans la seconde moitié du XIIᵉ siècle, autour de l'archevêché de Lund, dont le diocèse englobait la Scanie et Bornholm, se rassemblaient sept évêchés : Ribe, Aarhus, Viborg et Bœrglum (anciennement Vestervig) dans le Jutland ; Slesvig dans le Sœnderjylland ; Odense pour les îles ; Roskilde en Sjaelland (Seeland). Si la métropole de Lund, érigée à l'aube du XIIᵉ siècle, par démembrement du ressort de Brême-Hambourg, avait subi quelque éclipse au lendemain du concile de Worms, si les diocèses de Norvège (1153) et ceux de Suède (1164) en furent successivement détachés, grâce au prestige de ses titulaires, son rayonnement

---

(1) Sur la succession victorine au siège archiépiscopal de Norvège et l'esprit réformiste qui animait l'épiscopat, cf. A. O. JOHNSEN, *Les relations intellectuelles entre la France et la Norvège*, dans *Le moyen âge*, t. LVII, 1951, p. 247-268.

(2) BIBLIOGRAPHIE. — Voir les travaux d'ensemble sur les pays scandinaves, *supra*, p. 265, n. 1.
I. SOURCES PARTICULIÈRES AU DANEMARK. — *Repertorium diplomaticum regni danici mediaevalis. Fortegnelse over Danmarks Breve fra Middelalderen*, I, *1085-1450*, éd. KR. ERSLEV, 4 vol., Copenhague, 1894-1912 ; A. KRARUP, *Bullarium danicum 1198-1316*, Copenhague, 1932. Dans la série, *Monumenta Scaniae historica*, éd. L. WEIBULL, Lund et Malmö, 1900-1923, le *Diplomatarium diocesis Lundensis* et le *Necrologium Lundense* ; *Scriptores rerum danicarum medii aevi*, éd. J. LANGEBEK, 9 vol., Copenhague, 1772-1878. Pour SAXO GRAMMATICUS, *Gesta danorum*, la meilleure édition est celle de J. OLRIK et H. RAEDER, Hauniae, 1931. CL. GLERTZ, *Vitae sanctorum danorum*, Copenhague, 1908-1912.
II. TRAVAUX RELATIFS AU DANEMARK. — Un manuel en français : L. KRABBE, *Histoire de Danemark*, Copenhague-Paris, 1950. Deux histoires de l'Église danoise : L. P. FABRICIUS, *Danmarks Kirkehistorie*, I. *Middelalderen*, Copenhague, 1934 ; H. KOCH et B. KORNERUP, *Den danske Kirkes Historie*, I. Copenhague, 1950.

se prolongea jusqu'à la fin du XIIe siècle sur toutes les terres baignées par la Baltique.

Les règnes de Valdemar Ier (1157-1182) et de Knut IV (1182-1202), en rétablissant l'unité nationale autour du prince, et, à la mort de l'anti-pape Victor IV, l'unité spirituelle autour de l'archevêque, en assurant la paix intérieure et la prospérité, furent éminemment favorables au développement de la civilisation chrétienne. Malgré l'organisation tardive des chapitres, et grâce à l'exercice du droit de présentation et à la candidature officielle, les rois continuent à disposer des sièges épiscopaux en faveur de leurs créatures ; mais leurs choix demeurent judicieux. L'absence d'une classe féodale au sens strict et l'inexistence de *regalia* ont affranchi l'Église danoise de toutes luttes pour l'investiture. Le for ecclésiastique y est encore inconnu. Aussi l'Église et la royauté vivent-elles en bon accord et unissent-elles leurs efforts dans une lutte commune contre les païens de l'extérieur. Le peuple danois, s'il a cessé, depuis la dislocation de l'empire de Knut le Grand, de dominer les mers septentrionales, a pris conscience de son rôle d'éducateur des peuplades païennes de l'est : animé du même esprit d'aventure, il tourne son ardeur à la conversion des Vendes et des Esthoniens. Mais, de plus en plus, il s'adonne aussi aux activités pacifiques : il construit des villes, il érige des églises de pierre. C'est alors que s'achève la belle cathédrale romane de Lund commencée à la fin du XIe siècle, et qu'un architecte français dresse, à l'imitation de celle de Tournai, la cathédrale de Roskilde [1], tandis que des églises fortifiées, — comme celle de Kalundborg en Sjaelland avec ses clochers semblables à des donjons — concourent à la défense contre d'éventuelles incursions vendes.

LE GOUVERNEMENT ECCLÉ-SIASTIQUE ET LES PROGRÈS DE LA RÉFORME

Le Danemark eut alors à sa tête de grands prélats, guerriers et hommes d'Etat autant qu'organisateurs et réformateurs de l'É-glise : Eskil, évêque de Roskilde, puis archevêque de Lund († 1181), et Absalon, évêque de Roskilde (1158-1191) et archevêque de Lund (1178-1201). Le premier, formé à Hildesheim, ami de saint Bernard et des Victorins, introduisit les Cisterciens en Scanie (à Herrisvad, 1144) et en Suède (à Alvastra et à Nydala), puis en Sjaelland (à Esrom, 1154), les Prémontrés à Tommarp (en Scanie, 1155), et les Hospitaliers à Antvorskov en Sjaelland (1164). Deux fois, il se retira à Clairvaux : de 1160 à 1167, lors de son exil, puis en 1178 pour y terminer ses jours sous l'habit monastique. Légat pontifical pour les pays scandinaves, il avait, en 1159, pris le parti d'Alexandre III contre Victor IV, reconnu par Valdemar Ier, alors vassal de Frédéric Barberousse. Mais il sut ménager la réconciliation du roi avec le pape et encourager les partisans des réformes. En 1170, il sacra Knut IV et, la même année, il procéda à la translation solennelle des restes de Knut II, père de Valdemar Ier, cano-

---

(1) Édifiée sous l'évêque Peder Sunesœn, élève de Sainte-Geneviève de Paris, et ami d'Étienne évêque de Tournai, ex-abbé de Sainte-Geneviève. Sur cet édifice, cf. C. M. SMIDT, *Romskilde Domkirkes middelalderlige Bygningshistorie*, Nationalmuseets Skrifter, Archaeologisk-Historiks Raekke, III, Copenhague, 1949.

nisé en 1169. A plusieurs reprises, il présida des synodes réformateurs, notamment en 1174, ceux où furent promulgués les *Kirkenretter*, lois ecclésiastiques entérinées ensuite par les *things* locaux.

Le second, Absalon, fils d'un grand chef danois, avait reçu son éducation à Sainte-Geneviève de Paris. Plus encore que son prédécesseur, il orienta le Danemark dans le sillage de la France. Étant encore simple évêque de Roskilde, il s'était illustré par la fondation de Copenhague sur le territoire de son évêché, et par sa participation aux expéditions de Valdemar Ier contre les Vendes. Après la conquête de l'île de Rügen, il l'avait incorporée à son propre diocèse (1169). Plus tard, le pape devait la partager entre Roskilde et l'évêché germanique de Schwerin (1177). Autorisé à cumuler le siège de Roskilde lors de son élévation à celui de Lund, il fut cependant l'agent le plus actif de la réforme ecclésiastique. Il s'efforça de promouvoir le célibat sacerdotal autant que de diffuser l'institut monastique. Il protégea les nouvelles fondations cisterciennes, filles d'Esrom, en territoire vende (Mecklembourg et Poméranie). Principal conseiller de Knut IV, il exerça une sorte de vice-royauté : à son instigation, le roi refusa le serment de fidélité à l'empereur, et rechercha l'alliance française en accordant à Philippe Auguste la main de sa sœur, Ingeborg. Au surplus, Absalon sut inspirer l'œuvre historique de son secrétaire, Saxo Grammaticus — notre meilleure source pour l'histoire du Danemark au XIIe siècle — où le sentiment national et le sentiment chrétien se confondent. Ses neveux, Peder et Anders Sunesœn, comme lui élevés en France, devaient lui succéder, à Roskilde dès 1191, à Lund en 1201.

LA SUÈDE[1]   Au milieu du XIIe siècle, la Suède demeurait le plus archaïque des pays scandinaves. De vastes territoires, soit aux confins montagneux de la Norvège, soit dans le Norrland ou le Götaland, n'étaient encore qu'à peine effleurés par l'évangélisation. Seules, les provinces du centre, autour du lac Mälar, jouissaient, depuis le premier tiers du siècle, d'une organisation diocésaine stable dont les sièges étaient, en Uppland, Uppsala (substitué à l'antique Sigtuna) ; en Södermanland[2], Strangnäs ; en Oestergötland, Linköping ; en Wästergötland, Skara (substitué à Husaby). Dans la partie méridionale du Götaland, l'ère des évêques missionnaires paraît s'être prolongée jusqu'aux environs de 1170, date vers laquelle fut érigé le nouveau diocèse de Växjö en Småland. Ses

(1) BIBLIOGRAPHIE. — Voir les travaux d'ensemble sur les pays scandinaves, *supra*, p. 265, n. 1.
   I. SOURCES PARTICULIÈRES A LA SUÈDE. — *Diplomatarium svecanum*, 6 vol., Stockholm, 1829-1921 ; *Appendix* : *Acta pontificum Svecica*, I. *Acta cameraria*, éd. L. M. BAATH, 2 vol., Stockholm, 1936-1942. — *Scriptores rerum svecicarum medii aevi*, édit. E. M. FANT, continuée par C. ANNERSTEDT, 3 vol., Uppsala, 1818-1876.
   II. TRAVAUX RELATIFS A LA SUÈDE. — J. ANDERSON, *Sveriges historia*, Stockholm, 3e édit., 1950 ; T. SCHMID, *Sveriges Kristnande*, Stockholm, 1933 ; H. VIJKMARKS, *Svensk Kyrkohistoria*, Stockholm, 1929 ; Y. BRILIOTH, *Svenska Kyrkans Historia*, Stockholm, depuis 1921.
   Pour la Finlande : W. SCHMIDT, *Finlands Kyrka genomtiderna*, Stockholm, 1940.
(2) Un autre siège de cette même province, Eskilstuna, avait été supprimé peu avant le milieu du XIIe siècle.

limites, contestées avec le ressort de Skara, ne furent fixées qu'en 1192 par le légat Cinthius [1].

Les luttes dynastiques, les tendances centrifuges, l'opposition entre Suédois et Goths, n'avaient pas permis à Nicolas Breakspear d'accomplir en Suède une œuvre aussi profonde qu'en Norvège. Cependant, le concile de Linköping, qu'il avait réuni et présidé en 1153, avait frayé la voie aux influences réformatrices, représentées, d'une part par les fondations cisterciennes d'Alvastra en Oestergötland et de Nydala en Smäland (appelées à essaimer en Uppland et dans l'île de Gottland), de l'autre, par Eskil de Lund, dont le ressort métropolitain englobait la Suède, depuis sa fondation vers 1103.

C'est durant l'exil du grand archevêque — et avec son accord — qu'Alexandre III, désireux de maintenir l'Église suédoise dans la fidélité envers l'Église romaine et de la préserver du schisme, érigea Uppsala en métropole nationale et nomma, en 1164, Étienne, moine d'Alvastra, premier titulaire du nouvel archevêché. Cependant, Lund devait conserver un droit primatial sur les églises suédoises : ce droit, réservé par Alexandre III, fut confirmé à Absalon par Innocent III, le 23 novembre 1198 [2]. Outre son antiquité — le siège métropolitain de Suède, transféré de Sigtuna, remontait à saint Anschaire — Uppsala, centre par excellence de la zone de plus fort peuplement, jadis métropole du paganisme, venait de s'illustrer par le martyre de son évêque, Erik, au cours d'une croisade royale en Finlande (c. 1157) [3], et, peu après, par celui du roi, Erik Jevardsson, tué par le danois Magnus pendant qu'il assistait au saint sacrifice, le jour de l'Ascension 1160. Autour de la métropole d'Uppsala, l'unité nationale s'affirme, et les princes, Karl Sverkersson (1160-1173), Knut Eriksson (1173-1196), puis Sverker II le Jeune (1196-1210) — qui s'intitulent dès lors rois de Suède et de Gothie — se montrent généralement favorables au mouvement réformateur. En 1200, l'Église suédoise est déclarée exempte de taxes et soustraite à la juridiction séculière.

L'EMPIRE [4].
LE ROYAUME DE GERMANIE

En renouvelant des pratiques condamnables en matière d'élections, afin de s'assurer un épiscopat dévoué, en consommant le schisme de 1159, prolongé dix-huit années durant, Frédéric Barberousse a gravement compromis l'œuvre réformatrice introduite, grâce à la paix dont jouit l'Église sous Lothaire III et Conrad III [5], par de zélés prélats assistés de chapitres réformés, principalement sous la règle nor-

(1) Voir les instructions données au légat par Célestin III (JAFFE-WATTENBACH, no 16.781, du 31 décembre 1191).
(2) POTTHAST, no 435.
(3) Inhumé à Turku (Abo), l'évêque d'Uppsala devint le saint national finlandais.
(4) Pour la Bibliographie relative à l'Empire, ainsi qu'au royaume des Deux Siciles, se reporter aux sources et travaux signalés, supra, p. 127, n. 1 et p. 189, n. 1.
Nous nous contenterons de rappeler ici l'indispensable instrument de travail que constitue le répertoire de P. F. KEHR, Regesta pontificum romanorum. Italia pontificia, Berlin, depuis 1906 ; et celui de A. BRACKMANN, Regesta pontificum romanorum. Germania pontificia, Berlin, depuis 1910.
(5) É. DE MOREAU, Histoire de l'Église en Belgique, t. III, p. 65-68.

bertine. En dépit des conciles pacificateurs de Mouzon (1187) et de Trèves (1187 et 1189) [1], les évêques allemands, domestiqués par l'empereur, ne se ressaisirent pas tous après la paix de Venise, et l'attitude de Henri VI contribua au maintien des habitudes acquises sous son prédécesseur. Ainsi, à Liége, l'évêque Raoul de Zähringen encouragea largement les pratiques simoniaques que Lambert le Bègue fustigea avec véhémence [2]. Au début de 1188, lorsque le légat Henri d'Albano, qui prêchait la croisade en Lotharingie, s'arrêta à Liége, il dénonça les mœurs simoniaques du clergé et déposa de très nombreux clercs qui avaient reçu de Raoul leurs bénéfices à prix d'argent [3]. Robert d'Aire, élu évêque de Cambrai en 1176, qui différa indûment son sacre, passait son temps à traiter des affaires séculières [4]. A la suite d'une élection contestée, Albert de Brabant fut écarté par Henri VI qui, usant du droit de dévolution, lui substitua Lothaire de Hochstade (1192) [5]. Albert n'en fut pas moins confirmé par Célestin III et sacré par Guillaume aux Blanches mains, archevêque de Reims, agissant sur mandat pontifical au lieu et place du métropolitain — l'archevêque de Cologne qui s'était récusé. Mais lorsqu'il eut été lâchement assassiné, dans des conditions qui rappellent le me urtre de Thomas Becket [6], Henri VI, dans l'entourage duquel la conjuration avait pris naissance, combla les meurtriers de bienfaits [7].

Aucune modification notable n'intervint alors dans l'organisation ecclésiastique de la Germanie, en dépit d'une démarche de Philippe de Heinsberg auprès de Frédéric Barberousse, en vue de rattacher à la métropole de Cologne le siège de Cambrai [8], suffragant de Reims et d'obédience alexandrine, bien que détenant de l'empereur ses *regalia*. L'évêque de Passau ne réussit pas mieux dans son ambition métropolitaine [9] sur l'ancienne Marche de l'Est, l'Autriche, constituée en duché en 1156 [10], qui n'avait pas encore d'évêché propre. Grâce à l'action des archevêques de Salzbourg, issus de famille princière et peu enclins à pactiser avec le schisme impérial, elle demeura fidèle à la cause alexandrine. Eberhard de Salzbourg fut à peu près le seul prélat allemand à refuser son adhésion à Victor IV ; ses successeurs Conrad d'Autriche et Adalbert de Bohême maintinrent avec fermeté la même ligne de conduite. Enfin, Conrad de Wittelsbach, archevêque de Mayence (dont il ne put prendre possession à cause de son dévouement envers Alexandre III) et cardinal de Sabine, ayant gagné, après la paix de Venise, son nouveau siège, Salzbourg, s'empressa de réunir à Hohenau sur l'Inn (1er février 1178) [11] un concile réformateur, peut-être le seul qu'ait connu l'Allemagne sous le pontificat

(1) HEFELE-LECLERCQ, *op. cit.*, t. V-2, p. 1134, 1135, 1161.
(2) E. DE MOREAU, *op. cit.*, t. III, p. 68-69.
(3) *Ibid.*, p. 74-75.
(4) *Ibid.*, p. 84.
(5) *Ibid.*, p. 86-88.
(6) Cf. *supra*, p. 113 s.
(7) INNOCENT III, *Registrum super negotio imperii*, dans *P. L.*, CCXVI, col. 1029.
(8) *Annales Cameracenses, 1168*, M. G. H., SS., t. XVI, p. 546.
(9) Cf. l'art. *Autriche* de A. HUMBERT, dans le *Dictionnaire d'histoire et de géographie ecclésias-*
tiques, t. V, col. 846.
(10) *Codex diplomaticus regni Bohemiae*, t. I, no 174, p. 174 (Ratisbonne, 17 septembre 1156).
(11) HEFELE-LECLERCQ, *op. cit.*, t. V-2, p. 1084.

d'Alexandre III. Aussi, les pontifes romains, notamment Célestin III, repoussèrent-ils toutes démarches tendant à un éventuel démembrement de la métropole, qu'elles vinssent de l'évêque de Passau, Wolfger, ou du duc d'Autriche. Au contraire, ils resserrèrent la dépendance de Gurk en Carinthie à son égard : par concession de Lucius III, l'évêque de Gurk fut à la nomination de Conrad de Wittelsbach et de ses successeurs (1182) [1], ce qui allait susciter l'opposition du chapitre, dont le droit d'élection devait être en partie rétabli par Innocent III [2].

L'ITALIE   Bien que de faible envergure en Italie, les modifications de la géographie ecclésiastique suivirent l'évolution urbaine et, dans une certaine mesure, reflétèrent l'instabilité politique de la péninsule. La croissance de Gênes, son développement maritime et son rôle dans les opérations de croisade en Terre Sainte, non moins que sa fidélité envers l'Église romaine, durent inciter Innocent II à conférer le pallium à son évêque, jusque-là suffragant de Milan, et à constituer en sa faveur une nouvelle province comportant les sièges d'Accia, de Nebbio et de Mariana [3], c'est-à-dire la moitié de la Corse, que le pontife inféodait en même temps à la commune (1133), tandis qu'il maintenait l'influence de Pise et la juridiction de son archevêque sur l'autre moitié. C'était là une transaction destinée à préserver le domaine éminent de la papauté sur l'île et à régler l'un des différends qui opposaient les éternelles rivales, Gênes et Pise. A cette dernière était reconnu un droit sur la Sardaigne. Adrien IV étendit et précisa ce droit : il céda à Villano Gaëtani, alors archevêque de Pise, en compensation des sièges que son prédécesseur Hubert avait donnés à l'Église romaine, le ressort métropolitain sur Cività (aujourd'hui Tempio Pausania), Nuoro-Galtelli dans le judicat de Gallura, ainsi que Ploaghe, la primatie sur la province de Torrès correspondant au judicat de ce nom, et lui confirma la légation sur toute l'île [4]. Quelques années plus tard, Alexandre III érigea, dans cette même province de Torrès, le siège de Castro (1164). La naissance et le développement d'Alexandrie en Lombardie, dans les circonstances que l'on connaît, suscitèrent l'apparition éphémère d'un nouveau diocèse, probablement en 1175 [5], uni dès 1180 au siège voisin d'Acqui, pour être finalement supprimé par Innocent III en 1213, malgré la confirmation de l'union par ce même pontife en 1203. En 1197 enfin, Célestin III unissait Belluno à Feltre, dans la province d'Aquilée, dont Alexandre III avait soutenu efficacement les droits sur les diocèses d'Istrie contre les prétentions d'Henri de Grado. Le patriarche Ulric (1161-1182) avait été l'un des plus efficaces médiateurs de la paix de Venise ; sa légation en haute Italie marqua l'extension de l'influence pontificale et des idées réformatrices,

(1) Jaffe-Wattenbach, n° 14.635.
(2) A. Humbert, *art. cit.*, col. 847.
(3) Jaffe-Wattenbach, n° 7613 (19 mars 1133).
(4) *Ibid.*, n° 10.286 (31 mai 1157).
(5) Cf. F. Savio, *Gli antichi vescovi d'Italia*, t. II, *Piemonte*, Rome, 1899, p. 66. Cependant J. Fraikin, article *Alexandrie*, dans le *Dictionnaire d'histoire et de géographie ecclésiastiques*, t. II, col. 369-370, propose 1180.

et ses successeurs entrèrent dans cette voie, en dépit d'une courte mani-
festation d'indépendance de la part de Gotfried, qui, en 1186, couronna
Henri VI roi d'Italie et fut, quelque temps, écarté du ministère par
Urbain III pour ce fait [1].

A maintes reprises, les pontifes intervinrent en vue de rétablir la paix
entre les cités italiennes. Innombrables furent les sentences, compositions
ou arbitrages, qu'entre autres, Clément III fit négocier par ses légats,
confirma ensuite de son autorité et s'employa enfin à faire respecter :
les plus remarquables de ses interventions sont celles qui mirent un terme
aux rivalités maritimes entre Gênes et Pise (1188) [2], à l'hostilité entre
Parme et Plaisance (1190) [3]. A l'extrême fin du XIIe siècle, en Italie
comme en Germanie, l'effacement du pouvoir impérial permit à la papauté
d'intervenir plus efficacement encore dans les litiges. La disparition de
Henri VI en 1197, signal de l'anarchie dans la péninsule, fut l'occasion
pour les légats de Célestin III de tenter un regroupement des forces autour
du Saint-Siège, notamment en Toscane où ils suscitèrent une ligue guelfe
sous l'égide du pontife, auquel le testament de l'empereur restituait
tardivement l'héritage mathildique.

LE ROYAUME DES DEUX SICILES   Dans l'Italie méridionale, les papes se
                                   sont efforcés, au cours du XIIe siècle,
de réorganiser la hiérarchie latine, partout où Byzance avait maintenu un
épiscopat grec ou supplanté les évêques latins au cours de ses dernières
incursions en Grande Grèce, notamment en Pouille au temps de Guillaume Ier et d'Adrien IV. C'était là une œuvre de longue haleine,
à laquelle il semble que les rois aient utilement prêté la main. A l'époque
du troisième concile du Latran (1179), l'implantation de la hiérarchie
et de la discipline latines paraît presque achevée, encore que certaines
églises de Calabre aient conservé la liturgie de rite grec.

La Sicile proprement dite connut, au cours de la seconde moitié du
siècle, de profondes transformations dans son statut ecclésiastique,
au terme desquelles l'autorité romaine se trouva grandement renforcée.
A des privilèges inouïs de la couronne sur des évêchés immédiats, fut
peu à peu substitué le régime normal des églises du continent. Grâce
aux relations amicales de Guillaume II avec le Saint-Siège, les diocèses
de l'île furent répartis autour de trois métropoles. Celle de Palerme remontait à l'année 1123 [4]. En 1166 Alexandre III conféra le pallium à l'évêque
de Messine ; c'était un moyen de reconnaître l'aide que lui avaient apportée
le roi et le prélat lors de son retour en Italie [5] après les années d'exil.
Quant à Montreale, abbaye bénédictine exempte, fondée et somptueuse-
ment dotée par Guillaume II, elle fut, sur la demande du roi, érigée

(1) Cf. l'art. *Aquilée* de P. RICHARD, *ibid.*, col. 1128.
(2) JAFFE-WATTENBACH, n°s 16.238 et 16.363 ; cf. notre art. *Clément III*, dans le *Dictionnaire
d'histoire et de géographie ecclésiastiques*, t. XII, col. 1095 s.
(3) JEAN DE MUSSIS, *Chronicon Placentinum*, 1189 (probablement 1190).
(4) JAFFE-WATTENBACH, n° 7045 (Calixte II).
(5) En 1165, c'est à Messine qu'Alexandre III débarqua ; c'est de Sicile qu'il gagna Rome,
où il fut reçu le 23 novembre (cf. BOSON, dans *Pontificum romanorum vitae*, édit. WATTERICH,
t. II, p. 400).

par Lucius III en siège archiépiscopal, malgré sa proximité de Palerme, dont l'archevêque lui concéda l'évêché de Catane à titre de suffragant. En 1188, Clément III [1] lui accorda un second siège suffragant, Syracuse, qui, jusqu'alors, avait relevé directement de Rome [2], et fit, de l'archidiocèse de Montreal, propriété de saint Pierre, un établissement censier moyennant cent tarènes d'or, à la charge du roi de Sicile [3]. L'archevêque fut généralement choisi parmi les moines bénédictins.

Les vieilles traditions d'autonomie ecclésiastique — sanctionnées, encore que réduites, par le concordat de Bénévent (1156) — ne devaient pas survivre à la disparition de Guillaume II. Le mariage de Henri VI avec Constance, héritière de Sicile (1186), et les vicissitudes de la couronne amenèrent la papauté à réviser ses concessions à l'occasion de chaque nouvelle investiture. Le concordat de Gravina (1192) [4], dont les clauses avaient fait l'objet de négociations préalables à l'investiture de Tancrède, supprima toutes entraves aux appels directs à Rome et à la liberté des élections épiscopales et restreignit considérablement le privilège dit « droit de légation » de la couronne, en vertu duquel aucun légat ne pouvait être dirigé sur l'île s'il n'était demandé par le roi. Peu après son avénement, Innocent III devait imposer à Constance, veuve de Henri VI, la reconnaissance de toutes les prérogatives du Saint-Siège (1198) [5], parachevant ainsi l'œuvre d'assimilation progressive de l'Église de Sicile au régime normal.

LE ROYAUME DE BOHÊME [6]   Bien qu'inféodés à l'empereur, les évêques de Prague — dont plusieurs appartinrent à l'ordre de Prémontré — furent animés d'un zèle louable en faveur de la réforme : ils s'efforcèrent d'extirper la simonie et le nicolaïsme et promulguèrent la législation chrétienne sur le mariage ; ils favorisèrent la multiplication des établissements norbertins, ainsi que les Cisterciens de la lignée de Morimond. En 1187, l'évêché de Prague fut constitué en fief d'Empire [7], au profit d'un prélat de la maison ducale, Henri Bretislas (1182-1197), qui reçut même, sous Henri VI, le duché de Bohême [8]. Quelques années auparavant, la Moravie avait été détachée du duché et égale-

---

(1) JAFFE-WATTENBACH, n° 16.335 ; *P. L.*, CCIV, col. 1385-1390. Les circonstances de l'érection par Lucius III sont longuement retracées dans cette bulle.
(2) JAFFE-WATTENBACH, n°s 16.205, 16.206, 16.333, 16.340.
(3) *Ibid.*, n° 16.335.
(4) Cf. *supra*, p. 219.
(5) BÖHMER, *Regesta imperii*, 5653.
(6) BIBLIOGRAPHIE. — I. SOURCES. — G. FRIEDRICH, *Codex diplomaticus et epistolaris regni Bohemiae*, 2 vol., Prague, 1907-1912 ; *Vicentii et Gerlacii Annales*, dans *Fontes rerum Bohemicarum*, t. II, p. 403-516 et M. G. H., *SS.*, t. XVII, p. 654-710 ; *Annales Pragenses*, dans *Fontes rerum Bohemicarum*, t. II, p. 376-380, et M. G. H., *SS.*, t. III, p. 119-121.
II. TRAVAUX. — A. FIND, *Die Kirkengeschichte Böhmens*, 4 vol., Prague, 1864-1878 ; ID., *Die Geschichte der Bischöfe und Erzbischöfe von Prag*, Prague, 1873 ; F. HRUBY, *Cirkevni zrizeni v Cekach a na Moravie ad konce X do konec XIII stoleti a jego pomer ke statu* (Les institutions ecclésiastiques en Bohême et en Moravie, de la fin du xe à la fin du xiiie siècle, et leurs relations avec l'État), dans *Cesky Casopis historicky*, 1916-1917 ; A. NAEGLE, *Kirkengeschichte Böhmens quellenmässig und kritisch dargestellt*, t. I, *Einführung des Christentums in Böhmen*, Vienne, 1915-1918 ; P. DAVID, article *Bohême*, dans le *Dictionnaire d'histoire et de géographie ecclésiastiques*, t. IX, col. 435-436.
(7) *Codex diplomaticus regni Bohemiae*, t. I, n° 376, p. 287.
(8) Voir la suscription des actes de ce prélat après 1192. (*Ibid.*, t. I, n°s 348, 349, 355, 356, 358 ; p. 312, 313, 319, 321, 325.)

ment érigée en fief d'Empire, au profit de Conrad Otton. Seule, la crise
du pouvoir impérial permit à Premysl Ottocar d'affermir son autorité
sur toute l'étendue du pays et de se faire confirmer, pour lui-même et sa
descendance, la couronne royale, concédée à titre personnel par Frédéric Iᵉʳ
à Vladislav en 1158 [1]. Couronné roi à Mayence en 1198 par Philippe de
Souabe [2], Premysl devait obtenir d'Otton de Brunswick [3], puis d'Innocent III, l'érection définitive de la Bohême en royaume (bulle du 19 avril
1204) [4], sinon encore l'érection du siège de Prague en métropole nationale [5] : les évêchés de Prague et d'Olomouc (Olmütz) continuèrent à
dépendre de la métropole allemande de Mayence jusqu'en 1344.

LA HONGRIE ET LA DALMATIE [6]   En Hongrie, où la hiérarchie ecclésiastique était implantée de longue
date autour des métropoles de Colocza et d'Esztergom, les princes de la
dynastie des Arpadiens eurent fort à faire pour maintenir leur indépendance entre les intrigues rivales de l'empereur germanique et du basileus.
La politique de rapprochement avec l'Église latine, pratiquée par Manuel
Comnène, impliquait la mainmise byzantine sur la Hongrie. Bela III,
qui avait épousé une princesse française, Marguerite, sœur de Philippe
Auguste, ouvrit largement son royaume à la culture occidentale ; les
fondations norbertines ou cisterciennes trouvèrent en lui un protecteur
et répandirent les idées réformatrices. Célestin III contribua à resserrer
les liens entre la couronne et l'Eglise magyare en confirmant à l'archevêque d'Esztergom le droit de couronner le roi [7].

La faveur des pontifes romains — Alexandre III et ses successeurs —
visait, non seulement à maintenir les rois, Geiza II, Étienne III, puis
Bela III (1173-1196), à l'écart du schisme germanique, mais aussi à promouvoir l'influence de la hiérarchie latine sur les régions dalmates (Illyricum occidental) longtemps disputées entre le patriarcat de Constantinople et le Saint-Siège et, au surplus, infestées d'hérésie [8]. Le successeur
de Bela, André, prit officiellement le titre de prince de Dalmatie, de Croatie
et de Hum. A Spalato, à Raguse, à Cattaro (Boka Kotorska), la liturgie

(1) *Codex diplomaticus regni Bohemiae*, t. I, n° 80, p. 176.
(2) *Ibid.*, t. II, n° 3, p. 2.
(3) *Ibid.*, t. II, n° 34, p. 31.
(4) *Ibid.*, t. II, n° 41, p. 37 ; POTTHAST, n° 2186. Cependant, l'affaire du divorce royal —
l'exemple de Philippe Auguste était contagieux — vint envenimer les rapports de Premysl avec
Innocent III et le roi devait retourner au parti de Philippe de Souabe.
(5) On trouve l'écho des négociations entreprises dans ce sens à travers les bulles d'Innocent III concernant la Bohême (*Codex diplomaticus regni Bohemiae*, t. II, nᵒˢ 43, 44, 45, p. 39-43).
(6) BIBLIOGRAPHIE. — I. SOURCES. — Les documents essentiels sont publiés dans les *Monumenta
Hungariae Historica*, première série : *Diplomataria*, les tomes VI, VIII et XI, édit. G. WENZEL
(Pest, 1860, 1867, 1873). Voir également le *Codex diplomaticus patrius Hungarius*, t. VIII, (*1068-
1300*), édit. E. NAGY (Budapest, 1891). Les *Monumenta Germaniae Historica*, dans la série *Scriptores*, contiennent des chroniques susceptibles de donner d'utiles indications sur l'Église hongroise
au moyen âge. Enfin, les sources latines de la période arpadienne ont fait l'objet d'une édition
critique : *Scriptores rerum hungaricarum tempore ducum regumque stirpis Arpadianae gestarum*,
publiés sous la direction d'E. SZENTPERY, Budapest, depuis 1937.
II. TRAVAUX. — L'ouvrage essentiel en langue hongroise : B. HOMAN et G. SZEKFÜ, *Magyar
törtenet* (Histoire de la Hongrie), 8 vol. in-4°, Budapest, 1928-1934. Les t. I et II par B. HOMAN,
seuls en cause pour le moyen âge, ont été traduits en allemand sous le titre : *Geschichte des unga-
rischen Mittelalters*, 2 vol. in-8°, Berlin, 1940-1943.
(7) JAFFE-WATTENBACH, 16.773 ; *Monumenta Hungariae Historica*, I, xi, 182.
(8) Cf. *infra*, p. 333.

latine constituait, avec l'autonomie municipale, le principal élément
de résistance des groupes latins à l'infiltration slave. Ainsi, à Boka
Kotorska, il n'y avait pas moins de trois sièges épiscopaux — deux
catholiques : Risan et Kotor ; un orthodoxe, Prevlaka [1]. Bien que la
suzeraineté magyare comportât des périodes d'éclipse, dès 1185, l'archevêque de Spalato, dans un synode provincial, put régler des conflits de
juridiction entre les diocèses dalmates et introduire des canons réformateurs [2]. En 1199, enfin, alors que la constitution de la grande Bulgarie
des Asen et celle du royaume de Serbie suscitaient l'espoir d'une nouvelle
extension de la juridiction romaine sur l'Illyricum, le légat pontifical,
Jean de Casamari, en plein accord avec le prince Voukan de Dioclée,
présida un concile et promulgua une série de décrets, les uns condamnant
la simonie, le mariage des prêtres, l'investiture laïque, les autres réglemen-
tant l'accès aux ordres majeurs, le mariage chrétien, l'usage des dîmes [3].

LA POLOGNE [4]   Les territoires polonais, politiquement partagés entre
les descendants de Boleslas Bouchetorse († 1138), sous
le séniorat, d'ailleurs longtemps contesté, de Casimir le Juste († 1194),
grand-duc de Cracovie depuis 1177, constituaient cependant un bloc au
point de vue de l'organisation ecclésiastique. La métropole de Gniezno,
établie en 999 et soumise à diverses vicissitudes depuis sa création,
avait été confirmée par Innocent II en 1136 et avait fini par triompher
à peu près complètement des prétentions rivales de Magdebourg [5]. De
l'archevêque de Gniezno dépendaient les anciens sièges de Kolberg,
Breslau et Cracovie (Petite Pologne et Silésie), de Plock en Mazovie, de
Posnan et Lébus en Poméranie. Depuis la conquête et l'évangélisation de
la Poméranie orientale par Bouchetorse, il étendait aussi sa juridiction
sur l'évêché missionnaire de Wloclawek [6] (anciennement, de Cujavie).

---

(1) Cf. Ilija Sindik, *Komunalno uredjenje Kotora od druge polovine XII do početka XV stoléca*,
Belgrade, 1950, *Scrpska Akademija Nanka*, p. 139 et suiv.
(2) Hefele-Leclercq, t. V-2, p. 1129.
(3) *Inter Innocent III Epistolae*, II, 176, 178, *P. L.*, CCXIV, 725-726, 727-728 ; Hefele-Leclercq, t. V-2, p. 1222-1223.
(4) Bibliographie. — I. Sources. — Outre le recueil des *Monumenta Poloniae Historica*, édit.
A. Bielowski, 6 vol., Lwow, 1864-1893, qui groupe de nombreux textes, on trouvera une liste
exhaustive, assortie d'un exposé critique, dans P. David, *Les sources de l'histoire de Pologne à
l'époque des Piasts (963-1386)*, Paris, 1934 : voir surtout le chapitre IV qui traite des *Sources pour
l'histoire des évêchés et des ordres religieux*, p. 175-222.
II. Travaux. — Wl. Abraham, *Gniezno i Magdeburg*, Cracovie, 1921 ; Id., *Organizacja Kosciola w Polsce do polowy w. XII* (L'organisation de l'Église en Pologne jusqu'au milieu du xii^e
siècle), Lwow, 1890 ; 2e édit., 1893 ; Id., *Osobowosé prawna biskupstw a statut leczycki z r. 1180*
(La personnalité morale des évêchés en Pologne et le statut de Leczyca de 1180), dans les *Mélanges
Pininski*, t. I, Lwow, 1936 ; Id., *Zjazd leczycki w r. 1180* (L'assemblée de Leczyca de 1180), dans
Kwartalnik Historyczny, t. III, 1889 ; M. Gebarowicz, *Mogilno-Plock-Czerwinsk. Studia nad
organizacją Kosciola na Mazowszu w XI i XII w.* (Études sur l'organisation de l'Église en Mazovie
aux xie et xiie siècles), dans *Prace histor.*, Lwow, 1934 ; P. David, *La Pologne et l'évangélisation
de la Poméranie aux XIe et XIIe siècles*, Paris, 1928. On trouvera également des indications utiles
dans les ouvrages de portée plus générale de Z. Wojciechowski, *Podstawy cywilizacyjne Polski
piastowskiej* (Les bases de la civilisation polonaise à l'époque des Piasts), Poznan, 1945, Zycie
Literackie, n° 1 ; *L'État polonais au moyen âge. Histoire des institutions*. Trad. B. Hamel, Paris,
1949, *Bibliothèque d'Histoire du Droit* ; le chapitre IV (L'Église en Pologne des origines à 1250)
par P. David, du t. 1 de la *Cambridge History of Poland*, éditée par W. F. Reddaway, J. H.
Halecki, R. Diboski, Cambridge, 1950.
(5) Z. Wojciechowsky, *L'État polonais*, p. 60 ; P. David, *La Pologne et l'évangélisation de la
Poméranie*, p. 62.
(6) Z. Wojciechowski, *op. cit.*, p. 59. Sur le caractère missionnaire de cet évêché, cf. P. David,
op. cit., p. 38-39.

Par leur législation autant que par leurs armes, les princes polonais favorisèrent l'expansion chrétienne dans les régions encore païennes de la Prusse orientale : un édit de Boleslas le Frisé († 1173) — antérieur à l'année 1161 [1] — avait accordé la condition d'homme libre à tous ceux qui opteraient pour la foi chrétienne et décrété la confiscation des biens et la peine capitale à l'endroit de quiconque la renierait. D'autre part, les idées grégoriennes d'indépendance de l'Église envers le pouvoir séculier commençaient à pénétrer dans les principautés polonaises, sous l'influence des Cisterciens qui, depuis le milieu du siècle, y multipliaient le nombre de leurs monastères [2]. Casimir le Juste — qui s'appuya sur l'Église pour mieux affermir son pouvoir — octroya aux établissements religieux l'immunité fiscale, et, par le statut de Leczyca (1180) [3], sur lequel nous sommes très mal informés, desserra quelque peu l'étreinte que les princes avaient longtemps maintenue sur les personnes et les institutions ecclésiastiques dont ils se faisaient gloire d'être les protecteurs. Il semble que, par ce statut, il ait aboli le droit de dépouille sur les biens des évêques, et qu'il ait apporté un allégement aux charges onéreuses dont les fonctionnaires ou les *potentes* grevaient les populations rurales des domaines de l'Église. Enfin, le légat pontifical, Pierre de Capoue, s'efforça de promouvoir la stricte discipline canonique lorsque, en 1197, il prescrivit aux laïques « de contracter mariage à la face de l'Église » et interdit aux prêtres « de prendre femme » [4]. Ainsi, bastion avancé de la chrétienté latine dans le nord-est européen, la Pologne poursuivait son effort de conquête à la foi chrétienne, et, bien que tardivement, entrait dans le mouvement réformateur dont Rome avait donné l'impulsion un siècle auparavant.

§ 3. — Les marges mouvantes de la Chrétienté romaine.

L'ACTION DE LA PAPAUTÉ :
PRIMATS OU PATRIARCHES

Si, au cours du XIIe siècle, le Saint-Siège a resserré les liens l'unissant aux Églises latines d'Occident, par les appels directs à Rome, les légations *a latere* et la multiplication des délégations pontificales, il n'en va pas de même en territoires de missions, dans les régions soumises aux Infidèles, ou à l'égard des églises d'un autre rite. Là, l'action de la papauté s'exerce par l'intermédiaire d'un primat — patriarche ou catholicos — dont l'autorité demeure incontestée et la juridiction sans partage sur l'église nationale ou le clergé de son rite. Des légats *a latere* sont alors chargés de la mission délicate de négocier ou de maintenir l'union avec Rome en conférant à ces primats le *pallium*, en leur suggérant certaines mesures de réforme, liturgiques ou disciplinaires, susceptibles de rapprocher leurs traditions des usages romains, encore que les décrets sur le célibat ecclésiastique et l'investiture laïque ne puissent être introduits dans ces communautés chrétiennes et qu'elles conservent leur langue liturgique propre —

---

(1) *Monumenta Poloniae Historica*, t. II, p. 524-525 ; Z. WOJCIECHOWSKI, *op. cit.*, p. 36.
(2) Sur ces fondations, cf. P. DAVID, *Les sources de l'histoire de Pologne*, p. 208 et suiv.
(3) *Monumenta Poloniae Historica*, t. II, p. 399-401 ; Z. WOJCIECHOWSKI, *op. cit.*, p. 64, 63.
(4) *Annales capitulaires de Cracovie*, dans les *Monumenta Poloniae Historica*, t. II, p. 800 ; HEFELE-LECLERCQ, *op. cit.*, t. V-2, p. 1178.

slavon, grec, syrien, arabe — et leur rite particulier — byzantin, syriaque, arménien, mozarabe. Si Rome affirme ainsi sa suprématie, l'union demeure sujette aux vicissitudes de conditions politiques mouvantes et n'englobe souvent que des noyaux épars au milieu d'autres confessions chrétiennes

PROGRÈS DE L'ÉVANGÉLISATION DANS LES MARCHES GERMANO-SLAVES [1]   La seconde moitié du XIIᵉ siècle a vu s'accentuer la poussée germanique vers l'est, sous l'impulsion, non de l'empereur, absorbé par d'autres luttes, mais des grands vassaux. La violence des luttes entre Germains et Slaves, après maintes vicissitudes, se solda par le recul des seconds devant la colonisation germanique ; avec celle-ci la christianisation et la hiérarchie latine s'avancèrent fort loin vers l'est.

Dans la marche de Brandebourg, occupée par Albert l'Ours et relevant de l'Empire, les évêchés de Havelberg et de Brandebourg furent restaurés, le premier dès 1149, le second en 1160, sous la juridiction de l'archevêque de Magdebourg [2] ; Prémontrés et Cisterciens s'y établirent avant la fin du siècle.

Dans le Mecklembourg, sur les sièges nouvellement institués ou rétablis — Mecklembourg, Ratzebourg et Oldenbourg — Henri le Lion prétendit imposer ses propres candidats et leur conférer l'investiture en vertu d'une concession impériale, mais il se heurta à l'opposition de Hartwig de Stade, archevêque de Brême-Hambourg. En 1160, il transféra l'évêché de Mecklembourg à Schwerin, et celui d'Oldenbourg à Lubeck, récemment relevée de ses ruines par Adolphe II de Schauenbourg, et bientôt appelée à un grand essor. Cependant, menacé par une révolte de la Saxe, il investit Pribislav du pays des Obotrites conquis sur lui, à l'exception de Schwerin [3]. Bien que Pribislav s'employât à relever Mecklembourg qu'il avait ravagée, bien qu'il fondât Rostock et qu'il accueillît les Cisterciens à Doberan en 1171, ni lui, ni ses successeurs ne devaient parvenir à christianiser les Slaves. En dépit des tentatives de pénétration danoise — couronnées en 1203 par l'entrée de Valdemar II à Lubeck — la colonisation germanique devait supplanter le peuplement slave, et la métropole de Brême-Hambourg affermir sa juridiction, déjà confirmée par Clément III [4], sur les diocèses de Ratzebourg, Schwerin et Lubeck.

(1) Pour la Bibliographie, on se reportera utilement aux sources et travaux cités t. IX, Iʳᵉ p., p. 182, n. 1 ; on y ajoutera les ouvrages de P. Daᴠɪᴅ, que nous indiquons à propos de la Pologne (*supra*, p. 276, n. 4) et, pour le Mecklembourg, les régions baltes, les recueils et travaux ci-après : I. Soᴜʀᴄᴇs. — *Die Urkunden Heinrichs des Löwen, bearbeitet von* K. Jᴏʀᴅᴀɴ, 1, *Mon. Germ. hist.*, c. 3 (*Laienfürsten-und Dynastenurkunden der Kaiserzeit*, I, 1) ; F. G. ᴠᴏɴ Bᴜɴɢᴇ, *Liv-, Est-, und curländisches Urkundenbuch nebst Regesten*, 6 vol. in-4°, Reval et Riga, 1853-1873 ; K. Nᴀᴘɪᴇʀsᴋʏ, *Russisch-livländische Urkunden*, Saint-Pétersbourg, 1868 ; Hᴇɴʀɪ ᴅᴇ Lɪᴠᴏɴɪᴇ, *Chronicon Lyvoniae*, dans les *Mon. Germ. Hist., Scriptores*, t. XXIII, p. 241-248 ; *Die vier Chroniken von Nowgorod und die zwei Chroniken von Pskow*, Saint-Pétersbourg, 1841-1848. II. Tʀᴀᴠᴀᴜx. — K. Jᴏʀᴅᴀɴ, *Die Bistums-gründungen Heinrichs des Löwen*, Leipzig, 1939, *Schriften des Instituts fur altere deutsche Geschichtskunde*, 3 ; Tʜ. Sᴄʜɪᴇᴍᴀɴɴ, *Russland, Poland und Livland bis ins 17. Jahrhundert*, t. I, Berlin, 1886 ; A. M. Aᴍᴀɴɴ, *Storia della chiesa russa e dei paesi limitrofi*, Turin, 1948, p. 41-44 ; F. Kᴏᴄʜ, *Livland und das Reich* (*Quellen und Forschungen zur baltischen Geschichte*, Posen, 1943.
(2) E. Jᴏʀᴅᴀɴ, *L'Allemagne et l'Italie aux XIIᵉ et XIIIᵉ siècles*, t. IV de l'*Histoire du moyen âge. Histoire générale*, publiée sous la direction de G. Gʟᴏᴛᴢ, p. 125.
(3) Cf. K. Jᴏʀᴅᴀɴ, *Dte Bistumsgründungen Heinrichs des Löwen*.
(4) Jᴀꜰꜰᴇ-Wᴀᴛᴛᴇɴʙᴀᴄʜ, n° 16.325.

Jadis l'évêque de Bamberg, Otton, avait dirigé une mission sur la Poméranie ; puis, des Polonais y avaient porté l'Évangile. Plus proches des indigènes par la langue et la race, ils avaient remporté des succès plus durables. Cependant, leur rivalité avec les Allemands eut quelque répercussion sur l'organisation ecclésiastique du pays dont la juridiction fut disputée entre la métropole de Magdebourg et celle de Gniezno. Innocent II avait d'abord cru pouvoir résoudre la difficulté en subordonnant à Magdebourg, Gniezno et Posnan, ainsi que tous les évêchés à créer au delà de l'Oder (1133) [1], puis il avait rétabli Gniezno dans ses droits (1136) [2]. Toutefois, lorsque, en 1140, il érigea Wollin, il y nomma un ancien compagnon d'Otton de Bamberg, l'Allemand Adalbert [3]. Dès lors, quatre diocèses se partagèrent le territoire : au sud et à l'est, les sièges polonais de Posnan, de Gniezno et de Cujavie (Wloclawlek) [4] ; à l'ouest, celui de Wollin. En 1160 et pendant le schisme impérial, ce dernier — entre temps transféré à Kammin — fut soumis à la métropole de Magdebourg par l'antipape Victor IV [5]. S'il paraît douteux qu'Innocent II ait directement rattaché au Saint-Siège l'évêché de Wollin [6], en revanche, Clément III devait confirmer l'immédiateté de Kammin par l'établissement d'un cens annuel d'un fertin d'or *ad indicium... perceptae protectionis et libertatis* (24 février 1188) [7].

Les régions baltes étaient devenues le centre actif d'un commerce intense, où les Suédois d'abord, puis les Allemands, prirent la plus large part. L'emporium de Novgorod vit s'établir, après les colonies varègues, des colonies germaniques. Entre la Finlande et l'Estonie au nord-est, respectivement dévolues à l'apostolat suédois et danois, et la Poméranie, à l'ouest, la Livonie et la Courlande, arrosées par la grande artère commerciale de la Duna, constituaient une zone russe, tributaire du prince de Polotsk et peuplée de païens. Des négociants de Lubeck s'y installèrent, tandis que déclinait l'influence suédoise. Le moine augustinien Meinhard, chargé de pourvoir aux besoins spirituels de la colonie germanique, entreprit de convertir les population indigènes [8]. Sacré évêque en 1186 par le métropolitain de Brême-Hambourg — dont dépendait l'église de Lubeck — son activité missionnaire permit le rattachement de l'évêché de Livonie à cette métropole allemande. Clément III [9] confirma à Hartwig et à son église la juridiction sur le siège d'Ykeshola (Uxkull) en « Ruthénie », que le second successeur de Meinhard, Albert de Buxhövden, allait transférer dans la forteresse de Riga dominant l'embouchure de la Duna (1201). Par la fondation, dès l'année suivante, des Chevaliers Porte-Glaive, et plus tard par le serment de fidélité de l'évêque de Riga au roi de Germanie (Philippe de Souabe, en 1204), l'église missionnaire de Livonie-

(1) *Corpus diplomaticus majoris Poloniae*, n° 6 ; JAFFE-WATTENBACH, 7629 ; P. DAVID, *La Pologne et l'évangélisation de la Poméranie*, p. 60-63 ; et *supra*, p. 183.
(2) *Corpus diplomaticus majoris Poloniae*, n° 7.
(3) P. DAVID, *op. cit.*, p. 57.
(4) Cf. *supra*, p. 276.
(5) JAFFE-WATTENBACH, n° 14.430.
(6) P. DAVID, *op. cit.*, p. 63 ; Z. WOJCIECHOWSKI, *L'État polonais au moyen âge*, p. 59-60.
(7) JAFFE-WATTENBACH, n° 16.154.
(8) A. M. AMANN, *op. cit.*, p. 41-43.
(9) JAFFE-WATTENBACH, 16.328 (1er octobre 1188).

Courlande entrait dans la communauté germanique : l'apparition sur les
rives de la Baltique de cette puissance acheva de fermer l'Église russe
aux influences occidentales [1].

LA RUSSIE DANS L'ORBITE
DE BYZANCE [2]
Les rapports du métropolite de Kiev avec
l'Église romaine n'avaient jamais été nettement définis [3]. Encore que Kiev relevât du
patriarcat de Constantinople et que des mariages byzantins inclinassent
les princes de ce côté, l'influence occidentale et latine s'était maintenue
longtemps après le schisme grec, lequel, d'ailleurs, n'apparaissait pas comme
irrémédiable. En 1051, réagissant contre l'influence grecque, Jaroslav
avait fait traduire en slave des livres byzantins et recruté un clergé russe,
notamment le métropolite Hilarion [4] ; en 1075, son successeur Isjaslav Ier
s'était placé, avec son fils Jaropolk, sous la protection du Saint-Siège [5],
fait unique dans l'histoire des Slaves de l'est, et d'ailleurs sans lendemain.
Depuis lors, en dépit des bonnes relations que les princes de Kiev entre-
tinrent avec les colonies varègues de Novgorod, l'influence occidentale
et latine n'avait cessé de décliner au profit de l'influence byzantine.
Les luttes dynastiques [6] entre les descendants d'Isjaslav et ceux de son
frère Vsevolod, entièrement acquis aux Grecs ; plus tard, celles qui opposèrent George Dolgorukij, dernier des fils de Vladimir Monomaque, à
Isjaslav II, l'un et l'autre descendants de Vsevolod, ne furent pas sans
répercussion dans l'ordre ecclésiastique. Elles entraînèrent le démembrement du diocèse de Novgorod et l'érection de l'évêché de Smolensk
par le métropolite grec Michel, soucieux de contrebalancer par l'une de ses
créatures l'influence occidentale (1137) ; elles provoquèrent une lutte
autour du siège de Kiev entre prélats grecs et russes (1147-1149) ; plus
tard, elles amenèrent le grand-duc et le métropolite à ériger Novgorod
en archevêché (1165) que se disputèrent ensuite des influences opposées [7].
Avant la fin du XIIe siècle, l'église de Kiev était détenue par des Grecs ;
et, bien qu'à Novgorod l'archevêque fût l'élu des habitants [8], la Russie
était pratiquement réduite en province ecclésiastique de l'Église grecque.
Une notice byzantine de 1170 [9] mentionne Kiev et les onze diocèses
qui ressortissent à sa juridiction au nombre des églises qui dépendent
du patriarcat de Constantinople.

(1) A. M. AMANN, op. cit., p. 44.
(2) Nous n'avons pas à donner ici de bibliographie sur les églises schismatiques. On retiendra
cependant deux répertoires : N. DE BAUMGARTEN, Chronologie ecclésiastique des terres russes, dans
Orientalia christiana, t. XVII, 1930 ; ID., Généalogies et mariages occidentaux, ibid., t. IX, 1927.
Les sources et travaux sont indiqués en tête de chaque chapitre dans l'ouvrage cité plus haut
(p. 278, n. 1) de A. M. AMANN, Storia della chiesa russa.
(3) A. M. AMANN, op. cit., p. 26.
(4) Ibid., p. 22, 21.
(5) Ibid., p. 23 ; A. FLICHE, La réforme grégorienne, t. II : Grégoire VII, p. 332, 333.
(6) Sur l'ordre de succession particulier à la Russie de Kiev et les luttes qu'il entraîna dans la
seconde moitié du XIIe siècle, cf. G. VERNADSKY, Kievan Russia, New Haven, 1948, p. 217-223,
et A. M. AMANN, op. cit., p. 31-32.
(7) Ibid., p. 33-36.
(8) Ibid., p. 48.
(9) H. GELZER, Ungedrukte und ungenügend veröffentliche Texte der notitiae episcopatuum, Monaco,
1900, p. 588.

LA BULGARIE. LE PATRIARCAT
UNIATE DE TIRNOVO [1]

Après la conquête de la Bulgarie par l'empereur grec Basile II, le patriarcat bulgare avait été remplacé par l'archevêché national d'Ochrida rattaché au patriarcat byzantin (1018). Cette semi-indépendance religieuse, destinée à gagner les vaincus, avait servi la cause de l'hellénisme. Dans la première moitié du xiie siècle, à la faveur de la confusion selon laquelle la ville d'Ochrida aurait succédé à *Justiniana prima*, l'archevêque d'Ochrida avait pris le titre de « bienheureux archevêque de la première Justinienne et de tous les Bulgares et Serbes », et avait, dès lors, revendiqué la juridiction sur l'ancienne province de *Justiniana prima* [2]. Ces prétentions reçurent un regain de vigueur lorsque, à la faveur de la réaction nationaliste et de la défaite byzantine, les frères Asen, probablement originaires de Valachie — Jean puis Pierre, et enfin Kalojan — eurent été portés au pouvoir à partir de 1186. Tandis que Constantinople tombait aux mains des croisés, Kalojan dilatait son royaume des limites de la Thessalie aux confins de l'Albanie, remplaçait les évêques grecs par des bulgares et renouait avec le Saint-Siège. Ces négociations préliminaires [3] devaient aboutir, à très brève échéance, au rattachement de l'Église bulgare à Rome par l'intermédiaire de l'archevêque de Tirnovo, Basile, qui avait adressé au pape une profession de foi catholique [4]. Le légat d'Innocent III, Jean de Casamari, lui remit le pallium [5]. Plus tard, après de nouveaux échanges de lettres [6], un second légat, Léon de Sainte-Croix de Jérusalem, lui conférait le titre de primat, avec le privilège de sacrer le roi et de confirmer l'élection des évêques et des métropolitains (1204) [7]. Kalojan fit hommage de son royaume à l'Église romaine.

ÉCHEC DES POURPARLERS
D'UNION ENTRE ROME
ET BYZANCE

Pressés par le péril petchénègue et la poussée turque, les premiers Comnènes [8] s'étaient tournés vers l'Occident et avaient sollicité des secours militaires, fût-ce au prix d'un fallacieux retour à la communion romaine, qu'ils étaient résolus à

---

(1) BIBLIOGRAPHIE. — I. SOURCES. — A. THEINER, *Vetera monumenta slavorum meridionalium,* t. I, Rome, 1863, in-f° ; E. DE HURMUZAKI, *Documente privitore la istoria Romänilor,* t. I, Bucarest, 1887.
II. TRAVAUX. — G. SONGEON, *Histoire de la Bulgarie,* Paris, 1913, p. 225 et suiv. ; TH. OUSPENSKI, *La formation du second empire bulgare,* Odessa, 1879, en russe ; A. XENOPOL, *L'empire valacho-bulgare,* dans la *Revue historique,* t. XLVII, 1891, p. 277-308 ; C. VON HÖFLER, *Die Valachen als Begründer des zweiten bulgarischen Reiches der Assaniden 1186-1257,* dans *Sitzungsberitch der Kaiser Akademie der Wissenschaften zu Wien, philologisch-historische Klasse,* t. XCV, 1879, p. 229-245 ; J. MARCOVIC, *Gli Slavi ed i papi,* t. II, Zagreb, 1897, p. 536 et suiv. ; V. LAH, *De unione Bulgarorum cum Ecclesia Romana ab anno 1204 usque ad annum 1234,* dans *Archiv für katolisches Kirchenrecht,* t. XCIV, p. 193-256 ; article *Bulgarie,* de R. JANIN, dans le *Dictionnaire d'histoire et de géographie ecclésiastiques,* t. X, col. 1132-1142.
(2) Cf. R. JANIN, *art. cit.,* col. 1132-1134.
(3) Cf. les documents relatifs à ces négociations dans THEINER, p. 15-16, 11 ; HURMUZAKI, p. 1-3.
(4) THEINER, p. 17 ; HURMUZAKI, p. 5.
(5) THEINER, p. 17, 21-22, 28-29 ; HURMUZAKI, p. 4, 6, 11-13, 27-28.
(5) THEINER, p. 20-21, 27-30 ; HURMUZAKI, p. 10-11, 26-27, 29-31.
(7) THEINER, p. 39-40 ; HURMUZAKI, p. 48-50.
(8) A. VASILIEV, dans son *Histoire de l'Empire byzantin,* t. II, Paris, 1932, p. 128-133, a fort bien caractérisé l'attitude des Comnène à l'égard de l'Église romaine et des puissances occidentales.

éluder. Jean Comnène avait renoué avec Calixte II et Honorius II, sans
que les controverses théologiques qui s'engagèrent alors eussent marqué
le moindre progrès à l'actif de l'union. Avec Manuel Comnène, si l'union
put apparaître comme réalisable [1], elle ne laissa pas, pour autant, d'être
conditionnée par les problèmes politiques. Obligés de lutter contre Frédéric Barberousse, Adrien IV puis Alexandre III auraient pu craindre une
éventuelle jonction des Grecs et des Allemands. En fait, il n'en fut rien :
Manuel espérait, à la faveur du schisme germanique, rétablir à son profit,
grâce à l'appui du pape, l'unité de l'ancien empire romain et recevoir la
couronne d'or des mains du « patriarche d'Occident ». Cependant, la politique du basileus ne trouvait aucun support à Byzance même. Bientôt, la
victoire des villes lombardes et le rapprochement d'Alexandre III et de
Frédéric Ier, à l'heure où les armées byzantines se faisaient tailler en
pièces à Miriokephalon (1176) par Qilij Arslan II, enlevèrent à Manuel
toute illusion sur l'issue de la politique qu'il avait inlassablement poursuivie. Néanmoins, il se fit représenter au troisième concile du Latran
(1179) par un prélat de rite grec, Nicetas, de Casola dans l'Italie méridionale [2]. A sa mort en 1180, sa politique d'union, discréditée par ses
échecs, fut définitivement abandonnée : Andronic Ier et, après lui, les
Anges, se firent les instruments d'une réaction brutale qui mit un terme
aussi bien aux pourparlers en vue de l'union des Églises qu'à la collaboration militaire avec les Francs en Syrie ; bien plus, ils donnèrent la main
aux Turcs contre les croisés et conclurent avec Saladin un pacte aux
termes duquel, dans un éventuel partage de l'Orient, la protection des
Lieux Saints leur reviendrait.

L'ÉGLISE ARMÉNIENNE EST RATTACHÉE A ROME [3]

L'Église nationale arménienne, de tendance
monophysite, avait fini, au VIe siècle, par
rejeter les définitions du concile de Chal-
cédoine (451), entachées à ses yeux de nestorianisme. Lorsque les Turcs
se furent emparés de la Grande Arménie, le siège patriarcal avait été
transféré d'Ani au monastère de Chougr à l'ouest de Marash, ce qui fut à
l'origine du schisme par lequel l'archevêque d'Althamar se proclama
patriarche. Après un stade dans le Djebel Côf, de 1125 à 1148, le patriarcat,
menacé par les émirs ortoqides, s'était finalement installé en 1150 dans la
forteresse de Rôumqala, ou Hromcla, sur l'Euphrate, où il devait se maintenir jusqu'en 1293. L'intervention des Byzantins dans la Syrie du Nord,
la nécessité de maintenir l'alliance militaire avec les Francs, peut-être

---

(1) Sur cette politique de rapprochement avec l'Occident sous Manuel Comnène, cf. *supra*,
p. 74 s.

(2) MANSI, t. XXII, c. 237-238.

(3) BIBLIOGRAPHIE. — I. SOURCES. — *Trésor des chartes d'Arménie*, Venise, 1863 ; BARONIUS,
Annales ecclesiastici ; MATHIEU D'ÉDESSE, *Continuation*, dans *Recueil des historiens des croisades.
Documents arméniens*, t. I, p. 150 et suiv. ; SAMUEL D'ANI, *ibid.*, p. 447 et suiv. ; MICHEL LE SYRIEN,
ibid., p. 311-409 ; NERSÈS DE LAMBRON, *ibid.*, p. 569-603 ; NERSÈS CHERNORHALI, *ibid.*, p. 226-
268 ; SEMPAD, connétable d'Arménie, *ibid.*, p. 610 et suiv. ; *Chroniques de l'île de Chypre*, édit.
R. DE MAS LATRIE, Paris, 1886, dans *Collection de documents inédits, Mélanges historiques*, t. V.

II. TRAVAUX. — Essentiellement, F. TOURNEBIZE, *Histoire politique et religieuse de l'Arménie*,
Paris, 1910, et, du même, l'article *Arménie*, dans le *Dictionnaire d'histoire et de géographie ecclésiastiques*, t. IV, col. 311-316.

même l'espoir d'union né de l'attitude de Manuel Comnène, amenèrent le prince de petite Arménie et le catholicos — c'est-à-dire le patriarche — à tenter un effort de conciliation doctrinale, aussi bien avec les Grecs qu'avec les Latins [1].

Grégoire III (1113-1166) assista au concile que le légat pontifical, Albéric d'Ostie, présida à Jérusalem en 1140, et envoya ses messagers à Eugène III (1145-1146). Son successeur, Nersès IV Chernorhali (1166-1173), rechercha un terrain d'entente entre les confessions grecque, latine et arménienne ; à la demande de Manuel Comnène, il eut avec le théologien grec Theorianos de longues conférences sur le concile de Chalcédoine, auxquelles fut également convié le patriarche jacobite d'Antioche, Michel le Syrien. Après lui, Grégoire IV (1173-1193), secondé par Nersès de Lambron, archevêque de Tarse, partisan résolu du retour à l'unité, réunit à Hromcla un concile d'entente auquel assistèrent trente-trois archevêques et évêques de diverses confessions. Les Arméniens acceptèrent la formule certifiant l'existence de la nature divine et de la nature humaine en la personne du Christ. Mais les exigences des Grecs et les violences qu'ils exercèrent en vue d'obliger les Arméniens à se conformer à leur rite servirent la cause du rapprochement avec l'Occident.

Grégoire IV protesta auprès de Lucius III de son respect envers l'Église romaine, implora la protection pontificale en faveur des Arméniens persécutés par les Grecs, et sollicita un exposé de la discipline latine. En retour, le pontife lui envoya le pallium, un anneau et une mitre (1184) [2]. Quelques années plus tard, Clément III lui adressa un rituel romain (1188) [3], exhorta les Arméniens à joindre leurs forces à celles des croisés et leur accorda les mêmes indulgences qu'à ceux-ci (1189) [4]. La réaction antichalcédonienne, esquissée à la mort de Grégoire IV par le passage au patriarcat de Manouk (Grégoire V, 1193-1194), fut sans lendemain, le prince d'Arménie, Léon II, ayant particulièrement besoin de l'appui des Francs et du pape. Grégoire VI Apirat (1194-1203) — en dépit du schisme qui éleva à Althamar un antipatriarche en la personne de Barsel d'Ani (1195-1206) — fut, avec Narsès de Lambron, l'âme de l'union décisive à Rome. En 1196, dans un synode réuni à Tarse, les évêques arméniens acceptèrent les décrets de Chalcédoine. En 1199, le légat pontifical, Conrad de Wittelsbach, évêque de Sabine, imposa au prince d'Arménie la couronne royale. Léon II et Grégoire VI adressèrent au pape des lettres de déférence [5], le saluant de « chef, après le Christ, de l'Église catholique romaine, mère de toutes les Églises, fondement de toute la Chrétienté » [6]. Comme jadis Lucius III à Grégoire IV, Innocent III fit remettre le pallium à Grégoire VI.

---

(1) Pour l'histoire détaillée de ces efforts de rapprochement, cf. F. TOURNEBIZE, art. cit., col. 313 et suiv.
(2) JAFFE-WATTENBACH, n° 15.340.
(3) Ibid., n° 16.463.
(4) Ibid., n° 16.461.
(5) Inter Innocentii III Epistolae, P. L., CCXIV, 775-780.
(6) Ibid., 775.

*LES ÉGLISES D'OBÉDIENCE
ROMAINE EN TERRE SAINTE.
LATINS ET MARONITES* [1]

A côté des Arméniens, largement répandus dans la Syrie du nord, les Latins et les Maronites relevaient également de Rome. Les églises de Terre Sainte dépendaient des patriarcats de Jérusalem et d'Antioche. En fait, le patriarcat de Jérusalem — naguère sous domination fatimide — pas plus que celui d'Alexandrie, n'avait ouvertement rompu avec l'Église d'Occident, encore qu'il fût dans la communion de Byzance. A la mort du patriarche Siméon (juillet 1099), le légat pontifical Daimbert de Pise était monté sur le trône patriarcal, inaugurant la lignée des patriarches latins qui se considérèrent toujours comme les successeurs légitimes des anciens patriarches [2]. A Antioche, la situation était différente : détachée de la souveraineté byzantine quelques années seulement avant l'arrivée des croisés, Antioche était revendiquée par le basileus. Les difficultés vinrent de la suzeraineté qu'il prétendit exercer sur la principauté. Les Francs — qui avaient substitué au patriarche grec un patriarche latin — durent s'engager à admettre la coexistence d'un patriarche grec. Ils s'exécutèrent d'assez mauvais gré : c'est seulement entre 1164 et 1167 que fut reçu à Antioche le patriarche grec Athanase [3]. Bien que Pascal II ait reconnu l'antiquité et la dignité du siège d'Antioche, fondé par saint Pierre avant celui de Rome, et qu'il ait modéré la portée des concessions primitivement faites à la couronne de Jérusalem, les prétentions du patriarche de Jérusalem s'étaient affermies à la suite des dernières conquêtes royales : de même que l'évêché de Beyrouth, ceux de Sidon, Acre, Panéas, ainsi que l'archevêché de Tyr, furent rattachés au patriarcat de Jérusalem ; le patriarcat latin d'Antioche maintint, en revanche, sa juridiction sur les sièges épiscopaux du comté de Tripoli [4].

Les Maronites — en dépit du témoignage assez obscur en l'espèce de Guillaume de Tyr [5], selon lequel ils se seraient ralliés en 1181 — s'étaient toujours considérés en parfaite communion de foi avec l'Église romaine [6] : il semble qu'il faille reléguer au rang des légendes le monophysisme ou le monothélisme qu'on leur a parfois imputé [7], encore que leur longue séparation des églises occidentales et leur contact avec les confessions orientales aient pu favoriser quelques divergences. Leur patriarche, qui se réclamait du titre d'Antioche, résidait au Liban depuis

(1) Bibliographie. — Pour les sources latines, on se reportera au t. VIII, p. 486, n. 3. Y ajouter les sources et travaux concernant l'Arménie (*supra*, p. 282, n. 3), ainsi que les ouvrages énumérés ci-après, complétant utilement R. Grousset, *Histoire des croisades et du royaume franc de Jérusalem*, 3 vol., Paris, 1934-1936, qui reste la base indispensable ; du même, *L'Empire du Levant*, Paris, 1946 ; Cl. Cahen, *La Syrie du nord à l'époque des croisades et la principauté franque d'Antioche*, Paris, 1940 ; J. Richard, *Le comté de Tripoli sous la domination toulousaine*, Paris, 1945. Pour les Maronites : P. Dib, *L'Église maronite*, t. I, Paris, 1930, et l'article *Maronites*, dans le *Dictionnaire de théologie catholique*, t. X, 1re p., col. 1 et suiv. Enfin, pour la période du royaume de Chypre, à l'extrême fin du siècle, L. de Mas Latrie, *Histoire de l'Ile de Chypre sous le règne des princes de la maison de Lusignan*, 3 vol., dont deux de documents, Paris, 1851-1855, et *Chroniques de Chypre*, édit. R. de Mas Matrie, Paris, 1886, *Collection de documents inédits, Mélanges historiques*, t. V.
(2) G. Every, *The byzantine patriarcate 451-1204*, Londres, s. d. [1947], p. 158-159.
(3) *Ibid.*, p. 162-164.
(4) Cf. R. Grousset, *Histoire des croisades*, t. I, p. 309-312.
(5) *Historia rerum in partibus transmarinis gestarum*, XXII, 8.
(6) P. Dib, *L'Église maronite*, t. I, p. 184.
(7) Cf. sur cette controverse, la discussion des sources, *ibid.*, t. I, p. 51-143.

le Xe siècle ¹. A l'arrivée des Francs, les Maronites s'étaient empressés
d'adopter certains usages latins ; ils s'étaient répandus plus largement
en Terre Sainte et avaient renoué avec Rome par l'intermédiaire des
légats pontificaux ². Après la chute de Jérusalem, ils devaient, à l'instar
des Latins, émigrer à Chypre ³.

Lorsque Saladin eut pris possession de Jérusalem en 1187, il en expulsa
le clergé latin et abandonna le Saint-Sépulcre aux Grecs ; en 1189, aux
termes d'un traité conclu avec Isaac l'Ange, il accorda toute liberté de
culte aux chrétiens des rites byzantin et syrien ⁴. La hiérarchie latine
refoulée put cependant se maintenir ou se reconstituer à Antioche, à
Tripoli, à Tyr et à Acre. En revanche, elle s'établit à Chypre après la
conquête de l'île par Richard Cœur de Lion et l'installation des Lusignan.
Les évêques grecs ne furent pas dépossédés, mais soumis à la juridiction
romaine ⁵ selon les mêmes normes que les Byzantins de l'Italie méridionale, les Maronites et les Arméniens de Syrie ⁶.

SURVIE DES COMMUNAUTÉS
CHRÉTIENNES EN TERRES D'ISLAM

Les chefs de l'Islam n'adoptèrent
pas à l'égard des chrétiens une
politique commune. Saladin a d'au-
tant plus aisément noyauté les églises de Syrie qu'elles étaient divisées entre elles. En Arabie, des communautés chrétiennes orthodoxes,
nestoriennes et monophysites, organisées en diocèses avec leurs clergés
propres, se maintenaient en plein XIIe siècle, à l'écart de tout contact
avec Rome ⁷. Les peuples mongols, dans leurs migrations, reçurent certainement le message chrétien, probablement sous forme orthodoxe : ce
fut sans doute le cas pour les Oghouz dans le Khorezm, peut-être pour les
Ouigours de l'Empire des Qara Qïtay, les Nayman de la Mongolie occidentale et les Kerayt de la Mongolie orientale ⁸. Coupés de toutes relations
avec d'autres chrétientés par l'extension de l'Islam, les Abyssins, qui
avaient relevé jadis du patriarcat d'Alexandrie, gardaient une croyance
mêlée de données et de pratiques superstitieuses ; vers 1150, leur prince
inaugurait une dynastie chrétienne ⁹. Dans l'Ifriqya, des chrétientés indigènes décadentes maintenaient difficilement une hiérarchie réduite à sa
plus simple expression, puisque, dès 1076, Grégoire VII n'y trouvait même

---

(1) P. Dib, *op. cit.*, t. I, p. 151-156.
(2) *Ibid.*, t. I, p. 184, 197.
(3) *Ibid.*, t. I, p. 207-208.
(4) F. Doelger, *Regesten der Kaiserkunden des oströmischen Reiches*, 3 vol., Munich-Berlin,
1924-1932, t. II, n°⁸ 1585, 1591, 1593.
(5) Jaffe-Wattenbach, n°⁸ 17.329 (20 février 1196) ; 17.461 (13 décembre 1196). Ces documents, ainsi qu'une bulle du 3 janvier 1197 conférant le pallium à l'archevêque de Nicosie, ont
été publiés par L. de Mas Latrie, *Histoire de l'île de Chypre*, t. III, *Documents*, p. 599-606.
(6) Pour le détail et les destinées de cette union, cf. l'article de R. Janin, *Chypre*, dans le *Dictionnaire d'histoire et de géographie ecclésiastiques*, t. XII, col. 797 et suiv., et celui d'A. Pal-
mieri, *Chypre (Église de)*, dans le *Dictionnaire de théologie catholique*, t. II, 2e p., col. 2434 et
suiv.
(7) Cf. l'article de R. Aigrain, *Arabie*, dans le *Dictionnaire d'histoire et de géographie ecclésiastiques*, t. III, col. 1326-1332.
(8) Cf. W. Barthold, *Histoire des Turcs d'Asie centrale*, Paris, 1945, *Initiation à l'Islam*, III,
p. 82, 99-101.
(9) I. Guidi, article *Abyssinie (Église de)*, dans le *Dictionnaire d'histoire et de géographie ecclésiastiques*, t. I, col. 213.

plus trois évêques pour procéder à une ordination [1]. Cependant, un nouvel influx de vie chrétienne s'était immiscé sur le littoral, grâce aux conquêtes siciliennes de Roger II, échelonnées de Tunis à Tripoli. Dans le Maghreb occidental enfin, les Almoravides avaient déporté des Mozarabes coupables de rébellion — notamment en 1126 — puis amené des auxiliaires chrétiens encadrés de leurs prêtres, afin de tenir en respect les conquérants almohades. Vainqueurs de leurs adversaires musulmans, ces derniers n'avaient pas tardé à refouler les milices chrétiennes — une de ces communautés s'était repliée sur Tolède avec son évêque dès 1147 [2] — tandis que les chrétiens indigènes furent partout victimes de leur fanatisme.

LA CONQUÊTE ALMOHADE. RUINE DES DERNIÈRES ÉGLISES AFRICAINES Vers le milieu du XIIe siècle, la conquête almohade inaugura, pour les chrétientés maghrébines, l'ère d'un irrémédiable déclin. 'Abdal Mu'min, disciple d'Ibn Toumart, ayant pris le titre de calife, avait entrepris la guerre sainte contre les Almoravides. Il conquit l'Atlas, entra en maître dans Marrakech (1145), passa en Espagne à l'appel des rois des Taïfas, soumit Séville, Cordoue, Grenade et Alméria, mais il ne réussit ni à unifier l'Espagne musulmane, ni à refouler les royaumes chrétiens dans leurs anciennes limites. Dès 1157, il détruisit le royaume berbère de Bougie. En 1160, il s'attaqua victorieusement aux Hilaliens de Tunisie. Son fils, Abou Yakoub Yousouf, reprit la lutte en Espagne, écrasa Ibn Mardenich à Murcie (1170) et obligea les rois chrétiens — qui pourtant avaient reconquis Alméria en 1159 — à garder une attitude de stricte défensive. En 1195, la défaite chrétienne d'Alarcos marque le point culminant de la conquête almohade qui unit en un vaste empire musulman le Maghreb tout entier et le sud de la péninsule ibérique [3].

L'établissement de la domination almohade sur le bassin occidental de la Méditerranée fut infiniment plus grave que jadis la conquête arabe : de Marrakech à Tunis, les non musulmans furent systématiquement persécutés, et, si les communautés juives, assez compactes, purent résister, les églises chrétiennes, très amenuisées déjà, sombrèrent définitivement. Les chrétiens eurent le choix entre le massacre ou la conversion forcée [4]. Les villes côtières profitèrent de l'occasion pour se révolter contre leurs maîtres siciliens et les communautés chrétiennes y furent détruites [5]. Il faut sans doute voir dans l'archevêque de Carthage, dont la mention subsiste au Liber censuum, dans la compilation de 1192, un dignitaire in partibus infidelium [6] ; et les rares chrétiens que l'on rencontre encore

---

(1) Cf. Ch. Courtois, Grégoire VII et l'Afrique du Nord, dans la Revue historique, t. CCXV (1945), p. 99-122 et 193-226, notamment p. 216 ; H. Froidevaux, article Afrique, dans le Dictionnaire d'histoire et de géographie ecclésiastiques, t. I, col. 862.
(2) Ch. Courtois, art. cit., p. 206.
(3) Sur la conquête almohade, cf. G. Marçais, La Berbérie musulmane et l'Orient au moyen âge, Paris, s. d., [1946] , p. 267-268.
(4) Ibid., p. 270.
(5) Ch. Courtois, art. cit., p. 121-122.
(6) L. de Mas Latrie, Traités de paix et de commerce concernant les relations des chrétiens avec les Arabes de l'Afrique septentrionale au moyen âge (Paris, 1866, in-f°), Introduction historique, p. 69.

en ces régions ne sont pas des autochtones, mais des étrangers [1], parmi lesquels des négociants de Gênes ou de Pise qui sont autorisés à commercer avec les ports almohades. Encore, la République de Pise doit-elle, en 1181, multiplier les protestations contre les brimades dont ses nationaux étaient l'objet de la part des fonctionnaires almohades de Bougie. Dès 1196, les privilèges commerciaux des Pisans sont limités à quatre ports africains [2]. Un fanatisme analogue sévit en Espagne où les Mozarabes [3] sont maltraités, déportés, voire suppliciés, où les églises sont détruites (ainsi en alla-t-il à Grenade).

Afin de remédier à la situation lamentable des chrétiens, qui par la déportation, la guerre ou la piraterie, tombaient entre les mains de ces musulmans fanatiques, Jean de Matha fondait, avant la fin du siècle, l'ordre des Trinitaires, voué au rachat des captifs chrétiens [4]. Chapelains dans les fondouks européens du littoral africain, les Trinitaires pouvaient entrer en contact avec ces captifs, qu'ils soignaient, consolaient et s'efforçaient de libérer. Par bulle du 17 décembre 1198 [5], Innocent III approuva le nouvel institut.

Au total, malgré la ruine définitive des chrétientés africaines, de longue date déjà en voie d'extinction, les gains apparaissent bien, à la fin du XIIe siècle, l'emporter sur les pertes. Certes, à l'issue des premières croisades qui mirent à rude épreuve la sincérité byzantine à l'égard de l'Occident, le schisme grec semble désormais irrémédiable. Pas plus que les Latins, les Arméniens n'avaient réussi à sceller une union quelconque avec le patriarcat de Constantinople. Toutefois, le détachement de l'Illyricum et le retour de la Bulgarie à la communion romaine allaient susciter de nouveaux espoirs d'intégrer les églises séparées, espoirs que, ni la constitution du royaume de Serbie, ni même, au siècle suivant, la conquête de Constantinople et la formation des principautés latines de Morée ne devaient combler. La perte de Jérusalem et des Lieux Saints se soldait cependant à l'actif de Rome, grâce à l'établissement de liens durables avec les communautés maronites et arméniennes du Levant, grâce aussi au maintien de la hiérarchie latine dans certaines positions côtières. A l'est, en dépit des progrès, lents mais constants, de la conquête chrétienne sur les Slaves, le bloc russe était définitivement isolé, tandis qu'au nord, après l'Angleterre, l'Écosse, l'Irlande, les royaumes scandinaves et leurs lointaines colonies recevaient enfin l'influx du mouvement réformateur, en même temps que leur union avec Rome devenait plus étroite. Enfin, dans la péninsule ibérique, malgré l'établissement des Almohades et la défaite d'Alarcos, la *reconquista* se stabilisait au profit des royaumes chrétiens, en attendant la reprise de l'offensive victorieuse.

(1) L. DE MAS LATRIE, *op. cit.*, p. 69-70 ; R. BRUNSCHVIG, *La Berbérie orientale sous les Hafsides, des origines à la fin du XVe siècle*, 2 vol., Paris, 1940-1945, t. I, p. 430. Voir également, du R. P. J. MESNAGE, *Le christianisme en Afrique. Église mozarabe, esclaves chrétiens*, Alger, 1915.
(2) G. MARÇAIS, *op. cit.*, p. 270-271.
(3) Sur les Mozarabes d'Espagne, cf. I. DE LAS CAGICAS, *Minorias etnico-religiosas de la Edad media española*, t. I, *Los Mozarabes*, Madrid, 1947-1948.
(4) Cf. H. FROIDEVAUX, *art. cit.*, col. 864-865.
(5) POTTHAST, n° 483.

CHAPITRE II

LA SOCIÉTÉ CHRÉTIENNE A LA FIN
DU XIIᵉ SIÈCLE

§ 1. — La société et l'organisation ecclésiastiques [1].

L'ÉVÊQUE   Primats et métropolitains ne conservent guère qu'un rang
honorifique : ils ont, la plupart du temps, cessé de confirmer
leurs suffragants, d'évoquer et de juger les causes relevant de ceux-ci,
de présider régulièrement des conciles provinciaux. Cet affaiblissement
des pouvoirs intermédiaires, s'il s'est fait au bénéfice de la papauté,
grâce à la multiplication des appels à Rome et à l'emploi de plus en plus
fréquent des délégations apostoliques, surtout nombreuses depuis le
pontificat d'Alexandre III, a profité également à l'épiscopat.

Les progrès de la centralisation romaine font de l'évêque le représen-
tant-né du Saint-Siège, plus que l'élu du clergé local ou l'homme du roi.
De l'élection proprement dite, non seulement les laïques, mais tous les
dignitaires ecclésiastiques, autres que les chanoines, sont écartés. L'élection de l'évêque est désormais l'affaire du chapitre dans sa *major et sanior
pars* : le canon 16 du troisième concile du Latran fait de cette pratique
une obligation générale. Les concordats de Londres (1107) [2] et de Worms

(1) BIBLIOGRAPHIE. — I. SOURCES. — Essentiellement les bulles pontificales des papes de la
seconde moitié du xiiᵉ siècle : t. CC, CCI, CCII, CCIV et CCVI de la *Patrologie latine* de MIGNE,
à compléter par celles publiées dans la collection des *Papsturkunden*, pour l'Espagne, le Portugal,
l'Angleterre, les Pays-Bas, la France (incomplètement), dans les *Abhandlungen der Gesellschaft
der Wissenschaften zu Göttingen*, philologisch-historische Klasse ; les décrétales de Grégoire IX ;
les canons du troisième concile de Latran (1179).
II. TRAVAUX. — Sur l'origine des officiaux, deux thèses en présence : celle de THOMASSIN,
Ancienne et nouvelle discipline de l'Église (Paris, 1725, 3 vol. in-folio, 1864-1867, 7 vol. in-8), illustrée
par Paul FOURNIER, *Les officialités au moyen âge*, Paris, 1880, et par R. GÉNESTAL, *La patrimo-
nialité de l'archidiaconat dans la province ecclésiastique de Rouen*, dans les *Mélanges Paul Fournier*,
Paris, 1929, p. 285-291 ; et celle d'Édouard FOURNIER, *L'origine du vicaire général et des au res
membres de la Curie diocésaine*, Paris, 1940, selon laquelle, loin d'être un épisode de la lutte des
évêques contre leurs archidiacres, la création des officiaux, comme celle des vicaires généraux,
constitue le développement normal de la curie épiscopale. — A. GRÉA, *Essai historique sur les archidiacres*, dans la *Bibliothèque de l'École des chartes*, 3ᵉ série, t. II, 1850, 61 p. ; G. SCHREIBER, *Gemeinschaften des Mittelalters. Recht und Verfassung, Kult und Frömmigkeit, Gesammelte Abhandlungen*,
t. I, Munster-en-Wisgau, 1948 ; ID., *Kurie und Kloster im 12. Jahrhundert*, 2 vol., Stuttgart, 1910 ;
P. THOMAS, *Le droit de propriété des laïques et le patronage laïque*, Paris, 1906, *Bibliothèque de
l'École des Hautes Études, Sciences religieuses*, fasc. 19 ; G. MOLLAT, *Le droit de patronage en Normandie du XIᵉ au XIVᵉ siècle*, dans la *Revue d'Histoire ecclésiastique*, t. XXXIII, 1937, p. 463-
484 ; M. DILLAY, *Le régime de l'église privée du XIᵉ au XIIIᵉ siècle dans l'Anjou et la Touraine.
Les restitutions d'églises par les laïques*, dans la *Revue historique de Droit français et étranger*, t. IV,
Paris, 1925, p. 253-294 ; P. VIARD, *Histoire de la dîme ecclésiastique dans le royaume de France
aux XIIᵉ et XIIIᵉ siècles (1150-1313)*, Paris, 1912 ; FOURIER BONNARD, *Histoire de l'abbaye royale
et de l'ordre des chanoines réguliers de Saint-Victor de Paris*, 2 vol., Paris, s. d., le t. Iᵉʳ. Pour Prémontré et les chanoines réguliers, se reporter à la Bibliographie donnée aux t. VIII, p. 457, 460,
n. 4 ; et IX-1, p. 127. Y ajouter l'article de Ch. DEREINE, *Chanoines*, dans le *Dictionnaire d'Histoire et de Géographie ecclésiastiques*, t. XII, mise au point essentielle de toutes les questions touchant à l'*Ordo canonicus* ; également, J. C. DICKINSON, *The origins of the Austin canons and their
introduction into England*, Londres, 1950.
(2) Cf. t. VIII, p. 350.

(1122) [1], en distinguant l'investiture spirituelle de l'investiture temporelle — cette dernière revenant au roi ou au seigneur — avaient contribué à développer la candidature officielle et suscité de nombreuses élections contestées : les princes s'étaient érigés en juges des élections, au lieu et place des métropolitains. A la fin du siècle cependant, les rois se bornent à autoriser l'élection (*licentia eligendi*) et à donner, voire à refuser, leur assentiment à la personne de l'élu ; de ce consentement dépend la concession des *regalia*, moyennant un simple serment de fidélité. Élections contestées et crises diverses ont grandement favorisé l'ingérence pontificale au détriment du pouvoir de confirmation du métropolitain. Dès que surgit la moindre difficulté, les élus interjettent appel à l'Église romaine, prennent le chemin de Rome, obtiennent confirmation du pape, et, parfois, reçoivent du pontife ou de ses légats la consécration épiscopale. Par leurs interventions répétées en cas de litige électoral (à York, Canterbury, Saint-Andrews, Bourges, Trèves, etc...), les papes ont, depuis Eugène III, progressivement créé le droit de dévolution, qu'Innocent III et plus tard Boniface VIII seront appelés à réglementer et à généraliser [2].

LA CURIE DIOCÉSAINE.
LES OFFICIALITÉS
En raison même de l'accroissement de leurs charges — administration diocésaine, missions confiées par les princes temporels, multiplication des délégations pontificales entraînant des enquêtes, des jugements ou des arbitrages délicats souvent hors de leur diocèse, séjours réitérés à la cour, ou *ad limina* — les évêques ne sont plus en mesure d'exercer personnellement toutes les fonctions qui leur incombent. A côté du magistère (enseignement et prédication), de longue date confié aux chanceliers, écolâtres et prédicateurs, les pouvoirs de juridiction sont le plus souvent dévolus à de véritables ministres. Certes, le chapitre reste, par destination, le conseil de l'évêque, et il continue d'assurer l'intérim de l'évêché vacant. Cependant, les délibérations en commun se font plus rares et le corps des chanoines jouit d'une réelle indépendance, allant parfois jusqu'à l'exemption de la juridiction épiscopale, tandis que l'évêque s'est constitué une curie propre. Dans la seconde moitié du XIIe siècle apparaissent des chanceliers et des notaires épiscopaux, distincts des chanceliers et notaires capitulaires [3], en raison même du développement de la juridiction gracieuse de l'évêque.

Parallèlement, la progression rapide des causes déférées aux tribunaux ecclésiastiques et la renaissance du droit romain accroissent l'autorité de l'évêque en matière judiciaire et spécialisent son audience. Les grands rassemblements de clercs autour du chef du diocèse (abbés non exempts, chanoines, archidiacres, doyens, curés et dignitaires de tous ordres) se restreignent aux synodes annuels. La curie épiscopale se modèle sur les cours laïques : de temporaire, elle devient permanente et se compose

(1) Cf. t. VIII, p. 387-390.
(2) Pour toutes précisions sur la nature et l'évolution de cette institution comme des autres, nous renvoyons au t. XII.
(3) A Orléans et Paris dès 1176 ; à Langres en 1182 : E. FOURNIER, *L'origine du vicaire général et des autres membres de la curie diocésaine*, p. 49-52.

de professionnels. L'évêque ne préside que de loin en loin son propre tribunal : il y délègue un *ministerialis* ou un *officialis* qui, s'il est révocable *ad nutum*, n'en exerce pas moins, par mandat, le pouvoir même de l'évêque et se constitue en juge ordinaire en son lieu et place. D'autre part, l'influence du droit romain permet à l'évêque — et à son official dès que celui-ci se substitue à lui — de dicter la sentence, naguère apanage des assesseurs du prélat à l'image de ce qui se passait dans les cours féodales [1].

Il semble que la conception nouvelle des officialités ait pris naissance dans les diocèses dont les titulaires étaient le plus souvent empêchés, par l'ampleur même de leurs fonctions, de présider en personne leur tribunal : en Angleterre, il y a un official de l'archevêque à Cantorbéry dès 1179 [2] ; à York en 1195 [3] et probablement plus tôt ; en France, ils apparaissent dans l'archidiocèse de Reims sous le pontificat de Guillaume aux Blanches mains (1175-1202) [4]. Avant la fin du XIIᵉ siècle, les évêchés de la province de Reims étaient pourvus d'une officialité. En revanche, ce n'est pas avant le milieu du XIIIᵉ siècle (après la *constitutio romana* de 1246) que les diocèses de Germanie et de Pologne en seront dotés [5].

Pour des raisons analogues, et à une époque à peine plus tardive, les archidiacres — qui jouissaient d'une juridiction ordinaire indépendante de celle de l'évêque — eurent aussi leurs officiaux : on note un official de l'archidiacre de Cantorbéry en 1182 [6], dont l'existence est certainement antérieure à cette date ; les archidiacres du vaste diocèse de Lincoln ont les leurs sous l'épiscopat d'Hugues d'Avalon (1186-1200) [7] ; l'archidiacre d'Eu en est pourvu en 1200, et celui de Sens vers 1202 [8]. Les chapitres ont suivi le mouvement en créant des officiaux capitulaires *sede vacante* [9].

LE VICAIRE GÉNÉRAL   L'évêque qui partait pour un long voyage confiait l'administration de son diocèse à un ou plusieurs procurateurs. Les textes en mentionnent dès l'époque carolingienne. Au milieu du XIIᵉ siècle, l'abbé de Saint-Paul de Verdun (Prémontrés) est constitué vicaire de l'évêque de Verdun, et celui de Saint-Victor vicaire de l'évêque de Paris, tandis qu'à la fin du siècle, l'abbé de Lobbes devient vicaire de l'évêque de Liége. En 1166, l'abbé de Saint-Pierre du Moutier La Celle est établi vicaire de l'archevêque de Reims, Henri de France, pour la durée du voyage *ad limina* du prélat [10]. Les papes font parfois une obligation aux évêques qu'ils mandent auprès d'eux de se

---

(1) É. FOURNIER, *op. cit.*, p. 108-113.
(2) Bulle d'Alexandre III (Latran, 1ᵉʳ mars 1179) ; JAFFE-WATTENBACH, 11.312 ; texte dans l'*Historia monasterii Sancti Augustini Cantuariensis*, éd. HARDWICK (*Rolls Series*), p. 433-434.
(3) É. FOURNIER, *op. cit.*, p. 122.
(4) *Ibid.*, p. 119-122.
(5) *Ibid.*, p. 128.
(6) Charte de concorde entre Richard de Douvres, archevêque de Cantorbéry, et Roger abbé de Saint-Augustin (*Historia monasterii Sancti Augustini*, p. 449-452). Le texte fait également allusion à l'official de l'archevêque.
(7) *Gesta regis*, t. I, p. 357.
(8) É. FOURNIER, *op. cit.*, p. 142.
(9) *Ibid.*
(10) *Ibid.*, p. 303.

faire représenter dans leur diocèse par un administrateur délégué [1].
Cette faveur accordée aux abbés n'est nullement de règle. En 1158,
Henri de Liége constitue un vicariat collégial en remettant les fonctions
épiscopales (*vices episcopales*) aux mains de quatre personnages ; et Roger
de Wavrin, évêque de Cambrai, sur le point de partir à la croisade, désigne
à cet effet le doyen du chapitre et l'official (1189) [2]. Ce sont là des procu-
rations étendues, comportant l'ensemble des pouvoirs épiscopaux, à
l'exception toutefois des *ponlificalia*. Encore, connaissons-nous une
procuration générale, celle que l'archevêque de Cantorbéry, Baudouin,
remit, vers le même temps, à l'évêque de Rochester, Gilbert [3], pour la
durée de sa pérégrination en Terre sainte à l'occasion de la même croisade :
il s'agit d'un mandat sur la charge pastorale et sur l'administration des
églises du Kent ressortissant au diocèse de Cantorbéry, comme au diocèse de Rochester, et sur toutes les églises qui, en Angleterre, dépendaient
de l'archevêque *nullo mediante* [4]. L'évêque de Rochester — vicaire-né
de l'archevêque de Cantorbéry, pourvu d'un diocèse propre taillé dans
l'archidiocèse — est en même temps un auxiliaire ; il remplit ce double
rôle soit pendant la vacance du siège [5] (au XIIIᵉ siècle, il rencontrera l'opposition du chapitre qui entendra prendre en charge le diocèse *sede vacante*) [6],
soit en l'absence de l'archevêque, soit même lui présent s'il en reçoit
mission. Mais, hormis cet exemple, le XIIᵉ siècle ne semble connaître
de vicaire général qu'en l'absence de l'évêque.

LA PAROISSE   Les diocèses les plus étendus sont subdivisés en plusieurs
                    archidiaconés [7]. Celui de Lincoln en comporte déjà
sept : Lincoln, Leicester, Huntingdon, Northampton, Bedford, Bucking-
ham, Oxford ; un huitième, Stow, devait y être créé peu avant 1213.
A leur tour, les archidiaconés sont subdivisés en doyennés ou archi-
prêtrés. Mais la paroisse demeure la cellule vitale du diocèse. Au XIIᵉ siècle,
les paroisses se multiplient dans les villes, à proportion de l'accroissement

(1) Ce fut l'objet d'une bulle d'Alexandre III à l'archevêque de Reims, le 22 mars 1171, citée
par É. Fournier, *op. cit.*, p. 302.
(2) *Ibid.*, p. 304-306. En Italie, les fonctions de vicaire général et celles d'official relevaient
du même personnage, *ibid.*, p. 360-361.
(3) On en trouvera le texte — d'ailleurs sous un titre erroné — dans I. J. Churchill, *Canterbury administration*, t. II, p. 1, d'après le *Registrum Roffense*, éd. J. Thorpe, Londres, 1769, in-fᵒ,
p. 50.
(4) Voir notre commentaire de cette délégation de pouvoirs dans *L'Église et la Royauté en Angleterre sous Henri II Plantagenet (1154-1189)*, p. 549, n. 1. Il est à remarquer que Baldwin nomma
également un vicaire provincial : l'évêque de Londres, Richard, auquel ce rôle revenait de droit
en raison du titre de doyen dans la province de Canterbury, attaché au siège de Londres.
(5) Ce fut le cas après la mort d'Anselme. (Eadmer, *Historia Novorum in Anglia*, Livre V, éd.
M. Rule, *Rolls Series*, p. 221-222.)
(6) Il existe aux *Archives du Dean and Chapter* à Cantorbéry une masse imposante de documents
concernant les revendications du chapitre au XIIIᵉ siècle sur la juridiction *sede vacante*, à l'encontre
des droits ou des prétentions des évêques suffragants, notamment des évêques de Londres et de
Rochester, non moins que de l'archidiacre de Cantorbéry.
(7) Noter cependant que l'église de Langres aurait été particulièrement précoce à cet égard,
puisque, d'après G. Drioux, *La pluralité des archidiacres au diocèse de Langres*, dans les *Mémoires,
de la Société d'Histoire du droit... de s anciens pays bourguignons, comtois et romands*, 12ᵉ fasc.
1948-1949, elle aurait compté deux archidiacres en 801, trois en 870, cinq en 904. Le diocèse de
Bayeux en avait à coup sûr plus d'un entre 1070 et 1089 (Lanfranc, *Epistolae*, LXII, *P. L.*,
CL, 550) ; l'archidiocèse d'York, plus de deux à la mort de l'archevêque Thurstan (1140),
puisque l'auteur des *Additions aux Vies des archevêques d'York par Hugues le Chantre* (*Historians
of the Church of York*, R. S., t. II, p. 221) relève l'opposition de Gautier de Londres « *Eboracensis
archidiaconus, cum sociis suis coarchidiaconis* ».

des populations urbaines et de l'extension du territoire urbain par l'annexion des faubourgs. L'organisation paroissiale, fort ancienne dans les pays de vieille civilisation chrétienne, s'étend alors rapidement à toute les terres récemment évangélisées : Pays scandinaves, Bohême, Hongrie, Pologne, Prusse, Poméranie, Mecklembourg, etc... [1].

Grâce à l'action persévérante d'Alexandre III et de ses successeurs, les descendants des fondateurs ne retiennent plus qu'un droit incorporel de présentation à la cure : encore, dans certains cas — défaillance du patron ou contestation sur le droit de patronage — l'évêque se substitue à lui. De toutes manières, l'institution canonique appartient à ce dernier, qui, de la sorte, exerce un contrôle et sur l'idonéité du candidat et sur la régularité de son accession, même si les procès issus des contestations sur le droit de présentation ne ressortissent pas toujours aux cours ecclésiastiques [2]. Les papes interviennent assez fréquemment et se substituent aux collateurs ordinaires dans certains cas, soit par le mandat de provision (réglementé par Alexandre III), soit par le droit de dévolution (exercé par Lucius III à partir de 1182), soit enfin par les grâces expectatives, ou même les réserves, de caractère encore exceptionnel et particulier.

D'autre part, la pénétration des idées de réforme avait permis de racheter aux laïques un nombre considérable de paroisses. Celles-ci sont le plus généralement appropriées par des établissements religieux : les paroisses libérées de l'emprise laïque sont à l'origine de maints prieurés clunisiens [3] ; les autres grands monastères ont suivi cet exemple, et l'appropriation — à laquelle Cisterciens et même Prémontrés [4] s'étaient initialement montrés hostiles — n'a cessé de gagner du terrain. A la fin du XIIᵉ siècle, non seulement les chanoines réguliers, mais à peu près tous les ordres religieux, ont réussi à racheter des paroisses [5], par des moyens variés, dont le plus répandu est la concession de privilèges spirituels aux donateurs. Ces privilèges — participation aux mérites des communautés religieuses, inscription sur leurs nécrologes, célébration d'anniversaires, inhumation dans les cimetières monastiques — sont confirmés et réglementés par les papes qui s'emploient, afin d'éviter les conflits, à réserver « la justice canonique de l'église-mère » [6], c'est-à-dire la portion

(1) Pour le Mecklembourg, une étude récente montre cette organisation en place dès avant la fin du XIIᵉ siècle : W. WEIMAR, *Der Aufbau der Pfarrorganisation im Bistum Lübeck während des Mittelalters. Ein Beitrag zur Geschichte des Koloniallandes*, dans *Zeitschrift Gesellschaft für schleswig-holsteinische Geschichte*, LXXIV-LXXV (1951), p. 95-243.

(2) On sait qu'en Angleterre le roi avait réussi à obtenir, par scission du procès en revendication de patronage, que la cour séculière demeurât compétente au possessoire (assise de dernière présentation), sinon au pétitoire : cf. *supra*, p. 123.

(3) G. SCHREIBER, *Gemeinschaften des Mittelalters. Recht und Verfassung. Kult und Frömmigkeit*, p. 172-179.

(4) Cf. les travaux de Ch. DEREINE, notamment l'étude sur *Les origines de Prémontré*, dans la *Revue d'histoire ecclésiastique*, t. XLII, 1947, p. 373 et suiv., et, du même, le compte rendu critique de l'ouvrage de F. PETIT, sur *La spiritualité des Prémontrés aux XIIᵉ et XIIIᵉ siècles*, Paris, 1947, dans *Le moyen âge latin*, t. IV, 1948, p. 70-72.

(5) Il suffit de consulter les innombrables bulles pontificales de la seconde moitié du siècle visant à confirmer les acquisitions d'églises paroissiales par les établissements religieux. Les *Papsturkunden*, notamment pour l'Angleterre, ont révélé de nombreuses confirmations de cet ordre.

(6) Clément III à Geoffroi d'York (Latran, 21 avril 1190). *Papsturkunden in England* (série monastique, 1931), nº 265, p. 558-559. Consulter sur cette question : A. BERNARD, *La sépulture en droit canonique*, Paris, 1933.

canonique ou fraction du casuel revenant à la paroisse en cas de sépulture hors du cimetière paroissial, et à distinguer le spirituel, ressortissant
à l'évêque diocésain, du temporel, relevant de l'établissement religieux [1].

LES RESSOURCES PAROISSIALES   Les revenus paroissiaux, constitués
par une dotation terrienne, par les
dîmes praediales et novales (dont les ordres religieux, principalement
celui de Cîteaux, sont exemptés), par des oblations (pain, vin, cierge)
à l'occasion des bénédictions ou de certaines fêtes [2], par des droits d'étole
— ou casuel — encore mal réglementés, sont partagés entre le patron
(seigneur laïque ou établissement religieux), l'évêque (qui percevait les
taxes épiscopales telles que la *circada* et les *synodalia*), la fabrique, les
pauvres, le curé, et, le cas échéant, son vicaire. Nombre de dîmes, ra-
chetées des mains laïques, sont échues aux chapitres ou aux monastères.
Ces mêmes communautés, par l'appropriation de nombreuses paroisses,
dont elles sont devenues les véritables titulaires et auxquelles elles pré-
sentent un vicaire à l'institution canonique de l'évêque, ont acquis
d'importants revenus, dont une faible part seulement — déjà la portion
congrue — échoit au desservant. Il est vrai que ces revenus sont souvent
destinés à l'aumônerie des communautés pauvres, ou à l'hospitalité des
pauvres et des pèlerins dans les monastères mieux pourvus [3]. Certaines
maisons religieuses obtiennent l'autorisation de déléguer, dans les paroisses qu'elles ont acquises, un petit nombre de frères pourvus des ordres
majeurs, auxquels incombent dès lors et le service liturgique et le soin
des âmes [4].

RÉGRESSION DES ANCIENS ABUS   La substitution des communautés
religieuses au patronage des laïques a
permis la reconstitution et la stabilisation du patrimoine ecclésiastique
des paroisses et favorisé l'extension de la réforme morale dans le clergé
et parmi les fidèles : par l'exemple des vertus religieuses, par la révérence
qu'ils apportent au service divin, moines et chanoines réguliers rendent
à la vie paroissiale un service éminent. Du fait qu'ils revendiquent, comme
un droit et un honneur, de desservir eux-mêmes, les chanoines réguliers
contribuent à restaurer dans toute sa dignité le service paroissial. Toutefois, cette rénovation n'est pas sans danger. Clément III [5] doit rappeler
aux moines et aux chanoines réguliers qui desservent personnellement
des paroisses l'interdiction, portée par le troisième concile du Latran
(canon 10), de vivre seuls au milieu du siècle et selon le siècle. Cependant,
avec la disparition de l'investiture laïque, le nicolaïsme et la simonie

(1) Du moins, était-ce la règle, à laquelle certaines églises appropriées par les monastères pouvaient faire exception, ainsi que celles érigées sur l'immunité claustrale des abbayes exemptes
pour l'usage des serviteurs et vassaux de l'établissement religieux.
(2) G. Schreiber, *op. cit.*, p. 229-230, 244-258, 276.
(3) Nombreuses sont les bulles dans ce sens. On en relève au moins cinq à l'actif du seul Clément III (*Papsturkunden in England*, 1931, nᵒˢ 247, 249, 251, 261 ; p. 534-535 ; 536, 539-540 ;
Papsturkunden in Frankreich, Champagne und Lothringen, nᵒ 263, p. 385.
(4) C'était le cas des Prémontrés et des Victorins.
(5) A Henri archevêque de Bourges (Latran, 11 juillet 1188). Jaffe-Wattenbach, nᵒ 16.308 ;
texte dans *P. L.*, CCIV, 1379

subissent un recul certain. Parfois, des pratiques simoniaques se dissi-
mulent encore sous des formes atténuées et sournoises, que les auteurs
satiriques ne manquent pas de stigmatiser [1]. Les prêtres vivant dans les
liens du mariage, ou conservant à leur foyer une concubine, sont devenus
l'exception, si ce n'est dans les Iles britanniques où ce vice, plus fortement
enraciné qu'ailleurs, est loin d'être entièrement extirpé. Lucius III [2]
et Clément III [3], à la suite d'Alexandre III [4], fulminent contre l'usage,
encore très vivace en Angleterre, selon lequel les fils de prêtres succèdent
naturellement aux bénéfices paternels. Mais les anciens abus sont à
peu près partout en régression. En revanche, la généralisation — sensible
dès la fin du xiiᵉ siècle — d'un système qui remet la *cura animarum* à
de simples desservants, dans les paroisses rurales comme dans les églises
coll égiales ou cathédrales, ne va pas sans de graves inconvénients.

APPARITION D'ABUS NOUVEAUX   L'appropriation des paroisses par les
                                instituts religieux, le cumul des cures
ou des canonicats, la facilité de trouver à peu de frais des desservants
parmi les clercs pauvres issus des classes paysannes, la vogue croissante
des études universitaires, l'attrait des charges séculières et des récompenses
escomptées dans le service des princes, encouragent l'absentéisme des
titulaires bien pourvus et tendent à généraliser des pratiques telles que
la non résidence, parfois doublée du cumul des bénéfices. Par ailleurs,
à la fin du xiiᵉ siècle, commence à s'instaurer un usage qui allait devenir
courant et abusif : la fondation et la dotation de chanteries ou chapelles
dans les églises cathédrales, collégiales, ou simplement paroissiales.
Procédant d'un louable esprit de piété envers les défunts, cette pratique
est en passe de susciter une classe de chapelains qui, assurés du vivre et
du couvert moyennant un service léger — la célébration quotidienne
pour les âmes des fondateurs et de leurs proches — reçoivent une rému-
nération sensiblement équivalente à celle des vicaires paroissiaux lourdement chargés d'âmes, mais se désintéressent du service spirituel des
vivants. Les premières chanteries apparaissent à Chichester en 1180,
à Saint-Paul de Londres avant 1198, à Wells en 1198 [5] ; et l'heure est
près de sonner où, en Angleterre notamment, un grand nombre de canonicats seront en fait de simples rentes permettant à leurs titulaires de
s'assurer aisément deux vicaires stipendiés, un vicaire choral pour l'office
canonial, et un vicaire paroissial pour le service de l'église attachée à
la prébende canoniale, les libérant ainsi de l'obligation personnelle de
résider et de remplir leurs fonctions [6]. Cependant, à l'encontre de ce
courant, les chanoines réguliers mènent la vie claustrale, rivalisent d'ascé-

---

(1) Cf. NEEL WIREKER, *Contra curiales et officiales clericos*, éd. Th. WRIGHT, *The Anglo-latin
satirical poets of the twelfth century* (Rolls Series), p. 168 et suiv.
(2) *Papsturkunden in England*, ibid., n. 211, p. 486-487 (Velletri, 28 avril 1182-1183).
(3) *Ibid.*, nº 248, p. 535 (Latran, 21 février 1188).
(4) La législation d'Alexandre III sur ce point est fort abondante et variée : cf. JAFFE-WATTEN-
BACH, nᵒˢ 12.254, 13.248, 13.982, 13.815, 13.802. Ces bulles sont passées en décrétales : X, I, XVII,
3 ; 7 ; 2 ; 10 ; 11. Voir l'esprit et les modalités de cette réglementation dans R. FOREVILLE, *op. cit.*,
p. 394-395.
(5) J. R. H. MOORMAN, *Church life in England in the XIIIth century*, p. 17-18.
(6) *Ibid.*, p. 19.

tisme avec les moines de stricte observance et se vouent de plus en plus
au service paroissial, encore qu'à l'origine l'exercice de la *cura animarum*
ne fût pas un élément essentiel à l'idéal canonial [1]. Gagnant de nouveaux
chapitres à la réforme, ils s'efforcent de les grouper en congrégations
afin d'affermir la vie régulière, d'en assurer la perpétuité et de maintenir
dans toute sa dignité le ministère sacerdotal.

L'ORDRE CANONIAL.   On ne saurait étudier ici toutes les
PRÉMONTRÉ ET SAINT-VICTOR   congrégations de chanoines réguliers dont
l'influence fut considérable au cours du
XIIe siècle, telles que Saint-Ruf, Saint-Quentin de Beauvais, Arrouaise,
Springierbasch, etc... [2]. Sous l'impulsion des successeurs de saint Norbert
et de Guillaume de Champeaux, Prémontré et Saint-Victor poursuivent
la réforme des chapitres qui, sous leur égide, adoptent une règle toute
monastique et forment deux vastes fédérations autour de l'abbaye chef
d'ordre. Hugues de Fosses, premier abbé général des Prémontrés de 1126
à 1161, et Gilduin, abbé de Saint-Victor de Paris de 1113 à 1155, furent
les législateurs de leur ordre et contribuèrent largement à son extension
par des fondations nouvelles et, plus encore, par l'agrégation d'un nombre
considérable d'établissements demeurés jusque là indépendants et le
plus souvent en marge du mouvement réformateur. Les statuts rédigés
par Hugues vers 1131 ne devaient recevoir leur forme définitive qu'en
1200 ; c'est aussi à cette date que remonte le plus ancien texte actuellement
connu de la règle norbertine [3].

L'ordre de Prémontré conserve en Germanie et en Pologne l'élan
missionnaire qui avait marqué ses débuts. Mais il se répand de plus en
plus dans les territoires occidentaux : les Pays-Bas, le Danemark, l'Italie,
l'Espagne, la France et l'Angleterre. Dans ce dernier royaume, il prend
un essor considérable après la décision du chapitre général de Cîteaux
de refuser les nouvelles fondations (1152) : à la fin du siècle, une trentaine
de maisons, plus ou moins importantes, ont reçu la charge d'établissements hospitaliers et surtout de grandes responsabilités paroissiales,
allant de pair avec la donation, par les fondateurs, de domaines et de
villages [4]. Au dire des chroniqueurs, les Prémontrés disposent alors de
près d'un millier d'abbayes et de prieurés. Leurs institutions, adoptées
au chapitre général, sont confirmées à nouveau, par Alexandre III et
ses successeurs immédiats [5] ; mais les papes doivent intervenir pour
enjoindre aux prévôts et abbés de Saxe de se rendre au chapitre général
de Prémontré dont ils s'abstiennent en raison de tendances particularistes
encouragées par l'archevêque de Magdebourg, successeur de saint Norbert.

C'est à l'abbé Gilduin que les Victorins durent la promulgation du

---

(1) Cf. l'art. de Ch. DEREINE, *Chanoines*, dans le *Dictionnaire d'Histoire et de Géographie ecclésiastiques*, t. XII, p. 391 et suiv.
(2) *Ibid.*, p. 400-404.
(3) *Analecta ordinis praemonstr.*, t. IX, 1913.
(4) L'expansion et le rôle des Prémontrés en Angleterre ont été récemment mis en lumière
par H. M. COLVIN, *The white canons in England*, Oxford, 1951.
(5) JAFFE-WATTENBACH, nos 15.000 et 16.332.

Liber ordinis, véritable code disciplinaire de l'ordre qui, sous son abbatiat, connut un extraordinaire développement grâce aux abbés et prieurs choisis dans son sein en vue de réformer, selon sa règle ascétique, les chapitres des collégiales et même de certaines églises cathédrales comme celle de Sées. La réforme de Sainte-Geneviève de Paris fut confiée au Victorin Eudes qui en fut nommé abbé, mais se démit une fois la tâche accomplie. S'il y eut encore à surmonter bien des obstacles, l'union des deux célèbres abbayes parisiennes se maintint cependant durant tout le siècle, en dépit de rivalités passagères, grâce à l'action des abbés victorins, dont le plus illustre fut Étienne (1176-1192), futur évêque de Tournai. En revanche, malgré les efforts des évêques de Paris, la réforme du chapitre de Notre-Dame n'aboutit pas, et la possession par l'abbaye de Saint-Victor d'une prébende en l'église cathédrale, non moins que celle des annates des prébendes vacantes, donna lieu à certains dissentiments avec le chapitre diocésain et nécessita plus d'une intervention pontificale. Au milieu du siècle, l'ordre essaima en Angleterre, à Saint-Augustin de Bristol, et aux confins du Pays de Galles, à Shobdon, cette dernière fondation transférée à Wigmore vers 1177 [1]. Après 1160, il entreprit la réforme de l'abbaye napolitaine de Saint-Pierre ad Aram, sur les instances du cardinal victorin Jean Pinzuti, du titre de Sainte-Anastasie. Entre 1160 et 1175, il s'établit dans les îles danoises grâce à l'amitié dont l'archevêque de Lund, Eskil, honorait la maison de Saint-Victor. Après l'abbatiat d'Hervé ou Ernis (1162-1172), qui altéra la discipline régulière, dilapida les revenus de l'abbaye et jusqu'au trésor à lui confié par Eskil de Lund, et finalement fut déposé par les légats pontificaux, l'ordre connut un nouvel essor sous son successeur Guérin († 1193) qui, pendant plus de vingt ans, présida à ses destinées.

A l'apostolat paroissial exercé par les prieurs chargés de cures urbaines ou rurales, les Victorins joignent le ministère de la pénitence — notamment à Paris où l'abbé de Saint-Victor est confesseur du roi et jouit du privilège d'absoudre les étudiants qui se seraient rendus coupables de violences à l'endroit des clercs — celui de la prédication et de l'enseignement théologique. L'école de Saint-Victor jette alors un éclat des plus vifs avec le célèbre théologien Richard, prieur de l'abbaye († 1173), avec Pierre le Mangeur († c. 1178), maître en théologie et chancelier de Notre-Dame, et le poète Adam, auteur de fort belles proses liturgiques et, croit-on aussi, des mélodies qui les accompagnaient [2]. La renommée de la célèbre abbaye est telle qu'on y accourt de toutes parts. Quatre de ses fils — dont trois Romains d'origine — reçoivent la pourpre cardinalice [3]. Des prélats — tels l'archevêque de Bourges, Étienne de la Chapelle, et l'évêque de Lisieux, Arnoul, tombé en disgrâce auprès de Henri II

---

(1) M. D. KNOWLES, *The religious houses of medieval England*, p. 90 et n. 134.
(2) Cf. L. GAUTIER, *Œuvres poétiques d'Adam de Saint-Victor*, Paris, 1894 ; H. PRÉVOST, *Recueil complet des séquences d'Adam le Breton*, Ligugé, 1901. Cf. *infra*, p. 361-362.
(3) Yves, créé cardinal prêtre du titre de Saint-Laurent in Damaso en 1130, et, à la fin du siècle, Jean Pinzuti, cardinal prêtre du titre de Sainte-Anastasie ; Hugues, cardinal diacre de Saint-Ange, puis cardinal prêtre de Saint-Clément ; Alexis Capocci, cardinal diacre de Saint-Nicolas in Carcere, puis cardinal prêtre de Sainte-Suzanne.

Plantagenet et du pape Lucius III — choisissent d'y terminer leurs jours. D'autres — tels les évêques de Paris, Étienne de Senlis et Maurice de Sully, qui aimaient à résider en la maison épiscopale érigée dans les murs de l'abbaye — y trouvent un asile de solitude au milieu des soucis de l'administration diocésaine. Celui-ci y meurt en 1196, revêtu de l'habit de chanoine régulier de l'ordre, et on l'inhume aux côtés d'Étienne de Senlis, non loin des tombes d'Étienne de la Chapelle et d'Arnoul de Lisieux. Grâce à Saint-Victor, la réforme canoniale s'implante sur plus d'un siège épiscopal, à Avranches en 1162 avec Achard, abbé de Saint-Victor, à Tournai en 1192 avec Étienne, abbé de Sainte-Geneviève, et gagne jusqu'à l'entourage pontifical avec les cardinaux victorins.

§ 2. — Les ordres monastiques [1].

ÉVOLUTION DE L'ORDRE MONASTIQUE. CLUNY

Au XIIe siècle, l'ordre clunisien a atteint son plein développement. L'ère de croissance extraordinaire qu'il connut sous l'abbatiat de saint Hugues est désormais close. Et, s'il a étendu ses ramifications jusqu'en Terre sainte avec Saint-Saviour au mont Thabor (c. 1100), ainsi qu'en territoire byzantin avec Civitot près de Constantinople — don d'Alexis Comnène à la Charité — quatre prieurés seulement s'agrégèrent à l'ordre sous l'abbatiat de Pierre le Vénérable (1122-1158), dont trois en France et un en Espagne. Il comporte plus de mille maisons et constitue un organisme d'administration d'autant plus lourde que les tendances centrifuges n'ont pas cessé de s'y manifester, principalement dans les grandes abbayes. Saint-Bertin avait réussi à se libérer de toute subordination dès 1139 [2]. Le propre frère de Pierre le Vénérable, Pons de Montboissier, avait levé l'étendard de la révolte dans l'abbaye de Vézelay, lors de l'élection de 1129, et, moins de dix ans plus tard, en 1138, son élection avait pu apparaître comme un manifeste et un programme. La fidélité de l'abbaye envers l'Église romaine, face au ralliement momen-

---

(1) BIBLIOGRAPHIE. — On se reportera aux indications bibliographiques données, sur Cluny, t. VIII, p. 427, n. 2 et t. IX-1, p. 114, n. 6 ; sur Cîteaux, t. IX-1, p. 13, n. 1 et 10 5, n. 4 ; sur les Chartreux, t. VIII, p. 445, n. 3 et t. IX-1, p. 103, n. 2 ; sur Fontevrault, t. VIII, p. 448, n. 4. Compléter par :
I. SOURCES. — DUGDALE, *Monasticon Anglicanum*, édition révisée et amplifiée par J. CALEY, H. ELLIS, Rév. BULKELEY BANDINEL, Londres, 1846, notamment le t. VI-2 (les pages en chiffres romains) pour l'ordre de Sempringham ; R. FOREVILLE, *Un procès de canonisation à l'aube du XIIIe siècle (1201-1202). Le livre de saint Gilbert de Sempringham*, Paris, 1943 ; et le répertoire dressé par M. D. KNOWLES, *The religious houses of medieval England*, Londres, 1940.
II. TRAVAUX. — M. D. KNOWLES, *The monastic order in England (943-1216)*, Cambridge, 1940, réimpression, 1949 ; J.-B. MAHN, *L'ordre cistercien et son gouvernement, des origines au milieu du XIIIe siècle, 1098-1265*, Paris, 1946, Bibliothèque des Écoles françaises d'Athènes et de Rome, fasc. 161 ; J. F. O'SULLIVAN, *Cistercian settlements in Wales and Monmouthshire, 1140-1540*, New-York, 1947, *Fordham University studies, Hist. Series*, n° 2 ; A. PAGANINI, *Storia dei Benedettini Camaldolesi, cenobiti, eremiti, monache ed oblati*, Sassoferrato, 1949 ; M. BATESON, *Origin and early history of double monasteries*, dans les *Transactions of the royal historical Society, New series*, t. XIII, 1899, p. 137-198 ; Dom U. BERLIÈRE, *Les monastères doubles aux XIIe et XIIIe siècles*, dans les *Mémoires de l'Académie royale de Belgique*, t. XVIII, 1923 ; R. GRAHAM, *Saint Gilbert of Sempringham and the Gilbertines. A history of the only English monastic order*, Londres, 1901 ; ID., *An Essay on English monasteries*, Londres, 1939, *Historical association*. Enfin, pour l'ordre de Fontevrault, on trouvera une bibliographie très complète dans l'article de R. R. BEZZOLA, *Guillaume IX et les origines de l'amour courtois*, dans *Romania*, t. LXVI, 1940-1941, p. 186, n. 1.
(2) Guy DE VALOUS, *Le monachisme clunisien des origines au XVe siècle*, t. II, p. 168, 170.

tané de Cluny à l'antipape Victor IV, valut au successeur de Pons, Guillaume de Mello (1161-1171), de voir confirmer par Alexandre III en
1162 [1] l'indépendance de Vézelay, haut-lieu de la Chrétienté où affluaient
les foules de pèlerins dévots de la Madeleine. Pour la même raison, l'abbaye
de Saint-Gilles fut, à la même date, soustraite à l'obédience de Cluny [2],
tandis que Frédéric Barberousse et l'antipape conféraient à Beaune
une indépendance que Clément III et Célestin III devaient rapporter
par bulles de 1188 et 1191 [3].

Afin d'affermir l'hégémonie de Cluny et de satisfaire aux exigences
d'ordre disciplinaire — information et correction — et pour répondre,
du même coup, aux aspirations particularistes, on constitua des « chambreries » ou provinces. Par les statuts de 1200, Hugues d'Anjou — dix-
septième abbé — renforça les mesures de centralisation mitigée et de
réforme précédemment établies : Les « chambreries » furent, dès lors, au
nombre de neuf — celle de Cluny ou de Lyon, celles de France, de Poitou,
d'Auvergne, de Gascogne, de Lombardie, de Lotharingie et d'Angleterre.
Répartis entre ces circonscriptions provinciales, les monastères de l'ordre
se trouvèrent placés sous l'autorité et la surveillance d'un « chambrier »
désigné par l'abbé chef d'ordre parmi les supérieurs des maisons de la
« chambrerie » [4]. Le chapitre général de l'ordre — à distinguer du chapitre
général de l'abbaye de Cluny [5] — que Pierre le Vénérable avait par deux
fois réuni, en 1132 et en 1146, à des fins réformatrices et à l'instar de
Cîteaux, devenait obligatoire chaque année. Malgré ces mesures, les
vicissitudes politiques amèneront le relâchement des liens entre Cluny
et les régions d'Empire, tandis que l'Angleterre jouit très tôt d'une quasi-
indépendance sous la tutelle de Lewes, seule maison d'outre Manche
possédant des filiales. Quant au chapitre général de l'ordre, sans l'intervention maladroite de Grégoire IX — qui, en 1231, prétendra y introduire la coutume cistercienne et le contrôle de quatre abbés cisterciens —
il eût été accepté, semble-t-il, sans grandes difficultés.

CITEAUX   La croissance de l'ordre cistercien entraîne, dès le milieu
du XIIe siècle, une transformation dans sa structure même,
transformation déjà sensible dans la *Charta posterior* — seconde rédaction
de la *Charte de charité* — qui, selon des études récentes [6], doit remonter
à l'année 1152, date de sa première confirmation par le pape Eugène III,
encore que sa divulgation hors des maisons cisterciennes ne doive pas
être placée avant 1170. L'abbé de Cîteaux perd une partie de son autorité
au profit du chapitre général, notamment des abbés de Clairvaux, La

(1) G. DE VALOUS, *op. cit.*, t. II, p. 59.
(2) *Ibid.*, t. II, p. 58.
(3) JAFFE-WATTENBACH, nᵒˢ 16.155 et 16.734 ; G. DE VALOUS, *op. cit.*, p. 62.
(4) *Ibid.*, t. II, p. 45 et suiv.
(5) Sur cette question, cf. J.-B. MAHN, *L'ordre cistercien et son gouvernement...*, p. 245-246,
dont l'avis diffère de celui de G. DE VALOUS, *op. cit.*, t. II, p. 70.
(6) Cf. J. TURK, *Charta charitatis prior*, dans les *Analecta Sacri Ordinis Cisterciensis*, t. I, 1945,
p. 11-57, étude complétée par le même dans la *Cistercienser Chronik*, t. LIV, 1947, p. 2-12, sous le
titre *Zur ursprünglichen Charta caritatis* ; ID., *Cistercii statuta antiquissima*, dans les *Analecta
Sacri Ordinis Cisterciensis*, t. IV, 1948. Voir également le compte rendu d'Y. RENOUARD dans le
Bulletin historique sur l'*Histoire ecclésiastique du moyen âge*, dans la *Revue historique*, t. CCV, 1951,
p. 281-285.

Ferté, Pontigny et Morimond, tandis qu'on ne relève plus aucune mention relative à l'intervention de l'évêque diocésain. Les *Institutions* du chapitre général de Cîteaux reçoivent leur forme définitive dans une nouvelle rédaction datant des années 1175 à 1182 [1]. L'ordre est désormais gouverné par une oligarchie et s'oriente vers l'exemption.

CITEAUX ET LES TRANSFOR-MATIONS ÉCONOMIQUES Après la mort de saint Bernard et en dépit de l'interdiction de toute nouvelle fondation, promulguée par le chapitre général de 1152 [2], l'ordre de Cîteaux ne cesse de projeter de nouveaux rameaux [3]. A elle seule l'Angleterre — y compris le pays de Galles — représente un accroissement de vingt établissements entre 1150 et 1198, dont huit, il est vrai, antérieurs à 1153, mais auxquels il convient d'ajouter dix-huit maisons de moniales [4]. La péninsule ibérique, les pays scandinaves, les régions orientales, telle la Hongrie, les territoires d'entre Elbe et Oder, la Pologne, voient s'installer des fondations cisterciennes. D'immenses espaces forestiers sont défrichés ; des landes et des marécages sont gagnés à la culture ou livrés à l'élevage du mouton, notamment les espaces encore déserts du Yorkshire, des monts Cheviot et des hauteurs du pays de Galles. Les « granges » cisterciennes contribuent largement à modifier le paysage humain ; par la force des choses, elles deviennent des centres de colonisation, puis de peuplement, en certaines régions longtemps demeurées hostiles à l'homme.

Entre autres signes de cette transformation, les exemptions de dîmes novales, si nombreuses à cette époque en faveur des établissements cisterciens, manifestent l'importance et le caractère de l'exploitation cistercienne. Dès le milieu du siècle cependant, l'ampleur prise par les exemptions, à mesure de l'expansion de l'ordre, provoque des réactions chez les décimateurs frustrés des dîmes anciennes par les privilèges pontificaux comportant la clause générale *sane laborum* [5]... Conscient de la ruine dont les églises paroissiales se trouvaient menacées, mais désireux d'encourager la mise en valeur des terres nouvellement gagnées à la culture, Adrien IV restreignit l'exemption aux seules dîmes novales (1156) [6]. Mais Alexandre III rétablit le privilège cistercien dans toute sa plénitude, à partir de 1168 au plus tard, par la bulle *Audivimus et audientes* [7]. Ce fut le point de départ d'une vague de mécontentement dans l'épiscopat et parmi les ordres religieux non privilégiés à cet égard. On accusa les Cisterciens de cupidité et l'on tenta de leur interdire toute acquisition, gratuite ou onéreuse, de biens décimables. Il fallut qu'Alexandre III — sans revenir sur ses propres concessions — leur

(1) J. Turk, *Cistercii statuta antiquissima* et Y. Renouard, *loc. cit.*
(2) C. 1 (J.-M. Canivez, *Statuta...*, t. I, p. 45) ; J.-B. Mahn, *op. cit.*, p. 107.
(3) Voir L. Janauschek, *Origines cistercienses*, Vienne, 1877 et l'art. de J.-M. Canivez, *Cîteaux* (*Ordre*), dans le *Dictionnaire d'Histoire et de Géographie ecclésiastiques*, t. XII, col. 888 et suiv.
(4) Voir les dates de fondation sur le répertoire de M. D. Knowles, *The religious houses of medieval England*, p. 73-78 et 139-140, et consulter J. F. O'Sullivan, *Cistercian settlements in Wales...*
(5) Sur la question des dîmes, cf. J.-B. Mahn, *op. cit.*, p. 105 et suiv.
(6) Jaffe-Wattenbach, n° 10.189 a.
(7) *Archives Nationales*, L. 231, et la série des expéditions successives dont les références sont données par J.-B. Mahn, *op. cit.*, p. 108, n. 3.

conseillât la modération et les engageât à limiter d'eux-mêmes dans la pratique leurs avantages en s'abstenant d'étendre l'exemption des dîmes aux terres qu'ils affermaient [1], en indemnisant les églises lésées [2], surtout en cessant d'accroître sans mesure leurs domaines et leurs troupeaux [3]. Mais les abus ne prirent pas fin pour autant et les plaintes allèrent se multipliant dans le dernier tiers du XIIe siècle. Le statut : *De non acquirendo*, promulgué par le chapitre général de 1180, resta lettre morte, bien que réitéré à maintes reprises. En 1213, Innocent III, saisi de la plainte de l'évêque de Fünf-Kirchen concernant les achats inconsidérés de vignobles, astreints jusque-là à la dîme, par les Cisterciens de Hongrie, les menacera de supprimer leur privilège en la matière [4]. Il est clair que l'ordre — loin de limiter travaux et production à ses propres besoins — avait dépassé le stade de l'économie domaniale et de l'échange, qu'il était devenu l'initiateur d'une économie « capitaliste », du moins pour certaines denrées ou certains produits — tels les céréales, le vin, la laine — dont la vente permettait de réaliser des profits susceptibles d'être investis ensuite en de nouvelles terres ou en des installations de rapport. Bref, on doit admettre que, dès le troisième quart du XIIe siècle, l'ordre de Cîteaux avait rendu un immense service à la société occidentale : il avait été l'un des ferments les plus actifs de la transformation de l'économie médiévale, et il avait puissamment contribué au développement de la production, du commerce d'exportation et de la richesse mobilière.

LA PAPAUTÉ ET LES CISTERCIENS — L'ordre cistercien a continué de jouir d'une grande faveur auprès des pontifes romains, particulièrement d'Alexandre III [5]. L'attitude du chapitre général qui, lors du schisme de 1159, se rallia sans hésitation à l'élection de Roland Bandinelli, son activité en faveur de la reconnaissance du pontife par les rois de France et d'Angleterre [6], la persécution qu'il eut à subir en territoire d'Empire [7], ne furent pas sans lui valoir un accroissement de privilèges. On a vu comment Alexandre III rétablit en sa faveur l'exemption générale des dîmes. Le même pontife supprima dans les privilèges cisterciens la réserve des droits épiscopaux [8]. Après l'échec du congrès de Vérone (1184) qui laissait planer la menace d'un nouveau schisme, Lucius III dispensa l'ordre du pouvoir de correction épiscopale (21 novembre 1184), et il semble bien qu'il ait été le premier à stipuler l'interdiction générale d'excommunier les moines blancs [9]. L'exemption de Cîteaux remonterait à cette époque [10].

---

(1) Troisième concile du Latran, 1179, Pars XIII, c. 6 (MANSI, XXII, 329).
(2) Troisième concile du Latran, Pars XIII, c. 4 (*Ibid.*, t. XXII, col. 328 ; MANRIQUE, *Annales cist.*, t. III, p. 77).
(3) Bulle du 6 juin 1179 (W. WIEDERHOLD, *Papsturkunden in Frankreich*, t. II, n° 38, p. 60.
(4) Bulle du 20 juin 1213 (POTTHAST, n° 4.767).
(5) Sur les relations du cardinal Rolland Bandinelli avec les Cisterciens, antérieurement à l'élection de 1159, cf. J.-B. MAHN, *op. cit.*, p. 142-144.
(6) *Ibid.*, p. 142 et 144.
(7) *Ibid.*, p. 145-147.
(8) *Ibid.*, p. 136, 138, 148.
(9) *Ibid.*, p. 138, 148-150.
(10) Voir *ibid.*, p. 138, la discussion des positions respectives du Dr G. SCHREIBER et du R. P. ADALGOTT BENZ sur la question de l'exemption cistercienne.

Les Cisterciens sont alors les ambassadeurs habituels — sinon exclusifs — de la papauté dans les grandes missions internationales. Qu'il s'agisse de la conversion des hérétiques, d'arbitrage entre les princes, ou d'organisation de la croisade, elle compte sur leur fidélité et leur désintéressement. La figure par excellence du légat cistercien est celle de Henri de Marcy, cardinal évêque d'Albano, naguère abbé de Hautecombe, puis de Clairvaux : en 1178, puis en 1181, il est dirigé sur le Languedoc afin d'organiser la prédication auprès des Albigeois [1] ; à partir de 1187 et jusqu'à sa mort, il consacre tous ses efforts à réconcilier Philippe Auguste et Henri Plantagenet [2], à susciter et à prêcher la croisade à travers la France et la Germanie [3].

PROGRÈS DE L'IMMÉDIATETÉ ROMAINE   Avec le pontificat d'Alexandre III, les privilèges pontificaux en faveur des établissements religieux se multiplient et revêtent une précision inconnue jusqu'alors. Ils sanctionnent ou établissent des situations variées, allant du plein droit épiscopal, accompagné ou non de la protection apostolique, à l'exemption totale, en passant par les degrés intermédiaires des exemptions partielles [4]. La chancellerie pontificale introduit notamment parmi les monastères censiers une distinction, dès lors parfaitement claire, entre ceux qui paient le cens *ad indicium protectionis* et ceux pour lesquels le cens constitue le signe de la *liberté* (*ad indicium libertatis*), ce qui, désormais, signifie l'exemption de l'ordinaire [5]. Les successeurs d'Alexandre III usent largement de telles concessions : on doit à Clément III [6] le développement de la politique d'immédiateté moyennant un cens annuel symbolique — même à l'égard de certaines églises diocésaines, tel l'évêché missionnaire de Kammin en Poméranie — et à Célestin III (ou, peut-être, au cardinal Cencius) l'extension de la protection de l'Apôtre moyennant un cens annuel à un grand nombre d'établissements de médiocre importance [7]. Une nouvelle formule, qui n'apparaît pas de manière décisive, semble-t-il, avant le pontificat d'Alexandre III [8], jouit d'une grande faveur sous

---

(1) On trouvera le récit de cette mission dans les lettres d'Henri d'Albano et de son collègue Pierre de Saint-Chrysogone (*P. L.*, CXCIX, 1120-1124, et CCIV, 235-240). Cf. Dom Devic et Dom Vaissete, *Histoire générale de Languedoc*, t. III, p. 47 et suiv. ; t. VI, p. 78 et suiv., et les n. du t. VII dans l'édit Privat. Cf. *infra*, p. 348-349.

(2) *Gesta regis*, t. II, p. 51. Cf. R. Foreville, art. *Clément III*, dans le *Dictionnaire d'Histoire et de Géographie ecclésiastiques*, t. XII, col. 1101-1102.

(3) I. M. Watterich, *Pontificum romanorum vitae...*, t. II, p. 694-697. Henri d'Albano mourut au cours de cette dernière mission, le 1er janvier 1189, à Mareuil près d'Arras. On a, du légat, plusieurs lettres datant de cette époque (Cf. H. Meinert, *Papsturkunden in Frankreich, Artois*, n° 172, p. 227-228 ; J. Ramackers, *Ibid.*, *Champ. und Lothr.*, n° 258, p. 381-382 ; Id., *Papsturkunden in Niederlanden*, n° 299, p. 445-446).

(4) Pour le détail, cf. notre article sur *La condition juridique des monastères anglais à la fin du XIIe siècle*, dans la *Revue historique de Droit français et étranger*, 4e série, t. XXIII, 1945, p. 269 et suiv.

(5) P. Fabre, *Étude sur le Liber censuum de l'Église romaine*, p. 99 ; J.-B. Mahn, *op. cit.*, p. 127-129.

(6) Voir, à titre d'exemples, Jaffe-Wattenbach, n° 16.371 et n° 16.154. Pour plus de détails, cf. R. Foreville, article *Clément III*, *ut supra*, n. 2.

(7) W. E. Lunt, *Financial relations of the papacy with England to 1327*, Cambridge, 1939, *Medieval Academy of America*, p. 87-103.

(8) Nous avons relevé l'expression dans deux bulles d'Innocent II (1133 et 1139) en faveur de Saint-Pierre de Westminster (W. Holtzmann, *Papsturkunden in England*, 1931, n°s 17 et 20,

Lucius III, Urbain III, Clément III et Célestin III : c'est celle de *filia specialis nostra* [ou *filii speciales nostri*] *Romanam ecclesiam nullo mediante respiciens*. Elle n'est d'ailleurs pas exclusivement réservée aux établissements religieux ; des églises diocésaines — Glasgow sous Alexandre III, tous les diocèses écossais sous Célestin III [1] — en ont bénéficié. Elle ne laisse planer aucun doute quant à la juridiction immédiate de l'Église romaine, et elle manifeste un progrès décisif dans l'expression juridique de l'exemption.

Les abbayes qui réussirent à échapper à l'obédience clunisienne acquirent généralement l'immédiateté ; un grand nombre de maisons bénédictines demeurées en dehors de l'ordre de Cluny y trouvèrent la meilleure garantie de leur indépendance à l'égard de toute ingérence, qu'elle vînt de l'épiscopat ou des abbés clunisiens. Les fondations royales obtinrent aisément ce privilège, notamment en Angleterre [2] où Saint-Pierre de Westminster en jouissait de longue date déjà, tandis que La Bataille l'enleva de haute lutte à la suite d'un procès avec l'évêque de Chichester [3]. A la fin du siècle, on n'y comptait pas moins de six abbayes bénédictines de plein droit pontifical. Mais l'ordre monastique ne fut pas le seul à bénéficier de telles faveurs. Les chanoines réguliers en obtinrent de semblables dès que la réforme d'une maison était en cause. C'est ainsi qu'une ascension prodigieuse éleva en quelques années la fondation royale de Sainte-Croix de Waltham — ancienne collégiale séculière devenue régulière en 1177 — à la dignité d'abbaye de plein droit pontifical sous Lucius III (1184) [4]. Ce même pape, puis ses successeurs, et encore Célestin III en 1193 [5], lui confirmèrent formellement le statut d'immédiateté par la formule, dès lors devenue classique, *filia specialis... nullo mediante*.

ÉVOLUTION DU MOUVEMENT ÉRÉMITIQUE.
CAMALDULES, GRANDMONTAINS ET CHARTREUX

Les courants érémitiques qui, à la fin du XIe et au début du XIIe siècle, avaient jailli en ordre dispersé à la voix de saint Romuald et de saint Jean Gualbert en Italie, de saint Étienne de Muret, de saint Bruno et de leurs émules de la forêt de Craon et des bocages de l'Ouest — Robert d'Arbrissel, Vital de Mortain, Bernard d'Abbeville, Raoul de la Futaie — s'étaient rapidement endigués dans les voies de l'ascétisme cénobitique. Les ermites des régions armoricaines avaient fondé des couvents d'observance rigoureuse sous la règle de saint Benoît [6]. Cependant, trois formules de vie érémitique, mitigée d'institutions conventuelles, s'étaient dégagées. Celle des soli-

---

p. 241 et 244), mais d'authenticité douteuse. Sous Alexandre III, elle apparaît, notamment dans une bulle en faveur de Vallombreuse (JAFFE-WATTENBACH, n° 11.878, du 10 février 1171) et dans une autre en faveur de l'église de Glasgow (JAFFE-WATTENBACH, n° 12.468, du 30 avril 1175).
(1) Cf. *supra*, p. 164, 262.
(2) M. D. KNOWLES, *The monastic order in England*, p. 591.
(3) R. FOREVILLE, *L'Église et la Royauté en Angleterre sous Henri II Plantagenet*, p. 91-92.
(4) W. HOLTZMANN, *Papsturkunden in England*, 1931, n° 222, p. 501.
(5) *Ibid.*, n°s 245, 255, 296, 297 ; p. 533, 545, 592, 597.
(6) Cf. L. RAISON et R. NIDERST, *Le mouvement érémitique dans l'ouest de la France à la fin du XIe et au début du XIIe siècles*, dans les *Annales de Bretagne*, t. LV, 1948, p. 1-45 : de la p. 33 à la fin.

taires camaldules et vallombrosiens, qui recevaient aide matérielle et
spirituelle de monastères peu éloignés assurant éventuellement la relève
des ascètes ; celle des Chartreux, qui appuyait la solitude individuelle sur
un minimum de vie conventuelle ; celle enfin des anachorètes grandmontains, qui abandonnaient toutes les responsabilités et les charges
entre les mains des convers, maîtres des biens et des destinées de l'ordre.
De telles institutions ne se stabilisèrent pas sans connaître au XIIᵉ siècle
des difficultés propres, voire des crises dont le résultat fut d'accroître la
centralisation de l'ordre ou sa dépendance à l'égard du Saint-Siège.

Le XIᵉ siècle avait été pour les Camaldules [1] la période des fondations
érémitiques, le XIIᵉ fut celle des fondations cénobitiques. Dès 1113,
Pascal II [2] avait déclaré les monastères et les solitudes unis sous l'autorité
du prieur du Saint-Ermitage, c'est-à-dire de Camaldoli, « comme un
seul corps sous une seule tête ». La formule fut reprise par Alexandre III
et Clément III [3], qui jugèrent opportun de resserrer, entre couvents
et solitudes, des liens que la double observance rendait difficiles à sauve-
garder. C'est à la même époque que le prieur Placide promulgua les
nouvelles constitutions de l'ordre (1188).

L'ordre de Grandmont avait accueilli un nombre considérable de
frères lais, attirés peut-être par l'importance des fonctions qui leur étaient
dévolues. L'équilibre de l'institut s'en trouva fortement ébranlé, à une
date difficile à préciser, mais de peu antérieure à l'élévation d'Urbain III
au suprême pontificat (1185). Ce pape dut, en effet, intervenir pour briser
une sorte de ligue des convers [4] qui avaient contraint les clercs à s'exiler
des maisons de l'ordre et élu un prieur laïque du nom d'Étienne. Ce fut
le signal d'un véritable schisme, les clercs refusant de le reconnaître et
restant attachés à l'ancien prieur, Guillaume de Trahinac. Un légat, le
cardinal Octavien, des juges délégués, l'évêque de Périgueux et l'abbé
de la Couronne, s'employèrent à apaiser les dissentiments. Clément III
s'efforça de terminer l'affaire en promulguant et en confirmant la règle
telle qu'elle avait été amendée par son prédécesseur, en destituant le
prieur laïque et en provoquant une élection libre [5], élection à laquelle
il fallut encore rallier les partisans de Guillaume [6]. Il déclara enfin l'ordre
exempt moyennant un cens de deux onces d'or ad indicium... perceptae
libertatis (1188) [7]. Les pouvoirs des convers sortaient amoindris de la
crise ; mais l'élection de Gérard Ithier au chapitre général de 1188 ne
put ramener immédiatement la paix. Célestin III dut faire procéder
à une nouvelle enquête et charger d'une mission pacificatrice les abbés
de Saint-Denis, de Sainte-Geneviève et de Saint-Victor de Paris, de
concert avec le roi Philippe Auguste [8]. Bien que Gérard réussit à s'imposer,

(1) Cf. A. DES MAZIS, article Camaldules, dans le Dictionnaire d'Histoire et de Géographie ecclésiastiques, t. XI.
(2) JAFFE-WATTENBACH, n° 6.357.
(3) Ibid., n° 16.095, du 23 décembre 1187.
(4) Bibliothèque Nationale, Paris, ms. lat. 15.009, f° 257.
(5) JAFFE-WATTENBACH, n°ˢ 16.294 et 16.298, des 25 et 27 juin 1188.
(6) Ibid., n° 16.295 (1188).
(7) H. MEINERT, Papsturkunden in Frankreich, Champ. und Lothr., n° 261, p. 383-384, du
26 juin 1188.
(8) P. L., CCXI, 427-430 et CXCVI, 1396-1398.

ces troubles eurent leur répercussion sur l'équilibre même de l'institut, et, en 1218, Honorius III devra confier à l'abbé de Pontigny et au prieur de Saint-Victor le soin de procéder à une nouvelle enquête en vue d'une éventuelle réforme de l'ordre [1].

La papauté intervint également pour imposer aux Chartreux la tenue d'un chapitre général annuel et pour intégrer les Chartreuses, longtemps demeurées autonomes, en une fédération constituant un ordre sous l'autorité de prieur de la Grande Chartreuse et du chapitre général. Le troisième chapitre, attendu depuis vingt ans, réalisa l'union désirée (1163) et Alexandre III sanctionna ses décisions à cet égard par bulle du 17 avril 1164 [2]. Cependant, la maison de Calabre, où saint Bruno avait achevé ses jours en 1101, ne reconnut jamais entièrement l'autorité du prieur de la *major domus* et devait, avant la fin du XIIe siècle, s'agréger à l'ordre de Cîteaux (vers 1193) [3]. La vitalité de l'ordre se manifeste par de nombreuses fondations, pas moins de trente-sept entre 1115 et 1200, parmi lesquelles il faut signaler la première Chartreuse d'Angleterre — Witham [4], au diocèse de Bath — fondée en 1172, par Henri II, en pénitence du meurtre de Thomas Becket et remise, dès novembre 1174, à un moine de la Grande Chartreuse, saint Hugues d'Avalon, futur évêque de Lincoln [5], qui réussit, là où ses prédécesseurs avaient échoué, à transformer un lieu habité en une solitude conforme à la stricte observance [6]. Enfin, deux maisons de moniales, soumises à la règle des Chartreux sous l'autorité spirituelle d'un « vicaire » et de son « coadjuteur » assistés d'un ou deux convers, furent établies, l'une à Prébayon en 1145, l'autre à Bertaud en 1188 [7].

LES MONASTÈRES DOUBLES FONTEVRISTES ET GILBERTINS

Les femmes, issues de toutes les classes de la société, avaient répondu en foule à l'appel de l'ascétisme. Prémontrés et Cisterciens durent endiguer ce mouvement par des mesures restrictives. La nécessité de pourvoir à l'organisation matérielle et à la vie spirituelle de vastes communautés féminines avait inspiré Robert d'Arbrissel et ses émules lorsqu'ils avaient établi, à l'extrême fin du XIe siècle ou au début du XIIe, des monastères doubles, à Fontevrault, au Nid-de-Merle près de Saint-Sulpice, à Étival-en-Charnie, à Cadouin et autres lieux encore [8]. Ils essuyèrent les attaques et les sarcasmes de leurs contemporains, les évêques de Rennes et d'Angers, Marbode et Ulger, l'abbé de la Trinité de Vendôme, Geoffroy. Les monastères doubles n'étaient

---

(1) POTTHAST, n° 5.662.
(2) JAFFE-WATTENBACH, n° 11.019 ; S. AUTORE, article *Chartreux*, dans le *Dictionnaire de Théologie catholique*, t. II, 2e p.
(3) *Ibid.*
(4) Somerset.
(5) Sur ce personnage et son rôle, cf. *supra*, p. 124-126, 261.
(6) Cette fondation est décrite dans la *Magna vita sancti Hugonis Lincolniensis*, édit. par le Rév. J. F. DIMOCK, Londres, 1864, *Rolls Series*, p. 52 et suiv. Sur la date de la fondation et celle de l'arrivée d'Hugues (troisième prieur) en Angleterre, cf. R. FOREVILLE, *L'Église et la Royauté en Angleterre...*, p. 343, n. 3, et 477, n. 4. Une seconde Chartreuse apparut avant 1227, soit un demi-siècle plus tard : Hinton (Somerset) ; une troisième en 1343 seulement : Beauvale (Notts.).
(7) S. AUTORE, *art. cité.*
(8) L. RAISON et R. NIDERST, *art. cité*, p. 38-41.

cependant pas une innovation dans la Chrétienté [1] : ils étaient apparus
en Orient dès le IVe siècle, en Occident au VIe siècle, à Autun, à Durin
près de Nantes, et à Metz, et s'étaient multipliés en Gaule au VIIe siècle,
pour tomber en décadence ensuite, bien que le prieuré clunisien de Marci-
gny eût traversé les siècles comme un témoin de l'institution. Ils paraissent avoir prospéré au Portugal, mais leur terre d'élection fut l'Angleterre du nord soumise à l'influence irlandaise, où l'on rencontre aux
VIIe et VIIIe siècles le type par excellence du monastère double : la communauté des hommes et celle des femmes assistant aux offices dans une
même église et vivant sous la crosse unique d'une abbesse, telle sainte
Hilda qui jouit d'une grande autorité et présida en son abbaye au synode
de Whitby en 664.

Aussi, n'est-il pas surprenant de voir fleurir au XIIe siècle les monastères doubles sur les terres du roi d'Angleterre, à Fontevrault [2] d'abord,
où moines et moniales, pénitentes et lépreux, avaient leurs monastères
respectifs et leurs églises propres, séparés par des fossés profonds, mais
vivaient, à l'intérieur d'une même clôture, sous la juridiction de l'abbesse,
une veuve ou une mère de famille, conformément aux relations filiales
créées par la parole du Christ à sa mère à l'égard de saint Jean : « Femme,
voilà ton fils. Fils, voilà ta mère » (*Joh.* XIX, 26-27) [3], ainsi qu'en avait
statué Robert d'Arbrissel avant sa mort survenue en 1116. La grande
église de Fontevrault, consacrée en 1118, devint la nécropole des comtes
d'Anjou et des rois d'Angleterre de race angevine. Les filles nobles recevaient au monastère l'éducation convenant à leur rang, et plusieurs
princesses devaient, au cours du XIIe siècle, y trouver la paix du cloître
et parfois y tenir la crosse abbatiale [4]. Après la mort de la première abbesse,
Pétronille de Chemillé, en 1149, Mathilde, fille de Foulque d'Anjou,
roi de Jérusalem, et veuve de Guillaume, fils du roi d'Angleterre Henri Ier,
régit l'abbaye et l'ordre jusqu'à sa mort (vers 1154) ; Audeburge de Haute-
Bruyère lui succéda et le gouverna jusqu'en 1180.

En Angleterre même, un jeune noble, Gilbert de Sempringham [5],
après de brillantes études aux écoles parisiennes, reçut les ordres et
s'adonna à l'instruction et à la direction spirituelle des enfants des deux
sexes vivant sur le domaine paternel. Ce fut l'origine d'une première
cellule religieuse fondée pour les moniales sous la règle de saint Benoît,
avant 1131, à l'abri du clocher paroissial de Saint-André de Sempringham,
et transférée à quelque distance de l'agglomération dès 1139. Sur les

---

(1) Cf. M. BATESON, *Origin and early history of double monasteries*, dans les *Transactions of the royal historical Society, New series*, t. XIII, 1899, p. 137-198.
(2) Voir les *Vies* de Robert d'Arbrissel et les *Constitutions* de l'ordre dans *P. L.*, CLXII, 1017-1086. Consulter : (avec prudence) L.-A. PICARD, *Le fondateur de l'ordre de Fontevrault, Robert d'Arbrissel, son temps, sa vie, ses disciples, son œuvre*, Saumur, 1932 ; G. MALIFAUD, *L'abbaye de Fontevrault, notice historique et archéologique*, Angers, 1866.
(3) *Vie anonyme* (AA. SS., Febr., t. III, c. 5, p. 594 ; reproduite dans *P. L.*, CLXII, 1019).
(4) L.-A. PICARD, *L'ordre de Fontevrault de 1115 à 1207 sous les abbesses Pétronille de Chemillé, Mathilde d'Anjou, Audeburge, Gillette, Mathilde de Flandre, Mathilde de Bohême*, Saumur, s. d. ; R. R. BEZZOLA, *Guillaume IX et les origines de l'amour courtois*, dans *Romania*, t. LXVI, 1940-41, p. 201-202.
(5) Lincolnshire. La *Vie* de Gilbert par un chanoine de l'ordre a été publiée presque *in extenso* au t. VI-2 du *Monasticon Anglicanum*, p. V-XXIX, édit. 1830, et p. V-XIX, édit. 1846. Consulter l'article de T. A. ARCHER, *Gilbert de Sempringham*, dans le *Dictionary of national biography* ; et notre Introduction au *Livre de saint Gilbert de Sempringham*, p. IX-XIII.

conseils de Guillaume, abbé cistercien de Rievaulx, Gilbert transforma
en converses cloîtrées les servantes des moniales, puis il leur adjoignit
des frères lais chargés de mettre en valeur les terres concédées au monastère et les revêtit de l'habit des convers de Cîteaux. Préoccupé de
l'avenir de son institut, il tenta sans succès d'en obtenir l'agrégation à
l'ordre illustré par saint Bernard, lors du chapitre mémorable de 1147 [1]
qui ratifia l'union de Savigny et incorpora les fondations d'Étienne
d'Aubazine. Le refus qu'il essuya alors l'orienta vers l'organisation d'une
branche nouvelle, celle des chanoines, soumis à la règle de saint Augustin
et destinés à assurer le service religieux et la direction spirituelle des
communautés gilbertines. L'ordre comporta dès lors des monastères
doubles, et les moniales eurent, à côté des chanoines, voix au chapitre
général. Gilbert rédigea des *Constitutions* [2] marquées de l'empreinte
cistercienne — même simplicité de vie, même organisation économique
— mais pourvues d'une réglementation spéciale, destinée à assurer une
stricte séparation des hommes et des femmes appelés à vivre à l'intérieur d'une même clôture et à louer Dieu dans une église unique séparée
en deux chœurs par un mur longitudinal surmonté d'une arcature [3].

Vingt ans avant l'ordre de Grandmont [4], en 1165-1167 celui de Sempringham connut une rébellion des frères lais [5], émancipés du servage
par les vœux de religion, qui tentèrent d'en renverser l'organisation
afin de s'approprier la direction morale, l'administration temporelle
et les biens de l'institut, à l'instar des pratiques alors en usage dans les
maisons grandmontaines. Ils ne craignirent ni de répandre les plus
fâcheuses calomnies sur les moniales et les chanoines, ni de s'attaquer à
main armée à ces derniers. Une enquête menée sur ordre pontifical lava le
fondateur et son troupeau de toutes accusations, mais l'obligea à rendre
plus stricte encore la séparation entre chanoines et moniales et à tempérer
la rigueur de la discipline à l'égard des convers. A la mort de Gilbert,
qui vécut plus que centenaire et s'éteignit en 1189, peu de temps avant
Henri II Plantagenet, l'ordre de Sempringham comptait neuf monastères
doubles et quatre maisons de chanoines ; il groupait quelque sept cents
religieux — clercs et laïques — et près de quinze cents moniales et sœurs
converses [6]. Il allait rapidement doubler le nombre de ses prieurés [7],
mais il ne devait jamais essaimer sur le continent. Aussi, sera-t-il voué
à la disparition totale lors de la dissolution des monastères prononcée

---

(1) J.-M. CANIVEZ, *Statuta*, t. I, p. 37 ; *Vita*, ap. DUGDALE, *Monasticon Anglicanum*, t. VI-2,
p. XI, édit. 1830 ou VIII, édit. 1846.

(2) Ces *Constitutions* (*Monasticon Anglicanum*, t. VI-2, p. XXIX-XCVII, sur l'édit. de 1830,
et XIX-LVI sur l'édit. de 1846) ne nous sont parvenues qu'avec les amplifications apportées par
les successeurs de Gilbert.

(3) Cf. sur R. GRAHAM, *An Essay on English monasteries*, p. 33, le plan des maisons gilbertines
d'après les fouilles pratiquées à Watton. Egalement l'étude de W. H. St. JOHN HOPE, *The gilbertine
priory of Watton, in the East Riding of Yorkshire*, dans *The Archaeological Journal*, t. LVIII, 1901,
p. 11-34.

(4) Cf. *supra*, p. 303.

(5) Voir les Lettres relatives à la rébellion des frères lais publiées en appendice au *Livre de saint
Gilbert*, p. 83-110.

(6) Lettres relatives à la canonisation, *Ibid.*, p. 31, 35 ; et *Vita*, ap. DUGDALE, *Monasticon Anglicanum*, t. VI-2, p. XIV, édit. 1830 et p. X, édit. 1846.

(7) Sur le développement de l'ordre, cf. R. GRAHAM, *Saint Gilbert of Sempringham and the Gilbertines*.

par Henri VIII en 1538. A cette date, les maisons gilbertines seront d'ailleurs en pleine décadence.

§ 3. — Les ordres de chevalerie [1].

DÉVELOPPEMENT DES ORDRES RELIGIEUX MILITAIRES

L'ordre du Temple, qui remonte à la fin du règne de Baudouin Ier de Jérusalem († 1118) et dont le but originel était d'assurer la protection des pèlerins [2], reçut sa Règle au lendemain

(1) BIBLIOGRAPHIE. — I. SOURCES. — A. D'ALBON, *Cartulaire général de l'ordre du Temple (1119 ?-1150)*, Paris, 1913-1922 ; E.-G. LÉONARD, *Introduction au Cartulaire manuscrit du Temple (1150-1317) constitué par le Marquis d'Albon*, Paris, 1930 ; J. DELAVILLE LE ROULX, *Cartulaire général de l'ordre des Hospitaliers de Saint-Jean de Jérusalem*, 4 vol., Paris, 1894-1901, le t. Ier ; E. JOACHIM et W. HUBATSCH, *Regesta historico-diplomatica Ordinis s. Mariae Theutonicorum*, 1198-1524. Première partie : *Regesten zum Ordensbriefarchiv*, vol. I : 1198-1432 ; Deuxième partie : *Regesta Privilegiorum Ordinis s. Mariae Theutonicorum*, Göttingen, 1948-1950 ; H. DE CURZON, *La Règle du Temple*, Paris, 1886, *Société de l'histoire de France* ; J. DELAVILLE LE ROULX, *Un nouveau manuscrit de la Règle du Temple*, Nogent-le-Rotrou, 1890, extrait de l'*Annuaire-Bulletin de la Société de l'histoire de France*, t. XXVI, p. 185-214 ; M. PERBLACH, *Die Statuten des deutschen Ordens*, Halle, 1890 ; J. DELAVILLE LE ROULX, *Les statuts de l'Hôpital de Saint-Jean de Jérusalem*, Paris, 1856 ; E. J. KING, *The Rule, Statutes and Customs of the Hospitallers (1099-1310)*, 1934 ; L. LE GRAND, *Statuts d'hôtels-Dieu et de léproseries*, Paris, 1911, dans la *Collection de textes pour servir à l'étude et à l'enseignement de l'histoire*.

RADES Y ANDRADA, *Chronica de las 3 ordenes y cancillerias de Santiago, Calatrava y Alcantara*, 1572 ; HENRIQUEZ, *Regula, constitutiones et privilegia ordinis cist.*, Anvers, 1630, p. 484-504 ; MANRIQUE, *Annales cist.*, t. I-IV, passim ; J.-M. CANIVEZ, *Statuta capitulorum generalium ordinis cist.*, t. Ier, Louvain, 1933, dans *Spicilegium sacrum lovaniense* ; *Bullarium ordinis de Calatrava*, Madrid, 1761.

II. TRAVAUX. — P.-H. HELYOT, *Histoire des ordres monastiques, religieux et militaires*, 8 vol., Paris, 1714-1719 ; PRUTZ, *Die geistliche Ritterorden, Kulturgeschichte der Kreuzügge*, Berlin, 1883 ; W.F. WILCKE, *Geschichte des Ordens der Tempelherren*, Halle, 1860 ; G. SCHNUERER, *Die ursprungliche Templerregel*, Fribourg-en-Brisgau, 1903 ; ID., *Zur ersten Organisation der Templer*, dans *Historisches Jahrbuch*, t. XXXII, 1911 ; V. CARRIÈRE, *Les débuts de l'ordre du Temple en France*, dans *Le moyen âge*, 2e série, t. XVIII, 1914 ; J. DELAVILLE LE ROULX, *Les Hospitaliers en Terre sainte et à Chypre*, Paris, 1904 ; M. DE PIERREDON, *L'ordre souverain des Hospitaliers de Saint-Jean de Jérusalem*, Paris, 1925 ; P. DESCHAMPS, *Les châteaux des croisés en Terre sainte* ; ID., *Le Crac des Chevaliers*, Paris, 1934.

F. DE CARO DE TORRES, *Historia de las ordenes militares...*, Madrid, 1629 ; INIGO Y MIERA, *Historia de las ordenes de caballeria*, 1863 ; A. ARCELIN, *Morimond et les milices chevaleresques d'Espagne et de Portugal*, Chaumont, 1864 ; R. REVILLA VIELVA, *Ordenes militares...*, dans le *Bol. real. acad. hist.*, t. XCII, 1928, p. 402-443 ; A. R. ALFO, *Sobre la fundacion de la orden de Calatrava*, 1917.

L. M. BRUGUIER-ROURE, *Les constructeurs de ponts au moyen âge*, Paris, s. d. [1875] ; F. LEFORT, *La légende de saint Bénézet constructeur du Pont d'Avignon au XIIe siècle. Examen historique et critique*, dans la *Revue des questions historiques*, t. XXIII, 1878 et Le Mans, 1878 ; A. BARRÉ DE SAINT-VENANT, *Saint Bénézet, patron des ingénieurs*, Bourges, 1889.

L. LALLEMAND, *Histoire de la charité*, t. III, Paris, 1906 ; C. NEYRON, *Histoire de la charité*, Paris, 1928 ; J. IMBERT, *Les Hôpitaux en droit canonique*, Paris, 1947, *L'Église et l'État au moyen âge*, vol. VIII : on y trouvera une liste très complète de monographies sur les hôpitaux et léproseries en France. Pour l'hospitalité en Orient, cf. G. SCHREIBER, *Gemeinschaften des Mittelalters. Recht und Verfassung. Kult und Frömmigkeit, Gesammelte Abhandlungen*, t. I, Munster-en-Brisgau, 1948, p. 3-71. Sur les ordres hospitaliers, consulter : V. ADVIELLE, *Histoire de l'ordre hospitalier de Saint-Antoine de Viennois*, Paris, 1883 ; H. CHAUMARTIN, *Le mal des ardents et le feu Saint-Antoine, étude historique, médicale, hagiographique et légendaire*, Vienne, 1946 ; M. POÊTE, *Étude sur les origines de l'ordre hospitalier du Saint-Esprit*, Paris, 1890 ; G. PEIGNOT, *Histoire de la fondation des hôpitaux du Saint-Esprit de Rome et de Dijon*, Dijon, 1838 ; P. BRUNE, *Histoire de l'ordre hospitalier du Saint-Esprit*, Lons-le-Saunier et Paris, 1892 ; L. DELISLE, *Histoire de l'ordre hospitalier du Saint-Esprit par l'abbé Brune*, dans le *Journal des savants*, 1893.

L.-A. LABOURT, *Recherches sur l'origine des ladreries, maladreries et léproseries*, Paris, 1854 ; G. KURTH, *La lèpre en Occident avant les croisades*, Paris, 1908, dans coll. *Sciences et religion* ; H.-M. FAY, *Histoire de la lèpre en France*, Paris, 1910 ; E. JEANSELME, *Comment l'Europe au moyen âge se protégea contre la lèpre*, Paris, 1931 ; GAUTIER DE SIBERT, *Histoire des ordres hospitaliers et militaires de N.-D. du Mont Carmel et de Saint-Lazare de Jérusalem*, Paris, 1872 ; E. VIGNAT, *Les lépreux et les chevaliers de Saint-Lazare de Jérusalem et de N.-D. du Mont-Carmel*, Orléans, 1884 ; R. PÉTIET, *Contribution à l'histoire de l'ordre de Saint-Lazare de Jérusalem en France*, Paris, 1914 ; P. BERTRAND, *Histoire des chevaliers hospitaliers de Saint-Lazare*, Paris, 1932.

(2) Cf. t. VIII, p. 491.

du concile de Troyes (1128), auquel assista son fondateur, Hugues de Payens, venu réclamer des renforts militaires à l'Occident. Cette règle, qui entérinait certains usages antérieurement établis, porte cependant l'empreinte de saint Bernard qui l'aurait, sinon inspirée, du moins mise en forme et dictée, et se rattache à la Règle bénédictine [1]. Des rédactions postérieures en français devaient l'amplifier considérablement dans le deuxième tiers du XIIIe siècle [2]. Dans son texte primitif, la règle du Temple, prototype des ordres religieux militaires, fut mise à contribution par les Hospitaliers et les Teutoniques.

Après l'établissement des croisés en Terre sainte et sous l'impulsion de Baudouin Ier, l'hospitalité de Jérusalem s'était réorganisée et développée en vue de parer à l'afflux des pèlerins [3]. L'ancienne fondation, détachée de l'obédience bénédictine, avait constitué, sous le vocable d'Hôpital de Saint-Jean de Jérusalem, un nouvel ordre religieux, lequel fut comblé de donations par les rois, en Occident aussi bien qu'en Orient — il reçut même une province entière au Portugal. C'est, semble-t-il, dans la péninsule ibérique que les Hospitaliers inaugurèrent une forme nouvelle d'activité, la lutte contre les Infidèles, destinée à un grand avenir en Terre sainte où elle apparaît peu après la mort du fondateur, Gérard d'Amalfi († 1120), sous le magistère de son successeur, Raymond du Puy [4] († 1158). Un acte du 17 janvier 1126 révèle l'existence d'un *connétable* des Hospitaliers [5], fonction essentiellement militaire, et, à dater de 1137, l'ordre participe aux luttes des Francs de Syrie contre les puissances musulmanes : c'est ainsi que Foulque de Jérusalem, voulant fortifier la position de Gibelin qui déjà leur appartenait, y érige un château fort dont il leur remet la garde [6]. En 1142 [7], Raymond II, comte de Tripoli — lui-même confrère de l'ordre — leur fait don du Crac dénommé dès lors « des Chevaliers » et cette donation s'accompagne de la cession ou de la confirmation de châteaux tels que Raphanée, Montferrand, Mardabech, la Boquée, Felicium, Lacum, et autres, toutes positions dont il fallait assumer la défense. Au même magistère de Raymond, on doit la promulgation de la Règle de l'Hôpital qui, si elle s'inspire du règlement primitif de Gérard et se rattache à la Règle dite de saint Augustin, comporte de nombreux articles directement inspirés de celle des Templiers. Eugène III la confirma [8]. Dès lors, à l'instar du Temple, l'Hôpital est un ordre essentiellement militaire.

A ses origines, fort modestes d'ailleurs, l'ordre de Sainte-Marie des Teutoniques se présente également comme une institution hospita-

---

(1) Non à celle de saint Augustin, ainsi qu'il est affirmé dans le *Monasticon Anglicanum*, t. VI-2, p. 813.

(2) Sur les diverses rédactions de la Règle du Temple, cf. l'Introduction à *La Règle du Temple*, éditée par H. DE CURZON, et J. DELAVILLE LE ROULX, *Un nouveau manuscrit de la Règle du Temple*.

(3) Cf. t. VIII, p. 491.

(4) Le Puy-Montbrun, en Dauphiné.

(5) *Cartulaire général des Hospitaliers*, t. I, n° 74.

(6) GUILLAUME DE TYR, *Historiens occidentaux des croisades*, t. I, p. 638 ; J. DELAVILLE LE ROULX, *Les Hospitaliers en Terre sainte et à Chypre*, p. 47.

(7) Ou en 1144 : cf. J. RICHARD, *Le comté de Tripoli sous la dynastie toulousaine (1102-1187)*, Paris, 1945, qui dans un rectificatif (*addenda et errata*) paraît hésiter entre 1142 et 1144, les éléments de datation n'étant pas absolument concordants sur la charte de donation du Crac.

(8) *Cartulaire général*, n° 690.

lière[1]. L'hospice teutonique de Jérusalem, qui doit sa fondation à un pèlerin allemand et à sa femme (vers 1128), destiné à recevoir les pèlerins de nationalité germanique, avait été placé sous la tutelle de l'Hôpital. Il n'avait pas tardé à chercher à s'émanciper, mais en 1143, le pape Célestin II[2] avait jugé utile de renforcer la mainmise du grand maître Raymond du Puy sur l'hospice teutonique. C'est en 1190 seulement que, sur la demande de l'empereur Henri VI, Clément III concède aux Teutoniques une autonomie qui ne devait d'ailleurs prendre son plein effet qu'à partir de 1229, grâce au patronage de Frédéric II. Dès 1190 cependant, ils adoptent la plupart des statuts du Temple ; leur Règle, qui conserve quelques pratiques empruntées aux Hospitaliers, ne devait recevoir sa rédaction définitive qu'environ le milieu du XIIIe siècle[3]. Leur action, très tôt limitée à l'Europe, devait s'exercer utilement dans la lutte contre les païens en Transylvanie, puis en Prusse.

L'ORGANISATION DES ORDRES MILITAIRES — L'ordre du Temple[4], et celui de l'Hôpital[5], comportent trois classes de frères, les *chevaliers*, issus de noble lignage ; les *sergents*, de naissance libre, et les *chapelains*, munis des ordres ecclésiastiques. La destination première des Hospitaliers et la nécessité d'héberger et de soigner les femmes valurent à l'ordre l'institution d'une branche féminine, les *sœurs hospitalières*, fondée par une dame romaine, dès l'époque de la première croisade, sous le vocable de sainte Marie-Madeleine. Le Temple et l'Hôpital s'agrègent des laïques : les uns, sous le nom de *confrères*, participent aux prières et aux mérites de l'ordre et peuvent prétendre à reposer dans ses cimetières ; les autres, dénommés *donats*, jouissent des mêmes avantages, mais aspirent à être admis parmi les frères. Enfin, des auxiliaires lui apportent leur concours militaire à titre d'écuyers ou de troupes légères (les *turcoples*) ou leurs services religieux (clercs remplissant les fonctions de chapelains partout où l'ordre manque de personnel ecclésiastique propre).

La hiérarchie du Temple est fortement constituée. Au sommet, un gouverneur « prince et grand maître par la grâce de Dieu » dont une importante maison fait l'égal d'un seigneur de très haut rang. Élu par un système compliqué de cooptation à degrés multiples, c'est lui qui dispose des avoirs de l'ordre, mais il doit en référer au chapitre général de toutes les décisions d'importance. Immédiatement au-dessous de lui, vient le *sénéchal*, appelé à le suppléer lorsqu'il s'absente ; puis le *maréchal*, autorité militaire suprême ; le *commandeur de la Terre et du royaume de Jérusalem*, à la fois grand trésorier et chef de la première province, en administre les établissements et répartit le butin de guerre ; plus tard, devait lui revenir la disposition des vaisseaux de l'ordre sta-

(1) Cf. Perblach, *Die Statuten des deutschen Ordens* ; et J. Delaville Le Roulx, *Les Hospitaliers*, p. 49.
(2) *Cartulaire général*, t. I, nos 154 et 155.
(3) Perblach, *op. cit.*
(4) Cf. H. de Curzon, *La règle du Temple*, Introduction, p. XVI et suiv.
(5) J. Delaville Le Roulx, *Les Hospitaliers...*, livres II, III et IV.

tionnés dans le port d'Acre ; le *commandeur de la cité de Jérusalem*, hospitalier de l'ordre, a pouvoir sur les pèlerins et droit de contrôle sur les approvisionnements. Hors de Jérusalem, les *commandeurs de Tripoli* et d'*Antioche* disposent sur leur province respective de la même autorité que le grand Maître sur celle de Jérusalem, sauf en sa présence. Des prérogatives analogues sont attachées aux commanderies des provinces d'Europe, *France, Angleterre, Poitou, Aragon, Portugal, Pouille*, etc... au fur et à mesure de leur fondation. Enfin, chaque établissement de l'ordre est soumis à un chef direct dont le titre varie selon la nature de l'établissement : *commandeur* à la tête d'une maison ; *châtelain* préposé à la garde d'un château fort ; *casalier* préposé à l'administration d'un casal ou ferme. La plus haute autorité dans l'ordre appartient au *chapitre général* qui délègue ses pouvoirs exécutifs aux grands officiers, mais se réserve de contrôler leur gestion, de légiférer et de juger. En fait, l'administration centrale est à la disposition du *couvent*, assemblée des grands dignitaires d'Orient, qui constitue une délégation permanente du chapitre général.

L'organisation de l'Hôpital [1], étroitement apparentée à celle du Temple, présente cependant quelques particularités notables : le grand Maître a pour second le *grand précepteur* ou *grand commandeur* ; l'*hospitalier* occupe le troisième rang de la hiérarchie ; et, au XIIIe siècle, on devait créer un *amiral* pour commander la flotte de l'ordre. Enfin, l'administration régionale revêt cette singularité que les commanderies d'Occident — au lieu d'être directement rattachées à l'administration centrale comme celles d'Orient — sont groupées en *prieurés*, dont le plus ancien et le plus important est celui de Saint-Gilles, port d'embarquement à destination de la Terre sainte et possession de la maison de Toulouse qui règne également sur le comté de Tripoli. Les prieurés sont groupés en *nations*, et, à la tête de chaque nation, on établit un commandeur (France, Italie dès le XIIe siècle ; Espagne, Allemagne au XIIIe siècle seulement).

VOCATION ET DISCIPLINE PROPRES — Les ordres religieux militaires incarnent une vocation spéciale dans l'Église. Ils constituent la croisade permanente, « étant à l'état durable ce que la croisade avait été à l'état temporaire : deux armées attachées par un vœu religieux à la sauvegarde de la Terre sainte et à la lutte contre l'Islam » [2]. Pour réaliser et maintenir cette vocation de moines soldats (*monachi et milites*), leurs fondateurs ont édicté des règlements très rigoureux. Sans être à proprement parler secrets, les statuts du Temple ne sont pas divulgués ; seuls, les plus hauts dignitaires de l'ordre les tiennent intégralement ; les commandeurs des maisons n'en possèdent que des « retraits », ou abrégés, comportant uniquement les règlements qu'il leur incombe de faire respecter.

---

(1) J. Delaville Le Roulx, p. 332 et suiv.
(2) Cl. Cahen, *La Syrie du Nord à l'époque des croisades et la principauté franque d'Antioche*, Paris, 1940, p. 511.

Les postulants sont soumis à un recrutement sévère, examens portant sur la constitution physique et la moralité, suivis d'interrogatoires détaillés. Il leur faut entendre « les grans durtés de la maison » et « ses fors commandements » [1] et consentir à devenir pour toute leur vie « serf et esclaf de la maison » [2], promettre enfin de garder la chasteté, de vivre « sans propre » [3], de se soumettre aux us et coutumes, d'aider à la conquête de la Terre sainte et à la sauvegarde des possessions chrétiennes. Ils revêtent alors la chape marquée de la grande croix rouge, insigne de l'ordre, de couleur blanche pour les chevaliers, noire pour les sergents. En campagne, le manteau du religieux recouvre l'armure du chevalier qui doit être simple et sans armoiries, ou celle du sergent (haubergeon, chausses dépourvues d'avant-pied et chapel de fer). Obéissance religieuse et discipline militaire concourent à maintenir la rigueur des observances, moins austères d'ailleurs que celles des moines. On jeûne le vendredi et les vigiles ; on observe deux carêmes annuels ; on assiste aux heures et aux offices célébrés par les chapelains, ou, en cas d'empêchement, on les remplace par des *Pater*, à raison de 14 à 26 par heure canoniale. Les infractions relèvent d'un code pénal savamment gradué, où les sanctions passent des services vils à la perte de l'habit pour un an et un jour, assortie ou non de la mise aux fers, et à l'exclusion définitive de l'ordre. Les fautes contre le devoir militaire et l'honneur chevaleresque (rébellion, blessures faites à un chrétien, charge à l'ennemi sans autorisation, meurtre d'un chrétien, évasion, complot, fuite devant l'Infidèle) sont punies à l'égal des crimes contre la discipline religieuse ou la foi (simonie, hérésie). Les plus graves relèvent des juridictions supérieures, le grand Maître ou le chapitre général.

PUISSANCE DU TEMPLE ET DE L'HOPITAL Hospitaliers et Templiers jouissaient d'importants privilèges. Exempts de dîmes [4], nantis du droit de patronage sur les églises de leurs domaines, assurant dans ces mêmes églises le service paroissial par le ministère de leur clergé particulier, inhumant leurs « confrères » dans les cimetières de l'ordre, célébrant en période d'interdit, ils ne pouvaient manquer d'entrer en conflit avec l'épiscopat local, à la juridiction duquel l'exemption pontificale leur avait, très tôt — du moins pour le Temple — permis de se soustraire [5]. Guillaume de Tyr [6] a retracé tout au long l'une de ces rivalités, celle qui, au cœur de la Jérusalem chrétienne, mit aux prises dès 1155 les Hospitaliers et le patriarche Foucher. Lorsque celui-ci officiait ou prêchait en l'église du Saint-Sépulcre, la cloche voisine de Saint-Jean de Jérusalem entrait en branle et sonnait à toute volée, couvrant sa voix. A la suite de vexations mutuelles, les choses s'enveni-

(1) H. DE CURZON, *La Règle du Temple*, p. 337.
(2) *Ibid.*, p. 338.
(3) *Ibid.*, p. 344.
(4) Concédées formellement aux Hospitaliers par la papauté dès 1113, et remises par les évêques latins de Terre sainte : Cf. *Cartulaire général*, t. I, n°s 25, 29, 30, 71, 72, 112, 167, 196.
(5) Pour le détail des concessions, cf. Cl. CAHEN, *op. cit.*, p. 518-519 et *Cartulaire général*, n°226.
(6) *Historiens occidentaux des croisades*, t. I, p. 820-821.

mèrent à ce point que les Chevaliers firent un jour irruption à main
armée jusqu'en l'église patriarcale. A plusieurs reprises, les papes doivent
intervenir pour arbitrer les différends [1], et, saisi de la plainte des évêques,
le concile du Latran (1179) réglemente (canon 9) les droits des Chevaliers
du Temple et de l'Hôpital, afin de mettre l'épiscopat à l'abri de leurs
empiétements. Parfois, des conflits mettent aux prises les deux ordres,
sur des questions de dîmes, de possessions ou d'immunités. Dès la fin
du XIIᵉ siècle, la papauté doit s'entremettre et leur imposer le principe
de l'arbitrage par une commission mixte comprenant trois frères de
chacun des deux ordres. Peine perdue ! sous Innocent III, ils allaient
en venir aux mains dans le fief des Mazoir, dévolu aux Hospitaliers,
mais où les Templiers avaient quelques droits antérieurs [2]. En fait, il
s'agissait de deux puissances que des intérêts propres opposaient, en
dépit de la fraternité d'armes prescrite par leurs statuts respectifs et
vécue dans la lutte contre l'Infidèle.

Deux puissants motifs favorisèrent, par la multiplication et l'importance
des dons, la constitution de leur puissance temporelle : la piété, comme
pour tout autre institut religieux — encouragée, il est vrai, par l'institution des confréries — et les nécessités militaires. Princes et hauts
barons de Terre sainte, accablés par les difficultés et les frais considérables
de la défense, prirent l'habitude de se reposer sur les ordres voués à cette
tâche. Abandonner un château aux Templiers ou aux Hospitaliers, c'était
lui assurer une garnison qui se recruterait d'elle-même, subviendrait
et à ses propres besoins et aux dépenses militaires, grâce aux immenses
moyens d'action mis à la disposition des Chevaliers par leurs maisons
d'Occident. Les plus importantes concessions, c'est un fait, ont toujours
suivi les désastres militaires ; le don du Crac à l'Hôpital, en 1142 par
le comte de Tripoli, fut consécutif à la perte de Barîn et à l'échec de la
croisade byzantine ; la concession de Baghrâs au Temple, aux hostilités
dirigées contre les Byzantins, les Arméniens et les Turcs. La vente de
Marqab aux Chevaliers de Saint-Jean, par Bertrand Mazoir, s'accompagne
de considérants révélateurs d'un tel état d'esprit : insuffisance des ressources du seigneur pour faire face à la mise en état de défense et à l'entretien d'une forteresse que ne cessent d'assaillir les musulmans [3].

Ainsi, les ordres de chevalerie acquirent en Terre sainte, à partir du
milieu du XIIᵉ siècle, un nombre imposant de châteaux avec les domaines
qui en dépendaient. Ces concessions étaient assorties de conditions qui
faisaient du Temple et de l'Hôpital de grands seigneurs féodaux : transfert d'hommage des vassaux, prestation de services identiques à ceux
antérieurement fournis, exemption de taxes, droit de faire la guerre en
retenant la totalité du butin. En 1168, Bohémond III, cédant aux Chevaliers de Saint-Jean ses droits sur les territoires perdus d'outre-Oronte
— à charge de les reconquérir — allait plus loin encore : il s'engageait,
sans aucune réciprocité de leur part, à respecter les trêves qu'ils vien-

(1) Notamment Urbain III, Célestin III et Innocent III : cf. Cl. CAHEN, op. cit., p. 519 et suiv.
(2) Ibid., p. 520-521.
(3) Ibid., p. 515, 517-518.

draient à conclure et à leur renvoyer les serfs chrétiens réfugiés sur ses terres [1]. Et, à la même date, Amaury Ier, roi de Jérusalem, à la veille d'entrer en Égypte, signait avec eux une convention militaire qui, en échange de leurs concours, leur abandonnait en cas de succès la ville de Bilbeïs (Péluse), ainsi que des rentes foncières assises sur dix des plus importantes localités égyptiennes [2]. Le danger n'eût pas été grand si la royauté de Jérusalem fût demeurée forte : les ordres militaires lui tenaient lieu d'armée permanente et leur appoint était précieux dans la défense des frontières. Dès la fin du xiie siècle, la situation était renversée ; les ordres militaires constituaient un État dans l'État, poursuivant leur politique propre d'alliances, de stratégie, de trêves, hors de tout contrôle royal. Par sa puissante organisation bancaire [3], née des prêts d'argent aux pèlerins, aux croisés, aux princes, le Temple tenait déjà à sa merci princes et barons, ses débiteurs. Conscient du danger, Amaury Ier de Jérusalem projetait de solliciter du pape la dissolution de l'ordre, lorsque la mort le surprit (11 juillet 1174) [4]. Pour moins vastes que celles du Temple, les opérations financières n'étaient pas étrangères à l'Hôpital qui, d'autre part, était sans conteste le plus largement doté en biens fonciers. Puissances internationales, par l'ampleur considérable de leurs moyens d'action, les deux grands ordres militaires l'emportaient en ressources sur les princes, voire sur les rois.

LES ORDRES ESPAGNOLS DE CHEVALERIE — Installés dans la péninsule ibérique par les rois chrétiens [5], notamment par Alphonse Henriquez dans le jeune royaume de Portugal, qu'ils contribuèrent à étendre jusqu'au Tage, voire au delà, les ordres de Terre sainte y avaient inauguré la lutte contre l'Infidèle. Cependant, l'ère est close des grandes croisades d'Espagne animées par les chevaliers français sous l'impulsion des éminents abbés clunisiens. La vague almohade, déferlant alors sur l'Ibéric, et l'affaiblissement de la monarchie castillane à la mort d'Alphonse VII, qui suivit de peu le désastre d'Alméria (1157), suscitent des initiatives locales qui revêtent rapidement un caractère national.

Pendant son court passage sur le trône de Castille, Sanche III (1157-1158) concéda à Raymond, abbé cistercien de Fitero, le poste avancé de Calatrava, à l'endroit où l'ancienne voie romaine de Tolède à Cordoue franchit le Guadiana, poste dont les Templiers, appelés depuis sa reconquête en 1147, avaient renoncé à assumer la garde. Raymond s'y établit avec une garnison de Navarrais et jeta les fondements de l'*ordre des*

---

(1) *Cartulaire général*, t. I, n° 391 ; Cl. CAHEN, *op. cit.*, p. 317-318. Voir également un acte de 1170 (*Cartulaire général*, t. I, n° 411) émané d'Amaury Ier en qualité de baillistre du comté de Tripoli durant la captivité de Raymond III.

(2) *Cartulaire général*, t. I, n° 402 ; J. DELAVILLE LE ROULX, *Les Hospitaliers...*, p. 70.

(3) J. PIQUET, *Les Templiers. Étude de leurs opérations financières*, Paris, 1939. Il est regrettable que l'on soit si mal renseigné sur la période immédiatement antérieure au début du xiiie siècle.

(4) GUILLAUME DE TYR, *Historiens occidentaux des croisades*, t. I, p. 999.

(5) L'année 1140 marque un considérable accroissement des possessions des Chevaliers du Temple, de l'Hôpital et du Saint-Sépulcre, à la suite du règlement du litige pendant depuis la mort d'Alphonse Ier le Batailleur (1134) qui leur avait légué ses États.

Chevaliers de Calatrava, à la croix rouge fleurdelisée ornant le scapulaire noir et le grand manteau blanc. Placé dès sa fondation sous la dépendance de Cîteaux, à titre de filiale de Morimond, Alexandre III en confirma les statuts (1164) et Grégoire VIII le prit sous la protection du Saint-Siège (1187). En 1196, les Chevaliers s'installèrent dans un couvent-forteresse, à 40 km. au sud de la position primitive, sur les premiers contreforts de la Sierra Morena — *Calatrava la Nueva.* En 1198, Innocent III confirma la filiation de Morimond, et, l'année suivante, il renouvela le privilège de Grégoire VIII. L'influence de l'ordre de Calatrava fut considérable ; il s'agrégea dès l'origine une confrérie de chevaliers séculiers et devait incorporer, au début du XIIIe siècle, les milices religieuses de Monte Frago, d'Avis et de Saint-Julien-du-Poirier, cette dernière plus connue sous le nom d'*ordre d'Alcantara.*

Vers le même temps, en effet, sans qu'on puisse avancer une date certaine [1], une nouvelle milice s'était constituée sur la frontière castillane, à *San Julian el Perero,* sous la protection du roi de Léon, Ferdinand II. Fondée par un chevalier de Salamanque, elle reçut son statut primitif de l'évêque cistercien de la ville, en 1158 à ce qu'il semble. La règle fut confirmée par Alexandre III en 1177 et par Lucius III en 1183. Elle s'apparente à celle de l'ordre de Calatrava, dont les papes du XIIIe siècle s'efforceront de resserrer le contrôle et l'autorité sur l'institut déchiré par des dissensions internes. Alcantara lui sera cédé en 1213, par les Chevaliers de Calatrava — après sa reconquête sur les Maures ; le transfert allait devenir définitif en 1221. On ne possède pas de données certaines sur le costume primitif : il semble qu'il ait eu quelque rapport avec celui de Calatrava. Benoît XIII devait autoriser ou confirmer le port d'une croix de sinople fleurdelisée (1411), insigne de l'ordre.

Enfin, vers 1160, l'insécurité consécutive aux troubles de la minorité d'Alphonse VIII avait suscité en Galice la formation d'une milice essentiellement vouée à la protection des pèlerins de Saint-Jacques de Compostelle. De même que les Templiers à Jérusalem, les Chevaliers de Saint-Jacques se muèrent rapidement en un ordre militaire. Ils reçurent leurs statuts en 1175, et prirent une part importante à la reconquête castillane. Une tentative pour implanter l'*ordre de Santiago* dans la principauté d'Antioche, vers la fin du XIIe siècle, devait échouer, et les trois ordres espagnols restèrent cantonnés dans la péninsule. Ces chevaliers espagnols, nés sous l'influence du Temple et développés sous l'égide de Cîteaux, imitèrent peut-être la stratégie des *ribâts,* ces couvents-forteresses d'où les Almoravides lançaient leurs razzias. Quoi qu'il en soit, c'est grâce à cet effort, à la fois national et religieux, que la reconquête chrétienne se poursuivit dans la péninsule ibérique à la fin du XIIe siècle, hors de tout concours important de l'extérieur. Ainsi que les Templiers, les milices espagnoles payèrent largement de leur personne et furent durement éprouvées lors du désastre d'Alarcos en 1195.

(1) MANRIQUE propose la date de 1156.

*LES FONDATIONS HOSPITALIÈRES
EN OCCIDENT*

Les Templiers semblent s'être parfois annexé des branches hospitalières, telle la *Milice de l'Hôpital de saint Thomas le Martyr de Cantorbéry* qui dirigeait un hôpital à Acre et un autre à Londres[1]. Transformés en ordre militaire, les Chevaliers de Saint-Jean de Jérusalem conservèrent la haute main sur quelques hôpitaux, mais leur activité hospitalière ne tarda pas à décliner. Le grand Hôpital de Jérusalem reçut son statut en 1182 : c'est le plus ancien règlement hospitalier qui nous soit parvenu ; il constitue le prototype des règlements ultérieurs.

Un grand élan de charité marqua la seconde moitié du XIIᵉ siècle. Si les hôpitaux séculiers dépendant des communautés de villes sont encore l'exception, en revanche, l'initiative privée suscite mainte fondation charitable. Depuis le XIᵉ siècle, on avait vu apparaître des associations de « frères pontifes »[2] — mieux vaudrait les appeler confrères — qui, au passage des rivières, près des ponts qu'ils avaient construits de leurs mains, voire près des seuils montagneux, érigeaient des hospices et se muaient parfois en communautés hospitalières. Une pieuse émulation les multiplie après 1150, tandis que s'intensifient les pèlerinages et les échanges commerciaux. L'exemple le plus célèbre est fourni par le berger Bénézet à Avignon en 1177, dont la confrérie devint religieuse et hospitalière peu après la mort de son fondateur survenue en 1184[3]. Des établissements hospitaliers, sans doute peu florissants, cherchèrent à se grouper, s'organisèrent en communautés régulières, ou appelèrent pour les régir et leur fournir les moyens de subsistance des instituts religieux — ordres anciens, chanoines réguliers, ou congrégations nouvelles spécialement conçues pour le service des pauvres, des voyageurs et des malades.

A côté de l'ordre de Saint-Antoine-en-Viennois[4], déjà ancien et spécialisé dans la cure du mal des ardents ou mal de saint Antoine — l'ergotisme — apparurent des institutions telles que l'ordre des *frères Portecroix*, qui prit origine à l'hôpital de Bologne et dont le champ d'action devait se limiter à l'Italie ; surtout, à Montpellier, l'*ordre du Saint-Esprit*[5], dont on attribue la fondation, entre 1170 et 1180, à un seigneur languedocien du nom de Gui, et dont le mérite devint rapidement si éclatant qu'Innocent III devait, dès 1204, appeler les frères à Rome et leur confier le vaste hôpital qu'il avait érigé sur les ruines de la *Scola Saxonum* dans le *Borgo Saxonico*, connu depuis sous le nom de *Borgo Santo Spirito*. Les frères se disaient les serviteurs des pauvres, pratiquaient l'humilité et une charité qui s'étendait aux voyageurs, aux malades, aux femmes en couches, aux enfants trouvés, aux orphelins. Ils visitaient et secouraient les malheureux à domicile et distribuaient des repas aux indigents à travers la ville. L'ordre s'étendit rapidement en Bourgogne, en Lorraine,

---

(1) *Monasticon Anglicanum*, t. VI-2, p. 645-646.
(2) M. Bruguier-Roure, *Les constructeurs de ponts au moyen âge*, p. 9 et suiv.
(3) Devic et Vaissete, *Histoire générale de Languedoc*, édit. Privat, Toulouse, 1879, t. VI, p. 76-77 ; A. Barré de Saint-Venant, *Saint Bénézet patron des ingénieurs*, p. 11 et suiv.
(4) Cf. t. VIII, p. 476.
(5) P. Brune, *Histoire de l'ordre hospitalier du Saint-Esprit*, p. 31 et suiv.

en Aquitaine et en Provence. Au xiiie siècle, il devait gagner, outre l'Italie, l'Allemagne, la Bohême, la Hongrie, la Pologne et les régions nordiques.

L'ordre du Saint-Esprit et la plupart des instituts hospitaliers ont des traits communs : ils forment des congrégations de laïques qui, dans la suite seulement, devaient admettre des clercs dans leur sein ; à l'instar des chanoines réguliers, ils se réclament de la Règle de saint Augustin ; enfin, leurs règlements hospitaliers dérivent, plus ou moins directement, du statut de l'Hôpital de Jérusalem de 1182.

FRÈRES LADRES ET CHEVALIERS DE SAINT-LAZARE

Peu après la première croisade, la lèpre — qui n'y était pas absolument inconnue — se propagea en Occident à un rythme accéléré, par suite de l'ampleur nouvelle des mouvements de populations. Il fallut parer au danger croissant de contagion en isolant ceux qui étaient atteints de cette redoutable maladie. C'est au début du xiie siècle qu'apparurent les premières maladreries ; en 1105, une donation du chapitre de Saint-Bertin [1] nous fait connaître l'existence de « la Madeleine » de Saint-Omer ; la première mention de « Saint-Lazare » de Paris remonte à 1124 [2]. A la fin du siècle il n'est guère de village, *a fortiori* de ville, qui ne possède sa léproserie, — Sainte-Madeleine ou Saint-Lazare en France et en Italie, Sankt Jürg en Allemagne — petit bâtiment isolé, à la distance d'un jet de pierre, ou domaine réservé comportant, soit une vaste construction, soit une série de maisonnettes à la manière des Chartreuses, avec la chapelle et le cimetière particuliers prescrits par le troisième concile du Latran (canon 23).

Dès qu'ils étaient en nombre suffisant, les lépreux constituaient une communauté soumise à des règlements stricts de prophylaxie, mais aussi à un statut religieux. Dans ces statuts, au moins à l'origine, les lépreux sont généralement considérés comme prédestinés, par leur maladie même, réputée incurable, à la vie religieuse [3]. Attachés à la maison jusqu'à leur mort, frères et sœurs ladres forment, avec les personnes saines dévouées à leur service, une communauté religieuse unique : tels ils apparaissent dans un acte de Louis VII en faveur de Saint-Lazare de Paris (1145) [4] et aussi dans les règlements de Saint-Lazare de Montpellier qui remontent au xiie siècle [5] et sont parmi les plus anciennement rédigés. Le mariage leur est interdit. D'ailleurs, la lèpre fut longtemps considérée — à l'instar de la mort — comme cause de rupture du lien conjugal. Alexandre III [6] instaura une nouvelle jurisprudence en cette

(1) GUÉRARD, *Cartulaire de Saint-Bertin*, t. I, p. 152 ; L. DESCHAMPS DE PAS, *Recherches historiques sur les établissements hospitaliers de Saint-Omer*, Paris, 1877, p. 16, 81.

(2) A. LUCHAIRE, *Annales de Louis VI le Gros et de son règne*, n° 352, p. 162.

(3) Cf. L. LE GRAND, *Statuts d'hôtels-Dieu et de léproseries*, p. XXVI-XXVII.

(4) Archives Nationales, MM. 210, Cartulaire de Saint-Lazare, f° 3 ; J. BOULLÉ, *Recherches historiques sur la maison de Saint-Lazare*, dans les *Mémoires de la Société de l'histoire de Paris*, t. III, 1876, p. 143 et 158 ; cité par L. LE GRAND, *Statuts...*, p. XXVII.

(5) A. GERMAIN, *De la charité publique et hospitalière à Montpellier au moyen âge*, Extrait des *Mémoires de la Société archéologique de Montpellier*, 1859, pièces justificatives, n° 1 ; L. LE GRAND, *Statuts...*, p. 181-183.

(6) Interdiction du divorce, prestation du devoir conjugal, *Décrétales*, X, IV, viii, c. 1 et 2.

matière, mais les *Assises de Jérusalem* [1] reconnurent au juge ecclésiastique le pouvoir d'autoriser la répudiation de l'époux atteint de ladrerie.

Un ordre hospitalier, celui des Chevaliers de Saint-Lazare [2], s'était donné à tâche de soigner les lépreux. Fondé à Jérusalem, on ne sait à quelle date précise — les plus anciens statuts semblent avoir été rédigés entre la chute d'Édesse (1146) et celle de Jérusalem (1187) — il essaima en Occident, tandis qu'en Terre sainte il se transformait en ordre militaire et transférait sa maison principale à Acre après la chute de Jérusalem.

§ 4. — La société laïque.

TENDANCES NOUVELLES DE LA SOCIÉTÉ

La poussée de toutes les classes de la société vers les formes nouvelles ou renouvelées de vie religieuse témoigne d'une large diffusion de l'esprit chrétien, d'un approfondissement de la piété allant jusqu'au désir de la perfection. Il n'est pas douteux qu'elle corresponde aussi à l'essor démographique des pays occidentaux et qu'elle manifeste l'émancipation de catégories sociales longtemps demeurées en tutelle. Elle participe enfin des formes nouvelles d'économie faisant apparaître des richesses autres que celles provenant de la propriété foncière et de la domination sur les hommes : l'exploitation sur une échelle plus vaste de biens meubles et l'extension considérable du circuit des moyens d'échange, notamment de la monnaie et du crédit, dû, en majeure partie, à l'impulsion des croisades. Il est remarquable que les premiers bénéficiaires du « capitalisme » naissant aient été — à côté des bourgeoisies urbaines des Pays-Bas et d'Italie — des communautés religieuses vouées au détachement individuel des biens terrestres, attirant dans leurs rangs un grand nombre de laïcs qui, sous l'habit religieux, continuèrent de s'adonner aux travaux du siècle : convers voués à la mise en valeur des « granges », chevaliers et sergents voués à la défense de la Terre sainte, par exemple. Si les Cisterciens ont recherché les solitudes, ils ont provoqué, en retour, la formation de nouveaux agglomérats de vie rurale, partant, de nouvelles cellules de vie paroissiale. Dans les régions de l'Europe méridionale aussi bien qu'en Syrie, les ordres militaires ont créé ou consolidé des sites fortifiés : aux châteaux et aux casaux de Syrie, allaient bientôt correspondre en Occident les bastides et les sauvetés, tandis que dans les campagnes contre l'Islam, en Espagne comme en Terre sainte, leurs milices côtoyaient les contingents féodaux et ceux des villes. Bref, les ordres nouveaux sont demeurés en contact avec la société laïque et ils en ont été le ferment.

Le brassage des populations, la multiplication des échanges, surtout le développement de l'intercourse à travers la Méditerranée, n'ont pas tardé à faire apparaître les signes d'une évolution parallèle dans le domaine intellectuel et moral. La mentalité nouvelle est un produit complexe de

(1) Assises de la cour des bourgeois, c. 175, *Historiens des croisades, Lois*, t. II, p. 118.
(2) R. PÉTIET, *Contribution à l'histoire de l'ordre de Saint-Lazare de Jérusalem en France*, p. 61 et suiv. ; cf. également : P. BERTRAND, *Histoire des chevaliers hospitaliers de Saint-Lazare*.

l'ascension de nouvelles couches sociales — bourgeoisies urbaines principalement — de l'apparition du capitalisme, de l'esprit de spéculation et
de lucre, non moins que des conceptions chevaleresques développées en
certaines cours de vie luxueuse et de mœurs faciles, de l'exaltation de la
Dame par excellence — la Vierge — et de la promotion de la femme dans
l'ordre des valeurs sociales.

ÉVOLUTION DE LA CHEVALERIE   L'Église ne s'était jamais désintéressée
                                  de l'instruction des classes dirigeantes.
Seigneurs et princes recevaient au XIIᵉ siècle une éducation complète.
Leur formation religieuse et intellectuelle était assurée le plus souvent
par les écoles monastiques, telles Saint-Denis ou Fontevrault. Acces-
sibles aux spéculations intellectuelles, ils ne restaient indifférents ni
à la prédication religieuse, ni aux arguties juridiques, ni aux divertissements poétiques. Quant au métier des armes auquel ils étaient formés
dès le jeune âge, ils en recevaient la consécration dans l'initiation chevaleresque.

La chevalerie était alors en passe de devenir une institution religieuse,
un ordre social [1] dont les rites et les obligations — pour moins contrai-
gnants — n'en étaient pas moins déterminés que ceux des ordres religieux. L'adoubement était devenu vêture et bénédiction des armes. La
cérémonie, toute religieuse, ne comportait pas seulement la préparation
par le bain purificateur et symbolique, par la confession des péchés et la
veillée de prière, mais la communion eucharistique et la bénédiction de
l'épée, déjà très répandue au milieu du XIIᵉ siècle [2]. Dès le XIᵉ, divers
pontificaux, à Besançon, à Saint-Alban de Mayence, enfin le *Pontifical
de Reims* [3], mentionnent expressément le rôle de l'évêque dans la remise
de l'épée au nouveau chevalier. Quant aux prières rituelles accompagnant
les bénédictions, elles ne devaient cesser de se développer jusqu'au fameux
Pontifical de Guillaume Durant [4], qui, à la fin du XIIIᵉ siècle, en fixera
la forme accomplie. En même temps s'élabore un code du vrai chevalier [5]
où se mêlent les préceptes d'une morale toute mondaine — libéralité,
prouesse, recherche de la gloire, mépris de la souffrance — et ceux de la
morale chrétienne — pratiques de piété et d'ascétisme (messe quotidienne, jeûne), exercice de la charité envers le prochain (protection de
la veuve, de la pucelle, de l'orphelin ; respect des serviteurs de Dieu ;
miséricorde envers le vaincu).

Certes, la réalité ne répond pas toujours à ces exigences. La ruse et la
violence ne sont pas bannies pour autant des mœurs guerrières. Il sub-

---

(1) Cf. G. Cohen, *Histoire de la chevalerie en France au moyen âge*, Paris, s. d. [1949], p. 14.
(2) Jean de Salisbury, *Policraticus*, VI, 10.
(3) M. Andrieu, *Les Ordines romani du haut moyen âge*, t. I, *Les manuscrits*, Louvain, 1931,
Spicilegium sacrum lovaniense, fasc. 11, p. 178, 445, 112 ; M. Bloch, *La société féodale*, t. II, *Les
classes et le gouvernement des hommes*, Paris, 1940, *L'évolution de l'humanité*, vol. XXXIV *bis*,
p. 51.
(4) Ed. J. Catalani, *Pontificale romanum*, t. I (1738).
(5) M. Bloch, *op. cit.*, p. 53-57 ; G. Cohen, *op. cit.*, p. 29-31. Au XIIᵉ siècle, les devoirs du chevalier ont été tracés : par saint Bernard, *Liber ad milites Templi*, c. 1-4 ; par Jean de Salisbury,
Policraticus, loc. cit. ; et par Étienne de Fougères, dans *Le Livre des manières* (cf. C.-V. Langlois,
La vie en France au moyen âge d'après les moralistes du temps, p. 1 et suiv.).

sistait de mauvais chevaliers dont les méfaits justifiaient l'intervention
des bons. Les attaques à main armée contre les clercs — punies seulement de l'excommunication — se multiplièrent même au point de susciter
en Angleterre, peu après le meurtre de Thomas Becket par quatre chevaliers dévoués au roi, l'intervention du législateur civil qui édicta la peine
de mort contre les auteurs de pareils forfaits [1]. Il n'en reste pas moins
que la morale individuelle comme la morale sociale gagnèrent au développement dans les classes militaires de pratiques telles que la confession
qui suppose l'examen de conscience, ou des œuvres de miséricorde qui
procèdent du sentiment de charité envers le prochain et tempèrent la
brutalité des mœurs.

En revanche, la chevalerie — aussi bien chez les Templiers et les Hospitaliers que chez les barons laïcs — a largement contribué à entretenir
un esprit de caste, assorti chez les derniers d'une morale aristocratique.
« Le plus haut ordre que Dieu ait fait », écrit en son *Perceval* Chrétien de
Troyes, « c'est l'ordre de chevalerie qui doit être sans vilenie » [2]. Elle a
contribué à promouvoir l'éminente dignité de la *dame* et à répandre une
conception nouvelle de la vie de cour qui s'incarne essentiellement dans
l'amour courtois.

NAISSANCE ET DIFFUSION   Les prédicateurs n'ont pas laissé de stig-
DE L'AMOUR COURTOIS   matiser le relâchement des mœurs et l'in-
fléchissement des préceptes de la morale
chrétienne, principalement de la morale conjugale. Dès le début du siècle,
saint Bernard a fait le procès de la chevalerie mondaine [3] en même temps
qu'il louait la nouvelle milice du Temple. Il n'est pas indifférent qu'un
Giraud le Cambrien, en un traité véhément, le *De principis instructione* [4],
ait flétri les mœurs privées et publiques de Henri II Plantagenet, si l'on
songe que ce fut sous l'influence d'Aliénor d'Aquitaine et celle de ses
enfants — Marie de Champagne, protectrice de Chrétien de Troyes et
d'André le Chapelain, et Richard Cœur de Lion qui caressa lui-même la
muse occitane — que s'était propagé l'amour courtois, né, à ce qu'il semble,
en terroir poitevin, du concours d'influences diverses — l'école musicale
de Saint-Martial de Limoges [5], la technique du *zejel* arabe [6], la poésie grivoise
et les déceptions galantes de Guillaume IX le troubadour [7] — à l'heure
même où Robert d'Arbrissel conviait à des amours mystiques les héri-
tières de la noblesse locale, les épouses délaissées, telle Ermengarde de
Poitiers ou Philippa comtesse de Bretagne, et les belles infidèles comme
Bertrade de Montfort [8].

(1) R. FOREVILLE, *L'Église et la Royauté en Angleterre sous Henri II Plantagenet*, p. 426-427, 436.
(2) CHRÉTIEN DE TROYES, *Perceval le Gallois*, vers 2831.
(3) *Liber ad milites Templi*, c. 2.
(4) Distinctio II, c. 3.
(5) Cf. J. CHAILLEY, *Histoire musicale du moyen âge*, Paris, 1950, p. 98 et suiv. ; G. COHEN,
Le théâtre en France au moyen âge, I. *Le théâtre religieux*, Paris, 1928, p. 19 ; ID., *La vie littéraire en
France au moyen âge*, Paris, 1949, p. 62, 64.
(6) R. MENENDEZ PIDAL, *Poesia arabe y poesia europea*, dans le *Bulletin hispanique*, t. XL,
1938, p. 337 ; et en un volume du même titre, Madrid, 1941 ; G. COHEN, *La vie littéraire...*, p. 65-69.
(7) R. R. BEZZOLA, *Guillaume IX et les origines de l'amour courtois*, dans *Romania*, t. LXXVI
(1940-41), p. 145-237, notamment p. 207 et suiv.
(8) *Ibid.*, p. 202-205.

Mais, tandis que les cours du nord se laissaient gagner aux mœurs en vogue chez les seigneurs occitans, le contact renouvelé et prolongé de la chevalerie occidentale avec les pays levantins inclinait également à des conceptions fort éloignées de l'austérité chrétienne. Moins de trente ans après l'établissement des Francs en Syrie, une génération de « poulains » nés et grandis en Orient avait déjà porté au suprême degré la facilité de vivre. Foucher de Chartres témoigne de la rapidité avec laquelle les conquérants s'étaient adaptés au milieu indigène : « Celui qui était Romain ou Franc est devenu Galiléen ou Palestinien... Tel autre a épousé une femme qui n'est pas sa compatriote, une Syrienne, une Arménienne, ou même une Sarrasine qui a reçu la grâce du baptême... Ils parlent diverses langues et sont déjà parvenus tous à s'entendre. Il a été écrit en effet : *Le lion et le bœuf mangent au même râtelier.* » (*Isaïe*, LXV, 25[1].)

Un sang nouveau, des conceptions différentes font des fils des premiers croisés — et combien plus à la troisième ou à la quatrième génération, adultes avant que ne s'achève le XIIe siècle — de parfaits levantins : ils ont adopté la longue robe tissée d'or et la couffieh arabe ou lambrequin, ils se divertissent au son d'instruments de musique jusqu'alors inconnus en Occident, et au spectacle des danses syriennes ; les demeures princières ont leurs bains arabes et leur garde d'eunuques. Aliénor elle-même avait été subjuguée à la vue des splendeurs orientales lorsqu'elle avait accompagné Louis VII à la seconde croisade. Elle n'avait pu résister aux séductions du pays. Ses relations avec son oncle Raymond de Poitiers, prince d'Antioche, avaient prêté au scandale. C'est là qu'avait éclaté le dissentiment entre l'épouse volage et le prince captivé par ses charmes[2], mais attaché à la morale chrétienne et, au surplus, entouré de censeurs austères. On ne peut concevoir d'opposition plus caractérisée entre la conception chrétienne de la chasteté conjugale et les mœurs faciles du néo-paganisme courtois.

AMOUR COURTOIS ET AMOUR MYSTIQUE

« L'amour, cette invention française du XIIe siècle »[3], a oscillé à la recherche d'un équilibre entre deux extrêmes, la ferveur mystique et la ferveur amoureuse. Abélard, Aliénor d'Aquitaine, Marie de Champagne, sont l'expression de leur siècle au même degré que Robert d'Arbrissel, saint Bernard et sainte Hildegarde. Le premier roman d'amour fut le roman épistolaire vécu d'Héloïse et Abélard — l'*Historia calamitatum*. Et si l'on a remarqué[4] qu'il parut l'année même (1136) où Geoffroy de Monmouth publiait son *Historia regum Britanniae*, inspiratrice des romans d'amour et d'aventure des chevaliers du roi Arthur, on ne saurait oublier qu'il suivit de près les premiers sermons où saint Bernard, commentant le *Cantique des Cantiques*, définit l'union mystique entre le Christ et l'âme fidèle (1135)[5]. Dans son *Lancelot* ou le *Chevalier à la charrette*,

(1) *Historiens occidentaux des croisades*, t. III, p. 468.
(2) JEAN DE SALISBURY, *Historia pontificalis*, c. 23.
(3) G. COHEN, *Histoire de la Chevalerie...*, p. 71.
(4) R. LOUIS, *De l'histoire à la légende. Girart comte de Vienne dans les chansons de geste*, Première partie, Auxerre, 1947, p. 362.
(5) E. GILSON, dans l'appendice IV (Saint Bernard et l'amour courtois) de son étude sur *La*

Chrétien de Troyes transpose les vertus religieuses d'humilité et d'obéissance sur le plan humain de l'esclavage d'amour du chevalier envers sa Dame. Les arrêts de la cour d'amour de Marie de Champagne relatés dans le *Traité de l'amour courtois*, rédigé en 1174 par son chapelain André, exaltent l'amour hors mariage — aussi bien que le roman de *Tristan et Iseult* — à l'heure où sainte Hildegarde de Rupersberg († 1179) écrit un traité de morale ascétique, le *Liber divinorum operum simplicis hominis*[1] et où Richard de Saint-Victor († 1173) s'attache à définir l'oraison proprement mystique.

Tel fut le double courant qui traversa le XIIe siècle pour aboutir, jusque dans la littérature profane elle-même, à la condamnation des mœurs courtoises. Dans la *Queste du saint Graal* — où l'on a décelé[2] l'influence de l'esprit cistercien et des écrits les plus célèbres de saint Bernard — le chevalier Galaad (dont le nom pourrait bien être un équivalent mystique du Christ) atteint la sainteté parfaite à travers maintes aventures purificatrices et devient *sire del Graal*, cette sorte de mystérieux calice, symbole de la rédemption par le sang de Jésus-Christ[3]. Il reste que le XIIe siècle a introduit dans l'amour de Dieu, comme dans l'amour du prochain, un sentiment d'humaine tendresse — non entièrement exempt, certes, de déviation et de sensualité — qui annonce la sensibilité moderne, et dont le meilleur, le respect de la femme, sublimisée au siècle suivant dans la Béatrice de Dante, constitue une acquisition durable de la civilisation chrétienne.

L'ÉMANCIPATION DES CLASSES POPULAIRES

Si le roman et la poésie courtoise dépeignent les mœurs et la mentalité d'une aristocratie seigneuriale, les plus anciens fabliaux reflètent « l'esprit bourgeois », mais dans ce qu'il présentait alors de plus étroit, de plus simpliste, et souvent de plus grossier. A vrai dire, ils cherchaient à flatter les classes populaires et à susciter un rire facile aux dépens de vices et de travers qui étaient plutôt ceux des « vilains ». Ils témoignent de la mentalité de ces « rustres érigés en commune » que l'évêque Étienne de Tournai[4] dénonce parmi les mécontents, au même titre que les « chanoines d'un avis opposé ». La conjuration, fondée sur un serment d'aide mutuelle, comme à Laon — *mutui adjutorii conjuratio*[5] — ou

---

théologie mystique de saint Bernard, Paris, 1934, p. 195-215, s'il dénie toute filiation, voire toute influence réciproque entre l'amour courtois et la notion cistercienne de l'amour mystique, convient cependant (p. 215) que ces deux produits du XIIe siècle, nés en des milieux différents, en exprimant la civilisation, en manifestent l'une des tendances dominantes.

(1) *P. L.*, CXCVII, 741-1038.
(2) A. PAUPHILET, *Le legs du moyen âge*, Melun, 1950, p. 196.
(3) *Ibid.*, p. 182-197, notamment p. 195, le Graal chez l'auteur de la *Queste*. Sur l'influence possible de la liturgie grecque de la « Grande Entrée », voir, entre autres, les études d'ANITCHKOF et de Mme M. LOT-BORODINE dans *Romania*, t. LV, p. 188 et t. LVII, p. 169, ainsi que la préface de M. ROQUES à l'édit. française de *Perceval le Gallois* par L. FOULET, Paris, s. d. [1947], p. XXIV-XXVI. Sur la prétendue inspiration cathare des troubadours et du cycle du graal, cf. Otto RAHN, *Kreuzugg gegen den Graal*, Fribourg-en-Brisgau, 1933 ; trad. française, Paris, 1934 ; D. DE ROUGEMONT, *L'amour et l'Occident*, Paris, 1939 et P. BELPERRON, *La Joie d'amour, contribution à l'étude des troubadours et de l'amour courtois*, Paris, 1948. L'argumentation de ces auteurs a été excellemment résumée par P. IMBS, *A la recherche d'une littérature cathare*, dans *Le moyen âge latin*, t. V, 1949, p. 289-302.
(4) *Epistolae*, III, 195.
(5) GUIBERT DE NOGENT, *De vita sua*, III, 7.

d'amitié, comme à Aire-sur-la-Lys [1], origine du privilège communal [2], a été sans conteste, dès les toutes premières années du xiie siècle, parfois même plus tôt, le ferment par excellence de l'émancipation des classes populaires longtemps maintenues sous la tutelle seigneuriale. Les manants des bourgs ruraux ou des fédérations villageoises obtinrent souvent de leurs seigneurs l'autorisation de former une association jurée pour défendre leur sécurité personnelle, protéger leurs champs et leurs récoltes. En très grand nombre, des serfs furent affranchis par leur admission, ou leur séjour, dans les villes neuves, les sauvetés et les bastides qui s'érigeaient un peu partout [3], attirant à elles les populations par de larges concessions seigneuriales. Des villes rurales, unissant aux ressources de l'artisanat l'exploitation des terres cultivables d'alentour, reçurent des franchises administratives parfois très larges, sans toujours obtenir le droit de former une commune.

L'Église ne pouvait demeurer indifférente à un mouvement d'une telle ampleur. Les paroisses se multiplièrent dans les centres urbains en voie de croissance ou dans les agglomérations nouvelles. C'était l'évolution normale correspondant aux transferts de population et à l'essor démographique. En revanche, le mouvement communal prit dans certaines villes un caractère révolutionnaire, menaçant l'ordre social établi et mettant parfois en cause des seigneurs ecclésiastiques, tel Gaudry, évêque de Laon, qui, ayant acheté au roi l'abolition de la commune établie en son absence, périt en 1112 au cours d'une insurrection dirigée par le serf Thiégaud [4]. En fait, Gaudry n'était qu'un tyran, probablement simoniaque, qui pressurait arbitrairement ses sujets et régnait par la violence. L'épisode n'est d'ailleurs pas sans lien avec les déprédations de Thomas de Marle, sire de Coucy.

Bien que le privilège de commune ait pu apparaître parfois comme une brèche ouverte dans les immunités ecclésiastiques et comme une infraction à l'ordre social établi, il ne semble pas que les prélats aient montré une hostilité irréductible à l'institution, si ce n'est à Reims où l'archevêque obtint, en 1140, révocation de la charte de commune accordée par Louis VII aux habitants. Il alla même jusqu'à supprimer, en 1160, le tribunal des échevins et les anciennes libertés de la cité [5]. Le clergé local fit cause commune avec les bourgeois et les vassaux de l'archevêque contre celui-ci qui était alors Henri de France, le propre frère du roi. Cependant, le mouvement insurrectionnel de 1167 fut maté grâce à l'appui de Louis VII et du comte de Flandre [6]. Mais le successeur de Henri, le grand prélat que

---

(1) Cf. P. BERTIN, *Une commune flamande-artésienne, Aire-sur-la-Lys des origines au XVIe siècle*, Arras, 1947, p. 29 et suiv. ; et *Pièces justificatives*, n⁰ 2, p. 370-372.

(2) Ch. PETIT-DUTAILLIS, *Les communes françaises, caractères et évolution des origines au XVIIIe siècle*, Paris, 1947, *L'évolution de l'humanité*, vol. XLIV, p. 24 et suiv.

(3) Voir, entre autres, l'article de P. OURLIAC, *Les villages de la région toulousaine au XIIe siècle*, dans *Annales. Économies, sociétés, civilisations*, 1948, p. 268-277 ; et, du même : *Les sauvetés du Commingeois*, études et documents sur les villages fondés par les Hospitaliers dans la région des coteaux commingeois, Toulouse, 1947. Extrait du *Recueil de l'Académie de législation*, t. XVIII, 1947.

(4) Sur ces événements, cf. GUIBERT DE NOGENT, *op. cit.*, III, 7 et 8 ; et Ch. PETIT-DUTAILLIS. *op. cit.*, p. 86-90.

(5) *Ibid.*, p. 59.

(6) JEAN DE SALISBURY, *Epistolae*, CCXXII. (*Materials for the history of Thomas Becket*, t. VI, p. 225-226.)

fut Guillaume aux Blanches mains, eut la sagesse de rétablir et de confirmer les usages dont les Rémois avaient joui du temps où ils formaient une commune, sans toutefois leur restituer ce privilège (1182). Guillaume aux Blanches mains est aussi l'auteur de la célèbre charte de Beaumont-en-Argonne que, sous sa forme primitive (1182), il concéda lui-même à plusieurs localités et qui comportait des franchises étendues en matière de justice, d'administration et de finances, avec le droit d'élire un maire et des jurés[1]. Ce fut enfin sur sa médiation qu'à la fin du siècle les bourgeois de Tournai obtinrent, de leur évêque et du roi, l'octroi de la coutume de Senlis[2].

En fait, nombreux furent au XIIe siècle les prélats qui favorisèrent l'émancipation personnelle ou collective des classes populaires, soit par l'octroi de chartes de franchises, soit par la fondation de sauvetés, de bastides, ou de villes neuves, soit même par la concession — surtout au début du siècle — du privilège de commune, en plein accord avec leurs vassaux, leurs clercs et les hommes de la localité, cherchant par là à garantir la paix, la sécurité et le maintien de l'ordre. Ce fut le cas des évêques du Mans et de Beauvais qui, dès la fin du XIe siècle, avaient cherché appui sur une commune contre la tyrannie des châtelains, et, en 1108 ou 1109, de l'évêque Baudry qui octroya une commune à sa ville de Noyon. Une politique analogue fut suivie par de nombreux abbés à l'égard des bourgs sujets de leurs abbayes, notamment à Saint-Riquier, Ham et Compiègne[3]. La commune, association d'aide mutuelle, était, à ses origines, une de ces institutions de paix qu'il entrait dans les vues de l'épiscopat de promouvoir, comme moyen de remédier aux guerres privées et au brigandage. Plus tard seulement, lorsque la conjuration eut tourné à l'insurrection et à la violence, le seigneur — fût-il laïque, — s'y montra hostile. Cette réaction, générale à la fin du siècle, marque d'ailleurs le terme d'une évolution : à l'heure où l'autorité monarchique — celle d'un Henri II Plantagenet, d'un Philippe Auguste[4], ou d'un Philippe d'Alsace comte de Flandre[5] — est devenue capable de faire régner l'ordre intérieur, les communes, grevées de service féodal, devront orienter leurs efforts vers la sécurité extérieure du royaume. Mais alors, l'émancipation des classes populaires, dont elles furent le ferment le plus actif, est en passe de devenir générale.

NAISSANCE DU CAPITALISME En Allemagne et en Italie, la faiblesse du pouvoir central et l'émiettement de la souveraineté favorisèrent l'essor de véritables républiques municipales dont le royaume de France ne présenta jamais qu'un exemplaire

---

(1) Ch. Petit-Dutaillis, *op. cit.*, p. 59. Voir le texte parmi les diplômes de Guillaume, archevêque de Reims, *P. L.*, CCIX, 835-840. Sur l'attitude générale du prélat à l'égard des communes, cf. J. Mathorez, *Guillaume aux Blanches mains*, Chartres, 1911, p. 265-272.

(2) Étienne de Tournai, Lettres CCLII, CCLIII, CCLIV, CCXXXVI, éd. J. Desilve, p. 311-312, 313, 281 et suiv. ; L. Delisle, *Catalogue des Actes de Philippe Auguste*, nos 595, 596.

(3) Ch. Petit-Dutaillis, *op. cit.*, p. 95-97.

(4) *Ibid.*, p. 103 et suiv.

(5) Cf. Vanderkindere, *La politique communale de Philippe d'Alsace et ses conséquences*, dans le *Bulletin de la Classe des Lettres* publié par l'Académie royale de Belgique, 1905, p. 745-789 ; et R. Monier, *Les institutions judiciaires des villes de Flandre des origines à la rédaction des coutumes*, Paris, 1924.

unique, la ville épiscopale de Tournai, reconnue seigneurie bourgeoise par Philippe Auguste en 1188 [1]. Dans l'ancienne Lotharingie, les bourgeoisies urbaines avaient acquis une puissance incontestable érigée sur le négoce et la richesse mobilière. L'industrie drapière, l'importation des laines anglaises et l'exportation des draps fins ont fait au XIIᵉ siècle la fortune du patriciat flamand. Les négociants de Bruges, de Gand, d'Ypres et de Saint-Omer vont chercher la laine dans les ports d'outre Manche qu'ils approvisionnent en blés, en vins, en épices et en draps ; ils confient la matière première à des maîtres propriétaires de métiers, de presses ou de cuves qui emploient une main-d'œuvre salariée. Ils affrètent des navires, financent des travaux publics, tels que digues et canaux, se font les banquiers des rois d'Angleterre [2] et constituent des gildes ou hanses locales qui se fédèrent — hanse de Londres dirigée par Ypres et Bruges, hanse des dix-sept villes sous l'impulsion d'Arras — afin de s'assurer d'importants marchés en Occident. Cependant, dans la Baltique, ils vont bientôt se heurter aux prétentions de Lubeck, et, s'ils fréquentent encore certaines villes italiennes telles que Gênes, un clivage s'établit, dès la fin du siècle, selon lequel la rencontre entre marchands flamands et marchands italiens et l'échange commercial s'opèrent aux foires de Champagne.

Parallèlement à l'essor des bourgeoisies flamandes, les hommes des cités maritimes d'Italie — Amalfi, Pise, Gênes et Venise — ont développé leurs flottes et leurs affaires afin de faire face au ravitaillement des États francs de Syrie, ainsi qu'au transport des renforts de croisades. Leur intervention s'est montrée décisive dans la conquête des ports syriens, notamment de Tyr en 1124. Ils ont acquis la propriété de *fondachi* ou entrepôts dotés d'un statut comparable à celui d'exterritorialité, des positions privilégiées non seulement à Byzance, mais aussi dans les ports de l'empire fatimide (Alexandrie, Damiette, Le Caire) et dans ceux de l'Afrique barbaresque (Tunis, Bougie, Ceuta) d'où ils drainent l'or soudanais de Palhola [3]. Ils détiennent le quasi-monopole des échanges entre chrétiens d'Orient et chrétiens d'Occident ; ils assurent le relais maritime des caravanes d'Arabie et la majeure partie du commerce actif entre les puissances musulmanes. Ils ont presque entièrement évincé du grand commerce méditerranéen les Juifs, les Syriens et les Arabes, et relèguent au second plan le trafic des Provençaux et des Catalans. Non seulement une économie nouvelle est née — l'économie capitaliste — mais le négoce, et par suite la finance, sont entre les mains des chrétiens.

LE MONDE DES « AFFAIRES »
ET LA SPÉCULATION

L'ouverture de nouveaux débouchés, les progrès de la navigation, l'impulsion industrielle et l'afflux de l'or soudanais sur le marché occidental n'eussent pas suffi à assurer la prépondérance

---

(1) P. ROLLAND, *Les origines de la commune de Tournai*, Bruxelles, 1931, *Tournai, noble cité*, Bruxelles, s. d., dans coll. *Notre passé*.
(2) G. DEPT, *Les marchands flamands et le roi d'Angleterre (1154-1216)*, dans la *Revue du Nord*, t. XII, 1926, p. 304-324.
(3) Y. RENOUARD, *Les hommes d'affaires italiens du moyen âge*, Paris, 1949, p. 35-42.

commerciale des Italiens, s'ils n'eussent développé également leurs procédés financiers et investi d'importants capitaux dans ces entreprises [1]. La société maritime — *colleganza* à Venise — qui apparaît à côté de la *commande*, l'une comme l'autre formées pour un seul voyage [2], permet non seulement aux familles patriciennes, mais aussi à un nombre considérable de petites gens, de faire fructifier leurs économies ou les profits nouvellement acquis [3]. L'ampleur des tractations commerciales nécessite des opérations de change, tandis que les expéditions en Terre sainte mobilisent des capitaux, obtenus le plus souvent par prêts hypothécaires sur les biens fonciers ou par prêts sur gages (revenus, pierres précieuses). L'installation des Templiers — constituant dès lors une puissance internationale — dans les capitales européennes, à Paris, à Londres, à Gand, procède en grande partie de cette nécessité — le crédit aux croisés — apparue très tôt à la perspicacité des princes. Les bourgeoisies de Plaisance, de Sienne, de Florence, avec des méthodes différentes, prennent une large part à ces opérations financières [4]. On assiste à une ascension dans l'échelle sociale : à côté du patriciat urbain qui détient encore le gouvernement des cités, se forme une classe nouvelle — issue aussi bien de la paysannerie et de la noblesse rurale que de l'artisanat urbain — en passe d'accéder à la richesse et aux postes de commande de la cité. Ces « hommes d'affaires » introduisent dans les rapports sociaux une mentalité nouvelle, élargie par les horizons d'outre-mer, un esprit positif, le goût du risque et déjà le sens de l'*agio*.

A l'égard de la morale et de la législation chrétiennes qui condamnaient le prêt à intérêt et les pratiques usuraires — le troisième concile œcuménique du Latran (1179) [5] aggrava les sanctions en même temps qu'il constatait l'engouement général pour le commerce de l'argent — le développement des techniques du crédit posait le problème du profit licite. En fait, il ne semble pas que le change (manuel ou tiré), l'investissement des capitaux dans les grandes entreprises ou le prêt sur hypothèques soient tombés sous le coup des interdictions canoniques. Les premières croisades avaient suscité la généralisation du crédit, en même temps qu'elles avaient mis fin à la dépendance des chrétiens envers la finance juive ou musulmane. L'importance des risques courus légitimait un intérêt — pouvant aller de 10 à 20 % — bloqué et masqué dans la stipulation du taux de change ou de la somme empruntée [6].

(1) Cf. A. SAYOUS, *L'histoire universelle du droit commercial de Liévin Goldsmidt et les méthodes commerciales des pays chrétiens du bassin méditerranéen aux XII° et XIII° siècles*, dans les *Annales de Droit commercial*, 1931 ; *Les transformations des méthodes commerciales en Italie et aux foires de Champagne pendant le XII° siècle*, dans la *Revue historique*, t. CLXX, 1932 ; G. SILBERSCHMIDT, *Le droit commercial avant et après L. Goldsmidt*, dans la *Revue historique de Droit français et étranger*, 1934 ; R. DE ROOVER, *Le contrat de change depuis la fin du XII° jusqu'au début du XVII° siècle*, dans la *Revue belge de Philologie et d'Histoire*, t. XXV, 1946-1947, p. 111-128.
(2) Cf. R. DOEHAERD, *Les relations commerciales entre Gênes, la Belgique et l'Outremont*, t. I, *Introduction*, Bruxelles-Rome, 1945, p. 119-127.
(3) Y. RENOUARD, *op. cit.*, p. 47 et suiv.
(4) *Ibid.*, p. 62 et suiv.
(5) Canon 25, HEFELE-LECLERCQ, *Histoire des conciles*, t. V, 2° partie, p. 1105.
(6) Y. RENOUARD, *op. cit.*, p. 75 ; R. DOEHAERD, *op. cit.*, p. 116-118.

LAICISATION DU SAVOIR   Les exigences du négoce accélérèrent l'émancipation bourgeoise à l'égard des clercs qui avaient conservé, sinon le monopole, du moins une prépondérance incontestée en matière d'instruction. Dans les grandes villes d'Italie où la tradition des écoles impériales était demeurée vivace, des écoles publiques distribuaient aux fils des marchands et des banquiers un savoir essentiellement pratique — nous dirions : une culture moderne, voire technique à certains égards — comprenant la connaissance correcte de la langue parlée appuyée sur un *compendium* de règles grammaticales ; l'apprentissage de langues étrangères, au premier rang desquelles le français, promu langue internationale à la suite des conquêtes franques, sans doute aussi des termes de la conversation usuelle en arabe ou en syriaque. La nécessité de calculer avec exactitude et rapidité et de faire des opérations de conversion induisit à l'établissement de véritables barêmes sous la dénomination de *traités de l'abaque*. Les chiffres arabes étaient déjà largement utilisés, mais le progrès décisif devait être réalisé en 1202 par le Pisan, Leonardo Fibonaci, qui, introduisant le zéro à la suite des neuf chiffres arabes, permit la numération décimale et des calculs pratiquement illimités [1]. Cette culture moderne comportait sa part d'esthétique et d'idéal grâce à la poésie, surtout la poésie provençale. Raffinée, mais nullement désintéressée, détachée de la culture classique gréco-latine, elle échappait à l'influence des clercs.

GÉNÉRALISATION DU LUXE   Par suite de l'augmentation de volume et de valeur des biens en circulation et de l'accession à la prospérité de nouvelles couches sociales, le raffinement des mœurs — apanage des cours et des châteaux seigneuriaux — avait gagné les maisons bourgeoises. Il s'étalait dans la demeure, le costume, les repas plantureux, les passe-temps et les divertissements mondains. Le contact avec Byzance et le Levant et l'arrivée plus aisée sur les marchés d'Occident des soieries, des étoffes brochées, des armes damasquinées, des épices, avaient encore accéléré la recherche du luxe. Il a fallu de sévères avertissements pour rappeler les chrétiens à une sage modération, à l'heure où Jérusalem et les Lieux saints retombaient sous le joug des Infidèles [2]. Certaines dispositions de l'ordonnance de croisade promulguée par Henri II Plantagenet à Geddington le 11 février 1188 [3] en disent long sur le train de vie des bourgeois comme des nobles : « Nul ne devra jurer en vain, nul ne devra jouer aux dés, nul ne devra faire usage de vair, de gris, de martre ou d'écarlate... Chacun devra se contenter de deux mets... Que nul n'emmène avec lui de femme dans son pèlerinage. Que nul ne porte de pans découpés ou ornés de lanières. » Richard Cœur de Lion renchérit sur les prescriptions de son père : en juin 1190, par l'ordonnance de Chinon [4], il prévoit une variété de supplices pour châtier, non

---

(1) Y. RENOUARD, *op. cit.*, p. 76-78.
(2) Notamment au concile de Montpellier en 1195 (c. 7), HEFELE-LECLERCQ, *op. cit.*, t. V, 2e partie, p. 1172.
(3) Article 5, *Gesta regis*, t. II, p. 31-32 ; ROGER DE HOVEDEN, t. II, p. 336-337.
(4) *Gesta regis*, t. II, p. 110-114 ; ROGER DE HOVEDEN, t. III, p. 36.

seulement les voleurs ou les meurtriers, mais les blasphémateurs et les provocateurs de coups et blessures. Raffinement d'un côté, brutalité de l'autre, tels sont les aspects du dévergondage en cette fin du XIIᵉ siècle.

Si l'esprit de lucre, le luxe et la facilité de mœurs qu'ils favorisent sont contraires à la morale chrétienne, mener une vie ascétique dans le monde des affaires était une gageure. Elle fut tenue cependant par ce marchand de Crémone — Homebon — qu'à la prière des magistrats et du clergé de la ville, sur déposition de son confesseur et d'autres témoins de la sainteté de sa vie et des miracles obtenus sur son intercession, Innocent III canonisa [1] quatorze mois seulement après sa mort, survenue le 13 novembre 1197, le proposant en modèle de perfection chrétienne à ceux qui pratiquaient le négoce.

LE CLERGÉ EST CONTAMINÉ PAR L'ESPRIT DU SIÈCLE Le développement de la richesse profita en définitive à toutes les classes de la société. Par les donations pieuses, les fondations charitables, l'exercice de charges séculières ou l'activité de certains ordres religieux, les biens en circulation atteignirent les membres du clergé — surtout les prélats et le clergé urbain -- ainsi que les milices religieuses. Le luxe, l'esprit de lucre et l'ambition temporelle, fruits du siècle où ils vivaient, entama chez certains d'entre eux la sainteté de la vocation. Plus rien ne les distinguait des laïques dans la tenue extérieure ou le comportement. Le poète satirique Néel Wireker [2], moine lui-même, a stigmatisé le féodal mîtré : il est indigne et absurde que l'évêque et le chevalier aient le même manteau, alors que l'un monte au saint des saints, et que l'autre s'approche du camp pour l'attaquer... Lorsque les barons se réunissent, s'ils ont le chef couvert, on ne discerne aucune différence. Le laïque jure ; l'évêque jure plus fort que lui ; la chasse les ravit l'un et l'autre ; le combat les attire ; les causes séculières et les jugements, les fonctions publiques, sont leurs occupations communes. Les prescriptions conciliaires vont plus loin encore, elles rappellent les clercs non seulement à la décence et à la modestie dans le vêtement, mais elles leur enjoignent, sous peine de perdre leurs bénéfices, de porter la tonsure bien visible et la chevelure convenablement ordonnée autour [3]. Aussi bien, certains d'entre eux fréquentaient-ils les cours d'amour ou les lieux de plaisir, transférant « les décimes et les offrandes des fidèles dans le sein des courtisanes » [4]. Les canons synodaux leur interdisent l'accès des auberges ou des hôtelleries, si ce n'est lorsqu'ils voyagent, les festins publics et toutes réjouissances de cet ordre [5].

Mais, tandis qu'au début du siècle ils fulminaient surtout contre les

---

(1) FONTANINI, *Codex constitutionum quas summi pontifices ediderunt in solemni canonizatione sanctorum...* Rome, 1729, in-folio, p. 34.

(2) *Contra curiales et officiales clericos*, éd. Th. WRIGHT, *The anglo-latin satirical poets of the twelfth century (Rolls series)*, t. I, p. 211.

(3) Canon 4 du concile de Westminster (1175) ; canon 5 du synode de Rouen (1190) ; canon 5 du concile d'York (1195) ; canon 7 du concile de Montpellier (1195). HEFELE-LECLERCQ, *op. cit.*, t. V, 2ᵉ partie, p. 1059, 1158, 1170, 1172.

(4) NÉEL WIREKER, *Contra curiales...*, p. 164.

(5) Canon 2 du concile de Westminster ; canon 12 du concile d'York ; canon 7 du concile de Montpellier. HEFELE-LECLERCQ, *op. cit., loc. cit.*

prêtres fornicateurs, c'est à l'esprit de lucre et à l'ambition qu'ils s'atta-
quent maintenant comme aux vices les plus généralement répandus dans
le clergé, rejoignant les satires des censeurs, Néel Wireker dans son traité
Contre les clercs courtisans qui gèrent des charges séculières, le Normand
Jean de Hauteville auteur de l'*Architrenius*, l'Allemand Nivard dans
l'*Ysengrinus*, ou encore l'auteur anonyme du *De superfluitate clericorum*.
L'ambition d'une profession lucrative telle que la physique, c'est-à-dire
la médecine, ou la procédure, pousse les clercs à entreprendre de longues
études à Montpellier ou à Bologne. « Le temps révolu, ils reviennent dans
une joie délirante... Ils parlent des langues nouvelles, emploient des mots
de six syllabes », tâtent le pouls des rustres, ...apprennent aux hommes
la chicane, et affrontent les périls des grands chemins pour le service
de maîtres séculiers, « aussi sont-ils *encathédrés* et reçoivent-ils en récom-
pense le bâton pastoral »[1]. C'est en vain que le concile du Latran (1179)
interdit aux clercs les fonctions d'avocats ou de procureurs dans les
affaires civiles[2]. En 1195, celui de Montpellier, sous la présidence d'un
légat pontifical, renouvelle les prescriptions des conciles antérieurs
portant interdiction aux moines et aux chanoines réguliers d'enseigner
les lois séculières ou la physique[3]. Et, si l'usure doit être proscrite des
mœurs chrétiennes, à combien plus forte raison de celles des moines et
des clercs. Cependant, il a paru nécessaire de le leur rappeler au concile
provincial de Westminster en 1175[4]. Le synode de Rouen, en 1190, leur
défend de s'adonner au négoce par esprit de lucre[5]. Quant aux religieux,
« autrefois la pauvreté et l'indigence étaient leur plus grande gloire. A
présent, s'ils ne possèdent point, pour la perte de leurs âmes, des biens
et des richesses considérables, des pâturages, des prés, des troupeaux,
ils se croient malheureux, car, être tenus pour pauvres en ce monde, serait,
à ce qu'ils pensent, un grand préjudice »[6]. Chez eux... l'ambition n'est
pas étrangère, mais citoyenne. Ils ne craignent nullement de s'entremettre
en de nombreuses affaires qui ne sont pas compatibles avec l'ordre et la
vocation qu'ils ont embrassés[7].

Le luxe et la prépotence du parvenu ecclésiastique sont manifestes
dans le comportement d'un Guillaume Longchamp, évêque d'Ely et
légat pontifical, grand justicier et chancelier d'Angleterre[8] en l'absence
de Richard Cœur de Lion parti à la croisade. Cet homme, dont l'aïeul
avait conduit la charrue dans le Beauvaisis, menait un tel équipage
d'hommes, de chevaux, de chiens et de faucons qu'il ruinait presque
en une seule nuit les monastères qui lui donnaient asile. On redoutait
sa colère qui frappait sans délai plus que la vengeance divine, car Dieu
est miséricordieux et lent à châtier. Il spoliait les clercs comme les laïques

---

(1) Néel Wireker, *Contra curiales...*, p. 164-166.
(2) Canon 12, Hefele-Leclercq, *op. cit.*, t. V, 2ᵉ partie, p. 1097-1098.
(3) Canon 7, *Ibid.*, p. 1172.
(4) Canon 10, *Ibid.*, p. 1059.
(5) Canon 9, *Ibid.*, p. 1159.
(6) Néel Wireker, *Speculum stultorum*, éd. Th. Wright, *The anglo-latin satirical poets...*, t. I,
p. 110.
(7) Id., *Contra curiales...*, p. 188.
(8) Cf. *supra*, p. 259-260.

de leurs biens dont il enrichissait la multitude avide de sa parenté et de
sa domesticité [1]. En parfait contraste avec ce tableau, le portrait du moine
ambitieux, drapé dans les voiles d'une austère dévotion, a été buriné par
Jean de Salisbury en des traits d'une vérité profonde, empreinte d'un
certain pessimisme : véritable Tartuffe avant la lettre, il se couvre de
vêtements grossiers, il prie à haute voix, il affecte la pâleur, il porte les
cheveux courts et la tête rasée, il pousse de profonds soupirs et répand
à volonté des larmes artificielles et obséquieuses. Il s'enrichit par la cré-
dulité aux dépens des familles et dépouille les héritiers de leur patrimoine [2].
Toujours prêt à dévoiler les torts des autres, il accuse ses supérieurs de
tiédeur jusqu'au jour où il s'est hissé aux plus hautes charges.

L'OPPOSITION ANTICLÉRICALE   Si les conciles ont fulminé de sévères
                                interdictions, si la plume satirique des
clercs les plus « zélés pour la maison du Seigneur » (*Ps.* LXIX, 10 ; *Joan.*
II, 17) n'a pas hésité à dénoncer avec une telle virulence les mœurs et
la mentalité des prélats ou des religieux contaminés par l'esprit du siècle,
comment s'étonner que le scandale ait été plus grand encore dans la société
laïque, auprès de certaines âmes éprises d'ascétisme personnel, attentives
à la promotion du laïcat dans le savoir et dans la cité, aspirant, au surplus,
à restaurer dans le monde la pratique intégrale de la pauvreté évangé-
lique ? Ce fut l'origine des attaques dirigées, dès le milieu du siècle,
contre le luxe et l'avidité de la Curie romaine par Arnaud de Brescia
et ses sectateurs [3]. A la fin du siècle, nombreux sont les laïcs qui, animés
d'un idéal de pauvreté volontaire, mènent une vie pénitente, s'adonnent
au travail manuel et à la prédication. Déjà, ils se groupent en confréries
au sein desquelles la prédication laïque prend une ampleur considérable.
Ils s'insurgent le plus souvent contre les prêtres et la hiérarchie, répandent
des traductions hâtives de l'Évangile dans les langues nationales, gagnent
de nombreux disciples à une vie mortifiée et prétendent à l'universalité
du sacerdoce.

(1) *Gesta regis*, t. II, p. 108, 143, 214, 215-216. ROGER DE HOVEDEN, t. III, p. 34, 72, 141-142.
(2) JEAN DE SALISBURY, *Policraticus*, VII, 21.
(3) Cf. t. IX, Iʳᵉ p., p. 99-101.

CHAPITRE III

LES GRANDS COURANTS HÉRÉTIQUES
ET LES PREMIÈRES MESURES GÉNÉRALES
DE RÉPRESSION [1]

§ 1. — Le néo-manichéisme.

RECRUDESCENCE DU BOGOMILISME
DANS L'EMPIRE BYZANTIN

L'hérésie bogomile, née en Bulgarie vers le milieu du Xe siècle, s'était répandue dès la fin du XIe sur le littoral d'Asie mineure où, sous le nom de *Phoundaïles* (porteurs de

(1) BIBLIOGRAPHIE. — I. SOURCES. — COSMAS, *Slovo Kosmyi Presbitera*, édit. POPROUJENKO, Saint-Pétersbourg, 1907 ; H.-Ch. PUECH et A. VAILLANT, *Le traité contre les Bogomiles de Cosmas le prêtre, traduction et étude*, Paris, 1945, *Travaux publiés par l'Institut d'études slaves*, XXI. EUTHYME ZIGABÈNE, *Panoplia dogmatica ad Alexium Comnenum*, dans MIGNE, *Patrologiae cursus completus, Series graeca*, t. CXXX ; JOANNES KINNAMOS, *Historiae Joannis II et Manuelis I*, dans le *Corpus scriptorum historiae byzantinae*, Bonn, 1836 ; ANNE COMNÈNE, *Alexiade*, dans le même *Corpus*, Bonn, 1839 ; édit. TEUBNER, Leipzig, 1884 ; *Patrol. series graeca*, t. CXXXI ; édit. LEIB, dans la Collection byzantine publiée par l'Association Guillaume Budé, 3 vol., Paris, 1937-1946 ; LÉO ALLATIUS, *De ecclesia occidentalis atque orientalis perpetua consensione libri tres*, Cologne, 1648, in-4° ; T. SMIČIKLAS, *Codex diplomaticus regni Croatiae, Dalmatiae et Slavoniae*, II. *Diplomata saeculi XII*, Zagreb, 1904 ; A. THEINER, *Vetera monumenta slavorum meridionalium historiam illustrantia*, t. I, Rome, 1863, in-folio.

ECKBERT DE SCHÖNAUGEN, *Sermones contra catharos*, dans MIGNE, *Patrologiae cursus completus, Patres... ecclesiae latinae*, t. CXCV, col. 11-98 ; ALAIN DE LILLE, *De fide catholica contra haereticos sui temporis*, P. L., CCX, 306-430 ; ERMENGAUD DE SAINT-GILLES, *Contra Waldenses*, P. L., CCIV, 793-840 ; BONACORSI, *Manifestatio haeresis catharorum quam fecit Bonacursius*, P. L., CCIV, 775-792 ; RAYNIER SACCONI, *Summa de catharis et leonistis seu pauperibus de Lugduno*, dans MARTÈNE et DURAND, *Thesaurus anecdotorum*, V, 1761-1776 ; ÉTIENNE DE BOURBON, *Tractatus de diversis materiis praedicabilibus*, partiellement édité par LECOY DE LA MARCHE, *Anec doteshistoriques, légendes et apologues tirés du recueil inédit d'Étienne de Bourbon*, Paris, 1877, *Société de l'Histoire de France* ; PIERRE DES VAUX DE CERNAY, *Hystoria albigensis*, édit. P. GUÉBIN et E. LYON, t. I, Paris, 1926, *Société de l'Histoire de France* ; *Summa auctoritatis, La somme des autorités à l'usage des prédicateurs méridionaux au XIIIe siècle*, édit. C. DOUAIS, Paris, 1896 ; VACARIUS, *Liber contra multiplices et varios errores*, publié par le R. P. ILARINO DA MILANO (O.F.M.), *L'eresia di Ugo Speroni nello confutazione del maestro Vacario. Testo inedito del secolo XII con studio storico e dottrinale*, Cité du Vatican, 1945, *Studi e Testi*, fasc. 115.

Actes du concile albigeois de Saint-Félix de Caraman publiés par GUILLAUME BESSE, dans l'*Histoire des ducs, marquis et comtes de Narbonne*, Paris, 1660 ; par Dom BRIAL dans BOUQUET, *Recueil des Historiens des Gaules et de la France*, t. XIV, p. 448-450 ; par A. DONDAINE dans les *Miscellanea Giovanni Mercati*, t. V, 1946, p. 326-327 ; *Relations des légats, Pierre cardinal de Saint-Chrysogone et Henri abbé de Clairvaux*, P. L., CXCIX, 1119-1124 et CCIV, 235-240 ; DUPLESSIS D'ARGENTRÉ, *Collectio judiciorum de novis erroribus qui ab initio duodecimi saeculi post incarnationem Verbi usque ad annum 1632 in ecclesia proscripti sunt et notati*, t. I, Paris, 1728, in-f° ; P. FREDERICQ *Corpus documentorum inquisitionis haereticae pravitatis neerlandicae*, t. I, Gand, 1889 ; I. VON DOELLINGER, *Beiträge zur Sektengeschichte des Mittelalters*, Munich, 1890, t. II, *Dokumente* ; *Chronicon universale anonymi Laudunensis*, dans les M. G. H., *Scriptores*, t. XXVI, p.4 47 et suiv. (à consulter sur les Vaudois) ; H. TIRABOSCHI, *Vetera humiliatorum monumenta*, 3 vol., Milan, 1766-1768. Il y a lieu également de relever les notations concernant les hérétiques, soit dans les chroniques, soit dans les lettres contemporaines, notamment dans les bulles pontificales.

II. TRAVAUX. — Études d'ensemble sur les sectes hérétiques : P. ALPHANDÉRY, *Les idées morales chez les hétérodoxes latins au début du XIIIe siècle*, Paris, 1903 ; M. ESPOSITO, *Sur quelques écrits concernant les hérésies et les hérétiques aux XIIe et XIIIe siècles*, dans la *Revue d'Histoire ecclésiastique*, t. XXXVI, 1940, p. 143-162 ; LOMBARD, *Pauliciens, Bulgares et Bonshommes en Orient et en*

besace) ¹, ses adeptes paraissent avoir mené la vie itinérante des missionnaires, en Macédoine, où elle voisinait avec la secte des *Pauliciens* (avec
laquelle on la confondit parfois en raison de contaminations doctrinales ²),
et jusque dans les principautés de Serbie et de Bosnie ³. A Byzance même,
les prédications d'un moine renégat, Basile le Bulgare, avaient répandu
la croyance bogomile ; mais, arrêté sur l'ordre d'Alexis Ier et convaincu
d'hérésie, il avait été brûlé sur l'Hippodrome en 1118, et, à sa suite, les
principaux sectateurs du bogomilisme ⁴. Toutefois, vers le milieu du
XIIe siècle, la secte s'était reconstituée sous l'impulsion du moine Niphon.
Dès l'avénement de Manuel Ier, le Saint-Synode fulmina l'anathème sur
deux évêques bogomiles, condamna Niphon à la réclusion et promulgua
un synodique stigmatisant leurs erreurs (1143) ⁵. Quelques années plus
tard, en 1147, le basileus fit déposer le patriarche Cosmas qui avait pris

Occident, Paris, 1879 ; S. Runciman, *Medieval Manichees. A study of the christian dualist heresy*,
Cambridge, 1947 ; traduction française par S. Pétrement et J. Marty, Paris, 1949 ; G. Welter,
Histoire des sectes chrétiennes des origines à nos jours, Paris, 1950.
  Sur les bogomiles : G. Bardy, art. *Bogomiles*, dans le *Dictionnaire d'Histoire et de Géographie
ecclésiastiques*, t. IX, col. 408-410, et la Bibliographie donnée à la suite ; Y. de la Calmontie,
Le bogomilisme, dans la *Revue d'histoire des religions*, t. II, 1890, p. 411-425 ; L. Léger, *L'hérésie
des Bogomiles en Bosnie et en Bulgarie au moyen âge*, dans la *Revue des questions historiques*, t. VIII,
1870, p. 479-517 ; F. Vernet, art. *Bogomiles*, dans le *Dictionnaire de Théologie catholique*, t. II-1,
col. 926-930. La meilleure étude est actuellement celle de H.-Ch. Puech, *Cosmas le prêtre et le
bogomilisme*, constituant la troisième partie de l'ouvrage de Puech et Vaillant. Signalé plus haut
(voir Sources).
  Sur les cathares : E. Broeckx, *Le catharisme, études sur les doctrines, la vie religieuse et morale,
l'activité littéraire et les vicissitudes de la secte cathare avant la croisade*, Hoogstraten, 1916 ;
A. Dondaine, *Les Actes du concile albigeois de Saint-Félix de Caraman*, dans les *Miscellanea Giovanni Mercati*, t. V, 1946, p. 324-355 ; J. Guiraud, art. *Albigeois*, dans le *Dictionnaire d'Histoire
et de Géographie ecclésiastiques*, t. I, col. 1619-1694 ; Id., *L'albigéisme languedocien au XIIe et
au XIIIe siècles*, Paris, 1907 ; Id., *Histoire de l'Inquisition au moyen âge*, t. I, Paris, 1935 ;
P. Imbs, *A la recherche d'une littérature cathare*, dans *Le moyen âge latin*, t. V, 1949, p. 289-302,
bibliographie et mise au point sur la question des prétendues relations entre la doctrine cathare
et l'amour courtois ; Ch. Molinier, *L'Église et la société cathare*, dans la *Revue historique*, t. XCIV,
p. 225-248, et XCV, p. 1-22, 263-291 ; C. Schmidt, *Histoire et doctrine de la secte des cathares ou
Albigeois*, Paris-Genève, 1849 ; E. Vacandard, *Les origines de l'hérésie albigeoise*, dans la *Revue
des questions historiques*, t. LV, 1894, p. 50-83 ; les art. de F. Vernet dans le *Dictionnaire de Théologie catholique* : *Albigeois*, t. I, col. 677-687 ; *Cathares*, t. II-2, col. 1987-1999 ; *Concoréziens*, t. III-
1, col. 779-781) ; H. J. Warner, *The albigensian heresy*, 2 vol., London, 1928.
  Sur les sectes vaudoises et humiliées : J. Chevalier, *Mémoire historique sur les hérésies du Dauphiné*, Valence, 1890 ; A. Bérard, *Les Vaudois*, Lyon, 1893 ; L. Christiani, art. *Vaudois*, dans
le *Dictionnaire de Théologie catholique*, t. XV-2, col. 2586-2599 ; E. Comba, *Valdo e i Valdesi avanti
la Riforma*, Florence 1880 ; Id., *Histoire des Vaudois*, 2 vol., Plaisance, 1898 et 1901 ; T. Guy, *Histoire des Vaudois d'après les plus récentes recherches*, Florence, 1912 ; Lombard, *Pierre Valdo et
les Vaudois du Briançonnais*, Genève, 1880 ; A. de Stefano, *Le origini dell'ordine degli umiliati*,
dans la *Rivista storico-critica delle scienze teologice*, t. II, 1906, p. 851-871 ; F. Vernet, art. *Humiliés*,
dans le *Dictionnaire de Théologie catholique*, t. VII-1, col. 311-331 ; L. Zanoni, *Gli umiliati nei
loro rapporti con l'eresia, l'industria della lana ed i communi nei secoli XII e XIII sulla scorta di
documenti inediti*, Milan, 1911.
  Sur les origines de l'Inquisition, consulter, outre l'ouvrage cité plus haut de J. Guiraud, *Histoire de l'Inquisition...* : P. Fournier, *Les officialités au moyen âge*, Paris, 1880 ; Th. de Cauzons,
Histoire de l'Inquisition en France, t. I, *Les origines de l'Inquisition*, Paris, 1909 ; E. Vacandard,
art. *Inquisition*, dans le *Dictionnaire de Théologie catholique*, t. VII-2, col. 2016-2068 ; H. Maisonneuve, *Études sur les origines de l'Inquisition*, Paris, 1942, collection : *L'Église et l'État au moyen âge*,
fasc. VII.
  Sur l'hérésie bogomile : Cosmas, *Slovo Kosmyi Presbitera*, éd. Poproujenko, Saint-Pétersbourg,
1907, p. 2 et surtout H.-Ch. Puech et A. Vaillant, *Le traité contre les Bogomiles de Cosmas le
prêtre* ; voir également S. Runciman, *Le manichéisme médiéval*, traduction française par S. Pétrement et J. Marty, Paris, 1949, p. 64 et suiv.
  (1) S. Runciman, *op. cit.*, p. 66, 69.
  (2) *Ibid.*, p. 81-82.
  (3) *Ibid.*, p. 66, 90-92.
  (4) Comnène, *Alexiade*, XV, 8-10 ; *P. G.*, CXXXI, 1175-1186.
  (5) Léo Allatius, *De ecclesia occidentalis atque orientalis perpetua consensione libri tres*, L. II,
c. 12, p. 673 et suiv. ; S. Runciman, *op. cit.*, p. 68.

parti pour Niphon [1]. En dépit de ces mesures de répression, l'Église bogomile de Byzance maintint son autorité jusqu'à la chute de la ville entre les mains des croisés en 1204 [2] ; et, durant toute la seconde moitié du XIIᵉ siècle, elle garda le rang de congrégation principale, à côté de la congrégation bulgare, qui, elle, n'avait cessé de prospérer, et reçut un regain de vitalité lors de la réaction nationaliste de 1186, qui secoua le joug byzantin et fonda le second empire bulgare au profit de Jean Asen et de son frère Pierre [3]. C'est de l'Église bulgare de Dragovitsa [4], et de Byzance même, que l'Occident reçut, après 1150, un nouvel influx néo-manichéen.

PRINCIPALES TENDANCES DOCTRINALES
A l'heure où une nouvelle vague hérétique allait déferler sur l'Occident, la doctrine bogomile, par contamination avec des sectes établies dans l'Empire byzantin, notamment dans les Balkans, avait déjà subi d'importantes fluctuations. A côté du *dualisme intégral* de la croyance dragovitsienne imprégnée d'erreurs pauliciennes, subsistaient d'anciennes traditions gnostiques toujours vivaces [5], exprimées en une floraison de récits apocryphes qui nous sont parvenus principalement en langue slavone ou en traductions russes [6]. Ces traditions avaient imprimé à la théogonie bogomile le caractère d'un *dualisme mitigé*, souvent dénommé *monarchisme* parce qu'il enseignait qu'à l'origine Dieu régnait seul sur un univers purement spirituel et que son fils aîné, Satanaël, chassé du ciel pour s'être révolté, aurait, alors seulement, créé l'univers matériel et l'homme, et n'aurait été privé de tout pouvoir spirituel et dépouillé du suffixe divin, *el*, qu'après la descente de Jésus aux enfers [7]. C'est ce dualisme mitigé qui, dans la première moitié du XIIᵉ siècle, avait fait des adeptes en Occident, alors que l'on ne trouve guère de traces de la secte en Russie avant les Molokanes du XVIᵉ siècle [8] — encore que les légendes gnostico-bogomiles eussent fortement imprégné la *Palea* [9], version biblique de la Russie médiévale.

Le mouvement des croisades, le développement des marines occidentales — catalane, provençale, pisane, et surtout génoise et vénitienne — l'intercourse continuelle entre l'Occident méditerranéen et transalpin d'une part, Byzance et le Levant d'autre part, les courants intenses de navigation reliant la rive italique et la rive dalmate de l'Adriatique, ne laissaient pas de favoriser la diffusion de l'hérésie, à une époque où chevaliers, clercs et marchands itinérants circulaient d'un pays à l'autre

(1) JOANNES KINNAMOS, *Historiae Joannis II et Manuelis I*, dans le *Corpus Scriptorum Historiae Byzantinae*, p. 65.
(2) S. RUNCIMAN, *op. cit.*, p. 86-87.
(3) *Ibid.*, p. 87.
(4) L'Église dite de Dragovitsa semble tirer son nom du pays arrosé par la rivière Dagroviça près de Plovdiv en Thrace.
(5) S. RUNCIMAN, *op. cit.*, p. 82-84. Cf. également sur ce point H.-Ch. PUECH, *Cosmas le prêtre et le bogomilisme*, dans *Le traité contre les Bogomiles de Cosmas le prêtre*, p. 161-162.
(6) A. PYPIN et V. D. SPASOVIC, *Histoire des littératures slaves*, traduction française par E. DENIS, Paris, 1881, p. 98 et suiv. ; S. RUNCIMAN, *op. cit.*, p. 76-79.
(7) EUTHYME ZIGABÈNE, *Panoplia dogmatica ad Alexium Comnenum*, L. XXVII, dans *P. G.*, CXXX, 1292 et suiv. ; S. RUNCIMAN, *op. cit.*, p. 70-74.
(8) S. RUNCIMAN, *op. cit.*, p. 90.
(9) *Ibid.*, p. 79.

sans rencontrer d'entraves sérieuses. Aussi, la réaction dualiste, professant la coéternité du principe bon et du principe mauvais, qui sévit à Byzance sous Manuel Comnène, ne tarda pas à pénétrer les communautés hérétiques d'Occident, grâce à l'action de missionnaires pauliciens ou dragovitsiens, venus de Constantinople ou de Bulgarie soit par mer, soit à travers la Serbie et la Bosnie. A la faveur d'une organisation ecclésiastique assez stricte, le dualisme intégral tendit alors à supplanter les formes mitigées sous lesquelles le néo-manichéisme s'était naguère répandu à travers la Chrétienté occidentale. L'Occident latin devint dès lors le terrain d'élection de la propagande bogomile, au point que, vers la fin du XIIᵉ siècle, les principales Églises hérétiques se trouvaient en Bosnie, en Lombardie et dans le Languedoc.

LES PATARES DE BOSNIE L'intervention énergique du grand joupan de Rascie, Étienne Nemanya, qui fit condamner les doctrines bogomiles par un concile orthodoxe, en interdit la diffusion, fit marquer au fer rouge et bannir les sectateurs du *bogomilstvo*, et finalement écrasa les rebelles par les armes, révèle l'intensité de leur propagande à travers les régions yougo-slaves sur lesquelles il affermit son autorité (Moyen Danube, Monténégro, Herzégovine). Le bogomilisme ne devait relever la tête en Serbie qu'à l'époque d'Étienne Douchan avec l'hérésie baboune[1]. En Zachloumie ou pays de Hum (Herzégovine), passé sous le gouvernement de Miroslav, frère d'Étienne Némanya, en Bosnie sous celui du ban Koulin, l'hérésie bogomile put jouir, en revanche, d'une situation quasi officielle. Elle apparaissait alors comme un point d'appui essentiel de la résistance nationale, aussi bien à l'influence byzantino-serbe, qui s'exerçait par la hiérarchie de l'Église orthodoxe, qu'à l'encontre des efforts de pénétration magyare sous Bela III de Hongrie, sur l'action duquel la papauté comptait pour incliner Miroslav, nominalement vassal du roi de Hongrie, à reconnaître la juridiction de l'archevêque latin de Spalato sur les églises de sa principauté[2]. Ce fut seulement à l'extrême fin du XIIᵉ siècle que la suzeraineté magyare devint quelque peu effective ; André de Hongrie prit officiellement le titre de prince de Dalmatie, de Croatie et de Hum ; cependant la Bosnie demeurait encore le bastion de la résistance à la pénétration magyare. Le ban refusait de laisser instituer des évêques[3] et de reconnaître la juridiction de l'archevêque de Spalato, le magyar Pierre Ugrin[4]. En 1199, le ban affirma publiquement, avec toute sa parenté et quelque dix mille fidèles, son adhésion au *bogomilstvo* (1199)[5]. Seule, la prise de Zara par les croisés en 1202 devait amener Koulin à de sages réflexions : il sollicita l'envoi d'une légation pontificale et abjura l'hérésie, avec les siens, en présence

(1) S. Runciman, p. 91.
(2) T. Smičiklas, *Codex diplomaticus regni Croatiae, Dalmatiae et Slavoniae*, t. II, nᵒˢ 116, 173 p. 121, 175 ; S. Runciman, *op. cit.*, p. 92-93.
(3) A. Theiner, *Vetera monumenta slavorum meridionalium*, t. I, p. 1.
(4) *Codex diplomaticus*, t. II, nᵒˢ 144, 158, p. 147, 162.
(5) Lettre de Voukan de Dioclée à Innocent III, dans A. Theiner, *op. cit.*, t. I, p. 6 *in fine* ; *ibid.*, p. 12. Cf. aussi, *Codex diplomaticus*, t. II, nᵒ 324, p. 351 (Innocent III au roi de Hongrie, 1200).

du légat Jean de Casamari[1], à l'heure où Kalojan songeait également à faire rentrer la Bulgarie dans le giron de l'Église romaine[2].

Les hérétiques de la péninsule balkanique étaient généralement désignés en Occident du nom de *Patares* dont l'origine véritable nous échappe : il n'est pas prouvé que les patares de Bosnie, ni même ceux de Lombardie, se rattachaient directement à la Patarie milanaise du XIe siècle[3], ni qu'ils tiraient leur appellation du terme *patera*[4], c'est-à-dire d'une coupe dont ils auraient fait un usage liturgique. A l'instar des hérétiques bulgares, ils étaient organisés en Églises : ceux de Bosnie et de Slovénie constituaient l'*Église d'Esclavonie* ou *Slavonie*, sous l'autorité d'un évêque ou Père qui paraît avoir siégé à Janici[5] et avait peut-être d'autres évêques sous sa juridiction. Ils semblent avoir maintenu la croyance monarchiste. En revanche, les districts côtiers d'Albanie formaient une Église distincte, dite *Église de Drugucia* — forme corrompue de Dragovitsa — ou encore *Église de Tragurium*, du nom de son centre principal, la ville de Trau. Elle avait reçu le message dualiste de missionnaires dragovitsiens[6]. Les deux Églises déployèrent alors une remarquable activité missionnaire vers l'Italie et vers la France ; celle de Tragurium remporta, après 1150, des succès décisifs.

LES ÉGLISES HÉRÉTIQUES DE LOMBARDIE. LEUR RAYONNEMENT

Il semble que les cathares de Lombardie, primitivement d'obédience bogomile et de tendance monarchiste, aient, très tôt, subi de fortes influences dualistes. Au nombre de ces influences, celle de Nicétas de Constantinople[7] pourrait bien avoir été aussi décisive — quoique moins durable — en Lombardie qu'elle devait l'être dans le Languedoc. Quoi qu'il en soit, vers la fin du XIIe siècle les sectateurs du néo-manichéisme y formaient diverses confessions organisées en Églises. Celle de Desenzano ou *Ecclesia Albanensis*, fille de l'Église d'Albanie, professait un dualisme intégral, tandis que l'*Ecclesia de Concoresso*[8] représentait la tendance monarchiste. C'étaient les plus importantes. Cependant, l'*Ecclesia Baiolensis*, filiale de l'Église d'Esclavonie, et peut-être déjà l'*Ecclesia de Marchia* avaient également des fidèles en Haute Italie. Milan était le plus considérable des centres hérétiques par le nombre des adeptes de l'hétérodoxie, mais les sectes y pullulaient.

(1) A. THEINER, *op. cit.*, p. 15, 19.
(2) *Ibid.*, p. 20 et suiv. Cf. *supra*, p. 281.
(3) Catholiques zélés qui, à Milan, s'étaient opposés aux vices du clergé — simonie et nicolaïsme — puis à l'investiture laïque : cf. l'art. de E. AMANN, *Patarins*, dans le *Dictionnaire de Théologie catholique*, t. XI, 2e partie, col. 2243.
(4) Selon HELMOLDUS, *Chronica Slavorum*, I, 52, dans les *Mon. Germ. Hist., Scriptores*, t. XXI, p. 52.
(5) Dans le nord-est de la Bosnie. S. RUNCIMAN, *op. cit.*, p. 92, 98.
(6) RAYNIER SACCONI, *Summa de Catharis et Leonistis seu pauperibus de Lugduno*, dans MARTÈNE et DURAND, *Thesaurus novus anecdotorum*, t. V, col. 1767 *Summa auctoritatis*, éd. DOUAIS, p. 121 ; S. RUNCIMAN, *op. cit.*, p. 92, 99.
(7) Le rôle de Nicetas en Lombardie a été mis en lumière par l'étude de A. DONDAINE sur *Les actes du concile albigeois de Saint-Félix de Caraman*, dans les *Miscellanea Giovanni Mercati*, t. V, 1946, p. 340 et suiv. Son rôle en Languedoc est étudié plus bas, p. 337-338. Sur l'organisation des églises lombardes, cf. également J. GUIRAUD, *Histoire de l'Inquisition au moyen âge*, t. I, p. 197-200 ; S. RUNCIMAN, *op. cit.*, p. 115.
(8) Probablement de Concorrezzo en Lombardie.

Les Églises lombardes étendaient leur influence jusque dans la Romagne et en Toscane, encore qu'il existât une Église hérétique de Toscane, dont les sectateurs déchaînèrent une sédition à Florence en 1173, une Église du Val de Spolète, et une puissante communauté cathare à Orvieto, probablement une filiale de la secte florentine [1]. Les États de l'Église étaient entamés par l'hérésie néo-manichéenne, notamment dans la région de Viterbe, et les cathares ouvrirent à Rome même des écoles publiques. Là cependant, la faveur populaire allait plutôt aux arnaldistes. L'Italie du sud n'échappait pas entièrement à la contamination puisque, vers la fin du siècle, Joachim de Flore se préoccupait de la conversion des cathares de Calabre [2].

L'Église de Concoresso eut une activité missionnaire indéniable dont témoigne un livre apocryphe utilisé par les hérésiarques. Il s'agit d'un ouvrage préservé par les inquisiteurs — le « livre secret des hérétiques de Concoresso, apporté de Bulgarie par Nazaire leur évêque » [3] — qui, sous forme d'un dialogue entre le Christ et Jean l'évangéliste sur l'origine du monde, donne en un résumé allégorique l'essentiel de la théogonie bogomile. Mais il ne fait pas de doute que son influence déclina rapidement au profit des missions dualistes, qu'elles vinssent de Dragovitsa, de Constantinople, d'Albanie ou de l'Église de Desenzano.

DIFFUSION DE L'HÉRÉSIE LE LONG DES ROUTES COMMERCIALES. « PUBLICAINS » ET CATHARES

Par les cols alpestres et par le mouvement de ses ports, la Provence reçut des missionnaires hérétiques et l'on vit s'établir quelques communautés néo-manichéennes, notamment à Marseille et en Avignon [4]. Mais, dans la zone alpestre, le catharisme vit son influence contrebalancée par les hérésies proprement antisacerdotales. Dès le XIe siècle, des traditions gnostiques et des doctrines manichéennes avaient pénétré dans la région lotharingienne et dans le royaume de France. Les prédications des hérésiarques, Eudes de l'Étoile, Tanchelin, Pierre de Bruys, Henri de Lausanne, et de leurs émules, avaient suscité l'intervention des autorités ecclésiastiques locales et l'organisation de missions destinées à ramener par la parole les hérétiques au bercail [5]. Cependant, le rythme de plus en plus fréquent des voyages — pèlerinages, croisades, échanges commerciaux — favorisait la diffusion des hérésies d'Orient en

(1) Sur l'extension de l'hérésie néo-manichéenne dans l'Italie péninsulaire, cf. la *Vita sancti Petri Parentii*, dans les *Acta Sanctorum, Maii*, t. V, p. 86 et suiv. ; G. LAMI, *Della eresia dei Paterini in Firenze*, au t. II de ses *Lezioni di antichità toscane e specialmente della città di Firenze*, Florence. 1766 ; C. SCHMIDT, *Histoire et doctrine de la secte des cathares ou albigeois*, t. I, p. 146 ; J. GUIRAUD, *op. cit.*, t. I, p. 198-199 ; HEFELE-LECLERCQ, *op. cit.*, t. V-2, p. 1272, n. 2.

(2) HEFELE-LECLERCQ, *loc. cit.*

(3) C'est l'apocryphe intitulé : *Joannis et apostoli et evangelistae interrogatio in coena sancta regni coelorum de ordinatione mundi et de principe et de Adam*, publié par J. BENOIST, *Histoire des Albigeois et des Vaudois ou Barbets*, Paris, 1691, t. I, p. 283-296. Une autre version du même ouvrage, d'après un manuscrit de Vienne, a été publiée par DOELLINGER, *Beiträge zur Sektengeschichte im Mittelalter*, t. II, *Dokumente*, p. 85-92. La plus récente édition, celle de R. REITZENSTEIN, *Die Vorgeschichte der christlichen Taufe*, Leipzig-Berlin, 1929, p. 297-311, donne les deux textes. Sur l'importance du rôle joué par Nazaire dans la diffusion doctrinale en Occident, cf. H.-Ch. PUECH, dans PUECH et VAILLANT, *Le traité de Cosmas le prêtre*, p. 130, n. 1.

(4) S. RUNCIMAN, *op. cit.*, p. 117.

(5) Cf. t. IX, Ire p., p. 91-99.

Occident et du sud au nord, le long des grandes voies de circulation qui menaient d'Italie aux foires de Champagne et en Flandre. Dès 1144, l'église de Liége s'alarmait de la propagande hérétique et signalait au pape Lucius II l'organisation même de la secte [1]. En 1157 Samson, archevêque de Reims, se plaignait de ce que les doctrines manichéennes, condamnant le mariage, mais autorisant une coupable promiscuité entre les sexes, se fussent propagées dans la région par l'intermédiaire d'ouvriers tisserands [2]. En 1162, son successeur, Henri de France, ayant visité sa province ecclésiastique, s'effrayait du nombre croissant des hérétiques, en Flandre notamment, et les dénonçait sous les noms de manichéens et de *populicani* [3]. Ils n'étaient pas moins nombreux dans la région rhénane parmi les ouvriers de la draperie. Eckbert, abbé de Schönaugen, écrivait un traité pour réfuter leurs erreurs [4] et sept cathares furent brûlés à Cologne en 1163 [5]. D'autres hérétiques, niant l'efficacité des sacrements, furent condamnés à Vézelay en 1167 [6], tandis qu'en Angleterre, à Oxford, un groupe d'hérétiques venus d'Allemagne — renégats ou publicains — furent, après jugement, marqués au fer rouge et excommuniés, puis frappés de mesures de bannissement (1166) [7]. A Liége, enfin, vers 1175, les prédications hétérodoxes du prêtre Lambert le Bègue [8] enflammaient le populaire et obtenaient d'importants succès auprès des ouvriers pelletiers et tisserands.

Il ne peut faire de doute qu'il s'agissait, dans la plupart des cas, de néo-manichéens qui avaient reçu le message doctrinal des dragovitsiens ou des pauliciens (Παυλικιάνοι, devenus Ηαϭλικιάνοι par déformation), et que l'on eut vite assimilés aux publicains dénoncés dans l'Évangile, ou apparentés aux prédicateurs populaires. Toutefois, c'est surtout sous le nom de cathares (Καθαροί = purs) que les communautés hérétiques étaient désignées en Occident, notamment en Languedoc, refuge des proscrits, siège d'importantes communautés hérétiques, et bientôt citadelle par excellence de l'hérésie dualiste à laquelle allait justement s'attacher l'appellation d'albigéisme.

L'ALBIGÉISME EN LANGUEDOC. CONFÉRENCE DE LOMBERS (1165)

Dès 1163, le concile de Tours présidé par Alexandre III s'était préoccupé des progrès considérables de l'hérésie. S'il avait enjoint aux fidèles de cesser tout rapport et toute transaction avec les Albigeois [9], il faut convenir que c'était déjà chose

(1) *Epistolae ecclesiae Leodiensis ad Lucium papam II*, dans Martène et Durand, *Veterum scriptorum amplissima collectio*, t. I, p. 776-777 ; reproduite dans *P. L.*, CLXXIX, 937-938.
(2) Cf. les actes du synode de Reims, dans Mansi, t. XXI, col. 843 et suiv.
(3) D'après une lettre de Louis VII à Alexandre III, dans Dom Bouquet, *H. Fr.*, t. XV, p. 790.
(4) Traité écrit entre 1159 et 1167 ; cf. *infra*, p. 343.
(5) *Annales Colonienses maximi*, ann. 1163, dans les M. G. H., *SS.*, t. XVII, p. 778.
(6) Hugo Pictavinus, *Historia Vizeliacensis monasterii*, L. V, dans d'Achery, *Spicilegium*, t. II, p. 560.
(7) Ralph de Diceto, *Ymagines historiarum*, ann. 1166, *Rolls Series*, t. I, p. 318; Guillaume de Newburgh, *Historia rerum Anglicarum*, L. II, c. 13, *Rolls Series*, p. 131-134.
(8) G. Kurth, *De l'origine liégeoise des béguines*, dans le *Bulletin de l'Académie royale de Belgique*, classe des Lettres, 1912 ; Van Mierlo, *Lambert li Beges in verband met den oorsprong Begijnenbeweging*, dans les *Verslagen en Mededeelingen van de Kon.*, *Vlaamsche Akademie*, 1926.
(9) Cf. *infra*, p. 347.

impossible en maintes localités du Haut Languedoc, où, par leur nombre et leur cohésion, ils formaient une imposante majorité avec laquelle les particuliers comme les pouvoirs publics devaient compter. On en peut juger par leur attitude lors de la conférence contradictoire qui, sur l'initiative de l'évêque catholique d'Albi et sous sa présidence, s'ouvrit en 1165 à Lombers [1], l'une des citadelles de l'hérésie, où résidait l'évêque cathare d'Albi, Sicard Cellerier, alors que le pape foulait encore la terre languedocienne.

Outre Pons d'Arsac, archevêque de Narbonne, Adelbert, évêque de Nîmes, Gaucelin, évêque de Lodève, Gérard, évêque de Toulouse, et Guillaume, évêque d'Agde, des laïcs, et non des moindres, avaient été convoqués à cette assemblée ; on y vit paraître, entre autres, Raymond Trencavel, vicomte de Béziers, Carcassonne et Albi, et Constance de France, fille de Louis VII, épouse de Raymond V comte de Toulouse. Les Albigeois rejetèrent l'accusation d'hérésie sur leurs adversaires, et, par une profession de foi d'autant plus habile qu'elle comportait davantage de réticences, se refusèrent à divulguer la substance même de leur doctrine.

LE CONCILE HÉRÉTIQUE DE SAINT-FÉLIX DE CARAMAN (1167) Deux ans plus tard, la mission de Nicétas, évêque dualiste de Constantinople, eut une influence décisive sur l'orientation dogmatique des Églises albigeoises. En 1167, il convoqua et présida un concile qui s'ouvrit à Saint-Félix de Caraman [2], non loin de Toulouse, auquel participèrent de nombreux parfaits, l'évêque cathare d'Albi, Sicard Cellerier, des représentants des communautés de Carcassonne, de Toulouse et de France — c'est-à-dire des pays de langue d'oïl — ainsi que plusieurs délégués de celles de Lombardie. On y évoqua des questions doctrinales, et Nicétas réussit à faire admettre le dualisme intégral qui, dès lors, allait dominer au sein de l'albigéisme. Il institua des évêques dualistes, Bernard Raymond à Toulouse, Guiraud Mercier à Carcassonne, Raymond de Casalis au Val-d'Aran. Sicard Cellerier fut réordonné, et, dans la suite, l'Église d'Albi devait recevoir un évêque de stricte obédience dualiste en la personne de Barthélemy de Carcassonne, disciple de Nicétas, et précédemment évêque d'Agen. Le concile s'occupa également de l'établissement de ressorts territoriaux : c'est ainsi qu'il nomma une commission arbitrale chargée de procéder à la délimitation des diocèses hérétiques de Toulouse et de Carcassonne. Le rôle joué par Nicétas auprès des communautés cathares, dans le Lan-

(1) Tarn, arr. d'Albi, cant. de Réalmont. Cf. HEFELE-LECLERCQ, *op. cit.*, t. V-2, p. 1006-1010 ; MANSI, t. XXII, col. 157-158 (à l'année 1176 par erreur) ; C. DUPLESSIS D'ARGENTRÉ, *Collectio judiciorum de novis erroribus*, t. I, col. 65-67.
(2) Haute-Garonne, arr. Villefranche-de-Lauragais, chef-lieu de canton. Les actes du concile ont été publiés pour la première fois par GUILLAUME BESSE, dans son *Histoire des ducs, marquis et comtes de Narbonne*, Paris, 1600, p. 483-486. Ils ont été plusieurs fois reproduits : cf. la liste des rééditions, toutes plus ou moins fautives, dans l'article déjà cité d'A. DONDAINE, n. 2 (p. 325). On y trouvera également le texte des actes dans sa forme originale (p. 326-327).
L'authenticité de ces actes a été mise en doute par quelques auteurs, principalement par L. DE LACGER, *L'Albigeois pendant la crise de l'albigéisme*, dans la *Revue d'Histoire ecclésiastique*, t. XXIX, 1933, p. 314-315. Cette thèse est habilement réfutée par A. DONDAINE, qui conclut à l'authenticité des actes et dégage l'importance capitale de ce concile dans l'histoire doctrinale et dans l'organisation ecclésiastique de l'hérésie albigeoise.

guedoc comme en Lombardie, semble bien justifier le qualificatif de
« pape » des hérétiques que lui donnent les documents de l'époque[1].

LA DOCTRINE CATHARE Sous des appellations diverses — bogomiles,
publicains ou poplicans, cathares et albigeois
— il s'agissait en fait, malgré certaines divergences doctrinales[2], d'adeptes
d'un ensemble de croyances reposant sur l'existence d'un principe du
Bien, créateur du monde spirituel, et d'un principe du Mal, considéré
tantôt comme créateur du monde matériel et coéternel au Bien, tantôt
comme simple démiurge destiné à périr en même temps que ce monde.
Les esprits déchus, fragments de l'âme attachée à la terre, emprisonnés
dans la matière, subissent par métempsychose un cycle de purification.
Le Fils de Dieu est une créature adoptée par le Père, la première, la plus
excellente, le plus parfait des anges, un éon, une émanation de Dieu. Le
Saint-Esprit ou plutôt l'Esprit principal est également un éon placé à
la tête des esprits célestes, instrument de l'insertion du divin dans les
créatures. Marie est considérée tantôt comme un éon, tantôt comme une
simple femme, et le Christ, envoyé par Dieu pour le salut du genre humain,
n'eut qu'une apparence de corps, car, étant exempt du péché, il n'a pu
contracter d'union avec la matière. Il n'a donc ni souffert réellement, ni
subi la mort réelle, ni ressuscité d'entre les morts. La rédemption est
l'ensemble des enseignements du Christ en vue de délivrer les hommes de
l'oppression de la matière. Si le Nouveau Testament est l'œuvre de Dieu,
l'Ancien est l'œuvre du Mal et doit être rejeté, au moins dans ses livres
historiques. Bref, la doctrine cathare se présentait comme un syncrétisme
d'hérésies diverses, brochées sur un fond néo-manichéen : panthéisme,
gnose, docétisme, adoptianisme ; elle remontait probablement aux origines mêmes du christianisme[3].

LES RITES ET LE CLERGÉ Selon la doctrine cathare, l'Église catholique,
CATHARES corrompue depuis la donation de Constantin,
a admis de faux dogmes, ses sacrements doi-
vent être rejetés, les images doivent être proscrites, la croix abhorrée.
Les rites cathares[4] se réduisent à peu de chose : la confession générale
et publique ou *servilium* ; la bénédiction du pain au cours d'un repas
rituel ; le *melioramentum*, c'est-à-dire la bénédiction des aspirants qui
avaient pris l'engagement — *convenientia* — de recevoir, généralement
à longue échéance, le *consolamentum*. Cérémonie d'initiation qui comportait la tradition de l'oraison dominicale et dont le rite essentiel
était l'imposition des mains et de l'Évangile sur la tête du récipien-
daire, à la fois baptême des adultes et confirmation, le *consolamentum*

---

(1) Dans les actes du concile de Saint-Félix, et dans le document préservé par N. VIGUIER,
Recueil de l'Histoire de l'Église, Leyde, 1601, p. 268, reproduit par A. DONDAINE, *op. cit.*, p. 340.
(2) On trouvera un exposé détaillé des croyances des différences sectes dans les articles de F.
VERNET, *Albigeois, Bogomiles, Cathares, Concoréziens*, dans le *Dictionnaire de Théologie catholique*.
(3) Outre les ouvrages cités dans la Bibliographie, on trouvera un résumé commode des croyances
cathares dans J. GUIRAUD, *op. cit.*, t. I, p. 35-77, et une étude de leurs filiations et de leurs contaminations depuis les origines dans S. RUNCIMAN, *op. cit.*, p. 138-145.
(4) J. GUIRAUD, *op. cit.*, t. I, p. 138-145.

effaçait les péchés, conférait l'Esprit Saint, faisait du simple croyant un parfait et un ministre de la secte. Il ne pouvait être administré qu'une fois : pour une petite minorité, après une stricte probation, catéchuménat et noviciat ; pour la généralité, seulement à l'article de la mort. Parmi les parfaits, qui menaient la vie d'ascètes et de missionnaires, se recrutait une hiérarchie disciplinaire comprenant des évêques assistés de fils majeurs (suffragants coadjuteurs avec droit de succession) et de fils mineurs susceptibles de devenir à leur tour fils majeurs. De nombreux diacres assumaient des tâches comparables, à celles d'un clergé paroissial [1]. Outre les Églises du Languedoc — Albi Toulouse, Agen, Pamiers, Carcassonne [2] — il existait des Églises cathares dans le royaume d'Aragon, une en pays de langue d'oïl dite *Ecclesia de Francia*, et probablement une autre à Cologne.

LA MORALE CATHARE Rigoriste à l'égard des parfaits, laxiste envers les simples croyants, telle était la morale cathare [3]. Ceux-là s'adonnaient au travail manuel, s'abstenaient à perpétuité de toute nourriture carnée — viande, œufs, lait — pratiquaient des jeûnes sévères et une continence absolue afin d'éviter tout contact avec la matière. Ils condamnaient non seulement la guerre, mais le serment. Ceux-ci pouvaient s'adonner à toutes les satisfactions sensuelles, pourvu qu'ils fussent assurés de recevoir, à l'heure dernière, le *consolamentum*. Aussi, les puissants et les riches de la secte se faisaient-ils accompagner de deux parfaits appelés à les « consoler » s'ils venaient à se trouver en danger de mort. Nulle débauche ne leur était interdite, et le concubinage était toléré plus que le mariage qui crée des liens durables et vise à la procréation. Il leur paraissait louable de mettre fin à la vie humaine, c'est-à-dire à l'union de la matière et de l'esprit ; aussi, des pratiques telles que l'*endura* ou mort par inanition — voire toute autre forme de suicide — furent-elles recommandées parfois à ceux qui, ayant reçu le *consolamentum*, eussent été incapables de pratiquer l'ascétisme rigoureux de la vie parfaite. Ainsi, la morale cathare s'avérait en complète opposition avec les principes de la morale chrétienne et avec ceux-là même de la morale naturelle.

PUISSANCE DE L'ALBIGÉISME Longtemps l'hérésie néo-manichéenne s'était recrutée principalement parmi les petites gens : colporteurs, ouvriers tisserands, paysans. En Provence et surtout dans le Languedoc, l'albigéisme profita de la sympathie des bourgeoisies urbaines, de la faveur de la chevalerie locale, de la protection des plus grandes familles féodales. L'influence de la royauté capétienne s'exerçait d'autant plus malaisément dans ces régions que de puissantes maisons y régnaient : la couronne d'Angleterre sur les territoires méri-

---

(1) RAYNIER SACCONI, *Summa de Catharis et Leonistis*, dans MARTÈNE et DURAND, *Thes. Anecdot.*, t. V, col. 1768.
(2) *Ibid.*, col. 1762.
(3) P. ALPHANDÉRY, *Les idées morales chez les hétérodoxes latins au début du XIIIe siècle* ; J. GUIRAUD, *op. cit.*, t. I, p. 79-105.

dionaux de l'empire angevin, Poitou et Guyenne ; celles de Navarre et d'Aragon au pied des Pyrénées ; étendant son influence sur la plaine, cette dernière se heurtait à la maison rivale de Toulouse-Saint-Gilles établie sur le cours moyen de la Garonne et sur la vallée inférieure du Rhône ; au delà, sous la suzeraineté nominale de l'Empire, le comte de Maurienne et celui de Provence étaient pratiquement indépendants. En fait, sous la protection de ces puissants féodaux, un nombre considérable de hobereaux besogneux, coseigneurs de bourgades médiocres, détenteurs de positions naturellement fortifiées, turbulents et batailleurs, prêts à vendre leurs services, constituaient un élément instable, instrument par excellence des guerres féodales et proie facile des prédications hétérodoxes.

Des maisons hérétiques, véritables couvents, recevaient les enfants de ces hobereaux, les instruisaient dans la doctrine cathare et les formaient aux pratiques de l'ascétisme afin d'en faire des parfaits et des parfaites [1], tandis que de nombreux ateliers prenaient à charge l'apprentissage de certains métiers, notamment le tissage du chanvre et de la laine, aux fils et aux filles des classes populaires, distribuaient du travail aux adolescents ou les plaçaient chez des patrons « croyants ». Les parfaits pénétraient dans les familles, se faisaient colporteurs, fréquentaient les marchés et les foires, s'improvisaient guérisseurs dans les campagnes [2]. Ils s'imposaient et par les services qu'ils rendaient et par l'austérité de leur vie, en contraste avec la grande facilité de mœurs de leur entourage.

Pratiquement indépendants, en rivalité continuelle les uns contre les autres, les grands féodaux se refusaient à sévir contre leurs sujets gagnés à l'hérésie. Roger II Trencavel se garda d'obtempérer à la requête des autorités ecclésiastiques le priant de retirer sa protection aux hérétiques [3]. Raymond V de Toulouse, s'il ne les protégeait pas ouvertement, ne prit cependant de sérieuses mesures de répression contre ses sujets hérétiques que sur l'injonction des légats ; son fils, Raymond VI, qui lui succéda en 1195, leur manifesta sa faveur [4] ; plus que leurs époux, les dames de la haute noblesse versaient dans l'hérésie, et leur puissante influence était, pour les sectateurs, une garantie d'impunité.

Le clergé catholique n'était pas toujours à la hauteur de la tâche qui lui incombait : négligents ou zélés, découragés ou terrorisés, les desservants des paroisses ne trouvaient pas auprès de l'épiscopat tout l'appui dont ils avaient besoin pour enrayer les progrès de l'hérésie. Certains prélats inclinaient à de fâcheuses compromissions. Sous Jean de Montlaur (1158-1195), le chapitre de Maguelone s'adonnait impunément à une vie mondaine peu conforme à la dignité des mœurs et au statut même de l'ordre canonial, en dépit des exhortations et des réprimandes de la papauté [5]. Les liens de famille surtout jouaient en faveur des puissantes

(1) J. GUIRAUD, op. cit., t. I, p. 146 et suiv. Notamment à Fanjeaux, grand centre hérétique, en 1193 et 1195, ibid., p. 149.
(2) Ibid., p. 350-355.
(3) Relation de Henri abbé de Clairvaux, dans P. L., CCIV, 240.
(4) PIERRE DES VAUX DE CERNAY, Hystoria Albigensis, édit. cit., p. 31-41.
(5) Cf. A. GERMAIN, Maguelone sous ses évêques et ses chanoines, Montpellier, 1869, p. 29-40, et pièces justificatives, p. 166 et suiv., d'après le Bullaire de Maguelone.

maisons féodales : nombreux étaient les prélats qui, par leur naissance, appartenaient à la noblesse du pays, infestée de catharisme. Innocent III s'efforcera sans succès de ranimer le zèle pastoral de l'archevêque de Narbonne, Bérenger, bâtard de Raymond Bérenger, comte de Barcelone, transféré du siège de Lérida depuis 1190. Des difficultés du même ordre se rencontraient dans le diocèse de Toulouse sous Raymond de Rabastens, et plus encore à Carcassonne sous l'épiscopat d'Eudes, puis de Bérenger et, plus tard, sous Bernard Raymond de Roquefort qui, lui, appartenait à une famille notoirement hérétique [1]. Il faut convenir, d'ailleurs, qu'en dehors de ces cas extrêmes, les évêques ne pouvaient procéder aux enquêtes et poursuites prescrites contre les hérétiques dès 1184 [2], hors des villes et domaines ressortissant à leur autorité temporelle, sans l'appui, combien aléatoire dans le Languedoc, des seigneurs laïques.

§ 2. — Les hérésies anti-sacerdotales.

LES HUMILIÉS   A côté des cathares, et parfois confondus avec eux, notamment en Lombardie sous le nom de patares, se développaient, en marge de l'orthodoxie catholique, divers mouvements d'ascétisme laïque à tendances anticléricales et puritaines, qui, très rapidement, versèrent dans l'hérésie caractérisée.

Les arnaldistes, hostiles à la richesse et à la puissance temporelle de l'Église, furent alors éclipsés et parfois englobés dans le mouvement des *humiliés*, dont l'origine demeure obscure et baigne dans la légende [3], mais qui apparaissent au grand jour avec la condamnation que Lucius III porta sur eux lors du congrès de Vérone en 1184 [4]. Ils vivaient du travail de leurs mains, bannissaient tout luxe, se vêtaient d'étoffes non teintes, pratiquaient la pauvreté, constituaient des fraternités autonomes, se livraient à la prédication, entendaient les confessions, usurpaient les fonctions sacerdotales et devaient finir par rejeter aussi bien les sacrements que la hiérarchie. Ils étaient surtout nombreux en Lombardie. L'un d'entre eux, Hugo Speroni [5], jadis condisciple du célèbre théologien et canoniste Vacarius, puis consul à Plaisance en 1164, 1165 et 1171, fomenta un mouvement de réaction anticléricale et rédigea un traité d'âpre polémique. La réfutation que lui adressa Vacarius dans son *Liber contra mulli- plices et varios errores* [6] nous fait connaître la position doctrinale de Speroni : il rejetait le sacerdoce, les sacrements, principalement le baptême, la pénitence et l'eucharistie, et proscrivait tous les actes extérieurs du culte ; il leur opposait le baptême intérieur, la communion spirituelle avec le Verbe, la componction intime et la justice de Jésus appliquée

---

(1) Cf. t. X, p. 123, 132.
(2) Cf. *infra*, p. 350.
(3) Cf. l'article de F. VERNET, *Humiliés*, dans le *Dictionnaire de Théologie catholique*, t. VII-1, col. 311-321.
(4) Cf. *infra*, p. 349.
(5) Cf. ILARINO DA MILANO (R. P., O. F. M.), *L'eresia di Ugo Speroni nella confutazione del Maestro Vacario. Testo inedito del secolo XII con studio storico e dottrinale*, Cité du Vatican, 1945, *Studi e Testi*, fasc. 115.
(6) *Codex Chigiano A. V. 156*, publié dans l'ouvrage ci-dessus.

à l'âme, même pécheresse, par l'immuable prescience de Dieu, si bien qu'on a pu voir en lui un précurseur des doctrines protestantes de la justice imputée et de la prédestination. En fait, il semble bien avoir capté les divers courants hétérodoxes de son siècle, celui notamment des prédications évangéliques des sectateurs de Valdo.

LES VAUDOIS   Entre 1170 et 1180, un riche marchand lyonnais, Pierre, surnommé Valdo ou Valdès, avait réuni quelques disciples et commencé à prêcher l'Évangile. Puis, il avait distribué ses biens aux pauvres, afin de mettre en pratique les conseils évangéliques, et entraîné à sa suite des hommes et des femmes qui se vouaient à la pauvreté absolue et s'adonnaient à la prédication en s'inspirant de traductions en langue vulgaire des Livres saints, malgré l'interdiction portée contre la prédication laïque par l'autorité ecclésiastique : le pape Alexandre III — dont il semble avoir sollicité l'autorisation lors du concile de Latran (1179) — puis l'archevêque de Lyon, Jean Bellesmains, qui, promu en 1182, ne tarda pas à bannir de son diocèse les sectateurs de Valdo [1]. Lucius III devait, à Vérone en 1184, condamner formellement la secte [2].

Les vaudois étaient alors déjà répandus dans le Dauphiné, en Provence, en Piémont, en Lombardie où ils donnaient la main aux humiliés et aux arnaldistes. Cependant, en dépit d'infiltrations en Languedoc, voire en Allemagne, les vallées dauphinoises et piémontaises devaient demeurer leur région d'élection, et l'on ne saurait dire si leur appellation dérive de Valdo, ou si Valdo lui-même reçut son surnom du séjour de ses disciples dans les vallées (*vallenses*, *valdenses*) [3].

Les vaudois rejetaient le travail manuel, vivaient d'aumônes, préconisaient le célibat ou la séparation des époux. Ils croyaient en la divinité du Christ, à l'état de péché en l'homme, au salut par Jésus-Christ. Ils maintenaient les sacrements de pénitence et d'eucharistie, mais ils niaient la transsubstantiation et la communion des saints, et pensaient que tout homme juste peut annoncer l'Évangile, absoudre les péchés, commémorer la Cène [4]. Ils furent cependant rapidement amenés à s'organiser en Église, avec une hiérarchie de parfaits et une initiation rappelant le *consolamentum* des cathares. Ils tenaient la Bible pour l'autorité suprême et répandaient des traductions hâtivement établies du Nouveau Testament et des Livres prophétiques dans les langues vulgaires.

ÉVOLUTION DES SECTES VAUDOISES ET HUMILIÉES   Si certaines contaminations doctrinales, ou des pratiques approchantes, amenèrent parfois des confusions entre vaudois et cathares, notamment dans le Languedoc, il était plus facile encore d'assi-

---

(1) ÉTIENNE DE BOURBON, *Tractatus de diversis materiis praedicabilibus*, édité par LECOY DE LA MARCHE, sous le titre : *Anecdotes historiques, légendes et apologues tirés du Recueil inédit d'Étienne de Bourbon, dominicain du XIIIᵉ siècle*, Paris, 1877, 4ᵉ partie, titre VII, p. 290 et suiv. (nᵒ 342).
(2) Cf. *infra*, p. 349.
(3) G. WELTER, *op. cit.*, p. 108 ; ÉTIENNE DE BOURBON prétend que cette appellation vient du fondateur de la secte surnommé *Valdensis* (sic), éd. citée p. 290.
(4) ÉTIENNE DE BOURBON, 4ᵉ partie, titre VII, p. 293-299 (nᵒ 343).

miler les vaudois aux humiliés qui, très tôt, s'étaient trouvés en contact avec les adeptes de Valdo. Il y eut même des tentatives de fusion entre les deux groupes hérétiques, respectivement désignés parfois sous les noms de *pauvres de Lombardie* et de *pauvres de Lyon*. Cependant, les premiers rejetaient la vénération que les seconds n'avaient pas tardé à vouer à Valdo, et, grâce aux efforts d'Innocent III, une importante fraction d'entre eux devaient rentrer dans le sein de l'Église où leurs fraternités demeurèrent groupées en communautés religieuses, celles des *Humiliés* (1199-1201) [1] et celles des *Pauvres catholiques* (1206) [2]. D'autres, au contraire, se montrèrent irréductibles. Quant au *valdisme*, il s'implanta solidement dans les vallées vaudoises, et, en dépit des persécutions que subirent ses adeptes, il prospérait encore lors de la Réforme, dont il fut le lointain précurseur et qui devait en partie l'absorber [3].

§ 3. — La lutte contre l'hérésie.
Les origines de l'Inquisition.

LES CONTROVERSES DOCTRINALES   A mesure que l'on connut mieux les doctrines professées par les hérétiques et que les missions de prédication ou les jugements rendus par les évêques eurent décelé des groupements organisés, on s'efforça de les combattre tant par la plume que par la parole. Le but recherché était aussi bien d'ordre apologétique — prémunir les clercs et les pouvoirs constitués en vue de controverses éventuelles, privées ou publiques — que d'ordre polémique — réfuter les erreurs des hérétiques et dresser une digue contre le flot montant du prosélytisme hétérodoxe.

Déjà, Pierre le Vénérable, dans un opuscule dirigé *contre les pétro-brusiens* [4] (vers 1138), avait tenté de combattre les erreurs de Pierre de Bruys et de ses adeptes [5], tandis qu'Hugues d'Amiens, archevêque de Rouen (1130-1164), avait dédié au cardinal Albéric d'Ostie, légat en Gaule, ses trois livres [6] réfutant celles d'hérétiques bretons. Les tentatives du même genre se multiplient dans la seconde moitié du siècle et visent de plus en plus directement les cathares et les vaudois. Eckbert, abbé de Schönaugen au diocèse de Trèves (1166-1184), instruit par ses controverses mêmes avec les hérétiques, dédie à Rainald de Dassel, élu de Cologne († 1167), ses treize sermons *Contra catharos* [7] où, dans un esprit d'apologé-tique, il entreprend de discuter leurs doctrines sur le terrain dogmatique. C'est un but identique que se propose Ermengaud, abbé de Saint-Gilles (1179-1195), dans son opuscule, inachevé ou tronqué, *Contra haere-ticos* [8]. D'un dessein plus vaste, le *De fide catholica contra haereticos sui*

---

(1) Cf. F. VERNET, *art. cité*, col. 313-314, et P. GUERRINI, *Gli umiliati a Brescia*, dans les *Miscellanea Pio Paschini*, Rome, 1948, *Lateranum, nova series*, XIV, p. 187-214.
(2) *Ibid.*, col. 318.
(3) Cf. t. XVI, p. 272.
(4) *Tractatus adversus Petrobrusianos haereticos, P. L.*, CLXXXIX, col. 719-850.
(5) Cf. t. IX, Ire p., p. 96-98.
(6) *Contra haereticos, P. L.*, CXCII, 1255-1298.
(7) *P. L.*, CXCV, 11-98.
(8) *P. L.*, CCIV, 1235-1272.

temporis [1], en quatre livres, d'Alain de Lille, vise les erreurs des albigeois, des vaudois, des juifs et des musulmans, et les réfute selon les procédés d'école, argumentant d'après la *ratio* et les *auctoritates*.

Plus profondément engagés dans la polémique, le *Liber contra multiplices et varios errores* de Vacarius, mentionné plus haut [2], réfute les erreurs des sectes anti-sacerdotales de Lombardie, fortement contaminées d'ailleurs par l'hérésie néo-manichéenne, et le *Liber adversus Waldensium sectam* [3], procès-verbal de véritables conférences contradictoires, dédié par Bernard abbé de Foncaude († avant 1193) à son homonyme l'archevêque de Narbonne (1181-1191), nous apporte l'écho direct de ces controverses. On ne saurait enfin omettre la déposition de Bonacorsi, ex docteur cathare, converti en 1190, qui, dans sa *Manifestatio haeresis catharorum* [4], témoigne des principales erreurs des cathares et des passagiens, et insiste sur l'interprétation des textes scripturaires sur lesquels s'appuie la croyance hérétique.

LES MESURES DE COERCITION. ABSENCE D'UNE LÉGISLATION APPROPRIÉE — Souvent organisées par des commissions ecclésiastiques itinérantes, les controverses doctrinales étaient parfois suivies d'un appareil judiciaire destiné à procéder contre ceux qui s'obstinaient dans leurs erreurs. Bien qu'aucune législation canonique ou civile — à l'exception des lois romaines et des édits des princes barbares — ne prescrivît l'arrestation, le jugement et le châtiment des hérétiques, les autorités laïques aussi bien qu'ecclésiastiques, émues des succès de la propagande hétérodoxe et de l'anarchie qu'elle engendrait, se virent contraintes de sévir contre les sectes organisées et cohérentes dont les chefs ou les adeptes pouvaient susciter les passions populaires et en être victimes [5]. Des voix s'élevèrent pour protester contre le caractère arbitraire et souvent extra-légal des châtiments infligés aux hérétiques et dont la rigueur était extrêmement variable : bannissement, confiscation des biens, amende, emprisonnement, potence, lapidation, bûcher. La peine de mort, jadis édictée contre les manichéens par des constitutions impériales [6], était assez fréquemment infligée aux sectateurs du néo-manichéisme [7]. Cependant, rapportant des textes favorables à la correction corporelle — prison, peine de mort — Gratien [8] préconise l'exil ou l'amende.

---

(1) *P. L.*, CCX, 306-430.
(2) Cf. *supra*, p. 341 et n. 5 et 6.
(3) *P. L.*, CCIV, 793-840.
(4) Ou *Vitae haereticorum, Ibid.*, 775-792. On lui a contesté la paternité de l'ouvrage ; il n'est pas impossible que sa déposition ait été recueillie et rédigée par diverses personnes, cf. l'article de F. VERNET, *Bonacorsi*, dans le *Dictionnaire de Théologie catholique*, t. II-1, col. 953-954.
(5) Sur la répression sanglante de l'hérésie par les princes et la vindicte populaire, cf. t. VII, p. 462, et t. IX, Iʳᵉ p., p. 95-96. Bien que contenu par l'autorité ecclésiastique, la fureur populaire se manifeste encore à Toulouse en 1178, alors qu'une procédure spéciale était en voie de fixation. Cf. la relation du légat, Pierre de Saint-Chrysogone (*P. L.*, CXCIX, 1124) : « *Nos in conspectu totius populi, qui jugiter acclamabat, et in eos multa immanitate fremebat, eos iterum... excommunicatos denuntiavimus.* »
(6) *Code de Justinien*, I, v, Titre *De haereticis*. Sur les constitutions antérieures au code de Justinien, voir les références dans H. MAISONNEUVE, *op. cit.*, p. 8-14.
(7) Cf. t. VII, et *supra, loc. cit.*
(8) C'est toute la *Causa* XXIII de la *Secunda pars* du *Décret* qui est impliquée ici (voir H. MAI-

ABSENCE D'UNE PROCÉDURE DÉFINIE — Il est, en effet, curieux de constater combien peu l'Église s'était souciée de définir et de châtier le crime d'hérésie. Il n'existait à cet égard ni doctrine clairement formulée, ni procédure déterminée, ni sanctions indubitablement établies. Cette négligence s'explique par le fait que, en Occident du moins — à l'exception des hérésies anciennes réprimées par le pouvoir civil — nulle hérésie n'avait connu un développement inquiétant avant la pénétration des courants néo-manichéens. Les hérésiarques étaient généralement des clercs sur lesquels l'autorité ecclésiastique avait tout moyen d'action, qu'il suffisait de priver de leurs bénéfices et de leurs charges et de réduire au silence par la réclusion en quelque monastère. Querelles d'écoles, les hérésies n'atteignirent que des cercles restreints, jusqu'au jour où la vogue de l'enseignement — celui d'un Abélard par exemple — ou les succès d'un tribun populaire, tel Arnaud de Brescia [1], révélèrent le danger éventuel. Cette indifférence s'explique également par le fait que, selon le vieil adage : *Ecclesia abhorret a sanguine*, les canons interdisent aux clercs de participer à des jugements entraînant une peine de mort ou de mutilation. Au XIIᵉ siècle comme au XIᵉ, la plupart des prélats demeuraient persuadés que tout hérétique est susceptible de se convertir, et ils eussent souscrit à ces lignes que Wason de Liége [2] adressait à Roger évêque de Châlons vers 1045.

Nous n'avons pas reçu pouvoir de retrancher de cette vie par le glaive séculier ceux que notre créateur et rédempteur veut laisser vivre afin qu'ils s'arrachent aux embûches du démon... Ceux qui aujourd'hui sont nos adversaires dans la voie du Seigneur peuvent, avec la grâce de Dieu, devenir nos supérieurs dans la céleste patrie... Nous que l'on dit évêques, nous avons reçu l'onction du Seigneur, non pour donner la mort, mais pour apporter la vie.

Un siècle plus tard, apprenant le supplice infligé à Arnaud de Brescia, Gerhoh, prévôt de Reichersberg († 1169), fait douloureusement écho aux derniers mots de Wason lorsqu'il écrit [3] :

J'eusse voulu, pour si mauvaises que fussent ses doctrines, qu'Arnaud fût puni par la prison ou par l'exil, et non par la mort ; mais, puisqu'on l'a fait périr, j'eusse souhaité que ce fût en de telles conditions qu'on n'en puisse accuser l'Église ni la Curie romaine.

En fait, l'autorité ecclésiastique ne sévit que très irrégulièrement, et l'on ne sait le plus souvent si c'est en qualité de juge au spirituel ou de seigneur justicier. La fin d'Arnaud de Brescia est caractéristique à cet

SONNEUVE, *op. cit.*, p. 21-34), bien que les textes débordent le cas de l'hérésie. Retenir plus spécialement les *Questions* IV, V et VI.

Les premiers décrétistes inclinent à une certaine indulgence, notamment Roland Bandinelli (*Summa*, éd. THANER, p. 96) : la peine réelle est pour eux la confiscation des biens. En revanche, les décrétistes de la fin du XIIᵉ et du début du XIIIᵉ siècle apportent plus de rigueur dans l'interprétation, et s'orientent vers la peine de mort (Rufin, sur C. XXIII, Q. v ; Huguccio sur C. XXIII, Q. IV). Cf. sur ce point : L. TANON, *Histoire des tribunaux de l'Inquisition en France*, Paris, 1893, p. 455 et suiv. ; E. JORDAN, *La responsabilité de l'Église dans la répression de l'hérésie au moyen âge* (Extrait des *Annales de philosophie chrétienne*, 1907), p. 72 ; et H. MAISONNEUVE, *op. cit.*, p. 34 et suiv.

(1) Cf. t. IX, Iᵣᵉ p., p. 99-102 et *supra*, p. 14-17.
(2) *Anselmi Gesta episcoporum Leodiensium*, c. 62, dans les *M. G. H.*, *SS.*, t. VII, p. 227-228.
(3) *De investigatione Antichristi*, L. I, c. 40, dans les *M. G. H.*, *LL.*, t. III, p. 347.

égard : il paya de sa vie sa révolte contre le pouvoir temporel de la papauté plus que sa prédication hétérodoxe. D'ailleurs, sur quelles preuves eût-on condamné les hérétiques à la peine de mort ? Il n'y a pas de procédure dûment établie en matière d'hérésie. Les ordalies sont assez généralement utilisées. Le concile de Reims en 1157 [1] prescrit de soumettre à l'épreuve du fer chaud ceux qui sont accusés d'appartenir à la secte des cathares, afin qu'ils puissent établir leur innocence. En revanche, on ne voit pas que l'ordalie pût constituer une preuve décisive de culpabilité, et l'archevêque de Reims, Samson (1140-1161), interdit formellement à son clergé de s'y prêter sans avoir obtenu au préalable du seigneur laïque la promesse formelle que les suspects qui succomberaient à l'épreuve ne subiraient aucune peine corporelle [2].

Les canonistes et les théologiens manifestent la même réticence à l'égard de telles épreuves : Yves de Chartres [3] admet qu'on en fasse usage, faute de mieux ; Gratien [4] s'efforce d'en restreindre l'emploi ; Pierre le Chantre [5] les combat parce qu'elles entraînent des sentences iniques, et l'ex docteur de Bologne, Roland Bandinelli, devenu le pape Alexandre III [6], à la suite de plusieurs de ses prédécesseurs, les condamne formellement comme un jugement exécrable « que l'Église n'admet contre personne », en attendant que Célestin III [7] interdise le duel et qu'Innocent III [8] prohibe, dans les tribunaux ecclésiastiques, toutes épreuves ressortissant au jugement de Dieu.

Mais la preuve par témoins était encore d'un usage très limité. Si elle avait subsisté en Normandie avec l'enquête carolingienne et si elle avait pu s'étendre à quelques régions de l'ouest de la France, elle était, en matière d'hérésie, inefficace pour autant qu'elle constituait une arme à double tranchant se retournant contre l'accusateur, tant qu'elle ne fut pas réglementée par la procédure dite d'office. Prescrite par le droit romain en des cas précis [9], cette dernière n'était pas inconnue des tribunaux carolingiens [10]. Il appartenait au pape Alexandre III — peut-être à l'exemple de certaines institutions normanno-angevines, mais plus encore sans doute sous l'influence du droit de Justinien — d'orienter délibérément dans ce sens la procédure canonique en matière d'hérésie.

L'INTRODUCTION DE LA PROCÉDURE D'OFFICE SOUS ALEXANDRE III

A plusieurs reprises, les rois de France et d'Angleterre se montrèrent inquiets des progrès de l'hérésie cathare dans le Languedoc et l'Aquitaine, voire même en Flandre. Les hérétiques découverts dans cette dernière région par le

(1) Mansi, t. XXI, col. 843 ; Hefele-Leclercq, *op. cit.*, t. V-2, p. 913. Sur les formes diverses de procédure préconisées par ce concile, cf. H. Maisonneuve, *op. cit.*, p. 67-68.
(2) Th. de Cauzons, *Histoire de l'Inquisition en France*, t. I, p. 375, et *ibid.*, n. 3.
(3) *Epistolae*, 252. (P. L., CLXII, 258.)
(4) *Secunda pars*, C. II, Q. v, notamment les c. 19, 20, 22.
(5) *Verbum abbreviatum*, c. 78, P. L., CCV, 226-233.
(6) A l'archevêque d'Uppsala (P. L., CC, 859 ; Jaffe-Wattenbach, nº 12.117, ann. 1171-1172).
(7) *Décrétales*, X, V, xxxv, 1.
(8) *Epistolae*, VI, 26 ; XIV, 138. (P. L., CXV, 29 ; CXVI, 502.)
(9) *Digeste*, L. I, t. XII, c. 1 ; t. XVIII, c. 6.
(10) Y. Bongert, *Recherches sur les cours laïques du Xe au XIIIe siècle*, Paris, s. d. [1949]), p. 253.

nouvel archevêque de Reims, Henri de France, ayant tenté sans succès d'acheter la complicité du prélat, firent appel au pape et se présentèrent devant lui à Tours. Louis VII écrivit à Alexandre III pour l'inciter à la sévérité. Le pape, qui inclinait plutôt à la mansuétude, promit d'instruire l'affaire et pria l'archevêque de faire procéder à une enquête auprès de personnes connaissant bien les inculpés [1]. On peut penser que l'affaire — dont nous ignorons la suite — fut portée devant le concile de Tours et que Henri de France transmit les dépositions des témoins. Ce concile prescrit en effet (canon 4) [2] — sans doute à la requête des princes et des évêques intéressés — de sévères mesures en vue d'enrayer les progrès de la secte : défense aux fidèles de leur donner asile et protection et d'entrer en relation avec eux, sous peine d'excommunication ; quant aux hérétiques eux-mêmes, ils seront, si on les découvre, jetés en prison par les princes catholiques et verront leurs biens confisqués. Leurs conventicules seront recherchés et interdits.

Ce canon 4 est la première législation médiévale de caractère universel à l'égard des hérétiques. Visant les albigeois devenus particulièrement dangereux, il suppose que la vindicte relève du pouvoir séculier, et il introduit une procédure nouvelle, l'enquête, laquelle implique la recherche des hérétiques par une commission spécialement déléguée à cette fin [3] — une sorte de ministère public auquel il incombe, de par sa fonction même, d'introduire la cause. Cette nouvelle législation, malgré quelques empêchements dus à la situation politique dans les terres d'Empire et bientôt dans celles du roi d'Angleterre à la suite de sa querelle avec Thomas Becket, entra en vigueur dès le pontificat d'Alexandre III.

L'INTERVENTION DES POUVOIRS PUBLICS — Peu de temps après le concile de Tours, Henri II Plantagenet sévit contre les hérétiques qui s'étaient réfugiés outre Manche : marqués au fer rouge à Oxford [4], ils furent déclarés *outlaws* par l'article 21 de l'assise de Clarendon (1166) [5]. Ce sont des mesures analogues que Raymond V de Toulouse fut amené à édicter [6], lorsque, à la requête des rois de France et d'Angleterre, le légat Pierre de Saint-Chrysogone, élu de Meaux, eut pris la direction d'une mission en Languedoc (1178) comprenant l'abbé de Clairvaux, l'archevêque de Bourges, les évêques de Poitiers et de Bath. Là où de telles mesures furent appliquées, les hérétiques s'organisèrent en bandes armées et se fortifièrent dans des repaires défensifs, d'où ils lançaient parfois d'audacieux coups de main. Le canon 27 du troisième concile œcuménique du Latran (1179) [7], qui fulmine l'anathème sur les

---

(1) H. MAISONNEUVE, *op. cit.*, p. 73-74.

(2) MANSI, t. XXI, col. 1177 ; HEFELE-LECLERCQ, *op. cit.*, t. V-2, p. 971-972.

(3) « *Et quoniam de diversis partibus in unum latibulum crebro conveniunt, et praeter consensum erroris nullam cohabitandi causam habentes, in uno domicilio commorantur : talia conventicula et investigentur attentius, et si vera fuerint, canonica severitate vetentur.* » (MANSI, *loc. cit.*)

(4) RALPH DE DICETO, *Ymagines historiarum*, ann. 1166, *Rolls Series*, t. I, p. 318 ; GUILLAUME DE NEWBURGH, *Historia rerum Anglicarum*, L. II, c. 13, *Rolls Series*, p. 131-134.

(5) ROGER DE HOVEDEN, *Rolls Series*, t. II, p. 252 ; *Gesta regis*, *Rolls Series*, t. II, Appendice II, p. CLIV.

(6) Relation du légat Pierre de Saint-Chrysogone. (*P. L.*, CXCIX, 1121.)

(7) MANSI, t. XXII, col. 231-233 ; HEFELE-LECLERCQ, *op. cit.*, t. V-2, p. 1106-1107 ; *Décrétales*, X, V, VII, 8 (*De haereticis*).

cathares, patares et publicains, et renouvelle l'interdiction de leur donner asile, englobe dans une même réprobation des bandes armées — Aragonais, Navarrais, Basques, Coterelles, Triaverdins — mercenaires à la solde des maisons rivales de Saint-Gilles et d'Aragon, qui dévastaient les églises et les monastères, attaquaient les chrétiens sans défense, aggravaient les désordres, et firent souvent cause commune avec les sectateurs de l'hérésie. C'est contre ces partisans sans aveu que le même canon fait appel à une véritable croisade.

L'INQUISITION LÉGATINE   La mission en Languedoc du cardinal de Saint-Chrysogone et de l'abbé de Clairvaux (1178), qui nous est relatée dans leurs rapports, montre que la procédure d'office est alors déjà en usage contre les albigeois. Mise en œuvre par les légats pontificaux, elle revêt encore, semble-t-il, un caractère extraordinaire. La tâche n'était certainement pas aisée. A leur arrivée à Toulouse, les prélats furent dénoncés comme apostats et hérétiques par un fort parti de cathares. Ils firent alors prêter serment à l'évêque de Toulouse, au clergé local, aux capitouls et à d'autres fidèles, de leur dénoncer nommément ceux qu'ils connaîtraient pour hérétiques ou pour complices des hérétiques [1]. Une liste impressionnante fut dressée ; mais les légats décidèrent de frapper à la tête, afin d'intimider les simples adeptes. Ils mirent donc en accusation un riche citoyen, Pierre Mauran, l'un des chefs du mouvement, qui se faisait passer pour Jean l'Évangéliste. Convaincu d'hérésie, il finit par abjurer entre les mains des légats et fut remis à la justice du comte : ses biens furent confisqués, la demeure où il réunissait des conventicules de la secte fut détruite, lui-même fut condamné à servir les pauvres en Terre sainte pendant trois ans [2].

D'autres hérésiarques furent également convaincus d'hérésie, à la suite de plusieurs assemblées solennelles qui se tinrent en la cathédrale Saint-Étienne et en l'église Saint-Jacques, bien qu'ils eussent d'abord prétendu professer les dogmes catholiques, et cela sur le témoignage public du comte Raymond V et de nombreux clercs et laïques qui les avaient entendus prêcher les erreurs de leur secte. Sans doute s'agit-il des mêmes témoins assermentés qui avaient prêté leur concours à l'enquête préalable [3].

Entre temps, Réginald de Bath et Henri de Clairvaux s'étaient rendus dans le diocèse d'Albi afin de contraindre Roger Trencavel à libérer l'évêque catholique d'Albi, alors détenu par les hérétiques, et d'obtenir qu'il consentît à purger ses terres de la secte. Mais, à leur approche, le

---

(1) Relation du légat Henri abbé de Clairvaux (*P. L.*, CCIV, 237) : « *Factum est exinde, praecipiente legato, ut juraret episcopus, et quidam de clero, et consules civitatis aliique viri fideles quos nondum in aliquo perfidiae fama resperserat, ut quoscunque vel hactenus noverant, vel nosse eos contingeret in futuro, qui essent hujus haeresis vel complices, vel actores, eorum nobis nomina scripto depromerent, nulli penitus vel amore, vel pretio, vel cujuspiam necessitudinis ratione parcentes.* »
(2) *Ibid.*, 237-239.
(3) Relation du légat Pierre de Saint-Chrysogone (*P. L.*, CXCIX, 1122) : « *Illis* [*haereticis*] *vero respondentibus, sic se ita credere, et nihilominus negantibus, se unquam aliter praedicasse, nobilis vir comes Tolosanus, et multi alii clerici et laici, qui eos audierant aliter praedicantes, vehementer admiratione commoti, et christianae fidei zelo succensi surrexerunt, et eos plane in caput suum mentitos fuisse manifestius convicerunt.* »

vicomte s'était enfui dans la partie la plus reculée de ses domaines. Il durent assiéger le château de Castres où se tenait un fort parti d'hérétiques sous le commandement de la propre femme de Roger. C'est alors que l'abbé de Clairvaux fulmina l'excommunication sur Roger Trencavel [1].

Devenu cardinal évêque d'Albano, Henri de Clairvaux devait assumer la direction d'une nouvelle légation en Languedoc (1181), et, à la tête d'une petite troupe, organisée conformément aux prescriptions du concile du Latran, il devait occuper le château de Lavaur, recevoir l'abjuration des chefs hérétiques tombés entre ses mains et la soumission de Roger Trencavel. Il présida des conciles et déposa Pons d'Arsac, archevêque de Narbonne [2].

Ainsi, avant de devenir un tribunal, l'inquisition fut une procédure de recherches et de mise en accusation des suspects d'hérésie, fondée sur une enquête auprès de personnes assermentées. Guillaume aux Blanches mains, archevêque de Reims et cardinal de Sainte-Sabine, exerça des pouvoirs analogues et usa d'une procédure identique lors de la légation qu'il accomplit en Flandre au début de l'année 1184 [3], avec l'appui du comte Philippe d'Alsace, légation au cours de laquelle des néo-manichéens furent mis en accusation. Quelques-uns d'entre eux, convaincus d'hérésie, furent brûlés vifs.

LA DÉCRÉTALE AD ABOLENDAM (*1184*) *ET L'INQUISITION ÉPISCOPALE*

Au cours des négociations qui se déroulèrent à Vérone au mois d'octobre 1184 entre le pape Lucius III et l'empereur Frédéric Ier, les deux parties se mirent aisément d'accord sur la nécessité de prendre des mesures rigoureuses contre les hérétiques qui, justement, pullulaient en Haute Italie. La constitution édictée à cet effet par l'empereur ne nous est pas parvenue. La décrétale de Lucius III [4], promulguée le même jour, 4 novembre, dans la cathédrale de Vérone, est d'une importance capitale pour l'extension de la procédure introduite par Alexandre III.

Le pape fulmine l'anathème sur les cathares, les patares, les humiliés, les pauvres de Lyon, les passagiens [5], les joséphins [6], les arnaldistes, ceux qui s'adonnent à la libre prédication et ceux qui croient et enseignent autrement que l'Église sur l'eucharistie, le baptême, la rémission des péchés et le mariage. Sont frappés de même tous ceux qui les protègent ou les défendent. Les clercs et les moines convaincus d'hérésie seront privés de leurs privilèges, charges et bénéfices, et abandonnés au bras

---

(1) Relation du légat Henri abbé de Clairvaux. (*P. L.*, CCIV, 239-240.)
(2) *Chronique* de GEOFFROY DU VIGEOIS, dans *H. Fr.*, t. XII, p. 448 ; MANRIQUE, *Ann. Cisterc.*, ann. 1182 ; DE VIC et VAISSETTE, *Histoire de Languedoc*, édit. PRIVAT, t. VI, p. 95 ; J. GUIRAUD, *op. cit.*, t. I, p. 371.
(3) *Sigeberti continuatio Aquicinctina* (*P. L.*, CLXI, col. 320) ; RIGORD, *Gesta Philippi Augusti*, c. 22 (édit. DELABORDE, *Société de l'Histoire de France*, p. 35) ; GUILLAUME DE NANGIS, *Chronique*, ann. 1183 (édit. J. P. F. GÉRAUD, *Société de l'Histoire de France*, t. I, p. 76-77) ; cf. également H. MAISONNEUVE, *op. cit.*, p. 75 ; J. MATHOREZ, *Guillaume aux Blanches mains*, Chartres, 1911, p. 211.
(4) MANSI, t. XXII, col. 476-478.
(5) Hérésie christologique et trinitaire entachée de judaïsme.
(6) Les *Joséphins* ou *Josépins* se rattachent à un certain Joseph Epaphrodite, qui fut l'un des sectateurs du paulicianisme en Arménie au VIIe siècle.

séculier ; les laïques, s'ils ne peuvent faire la preuve de leur innocence par devant l'évêque, seront traduits devant la justice laïque pour y recevoir la peine méritée. Les évêques sont invités à visiter une ou deux fois l'an, soit en personne, soit par leur archidiacre ou par des commissaires, les paroisses suspectes de recéler des hérétiques, et à faire prêter serment à plusieurs personnes honorables de la localité et du voisinage de leur dénoncer les hérétiques. Les évêques sont également habilités à procéder — sur ces dénonciations — à la mise en accusation des suspects. Dès lors, la procédure d'office devient régulière et générale en matière d'hérésie. Elle incombe à la vigilance de l'ordinaire, et, afin de réduire toute entrave à son action, les monastères exempts eux-mêmes doivent s'ouvrir à l'inquisition épiscopale.

LA POURSUITE DES HÉRÉTIQUES
A LA FIN DU XIIe SIÈCLE

Les princes temporels ont généralement prêté main-forte aux évêques dans la lutte contre l'hérésie. Dès 1194, l'empereur Henri VI mit les hérétiques au ban de l'empire et fit appliquer rigoureusement la sentence par ses légats, tel Henri évêque de Worms, qui procéda, en cette qualité, contre la congrégation hérétique de Prato [1]. En 1196, le même prince réchauffa le zèle de Célestin III [2].

L'insoumission des féodaux du midi, la guerre, les ravages des routiers, avaient favorisé les progrès de l'hérésie. La conférence de Narbonne n'avait, pas plus que les précédentes, réussi à réconcilier les hérétiques du Languedoc. Aussi, le concile de Montpellier (1195) [3], présidé par le légat pontifical Michel, dut-il renouveler les anathèmes du canon 27 du concile du Latran contre les hérétiques et les brigands aragonais qui livraient des armes aux Sarrasins. Pressé par le cardinal Grégoire de Saint-Ange, légat apostolique, Alphonse II d'Aragon déclara les hérétiques hors la loi et les bannit comme ennemis publis [4]. Dès le début de son règne, son successeur, Pierre II (1196-1213), réitéra l'édit et fixa le terme définitif au dimanche de la Passion, 22 mars 1198 [5].

La décrétale de 1184 ne précisait pas la nature du châtiment qui devait frapper les suspects convaincus d'hérésie selon la nouvelle procédure, et laissait au pouvoir séculier la discrimination des peines. Il est remarquable que les châtiments édictés par les princes, à la fin du XIIe siècle, fussent généralement le bannissement et la confiscation des biens. Toutefois, l'ordonnance de Pierre II d'Aragon en 1197 prévoyait que la peine du feu serait applicable aux hérétiques qui n'auraient pas abjuré ses terres au terme fixé. Il semble que ce soit la première apparition de cette

(1) Le rescrit impérial n'est connu que par l'action du légat. Cf. C. SCHMIDT, *Histoire et doctrine de la secte des cathares ou albigeois*, t. I, p. 64 ; H. C. LEA, *Histoire de l'Inquisition au moyen âge*, traduction française par S. REINACH, Paris, 1900, t. I, p. 363.
(2) Lettre de Henri VI à Célestin III, dans M. G. H., *Constitutiones imperatorum et regum*, t. I, p. 519 (n° 370), du 15 mai 1196.
(3) C. 2 (MANSI, t. XXII, col. 604 ; HEFELE-LECLERCQ, t. V-2, p. 1171).
(4) N. EYMERIC, *Directorium inquisitorum cum scoliis Francisci Pegnae*, Rome, 1578-1579, in-f°. Commentaire sur la *Secunda pars*, Q. XIV, p. 64-65 (ann. 1194).
(5) P. DE MARCA, *Marca hispanica, seu limes hispanicus, edente Baluzio*, Paris, 1688, in-f°, col. 1384-1385 ; MENENDEZ Y PELAYO, *Historia de los heteredoxos españoles*, 3 vol. in-8°, Madrid, 1880, en appendice au t. II, p. 712-713.

peine dans la législation occidentale contre l'hérésie [1]. A son avénement, Innocent III [2] ne réclamera contre eux que les peines d'exil et de confiscation ; il ne suggérera l'éventualité d'une peine plus grave qu'en cas d'obstination et d'infraction à la sentence de bannissement, mais sans préciser la nature du châtiment, encore susceptible de varier selon la diversité des législations séculières.

Si, en effet, certaines régions, telle l'Angleterre, furent rapidement débarrassées des sectateurs de l'hérésie, en revanche, ceux-ci s'implantaient solidement en d'autres, tel le Languedoc, grâce à la connivence des pouvoirs publics, Roger II Trencavel, puis Bertrand de Saissac, tuteur de l'héritier des Trencavel, et, à partir de 1195, Raymond VI, comte de Toulouse et de Saint-Gilles. Il appartenait à la papauté de reprendre la lutte contre l'hérésie avec les moyens forgés par Alexandre III et Lucius III : les légations, la croisade, la procédure d'office. Innocent III n'y faillit point : dès 1198 il confiait aux Cisterciens Raynier et Guy une nouvelle mission en Provence et dans le Languedoc [3] ; en 1199, il conférait à Raynier le titre de légat et lui subordonnait l'épiscopat local en matière d'hérésie [4], en attendant de lui ajoindre l'archidiacre de Maguelone, Pierre de Castelnau [5].

---

(1) Il semble, cependant, que la peine du feu ait pu être édictée contre les hérétiques à Jérusalem, quelques années auparavant : cf. les *Assises de la Cour des bourgeois*, c. 278 (Beugnot, *Historiens des croisades, Lois*, t. II, p. 210).

(2) *Epistolae*, I, 94 (*P. L.*, CCXIV, 82-83 ; Potthast, n° 95, ann. 1198).

(3) *Ibid.*, I, 94.

(4) *Ibid.*, I, 165 ; II, 122, 123 (*P. L.*, CCXIV, 143 ; 575-676 ; 676-677 ; Potthast, n°s 169, 764, 785).

(5) Cf. t. X, chap. iv, § 1.

CHAPITRE IV

LA VIE CHRÉTIENNE DANS LA SECONDE MOITIÉ DU XIIe SIÈCLE

§ 1. — La piété[1].

LA PRÉDICATION   Nous connaissons très imparfaitement la manière dont les prédicateurs — l'évêque ou l'abbé, l'écolâtre ou le curé — s'acquittaient de la mission d'instruire les clercs et les fidèles de leur juridiction dans les vérités de la foi et les obligations de la morale chrétienne. Quelques recueils de sermons ont été édités [2], trop peu ont été étudiés de près en ce qui concerne le XIIe siècle [3]. De ces rares études, il ressort qu'il faut distinguer la prédication académique, conforme aux procédés d'école, visant les clercs — maîtres et étudiants des Universités naissantes — et les milieux instruits. On y trouve, outre des sermons prononcés dans les assemblées solennelles, des thèmes de sermons ou d'homélies à l'usage du clergé paroissial pour les fêtes chrétiennes. On peut suivre l'évolution du genre vers la fin du siècle, de Geoffroy du Lauroux, écolâtre d'Angers, puis archevêque de Bordeaux († 1158) — récemment identifié avec le célèbre sermonnaire Geoffroy Babion [4] — à Pierre le Mangeur († c. 1178) par exemple. Le premier satisfait à l'intelligence par une exégèse encore toute proche de l'herméneutique patristique ; le second est déjà un scolastique qui se meut avec aisance dans la dialectique. Cependant, l'influence de saint Bernard pénètre également les écrits spirituels et les sermons des religieux [5], Prémontrés, Cisterciens et Clunisiens, tel Pierre de Celle, et des chanoines réguliers de Saint-Victor de Paris. Mais on a peine à imaginer aujourd'hui ce que fut la prédication claustrale : variable selon la spiritualité propre à chaque ordre religieux, proche de la théologie mystique lorsqu'elle était destinée aux

---

(1) BIBLIOGRAPHIE. — On se reportera aux ouvrages cités t. IX, Ire p., p. 150, n. 1 ; consulter également : G. SCHREIBER, *Gemeinschaften des Mittelalters. Recht und Verfassung. Kult und Frömmigkeit*, Munster, 1948, *Gesammelte Abhandlungen*. Les études particulières seront signalées au fur et à mesure.

(2) Principalement dans la *Patrologie latine*. Les sources sont indiquées dans l'ouvrage de J. DE GHELLINCK, *L'essor de la littérature latine au XIIe siècle*, t. I, Louvain, 1946, *Museum Lessianum*, section historique, nº 4, p. 206, n. 35.

(3) Voir la bibliographie des principaux travaux, notamment ceux concernant l'art oratoire de l'époque, *ibid.*, à la suite. Excellentes pages sur la prédication, résumant l'essentiel de ces travaux, dans le même ouvrage, p. 206-230.

(4) Cf. J.-P. BONNES, *Un des plus grands prédicateurs du XIIe siècle : Geoffroy du Lauroux dit Geoffroy Babion*, dans la *Revue bénédictine*, t. LVI, 1945-1946, p. 174-215.

(5) Des études ont été faites sur le sujet dans les récentes années. Voir, entre autres, de Dom J. LECLERCQ, *La spiritualité de Pierre de Celle (1115-1183)*, Paris, 1946 ; et du R. P. F. PETIT, *La spiritualité des Prémontrés aux XIIe et XIIIe siècles*, Paris, 1947, formant respectivement les fasc. VII et X de la collection *Études de théologie et d'histoire de la spiritualité*.

moines, apparentée au catéchisme et à l'homélie familière lorsqu'elle visait les convers illettrés.

La prédication populaire, fort en vogue depuis le début du siècle, a eu une influence considérable sur les masses, surtout, il est vrai, lorsqu'elle s'exerçait en marge des autorités constituées. De Robert d'Arbrissel à Arnaud de Brescia et à Pierre Valdo, les foules ont suivi ceux qui prêchaient la pénitence et la pauvreté, qui s'attaquaient aux vices et aux richesses du clergé. Mais, à l'égard de ce grand courant de prédication populaire, l'épiscopat s'est toujours, et à bon droit, montré réticent, même lorsqu'il ne le condamnait pas formellement. En dehors de ces prêches, de caractère moral plus que dogmatique, auxquels les laïques eux-mêmes prirent une part active, le ministère de la prédication nous est assez mal connu. Les traités sur l'art de prêcher recommandent de distinguer entre les auditoires des villes — *urbani* — qui se complaisent aux allégories alors en vogue — et les milieux ruraux — *vulgus* — beaucoup plus frustes, auxquels il faut expliquer l'évangile, montrer la pratique des vertus et les voies de la pénitence. De même que les prédicateurs itinérants, les prédicateurs attitrés utilisaient la langue vulgaire lorsqu'ils s'adressaient à de tels auditoires [1]. Les abbés et les évêques ne dédaignaient pas d'enseigner le peuple. Saint Bernard exhortait les convers en roman. Hélinand de Froidmont, Pierre le Mangeur, Pierre Lombard, Maurice de Sully, Pierre le Chantre, Étienne de Tournai, ont à plusieurs reprises adressé des homélies aux fidèles dans la langue romane. Alain de Lille, auteur d'un art de prêcher, a traduit en latin un sermon qu'il avait entendu réciter en langue d'oc lors de son séjour à Montpellier. Pierre de Blois mit également en latin un sermon qu'il avait prononcé en langue vulgaire. En 1190, des sermons de saint Bernard furent traduits en dialecte lorrain. En Angleterre, la prédication dans les dialectes anglo-saxons était une tradition antérieure à la conquête normande, mais encore vivace à l'extrême fin du XIIe siècle [2]. Des hommes tels que Samson, abbé de Saint-Edmond (1182-1212) — dont le biographe nous dit qu'il était « *eloquens gallice et latine... anglice sermocinari solebat populo, sed secundum linguam Norfolchiae* » — s'adressaient à leurs ouailles aussi bien en roman et en anglo-saxon qu'en latin [3].

LA PRATIQUE SACRAMENTELLE — Nous ne sommes pas mieux renseignés sur la pratique sacramentelle. Cependant, les recueils de miracles [4] projettent quelques lueurs sur la fréquen-

(1) Cf. J. DE GHELLINCK, *op. cit.*, t. I, p. 210 et suiv.
(2) Cf. *Old English homilies and homiletic treatises*, édit. R. MORRIS, 1868-1873, *Early English texts society* ; *Twelth centuries homilies in ms 343 of the Bodleian Library*, édit. A. O. BALFOUR, même collection. Parmi les travaux, cf. MM. DUBOIS, *Ælfric, sermonnaire, docteur et grammairien*, Paris, 1943, notamment p. 328 et suiv. sur l'influence d'Ælfric ; D. WHITELOCK, *Archbishop Wulfstan homilist and statesman*, dans les *Transactions of the royal historical society*, t. XXIV, 1942, p. 25-45 ; G. R. OWST, *Preaching in medieval England* (1926).
(3) JOCELINE DE BRAKELONDA, *Chronique*, publiée dans les *Memorials of Saint Edmund's Abbey*, édit. T. ARNOLD, t. I, Londres, 1890, p. 244-245 (*Rolls Series*).
(4) On se fiera surtout aux recueils revêtus d'un caractère officiel, rédigés sur enquête canonique de l'autorité ecclésiastique. Ils sont extrêmement rares pour l'époque envisagée. Le plus ancien qui soit actuellement connu est de 1201-1202, mais relate des faits se rapportant à l'extrême fin du XIIe siècle (à partir de 1189). Il a été publié par R. FOREVILLE, *Un procès de canonisation à l'aube du XIIIe siècle. Le Livre de saint Gilbert de Sempringham*, Paris, 1943.

tation des sacrements dans certaines régions, de même que sur les pratiques de dévotion populaire. Il est indéniable, par exemple, que la confession auriculaire s'est répandue, non seulement dans la classe chevaleresque, grâce à l'intervention de l'Église dans la cérémonie d'initiation, mais dans toutes les classes de la société, sous l'influence et à l'exemple des religieux [1]. Des confesseurs attitrés, souvent dénommés « pères pénitenciers » [2], étaient attachés aux établissements religieux pour le service des moines ou des moniales, des fidèles du domaine, voire de l'extérieur, dès qu'il s'agissait d'un lieu de pèlerinage tant soit peu fréquenté.

L'assistance à la messe est devenue — au moins chez les princes et les féodaux possédant chapelle — une pratique quotidienne, où, d'ailleurs, le recueillement est loin d'être toujours respecté. En revanche, la communion eucharistique est réservée aux fêtes solennelles ou à la célébration des pactes de réconciliation et d'amitié que viennent sceller le baiser de paix et le partage d'une même hostie consacrée. Malgré l'abandon de la communion fréquente, l'usage d'offrir le pain et le vin du sacrifice s'est maintenu : il est attesté au XIIᵉ siècle dans des diocèses aussi nombreux et divers que ceux de Rouen, du Mans, de Chartres, de Troyes, de Lyon et de Lausanne [3].

Les prédicateurs errants se servent d'eulogies dans leur activité de thaumaturges [4]. L'offrande de cierges est très répandue : le fidèle qui implore l'intercession d'un saint, surtout s'il s'agit d'une guérison, offre un cierge confectionné à sa taille [5]. Cette pratique, courante en certains lieux, notamment en Angleterre à l'extrême fin du siècle, semble revêtir valeur de symbole ; elle est partie intégrante d'une sorte de rite — l'incubation sur la tombe du saint — comportant la confession auriculaire, le jeûne, la veillée de prière et la communion eucharistique [6].

LA PIÉTÉ POPULAIRE.
LE CULTE DES SAINTS

Le culte des saints est en plein essor. Dès le milieu du siècle, et principalement depuis le pontificat d'Alexandre III, on se préoccupe de faire sanctionner officiellement, non plus seulement par l'autorité épiscopale, mais par la papauté elle-même [7], le culte spontané que le peuple voue aux personnages morts en odeur de sainteté. Dès leur canonisation, on s'empresse de dresser leur effigie dans la pierre, la mosaïque ou le vitrail. Rien n'est plus significatif à cet égard que l'incroyable rapidité avec laquelle se sont propagés dans les quelques années qui suivirent immédiatement le martyre (1170) et la canonisation (1173), non seulement en

---

(1) Voir, entre autres, la *Vie* de Robert d'Arbrissel par ANDRÉ, moine de Fontevrault, *P. L.*, CLXII, 1071, 1077 ; le *De vita sua* de GUIBERT DE NOGENT, édit. Bourgin, *Collection de textes pour servir à l'étude et à l'enseignement de l'histoire*, p. 89, 92 et passim ; nombreux exemples dans *Le Livre de saint Gilbert*.
(2) *Le Livre de saint Gilbert*, p. 48.
(3) G. SCHREIBER, *Gemeinschaften des Mittelalters...*, p. 229-230 ; 244-258.
(4) ABÉLARD, *Sermon* 33. (*P. L.*, CLXXVIII, 605.)
(5) *Le Livre de saint Gilbert*, p. 44, n. 1 ; p. 6, 9, 11, 17, 27.
(6) *Ibid.*, Introduction, p. XLV-XLVII, ainsi que les références aux miracles du recueil.
(7) *Ibid.*, Introduction, p. XXIV-XXXI. Voir aussi E. W. KEMP, *Canonization and authority in the western church*, Oxford, 1948, p. 82 et suiv. ; S. KUTTNER, *La réserve papale du droit de canonisation*, dans la *Revue historique de droit français et étranger*, t. XVII, 1938, p. 172-228.

France, en Angleterre et en Allemagne, mais à travers la Méditerranée, de Palerme à Saint-Jean-d'Acre, le culte et l'iconographie de saint Thomas Becket [1].

A l'intercession des nouveaux saints, on attribue d'innombrables guérisons miraculeuses opérées au contact d'objets qu'ils avaient portés ou touchés, voire d'ampoules où leurs familiers avaient recueilli quelques gouttes d'un précieux liquide, le sang de Thomas Becket [2], l'eau de Gilbert de Sempringham [3]. Au lendemain de leur mort, sur la tombe du martyr de Cantorbéry, sur celle de la voyante de Rupersberg, ou du maître de l'ordre gilbertin, les pèlerins affluent, du voisinage d'abord, bientôt parfois de très loin. Des indulgences sont concédées par l'ordinaire ou par le pape, de sorte que leurs dévots y cherchent le remède aux faiblesses de l'âme aussi bien qu'aux infirmités du corps.

LES PÈLERINAGES — Les grands pèlerinages — Jérusalem et les lieux saints, Rome et le tombeau des Apôtres — sont d'autant plus fréquentés que des facilités nouvelles s'offrent aux pèlerins depuis l'installation des Francs dans le proche Orient et l'établissement d'itinéraires régulièrement desservis. Saint-Jacques de Compostelle n'a rien perdu de sa vogue auprès des Français : la multiplication des exemplaires du *Liber Sancti Jacobi* [4] l'atteste. Les pèlerinages français ne sont pas délaissés pour autant : les chemins de Saint-Jacques sont jalonnés de sanctuaires, plus ou moins fameux, mais toujours honorés. Chartres et Le Puy demeurent les grands centres de la dévotion à la Mère de Dieu.

Mais, à côté des pèlerinages majeurs, deux sanctuaires, entre autres, ont acquis un renom que l'on peut qualifier de « mondial » pour l'époque. Vézelay, haut-lieu de la Chrétienté, où l'on vénère un tombeau et des reliques attribués à sainte Marie-Madeleine [5] ; où en 1146 Bernard de Clairvaux prêcha aux foules rassemblées la seconde croisade [6] ; où, vingt ans plus tard, Thomas Becket, alors légat du Saint-Siège, condamna solennellement les constitutions de Clarendon et en anathématisa les fauteurs [7] ; d'où enfin, en 1190, devait s'ébranler la troisième croisade [8]. Entre temps, les foules chrétiennes avaient commencé d'accourir au lieu du martyre et sur la tombe de l'archevêque de Cantorbéry. Quatre siècles durant,

---

(1) T. BORENIUS, *The iconography of saint Thomas of Canterbury* (Oxford, 1929) ; R. FOREVILLE, *L'Église et la Royauté en Angleterre sous Henri II Plantagenet* (*1154-1189*), p. 364-365, et les quelques exemples cités en notes.
(2) R. FOREVILLE, *Une lettre inédite de Jean de Salisbury évêque de Chartres*, dans la *Revue d'Histoire de l'Église de France*, t. XXII, 1936, p. 184.
(3) ID., *Le Livre de saint Gilbert*, p. XLV, et les références aux miracles du recueil officiel.
(4) Sur ce livre et sur le pèlerinage, nous renvoyons à la bibliographie donnée par J. VIEILLIARD, dans la 2ᵉ édit. du *Guide du pèlerin de Saint-Jacques de Compostelle*, Mâcon, 1950, p. XV-XVII. On retiendra cependant trois études récentes : P. DAVID, *Études sur le Livre de Saint-Jacques attribué au pape Calixte II*, Extrait du *Bulletin des Études portugaises et de l'Institut français au Portugal*, Lisbonne, 1946-1949 ; M. DEFOURNEAUX, *Les Français en Espagne aux XIᵉ et XIIᵉ siècles*, Paris, 1949, p. 79-124 ; L. VASQUEZ DE PARGA, J. M. LACARRA et J. URÍA RÍU, *Las peregrinaciónes a Santiago de Compostela*, 3 vol., Madrid, 1948-1949.
(5) Sur les origines du culte de la Madeleine à Vézelay, cf. R. LOUIS, *De l'histoire à la légende*, *Girart comte de Vienne* (...*819-877*) *et ses fondations monastiques*, Auxerre, 1946, p. 154 et suiv.
(6) Cf. t. IX, Iʳᵉ p., p. 192.
(7) R. FOREVILLE, *L'Église et la Royauté*, p. 173-174, et *supra*, p. 106.
(8) Cf. R. LOUIS, *op. cit.*, p. 182, 186, et *supra*, p. 126.

attirées par la châsse célèbre, dressée après la translation dans la chapelle de la Trinité, elles devaient y célébrer deux jubilés par siècle, aux anniversaires respectifs de la mort (1170) et de la translation (1220), jusqu'au jour où Henri VIII eut enjoint de détruire la châsse, de brûler les restes et de disperser au vent les cendres du martyr [1].

Au XIIe siècle, entre autres pèlerins, s'acheminèrent vers les plus célèbres sanctuaires Guillaume X d'Aquitaine, Alphonse de Toulouse et Thibaud de Blois, dévots de Saint-Jacques, qui entreprirent le voyage de Galice [2] ; Thierry d'Alsace, comte de Flandre, qui fit quatre fois le pèlerinage de Terre Sainte [3], et son fils Philippe qui alla une fois à Compostelle [4], deux fois en Terre Sainte, et y mourut durant la troisième croisade ; Louis VII enfin, croisé et pèlerin de Jérusalem avec Aliénor d'Aquitaine [5] ; pèlerin de Saint-Jacques avec sa seconde femme, Constance, fille d'Alphonse VII de Castille [6] ; pèlerin de Cantorbéry où, peu de temps avant sa mort, il alla se prosterner sur la tombe du saint qu'il avait accueilli en son exil et par l'intercession duquel il avait obtenu la guérison de son fils et héritier. Philippe Auguste.

LA PIÉTÉ MARIALE. L'IMMACULÉE CONCEPTION   Sous l'influence de saint Bernard et des Cisterciens, la dévotion envers la Vierge Marie n'avait cessé de croître. Dès 1134, l e chapitre général de Cîteaux [7] avait décidé de placer toutes les abbayes de l'ordre sous le vocable de Notre-Dame, et, avant la fin du siècle, les cathédrales dont s'ornait le royaume de France furent également dédiées à la Vierge Mère. Pourtant, l'abbé de Clairvaux s'était montré hostile à l'introduction d'une nouvelle fête mariale, celle de l'Immaculée Conception : dans une lettre aux chanoines de Lyon [8], écrite vers 1138, il s'était élevé contre ce qu'il considérait comme une innovation dénuée de fondement rationnel et d'appui dans la tradition [9].

Cependant, la célébration de la conception de Marie, fête d'origine grecque, répandue dans l'église anglo-saxonne peut-être depuis le pontificat de Théodore de Tarse [10], si elle avait subi une éclipse à la suite de la conquête normande, avait été rétablie en Angleterre sous l'impulsion

(1) L'ordre royal est de 1538. Il ne fait pas de doute qu'il ait été exécuté ; mais, fut-ce sur les restes du martyr ou sur un autre corps saint ? On en discute depuis la mise au jour, en 1888, d'ossements inhumés dans la crypte de Christchurch, qui pourraient être ceux de Thomas Becket. Les documents sur la question ont été réunis en un volume par A. J. Mason, *What became of the bones of saint Thomas ?*, Cambridge, 1920 ; W. H. Hutton, dans son *Thomas Becket archbishop of Canterbury*, Cambridge, 1926, p. 299-305, conteste certains des arguments de Mason en faveur de l'identification. Voir également C. F. Routledge, *The bones of archbishop Becket*, dans *Archaeologia Cantiana*, t. XXI, 1895, p. 73-80.
(2) M. Defourneaux, *op. cit.*, p. 113-114, 115.
(3) En 1138 ; en 1147-49, lors de la seconde croisade ; en 1157 et en 1164.
(4) M. Defourneaux, *op. cit.*, p. 115.
(5) Lors de la seconde croisade.
(6) M. Defourneaux, *op. cit.*, p. 114 ; J. Miret y Sanz, *Le roi Louis VII et le comte de Barcelone à Jaca en 1155*, dans *Le moyen âge*, 2e série, t. XVI, 1912, p. 289-300.
(7) Article 18, J.-M. Canivez, *Statuta capitulorum generalium ordinis cisterciensis ab anno 1116 ad annum 1786*, t. I (1116-1220), p. 17.
(8) *Epistolae*, 174. (*P. L.*, CLXXXII, 332.)
(9) L'argumentation de saint Bernard est résumée par X. Le Bachelet, à l'article *Immaculée Conception*, dans le *Dictionnaire de Théologie catholique*, t. VII-1, col. 1012 et suiv.
(10) *Ibid.*, col. 990-994.

d'Anselme le Jeune [1], neveu de saint Anselme et abbé de Saint-Edmond (1120-1148). D'Angleterre, la fête gagna le continent. A la fin du siècle, elle était célébrée, non seulement en plusieurs diocèses et monastères d'Angleterre et de Normandie, mais encore dans diverses églises des diocèses de Paris, Angers, Bazas, Narbonne, Mayence et Augsbourg [2].

En fait, son objet était encore assez mal défini. Les progrès de la croyance en l'Immaculée Conception étaient liés à l'approfondissement de la notion même de péché originel. A cet égard, un pas décisif avait été franchi dès le début du siècle avec saint Anselme. « Il convenait, avait-il écrit [3], qu'elle brillât d'une pureté sans égale au-dessous de Dieu, cette Vierge à laquelle Dieu le Père devait donner son Fils unique, ce Fils né de son cœur, égal à lui-même, en sorte que le Fils de Dieu le Père et le Fils de la Vierge fussent réellement un seul et même Fils. » Et le saint docteur avait préparé la voie aux définitions ultérieures lorsqu'il avait précisé que le péché originel consiste en la privation de la justice primitive, que le péché ne peut s'appliquer qu'à l'âme, qu'enfin les mérites de Jésus-Christ ont valu à la Vierge, par anticipation et dès sa conception, l'infusion privilégiée de la grâce sanctifiante [4]. Les disciples de saint Anselme, Osbert de Clare, Eadmer [5], Anselme le Jeune, furent les ardents défenseurs de l'Immaculée Conception, et, à leur suite, un Abélard, un Nicolas de Saint-Albans. La croyance se développa alors même que la notion demeurait encore vague chez les théologiens du XIIe siècle : si pour Richard de Saint-Victor et les Victorins « Marie fut sanctifiée dès le sein de sa Mère » sans autre précision, ils n'en chantaient pas moins, en des termes que la dévotion mariale n'a pas surclassés depuis, l'étonnante pureté originelle de Marie :

Flos de spinis spina carens [6].

LA DÉVOTION AU CHRIST ET A LA SAINTE TRINITÉ — La connaissance des lieux saints, cadre de la vie terrestre de Marie et de Jésus, plus directe et plus largement répandue depuis les croisades, a orienté la méditation chrétienne vers la personne de Jésus, le mystère de Bethléem, la vie cachée de Nazareth, l'humanité souffrante du Christ. Il faut sans doute rattacher à cette tendance, non seulement une ferveur nouvelle dans la vénération vouée, depuis l'antiquité chrétienne, à la croix instrument du salut, non seulement les plus lointaines origines de la dévotion au Sacré Cœur [7], mais aussi le culte de la sainte Face, qui est attesté à Saint-Pierre de Rome de manière

(1) X. LE BACHELET, *art. cit.*, col. 1005-1006.
(2) *Ibid.*, col. 1033-1035.
(3) *De conceptu virginali et originali peccato*, c. 18, P. L., CLVIII, 451.
(4) Voir les nuances de la pensée d'Anselme sur la question, dans l'article déjà cité de X. LE BACHELET, col. 995-1001.
(5) Dans plusieurs lettres d'Osbert et un sermon, *De conceptione sanctae Mariae* ; dans le traité *De conceptione sanctae Mariae* restitué à Eadmer (P. L., CLIX, 301-308). Toutes ces œuvres ont été publiées par H. THURSTON et TH. SLATER, *Eadmeri monachi Cantuariensis tractatus de conceptione sanctae Mariae, olim sancto Anselmo attributus...*, Fribourg-en-Brisgau, 1904 ; les pièces d'Osbert de Clare sur la question sont en appendice.
(6) Dans la prose de l'Assomption : « *Salve mater salvatoris* », composée par Adam de Saint-Victor, édit. Dom H. PRÉVOST, *Recueil complet des séquences d'Adam le Breton*, Ligugé, 1901 ; E. MISSET et P. AUBRY, *Les proses d'Adam de Saint-Victor*, Paris, 1900.
(7) Cf. t. IX, 1re p., p. 153.

certaine dès la première moitié du XIIᵉ siècle. C'est alors que fut érigé en la basilique vaticane un autel du « Suaire », également dénommé la « Véronique » dans l'*ordo* du chanoine Benoît. En 1197, Célestin III fit édifier, pour conserver l'insigne relique, un tabernacle orné de deux portes d'airain et d'une inscription [1].

Au culte du Sauveur est étroitement associé celui de la sainte Trinité. C'est à la dévotion personnelle de Thomas Becket que l'on doit l'institution en Occident de la fête de la Trinité, d'abord dans le diocèse de Cantorbéry [2], puis dans les diocèses suffragants [3] où elle fut solennisée le jour octave de la Pentecôte, près de deux cents ans avant son extension à l'Église universelle par le pape Jean XXII en 1333.

LA THÉOLOGIE MYSTIQUE   L'institution de la fête de la sainte Trinité est le signe d'une piété alimentée aux sources doctrinales les plus hautes. Elle se rattache peut-être au culte de vénération voué par l'archevêque de Cantorbéry à son prédécesseur Anselme qui, dans le *De fide Trinitatis*, dirigé contre les erreurs de Roscelin, puis dans le *Monologion* [4], avait considéré en théologien le plus grand mystère de la foi chrétienne. En ce domaine comme en celui de la théologie mariale, saint Anselme fut un précurseur. Mais la dévotion d'un Thomas Becket est aussi un aspect, entre autres, des liens qui l'unissaient à l'école théologique de Saint-Victor, alors à l'apogée de son rayonnement. S'il n'est pas prouvé qu'il fut, dans sa jeunesse, le disciple d'Hugues, du moins peut-on affirmer qu'il entretint d'étroites relations avec les Victorins, Hugues lui-même et Richard [5], dont l'œuvre théologique essentielle est un traité sur la Trinité.

Dans sa méthode, à la fois spéculative et affective, le grand Victorin tient de saint Anselme et de saint Augustin. Alors que saint Bernard fut conduit à la mystique par l'ascèse de la vie religieuse, Richard de Saint-Victor fait de la spéculation théologique elle-même une ascèse qui aboutit à la contemplation par sa tendance propre et par les lumières infuses — l'*excessus mentis*, illumination, surcroît de pénétration intuitive obtenu par le don de l'Esprit saint, à la fois signe de sa présence spéciale en l'âme et grâce qui produit en elle la contemplation divine. Par la méthode victorine de la méditation contemplative, l'âme s'élève à considérer Dieu dans ses œuvres, dans son image créée, dans sa nature connue par la foi, et jusque dans la Trinité de ses personnes, objet de la révélation. L'oraison victorine, moins discursive qu'intuitive, est, dans ses degrés

(1) S. CORBIN DE MANGOUX, *Les offices de la Sainte Face*, dans le *Bulletin des Études portugaises et de l'Institut français au Portugal*, t. XI, 1947, p. 15-16.
(2) GERVAIS DE CANTORBÉRY, *Chronique*, t. I, p. 71 *(Rolls Series)* ; R. FOREVILLE, *L'Église et la Royauté*, p. 367.
(3) R. FOREVILLE, *Lettres « extravagantes » de Thomas Becket archevêque de Canterbury*, dans les *Mélanges Louis Halphen*, Paris, 1951, p. 233-234, 238.
(4) *P. L.*, CLVIII, 259-284, et 141-224. La meilleure édition est actuellement celle de Dom F. S. SCHMITT, *Opera omnia*, dont le t. Iᵉʳ (Abbaye de Seckau, 1938 ; reproduction anastatique, Edinbourg, 1946) contient le *Monologion*.
(5) Cf. FOURIER BONNARD, *Histoire de l'abbaye royale de Saint-Victor de Paris*, Paris, s. d., t. I, p. 225 ; R. FOREVILLE, *L'Église et la Royauté*, p. 258-260.

les plus élevés, une oraison mystique, une contemplation du mystère
divin par excellence [1].

L'ILLUMINISME   Le mysticisme de la fin du siècle — en marge de la
                     contemplation doctrinale des grands théologiens —
a conduit certaines âmes, dont l'élévation morale et religieuse ne peut
être mise en doute, à un illuminisme qui connut une vogue sans égale
auprès des contemporains et des générations suivantes. Sans toutefois
les condamner formellement, l'Église n'approuva jamais les visions,
révélations ou pseudo-prophéties, de sainte Hildegarde ou du bienheureux
Joachim de Flore.

Hildegarde, abbesse de Rupersberg non loin de Mayence, fut gratifiée
de visions insignes [2], au point que des princes, des prélats, et autres grands
personnages, la consultaient volontiers sur les questions les plus diverses
et sollicitaient ses prières et ses conseils dans les affaires les plus importantes [3]. Cette femme, dénuée de culture intellectuelle, laissa plusieurs
ouvrages [4] : un traité dogmatique sous la forme allégorique de visions —
Scivias — un traité de morale — le *Liber divinorum operum simplicis
hominis* — et un opuscule scientifique — le *Liber subtilitatum diversarum
naturarum creaturarum* — rédigés d'après ses révélations. Dans leur
ensemble, ses écrits restent dans la ligne de la tradition catholique.

Il n'en est pas de même de ceux de l'abbé de Flore. Joachim [5] était
né en Calabre, probablement entre 1130 et 1140. Il avait fait le pèlerinage
de Terre sainte et était entré chez les Cisterciens. Dès 1177, il était abbé
de Corazzo. Mais, en 1191, il quitta son abbaye pour fonder, avec quelques disciples, dans le massif de la Sila, non loin de Cosenza, le monastère de San Giovanni in Fiore, lequel devint chef d'un ordre local que
Célestin III approuva en 1196 [6]. Joachim mourut à la fin de l'année 1201
ou au début de 1202, laissant une réputation bien établie de sainteté.

Ame contemplative, il a longuement médité la Bible et en a laissé
un commentaire. Parmi ses œuvres authentiques, il y avait un *Libelle
sur l'unité* ou *l'essence de la Trinité*, aujourd'hui perdu, destiné à réfuter
l'auteur de la *Somme des Sentences*, Pierre Lombard [7]. Ressuscitant la
doctrine trinitaire de Gilbert de la Porrée, condamnée en 1148 par le concile
de Reims, l'opuscule devait être également condamné par le quatrième
concile de Latran (c. 2) [8]. Les trois grands ouvrages, rédigés ou commencés
dans la période cistercienne de sa vie, sont l'*Exposition sur l'Apocalypse*,

---

(1) Voir notamment l'Introduction par Jean CHATILLON, au t. I des *Sermons et Opuscules
spirituels inédits* de Richard de Saint-Victor, *L'Édit d'Alexandre ou les trois processions*, publié
en collaboration avec W. J. TULLOCH, Bruges, 1951, *Bibliothèque de spiritualité médiévale.*
    (2) *P. L.*, CXCVII, 99-118.
    (3) *Ibid.*, CXCVII, 145-382.
    (4) *Ibid.*, CXCVII, 383 jusqu'à la fin du volume.
    (5) Voir l'article de E. JORDAN, *Joachim de Flore*, dans le *Dictionnaire de Théologie catholique*,
t. VIII-2, col. 1425-1458, ainsi que les ouvrages de H. GRUNDMANN, *Studien über Joachim von
Floris*, Berlin, 1927 ; *Neue Forschungen über Joachim von Fiore*, Marbourg, 1950, *Münsterche
Forschungen*, Heft I.
    (6) JAFFE-WATTENBACH, nº 17.425 (Rome, 5 août 1196).
    (7) Sur cette controverse, cf. J. DE GHELLINCK, *Le mouvement théologique du XIIᵉ siècle*, Bruges-
Bruxelles-Paris, 1948, p. 263-267.
    (8) MANSI, *Concilia*, t. XXII, col. 983 ; HEFELE-LECLERCQ, *Histoire des conciles*, t. V-2, p. 1327-
1329.

la *Concorde des deux Testaments*, le *Psautier des dix cordes*. Bien qu'entreprises sur l'exhortation du pape Lucius III, renouvelée par Clément III [1], qui lui demande de les présenter à l'examen et au jugement du Saint-Siège, l'*Apocalypsis nova* et la *Concordia* sont entachées d'erreurs. Le système trinitaire de Joachim aboutit à une sorte de trithéisme, et sa conception de la Révélation — annonce prochaine de l'Évangile éternel, c'est-à-dire spirituel, qui ouvrirait le troisième âge de l'humanité, celui du Saint-Esprit, succédant à l'âge du Père et à l'âge du Fils — est en opposition avec la notion orthodoxe d'une Révélation chrétienne à laquelle la mission du Christ a mis le sceau final [2]. Cependant, la réputation de sainteté de l'abbé de Flore, le penchant des esprits à voir en toutes choses des symboles et l'habitude de rechercher le sens allégorique, enfin les craintes ou les espérances eschatologiques, devaient conférer à la doctrine joachimite un lustre incomparable [3]. Des esprits sérieux allaient s'y enliser.

§ 2. — L'essor artistique [4].

ÉVOLUTION DU DRAME LITURGIQUE

L'école de Saint-Martial de Limoges paraît bien avoir été à l'avant-garde des progrès réalisés dans les arts poétiques et musicaux. Ce n'est pas seulement la poésie lyrique et courtoise [5], c'est encore le drame — également fondé sur des thèmes mélodiques — qui lui doit son émancipation première à l'égard de l'office liturgique. On a découvert, en effet, dans un manuscrit de Saint-Martial, les premiers drames indépendants de l'office, mais aussi les premiers balbutiements de l'harmonie, le « contrepoint note contre note » qui, détrônant la diaphonie, devait donner naissance à la musique moderne [6].

Si le véritable drame liturgique s'est maintenu à Saint-Martial dans la tradition même de Fleury-sur-Loire, avec le *Drame des Prophètes*, et surtout avec le *Sponsus* — créé sur la parabole des vierges sages et

---

(1) JAFFE-WATTENBACH, n° 16.274 (Latran, 8 juin 1188). Les œuvres de Joachim de Flore ont été éditées à Venise en 1527 (un vol. in-4°), extraits traduits par E. AEGERTER, sous le titre *L'Évangile éternel*, 2 vol., Paris, 1928, *Les textes du christianisme* (le 2ᵉ vol. seul contient la traduction). Une nouvelle édition des *Monumenta Germaniae Historiaca* comportera l'édition complète de ses œuvres, dont certaines parties, appuyées sur des manuscrits récemment découverts, ont déjà été publiées en ordre dispersé, *Tractatus quattuor Evangeliorum, De articulis fidei* (Ed. E. BUONAIUTI, dans les *Fonti per la Storia d'Italia*) ; *Liber Figurarum* (éd. L. TONDELLI, Turin, 1940). M. Grundmann annonce une édition du *De vita et regula sancti Benedicti*, qu'il considère comme authentique.

(2) Cf. l'article déjà cité de JORDAN ; également X. ROUSSELOT, *Étude sur l'histoire religieuse aux XIIᵉ et XIIIᵉ siècles. Joachim de Flore, Jean de Parme et la doctrine de l'Évangile éternel*, Paris, 1876. Une nouvelle interprétation, plus favorable à l'orthodoxie de Joachim, a été proposée par REEVES (*Medieval and Renaissance Studies*, t. II).

(3) Cf. t. X, p. 469 et suiv. Sur l'influence, aussi bien que la signification des écrits de Joachim, voir la bibliographie du P. F. RUSSO, *Saggio di bibliografia gioachimita*, dans l'*Archivio storico per la Calabria e la Lucania*, t. VI, 1936, p. 100-141 (dont on attend une seconde édition), ainsi qu'une utile mise au point de Mme BIGNAMI-ODIER (*Travaux récents sur Joachim de Flore*, parue dans *Le moyen âge*, t. LVIII, 1952, p. 145-161).

(4) BIBLIOGRAPHIE. — Les ouvrages généraux ont été signalés au t. IX, Iʳᵉ p., p. 162, n. 3, pour l'architecture et la sculpture ; en ce qui concerne la musique sacrée, cf. E. DE COUSSEMAKER, *Scriptorum de musica medii aevi novam seriem*, 4 vol. in-4°, le t. I, Paris, 1864 ; N. DUFOURCQ, *La musique des origines à nos jours*, Paris, s. d. [1946], in-4°, p. 110-114 ; J. CHAILLEY, *Histoire musicale du moyen âge*, Paris, 1950.

(5) Voir *supra*, p. 319.

(6) J. CHAILLEY, *op. cit.*, p. 108-111.

des vierges folles — on aperçoit déjà comment, à Saint-Martial même, le théâtre se détacha de la fonction liturgique, et sans doute également du chœur [1]. Dans cette dernière « comédie », parfaitement équilibrée et complète en elle-même, des strophes en parler limousin alternent avec les strophes latines sur des thèmes mélodiques. Ce sont de brefs refrains en roman, intercalés dans le texte latin, que l'on rencontre dans le *Jeu de Daniel*, écrit par des clercs de Beauvais vers 1140 [2]. On a pu dire que c'était là le premier « opéra », les entrées des personnages y étant saluées par un chant spécial du chœur, le « conduit », terme qui désigne dans son sens originel un « chant de conduite » accompagnant la « procession » des acteurs. Quant au *Jeu d'Adam et Eve* [3], à juste titre célèbre, première manifestation du théâtre français, on a récemment montré [4] comment il demeure dans la tradition proprement liturgique. Drame initial d'une trilogie qui se poursuivait par le *Drame de Caïn et Abel*, et que devait parfaire une *Procession des Prophètes du Christ*, inspirée du *Drame des Prophètes* de Saint-Martial, mais demeurée inachevée, il traduit et commente, dans ses répliques françaises, les répons des Matines de la Septuagésime tels qu'ils existaient dans la liturgie de l'époque, selon la technique même du trope [5]. Le texte liturgique et ses thèmes musicaux y conservent la première place.

Au siècle suivant, avec le *Jeu de saint Nicolas* et le *Miracle de Théophile*, par exemple, le théâtre s'émancipera complètement de ses origines liturgiques. Non seulement il puisera volontiers son inspiration dans le folklore des légendes hagiographiques, non seulement la langue liturgique en sera bannie, mais la musique elle-même, de support fondamental, passera au rang de cadre ou d'intermède.

MUSIQUE ET POÉSIE SACRÉES
De même qu'il est à l'origine du drame liturgique, le trope paraît bien être à l'origine de la poésie lyrique [6], profane ou sacrée. Au XIIe siècle, les proses, succédant aux cantilènes grégoriennes, connurent une floraison éclatante. La prose est une composition à la manière de la séquence — *pro s[equentia]* — écrite sur un langage musical syllabique en un vers rimé et quantitatif, chaque syllabe correspondant à une note selon un rythme ternaire.

Parmi les compositeurs — ici la mélodie, qu'il s'agisse d'adaptation ou de composition proprement dite, ne saurait être détachée de la poésie — un nom domine tous les autres, celui d'Adam de Saint-Victor [7], dont nous

(1) J. CHAILLEY, *op. cit.*, p. 106-108.
(2) *Ibid.*, p. 143-144.
(3) Texte ancien édité par K. GRASS, *Das Adamspiel*, Helle, 1907, puis par P. STUDER, *Le Mystère d'Adam*, Manchester, 1928 ; transposition moderne avec restitution musicale par G. COHEN et J. CHAILLEY, Paris, 1936.
(4) J. CHAILLEY, *Histoire musicale...*, p. 145-146.
(5) *Ibid.*, et n. 377 renvoyant aux manuscrits liturgiques contemporains du *Jeu*.
(6) *Ibid.*, p. 66-67. Cf. notamment le rapprochement étymologique entre *tropator* (celui qui fait des tropes) et *trobador* (troubadour, trouvère).
(7) Sur Adam de Saint-Victor, cf. FOURIER BONNARD, *op. cit.*, t. I, p. 128 et suiv. ; L. GAUTIER, *Œuvres poétiques d'Adam de Saint-Victor*, Paris, 1894 ; E. MISSET et P. AUBRY, *Les proses d'Adam de Saint-Victor*, Paris, 1900 ; Dom H. PRÉVOST, *Recueil complet des séquences d'Adam le Breton*, Ligugé, 1901.

ne savons presque rien, si ce n'est qu'il fut le contemporain d'Hugues et de Richard, et qu'il mourut sous l'abbatiat de Guérin — après 1173, puisqu'il écrivit l'une de ses proses en l'honneur de saint Thomas de Cantorbéry qu'il avait personnellement connu, et qui fut canonisé cette même année. Une critique rigoureuse lui a confirmé la paternité d'une cinquantaine de proses, dont l'inspiration profonde, la doctrine sûre, l'expression harmonieuse, sont parfaitement dignes de l'école théologique de Saint-Victor. Au nombre de ces proses, on ne peut passer sous silence l'admirable *Salve Mater Salvatoris*, qui, au témoignage de Thomas de Cantimpré [1], valut à son auteur le salut de la Vierge elle-même, en réponse à la strophe toute empreinte de la mystique victorine :

> *Salve Mater pietatis*
> *Et totius Trinitatis*
> *Nobile triclinium.*

Adam éclipse toutes les gloires poétiques de la célèbre abbaye parisienne. Il faut citer cependant Godefroy, auteur de sermons et d'un *Microcosmus* [2] en prose, mais également de poèmes, les uns rythmiques, les autres métriques, en vers aussi subtiles que dénués d'élan. Le plus considérable est le *Fons philosophiae*, dédié à Étienne de Tournai, alors abbé de Sainte-Geneviève ; mais le plus intéressant est le *Planctus b. virginis et matris in passione Filii*, dont un manuscrit nous a transmis la notation musicale. Vers la fin de sa vie, un autre chanoine, devenu Victorin sur le tard, dédia à l'abbé Guérin une traduction, en vers de facture virgilienne, des huit premiers livres de l'Ancien Testament, au total plus de quatorze mille hexamètres. On ne saura sans doute jamais si ce Léonius [3] eut avec le célèbre « organiste » de Notre-Dame de Paris, Léoninus, autre chose de commun qu'une même consonance de nom.

L'ÉCOLE MUSICALE DE PARIS   Dans la seconde moitié du XIIe siècle, une école musicale en pleine vitalité anime le chœur de Notre-Dame. Elle gravite autour de trois personnalités de premier plan, dont les noms restent liés à l'essor de l'*organum*, c'est-à-dire à la polyphonie dans son évolution vers le déchant. Ce sont : maître Albert de Paris, Léonin et Pérotin.

Nous connaissons le premier par une mention dans l'office compilé par Aimeric Picaud pour Saint-Jacques de Compostelle [4] (entre 1139 et 1164), comme l'auteur d'un « conduit » à trois voix. Il se peut qu'il ait été préchantre ; il mourut entre 1173 et 1188, vraisemblablement en 1180 [5]. Léonin dut être son contemporain : on lui doit les *organa* à deux voix

---

(1) *Bonum universale de apibus*, Douai, 1627, II, 29.
(2) Cf. Fourier Bonnard, *op. cit.*, t. I, p. 133-136. L'œuvre vient d'être éditée et étudiée, la figure de l'auteur en est éclairée : cf. Godefroy de Saint-Victor, *Microcosmus*. Texte établi et présenté par Ph. Delhaye ; du même, *Le Microcosmus... Étude théologique*, 2 vol. Lille, 1951, *Mémoires et travaux... des Facultés catholiques de Lille*.
(3) Fourier Bonnard, *op. cit.*, p. 136-139.
(4) P. Wagner, *Die Gösang der Jacobus liturgie zu Santiago de Compostella aus dem sog. Codex Calixtinus*, Fribourg, 1931, p. 112, texte, p. 48. Voir également l'édit. intégrale par W. Muir Whitehill, *Liber Sancti Jacobi. Codex Calixtinus*, t. I, *Texto*, Santiago de Compostela, 1944.
(5) Cf. J. Chailley, *op. cit.*, p. 157 et n. 398.

sur des modes rythmiques populaires que comporte le *Magnus liber organi de gradali et antiphonario* [1]. Pérotin [2] enfin, que nul jusqu'ici n'a encore identifié de manière irréfutable avec l'un ou l'autre des chantres de la cathédrale prénommés Pierre [3]. On ne saurait dire s'il mourut en 1197 ou s'il survécut jusqu'en 1236 ou 1238. Pourtant, c'est à juste titre qu'il a été surnommé Pérotin le Grand : on a reconnu ses œuvres dans les livres de chœur de l'école française [4], dont la dispersion à travers l'Italie (Florence), l'Espagne (Madrid, Las Huelgas), l'Allemagne (Wolfenbüttel), voire jadis l'Écosse, suffirait à prouver le rayonnement ; c'est à lui que remonte — et il en paraît bien l'inventeur — l'écriture musicale du rythme, grâce aux ligatures et à la place respective des notes dans leur groupement. C'est là l'origine de notre système rythmique actuel. Pérotin est l'auteur d'*organa* pour messes solennelles, à trois voix comme l'Alleluia *Posui adjutorium*, et à quatre voix comme les graduels *Viderunt* ou *Sederunt*.

Sur un thème liturgique d'intonation, dont chaque note est tenue et constitue une pédale, les autres voix enlacent leurs contrepoints ; le chœur poursuit le répons en plain-chant, puis les chantres exécutent le verset selon les mêmes principes, c'est-à-dire sur la mélodie liturgique de base. On ne doit pas seulement à Pérotin des *organa*, on lui doit encore des « conduits », au sens dérivé du terme, c'est-à-dire des chants polyphoniques de composition originale et libre, sans l'appui de thèmes liturgiques préexistants, des mélodies en contrepoints venant s'harmoniser sur une mélodie première. Ici, la voix principale — *cantus firmus* — est en passe de devenir la basse, tandis que la voix supérieure, ou organale, dessine des mouvements variés, parallèles ou contraires, ornés de vocalises [5].

Avec Pérotin, précurseur à certains égards de Guillaume de Machaut, la musique rythmique et la polyphonie ont atteint une forme accomplie que l'introduction d'un nouvel intervalle, la tierce — inusitée alors, sauf peut-être en Angleterre — viendra parachever. Comment ne pas admirer cependant, en ce XIIᵉ siècle finissant, l'unité d'inspiration de cette école parisienne, où la musique sacrée tend vers la perfection que réalise, en son domaine propre, l'architecture française : c'est sous les voûtes neuves de Notre-Dame, que les ogives lançaient vers le ciel, que se déroulèrent les *organa* de Pérotin, dont les notes tenues, s'animant peu à peu, s'intégraient « parmi les lignes mouvantes des voix, jusqu'à l'immatérialité d'un contrepoint pur, dégagé apparemment des contraintes de la pesanteur harmonique, tout en à-jours et en lumière comme les verrières d'une Sainte-Chapelle sonore » [6].

---

(1) Signalé par l'*Anonyme IV* publié par E. DE COUSSEMAKER, *Scriptorum...*, t. I, p. 342 ; reconnu en 1898 par W. MEYER dans un manuscrit de Florence.

(2) Il nous est connu par l'*Anonyme IV* (*Ibid.*, t. I, p. 334, 341-342, 360), et par le traité de musique de Jean de Garlande, conservé par Jérôme de Moravie (*Ibid.*, t. I, p. 116).

(3) On trouvera un bon résumé des identifications tentées jusqu'ici, dans J. CHAILLEY, *op. cit.*, p. 158-160, ainsi que les références, n. 401-412.

(4) *Ibid.*, p. 152-153.

(5) *Ibid.*, p. 152-154.

(6) *Ibid.*, p. 155.

*ÉLAN RELIGIEUX
ET PROGRÈS TECHNIQUE*

Tandis que les modulations de l'*organum*, savamment harmonisées par les « organistes » de l'école parisienne, traduisaient dans la liturgie des offices solennels la ferveur de l'élan religieux, les maîtres d'œuvre animaient la pierre, sous l'impulsion de prélats bâtisseurs, soutenus dans leur effort par le peuple fidèle tout entier. Il ne s'agissait pas seulement de rehausser la splendeur du culte divin, d'honorer la Vierge, dont le patronage relégua parfois au second plan les anciens titulaires, d'attirer la foule des pèlerins, mais encore de répondre à une nécessité difficile à éluder. L'essor démographique, l'attirance des villes, le développement de la richesse mobilière grâce aux premières activités « capitalistes », exigeaient l'adaptation des édifices religieux à l'accroissement numérique autant qu'à la prospérité grandissante des populations urbaines [1]. Au reste, la fréquence des incendies aidant, certaines églises tombaient de vétusté. Maurice de Sully consacra à la construction de Notre-Dame de Paris, qui allait heureusement remplacer les deux vieilles églises Notre-Dame et Saint-Étienne, les revenus de la mense épiscopale sagement administrée ; mais il fut soutenu dans son effort par les dons et les legs de plusieurs membres du chapitre et des grands personnages de la cité. Or, cet élan religieux se trouva justement stimulé par la mise en œuvre d'une formule architecturale nouvelle, la voûte sur croisée d'ogives, éprouvée d'abord en des églises de dimensions modestes de l'Ile-de-France, telles que celles de Morienval et Saint-Martin-des-Champs à Paris.

Si, en effet, la croisée d'ogives fut utilisée dès l'extrême fin du XIe siècle et le début du XIIe [2], et continuait de l'être, selon des modes divers et régionaux, dans certaines régions de l'Occident chrétien, c'est seulement dans l'Ile-de-France et vers le milieu du XIIe siècle qu'elle atteignit une perfection technique susceptible d'ouvrir à l'art de la construction des perspectives entièrement neuves [3]. Des ogives dépourvues de clefs — réminiscences des voûtes d'arêtes renforcées des Romains — étaient apparues en Lombardie et avaient essaimé dans la Provence et le Languedoc (église basse de Saint-Gilles ; cathédrale de Maguelone, sous l'épiscopat de Jean de Montlaur 1158-1190). De leur côté, les architectes anglo-normands édifiaient de puissantes églises romanes, dont les voûtes étaient épaulées par des ogives surbaissées [4], comme à la cathédrale de Durham, ou soutenues par une ogive transversale extradossée d'une murette (fausse voûte sexpartite de la Trinité de Caen). En Aquitaine

(1) H. SELDMAYR, *Die Entstehung der Kathedrale*, Zurich, 1950, considère même l'essor de la cathédrale gothique comme un fait politique autant qu'artistique : une forme de civilisation incarnée par la royauté française.

(2) Sur la question, longtemps controversée, des origines de la croisée d'ogives et de son rôle dans l'architecture des églises, cf. la bibliographie donnée au t. IX, Ire p., p. 174, n. 3. On y ajoutera le travail déjà ancien, mais qui n'a rien perdu de sa valeur, de John BILSON, *The beginnings of gothic architecture, Norman voulting in England*, dans *The Journal of the royal Institute of British architects*, 3e série, t. VI, p. 289 ; l'article a été traduit en français dans la *Revue de l'art chrétien*, t. XII, 1901, p. 365-393 et 463-480. Voir aussi une étude plus récente du même sur *La cathédrale de Durham et la chronologie de ses voûtes*, parue dans l'*Archaeological Journal*, t. LXXIX, 1922, p. 101-160, et traduite dans le *Bulletin monumental*, t. LXXXIX, 1930, p. 5-45 et 209-255.

(3) Voir l'article de M. AUBERT, *Les plus anciennes croisées d'ogives. Leur rôle dans la construction*, dans le *Bulletin monumental*, t. XCIII, 1934, p. 5-67 et 137-237.

(4) *Ibid.*, p. 162, 173-174, 222-223.

et en Anjou, des ogives de renforcement permettaient d'alléger les coupoles (Mouliherne ; tour de Saint-Aubin d'Angers vers 1175-1180), et même d'édifier des voûtes bombées sur ogives brisées à la clef et noyées dans la maçonnerie (cathédrale d'Angers entreprise sous l'épiscopat de Normand de Doué, 1149-1153).

Seuls cependant, les architectes de l'Ile-de-France surent donner à la croisée d'ogives toute sa valeur architecturale dans les édifices de la seconde moitié du siècle qui marquent les étapes successives dans les progrès décisifs de la technique nouvelle. Ayant adopté le parti de placer les lignes de faîte sur un même plan horizontal, ils relevèrent le niveau des clefs des arcs d'encadrement — doubleaux et formerets — afin de donner à la voûte une certaine courbure, et d'éviter la diffusion de la poussée sur des ogives surbaissées. Puis, dans les toutes dernières années du XIIe siècle, l'utilisation d'un procédé aussi élégant qu'ingénieux — l'arc-boutant — devait leur permettre de contrebuter utilement la voûte en ses seuls points de retombée, et de tirer de la croisée d'ogives toutes ses conséquences logiques. Bientôt, des voûtes barlongues, adaptées à chaque travée, supplanteront les voûtes sexpartites ; les murs seront allégés et évidés pour faire place à des fenêtres plus larges, sans que la solidité de l'édifice en soit compromise. Alors, par son élan et ses dominantes verticales, par le chatoiement de la lumière à travers ses vitraux, la cathédrale gothique joindra la symphonie de ses lignes et de ses couleurs à celle des voix qui s'élèvent sous ses voûtes aériennes.

L'ESSOR DE L'ARCHITECTURE GOTHIQUE — Essentiellement française dans sa réalisation la plus achevée, l'architecture gothique présente, dès la seconde moitié du XIIe siècle, un incomparable essor. Partout dans le royaume de France s'ouvrent des chantiers [1]. A Chartres, après l'incendie de 1134, on érige le clocher nord, puis le clocher sud et un narthex, dont il ne subsiste aujourd'hui que l'ordonnance et les sculptures du portail royal. A Sens, entrepris dès 1130 sous l'archevêque Henri Sanglier, selon un plan qui suppose déjà le nouveau procédé de couverture, les travaux sont activement poussés par son successeur, Hugues de Toucy. Dès 1164, le pape Alexandre III consacre la nouvelle cathédrale, et, à la mort d'Hugues (1168), elle est à peu près complètement achevée, de telle sorte qu'elle se distingue par une grande unité de style. A Laon, l'évêque Gautier de Mortagne (1155-1174) édifie une vaste cathédrale d'une très belle ordonnance, dont le chœur devait être agrandi plus tard. A Noyon, après l'incendie de 1131, le chœur est reconstruit et livré au culte dès 1157, la nef est achevée en 1185. A Senlis, les travaux, commencés en 1155, se poursuivront jusqu'à la fin du siècle. A Paris enfin, sous l'impulsion de Maurice de Sully (1160-1196), on entreprend la reconstruction du chœur de l'ancienne église Notre-Dame (1163-1177), puis l'érection du transept et de

(1) Cf. R. DE LASTEYRIE, *L'architecture religieuse en France à l'époque gothique*, Paris, 1926-1927, t. I, p. 35 et suiv.

la nef qui va bientôt rejoindre le vieux Saint-Étienne que l'on démolit. A la mort de Maurice de Sully, la nef est presque achevée [1], seules la façade et les tours seront élevées au siècle suivant.

De même que Saint-Étienne de Sens, Notre-Dame de Paris présente une réelle unité. Cependant, on y peut suivre les progrès de la technique nouvelle : alors que, primitivement, le chœur était épaulé par de simples contreforts (les arcs-boutants de l'abside datent du XIIIe siècle), des arcs-boutants à double volée vinrent, dès l'origine, contrebuter la retombée des ogives des nefs latérales. Toutefois, comme Noyon, comme Laon, comme Senlis, Notre-Dame appartient encore au type primitif, par ses voûtes sexpartites et par la fonction de soutien de ses tribunes à l'égard des ogives de la nef centrale, peut-être même par son élévation à quatre étages dont nous ne pouvons juger aujourd'hui, si ce n'est par les restaurations contestables de Viollet-le-Duc.

A côté des grandes cathédrales du domaine royal, plusieurs abbatiales [2], à l'instar de Saint-Denis sous l'impulsion de Suger, s'ornent d'un chœur plus vaste selon la nouvelle formule architecturale : à Saint-Germain-des-Prés, le nouveau chœur fut consacré par le pape Alexandre III dès 1163 ; à Saint-Rémi de Reims, il fut érigé sous l'abbatiat de Pierre de Celle (1162-1180) ; à Vézelay [3] enfin, le chœur construit, à ce qu'il semble, par un maître d'œuvre de l'Ile-de-France, sous l'abbé Girard d'Arcy (1185-1190), s'inspire de la cathédrale de Sens, peut-être à travers Saint-Germain-des-Prés.

Quoi qu'il en soit, Saint-Étienne de Sens, la plus ancienne de nos grandes cathédrales, supprimant d'emblée les tribunes, avec une hardiesse qui tient peut-être des audaces de l'art roman bourguignon, plus que Notre-Dame de Paris, devait inspirer les édifices de vastes dimensions. Son influence s'est indéniablement exercée sur Saint-Germain-des-Prés, Saint-Rémi de Reims, Vézelay, et, hors du royaume, sur la cathédrale de Cantorbéry, dont la reconstruction, aussitôt après l'incendie de 1174, fut entreprise par le maître d'œuvre Guillaume de Sens [4], selon un plan, une élévation et des formes rappelant de fort près les caractères essentiels du prototype sénonais, à l'achèvement duquel il semble bien qu'il avait participé.

(1) Sur la chronologie de Notre-Dame de Paris et ses caractéristiques architecturales, cf. M. Au-BERT, *Notre-Dame de Paris et sa place dans l'histoire de l'architecture du XIIe au XIVe siècle*, Paris, 1920, 2e édit. 1928, et, du même, *Notre-Dame de Paris, architecture et sculpture*, Paris, 1928.

(2) Cf. R. DE LASTEYRIE, *op. cit.*, p. 44-46, 50-51, 64-65.

(3) Sur les campagnes de construction de la Madeleine de Vézelay, notamment du chœur, voir l'ouvrage de F. SALET, *La Madeleine de Vézelay*. Avec une étude iconographique par J. ADHÉ-MAR, Melun, 1948. L'auteur prend position contre les thèses de Ch. PORÉE, dans le *Congrès archéologique de France*, *LXXIVe session tenue à Avallon*, 1907, et dans sa monographie sur *L'abbaye de Vézelay*, Paris, 1909, *Petites monographies des grands édifices de la France*. Toutefois, les dates proposées par F. Salet pour la construction de l'abbatiale sont vivement contestées par C. OURSEL, *Problèmes de filiation en histoire de l'art roman à propos d'un livre récent. La Madeleine de Vézelay*, dans les *Annales de Bourgogne*, t. XXI, 1949.

(4) La reconstruction de la cathédrale de Cantorbéry après l'incendie de 1174 est décrite fort minutieusement par GERVAIS DE CANTORBÉRY, *Chronique*, t. I, p. 19-22 (*Rolls Series*). Voir le plan comparé des cathédrales de Sens et Cantorbéry dans Ch. PORÉE, *Congrès archéologique de France*, *LXXIVe session tenue à Avallon*, 1907, p. 206-207. Le nouveau chœur fut réintégré par les moines en la solennité de Pâques, 19 avril 1180.

L'ARCHITECTURE CISTERCIENNE [1]   On a dit que les Cisterciens avaient été « les missionnaires du gothique et de l'art français » [2]. Certes, l'expansion de l'ordre, qui comptait 343 maisons en 1153 et 530 à la fin du XIIᵉ siècle, auquel venaient de s'affilier Aubazine et surtout Savigny avec ses vingt-sept filiales (1147), qui essaimait alors dans toute la Chrétienté, est contemporaine de l'essor de la nouvelle formule architecturale. Si l'église de Clairvaux, puis celle de Savigny (construite de 1180 à 1220), furent voûtées d'ogives, si le chœur de Fontfroide et celui de Pontigny (1185-1205 environ) furent reconstruits et voûtés selon le procédé gothique, les Cisterciens n'ont pas adopté un type systématique de voûte : ils ont propagé parfois des modes bourguignons ; le plus souvent, ils se sont conformés aux types locaux de construction, correspondant aux matériaux et aux habitudes de la région. Au XIIᵉ siècle, la voûte en berceau reste le mode de couverture le plus largement utilisé dans leurs églises [3]. Quand ils adoptent l'architecture gothique, ils lui infusent l'esprit de simplicité et d'austérité qui caractérise leur règle ; ils suppriment tout artifice dans la construction, toute recherche dans le décor. Rien de plus dépouillé, par exemple, que le chœur de Pontigny dans son élégante majesté. On connaît les caractéristiques essentielles de cette architecture : ses chapelles délimitées par le mur d'enceinte, qu'il s'agisse d'un chœur en hémicycle comme à Pontigny, ou du chevet rectangulaire plus communément répandu ; ses murs dénués de colonnes ; ses façades nues dépourvues de clochers ; l'équilibre de ses proportions, la beauté de ses lignes.

Quoi qu'il en soit, le rayonnement de l'ordre cistercien allait dans le sens même de l'évolution qui inclinait à l'adoption de la formule gothique. C'est ainsi que, dès la fin du XIIᵉ siècle, les Cisterciens ont contribué à propager la croisée d'ogives, non seulement dans la région méditerranéenne du royaume de France où subsistaient de fortes traditions romanes, mais encore en Allemagne (Eberbach, Bronbach), en Basse-Autriche (Heiligenkreuz), dans le nord de l'Angleterre (Fountains, Kirkstall) et en Irlande, par delà les Pyrénées (Fitero) et par delà les Alpes (San Galgano, Chiaravalle, Casamari, Fossa Nova), voire jusqu'en Pologne et en Suède [4]. Et ce sont les moines français de San Galgano qui allaient être les premiers maîtres d'œuvre de la cathédrale de Sienne.

(1) Sur l'esprit de la réaction cistercienne, cf. t. IX, Iʳᵉ p., p. 173-174. Le travail de M. AUBERT sur *L'architecture cistercienne en France*, avec la collaboration de la marquise de MAILLÉ, 2 vol., 2ᵉ édit., Paris, 1947, dispense de recourir aux études antérieures, sauf pour les pays étrangers : voir n. 4.

(2) *Ibid.*, t. II, p. 207, d'après DOHME, *Die Kirchen des Cistercienser-Ordens in Deutschland während des Mittelalters*, Leipzig, 1869.

(3) M. AUBERT, *op. cit.*, t. I, p. 233.

(4) Sur l'extension de l'art gothique en Europe par suite du rayonnement cistercien, cf. DOHME, *op. cit.* ; H. ROSE, *Die Baukunst der Cistercienser*, Munich, 1916 ; E. WRANGEL, *Ueber den Einfluss der Cisterciermönche auf mittelalterliche Baukunst in Schweden*, dans les *Studien und Mittheilungen aus dem Benediktiner und dem Cistercienserorden*, t. XX, 1899, p. 664-671 et t. XXI, 1900, p. 348-356 ; S. CURMAN, *Cistercienserordens bygnadskonst*, Stokholm, 1912 ; J. BILSON, *The architecture of the Cisterciens*, dans l'*Archaeological Journal*, t. LXVI, 1909, p. 185-280 ; J. VENDRYES, *Mellifont fille de Clairvaux*, dans les *Mélanges Schœpperlé*, Paris et New-York, 1927 ; F. HENRY, *La sculpture irlandaise pendant les douze premiers siècles de l'ère chrétienne*, Paris, 1933, p. 10 ; C. ENLART, *Origines françaises de l'architecture gothique en Italie*, Paris, 1894 ; E. LAMBERT, *L'art gothique en Espagne aux XIIᵉ et XIIIᵉ siècles*, Paris, 1931 ; P. LAVEDAN, *L'architecture gothique en Catalogne, Valence et Baléares*, Paris, 1935.

SURVIVANCE DE L'ART ROMAN   En dépit de la vogue que connut alors la formule gothique et de sa rapide extension, l'art roman — du moins en certaines de ses écoles régionales — ne laisse pas d'affirmer sa vitalité. Tandis que les églises anglo-normandes — Durham, Peterborough, Ely, Winchester, Saint-Étienne et la Trinité de Caen (dont on a décelé l'influence prépondérante sur la cathédrale de Tournai)[1] — avaient inauguré des procédés très proches de la formule perfectionnée dans l'Ile-de-France, en d'autres régions, des traditions, faisant déjà figure d'archaïsmes, se maintenaient et suscitèrent même une véritable floraison jusqu'en plein XIIIᵉ siècle. Ainsi, la région rhénane et le domaine austrasien conservaient les absides opposées, le double transept et le dôme à la croisée, de provenance carolingienne : les cathédrales de Mayence et de Spire, les églises de Marmoutier (Bas-Rhin) et de Maria-Laach en sont, entre autres, les témoins attardés au XIIᵉ siècle[2]. La Provence cultivait les traditions de l'antiquité classique avec le plan basilical à collatéraux étroits et parfois à nef unique, avec son école de statuaire, ses portiques à colonnes aux chapiteaux corinthiens, ses architraves et ses frontons (Saint-Gilles, Saint-Trophime d'Arles)[3]. Le Poitou et l'Aquitaine[4] accusaient leur originalité, le premier dans la décoration monumentale des façades (Notre-Dame-la-Grande), la seconde dans l'inspiration orientale adaptée aux matériaux et aux procédés locaux, avec ses églises à coupoles et la substitution, à Saint-Front de Périgueux (achevé avant 1173), du plan en croix grecque au plan basilical de la cathédrale primitive[5]. A la croisée des chemins sur la route des pèlerinages, le Languedoc, enfin, continuait de recevoir et de diffuser des influences multiples[6] : basiliques de pèlerinage, d'une part, églises forteresses, de l'autre, prolongent la vitalité de l'art roman au delà des Pyrénées et de la Méditerranée. La cathédrale de Coïmbre au Portugal, les églises érigées par les Francs en Terre sainte, à Beyrouth, Naplouse et Jérusalem (Sainte-Marie latine, Sainte-Anne, le Saint-Sépulcre), dans leur plan comme dans la structure de leurs voûtes, et jusque dans leur décoration, rappellent certains traits caractéristiques des édifices languedociens. En revanche, à la même époque, les églises de l'ordre du Temple, de caractère à la fois si particulier et si permanent d'un pays à l'autre, avec leur plan octogonal, transplantent en Occident — à Paris, à Londres, à Ségovie, à Montmorillon, etc... — des formes proprement orientales, reprises de la mosquée d'Omar, devenue le grand sanctuaire de l'ordre à Jérusalem, tandis que, dans la péninsule ibérique, l'art chrétien continue d'accueillir certaines influences mauresques, et que la Sicile demeure le creuset par excellence, où se fondent, en des constructions harmonieuses, les styles les plus divers.

---

(1) Cf. P. ROLLAND, *La cathédrale romane de Tournai et les courants architecturaux*, dans la *Revue belge d'archéologie et d'histoire de l'art*, t. IV, 1934, p. 103-137 ; 225-238 ; t. VIII, 1937, p. 229-280.
(2) R. REY, *L'art roman et ses origines*, Toulouse, 1945, p. 303-306.
(3) *Ibid.*, p. 306-311.
(4) *Ibid.*, p. 318-324 ; 336-341.
(5) M. AUBERT, *L'Église Saint-Front*, dans *Congrès archéologique de France*, LXXXᵉ *session tenue à Périgueux*, 1927, p. 45-56.
(6) R. REY, *op. cit*, p. 327-332.

ORIENTATION NOUVELLE DE L'ICONOGRAPHIE Si la croisée d'ogives fut d'abord utilisée en fonction des voûtes romanes, si des formes nouvelles vinrent couronner des édifices de style traditionnel avant que ne se dégageât la nouvelle formule architecturale, on peut constater des tâtonnements analogues et des conceptions également attardées dans le domaine de l'iconographie. C'est seulement vers la fin du XIIe siècle que l'iconographie gothique se dégage véritablement des thèmes romans et de la facture traditionnelle. Cependant, la tendance au renouvellement de l'art remonte plus haut. A vrai dire, l'esprit même qui l'anime n'est pas essentiellement différent : pas plus que leurs devanciers, les artistes du premier âge gothique ne conçoivent une esthétique pure. Certes, il s'agit de glorifier Dieu par la richesse de la matière et la beauté des formes ; encore faut-il, d'abord, que les œuvres conçues servent à l'enseignement et à l'édification du collège monastique ou du peuple fidèle. Le XIIe siècle sur son déclin est déjà le siècle des vastes synthèses — le *Décret*, la *Somme des Sentences*. A sa manière, l'église présente une somme en images des connaissances nécessaires au salut — science, dogme et morale — à l'usage des humbles qui n'ont pas accès à la culture livresque [1].

L'ornementation s'inspire encore des sciences de la nature, selon la conception des Anciens vue à travers le *De imagine mundi* d'Honorius d'Antun [2] ou les enluminures d'Herrade de Landsberg dans son *Hortus deliciarum* [3]. Elle continue de reproduire des motifs stylisés, des animaux fantastiques, des êtres fabuleux, empruntés aux enluminures des *Bestiaires*, aux ivoires taillés, ou aux tissus d'Orient [4]. Elle met parfois, dans l'exécution, un sens plus averti du monde environnant, que les artistes commencent à imiter. Surtout, la tendance au symbolisme s'accentue, et l'on définirait assez bien l'idéalisme du premier âge gothique par les vers néoplatoniciens que Suger [5] fit graver sur la porte de bronze du portail central de Saint-Denis (1140) :

Passant qui veux louer la beauté de ces portes, ne te laisse toucher ni par l'or ni par la magnificence, mais plutôt par le labeur. C'est une œuvre fameuse qui brille ici ; mais que cette œuvre fameuse qui brille fasse briller les esprits, pour que, par les vérités lumineuses, ils aillent à la vraie lumière, où le Christ est la vraie porte... L'esprit grossier s'élève au Vrai par la matière, et, plongé d'abord dans les bas-fonds, il s'en arrache.

Dans un souci essentiellement dogmatique, l'iconographie traduit en images l'Ancien et le Nouveau Testaments, les scènes de la vie du Christ rappelant l'institution des sacrements (baptême, pénitence, eucharistie), la vie et les miracles des saints, abondamment relatés dans les récits hagio-

___

(1) Sur ces tendances encyclopédiques de l'art, cf. E. MÂLE, *L'art religieux du XIIe siècle en France*, Paris, 1922, plusieurs rééditions, p. 315 et suiv.
(2) *P. L.*, CLXXII, 140.
(3) Édit. commentée de STRAUB et KELLER, Strasbourg, 1879-1899, publiée par la Société pour la conservation des monuments historiques d'Alsace.
(4) E. MÂLE, *op. cit.*, p. 332 et suiv. ; 340 et suiv.
(5) *De administratione*, XXVII, édit. LECOY DE LA MARCHE, p. 189 ; cité par M. AUBERT, *Suger*, Abbaye Saint-Wandrille, 1950, *Grandes figures monastiques*, p. 138. Voir, dans le même ouvrage, le commentaire de la pensée de Suger par ses sources, Denys l'Aréopagite interprété par Hilduin, et Jean Scot Érigène.

graphiques de l'époque. C'est, en effet, par une préférence marquée envers certains thèmes, et dans la manière de les interpréter, plus encore que dans l'esthétique même de leur expression, que se manifestent les premiers symptômes de l'iconographie gothique.

Suger fut l'initiateur véritable de ce renouvellement dans les thèmes artistiques [1], destiné à atteindre, au siècle suivant, une réelle perfection plastique. Il le fut par son rôle de bâtisseur ; plus encore, parce qu'il sut choisir les artistes, inspirer les thèmes essentiels, peut-être même, dans une certaine mesure, en guider l'exécution ; parce qu'il sut également en organiser la composition, en fixer le sens pour la postérité. Certes, il ne les a pas créés, mais il eut le mérite de les dégager de la complexité touffue, de la prolifération désordonnée de la statuaire romane, notamment des tympans historiés. Qu'il suffise, parmi ces thèmes, d'indiquer l'arbre de Jessé (vitrail qu'il fit exécuter pour Saint-Denis), le triomphe de la Vierge (vitrail qu'il offrit à Notre-Dame de Paris), le jugement dernier enfin, qu'il fit sculpter au tympan de la porte centrale du porche occidental de Saint-Denis. Ce sont là — avec les scènes propres aux vies de saints — des thèmes que le XIIIe siècle devait populariser et porter à leur perfection dans la statuaire monumentale ou dans la peinture sur vitrail des grandes cathédrales.

LES PREMIÈRES ŒUVRES DE LA STATUAIRE GOTHIQUE [2]   Dès la seconde moitié du XIIe siècle, du portail de Saint-Denis (c. 1140) au portail de Senlis (c. 1185-1190) — en passant par Chartres, Paris, Bourges, Laon — la statuaire monumentale précise ses données, organise ses composantes. La figure du Christ en majesté se détache des scènes d'apocalypse, s'encadre du tétramorphe, préside au jugement dernier. Au portail occidental de Chartres, au portail de Sainte-Anne à Paris, au portail septentrional de Bourges, la Vierge a conquis une place d'honneur au tympan des cathédrales : mère de Dieu « Θεοτόκος », assise en majesté, elle présente son Fils à l'adoration des fidèles, image chargée de sens théologique, mais dépourvue de toute expression d'humaine tendresse. Avant la fin du siècle, au tympan de Senlis, Marie siège à la droite de son Fils, après sa mort et sa résurrection, que représente le linteau du même portail. Là, avec respect, grâce et tendresse, des anges, encore serrés dans les plis de leurs tuniques, mais pleins d'aisance dans leurs mouvements, soulèvent précieusement son beau corps qui s'éveille du tombeau. A Saint-Denis, au portail royal de Chartres, les saints de l'Ancien Testament, figure du Nouveau, ornent les piédroits selon la formule de la statue-colonne dont on a fait honneur à Suger [3]. On voit bientôt les saints de la nouvelle alliance gagner droit de cité sur les portails — aux piédroits, voire au trumeau, tel saint Étienne à Sens — et sur les verrières.

---

(1) Sur ce rôle de Suger, cf. E. MÂLE, *op. cit.*, p. 154-185. L'œuvre de Suger a été exaltée récemment encore par E. PANOFSKY, *Abbot Suger on the Abbey Church of Saint-Denis and its art treasures*, Princeton, 1946 ; 2e éd., 1948.

(2) E. MÂLE, *op. cit.* ; M. AUBERT, *La sculpture française au début de l'époque gothique, 1140-1225*, Paris, 1929.

(3) E. MÂLE, *op. cit.*, p. 392-393.

L'ART DU VITRAIL.
LES PREMIERS ATELIERS [1]

L'art du vitrail n'était pas inconnu de la Gaule franque ; sa technique s'apparentait à celle de l'orfèvrerie cloisonnée. Cependant, les dimensions exiguës des fenêtres dans les églises du premier âge roman n'avaient pas stimulé son développement. En revanche, les murs et les absides s'ornaient de peintures à fresques, dont il ne subsiste aujourd'hui que d'assez rares vestiges. Avec ses grandes surfaces évidées, l'architecture gothique fit, au contraire, un appel constant aux peintres sur verre, sauf en Italie où la technique de la fresque ne cessa de se développer.

Les premiers ateliers s'ouvrirent à Saint-Denis, où Suger fit venir des artistes réputés et créa une véritable école du vitrail, ainsi qu'à Chartres. A la fin du XIIe et au XIIIe siècle, l'atelier chartrain s'est acquis une grande renommée. Il semble d'ailleurs que les deux ateliers aient usé de procédés identiques et donné des œuvres fort apparentées. Ils se distinguent par la pureté de leurs bleus et de leurs pourpres ; par la juxtaposition de médaillons historiés et encadrés de bordures à rinceaux et palmettes en grisailles. Seuls, de rares fragments subsistent des premiers vitraux de Saint-Denis ; de ceux de Chartres, quelques ensembles ont été conservés : un arbre de Jessé, une Vierge en majesté. Mais, leur rayonnement s'est manifesté sur les régions voisines : les cathédrales du Mans (c. 1158), d'Angers (entre 1161 et 1177), de Poitiers, à la fin du siècle, s'ornèrent de vitraux provenant des ateliers sandionysien ou chartrain. A Sens, et jusqu'en Angleterre, à Cantorbéry, à York, on fit appel à l'atelier de Chartres : il n'en subsiste aujourd'hui que quelques ensembles, consacrés, soit aux figures de l'Ancien Testament, soit à l'hagiographie.

Des ateliers champenois et lotharingiens eurent aussi une certaine vogue et exercèrent leur influence sur Saint-Rémi de Reims, Châlons-sur-Marne, les cathédrales de Metz, Strasbourg et Augsbourg. Ils employaient des fonds incolores et un très beau vert émeraude.

Enfin, les Cisterciens ont également fait école : ils ont banni les scènes historiées et les couleurs chatoyantes. Leurs verres incolores, jetant sur le vert ou le bleu, sont à l'origine du vitrail en grisailles.

§ 3. — La naissance des Universités médiévales [2].

CONDITIONS GÉNÉRALES

Un fait domine l'histoire de l'enseignement et de la culture à la fin du XIIe siècle, c'est la formation des premières Universités, celles dont l'éclat allait illuminer

---

(1) Sur l'art du vitrail au XIIe siècle, consulter : F. DE LASTEYRIE, *Histoire de la peinture sur verre d'après ses monuments en France*, 2 vol., Paris, 1856-57 ; WESTLAKE, *History of design in painted glass*, 4 vol., Londres, 1880-1894 ; J. C. FISHER, *Handbuch der Glasmalerei*, 2e édit. Leipzig, 1939 ; *Vitraux des cathédrales de France aux XIIe et XIIIe siècles*, Paris, 1937 ; 2e édit. 1947, l'Introduction, par M. AUBERT ; et, du même, *Le vitrail en France*, Paris, 1946 ; 2e édit., 1949.

(2) BIBLIOGRAPHIE. — Un recueil de documents indispensable : H. DENIFLE et E. CHATELAIN, *Chartularium Universitatis Parisiensis*, t. I, Paris, 1889, in-4°. Quelques ouvrages d'ensemble essentiels : G. PARÉ, A. BRUNET et P. TREMBLAY, *La renaissance du XIIe siècle. Les Écoles et l'enseignement*, Paris-Ottawa, 1933, *Publications de l'Institut d'études médiévales d'Ottawa*, fasc. 3 ; E. LESNE, *Histoire de la propriété ecclésiastique en France*, t. V, *Les Écoles de la fin du VIIIe à la fin du XIIe siècle*, Lille, 1940, *Mémoires et Travaux... des Facultés catholiques de Lille* ; J. DE GHELLINCK, *Le mouvement théologique du XIIe siècle*, 2e édit. augmentée, Bruges-Bruxelles-Paris, 1948 ; S. D'IRSAY, *Histoire des Universités françaises et étrangères des origines à nos jours*,

le XIIIe. Centres de hautes études générales — *studia generalia* — possédant une autonomie propre, les Universités acquièrent le monopole de leur dénomination — primitivement valable pour toute corporation — au XIIIe siècle seulement [1]. Les premiers organismes universitaires existaient de fait à la fin du XIIe siècle, bien qu'ils n'eussent pas encore atteint à cette époque la croissance de l'âge adulte, ni obtenu la reconnaissance *de jure* de leur autonomie. On ne saurait préciser quand et comment ils se constituèrent, leur formation étant, en certains lieux dotés de conditions privilégiées, le résultat d'une évolution commencée dès la fin du XIe siècle. Pour la plupart, les Universités médiévales prirent naissance autour d'anciennes écoles épiscopales, en des cités où, concurremment à l'enseignement officiel, s'était développé un enseignement qu'on peut qualifier de « libre », bien qu'il fût généralement agréé par le chancelier capitulaire ou l'écolâtre, ce dernier de plus en plus dégagé de la fonction enseignante proprement dite.

L'impulsion donnée à l'enseignement par le pape Alexandre III, élève d'Abélard à Paris et ex-professeur à Bologne, et la réglementation qu'il lui imposa, contribuèrent largement à la formation des corporations universitaires et à la diffusion du haut savoir. On ne saurait toutefois sous-estimer le rôle des maîtres qui, au cours du siècle, mirent au point des méthodes d'exposition, établirent, sous l'influence de la pensée aristotélicienne, une technique du raisonnement, dégagèrent un enseignement philosophique, élaborèrent l'enseignement théologique au sens actuel du mot, composèrent enfin les premières « Sommes » et les recueils de « sentences » à l'usage des étudiants.

ALEXANDRE III ET LA LÉGISLATION SCOLAIRE

On doit à Alexandre III [2] la plus importante contribution à la législation scolaire depuis le temps de Charlemagne et d'Alcuin ; mais, à la différence de la tentative carolingienne, l'inter-

---

t. I, *Moyen âge et Renaissance*, Paris, 1933. On peut y ajouter : H. RASHDALL, *The Universities of Europe in the middle ages*, dans la nouvelle édit. en trois vol. publiée par F. M. POWICKE et A. B. EMDEM, Oxford, 1936 ; ainsi que H. DENIFLE, *Die Universitäten des Mittelalters bis 1400*, Berlin, 1885.

Des études particulières : L. MAITRE, *Les écoles épiscopales et monastiques en Occident avant les Universités, 768-1180*, 2e édit., Paris, 1924 ; PH. DELHAYE, *L'organisation scolaire au XIIe siècle*, dans *Traditio*, t. V, 1947, p. 211-268 ; G. POST, *Alexander III. The licentia docendi and the rise of the Universities*, dans les *Anniversary Essays in Medieval history by students of Ch. Haskins*, Boston, 1929, p. 255-277.

P. FÉRET, *La Faculté de Théologie de Paris et ses docteurs les plus célèbres. Moyen âge*, t. I, Paris, 1894 ; M. D. CHENU, *Grammaire et Théologie aux XIIe et XIIIe siècles*, dans les *Archives d'histoire littéraire et doctrinale du moyen âge*, t. X-XI, 1935-1936, p. 5-28 ; A. SORBELLI, *Storia della Università di Bologna*, t. I, Bologne, 1944 ; A. GERMAIN, *Étude historique sur l'École de Droit de Montpellier, 1160-1793, d'après les documents originaux*, Montpellier, 1877. Extrait des *Mémoires de l'Académie des Sciences et Lettres de Montpellier*. Section des Lettres ; ID., *L'École de médecine de Montpellier, ses origines, sa constitution, son enseignement. Étude historique d'après les documents originaux*, Montpellier, 1880, in-4°, Extrait des *Mémoires de la Société archéologique de Montpellier* ; C. VIEILLARD, *Essai sur la société médicale et religieuse au XIIe siècle. Gilles de Corbeil 1140-1224*, Paris, 1909 ; S. D'IRSAY, *The life and works of Gilles de Corbeil*, dans les *Annals of medical history*, t. VII, 1925, p. 362-378 ; D. L. MEUNIER, *Histoire de la médecine depuis ses origines jusqu'à nos jours*, Paris, 1924.

(1) Cf. t. X, l. III, c. IV, p. 341 et suiv.

(2) Cf. G. POST, *Alexander III. The licentia docendi and the rise of the Universities*, dans les *Anniversary Essays... by students of Ch. Haskins*, p. 255-277. L'auteur nous paraît réduire par trop le rôle d'Alexandre III dans l'organisation scolaire parisienne, qui a frayé la voie à l'organisation universitaire proprement dite.

vention du pape ne fut pas à l'origine de la renaissance culturelle, en plein essor déjà au milieu du XIIe siècle ; elle réglementa des institutions existantes afin d'empêcher les abus et d'encourager la diffusion du savoir dans le domaine de la plus haute spéculation. Les écoles du royaume de France, principalement la corporation parisienne des maîtres et étudiants, ont, les premières, bénéficié de ces mesures qui furent promulguées d'abord sous forme de décisions particulières, puis étendues par la voie des canons conciliaires et des décrétales.

En même temps qu'il renouvelait l'interdiction de toute vénalité dans l'enseignement [1], Alexandre III donnait force de loi à l'usage en vertu duquel l'écolâtre (ou le chancelier épiscopal) conférait la *licentia docendi* aux maîtres appelés à enseigner sous sa juridiction [2], mais il limitait l'étendue du pouvoir de ce dignitaire au ressort de l'église en cause, même dans le cas d'un chapitre cathédral. Ce progrès dans la voie de l'organisation alla de pair avec une grande libéralité, car, si nul ne put désormais enseigner sans la *licence*, celle-ci devait être délivrée gratuitement et ne pouvait être refusée sans motif valable [3]. Le troisième concile du Latran (1179) devait insister sur ce point, déclarant que nul ne peut refuser à un clerc qui le sollicite le droit d'enseigner s'il a compétence pour le faire [4].

En reprenant la plupart des dispositions édictées par le pape en faveur d'églises particulières, le concile posa les bases de la législation scolaire ultérieure, pour les Universités à venir aussi bien que pour celles qui existaient déjà, manifestant ainsi tout le prix que l'Église attache, non seulement à l'enseignement de la doctrine chrétienne, mais aussi à la diffusion du savoir humain. Il administre enfin la preuve de l'importance acquise dès lors par les organismes universitaires. Le concile condamnait la vénalité, prescrivait à chaque église cathédrale de réserver un bénéfice pour l'entretien d'un maître, interdisait toute acception de personne dans l'attribution des chaires magistrales [5].

Alexandre III posa également en principe que les écoliers sont justiciables de leurs maîtres [6], leur reconnaissant ainsi un privilège spécial de for qui doit être considéré comme le fondement même de l'exemption et de l'autonomie que l'Université de Paris allait conquérir de haute lutte dans les premières années du XIIIe siècle [7]. Vers 1192, Célestin III affirma à nouveau les privilèges de juridiction de l'Université de Paris [8].

(1) A l'église de Châlons-sur-Marne, 1166 et 1172 ; *Epistolae*, 433, 960, P. L., CC, 440-441. Cf. E. LESNE, *op. cit.*, p. 490-491 ; circulaire aux évêques de France, 1170, *Ep.* 807, P. L., CC, 741-742 ; DENIFLE-CHATELAIN, *Chart. Univ. Paris.*, t. I, Pars introductoria, nº 4. Nouveaux efforts dans le même sens de Lucius III. Cf. E. LESNE, *loc. cit.*
(2) E. LESNE, *op. cit.*, t. V, p. 424.
(3) *Ep.* 433 (1166) et 807 (1170), *supra*, n. 1. Également à l'église d'Orléans par l'intermédiaire d'Étienne de Tournai, *Epistolae*, 115, P. L., CCXI, 404. Cf. LESNE, *op. cit.*, t. V, p. 427-428.
(4) C. 18, MANSI, t. XXII, col. 228.
(5) *Ibid.*
(6) DENIFLE-CHATELAIN, *Chart. Univ. Paris*, t. I, Pars introductoria, nº 5.
(7) Cf. t. X, p. 350 et suiv.
(8) *Décrétales*, X, II, II, 9.

LA RÉVOLUTION INTELLECTUELLE
DU MILIEU DU SIÈCLE A PARIS

Bien que les écoles parisiennes ne fussent pas les seuls centres actifs, elles étaient appelées à éclipser rapidement ceux qui jetaient encore quelque éclat : Laon, Reims, Chartres, etc... Paris fut, en effet, le théâtre d'une véritable révolution intellectuelle dont la portée devait être considérable. Dès le milieu du siècle, sous l'impulsion d'Abélard et sous l'influence de la *logique* d'Aristote, la dialectique prit la première place dans l'importance respective et dans la hiérarchie des arts libéraux. Entre 1120 et 1160, l'Occident était entré en contact avec certains traités d'Aristote qu'il avait ignorés jusque-là : les *Analytiques*, les *Topiques*, les *Sophismes*, qui constituent la *Logica nova* par opposition à la *Logica vetus*, ou ensemble des traités anciennement reçus [1]. Lorsque, en 1159, Jean de Salisbury mettait la dernière main à son *Metalogicon*, il connaissait l'*Organon* dans son intégralité, assorti de commentaires grecs. Il jugeait nécessaire de mettre en garde ses contemporains contre l'abus que faisaient de la dialectique ceux qu'il dénonce sous le nom de « cornificiens » [2]. Celle-ci est un admirable instrument de connaissance, un moyen, une méthode, mais non une réalité en soi : « La logique, écrivait-il [3], si elle s'exerce seule, demeure vaine et stérile ; elle n'est d'aucun profit philosophique pour l'esprit, si elle n'embrasse un objet autre qu'elle-même ».

DE LA DIALECTIQUE
A LA PHILOSOPHIE

Judicieusement maniée, loin de dessécher l'esprit, la dialectique devait renouveler l'enseignement des arts libéraux dont Jean de Salisbury tenait à réaffirmer toute la valeur humaine. Elle eut son épanouissement et son couronnement dans la philosophie. Les écoles parisiennes— celles de la montagne Sainte-Geneviève surtout — s'illustraient alors dans l'enseignement du *trivium*, tandis que Chartres conservait une certaine supériorité dans les matières constituant le *quadrivium* [4] et inclinait au néoplatonisme [5]. C'est pourtant à Paris encore que d'autres traités aristotéliciens — la *Physique*, l'*Éthique*, l'*Ame*, la *Métaphysique* — connus peut-être à l'extrême fin du XIIe siècle, lus à l'école dès les toutes premières années du XIIIe [6], allaient renouveler l'enseignement scientifique. Introduits par les Juifs et les Arabes grâce aux traductions ou aux commentaires de Maïmonnide et d'Averroès, ils devaient susciter une crise, sinon dans les arts libéraux, du moins dans l'enseignement théologique, et motiver les interdictions, d'ailleurs temporaires, dont les autorités ecclésiastiques frappèrent en 1210, 1215 et 1228 la lecture publique du «nouvel Aristote » [7].

(1) G. PARÉ, A. BRUNET, P. TREMBLAY, *op. cit.*, p. 163 ; E. LESNE, *op. cit.*, t. V, p. 604-605.
(2) *Metalogicon, passim.* Voir également PARÉ, BRUNET, TREMBLAY, *op. cit.*, p. 192-195.
(3) *Metalogicon,* II, 10, *in fine.*
(4) E. LESNE, *op. cit.*, t. V, p. 608-613.
(5) *Metalogicon,* II, 17 ; LESNE, *op. cit.*, t. V, p. 162, 619.
(6) G. PARÉ, A. BRUNET, P. TREMBLAY, *op. cit.*, p. 164. Sur la réception du nouvel Aristote dans les écoles (Oxford et Paris) entre 1206 et 1209, cf. l'étude de D. A. CALLUS, *Introduction of Aristotelian learning to Oxford,* dans les *Proceedings of the British Academy,* t. XXIX, 1943, p. 229-281.
(7) Sur ces prohibitions, cf. S. D'IRSAY, *Histoire des Universités françaises et étrangères,* t. I, p. 69.

L'ENSEIGNEMENT DE LA THÉOLOGIE.
       PIERRE LOMBARD

Entre temps, en effet, la dialectique avait pénétré l'enseignement de la *sacra pagina* et favorisé l'essor d'une discipline en voie d'acquérir son autonomie propre, la théologie au sens moderne du terme [1], distincte de l'exégèse biblique. Le premier, saint Anselme avait cherché à raisonner les données de la foi — *fides quaerens intellectum* — et, dans ses monographies [2], essayé de rendre compte des mystères de l'Incarnation ou de la Trinité. L'innovation révolutionnaire vint d'Abélard qui osa faire place, dans son enseignement magistral, aux *rationes* à côté des *auctoritates*, et qui procéda selon la même méthode dans son traité *De unitate et trinitate divina* [3]. Hugues de Saint-Victor, dans son *De sacramentis* [4], montra la voie d'un exposé doctrinal complet. Mais l'enseignement de la théologie acquit ses méthodes définitives et reçut sa forme classique sous le magistère de Pierre Lombard qui, après 1140, publia son *Liber Sententiarum* [5], la première grande somme théologique. Il comporta désormais trois degrés : l'explication littérale de la Bible, confiée au *biblicus* ; l'explication littérale des *Sentences* confiée au *sententiarus*, l'un et l'autre bacheliers assistants du maître ; enfin, le cours doctrinal où celui-ci suscitait les « questions » objets de « disputes » ou discussions, assorties d'arguments rationnels, et conclues par la « détermination » magistrale exprimée en une « sentence » [6].

La promotion au siège épiscopal de Paris de savants évêques, Pierre Lombard lui-même en 1159, puis Maurice de Sully (1160-1196), qui donnèrent une forte impulsion aux études théologiques, contribua à rehausser le prestige des écoles de la Cité autour du cloître Notre-Dame. Si elles n'avaient pas le monopole de cet enseignement, du moins avaient-elles acquis, dès lors, une renommée universelle qui attirait à Paris tous les esprits d'élite. A l'extrême fin du siècle, le droit et la médecine y devinrent matières d'enseignement : Giraud le Cambrien y donna en 1177 des conférences sur le droit canonique [7] ; quelques années plus tard, Gilles de Corbeil, élève de l'école de Salerne, qui avait professé à Montpellier, vint enseigner la médecine à Paris où il reçut un canonicat à Notre-Dame et la charge de médecin du roi Philippe Auguste [8]. Cependant, les

---

(1) Voir une excellente mise au point dans une note bibliographique de J. DE GHELLINCK, *Le mouvement théologique du XII⁰ siècle*, 2⁰ édit., p. 91-93.

(2) Notamment le *Monologion* et le *Cur Deus homo*, édit. GERBERON, 1675, reproduite dans *P. L.*, CLVIII et CLIX ; F. S. SCHMITT, *Sancti Anselmi Cantuariensis, Opera omnia*, t. I, Seckau, 1938 ; t. II, Rome, 1940 ; reproduction anastatique Edimbourg, 1946.

(3) Édit. R. STOLZE, 1891. Cf. G. PARÉ, A. BRUNET, P. TREMBLAY, *op. cit.*, p. 256-257. Sur le sens et la portée finale de cette révolution dans les méthodes, cf. E. LESNE, *op. cit.*, t. V, p. 652 et suiv. et J. DE GHELLINCK, *op. cit.*, 2⁰ édit., p. 154 et suiv.

(4) *P. L.*, CLXXVI, 183-618 ; G. PARÉ, A. BRUNET, P. TREMBLAY, *op. cit.*, p. 258 ; J. DE GHELLINCK, *op. cit.*, 2⁰ édit., p. 193.

(5) *P. L.*, CXCII, 521-964 ; F. STEGMUELLER, *Repertorium Commentariorum in Sententias Petri Lombardi*, Würzbourg, 1947 ; et l'art. du même, *Sentences*, dans le *Dictionnaire de Théologie catholique*. Cf. également E. LESNE, *op. cit.*, t. V, p. 226-227 ; J. DE GHELLINCK, *op. cit.*, 2⁰ édit., p. 213-277.

(6) G. PARÉ, A. BRUNET, P. TREMBLAY, *op. cit.*, p. 266-270.

(7) *De rebus a se gestis*, II, 1 |(édit. BREWER, *Rolls Series*, t. I, p. 45 et suiv.) Cf. S. KUTTNER, *Les débuts de l'école canonique française*, dans les *Studia et documenta historiae et juris*, t. IV, 1938, p. 202-203. Sur les caractères de l'école française de décrétistes, l'article est à lire en entier (p. 193-204).

(8) Cf. S. D'IRSAY, *The life and works of Gilles of Corbeil*, dans les *Annals of medical history*, t. VII, 1925, p. 362-378 ; E. LESNE, *op. cit.*, p. 255.

écoles de la Cité durent leur lustre au renom des docteurs en théologie et des maîtres ès arts, à telle enseigne que la licence décernée à Paris donnait la faculté de professer *hic et ubique terrarum* [1].

L'ENSEIGNEMENT JURIDIQUE A BOLOGNE. LE DROIT CIVIL

Tandis que, par la dialectique, la philosophie se dégageait des arts libéraux, une évolution analogue en détachait les sciences juridiques par l'intermédiaire de la rhétorique [2]. En Lombardie, à Pavie, à Milan, à Ravenne, à Bologne enfin, le droit romain et les édits des rois barbares n'avaient jamais cessé d'être compulsés dans les écoles municipales qui avaient succédé aux écoles impériales de rhétorique. Au XIIᵉ siècle, la renaissance des études juridiques sous l'impulsion du célèbre Irnérius [3] — qui avait inauguré la méthode des gloses, introduit la recherche des variantes, tenté la conciliation des antinomies, condensé les textes en maximes ou brocarts, donné enfin une large place au code de Justinien — n'avait pas laissé indifférent l'empereur Frédéric Barberousse. Si, en 1158, lors de la diète de Roncaglia, l'empereur avait consulté les quatre docteurs — Bulgarus, Martinus Gosia, Hugo et Jacobus, qui poursuivaient l'œuvre scientifique d'Irnérius — sur les problèmes juridiques concernant les villes lombardes, il avait aussi accordé à l'école de droit de Bologne sa première reconnaissance officielle, par l'octroi de la constitution *Habita* [4]. Celle-ci concédait une juridiction spéciale, à la fois ecclésiastique et scolaire, aux *scolares forenses* qui en fréquentaient les cours, tandis que les citoyens de Bologne, maîtres et étudiants, demeuraient sous la juridiction des autorités communales. Sous la protection impériale, l'Université bolonaise s'organisait sur des bases différentes de celles qui, vers le même temps, prévalaient à Paris, et la corporation proprement dite groupait les seuls étudiants, en majorité des laïques. Au XIIIᵉ siècle, seulement, l'éclipse du pouvoir impérial et l'évolution guelfe de la vieille cité gibeline, l'importance prise par un enseignement essentiellement ecclésiastique et relativement neuf, permettront l'intervention de la papauté sous le pontificat d'Honorius III.

LE DROIT CANONIQUE. GRATIEN

Dès avant 1140, en effet, les procédés scientifiques d'étude et d'enseignement du droit civil avaient gagné le droit canonique qui, jusque là annexé à la théologie, devint une discipline autonome. Ce fut le mérite de Gratien [5] — dont la personnalité nous échappe presque entièrement

---

(1) Ph. Delhaye, *L'organisation scolaire au XIIᵉ siècle*, dans *Traditio*, t. V, 1947, p. 268.
(2) S. d'Irsay, *Histoire des Universités*, t. I, p. 75-83. Sur l'enseignement juridique à Bologne avant Irnerius, cf. A. Sorbelli, *Storia della Università di Bologna*, t. I, p. 19 et suiv.
(3) Sorbelli, *op. cit.*, t. I, p. 35 et suiv.
(4) S. d'Irsay, *op. cit.*, t. I, p. 85-87.
(5) Cf. U. Stuetz, *Gratian und die Eigenkirchen*, dans la *Zeitschrift der Savigny Stiftung für Rechtsgeschichte, kan. Abt.*, t. I, 1911, p. 1-15 et 32-33 ; S. Kuttner, *The father of the science of Canon law*, dans *The Jurist*, t. I, 1941 ; P. Fournier et G. Le Bras, *Histoire des collections canoniques en Occident*, t. II, p. 359-361 ; J. de Ghellinck, *op. cit.*, 2ᵉ édit., p. 203 et suiv. ; A. Sorbelli, *op. cit.*, t. I, p. 74 et suiv. — Cf. t. XII.

(il fut probablement moine camaldule à Saint-Félix) — de créer une école de décrétistes, comparable à l'école de civilistes, et d'assumer, sans doute avec la collaboration de quelques disciples, la rédaction d'une grande compilation, somme de tout l'ancien droit canonique — la *Concordia discordantium canonum* [1], plus connue sous l'appellation de *Décret*, — qui constitua, en dépit de son autorité privée, le plus ancien code canonique, en même temps qu'il devint le manuel indispensable à la recherche autant qu'à l'enseignement.

Dès son apparition, le *Décret* fut introduit à l'école et commenté par les maîtres. Plusieurs disciples de Gratien se sont illustrés dans ces commentaires : Paucapalea, auteur présumé des gloses connues sous le nom de *paleae* ; Roland Bandinelli, le futur Alexandre III ; Étienne de Tournai, Huguccio, Omnibene. L'enseignement du maître, et sa doctrine, exprimée dans les *dicta Gratiani*, inspirèrent l'action d'un autre de ses disciples, Thomas Becket, au cours du conflit qui l'opposa à Henri II [2].

L'Université de Bologne dut sa célébrité à la qualité scientifique de son enseignement juridique, sous la double forme du droit civil et du droit canon, ce dernier distribué dans les écoles monastiques et plus étroitement rattaché à l'autorité ecclésiastique ; d'autre part, elle conservait la haute main sur l'enseignement des arts libéraux, lequel, ainsi qu'à Paris d'ailleurs, prenait de plus en plus un caractère propédeutique.

PREMIERS CENTRES INTELLECTUELS EN ANGLETERRE. CANTORBÉRY ET OXFORD — Au milieu du XIIe siècle, Cantorbéry fut, un temps, le centre par excellence de la haute spéculation intellectuelle en Angleterre. Une tradition déjà ancienne — rayonnement de la célèbre école du Bec — s'y était formée autour de Lanfranc, puis d'Anselme, sans qu'on puisse affirmer qu'ils avaient animé une école épiscopale distincte de l'école claustrale du prieuré cathédral de Christchurch. Cette tradition reçut son plein épanouissement sous l'épiscopat de Théobald du Bec (1138-1161), disciple de Lanfranc et d'Anselme, qui sut grouper autour de lui une pléiade de jeunes clercs, esprits distingués entre tous. C'est là que maître Vacarius inaugura son enseignement du droit civil [3], que Jean de Salisbury, de retour des écoles parisiennes et d'un séjour à la Curie, rédigea ses deux œuvres maîtresses, le *Policraticus* et le *Metalogicon*. A l'élévation sur le siège primatial de Thomas Becket (1162), disciple de Gratien, on réalise mieux encore ce que fut cette sorte d'académie, où, autour de l'archevêque, une quinzaine de clercs, dont plusieurs déjà maîtres ès sciences théologiques ou juridiques, mettaient en commun leur savoir et leurs études en des entretiens sacrés ou profanes [4]. Dans

---

(1) La meilleure édition est encore celle de E. FRIEDBERG au t. I du *Corpus juris canonici*, Leipzig, 1879. Sur le titre original — *Concordia* et non *Concordantia* — voir la note explicative et bibliographique de J. DE GHELLINCK, *op. cit.*, 2e édit., p. 206, n. 1.

(2) Cf. R. FOREVILLE, *L'Église et la Royauté en Angleterre*, p. 131, 135, 147-151, 265-268.

(3) JEAN DE SALISBURY, *Policraticus*, VIII, 22.

(4) Cf. HERBERT DE BOSHAM, *Vita sancti Thomae*, VII, 1 ; édit. ROBERTSON, dans les *Materials for the history of Thomas Becket* (*Rolls Series*), t. III, p. 523-531.

ce groupe, à côté de Jean de Salisbury, on ne saurait passer sous silence maître Lombard de Plaisance, Herbert de Bosham, disciple de Pierre Lombard et des Victorins, éditeur de la grande *Glose* du maître, et auteur d'un commentaire sur les psaumes selon l'*Hebraica* [1] ; plus tard enfin, au temps de l'exil, Humbert futur archevêque de Milan et pape sous le nom d'Urbain III.

On a souvent attribué l'éclosion de l'Université d'Oxford à la migration des écoliers anglais rappelés des écoles du royaume de France en Angleterre, sous menace de la perte de leurs bénéfices, par Henri II au cours de son conflit avec Thomas Becket [2]. Cette affirmation n'est pas prouvée. En fait, les origines de la célèbre Université sont lointaines et demeurent assez obscures. Entre 1100 et 1132 un clerc, venu du continent, Thibaud d'Étampes [3], y enseigna dans une école qui dépendait, à ce qu'il semble, plutôt de la collégiale Saint-George que de celle de Sainte-Frideswyde. Il se vantait de diriger quelque soixante à cent étudiants [4]. Celles de ses lettres qui nous sont parvenues [5] nous le montrent versé dans les problèmes théologiques plus que dans les lettres profanes. Quoi qu'en dise l'un de ses adversaires, il paraît avoir dispensé un enseignement théologique. Sans doute professait-il encore à Oxford, lorsque Robert Pulleyn ou Le Poule vint s'y établir (1133) [6]. Vacarius y enseigna le droit civil [7], mais on ne saurait affirmer avec certitude si c'est à Oxford plutôt qu'à Cantorbéry qu'il écrivit son *Liber pauperum* [8] (vers 1149), compendium du *Digeste* et du *Code* à l'usage des étudiants. Il ne fait pas de doute qu'il existait de longue date déjà à Oxford une tradition scolaire, dont les noms de quelques maîtres suffisent à manifester la permanence à travers le XIIᵉ siècle : le prévôt Gautier, Geoffroy de Monmouth, Wigod abbé d'Osney, Robert de Cricklade prieur de Sainte-Frydeswide. Toutefois, c'est à l'extrême fin du siècle seulement que la cité de la Tamise acquit la célébrité grâce à ses écoles, où, entre autres lectures dignes de mémoire, on doit mentionner celles de Giraud le Cambrien sur l'Irlande vers 1185 [9].

---

(1) Cf. B. SMALLEY, *A commentary on the Hebraica by Herbert of Bosham*, dans les *Recherches de théologie ancienne et médiévale*, t. XVIII, 1951, p. 29-65.

(2) H. RASHDALL, *The Universities of Europe in the middle ages*, nouv. édit. 1936, t. III, p. 13-16, et Appendice I, p. 465-476, où sont reproduites les principales pièces de la controverse de l'auteur avec A. F. LEACH. De ce dernier, consulter : *The schools of medieval England*, Londres, 1915, p. 129.

(3) Cf. R. FOREVILLE, *L'École de Caen au XIᵉ siècle et les origines normandes de l'Université d'Oxford*, dans les *Études médiévales offertes à M. le Doyen Fliche...* s. l. [Montpellier], 1952, p. 81-100.

(4) *Rescriptum cujusdam pro monachis* (Ms Bodl. 561, fᵒ 68 vᵒ).

(5) *P. L.*, CLXIII, 759-770 ; *Ms Bodl.* 561, fᵒˢ 61-62. Cette dernière lettre (adressée à l'archevêque d'York, Thurstan) a été éditée par T. E. HOLLAND, dans les *Collectanea* publiés par l'Oxford historical Society, t. II, p. 153-156.

(6) *Annales d'Osney*, dans les *Annales monastici*, édit. LUARD (*Rolls Series*), t. IV, p. 19.

(7) GERVAIS DE CANTORBÉRY, *Actus Pontificum*, édit. STUBBS (*Rolls Series*), t. II, p. 384.

(8) Cf. l'Introduction à l'édit. du *Liber pauperum* par ZULUETA, Oxford, 1927, *Selden Society* ; G. FERRARI, *La glossa bolognese in Inghilterra. L'edizione Zulueta del Liber pauperum di Vacario*, dans la *Rivista di storia del Diritto italiano*, t. III, 1930, p. 468-489. Des études récentes ont montré que Vacarius fut également un théologien de valeur : I. DA MILANO, *L'eresia di Ugo Speroni nella confutazione del maestro Vacario*, Cité du Vatican, 1945, *Studi e testi*, fasc. 115, l'Introduction ; et J. DE GHELLINCK, *Magister Vacarius. Un juriste théologien peu aimable pour les canonistes*, dans la *Revue d'Histoire ecclésiastique*, t. XLIV, 1949, p. 173-178.

(9) *De rebus a se gestis*, édit. BREWER, *Rolls Series*, t. I, p. 72-73.

*LES SCIENCES MÉDICALES.
DÉCADENCE DE L'ÉCOLE
DE SALERNE*

La médecine, discipline empirique, était cependant entrée de bonne heure dans le domaine de la culture scientifique au titre de physique de l'homme. Le *Corpus* d'Hippocrate, refondu au second siècle après J.-C. par Galien, accru des travaux de Dioscoride, de Pline, de Macrobe et de Columelle sur la pharmacie botanique, constituait encore la base de l'enseignement médical, longtemps annexé aux arts libéraux [1]. Toutefois, en créant les hôpitaux [2], dérivés des xénodochies basiliennes, le moyen âge chrétien est à l'origine de tout l'enseignement clinique. C'est dans l'Italie méridionale que l'institution connut d'abord son plus large développement sous l'impulsion des moines bénédictins, notamment à La Cava, au Mont-Cassin, à Salerne ; mais les lieux de pèlerinage furent également de très bonne heure des centres hospitaliers et, entre tous, Jérusalem où les Bénédictins avaient précédé l'ordre de Saint-Jean de l'Hôpital [3].

D'autre part, l'intérêt que Juifs, Arabes et Grecs portaient à la médecine avait contribué également à son développement dans les villes de la Grande Grèce fréquentées par eux, principalement à Salerne, célèbre dès le Xe siècle par ses médecins [4]. Un enseignement médical, de caractère privé, s'y donnait sur la base des formulaires et ordonnances de l'*Antidolaire* et des traités de thérapeutique des Grecs et des Arabes, traduits en latin dans la seconde moitié du XIe siècle par le moine Constantin [5]. Au XIIe siècle, les écoles salernitaines avaient encore des maîtres célèbres, mais elles souffraient de la suspicion des autorités ecclésiastiques à l'égard de la « Physique », de ses procédés empiriques, de sa collusion avec les doctrines judéo-arabes, encore que nombreux fussent les clercs et les moines qui s'adonnaient à la pratique de la médecine [6].

*L'ENSEIGNEMENT MÉDICAL
A MONTPELLIER*

Montpellier hérita des conditions privilégiées qui, jadis, avaient fait de Salerne le premier centre médical. Les docteurs arabes et les écoles rabbiniques de traducteurs, qui vulgarisaient leurs travaux spéculatifs, avaient déserté la Sicile et le sud de l'Italie pour l'Espagne. Autour de Raymond, évêque de Tolède (1125-1151), s'était créée une école de traducteurs, au nombre desquels il faut citer Gundisalvi, Johannes Hispanus et Gérard de Crémone [7]. Persécutés à la suite de l'invasion almohade, les Juifs émigrèrent dans le royaume d'Aragon,

(1) S. D'IRSAY, *op. cit.*, t. I, p. 99-101.
(2) Cf. G. SCHREIBER, *Gemeinschaften des Mittelalters. Recht und Werfassung. Kult und Frömmigkeit* (*Gesammelte Abhandlungen*, t. I) ; Munster-en-Wisgau, 1948 : Byzantinische und Abendländisches Hospital ; J. IMBERT, *Les hôpitaux en droit canonique*, Paris, 1947.
(3) Cf. *supra*, p. 308.
(4) Entre autres, noter le voyage à Salerne d'Adalbéron II, évêque de Verdun, en 987-988 (*Gesta episcoporum Virdunensium*, dans *M. G. H.*, *SS.*, t. IV, p. 47).
(5) PIERRE DIACRE, *De viris illustribus casinensibus*, *P. L.*, CLXXIII, 1034-1035 ; S. D'IRSAY, *op. cit.*, t. I, p. 104-108.
(6) Témoin les prohibitions conciliaires (Reims 1131, Latran 1139, Montpellier 1162 et 1195) interdisant aux moines et aux chanoines réguliers d'exercer la médecine hors de leurs monastères et de se livrer à la « lecture », c'est-à-dire à l'enseignement, de la « physique ». Cf. E. LESNE, *op. cit.*, t. V, p. 684-689. — Sur l'évolution des écoles de Salerne, cf. t. X, p. 342.
(7) G. PARÉ, A. BRUNET, P. TREMBLAY, *op. cit.*, p. 168.

en Catalogne, dans le Languedoc et en Provence [1]. Montpellier — alors port de mer, siège d'un commerce actif à travers la Méditerranée occidentale, voire avec le Levant, fief de l'Église romaine et bientôt uni à la couronne d'Aragon [2] — devint un centre hospitalier de première importance grâce aux nombreuses fondations de ses bourgeois et de ses comtes. L'hospice Sainte-Croix à Celleneuve, la maladrerie de Saint-Lazarre à Castelnau, les hôpitaux Saint-Guilhem et Saint-Éloi, surtout l'hôpital et l'ordre hospitalier du Saint-Esprit [3] — établis sous la juridiction de l'évêque de Maguelone — en firent, dès le XIIe siècle, le centre par excellence de l'expérience clinique. Ses médecins adoptaient le *Canon* d'Avicenne, objet de rivalité avec ceux de Salerne, qui, bien qu'également redevables à la science arabe, brandissaient le *Corpus* d'Hippocrate [4]. L'enseignement médical est attesté à Montpellier à la date de 1137 ; au milieu du siècle, Héraclius de Montboissier, archevêque de Lyon, s'y fait soigner [5] ; dès 1159, selon le témoignage de Jean de Salisbury [6], la réputation de l'école de médecine de Montpellier égalait celle de la vieille école salernitaine. En 1180, le comte Guilhem VIII accorda à toute personne la liberté d'y enseigner la médecine [7]. Des médecins salernitains n'hésitèrent plus à s'y établir.

Si Montpellier dut sa célébrité à son enseignement médical, celui des arts n'y était pas négligé pour autant et la théologie y brilla d'un éclat éphémère avec le maître Alain, dit de Lille, et, parfois, de Montpellier [8], qui professa en l'une et l'autre de ces villes ainsi qu'à Paris, et qui écrivit dans la cité languedocienne son traité contre les hérétiques [9]. Dès la fin du siècle, l'école de droit s'illustrait aussi par l'enseignement du Bolonais Placentin [10]. C'est vers le même temps que la corporation universitaire s'organisa, bien qu'elle reçut sa charte constitutive en 1220 seulement, sur l'initiative du légat pontifical Conrad d'Urach [11]. Le chancelier, membre de l'Université nommé par l'évêque de Maguelone, aura dès lors la haute main sur tout l'enseignement, y compris celui de la médecine, demeuré jusque-là en dehors du *jus scolare* et réglementé par l'autorité séculière.

Telles furent les origines des premières Universités médiévales. Nées spontanément, organisées sous l'égide de l'Église, elles devaient acquérir rapidement l'autonomie et conserver une grande liberté dans la spéculation scientifique. Toutefois, en raison de l'importance de la théologie dans

---

(1) S. D'IRSAY, *op. cit.*, t. I, p. 112-114.
(2) En 1204, par le mariage de Marie de Montpellier, fille de Guilhem VIII, avec Pierre II d'Aragon.
(3) Cf. *supra*, p. 315.
(4) E. LESNE, *op. cit.*, t. V, p. 54.
(5) Cf. A. GERMAIN, *L'École de médecine de Montpellier*, p. 7-8.
(6) *Metalogicon*, I, 4 ; voir également NÉEL WIREKER, *Contra curiales et officiales clericos*, édit. Th. WRIGHT, *The anglo-latin satirical poets of the twelfth century (Rolls Series)*, t. I, p. 164-165.
(7) A. GERMAIN, *L'École de médecine...*, p. 8 ; S. D'IRSAY, *op. cit.*, t. I, p. 118 ; E. LESNE, *op. cit.*, t. V, p. 55, 694.
(8) E. LESNE, *op. cit.*, t. V, p. 55-58.
(9) *De fide catholica contra haereticos sui temporis*, P. L., CCX, 306-340 ; cf. *supra*, p. 343-344.
(10) S. D'IRSAY, *op. cit.*, t. I, p. 119.
(11) A. GERMAIN, *L'École de médecine...*, p. 9-16 ; S. D'IRSAY, *op. cit.*, t. I, p.118 ; E. LESNE, *op. cit.*, t. V, p. 55, 695.

le développement doctrinal et dans la formation du clergé, la papauté devait toujours s'efforcer d'en contrôler l'enseignement afin de le maintenir dans la voie de l'orthodoxie.

Ainsi s'achève le XIIe siècle, qui, sur son déclin, réalisa la plus haute expression de la civilisation chrétienne. La richesse et la variété des formes ne le cèdent qu'à leur perfection : sans même rappeler les formules originales de vie religieuse dont il vit l'éclosion et l'épanouissement, ni l'élan que l'essor du droit canonique imprima à la réforme et à la centralisation ecclésiastiques, il suffirait, à son actif, d'avoir été l'initiateur de l'enseignement universitaire, de la spéculation proprement théologique et de la théologie mystique, de l'art gothique enfin — si spécifiquement français et chrétien — dans ses manifestations architecturales, iconographiques et musicales. Sans cet effort créateur des hommes du XIIe siècle, le XIIIe, qui fut le siècle de l'épanouissement, eût manqué d'éclat. Certes, l'influence du grand ascète et de l'homme d'action hors ligne que fut saint Bernard continua de s'exercer au delà du tombeau. Toutefois, si le XIIe siècle déclinant ne peut mettre en parallèle une personnalité aussi forte, il reste qu'un Alexandre III, un Richard de Saint-Victor, un Jean de Salisbury, un Pérotin, et tant de maîtres d'œuvre, aujourd'hui inconnus, de nos premières cathédrales gothiques, incarnent, chacun en son domaine propre, à la fois l'équilibre, l'élan et l'harmonie de l'âge qui fut, par excellence, celui de l'humanisme chrétien dans ses conceptions médiévales.

TABLE DES MATIÈRES *

* Sur le désir exprès de Mlle Foreville, nous précisons :
    1º que les chapitres premier et troisième du livre II : *Le pontificat d'Adrien IV*, *L'affaire
Thomas Becket* étaient entièrement rédigés par elle dès la fin de l'année 1939. Elle n'a pu que
mettre à jour la bibliographie ;
    2º que dix ans plus tard, à la demande de M. Augustin Fliche, elle a bien voulu accepter
de se charger également du livre III dont un seul paragraphe était rédigé par M. Jean Rousset.
M. Fliche avait connu et approuvé l'essentiel de son travail.

Imprimé en France par l'Imprimerie André Brulliard, Saint-Dizier (Haute-Marne).
Nᵒ d'impression : 1953-24. — Dépôt légal : Nᵒ 1467.